HISTORIA DE LA CORRUPCIÓN EN EL PERÚ

Alfonso W. Quiroz

Historia de la corrupción en el Perú

Tercera edición con entrevista a Gustavo Gorriti, introducción de Miguel Ángel Centeno y apéndice fotográfico

Traducción de Javier Flores Espinoza

IEP
INSTITUTO DE
ESTUDIOS
PERUANOS

Este libro se imprimió originalmente en inglés con el título *Corrupt Circles: A History of Unbound Graft in Peru,* en el año 2008 por la Johns Hopkins University Press y el Wilson Center for International Scholars.

Serie: Colección Popular, 05

© IEP INSTITUTO DE ESTUDIOS PERUANOS
Horacio Urteaga 694, Lima 15072
Telf. (511) 332-6194
Web: <www.iep.org.pe>

ISBN libro impreso: 978-9972-51-755-6
ISSN: 1813-0186
Impreso en Perú

Primera edición: 2013
Segunda edición: septiembre de 2013. Novena reimpresión 2019.
Tercera edición: julio 2019.

5000 ejemplares

Hecho el depósito legal en la Biblioteca Nacional del Perú: 2019-07724
Registro del proyecto editorial en la Biblioteca Nacional: 31501131900624

Asistente editorial:	Yisleny López
Corrección de textos:	Óscar Hidalgo
Diseño de carátula:	Gino Becerra
Diagramación:	Silvana Lizarbe
Cuidado de edición	
y revisión de texto:	Odín del Pozo
Imagen de carátula:	"Los Pulpos de Leguía", por Chambon (1907)

BIBLIOTECA NACIONAL DEL PERÚ
Dirección de Gestión de las Colecciones

Quiroz, Alfonso W, 1956-2013.
364.1323   [Corrupt circles: a history of unbound graft in Peru. Español]
Q73   *Historia de la corrupción en el Perú* / Alfonso W. Quiroz; con entrevista a Gustavo Gorriti e
2019   introducción de Miguel Ángel Centeno; [colofón, Marcos Cueto]; traducción de Javier Flores Espinoza.-- 3a ed.-- Lima: Instituto de Estudios Peruanos, 2019 (Lima: Tarea Asociación Gráfica Educativa).
    544 p.: il., facsíms., retrs.; 21 cm.-- (Colección popular / Instituto de Estudios Peruanos ; 5)

    Traducción de: Corrupt circles: a history of unbound graft in Peru.
    Bibliografía: p. [503]-544.
    D.L. 2019-07724
    ISBN 978-9972-51-755-6

    1. Corrupción política - Perú - Historia - Siglos XVIII-XX 2. Corrupción política - Aspectos económicos - Perú - Siglos XVIII-XX 3. Corrupción administrativa - Perú - Siglos XVIII-XX 4. Perú - Política y gobierno - Siglos XVIII-XX I. Gorriti, Gustavo, 1948- II. Centeno, Miguel Ángel, 1957- III. Cueto, Marcos, 1957-, prólogo IV. Flores Espinoza, Javier, 1962-, traductor V. Instituto de Estudios Peruanos (Lima) VI. Título VII. Serie

BNP: 2019-081

A don Alfonso Martín
y a sus ilustres abuelos

Nota del editor a la presente edición

La primera edición de *Historia de la corrupción en el Perú* apareció en inglés en 2008 en una coedición a cargo de dos prestigiosas instituciones, Johns Hopkins University Press y el Wilson Center for International Scholars, y propició elogiosas reseñas en los medios académicos más reconocidos de Estados Unidos. En 2013, el Instituto de Estudios Peruanos y el Instituto de Defensa Legal publicaron la traducción al español revisada, corregida y aumentada por el autor hasta poco antes de su fallecimiento, en enero de ese año. La primera edición se agotó en seis meses; la versión popular alcanzó el límite de nueve reimpresiones permitido por la Biblioteca Nacional del Perú, luego de lo cual presentamos esta tercera edición con algunos añadidos que la hacen particular.

El éxito del libro también se observa en el impacto que ha tenido en la política peruana. Referente imprescindible en la lucha anticorrupción, el texto es mencionado en debates periodísticos, contiendas presidenciales y alegatos judiciales. Partiendo de un trabajo amplio y minucioso en archivos nacionales y extranjeros, Alfonso W. Quiroz produjo una historia de larga duración que empieza en la época colonial tardía, cuando las autoridades reales comenzaron a combatir explícitamente la venalidad en cargos públicos y llega hasta el año 2000 en que cayó el régimen de Alberto Fujimori, dejando atrás una corrupción desenfrenada que produjo fuentes extraordinarias registradas en grabaciones clandestinas.

El esfuerzo de Alfonso W. Quiroz se sustentó en la firme convicción de que su trabajo podía contribuir a cambiar nuestra realidad, pues para lograrlo creía imprescindible que todos conociéramos ese pasado y entendiéramos los mecanismos de la corrupción, calculando sus daños a corto, mediano y largo plazo. El IEP reafirma su convicción de que este trabajo contribuirá a fortalecer el espíritu democrático y el respeto por la investigación académica.

ÍNDICE

Ilustraciones

Cuadros y figuras

Cuadros

S i uno pudiera escoger dos palabras para describir América Latina, desigualdad y corrupción serían apuestas seguras.

La primera ha definido, en distintas formas, las estructuras y los procesos sociales del continente desde la Conquista. La Independencia empeoró estas condiciones de diversas maneras, mientras que la etapa liberal consolidó la desigualdad, haciéndola menos oficial o legal. Los esfuerzos por enfrentar este problema a través de reformas, desarrollo y revolución lograron, en el mejor de los casos, resultados temporales. Los declives regionales de la última década del siglo XXI resultan tan quiméricos y falsamente fundados, como cualquier *boom* proveniente de los *commodities*.

¿Cuánto progreso se ha alcanzado en el control de la corrupción? La historia es angustiosamente parecida entre países latinoamericanos, con la diferencia de que en los últimos tiempos hemos gozado de muy pocos años abrigando la esperanza de tener gobiernos limpios de enriquecimiento personal. Es interesante notar que, a diferencia del ámbito de la desigualdad, contamos con excepciones significativas en los casos de Chile y Uruguay, países que han tenido gobiernos «más limpios». Mientras tanto, en el resto de la región, la corrupción continúa siendo un hecho más de la vida cotidiana.

¿Qué entendemos por corrupción? Por ser tan omnipresente, el tema engloba las distintas formas en que los individuos aprovechan su posición como un camino para el enriquecimiento monetario personal. Resultan enormes las distinciones entre los diferentes campos en el juego de la corrupción. El policía o empleado público que pide una «mordida» tiene una presencia ubicua y representa la cara más pública de este fenómeno. Por un lado, esta es una práctica corrosiva que lleva a desconfiar de las instituciones y redunda en la personalización de todas las transacciones públicas. Por otro, ese dinero inmediato suele servir como una forma de «impuesto al usuario» que ayuda a que las ruedas del sistema continúen moviéndose.

Más corrosiva es la corrupción que surge del uso privilegiado de la información. Esta puede manifestarse en impuestos a la compra de bienes raíces en áreas destinadas para una construcción. Los países con tazas de cambio fluctuantes son los más susceptibles a estos desafíos. La información privilegiada podría suponer también el acceso a compras de tierras en dichos terrenos, a materiales o a moneda extranjera. Otra forma de corrupción se manifiesta en el simple robo de fondos públicos mediante transferencias bancarias, montos de venta inflados o la venta exclusiva y monopólica de productos claves.

Finalmente, cabe añadir que entre las formas más dañinas de corrupción se encuentran las decisiones políticas basadas en sobornos. Estas pueden incluir vastos programas nacionales e inversiones que frecuentemente generan las más cuantiosas «ganancias».

La relación entre estos dos aspectos comunes de las sociedades latinoamericanas, desigualdad y corrupción, también merece atención. La corrupción derivada del acceso privilegiado a las decisiones reproduce desigualdades sociales. Estas, a su vez, respaldan prácticas corruptas en la mala distribución de los recursos. Tanto la corrupción como la desigualdad debilitan la legitimidad de los sistemas[1] (contribuyendo así a mayor corrupción y más desigualdad) y —puede sostenerse— son la principal razón del fracaso latinoamericano en la provisión consistente de bienes y servicios públicos.

Mientras algunos culpan al gran tamaño y alcance de los Estados en las sociedades latinoamericanas, una observación quizá más útil sea señalar que los niveles de corrupción, o la ubicuidad y resilencia de la desigualdad reflejan, en realidad, la debilidad intrínseca de los límites de esos Estados. Es decir, empleando las distinciones de Michael Mann, podemos hablar de niveles altos de poder despótico (el crear disposiciones); el poder infraestructural que requiere obediencia a la autoridad y la observación de normas; estas son bajas en casi todos los lugares. La simple ubicuidad de la «economía informal», por ejemplo, puede ser vista como una forma de escape frente al poder estatal o como el fracaso del mismo.

No existe mayor prueba de la debilidad general del Estado latinoamericano que la tercera característica que describe la región: la violencia. Una crisis de violencia ha marcado a América Latina en las últimas décadas. Nuevamente, pese a notables excepciones, esta región lidera los índices internacionales en homicidios y enfrentamientos violentos. Si bien en algunos casos el Estado mismo es el responsable, en la mayoría este simplemente refleja la habilidad de la autoridad pública para monopolizar los medios de la violencia. Perpetrada a veces por milicias rurales y partidarios, bandas urbanas, o por los desesperados que sufren de hambre, la violencia también soporta el sistema de desigualdad y corrupción. Los pudientes siempre cuentan con los medios para influenciar o librarse de problemas, mientras que los pobres sufren las formas más despóticas de control.

Hace más de una década, Alfonso Quiroz identificó la práctica de la corrupción como el meollo de la incapacidad general del Estado peruano para cumplir promesas y satisfacer expectativas. Los sucesos que afectan a la región en la última década han confirmado la lúcida visión de Alfonso.

Argentina presenta un caso notable por el grado de corrupción en las adquisiciones públicas y por los niveles de enriquecimiento durante los gobiernos de los Kirchner, que han dejado anonadados incluso a los escépticos porteños. Por una parte, estaban las bolsas de dinero enviadas a la Casa Rosada, por otra, el asesinato de los magistrados que investigaban estos envíos. El estado de derecho en el ámbito rural de Colombia es tan frágil como inexistente. El soborno es, en todos los niveles, ubicuo en México. Los últimos cinco presidentes del Perú están siendo procesados por corrupción. El colapso del Estado en Venezuela es ya casi total y los ciudadanos temen cualquier interacción con las fuerzas de seguridad del Gobierno. Incluso Chile ha visto un cada vez mayor reconocimiento de que su reputación de probidad fue exagerada.

Ningún otro país ha padecido más con las revelaciones de corrupción que Brasil. Si bien el *boom* de Lula sufría debilidades estructurales, se puede afirmar que la investigación Lava Jato, al revelar los niveles de corrupción en Petrobras y Odebrecht, sirvió para quebrar el punto de equilibrio, llevando al derrumbe el último «milagro» brasileño. La célebre portada de la revista *The Economist*, que muestra al Cristo de Corcovado volviendo en llamas a la tierra tras ser lanzado como un cohete al espacio, se convirtió en un «meme» muy popular en redes sociales.

Dado lo capital del tema, resulta sorprendente que existan tan pocos libros que exploren las causas sociales, económicas y organizacionales de la corrupción. La guerra de las drogas en México ha recibido mucha atención académica y periodística, pero el estudio de Stephen Norris tiene tres décadas de publicado. De igual modo, la «guerra sucia» de Argentina y la persistente práctica del clientelismo han sido estudiadas con mucha mayor profundidad que las prácticas cotidianas y las estructuras organizacionales detrás de la venta regularizada del Estado en ese país. En el caso de Brasil, los testimonios diarios de violencia y el tráfico de drogas en las favelas han recibido mucho más prensa que las prácticas que han permeado las relaciones públicas y privadas en ese país. Esa escasez de atención se explica, en parte, porque la corrupción es un tema difícil y peligroso de estudiar. Que yo sepa, no existen archivos que posean una documentación detallada del tipo que utilizaron las investigaciones en las transiciones democráticas del movimiento «Nunca Más». Este reto convierte lo logrado por Alfonso en algo aún más extraordinario.

La investigación que implicó este libro es asombrosa. *Historia de la corrupción* puede servir como manual o guía para todos aquellos que quieran investigar las instituciones públicas. Usando cada método y fuente posibles, Alfonso describió las raíces históricas de la corrupción en la era colonial.[2] Los historiadores deberían apreciar su esfuerzo pues Alfonso, sin ninguna duda, merece la reputación de historiador excepcional, cuya vida se truncó demasiado pronto.

El nivel, la consistencia y la venalidad de la corrupción descrita a lo largo de más de 500 años son asuntos tan sorprendentes como deprimentes. Alfonso ha analizado la historia de un fracaso institucional a lo largo de cinco siglos. Lo que él describió es la ausencia de instituciones formales básicas que pudieran garantizar alguna forma de legalidad y consistencia. En la ausencia de dichas instituciones, lo que tuvimos fue piratería.

El proceso de desinstitucionalización del Estado, que comenzó con la Conquista y la creación de un sistema institucional que permitía la personalización de los oficios públicos, continuó después de la Independencia.[3] Diversos ejércitos pillaron el país y se apropiaron de toda la riqueza que pudieron, resultando en aquello que Alfonso llamó el «saqueo patriota». Ello, combinado con la creación de las redes del patronazgo caudillista, le otorgó una larga vida a la corrupción. Llama la atención que la competencia por el poder absoluto no tuviera el esperado efecto «Tilly» de crear instituciones efectivas y eficientes, sino una venalidad desenfrenada. Pero los desafíos no solo provinieron de los diferentes grupos armados que alimentaron la corrupción, sino del fracaso en crear e institucionalizar una fuente doméstica de ingresos, en parte por la temprana disponibilidad de préstamos extranjeros.[4] Si bien hubo algunos intentos de constituir una administración pública viable en la década de 1840, estos enfrentaron el mismo destino truncado de esfuerzos similares en la región.

El Perú puede ostentar el discutible honor de haber tenido la peor «maldición de recursos» de la historia: la falsa prosperidad de la riqueza guanera produjo lo que Alfonso llamó un «diluvio de obras públicas», que solo sirvió para arraigar la corrupción aún más en las prácticas gubernamentales. Me hubiera gustado que en su narración de los eventos que llevaron a la desastrosa Guerra del Pacífico, Alfonso se hubiera tomado algún tiempo en comparar la experiencia peruana con la chilena. Un alumno doctoral en busca de un tema de tesis sería gratamente recompensado estudiando el experimento de las provincias de Tacna y Arica, capturadas por Chile y luego transformadas en repositorio de riqueza de nitrato para ese país.

Tristemente, el Perú no aprovechó la derrota de 1883 para instituir un mejor gobierno que el que había sufrido la ocupación de Lima. Al contrario, repitiendo la experiencia de los primeros años republicanos, los caudillos y caciques, como apuntaba Alfonso, peleaban unos con otros por el poder, las finanzas públicas eran caóticas, el crédito extranjero no existía y la recolección de ingresos públicos parecía un saqueo ilegal. La colaboración entre la Casa Grace y el presidente Piérola fue un notable ejemplo del tipo de relaciones entre el capital extranjero y nacional que sería la característica de la región durante el siglo XX. Los pocos esfuerzos por regularizar la contratación de empleos y compras por parte del Estado entre 1900 y 1919 se detuvieron durante el Oncenio de Augusto B. Leguía, donde encontramos una repetición de la corrupción caudillista. El surgimiento del populismo luego de 1930 terminó produciendo el mismo ciclo de reforma frustrada, que fuera continuada por la corrupción de Manuel Odría.

Los gobiernos militares de 1968 a 1980 terminaron siendo un intento de frenar la corrupción y el patronazgo a través de la «mano dura». Pero estos esfuerzos de imponer orden a través de decretos y «leyes orgánicas» solo ayudaron a la centralización y a la consolidación del poder personal de Juan Velasco y de Francisco Morales Bermúdez. Alfonso fue particularmente duro con el Ejército, pero cabría preguntarse si la versión peruana del autoritarismo burocrático no implicó tal vez alguna mejoría frente a la venalidad gansteril de Leguía y Odría.

La promesa temprana de la restauración democrática en 1980 fue frustrada por el colapso del precio de los *commodities*, el aumento de la inflación y, peor aún, la aparición de Sendero Luminoso. A pesar de aquel desafío existencial para el Estado, las administraciones de Fernando Belaunde y Alan García se caracterizaron nuevamente por mala administración y corrupción. Me hubiera gustado tanto que Alfonso hubiese podido actualizar el libro e incluir un análisis del misterio electoral que hizo posible que Alan García ganara un segundo gobierno.

La barbarie de Sendero Luminoso brindó un interesante contraste a la corrupción del gobierno. La frugalidad y disciplina de los senderistas, así como sus aparentes victorias militares, contribuyeron a deslegitimar todavía más al gobierno democrático. Las prisiones bajo el poder de Sendero eran conocidas de ser más seguras y mejor administradas que aquellas en las que el gobierno mantenía una semblanza de autoridad. También me hubiese gustado que Alfonso escribiera un capítulo donde se discutiese si la corrupción del gobierno peruano también afectó el surgimiento y vida de Sendero Luminoso o si, más bien, hubo otras razones ideológicas y organizacionales que expliquen por qué esta organización pudo operar tan eficientemente por tanto tiempo.

La sempiterna atracción por la «mano dura» ayudó a legitimar el golpe de Fujimori en 1992. La captura de Abimael Guzmán, la «pacificación» del campo (que fue tan sangrienta) sirvió para oscurecer temporalmente la intensidad y el alcance de la corrupción. La venalidad del régimen de Fujimori y Montesinos fue espeluznante; los detalles que provee Alfonso lo llevan a uno a preguntarse si acaso hubo alguien que lograra mantenerse limpio. En lugar de crear reglas e instituciones con las cuales teóricamente se rigen los mercados neoliberales, Fujimori se dedicó a crear formas nuevas e ingeniosas de robo.[5] La habilidad de Fujimori de disfrazar la nueva corrupción y aparecer ante buena parte del resto del mundo como un tecnócrata merece un estudio aparte.

En una época en que el ideal de «hombre fuerte» parece tener un atractivo global, la lección más importante de este libro es que debemos cuidarnos mucho de no asociar los gobiernos fuertes o los regímenes despóticos con los estados fuertes con capacidad real de acción. La ilusión del orden proveniente del caudillo desde su metafórico caballo no es particular de América Latina, pero parece haber tenido la vida más larga aquí.[6] Por desgracia, la reforma real proviene de la construcción de un Estado viable, lo que implica la tediosa y frustrante reforma del sector público y el estado de derecho.[7]

Como siempre sucede con los libros buenos, *Historia de la corrupción en el Perú* nos deja con muchísimas preguntas. Por ejemplo, ¿es la corrupción el efecto o la causa de la debilidad institucional? ¿El control de la corrupción conllevaría en sí mismo a la solidez institucional o serían necesarias otras reformas para hacer ello posible? Este libro nos conduce a las preguntas eternas sobre la gobernanza humana: ¿cómo es posible crear una esfera pública en la que los intereses públicos y privados puedan defenderse y respetarse mutuamente? Nuevamente, solo desearía que Alfonso hubiera vivido un poco más para empezar a responder esa pregunta.

Miguel Ángel Centeno
Profesor de Sociología y Asuntos Internacionales, cátedra Musgrave
Universidad de Princeton, Nueva Jersey[8]

Gustavo Gorriti

conversa con Cecilia Blondet y Ludwig Huber*

E l libro de Alfonso Quiroz fue el *best seller* absoluto del Fondo Editorial del IEP durante los últimos años. Desde su publicación en 2013 ha tenido nueve reimpresiones, el límite permitido por la ley, de ahí esta nueva edición. ¿Cómo te explicas este éxito? ¿Cuál es en tu opinión el principal mérito del libro?

Que es la obra seminal en el estudio de uno de los problemas centrales de esta República. Además, hecho con una audacia intelectual que yo admiré desde el comienzo: el haber sacado información de fuentes y documentos de difícil acceso para hacer el análisis a lo largo de la historia republicana. Su aporte es enorme. Yo no sé si haya otros libros similares en otros países de América Latina, quizá los haya, pero acá en el Perú es un libro que fundó el estudio de la corrupción en la historia.

Al leer el libro, no deja de sorprender que la corrupción esté azotando al país desde la Colonia, a pesar de una enorme cantidad de medidas tomadas por el Estado. Hemos tenido un sinfín de normas y leyes, campañas de concientización, un zar anticorrupción, comisiones de alto nivel, la prensa no se cansa de denunciar... Pero la corrupción se sigue editando y reeditando, ¿por qué pasa eso?

Porque como lo demostró el estudio de Alfonso Quiroz, la corrupción en el Perú es más profunda, más arraigada históricamente de lo que vimos o quisimos ver.

* Gustavo Gorriti es director de IDL Reporteros. Cecilia Blondet y Ludwig Huber son investigadores principales del IEP.

Eso primero. En segundo lugar, porque nunca fue eficazmente combatida. Lo que ha habido son declaraciones retóricas altisonantes que siempre se han repetido y leyes rimbombantes, estableciendo niveles punitivos exageradísimos y dando a entender que con el dictado de las leyes será cruzado el puente del vicio a la virtud. Eso supone pensar que se puede refundar la realidad desde los códigos, y no cambiarla desde dentro de la sociedad misma.

¿Cómo debería cambiar la realidad desde dentro?

Para no tener que hacer disquisiciones teóricas, tenemos varias experiencias concretas que nos pueden servir para lograr una idea de lo que se debe hacer y lo que no se debe hacer. También en este sentido el libro de Quiroz nos da luces importantes a lo largo de la historia. Más recientemente tenemos, en primer lugar, la experiencia que siguió a la caída del fujimorato, lo que Quiroz llama la «década infame». Acerca de ello hay una especie de avalancha de documentación sobre la corrupción del gobierno que realmente es comparable solo a los archivos de la Stasi, el Ministerio para la Seguridad del Estado de la antigua República Democrática Alemana.

Ahí hubo una gran promesa. No solamente era lo que se revelaba; lo importante allí, aparte del escándalo, fue que uno podía estudiar cómo había funcionado; cómo el gobierno había aprovechado el sistema formal, incluyendo toda la preceptiva anticorrupción para utilizarla a su favor; cómo había todo un tejido, una especie de arte fariseo para hacer una suerte de superestructura de apariencias dentro de la cual pudieran moverse los factores reales de poder y de decisión; cómo utilizaban una parte de lo escrito cuando les convenía y cuando no les convenía le sacaban la vuelta, y luego también hacían un poco de faquirismo con las leyes para poder utilizarlas en su favor. Uno veía cómo se había hecho el diseño práctico del gobierno para la toma de decisiones, los primeros contactos entre las esferas pública y privada en las privatizaciones, cómo había funcionado en cada caso. Uno ahí tenía un objeto de estudio muy importante. Lo que se tenía que hacer era estudiarlo, completar lo que dice Quiroz en el libro, en vez de crear esas comisiones altisonantes y ridículas de alto nivel para la lucha contra la corrupción.

Pero allí falla...

Por supuesto que falló por falta de conocimiento, de preparación intelectual; falló porque no había interés real en hacerlo, porque lo que se quería era hacer un poco de faena para las tribunas, unas cuantas cosas para que la gente estuviera contenta, pero aprovechando toda la cantidad de puntos ciegos que habían visto en el sistema y empezar con sus propias cosas de corrupción.

Yo vi de cerca la cuestión de Montesinos y años después he empezado a fondo con la investigación del caso Lava Jato. Una de las cosas deprimentes es que Fujimori cae a fines del 2000 y unos meses después se estaban arreglando los nuevos robos del gobierno de Toledo. Toledo fue, desgraciadamente, la carta que nos repartió el destino para poder vencer a la dictadura. Yo hasta me ilusioné con que se repitiera el esquema Kagemusha, el personaje de la famosa película de Kurosawa en donde un Daimio, señor de samurais, ha muerto en un momento en que se va a decidir la suerte de una gran guerra interna entre los señoríos en Japón. Todo el grupo mantiene en secreto la muerte del Daimio, buscan a alguien y de repente encuentran a una persona muy simple del pueblo que se ve igualito, el doble perfecto. Lo llevan, le dicen «tú solamente vas a hablar así y asá», lo van preparando y poco a poco va tomando las características del Daimio. Cuando llegan los momentos decisivos de la confrontación ya ha interiorizado su papel, lo hace muy bien y en consecuencia triunfan. Pero el tipo se da cuenta de que el destino de repente lo ha traído a esa posición exaltadísima y que hay cosas muy justas que puede hacer. Decide entonces no ser un doble, sino usar ese poder para hacer las cosas bien, para traer justicia. Yo había soñado con Toledo como esta persona, que había venido desde muy abajo y a quien un conjunto de improbabilidades lo habían llevado hasta el poder; y que cuando estuviera a punto de asumirlo, reflexionara lo siguiente: «Cómo soy, de dónde vengo, el destino me ha dado esta oportunidad única y preciosa, voy a tratar de hacer la mejor presidencia que pueda pensarse».

Se le dio la oportunidad y fracasamos...

Entonces, en lugar de eso escogió el camino que lo tiene donde está ahora, que es el prólogo de donde va a terminar. Él ya tiene todo probado. Pero no importa lo de él. Importa el daño que hizo.

El momento se perdió...

Pasaron muchas otras cosas, y aquí podemos entrar por ejemplo en lo que significó un sistema judicial que estaba totalmente impreparado para hacer frente al procesamiento de una cleptocracia de la magnitud que gobernó el país durante el fujimorato. No existía nada. Desorganización, formalismos absurdos, lentitud increíble. A pesar de eso, pasaron algunas cosas.

Si hubiese habido un gran apoyo político, y si Toledo hubiera sido el que debió ser y hubiera convocado, para erradicar la corrupción, a algunas de las mejores mentes del país y también por supuesto consultores de afuera, se hubiese podido avanzar muchísimo. Pero más bien se entró en una nueva etapa de corrupción que en muchos aspectos rivaliza, al menos en cantidades, con la que se dio en la época de Fujimori. Menos centralizada, menos vertical, mucho más orientada a la obra pública, las asociaciones público-privadas y todo ello, pero se dio en forma continua. Fue la única continuidad que hubo entre Toledo, García, Humala, PPK [Pedro Pablo Kuczynski].

Si bien de un lado podemos sentirnos orgullosos de haber logrado que la democracia sobreviva y prevalezca por el periodo más largo de la historia de este país, y de que pese a todas sus fallas, taras, úlceras, reconozcamos que esta democracia le ha hecho mucho bien al Perú, por otra parte junto con esa democracia débil y defectuosa podemos decir que la corrupción también sobrevivió en una línea paralela. Estuvieron juntos.

¿Cómo así explicamos esta convivencia de la democracia y la corrupción? ¿Tiene que ver con el carácter patrimonial del Estado, de esa percepción de propiedad privada de lo público que han tenido los gobernantes, políticos, empresarios y autoridades?

Nuestra cultura tiene un ADN político heredado. Muchas de las cosas creo que no se transmiten racionalmente, vienen del virreinato. Nuestra cultura tiene los genes de los virreyes Abascal y de Toledo, no este sino aquel, y de varios otros. Nuestra cultura política tiene también los complejos propios del virreinato...

¿La herencia colonial pesa tanto aun hoy?

Yo creo que la herencia colonial es un legado que estaba basado en burocracias parásitas, que se organizaban para poder alimentarse de los activos y de los permisos y concesiones reales que se daban o se dejaban de dar; que vivía en esa vida de la corte; que se sentía reflejo inferior de aquella metrópoli matritense, pero que buscaba compensar esa inferioridad de fábrica con el sentirse infinitamente superior a todos aquellos que realmente creaban la riqueza de la que ellos vivían. Ahí está el libro [de Quiroz] para contar esa historia. Yo creo que ese espíritu que ha tenido un efecto muy importante en lo que somos. Una república imperfecta, profundamente imperfecta…

¿Y la promesa republicana?

De un lado hemos sido creados, criados y educados en concebir a nuestro país como la encarnación del ideal republicano. Hemos visto la utopía y nos exaltamos con la idea del Perú, de la gran república, de la gran ilustración, de discursos grandilocuentes en plazas públicas, pero del otro lado tenemos lo que ha sido el país de hecho. El poder, el acceso a las decisiones, el acceso a los negocios, y todo el conjunto de sus estructuras y sus subculturas permeado por diversas formas de corrupción.

¿Cómo cambias eso? Cuando dices que nunca se ha combatido eficazmente la corrupción, ¿es porque no ha habido voluntad o no se ha sabido cómo hacerlo?

Yo creo que ha habido lapsos cortos durante los cuales hubo voluntad, pero que no son aeróbicos sino anaeróbicos; es decir, un pique y se cansaron. Luego entra la realidad…

El libro está concebido así, los momentos de crisis y la pelea por recuperar la soberanía del Estado…

Yo por un lado veo aquellos que intentaron enfrentar la corrupción en nuestra historia, que de alguna manera estaban muy imbuidos por el ideal republicano, como Sanchez-Carrión y los hermanos Gálvez quizá, González Prada, y algunos otros, pero casi todo quedaba en la denuncia, el *j'accuse*, los indignados que dicen donde pongo el dedo salta la pus, y la decisión implícita de que la única alternativa son medidas maximalistas.

Lo que a mí me ha enseñado la experiencia de todos estos años es que así como cuando estuve cubriendo la guerra interna tuve que pensar y reflexionar una y otra vez cuál es la salida y cómo combatir esto sin violar derechos humanos, ahora pienso es cómo combatir la corrupción sin tirar abajo la economía, sin parar el país.

Al final la respuesta que tengo es, en el fondo, la misma de siempre: que hay un conjunto de medidas pragmáticas, paso a paso, con objetivos monitoreables en el corto, mediano y largo plazo, que no se vayan perdiendo de vista y con una doctrina y una estrategia que esté predicada precisamente en eso. Por ejemplo, Brasil tenía niveles de corrupción cuantitativamente mucho mayores que los nuestros porque obviamente es un país continente. Además, nos ganaban en imaginación sobre cómo robar. Sin embargo, lograron avances una vez que se hizo varias reformas muy concretas en el gobierno de Lula, que básicamente supusieron una cuestión muy meritocrática en los puestos fundamentales de la fiscalía y del poder judicial, una cuestión meritocrática de la policía federal, establecerlo como una carrera bien pagada, donde los principales funcionarios estudiaron los casos de las grandes luchas anticorrupción. Así, por ejemplo, Sergio Moro se puso a estudiar a fondo el caso de los jueces 'Mani Pulite' de Italia: lo que hicieron, lo que no pudieron hacer, en qué terminó, por qué terminó mal y buscaron aplicar esos conocimientos al caso brasileño. Estudiaron mucho otros casos interesantes que se estaban dando.

Es la importancia de la investigación digamos...

Pero la investigación una vez que termina debe tener una continuación institucional. Para mí uno de los casos más revolucionarios a escala internacional ha sido la adopción por Estados Unidos de la ley federal contra la corrupción en el extranjero. El *Foreign Corrupt Practices Act* que puso al departamento de justicia, al FBI y a la *Securities and Exchange Commission* a investigar cuidadosamente las cosas que pasaban, ayudada por las nuevas tecnologías. Y esas investigaciones, que entraron al mundo *offshore* y todo ello, les permitieron ingresar muy rápidamente a investigaciones grandes. Esas investigaciones pudieron avanzar también porque antes habían hecho otros instrumentos igualmente muy pragmáticos para la lucha contra el crimen organizado. El RICO *[Racketeer Influenced and Corrupt Organizations Act]* permitió destruir prácticamente la mafia ítalo-americana, y de nuevo usando métodos que no tenían nada que ver con estas cuestiones medio teológicas de la lucha anticorrupción, sino estableciendo sistemas de vigilancia.

Pero allí tú estás asumiendo que hay una burocracia calificada...

Es una burocracia sumamente calificada. Tiene que ser independiente, honesta, etc. Ello es absolutamente indispensable. Aparte de esa burocracia calificada, los métodos no son los draconianos que puede utilizar, por ejemplo, China cuando decide hacer una lucha contra la corrupción, donde una cantidad de gente recibió un balazo en la nuca, o grandes funcionarios con yates, grandes casas y varias amantes que terminaron limpiando letrinas en un campo de reeducación. En el caso de Brasil, los agarran con todo y les dicen: «si nosotros entramos a juicio los vamos a destruir, de ustedes no va a quedar nada, van a ir a la cárcel, pero ahórrenos eso, entremos a un programa de colaboración, ustedes confiesan todo y me entregan a todos los demás y empezamos a hacer un programa de compensaciones y recompensas. Les vamos a poner monitores para que los vigilen, y si hay cualquier reincidencia se pierde todo». Eso funcionó muy bien y llegó hasta el momento en que cuando eran agarrados buena parte de las corporaciones se apresuraban en rendirse, porque cuanto más rápido se rindieran menos daño sufrían. Todo lo que tenían que hacer era separar a un conjunto de altos ejecutivos, a los demás reeducarlos, y se dieron cuenta de que al final les convenía hasta en los negocios. Eso fue lo que se hizo básicamente en el caso Lava Jato. Ese grupo relativamente pequeño de burócratas muy bien educados, con un conocimiento investigativo grande, bien conectados y relacionados a escala internacional, con gran inteligencia destruyeron el aparato corrupto de las corporaciones más poderosas de América Latina en poco tiempo. Había corporaciones que se sentían todopoderosas y decidieron enfrentárseles con todo, pero fueron sometidas, fueron vencidas, tuvieron que hincar la rodilla, ceder y entrar en estos programas.

La otra gran cosa es que todo ese complejo sistema *offshore* que por un tiempo se pensó que estaba a prueba de cualquier investigación, resultó siendo muy investigable y rindió secreto tras secreto. El periodismo de investigación, que pasaba por una gravísima crisis estructural por razones que no vienen a cuento aquí, enfrentó una tremenda nueva misión que en algunos casos fue hecha brillantemente.

Para volver un rato al libro. La corrupción que estás investigando, ¿tú crees que es más de lo mismo o de una nueva calidad?

Ha cambiado mucho de acuerdo con el cambio de las circunstancias y los modelos de negocio y fuente de financiación. Pero hay ciertos mecanismos que son recurrentes. Se repiten cosas. Yo diría que hoy hay una tecnología sofisticada, pero cuando lo reduces al mínimo común denominador, en el fondo es casi igual. Es más, diría que en algunas cosas, como los cálculos de lucro corrupto, los porcentajes de coimas, las cosas no han cambiado mucho.

Lo que sí ha cambiado es la posibilidad de investigar los casos, de sacarlos a la luz, eso ha cambiado. Sabiendo que corro el riesgo por el permanente optimismo que me he forzado a tener durante todos estos años, creo que ahora hay condiciones para lograr algunos cambios importantes, si se llevan a cabo de forma sistemática, consistente, aunque van a demorar mucho en ser parte integral de nuestra cultura. Tenemos casos grandes de corrupción desde el ámbito distrital hasta el nacional. Me parece muy bien que el acento sea, primero, en el gobierno central, en los que dirigen la república y los que dirigen también los negocios de la república. Las reglas que tienen que hacerse, los castigos que deben darse, para de ahí establecer los procedimientos, las normas, los patrones para vigilar de forma eficaz. Pero, de nuevo, pragmática. Insisto en lo de pragmática porque toda reforma que no permite un desarrollo de la economía está condenada a fracasar.

¿Cómo ves la coyuntura actual?

Están pasando cosas interesantes. En julio del año pasado [2018], mientras seguíamos con la investigación Lava Jato arrancamos con la investigación en el sistema judicial con el caso Cuellos Blancos o Lava Juez. La respuesta que hubo, el nivel de movilización, de indignación de la gente fue importante. Y cuando uno ve el trabajo de fiscales como José Domingo Pérez, Rafael Vela y otros como la fiscal Mori, es claro que la lucha decidida contra la corrupción moviliza mucha gente. Yo puedo decir, en tanto director del medio que sacó esto y lo llevó adelante, que el afecto de la gente era abrumador. De tal manera que sí se está avanzando, y yo te puedo decir que cuando haya un nuevo avance importante en lo investigativo, salga a la luz algo nuevo, habrá otro momento de esperanza. Hay gente buena y muy valiente, y otros que son gente buena pero que no están con ganas de entrar a la pelea. Pero nunca se ha avanzado como ahora.

La lucha contra la corrupción se fatiga, tiene ciclos, los corruptos retroceden, ceden, se repliegan, pero eventualmente van regresando. Sus armas nunca son las del enfrentamiento real. Es de nuevo el pantano que va envolviendo poco a poco. Ahora estamos en un momento en el que, de acuerdo con el patrón histórico, ellos, los corruptos, ya debieran haber retomado el control. No lo han logrado, pero sí han recobrado algo del terreno que habían perdido. Una de las cosas que hacen por ejemplo es atacar a quienes investigan y acusarlos de ser lo que ellos son, entre otros trucos que han aprendido a lo largo de la historia.

Pero hay esperanza...

Hay esperanza si la gente se moviliza y no se cansa de hacerlo.

T ras completar un estudio inicial sobre el notorio mal uso de fondos públicos en la temprana era del guano, mis posteriores investigaciones continuaron detectando múltiples escándalos de corrupción de honda huella en la memoria colectiva peruana. Noté entonces que, en el Perú, la corrupción no era algo esporádico sino, más bien, un elemento sistémico, enraizado en estructuras centrales de la sociedad. Sin embargo, una limitación crucial estorbaba el examen exhaustivo de cómo el abuso de la corrupción influyó en la evolución histórica de un país subdesarrollado. Me parecía que faltaba un marco analítico adecuado para evaluar un difundido fenómeno que la mayoría de estudiosos consideraba anecdótico, intratable por lo espinoso y hasta de incierta utilidad práctica.

En 1995, me topé con literatura nueva sobre los efectos económicos e institucionales que la corrupción tiene en los países en vías de desarrollo. Enfoques innovadores demostraban, con rigor analítico, el negativo impacto de los altos índices de corrupción en el crecimiento económico y el capital humano, particularmente en los países menos desarrollados. En esencia, estos novedosos estudios representaban una reacción académica y jurídica ante la creciente ola de corrupción que se daba entonces simultáneamente en varias partes del mundo. Seguidamente, advertí las nuevas posibilidades que se abrían para el estudio histórico de la corrupción si se establecían conexiones entre el desarrollo frustrado del pasado y los niveles históricos de corrupción en determinadas sociedades.

En la década de 1990, los destapes de escándalos en el ámbito global contribuyeron a la noción de que, para los gobiernos latinoamericanos, la corruptela sin freno constituía un problema crítico. En el Perú, la corrupción descontrolada había alcanzado un nivel alarmante bajo la sombra de un poder presidencial abusivo y la extensa erosión de las instituciones democráticas. En estas circunstancias, la investigación específica de este libro se inició justo antes de la ignominiosa caída del régimen de Fujimori-Montesinos en noviembre de 2000, un episodio revelador que generó abundantes fuentes históricas que exponían las dimensiones sistémicas de planes y redes de múltiples estratos de corrupción.

A pesar de los crecientes avances teóricos y evidencias empíricas, algunas preguntas claves continuaban sin respuesta. Específicamente ¿cómo es que la corrupción ha afectado la evolución histórica, política y económica de las sociedades menos desarrolladas?; ¿cuáles fueron sus costos verdaderos?; ¿importa la corrupción como factor histórico que desacelera o detiene el desarrollo?; ¿por qué razón es que algunos países la han controlado, mientras otros parecen estar inundados por una corruptela desenfrenada y persistente?; ¿cómo explicar la renuencia a efectuar estudios exhaustivos y especializados del impacto histórico de la corrupción en el Perú (o, para el caso, en México, Cuba u otros países en vías de desarrollo), pese a su presunta importancia?

Estas preguntas son las que se abordan en este libro, junto con reflexiones pertinentes acerca de evidencias y métodos históricos para el estudio de la corrupción. A partir de investigaciones realizadas en varios archivos y bibliotecas, he efectuado un análisis detallado de los ciclos claves de la corrupción desde el periodo colonial hasta la época reciente. Cada uno de estos ciclos presenta características propias pero, al mismo tiempo, persistentes continuidades. Espero que otros estudios individuales y de equipo continúen los pasos aquí dados, en pos de una mejor comprensión de las causas y consecuencias de un factor endémico en la vida de muchas sociedades, pasadas y presentes.

Alfonso W. Quiroz en los Archivos Nacionales, París, 2007

AGRADECIMIENTOS

E l presente estudio no podría haberse completado sin el respaldo de varias instituciones y la ayuda de generosas personas. Deseo agradecer, en primera instancia, el amistoso e inspirador entorno académico del Woodrow Wilson Center for International Scholars, Washington, D. C. (2002-2003); al Fulbright Exchange Program (2003) por haber permitido la investigación en el Perú; al Baruch College, City University of New York (CUNY), por una licencia sabática y su continuo apoyo académico; y al Professional Staff Congress-CUNY, por las becas de investigación que contribuyeron a efectuar los trabajos de campo preliminar y complementario. El Centro de Investigaciones de la Universidad del Pacífico en Lima significó un auténtico oasis para la investigación y la redacción inicial de este trabajo.

Para la presente edición en castellano conté en Lima con la comprensiva colaboración del Instituto de Estudios Peruanos y del Instituto de Defensa Legal. Mi agradecimiento sincero a Ernesto de la Jara, director del IDL. En el IEP agradezco a Roxana Barrantes, directora general, y a Ramón Pajuelo director de publicaciones, así como a Marcos Cueto y Mariana Eguren del anterior consejo directivo. A Odín del Pozo por su impecable labor editorial. A Javier Flores por su cuidadosa traducción del texto, revisada por el autor.

Agradezco, asimismo, a los servicios y personal de diversos archivos y bibliotecas: la New York Public Library y la Newman Library de Baruch College en Nueva York; la Library of Congress, el National Security Archive y la Gellman Library en la George Washington University, y los U. S. National Archives en Washington, D. C., y College Park, Maryland; la John Carter Brown Library, Providence, Rhode Island; la British Library y los National Archives del Reino Unido en Londres y Kew; los Archives du Ministère des Affaires Étrangères en París; el Archivo General del Ministerio de Asuntos Exteriores, el Archivo Histórico Nacional, la Biblioteca Nacional, la Biblioteca del Palacio Real y la Real Academia de la Historia en Madrid; el Archivo General de Indias en Sevilla; y el Archivo General de la Nación, el Archivo General del Congreso, el Archivo del Ministerio de Relaciones Exteriores, el Archivo de la Corte Suprema de Justicia y la Biblioteca Nacional en Lima. Diversos seminarios, clases y conferencias en Columbia University, George Washington

University, Harvard University, Johns Hopkins University School of Advanced International Studies, Princeton University, Pontificia Universidad Católica del Perú-Instituto Riva-Agüero y la Universidad del Pacífico permitieron presentar avances de mi investigación y refinar mis ideas. Mis alumnos en el programa doctoral de historia del Graduate Center, CUNY, particularmente aquellos que tomaron mi taller sobre la historia de la corrupción e instituciones en América Latina, así como mis colegas y alumnos de Baruch College, contribuyeron con sus agudas preguntas e ideas a clarificar muchos de mis argumentos.

También he contraído muchas deudas de gratitud con colegas, amigos, familiares y profesionales que ayudaron y estimularon mi investigación. Felipe Portocarrero Suárez, amigo de muchas aventuras académicas, brindó su valioso e incesante apoyo. Peter Klarén, Cynthia McClintock y Rory Miller leyeron todo el manuscrito, hicieron comentarios expertos que contribuyeron a mejorarlo en general y, gentilmente, aclararon y corrigieron algunos puntos débiles en la argumentación y presentación de datos. Del mismo modo, Kenneth Andrien, Kendall Brown, Herbert Klein y Kris Lane hicieron útiles sugerencias en relación con la historia colonial. Asumo, por supuesto, toda la responsabilidad por el resultado final. En Nueva York, Stanley Buder, Nicolas Davila-Katz, Margaret Crahan y Araceli Tinajero, entrañables colegas y amigos que me dieron magníficos consejos. Y agradezco a mi hija Daniela por su muy preciada solidaridad y comprensión. En Lima, Marcos Cueto, Francesca Denegri, Antonio y Luis González Norris, Scarlett O'Phelan, José de la Puente Brunke, Patricio Ricketts y Antonio Zapata hicieron que las cosas fueran tanto más fáciles. Las conversaciones con los expertos Julio Castro, Gustavo Gorriti, Luis Paredes Stagnaro y Héctor Vargas Haya ayudaron, en forma singular, a la orientación general y práctica de mi pesquisa. Deseo, asimismo, agradecer a Juan Fuentes por su asistencia dedicada en la investigación de material gráfico y periodístico realizada en el Perú y a Molly Marie Hueller, interna del Woodrow Wilson Center, por su asistencia inteligente y vivaz. Vaya también mi más profundo agradecimiento a diversas personas que me dieron acceso a documentos y fuentes claves, pero que han preferido mantenerse en el anonimato. A mis médicos del hospital Memorial Sloan-Kettering les agradezco inmensamente el alargar estos días para poder completar la tarea.

Con su entrañable compañía y entusiasmo, Mónica Ricketts contribuyó inmensamente a que este proyecto llegara a buen puerto, leyendo y comentando todo el manuscrito y ofreciendo observaciones claves a partir de sus propios estudios. Alfonso Quiroz Muñoz, mi padre, sigue inspirándome con su ejemplo y sabiduría. Los imborrables obsequios y felices recuerdos de mi madre continúan brotando desde su descanso eterno. La reciente llegada a este mundo de nuestro precioso Alfonsito ha colocado todo esto en su debida perspectiva vital.

CORRUPCIÓN, HISTORIA Y DESARROLLO,

UNA INTRODUCCIÓN

*y la democracia no puede crecer
si la corrupción juega ajedrez*

JUAN LUIS GUERRA
«El costo de la vida» (1992)

Innumerables voces se han levantado en el pasado contra la corrupta rapiña y el abuso del poder que beneficia a pocos a expensas de amplios intereses públicos. Con gran dificultad, los historiadores han tratado de interpretar estos lejanos clamores y espinosos temas. En la historia de las zonas menos desarrolladas del mundo, la ubicua corrupción de la Administración Pública ha sido soslayada, tildándosela de constante cultural o legado institucional inevitable. El descuido y el escepticismo han obviado, pues, evidencias históricas útiles para reinterpretar las batallas reformistas, a menudo solitarias, libradas contra las nocivas prácticas corruptas.

El presente estudio analiza la importancia histórica de la corrupción en el Perú, paradigmáticamente expuesto a su perniciosa influencia. Los esfuerzos y escritos de quienes se opusieron a sucesivas olas de corrupción ilimitada y sistemática brindan los hilos conductores para detectar ciclos y deshilvanar causas y consecuencias de una gobernación corrupta que puede rastrearse desde la época colonial. Varias generaciones de redes corruptas adeptas a la violación endémica de reglas establecidas, así como sus afines interconexiones internacionales, surgen como factores que ligan las prácticas corruptas en las esferas pública y privada. Los costos económicos e institucionales que acarrea la corrupción son evaluados a lo largo del tiempo con el telón de fondo de una población empobrecida. Se compara, ulteriormente, el ciclo más reciente y profusamente documentado de corrupción en el Perú, que llegó a su fin en el año 2000, con fases previas de corrupción descontrolada. Este análisis de múltiples facetas y larga duración busca fundamentalmente establecer las conexiones más prominentes entre ciclos de corrupción y desarrollo frustrado. Este enfoque se basa en la noción de que la corruptela es importante a la hora de explicar el subdesarrollo y de que controlar sus raíces sistémicas o institucionales mejora las posibilidades de que se produzca un desarrollo balanceado. Dado que la corrupción se encuentra inserta en procesos amplios y complejos, resulta analíticamente útil concentrarse en sus dimensiones políticas y económicas. Para los fines del presente trabajo, la corrupción se entiende como el mal uso del poder político-burocrático por parte de camarillas de funcionarios, coludidos con mezquinos intereses privados, con el fin de obtener ventajas económicas o políticas contrarias a las metas del desarrollo social mediante la malversación o el desvío de recursos públicos, junto con la distorsión de políticas e instituciones.[1]

La corrupción constituye, en realidad, un fenómeno amplio y variado, que comprende actividades públicas y privadas. No se trata tan solo del tosco saqueo de los fondos públicos por parte de unos funcionarios corruptos como usualmente se asume. La corruptela comprende el ofrecimiento y la recepción de sobornos, la malversación y la mala asignación de fondos y gastos públicos, la interesada aplicación errada de programas y políticas, los escándalos financieros y políticos, el fraude electoral y otras trasgresiones administrativas (como el financiamiento ilegal de partidos políticos en busca de extraer favores indebidos) que despiertan una percepción reactiva en el público. A lo largo de este texto, el lector podrá constatar la amplia gama de casos y formas de corrupción, siempre en relación con el núcleo sistémico y contrario al desarrollo de estas actividades ilícitas: el abuso de los recursos públicos para así beneficiar a unas cuantas personas o grupos, a costa del progreso general, público e institucional.

Los sistemas menos desarrollados enfrentan los dilemas interrelacionados de cómo permitir y promover el crecimiento, diseñar y hacer cumplir Constituciones que favorezcan la estabilidad y el desarrollo, distribuir el ingreso de modo más equitativo, democratizar y equilibrar el poder político, establecer el imperio de la ley y educar a los ciudadanos dentro de una sociedad civil vigorosa, que supervise una eficiente administración estatal. Los agentes corruptos minan estos esfuerzos, a veces con consecuencias y costos devastadores. Este patrón es claramente discernible en el caso peruano, al menos desde los primeros esfuerzos estructurales de modernización y reforma administrativa integrales en el tardío siglo XVIII. El análisis de las evoluciones particulares de la corrupción en el largo plazo, así como las metas de los esfuerzos dirigidos hacia la contención de sus efectos corrosivos, subrayan la necesidad de colaboración y reforzamiento de las diversas agendas reformistas en todas las áreas claves del subdesarrollo. En este sentido, los limitados resultados de las sucesivas fases de reformas adoptadas en América Latina en la década de 1990, bajo los consejos económicos del Consenso de Washington, podrían explicarse, entre otras razones, por los efectos de una corrupción persistente. El fenómeno de la corrupción ha mostrado tanto continuidad como variabilidad desde la aparición de los Estados y civilizaciones más tempranos. Las manipulaciones corruptas del poder y la justicia tienen, pues, una larguísima historia y presencia en todas las culturas.[2] Algunas sociedades han tenido más éxito que otras en ponerle freno a las corruptelas, pero ninguna ha logrado eliminar por completo este arraigado aspecto de las relaciones humanas. Tal como lo siguen demostrando recientes escándalos financieros de alcance global, la corrupción puede reaparecer en medio de las Administraciones Públicas y los sectores privados más avanzados y eficientes, y causar pérdidas incalculables al público en general. Un número creciente de emergentes organismos anticorrupción han enfatizado, cada vez más, la necesidad de ejercer una vigilancia constante en su contención y castigo.[3] Sin embargo, el estudio de la evolución histórica de la corrupción en las sociedades e instituciones en vías de desarrollo aún se encuentra en su infancia.

El presente estudio histórico se benefició de la reciente transformación en el análisis de la corrupción. Trabajos nuevos y persuasivos de economistas y otros científicos sociales han analizado las manifestaciones actuales de la corrupción con el fin de incluirla como factor en explicaciones más realistas de los sistemas sociales, políticos y económicos.[4] En los últimos diez años surgió, así, un significativo consenso en torno a las causas institucionales de la corrupción y sus consecuencias negativas para el desarrollo económico, la inversión, la democracia y la sociedad civil.[5] Perspectivas anteriores sobre los efectos supuestamente positivos de la corrupción, a modo de «aceite» que lubrica obstáculos burocráticos en sociedades en vías del desarrollo, han quedado bastante superadas.[6] Sin embargo, los pocos historiadores que se han aventurado a estudiar la corrupción detenidamente continúan discrepando en torno a cómo documentarla o cuán importante ha sido en el pasado. Varios de estos supuestos históricos aún descansan sobre unos argumentos anticuados, que han impedido el estudio histórico de la corrupción o han aconsejado no llevarlo a cabo.

Uno de estos argumentos *a priori* sostiene que como la corrupción es, por definición, una actividad clandestina, las fuentes que la documentan o bien son muy difíciles de encontrar, o bien no son confiables, pues pueden provenir de denunciantes políticamente motivados.[7] Pero en contra de la opinión de los escépticos, existen numerosas fuentes históricas para el estudio de la corrupción. Tratadas con la necesaria cautela metodológica, estas evidencias históricas de corrupción usualmente resultan bastante confiables para proporcionarnos información útil. Abundan las quejas, reacciones y comentarios informados acerca de la corrupción abusiva en la documentación administrativa, legislativa, judicial y diplomática. En el caso del Perú y de otros países latinoamericanos, los archivos contienen una serie de rastros en fuentes coloniales manuscritas e impresas (*pesquisas* o investigaciones legales, *juicios de residencia, memoriales* y *proyectos*), así como en fuentes republicanas (informes publicados e inéditos sobre las rentas y el gasto del sector público, investigaciones parlamentarias, juicios, registros notariales, correspondencia oficial y privada, memorias, diarios, panfletos, informes en periódicos y revistas), que documentan casos claves de corrupción, en un contexto de fracasos institucionales y reformas frustradas. Las fuentes diplomáticas ayudan a contrastar y verificar la información. Los informantes extranjeros pueden confirmar o negar las alegaciones de corruptelas y hacer valiosas observaciones acerca de las ramificaciones políticas y económicas de los patrones de corrupción domésticos. No obstante, como no todos estos observadores diplomáticos y empresariales fueron lo suficientemente imparciales o produjeron la misma calidad de información, sus juicios y opiniones plasmados en sus informes deben ser cuidadosamente considerados.[8]

Otro argumento enfatiza que la corrupción solamente puede estudiarse a través de la detección de las percepciones que el público tiene sobre ella, en lugar de hacerlo en base a evidencias directas. El estudio de las percepciones de la corrupción es una herramienta útil, aunque indirecta.[9] Se la utiliza profusamente en la elaboración de índices internacionales contemporáneos de corrupción y en estudios económicos de niveles comparativos de corrupción. Los historiadores económicos también han cuantificado la frecuencia del uso de palabras tales como «corrupción» y «fraude» a lo largo del tiempo, usando las nuevas colecciones digitales de periódicos históricos.[10] Sin embargo, las percepciones son altamente impresionables y frecuentemente manipuladas. A pesar de la escasez de series estadísticas de valor estándar y de largo plazo acerca de los costos de la corrupción, los historiadores no tienen que depender exclusivamente de las percepciones para medir o estimar sus niveles históricos y reales en distintas épocas. El uso de cálculos de muestras y estimados bien fundados puede ofrecernos aproximaciones confiables a los niveles de corrupción concretos.[11]

Asimismo, los historiadores extremadamente cautelosos afirman que el estudio de la corrupción se encuentra sujeto al relativismo. Sostienen que lo que en una época o cultura se define y percibe como corrupción no tiene la misma definición y connotación en otra. Estos argumentos son similares a los de la casuística utilizada por los jueces de la temprana Edad Moderna para neutralizar o evadir cargos de corrupción.[12] Sin embargo, los actos de corrupción y su castigo fueron definidos y se dictaron leyes sobre el particular desde la Antigüedad y la época premoderna. En el mundo hispano, los vocablos *corruptela* (abuso ilegal), *cohecho* (soborno) y *prevaricato* (perversión de la justicia) tuvieron una definición clara en las entradas de antiguos diccionarios y códigos legales.[13] Es más, aun en el caso de que ciertos tipos de corrupción solo se hayan incluido recientemente en definiciones legales, el impacto de estas prácticas corruptas ha quedado registrado en alegatos, procesos judiciales, quejas y acusaciones. El análisis histórico de la corrupción no debe asumir, por tanto, el papel de jueces anacrónicos del pasado. La prueba judicial es de naturaleza distinta a la histórica, que corresponde más al ámbito de la probabilidad que de la certeza absoluta. La falta de sentencias condenatorias no implica que no haya habido corrupción o que esta no haya dejado un legado duradero, ni tampoco que las fuentes no judiciales dejen de informar sobre el acaecimiento e implicaciones de actividades corruptas.[14]

Los relativistas históricos y antropológicos a menudo asumen que ciertas constantes culturales hacen que la corrupción sea un hecho común y aceptado en las sociedades en desarrollo. Según esta postura, los sistemas políticos premodernos realmente necesitan la corrupción como un lubricante para funcionar y brindar un grado de estabilidad y posicionamiento a grupos emergentes. De lo anterior se deriva que «patronazgo» y «clientelismo», según esta misma línea de pensamiento, definirían mejor los intercambios de favores y malversación de recursos públicos que mantienen a caudillos y otros dirigentes políticos en el poder latinoamericano.[15] En ese sentido, la corrupción podría facilitar el funcionamiento de redes de patronazgo para suministrar ganancias sociales y políticas. Semejante escenario sería aplicable a grupos relativamente marginados como, por ejemplo, la élite criolla colonial que compró puestos de autoridad influyentes y se dedicó al contrabando, con lo que redujo potenciales conflictos con las autoridades.[16]

Un corolario a los enfoques culturalistas es aquella postura según la cual la corrupción está determinada culturalmente. Así, la cultura por sí sola explicaría las diferencias en los niveles de corrupción existentes alrededor del mundo. De este modo, las regiones católicas meridionales, en comparación con el norte protestante, se distinguirían por tener grados de corrupción más altos. La solución propuesta —emprender el «cambio cultural»— es ciertamente más difícil y controversial que dedicarse a efectuar reformas institucionales urgentes.[17] Estas nuevas versiones del determinismo cultural no logran explicar los intereses y factores institucionales que yacen en el centro de las causas y consecuencias de la corrupción.

Entre las décadas de 1960 y 1980, ciertos politólogos y diseñadores de políticas de relaciones internacionales también consideraban, en el contexto de la Guerra Fría, que la corrupción en Latinoamérica era un mal menor; es decir, un hecho inevitable de la «política real» o de la «política habitual». La persistencia de la corrupción era aceptada condescendientemente como algo inherente a los sistemas políticos menos desarrollados, juntamente con nociones confusas acerca de sus posibles beneficios en la distribución del ingreso.[18]

Por otro lado, quienes examinan la historia desde una perspectiva marxista tienden a asociar el capitalismo con la corrupción, la expropiación injusta y la dependencia externa. Para estos historiadores, la élite o las oligarquías que ocupan el poder fundaron su supremacía en prácticas corruptas o criminales y en venderse al imperialismo.[19] Esta perspectiva nos ofrece unas generalizaciones y supuestos no probados, útiles como armas políticas e ideológicas, pero que no logran explicar los efectos contrarios al desarrollo característicos de la corrupción, en especial bajo regímenes socialistas revolucionarios.[20]

El presente estudio adopta un marco analítico institucional alternativo para evaluar y explicar las causas y las consecuencias de la corrupción histórica. Según este enfoque teórico, la corrupción a gran escala o «sistemática» se da cuando las normas favorables al desarrollo, tanto formales como informales —las reglas que protegen los derechos de propiedad, reducen los costos de transacción, desalientan la manipulación rentista extraeconómica (*rent seeking*) y garantizan los pesos y contrapesos políticos—, son inexistentes, están distorsionadas o se muestran inestables. En consecuencia, la falta de disuasivos adecuados impide contener comportamientos oportunistas (*free rider behavior*) y despóticos, las costumbres rentistas o las ventajas monopólicas de aquellos que tienen acceso al poder político, la Administración Pública y los privilegios económicos. Esto tiene como resultado mayores costos de transacción, la obstaculización del crecimiento y un imperio de la ley vacilante, debido a la carencia de competencia abierta en lo económico y lo político.[21] Así, la corrupción puede considerarse tanto como una variable independiente, la causa del deterioro de las instituciones, como una variable dependiente, un subproducto de instituciones debilitadas.

En todas las instituciones establecidas hay, sin embargo, elementos culturales y determinismos históricos (*path dependence*) que manifiestan o bien tendencias favorables al crecimiento y la democracia, o bien patrones contrarios a estos.[22] Además, las teorías sobre los grupos de presión o de interés ayudan a explicar las actividades concertadas de las redes de intereses creados que buscan un trato preferencial, el estancamiento institucional y la paralización de las reformas: al cristalizar en redes de corrupción, los intereses corruptos compiten entre sí por capturar al Estado o influirlo en sus distintas ramas, para así continuar beneficiándose con la corruptela existente y las ganancias monopolistas.[23]

El trato dado a la corrupción en la historia merece una cuidadosa consideración en lo que corresponde al tema de la continuidad y el cambio. Obviamente, la corrupción no es inmutable y no tiene los mismos efectos en cada contexto temporal o espacial. Su continuidad histórica está fundada sobre defectos institucionales y reformas fracasadas que facilitan un legado de corrupción sistémica. Los cambios surgen a partir de los esfuerzos realizados para contenerla y remozar las instituciones eficazmente. Otros cambios se derivan de la evolución de las necesidades políticas en relación con proporcionar recompensas, implícitas o explícitas, a la lealtad y el apoyo. Una modernización parcial, asimismo, exige mayor eficiencia de las instituciones, y eso proporciona incentivos para contener la corrupción. Los cambios técnicos, judiciales e institucionales generan periódicos vacíos legales, que pueden brindar nuevas oportunidades para la corrupción irrestricta o revivirla.

Los costos de la corrupción pueden ser directos, indirectos e institucionales, dependiendo de los modos predominantes de corrupción, que se adaptan y evolucionan a lo largo del tiempo. Ciertos modos de corrupción probados en el tiempo tienden a perdurar, puesto que sus redes heredan prácticas generales y específicas, así como la habilidad práctica, de camarillas previas, especialmente en un contexto de sociedades civiles débiles. En el caso peruano y en muchas otras partes de Hispanoamérica, un modo predominante de corrupción ha estado ligado al Poder Ejecutivo: las ganancias y el botín ilegales del patronazgo realizado por virreyes, caudillos, presidentes y dictadores. Un segundo modo, duradero aunque fluctuante, lo constituyen las corruptelas de los militares, que frecuentemente están ligadas a los contratos de adquisición de armas y equipos. El manejo irregular de la deuda pública externa e interna en beneficio de unos cuantos, en particular después de la independencia, fue una tercera y omnipresente forma de la corrupción. Los sobornos en la aprobación e implementación de contratos, adquisiciones y obras públicas, así como en el suministro de servicios públicos, dañaron sistemáticamente a la ciudadanía en general. Los contratistas y empresarios que dan sobornos, ansiosos de tener así cuantiosas ganancias monopólicas, simplemente trasladaban el mayor costo en que así se incurría a los costos generales de los proyectos públicos en cuestión. Los ministros, congresistas y jueces que reciben sobornos permiten y fomentan, así, el incremento en los costos de transacción generales y minan la eficiencia y el prestigio de las instituciones reguladoras y correctivas claves.

Los costos de corrupción indirectos incluyen a los que se derivan del contrabando, un mecanismo que redujo los ingresos tributarios e incrementó la deshonestidad de los empleados públicos desde la época colonial. Más recientemente —desde la década de 1940 pero sobre todo, de modo dramático, desde el decenio de 1980—, el tráfico de drogas viene generando costos indirectos similares que tocan —mediante sobornos y otras actividades ilegales— fundamentalmente a las instituciones judiciales y del orden público, así como a diversas figuras políticas. Junto con una menor estabilidad y eficiencia institucionales, así como crecientes costos de transacción debidos a la corrupción, otro importante costo indirecto que también debemos tener en cuenta es la pérdida asociada de inversiones sobre todo extranjeras pero también nacionales.

Todos los factores anteriores contribuyen a la formación de lo que aquí denominamos ciclos de corrupción. Los siguientes capítulos los analizarán detenidamente, tomando en cuenta el marco institucional particular y las formas de corrupción características de cada periodo. Sin embargo, una aclaración importante concierne a la distinción entre los ciclos de corrupción sistémica y los de corrupción percibida. Estos no son los mismos, puesto que varían en sus alzas y caídas, aunque en ciertos momentos sí pueden coincidir. Podemos considerar a los primeros como de naturaleza más orgánica, al estar ligados a la evolución de las instituciones, el Estado, los marcos legales, los recursos económicos y públicos disponibles, los auges exportadores y las redes de corrupción adaptadas. Los segundos, en cambio, pueden ser más volátiles y dependientes del destape de escándalos a través de los medios, la sociedad civil y un sistema político conflictivo, así como de la reacción moral y ética que dichos escándalos generan. El presente estudio tendrá en cuenta ambos tipos de ciclos de corrupción, puesto que las evidencias se recogieron de todas las fuentes confiables disponibles, aun cuando el principal eje analítico se centre más en las evidencias de la corrupción sistémica.

Describir los detalles de los casos de corrupción es necesario aunque no suficiente para el historiador. Este, al mismo tiempo, debe evaluar los efectos que la corrupción y los intereses corruptos tienen sobre la evolución del Estado y el bienestar general de la población.[24] Desde su perspectiva es importante contribuir tanto al registro histórico como al análisis profundo del fenómeno. Los recientes análisis históricos se han concentrado en las diferencias existentes entre el Estado absolutista patrimonial, que daba cabida a sinecuras privadas y otras prácticas corruptas, y el Estado constitucional moderno, que experimentó reformas transformadoras entre los siglos XVII y XIX. Esta bibliografía y sus resonancias weberianas resultan pertinentes para la identificación de los determinantes burocráticos y políticos claves para la persistencia de la corrupción en algunos casos y su reducción o control en otros. De igual modo, gracias a las evidencias del impacto de la corruptela sobre las decisiones políticas, podemos tener una perspectiva más completa de diversos procesos políticos y sus efectos sobre el desarrollo.

Durante el Antiguo Régimen en Francia, la venta de oficios o cargos reales en la administración y el ejército era ampliamente considerada como venal, pero se justificaba como un mal necesario. Se trataba de una práctica sumamente difícil de erradicar debido a los compromisos fiscales y financieros que la práctica sumó con el paso del tiempo. Por ejemplo, el padre de Voltaire compró y obtuvo rentas de uno de estos cargos oficiales, en tanto que el mismo Voltaire, un crítico de la venalidad, consiguió de favor un cargo oficial rentable. Montesquieu, quien poseía un cargo heredado, opinaba que este sistema era útil pues daba a otros la oportunidad para ennoblecerse y además fomentaba la creación de riqueza. Para Diderot se trataba de una barrera contra el despotismo.[25] El sistema venal tardó en ser reemplazado por un ordenamiento burocrático más eficiente, que tuviese como base el talento y el mérito. Tal sustitución solo fue posible cuando las serias ineficiencias del sistema venal, visibles en cargas financieras insostenibles y en las derrotas militares que generaba, se fueron haciendo intolerables en vísperas de la Revolución francesa. La venta venal de cargos quedó finalmente abolida en 1789.[26] Pero incluso bajo el reinado del Terror, y luego con Napoleón, la vieja venalidad fue reemplazada con formas modificadas de corrupción, tales como el soborno a legisladores «incorruptibles» que decidían cuestiones bélicas claves, junto con la malversación del botín de guerra y otros fondos públicos.[27]

Existe una larga tradición occidental de tratar de resolver de manera intelectual y legal el problema de la contaminación de los asuntos públicos por el enriquecimiento y la codicia privados, opuestos a la virtud cívica y a los intereses comunes de gobierno. Fue solamente en el tardío siglo XVIII cuando la decisión de extirpar la corrupción política se plasmó de modo más sólido entre los pensadores y legisladores ingleses y norteamericanos.[28] Tanto en su intención como en su redacción, la Constitución estadounidense se diseñó para impedir y rechazar la dañina influencia de la corrupción en el gobierno.[29] Asimismo, las grandes transformaciones políticas que reforzaron el control parlamentario sobre el absolutismo patrimonial en Inglaterra del decenio de 1680 dieron lugar a unos reformados sistemas administrativos, fiscales y de finanzas públicas bajo el acicate de la guerra y el disenso crítico.[30]

Las reformas inglesas gradualmente hicieron a un lado la vieja corrupción (*Old Corruption*), que expresaba la influencia del rey en los municipios y en el Parlamento, adquirida a través de otorgar privilegios privados corruptos.

Estos viejos arreglos eran el azote de un imperio en expansión, expuesto a periódicos escándalos de corrupción como en los casos de la South Sea Company y de la East India Company.[31] Esta tendencia se vio reforzada con la política de reforma económica, iniciada en el decenio de 1780 y desarrollada hasta mediados del siglo XIX. Atacó las sinecuras privadas sobrevivientes, persiguió los actos ilícitos y saneó una creciente burocracia para así impedir las protestas radicales contra la corrupción de viejo cuño.[32] Los empleados públicos, diplomáticos y administradores imperiales británicos, educados en la ética del servicio público desinteresado, propagaron entonces, alrededor del mundo, sus reconstituidas posturas liberales contrarias a la corrupción.[33] Asimismo, las prácticas corruptas se erradicaron gradualmente de las elecciones británicas hacia la segunda mitad del siglo XIX.[34] (Aunque obviamente disminuida, la corrupción no ha sido eliminada por completo de Gran Bretaña y continúa siendo un problema recurrente, al igual que en el resto del mundo desarrollado, en especial en el ámbito de la construcción y las adquisiciones del sector público nacional y local.)[35]

España y sus colonias, por el contrario, continuaron luchando con gobiernos patrimoniales y con una corrupción persistente y sistemática. Hacia comienzos del siglo XIX, el fracaso de las reformas había contribuido más bien a una transición de la corrupción tradicional de las cortes real y virreinal a la corrupción del patronazgo o de clan que rodeaban al caciquismo y el caudillismo.[36] Sobrevivieron también elementos importantes del Estado patrimonial que impidieron la modernización y la reforma del manejo del poder y de los recursos públicos. En Cuba, durante el siglo XIX, una camarilla españolista en la burocracia colonial esperaba recibir recompensas corruptas a cambio de su violenta oposición a la reforma y la abolición de la esclavitud.[37] En este contexto hispanoamericano, el patronazgo y el clientelismo se encuentran inextricablemente ligados a la corrupción, puesto que la mayoría de los clientes políticos nombrados a un cargo tienden a abusar y utilizar mal los puestos y fondos públicos.

A mediados y finales del siglo XIX, el amiguismo y el caciquismo político y empresarial se habían consolidado en Hispanoamérica y España. Estas fórmulas inherentemente corruptas dependían de unos acuerdos de ganancias económicas privilegiadas, así como de un Poder Ejecutivo y presidencial ilimitado a costa de la apertura de los mercados, la eficiencia económica, una mejor distribución del ingreso, la democracia y el desarrollo en general.[38] En el siglo XX, los dictadores Francisco Franco, Fulgencio Batista, Rafael Trujillo y Marcos Pérez Jiménez adaptaron esta corrupción a sus moldes autoritarios particulares.[39] Asimismo, el sistema unipartidario de México fortaleció la centralización mediante la cooptación y el patronazgo corruptos.[40]

A partir de la década de 1980 el retorno a la democracia, tanto en España como en la mayoría de los países latinoamericanos, introdujo cambios en las formas de corrupción ejercidas por el Poder Ejecutivo que dominaban a los Poderes Legislativo y Judicial. El mundo ha sido testigo de algunos intentos efectuados por partidos y dirigentes partidarios sedientos de fondos por consolidar ganancias políticas indebidas y recompensar a los colaboradores cercanos (a través de «empresas» partidarias ad hoc y de fondos electorales ilegales). Este fue el caso del Partido Socialista Español en el decenio de 1980; los gobiernos de Fernando Collor de Mello en el Brasil, de Carlos Andrés Pérez en Venezuela, de Carlos Saúl Menem en Argentina, de Carlos Salinas en México, de Arnoldo Alemán en Nicaragua y de Alan García Pérez y Alberto Fujimori en el Perú; y los casos recientemente hechos públicos del régimen de Hugo Chávez en Venezuela y del Partido de los Trabajadores de Luis Inácio Lula da Silva en el Brasil.[41] La corrupción personal de altos funcionarios solamente es la parte más visible y a veces espectacular del problema. En un contexto de liberalización económica y democratización, la nueva corrupción no representa un fenómeno transitorio sino, más bien, otro ejemplo histórico de la capacidad de adaptación de un fenómeno persistente y estructural bajo nuevas transgresiones institucionales, que tienden a inclinar el equilibrio nuevamente hacia el poder presidencial ilimitado.[42]

En suma, los estudios teóricos y empíricos sobre la corrupción, pasada y presente, señalan aspectos claves que deben detectarse en el análisis de las evidencias históricas. En primer lugar, debe prestarse atención especial al grado de eficacia de medidas legislativas y judiciales, encarnadas en Constituciones y códigos legales, en lograr reformas significativas para detener o controlar la corrupción. En segundo lugar, las evidencias sobre los efectos que la corrupción tuvo sobre las políticas económicas, fiscales y financieras adoptadas, pueden indicar el costo potencial de las decisiones tomadas bajo la influencia de corruptos intereses creados. En tercer lugar, se pueden correlacionar las variaciones en la estructura de los incentivos o inhibidores para la corrupción con las cambiantes condiciones institucionales y tecnológicas, surgidas a partir de auges económicos, guerras y conflictos internacionales, e inestabilidad política nacional. En cuarto lugar, concentrar el análisis en instituciones específicas como las fuerzas armadas, por ejemplo, podría revelar el grado de penetración de la corrupción económica y política en instituciones claves, a costa de la democracia e intereses nacionales. En quinto lugar, la participación de compañías, inversionistas y agentes extranjeros que se adaptan, atraen o refuerzan las tendencias nacionales de una corrupción persistente debiera ser evaluada cuidadosamente en contraposición con las opiniones que sindican a los intereses foráneos como los grandes culpables de la corrupción interna. En sexto lugar, la búsqueda de apoyo venal por parte de las fuerzas políticas y sus líderes, organizados en partidos políticos desde mediados del siglo XIX, ilustra la corrupción sistemática en la disputa por el poder y el control del gobierno. Y en séptimo lugar, debe ejercerse una vigilancia particular sobre el papel de la prensa y de otros medios de comunicación, ya sea reforzando las estructuras corruptas o sirviendo como instrumentos de la sociedad civil para limitar la corrupción.

Conocer la historia de la corrupción en América Latina es crucial. A lo largo del tiempo, la corruptela ha implicado importantes costos económicos e institucionales y ha influido en el diseño de políticas (como variable independiente). La corrupción también se vio determinada (como variable dependiente) por las reglas formales e informales del juego económico y social. Las economías y sociedades latinoamericanas han soportado unas costosas cargas debidas a la corrupción pública y privada. El legado endémico y cíclico de la corrupción en los países latinoamericanos requiere, así, de un enfoque histórico-comparativo.

El Perú es un caso clásico de un país profundamente afectado por una corrupción administrativa, política y sistemática, tanto en su pasado lejano como en el más reciente. No obstante sus efectos recurrentes y cíclicos, es sorprendente lo poco que sabemos acerca de las causas específicas de la corrupción y sus costos económicos e institucionales en el largo plazo. Este vacío se debe, en parte, a imperativos nacionalistas e idealistas entre los historiadores y científicos sociales, quienes han minimizado o restado importancia al papel de la corrupción en la historia nacional. Los expertos internacionales también han contribuido a una perspectiva histórica inadecuada, ya sea por ceder ante las sensibilidades nacionales o por haber adoptado perspectivas condescendientes para con la corrupción. Por otro lado, un excesivo pesimismo histórico obvia las importantes batallas que se libraron contra la corrupción en el pasado, limitando, así, las posibilidades para la contención de la venalidad administrativa, la reversión de la corrupción sistemática y la reestructuración del Estado moderno.[43]

Una historia específica y bien informada de la corrupción en el Perú puede contribuir a una interpretación más realista de la historia general peruana. Más aún, el estudio de las sociedades latinoamericanas y de otras en vías de desarrollo puede beneficiarse también de nuevas aproximaciones como esta sobre historia de los vínculos locales e internacionales de la corrupción. A la vez que aporta una perspectiva internacional comparativa más informada sobre este tema, el presente estudio busca reinterpretar la historia peruana sobre la base de nuevas evidencias, así como de un nuevo énfasis en el impacto que la corrupción tiene en la gobernabilidad pública, las políticas y el desarrollo.

La estrategia narrativa de este volumen sigue una relación descriptiva sobre cómo se investigaron los casos de corrupción en su momento y cómo se expusieron al escrutinio público en diversos periodos y contextos políticos, institucionales y económicos. A lo largo de estas páginas, el estudio documenta la lucha de sucesivas personalidades enemigas de la corrupción en su camino cuesta arriba por modernizar las instituciones, comenzando con los esfuerzos y las tribulaciones del reformador ilustrado Antonio de Ulloa en el Perú de mediados del siglo XVIII. Le siguieron otros aspirantes a reformistas del periodo republicano como Domingo Elías, Francisco García Calderón Landa, Manuel González Prada, Jorge Basadre, Héctor Vargas Haya y Mario Vargas Llosa, entre varios otros. Tras exponer las revelaciones hechas por los reformadores contra la corrupción, el estudio analiza, a lo largo del texto y en el apéndice, las evidencias acumulativas de diversas otras fuentes, para así evaluar los costos cíclicos y de largo plazo de la corrupción. En momentos particulares se reevalúa el papel histórico de autoridades civiles y militares claves —como Manuel Amat y Junyent, Agustín Gamarra, Antonio Gutiérrez de la Fuente, Juan Crisóstomo Torrico, José Rufino Echenique, Nicolás de Piérola, Andrés Avelino Cáceres, Augusto B. Leguía, Manuel Prado, Víctor Raúl Haya de la Torre, Manuel Odría, Juan Velasco Alvarado, Alan García Pérez y Alberto Fujimori—, sobre la base de evidencias nuevas y revisadas de los mecanismos y redes de corrupción detectados.

Cada uno de los siete capítulos del libro corresponde a una de las principales épocas y ciclos de corrupción de que fueron testigos los principales personajes que denunciaron o destaparon prácticas corruptas. El primer capítulo analiza las raíces coloniales de la corrupción administrativa sistemática de las patrimoniales cortes virreinales, respaldadas por un séquito de patronazgo que se beneficiaba con monopolios, privilegios y cargos oficiales comprados. Las corruptas prácticas coloniales fortalecieron el abuso y la explotación de la población indígena, el descuido en la administración de las minas, el difundido contrabando y el fracaso de la reforma colonial, un primer e importante, aunque frustrado, intento de modernización administrativa efectuado en el siglo XVIII.

El segundo capítulo explica el legado de la corrupción colonial bajo las nuevas condiciones institucionales posteriores a la independencia. El dominio de los caudillos a través de redes de patronazgo permitía el despojo y la expropiación de bienes privados, el saqueo «patriótico», el abuso del crédito nacional, las políticas comerciales locales y externas distorsionadas, una diplomacia venal y un contrabando arraigado, aspectos todos que minaron las bases de la nueva república. El tercer capítulo evalúa el impacto que la corrupción tuvo sobre unas fallidas políticas financieras y comerciales que derrocharon las oportunidades económicas de la madura edad del guano. Los vínculos corruptos entre las camarillas gobernantes y unos cuantos intereses extranjeros contribuyeron a una extensa corrosión que, en medio del frenesí de la malversación de los recursos públicos, incubó la inconsciencia ante los peligros de una desastrosa guerra que se venía avizorando.

El cuarto capítulo analiza una época de modernización parcial, crucial para la historia peruana, y se concentra en el torcido renacer del Estado y los militares después de la Guerra del Pacífico, así como en el surgimiento de Leguía, un modernizador civil decidido a mantener el control despótico mediante múltiples medios corruptos en la política, los negocios y los medios de comunicación. El quinto capítulo gira en torno a la turbia situación política y económica surgida a partir de las crisis de comienzos de la década de 1930, que encumbró a venales dictadores militares y líderes populistas (demagógicos e intervencionistas), y limitó la democracia electoral mediante pactos secretos contrarios al interés público. El sexto capítulo se concentra en el fracaso de los débiles gobiernos democráticos del periodo 1963-1989, que se vieron acosados por graves escándalos de corrupción y que fueron incapaces de contener el creciente poder militarista políticamente motivado, acusador y beneficiario de la corrupción. El séptimo capítulo analiza la compleja conspiración corrupta del régimen de Fujimori-Montesinos, que dilapidó las oportunidades de las reformas liberales y la privatización efectuadas en la década de 1990, y contribuyó a efectuar un giro importante en la forma en que los peruanos ven la corrupción y su legado. Por último, el epílogo señala las continuidades y los cambios que amenazan los avances contra la corrupción realizados en los primeros años de este siglo.

El presente estudio no pretende desbrozar un nuevo campo teórico en el estudio de la corrupción. Un esfuerzo tal deberá construirse a partir de más estudios comparativos y de reconstrucciones estadísticas que aún se encuentran en la infancia. Sin embargo, esta investigación aplica recientes avances metodológicos en el análisis histórico, considerando y reinterpretando cuidadosamente las evidencias disponibles y recién descubiertas. El apéndice ofrece un resultado tentativo de este procedimiento, que busca estimar los costos históricos que la corrupción ha tenido en el Perú. Estos cálculos son estimados preliminares, obviamente sujetos a revisión y a errores de subestimación o sobrestimación. Este ejercicio no pretende resolver el actual debate metodológico en torno a las distintas formas de medir los costos de la corrupción, pero sí brinda, en cambio, un necesario cuadro general basado en nuevas evidencias cuantitativas en combinación con las evidencias cualitativas presentadas en el libro.

Aunque la comparación con otros casos latinoamericanos es importante para situar el caso peruano en su contexto hemisférico y calibrar similitudes y diferencias cruciales entre las historias nacionales, esto solo se intentó aquí esporádicamente. La investigación histórica específica sobre la corrupción aún no es lo suficientemente adecuada como para sustentar de manera sistemática comparaciones regionales e internacionales. Finalmente, al analizar el impacto negativo de largo plazo que la corrupción tuvo en la historia de un Estado y sociedad en desarrollo, el tono adoptado en esta obra no busca ser particularmente pesimista o acusador. Al rastrear campañas reformistas a menudo olvidadas que buscaban contener la corrupción, se intentó resaltar la posibilidad y la promesa de una reforma, así como los avances parciales efectuados en la lucha contra la corrupción a lo largo del tiempo.

Capítulo 1

El fracaso de las reformas coloniales, 1750-1820

E n 1757, el capitán de navío Antonio de Ulloa fue nombrado para un puesto estratégico en el poblado minero de Huancavelica, a unos 3600 metros sobre el nivel del mar. Con cierta renuencia, Ulloa se hizo cargo del gobierno local de la provincia y de la supervisión de la legendaria mina de mercurio de Santa Bárbara. Estas eran tareas difíciles, de máxima responsabilidad incluso para Ulloa, distinguido oficial e ilustrado hombre de ciencia. La mina de Huancavelica, bajo monopolio real, era la única fuente americana importante del metal líquido, un insumo fundamental en el proceso de amalgamación para refinar la plata. El caudal minero había atraído a varias generaciones de hombres ambiciosos e indómitos a los cuales Ulloa debía ahora gobernar.

A su arribo a la villa de Huancavelica en noviembre de 1758, Ulloa se encontró con una situación crítica en la administración local. Los males incluían fraudes en la recepción y contabilidad de rentas reales, peligrosos descuidos técnicos en la explotación de las minas, turbias confabulaciones administrativas y una justicia desvirtuada por el cohecho. Asimismo, Ulloa señaló las corruptelas de autoridades codiciosas, oficiales reales de Hacienda, mineros y comerciantes que causaban un daño incalculable a la Corona española y a sus súbditos. El sistema de la minería de mercurio y plata peruano, columna principal de la economía y rentas imperiales, corría así el riesgo de padecer una decadencia continua e irreversible.[1] Los tenaces esfuerzos reformistas de Ulloa por corregir y castigar estas transgresiones administrativas lo enfrentaron violentamente a poderosos intereses creados, que ofrecían resistencias y dificultades extraordinarias.

No era la primera vez que Antonio de Ulloa (1716-1795) denunciaba prácticas corruptas en la administración virreinal peruana. Alrededor de diez años antes de iniciar su gobierno en Huancavelica, Ulloa había escrito el grueso de un informe confidencial que, en colaboración con Jorge Juan (1713-1773), trataba principalmente sobre las disfunciones y abusos administrativos observados durante sus viajes por la América meridional entre 1736 y 1744. El cáustico informe, escrito en 1748-1749 por instrucciones del ilustrado marqués de la Ensenada, primer secretario de Estado, tenía como base observaciones directas efectuadas principalmente en Lima y Quito, así como en Cartagena, Panamá y los puertos de Chile. El manuscrito «Discurso y reflexiones políticas sobre el estado presente [...] de los reinos del Perú» se ideó para uso particular y confidencial de los ministros del rey Fernando VI. Permaneció inédito por más de siete décadas, pero se mantuvo intelectual y políticamente influyente. De hecho, fue leído con atención por oficiales de alto rango, entre ellos José Antonio de Areche, para instruirse y guiarse sobre materias americanas claves.[2]

Hubo que esperar hasta 1826 para que el importante manuscrito se publicara extraoficialmente en Londres bajo el título sensacionalista de *Noticias secretas de América*. El libro incluía un prólogo escrito por el editor, coleccionista y viajero David Barry, un comerciante inglés anteriormente afincado en Cádiz. Tras su regreso de un fracasado viaje de negocios al Perú, Barry publicó el revelador texto para advertir sobre las adversas condiciones políticas y de inversión heredadas en Hispanoamérica inmediatamente después de la independencia.[3] *Noticias secretas* se tradujo luego al inglés y se editó, en forma abreviada y sesgo adverso a lo español y católico, con el título de *Secret Expedition to Peru*.[4] Con los años, *Noticias secretas* se convertiría en una fuente clásica para denunciar el legado de corrupción en la América española. Asimismo, puede considerársele como un texto fundador de la tradición anticorrupción en las letras hispanas y peruanas.

Durante su largo y meritorio servicio al rey, Ulloa contribuyó valiosamente a nuestra comprensión de los mecanismos de la corrupción virreinal. Pero no fue el primer ni el último reformador que cuestionó la corrupción sistémica imperial. Ulloa basó muchas de sus críticas en autores anteriores y solicitantes decididos a describir y aconsejar a la Corona a tomar medidas contra funcionarios corruptos. Sin embargo, puede sostenerse que Ulloa fue el más articulado e informado del grupo de reformadores anticorrupción de su época, pues se sustentó en abundante observación empírica y en su experiencia práctica como informante privilegiado y autoridad real. A pesar de esta evidencia y su corroboración con muchas otras fuentes, las observaciones críticas e intenciones reformistas de Ulloa han sido debatidas, ignoradas, malinterpretadas o desestimadas por varias generaciones de historiadores.[5] En consecuencia, algunos han optado por evitar reconocer el papel central que la corrupción sistemática tenía en el núcleo de la administración colonial o, incluso, por justificarla como algo favorable.

La postura de Ulloa en contra de la corrupción tenía sus raíces en la fase temprana del proceso más exhaustivo de transformación de las instituciones coloniales conocido con el nombre de reformas borbónicas. Estas reformas buscaban mejorar la eficiencia administrativa del Perú y otros reinos hispanoamericanos. Según el pensamiento reformista, si estos reinos alcanzaban niveles más productivos y eficientes producirían mayores recursos y rentas para sostener a la Corona española en su competencia con otros poderes atlánticos. Estas demandas imperiales, sin embargo, no necesariamente resultaron en mejores condiciones para las élites y los súbditos americanos, particularmente durante periodos de guerra con Inglaterra y Francia, además de chocar frontalmente con los pactos y permisividades tradicionales del antiguo orden de los Habsburgo. Así, estas reformas reforzaron más bien el despotismo ilustrado, un sistema también proclive a excesos de corrupción.

Los sesgos ideológicos, las políticas inadecuadas y los esfuerzos reformistas descaminados y finalmente frustrados de la época de Ulloa no debieran impedir el análisis crítico y equilibrado de su contribución y la de otros reformistas al estudio de los legados de la corrupción virreinal. La larga historia de gobiernos corruptos en el Perú comienza, entonces, con el calvario que vivió Ulloa al descubrir, revelar e intentar resolver los problemas asociados a la corrupción administrativa en el tardío periodo colonial.

Desvelando abusos

Hacia 1735, los jóvenes tenientes de navío Antonio de Ulloa, de diecinueve años, y Jorge Juan, prometedor matemático y astrónomo, de veintidós, fueron comisionados por Felipe V y su primer secretario José Patiño para una misión especial. Debían unirse a una expedición de seis personas enviada por la Academia de Ciencias de París y liderada por el naturista Charles-Marie de La Condamine. Entre otras observaciones científicas, Ulloa y Juan asistirían en la medición de un arco del meridiano de la tierra, intersectado por el espacio de un grado de latitud, cerca del ecuador en los alrededores de la ciudad andina de Quito.[6] Asimismo, instrucciones separadas ordenaban a Ulloa y Juan recoger y enviar periódicamente información estratégica sobre los lugares que visitaran y sobre sus habitantes.[7]

Desde el inicio de sus actividades científicas en 1737, los jóvenes tenientes chocaron con el presidente de la audiencia de Quito, el limeño José de Araujo, sobre formalidades relativas al honor y al rango. Araujo, envuelto en asuntos de contrabando y mala administración de justicia, amenazó a Ulloa y Juan con encarcelarlos.[8] Para buena fortuna de los jóvenes científicos e informantes, el virrey José Antonio de Mendoza, marqués de Villagarcía (1736-1745), intervino para que viajaran libremente a Lima. Dos años más tarde, durante la guerra de la Oreja de Jenkins, el virrey requirió de los servicios navales de Ulloa y Juan para la defensa de la costa y puertos peruanos ante posibles ataques como los que efectuó el vicealmirante británico George Anson. Mientras cumplían estas tareas oficiales entre Quito, Lima y algunos puertos chilenos, Ulloa y Juan recogieron importante información confidencial sobre las disfunciones de la administración, desde el contrabando hasta el cohecho, entre otras transgresiones de oficiales reales.[9]

Ulloa y Juan regresaron por separado a España en octubre de 1744 para disminuir el riesgo de perder esta preciosa información científica y confidencial en caso de desventura en la mar. Juan llegó a España sin mayor problema, pero la Marina británica capturó el navío francés en el cual viajaba Ulloa. Antes de ser aprehendido, Ulloa echó por la borda los papeles confidenciales que transportaba consigo. Tras presentar sus credenciales científicas, Ulloa recibió un buen trato en Boston y Londres de parte de las autoridades navales británicas y de la Royal Society, que lo incorporó como miembro. Regresó sano y salvo a España en julio de 1746.[10]

Su confidencial tratado «Discurso y reflexiones políticas sobre el estado presente de los reinos del Perú» fue implacable en la exposición del mal funcionamiento de casi todos los aspectos de la administración colonial, así como en la propuesta de soluciones reformistas.[11] El tratado detallaba las distintas formas de corrupción dentro de una explicación general de sus vínculos y conexiones y recomendaba medidas específicas y nuevas para resolver problemas particulares y severos. Proponía, además, un ambicioso programa de reforma para evitar el mal gobierno, las injusticias y la apatía religiosa, todos los cuales debilitaban la lealtad de los súbditos coloniales y causaban peligrosas rebeliones indígenas. Ulloa, con la colaboración de Juan, logró así un notable diagnóstico de los principales problemas del sistema imperial en América meridional.

Los capítulos individuales del «Discurso» tratan asuntos específicos con obvias interconexiones entre sí, desde el comercio marítimo y la defensa naval, hasta los abusos contra los indios y la corrupción de la administración virreinal. El primer tema de preocupación del «Discurso» era la reforma naval necesaria para enfrentar a los recientes desafíos británicos en el Caribe y el Pacífico. El informe confidencial detectó los fraudes acostumbrados en la administración de los presidios y fortalezas portuarios, particularmente en la real asignación y subsidio para suministros, salarios y en la construcción de los puertos del Callao, Valdivia y Concepción. Se recomendaba un mejor suministro de armas y municiones, así como la reorganización general de las tropas.[12]

El segundo punto de consideración era el difundido e irreprimible contrabando de mercaderías procedentes de Europa y China. El informe enfatizaba la pérdida de estos muy necesarios ingresos reales por el contrabando,

especialmente en tiempo de guerra. Además resaltaba el serio daño ocasionado al comercio legal por el fraude comercial en que participaban las autoridades locales, a través de sobornos y de una interesada permisividad.
Las sugerencias innovadoras de los autores del «Discurso» iban en contra
de los intereses monopólicos vinculados a las flotas. Insistían en que el mercado comercial de Lima debía estar bien abastecido con frecuentes navíos
de registro libres del engorroso régimen de flotas, medida que reduciría los
incentivos para el contrabando. Concluían que la ruta interoceánica menos
costosa por el Cabo de Hornos era preferible a la ruta corrompida por Panamá
o Cartagena.[13]

El siguiente punto importante reportado por Ulloa y Juan en su
«Discurso» se refirió a los extensos abusos y expolios que los indios sufrían
a manos de los corregidores, sacerdotes y hacendados que buscaban enriquecerse.[14] En una descripción racional, provista de abundantes ejemplos y
observaciones directas de prácticas corruptas en la Administración Pública,
y comenzando desde los niveles inferiores de la sociedad colonial, Ulloa y
Juan explicaron con detenimiento los injustos abusos de autoridad contra los
súbditos más pobres y débiles, los indios. Los pueblos indígenas, según estos
ilustrados informantes, estaban sujetos a la tiranía y sufrían más que los esclavos por ninguna otra razón aparente que su simpleza y modesta ignorancia.[15]

Los abusos comenzaban con el cobro del tributo a los indios por parte
de los corregidores. En manos de estos funcionarios, el flujo de los ingresos
provenientes del tributo indígena brindaba amplias oportunidades para la
malversación y los abusos. Los indios varones adultos debían pagar un tributo
anual de entre cuatro y nueve pesos. Según la ley, varios grupos de indígenas
estaban exentos del tributo ya fuera por edad (los menores de 18 o mayores
de 55 años de edad), por incapacidad física o por privilegio como el poseído
por caciques y monaguillos. Los corregidores no observaban estas normas y
cobraban el tributo de tantos indios como les fuera posible sin importarles los
exentos. La extorsión y la fuerza eran usadas para extraer el pago de quienes
no podían hacerlo. Para complementar e incrementar sus ingresos los corregidores practicaban la doble contabilidad. Con la complicidad de caciques y
curas, los corregidores reportaban oficialmente un menor número de indios
contribuyentes y se apropiaban de la diferencia entre el monto del tributo
cobrado y el monto oficialmente declarado. Este registro ilegal de los tributarios indios ya había sido revelado por una revisita efectuada durante el gobierno del virrey marqués de Castelfuerte a finales del decenio de 1720. Los
corregidores usaban los fondos del tributo así extraídos para sus propios fines
y granjerías, tales como invertir en tratos comerciales privados, y, además,
retrasaban por años el pago debido a las cajas reales.[16]

El abuso por parte de los corregidores se veía agravado con la venta forzada o reparto de mercancías y mulas entre los indígenas a precios exorbitantes. Ulloa y Juan criticaron intensamente el reparto y lo culparon de la insurrección indígena liderada por Juan Santos Atahualpa en 1742. Similares quejas contra corregidores se daban en los juicios y correspondencia oficial desde el establecimiento mismo de su cargo en la década de 1560. Sin embargo, el notable deterioro del comportamiento administrativo de los corregidores alcanzó niveles alarmantes durante la primera mitad del siglo XVII, con el consiguiente debilitamiento de controles efectivos. Hacia mediados del siglo XVIII, la corrupción de los corregidores era una realidad muy arraigada en el sistema virreinal.[17]

Según el «Discurso», al finalizar su mandato, los corregidores y otras autoridades locales, incluidos los virreyes, simplemente sobornaban al juez encargado de la tradicional averiguación oficial, para evitar el castigo efectivo.[18] Estos juicios de residencia eran mecanismos administrativos tradicionales de prominente ineficacia para corregir y sancionar abusos y malos manejos. Los jueces designados oficialmente favorecían al funcionario investigado o formaban parte del mismo círculo de patronazgo e intereses. La mayoría de las veces, los residenciados eran absueltos o reprendidos levemente por los jueces de residencia mediante tecnicismos procesales, la prescripción o el rechazo arbitrario de las evidencias. Aun así, los juicios de residencia son importantes fuentes históricas para el estudio de la corrupción virreinal, pues incluyen los cargos, quejas y demandas originales de aquellos que se atrevían a cuestionar al enjuiciado.[19]

Los difundidos abusos también minaban la capacidad de los indios para acumular un capital comunal con el cual sufragar necesidades imprevistas. Las cajas de censos de indios eran fondos comunales acumulados a través de préstamos otorgados por medio de censos legalmente establecidos sobre propiedades privadas e instituciones como inclusive la caja real. Esta renta asignada a las comunidades indígenas había sido garantizada en parte para compensar la expropiación inicial de tierras comunales, así como para asegurar el pago del tributo y sufragar los costos de rituales religiosos en tiempos difíciles, cuando los indios no podían efectuar gastos. Los caudales de las comunidades individuales estaban consolidados en tres fondos generales en Lima, Cuzco y Charcas y eran fiscalizados por autoridades encargadas de cobrar los pagos y deudas debidas a las comunidades. Hacia mediados del siglo XVIII, la colusión entre cobradores y deudores, el descuido interesado de la contabilidad del rubro y otras transgresiones de las Leyes de Indias, que protegían y regulaban dichos fondos, habían mermado considerablemente el capital comunal indígena. Asimismo, los intereses del rey se veían afectados con la pérdida del tributo indígena no pagado, debido al agotamiento de los fondos de los censos indígenas.[20]

Ulloa y Juan proponían cambiar los principios fundamentales del sistema para impedir que se abusara de los indios. Los autores eran partidarios de abolir los repartos; prohibir a los corregidores el dedicarse a tratos y comercio privados (a la vez que proporcionarles promociones por buen servicio y no limitar el cargo a solo cinco años); imponer castigos estrictos a los transgresores y pagar a los indios como trabajadores libres en lugar de someterlos al trabajo forzado de la mita. Pero Ulloa y Juan no se hacían muchas ilusiones, pues sabían que en el Perú casi todos se opondrían a tal medida: «[T]odo el mundo gritaría en el Perú contra una determinación de esta calidad, y con ponderaciones no cortas harían presente que se arruinaban aquellos reinos enteramente libertando a los indios de mita».[21] No bastaba con nombrar unas cuantas autoridades honestas, puesto que las corruptas o coludidas predominarían. El sistema estaba necesitado de un cambio sistémico de reglas, que realmente transformara la jerarquía administrativa.[22]

Según Ulloa y Juan, la calidad de la Administración Pública se había deteriorado seriamente. Con la práctica venal de la venta de oficios y cargos públicos, introducido en el virreinato peruano en 1633, los puestos oficiales de las cajas reales se vendían al mejor postor. La venta de cargos se extendió para incluir al de corregidor en 1678 y al de oidor de la Audiencia en 1687. Estos cargos importantes eran vendidos mayormente a criollos acaudalados e interesados. Durante el siglo XVII, la venta de cargos y oficios, el arriendo de la recaudación de impuestos, los juros o imposiciones a largo plazo sobre el real erario y los donativos forzados tuvieron dos metas principales: sufragar el costo apremiante de las guerras en Europa y evitar cobrar mayores impuestos a las élites locales por mediación de funcionarios venales. Estas costumbres administrativas, fortalecidas por los intereses locales, contribuyeron a un deterioro constante en la calidad del gobierno, la honestidad administrativa y las finanzas virreinales.[23] El favoritismo en el nombramiento de corregidores y otros funcionarios también se hallaba profundamente arraigado, al igual que la práctica de efectuar regalos o dádivas a las más altas autoridades responsables de asignar cargos interinos.[24]

Muchos de los oficios vendibles y renunciables eran hereditarios y podían ser transferidos a otros. En la década de 1690 hubo por lo menos dos virreyes, uno del Perú y otro de México, que compraron sus altísimos puestos mediante un contrato privado con la Corona española.[25] La venta de otros puestos no hereditarios, entre ellos el de oidor de la Audiencia de Lima, se incrementó sustancialmente durante dos etapas de dificultad financiera para la Corona: los años de los periodos de 1701-1711 y de 1740-1750.[26] Por tanto, el sistema predominante durante la primera estadía de Ulloa en el Perú seguía siendo el de la venta de cargos y oficios.[27] Según Ulloa y Juan, el principio del mérito y de la real recompensa en la Administración se hallaba distorsionado y, por tanto, la calidad del servicio virreinal deteriorada.[28] Solo a partir de 1750 la Corona empezó a reemplazar los oficios venales con puestos asalariados, juntamente con crecientes advertencias contra el pernicioso abuso de fraude por parte de los oficiales reales.[29] La persistente práctica de la venta de oficios sería abolida solo en 1812.

Hacia el final de su extenso tratado, Ulloa y Juan ponen el dedo en el meollo central de la corrupción colonial: «Empieza el abuso del Perú desde aquellos que debieran corregirlo».[30] Se referían así a la colusión de la más alta autoridad, el virrey, con los grupos de intereses locales. El virrey tenía la autoridad centralizadora para otorgar el acceso al poder y podía reforzar así sus redes de patronazgo para conseguir ventajas políticas y ganancias privadas. Para gobernar sin mayor oposición interna, los virreyes respaldaban los abusos y excesos, activa o pasivamente, en conjunción con los oidores de las audiencias y otras autoridades.[31] Varios virreyes participaron del cohecho al recibir sobornos abierta o encubiertamente por conceder cargos vacantes y decidir e imponer sentencias judiciales sesgadas.[32] Esta verdad esencial del funcionamiento de las altas esferas de la administración virreinal habría de afectar personalmente a Ulloa cuando se vio enredado en amargas disputas durante su gestión como gobernador provincial y superintendente de minas de Huancavelica en el periodo 1758-1764.

Ulloa no fue el primer autor que puso al descubierto los males de la corrupción en la colonia peruana y su corte virreinal. En realidad, Ulloa formaba parte de un importante grupo de reformadores de larga y variada procedencia. Algunos abrigaron el estilo de los proyectos reformistas que proponían medidas o arbitrios a escala imperial o local, los llamados autores arbitristas del siglo XVII y los proyectistas del siglo XVIII.[33] Así, por ejemplo, en abril de 1747, un autor supuestamente limeño y contemporáneo de Ulloa presentó al Rey, en Madrid, un tratado titulado «Estado político del Reino del Perú...».[34] Desde sus primeras líneas, el autor profesaba su genuino deseo de servir al rey para restaurar al Perú su antiguo esplendor, así como su compromiso con el bien común, la exhibición de la verdad y el amor a la patria. Dedicaba su manuscrito al ministro de Estado y del Consejo de Indias, el reformista anglófilo Josef de Carvajal y Lancaster, pero el tratadista prefería permanecer anónimo para así poder informar mejor a Carvajal, afirmando, eso sí, su condición confiable y de noble cuna. Algunas observaciones claves de este texto más temprano coinciden con puntos centrales del informe confidencial de Ulloa y Juan. Existen, además, indicios de que Ulloa leyó este bien razonado tratado poco antes de escribir el «Discurso».[35] Otros burócratas reformistas también tuvieron acceso al tratado del autor anónimo que se concentraba en apuntar los graves defectos de la administración colonial. El mismo texto básico se volvió a presentar al rey en 1759 con un nuevo título, esta vez en un momento en que se intensificaron las preocupaciones por el contrabando en distintas partes del Imperio. En esta ocasión, el autor señaló su nombre completo claramente: Mariano Machado de Chaves, un súbdito de cierta fortuna nacido en Lima pero de larga residencia en la corte de Madrid, donde aparentemente perseguía un nombramiento oficial.[36]

En la versión del texto de 1747, Machado de Chaves atribuía la decadencia del Perú al envejecimiento y deterioro de las instituciones coloniales, pues «[el] tiempo, traidor maligno de los establecimientos que lo relaja todo». Además, la inmensa distancia, esa «otra especie de tiempo» que separaba el reino del Perú de su soberano, hacía imperativo el reforzar con nuevas leyes el cumplimiento estricto de aquellas ya establecidas. La disipación de las leyes «ha hecho indulto de la malicia, desconocer al dueño del precepto, y de la misma confianza ha labrado la ambición una infidelidad de usuras, creciendo de lo inicuo a lo pésimo».[37]

Las revelaciones de Machado de Chaves amplifican las críticas de Ulloa contra los virreyes y oidores. Según el primero, hubo tres generaciones distintas de virreyes en los más de doscientos años de dominio virreinal del Perú hasta 1747. La primera generación había impuesto la pacificación del reino después de la conquista, fijando recompensas adecuadas con encomiendas y cargos en el gobierno, otorgados a los pocos españoles armados y obedientes que enfrentaron a millones de indios vencidos. La segunda estaba más segura de su dominio gracias al creciente número de españoles y a la caída del de los indios. La ambición, entonces, comenzó a imperar sobre el mérito y el honor de las armas y los virreyes alimentaban su sed codiciosa de ganancias privadas concediendo favores a mineros y comerciantes. Finalmente, la tercera contribuyó particularmente a la decadencia del Perú y alcanzó la cumbre de la disolución, contando con la asistencia de los oidores locales. Ahora, los virreyes imponían la ley como si fueran príncipes absolutos, con miras a conseguir «indultos pecuniarios» a cambio de decidir contra la justicia, el derecho y la verdad: «mutuados a un dictamen virreyes y oidores, es lo mismo que unirse los lobos y los canes a devorar un rebaño porque el principal pastor se halla lejos». Más aún, como virreyes y oidores eran los componentes claves del gobierno y la corte colonial, Machado de Chaves pensaba que era necesario concentrar sus observaciones en el daño que ellos causaban, puesto que otros oficiales y jueces «no solo imitan el ejemplo de los mayores, sino que precisamente como súbditos obedecen todas las libertades del arbitrio, creyendo que los que mandan tendrán unos libros de leyes para los gobernados y otros de derechos civiles para lo judicial».[38]

A su arribo al virreinato, y ya en las últimas 230 leguas de viaje entre Paita y Lima, los virreyes, su familia y su considerable séquito eran alimentados, mantenidos y agasajados por los corregidores y otros funcionarios locales. Para su beneficio privado, los virreyes imponían un gravamen obligatorio a quienes ya habían sido nombrados corregidores por el rey. El monto de dicho impuesto variaba según el tamaño de la familia y de los parientes del virrey. Luego, los virreyes concedían indultos el día de su santo o de su cumpleaños, a una tasa acostumbrada de hasta cuatro mil pesos. Asimismo, explotaron en provecho propio contratos privados para el suministro de pólvora y paga de las guarniciones, además de permitir un tráfico ilícito a ciertos comerciantes y capitanes. Los virreyes y sus parientes obtenían la mayor parte de sus beneficios privados con estas actividades ilegales. Además, encontraban ventajoso que los oficiales se enfrascaran en largos litigios y juicios de residencia. En consecuencia, todo funcionario, ya fuera de alto o de bajo rango, el clero inclusive, estaba obligado a entregarle obsequios para ganarse así el favor del virrey.

De esta manera, los abusos cometidos por los funcionarios subalternos quedaban protegidos y se multiplicaban por doquier. Los oidores enfrascados en litigios excesivos recibían un tributo ilegal de otros oficiales y favorecían los abusos del clero, entre otras corruptelas.[39] Los oficiales de las reales cajas retrasaban interesadamente el cobro de las deudas al real tesoro, con lo que se generaron pérdidas fiscales de alrededor de diez millones de pesos en cinco décadas. Miembros del clero, a su vez, sobornaban a las autoridades para remozar sus propiedades y cubrir sus faltas. De no aplicarse remedios urgentes a todos estos abusos, advertía Machado de Chaves, surgirían alzamientos de descontento popular en nombre de la «libertad de la patria», similares a los ocurridos desde 1730 en Paraguay, Cochabamba y Oruro: «digno fantasma a temerse en todos los pueblos, y mucho más en el Perú, donde todo respira esclavitudes y se hacen tiranía las leyes».[40]

Ya antes de Machado de Chaves y Ulloa, otros autores críticos consideraron la corrupción de los principios del gobierno y la justicia por parte de codiciosos funcionarios, como un serio problema, presente desde el temprano siglo XVII. Estos críticos sostenían que el real interés en el orden público y la justicia, así como los principios cristianos, se veían seriamente socavados por prácticas ilegales pero comunes. Estos críticos incluían a autores de memoriales y crónicas que documentaban abusos cometidos contra los indios y clamaban por reformas.[41] Hacia 1615, el cronista Felipe Guamán Poma de Ayala produjo una singular crónica indígena con ilustraciones realistas y críticas. A pesar de que la vigorosa denuncia de Guamán Poma fue ignorada y archivada por las autoridades reales, podemos considerarla como el primer tratado contra la corrupción que generaba el maltrato a los indios por parte de las autoridades y el clero. Guamán Poma consideraba su obra útil para enmendar a corregidores, encomenderos, curas y mineros, así como para realizar nuevas y justas residencias y visitas de indios. Se trató de un intérprete y artista discípulo del cronista español fray Martín de Murúa, que criticó el legado del virrey Francisco de Toledo, en parte como esfuerzo personal para reivindicarse como cacique principal de Huamanga. Se oponía a la mezcla de razas o mestizaje y defendía una alternativa utópica premoderna y religiosa frente a las corruptelas observadas, en la cristianización estricta de los indios.[42]

Siguiendo una tradición distinta, el sargento Juan de Aponte escribió uno de los primeros proyectos arbitristas y reformistas en 1622, con el objetivo de contrarrestar la corruptela.[43] Aponte, nacido en Granada pero residente de Huamanga, donde firmó su «representación» o «memorial», dirigió su escrito al rey como ejemplo de la responsabilidad que sus verdaderos súbditos tenían de informarle de la notable perdición del Perú y de la necesidad de su «gran reformación». Al final de su memorial subrayó sus fieles servicios al rey durante diez años en un navío de la Mar del Sur, habiéndose retirado sin «premio» alguno. Concluyó sombríamente que los buenos y honestos servicios en el Perú se recompensaban mal, pues «todo corre fundado en interés, y los que tienen pueden y los pobres mueren».[44]

La opinión de Aponte sobre los virreyes coincidía mucho con la que Machado de Chaves emitió posteriormente sobre la segunda generación de estos gobernantes. Aunque la reforma administrativa era urgente, los virreyes no se interesaban en aplicarla debido al beneficio privado que esperaban llevarse consigo a su regreso a España.[45] Asimismo, el principal interés de muchos oidores era enriquecerse, mientras que los oficiales de cajas reales, a los que se debían supervisar cercanamente y prohibirles granjerías privadas, se aprovechaban del real tesoro en sus tratos con particulares. Los corregidores eran como langostas, proseguía Aponte, pues actuaban más como mercaderes y tratantes que como jueces, al introducir ilegalmente grandes cantidades de vino en sus corregimientos para su venta a un alto precio a los indios de sus distritos, además de albergar juegos prohibidos de cartas.

Entre los muchos males identificados por Aponte en 1622, el más dañino para la economía colonial era la administración corrupta del asiento minero de Huancavelica. Su manejo como monopolio real era desastroso: «[es] el peso y lastre de este reino del Perú, y la cosa que V. M. más encarga todos los años y en la que menos diligencias se hacen de su aumento».[46] Las minas de Huancavelica habían sido trabajadas en forma negligente desde su temprana

La representación visual de la corrupción no es una tarea fácil pues sus transacciones son por lo general clandestinas y complicadas. Las ilustraciones históricas de la corrupción abarcan el simbólico intercambio de dinero o monedas, dilapidados tesoros nacionales representados por explotadas vacas lecheras o mulas, tentáculos envolventes, ladrones enmascarados, juegos de cartas, y culpables encarcelados, como se expone en las ilustraciones que aparecerán a lo largo de los capítulos. Dichas imágenes demuestran el costoso impacto del soborno y la corrupción en la percepción y opinión públicas.

Fig. 1. Acumulación de riqueza privada entre las autoridades virreinales: «Corregidor y encomendero tienen pendencias sobre los reales quien ha de llevar más». Crítica representación gráfica de la dañina confluencia de intereses públicos y privados en la temprana administración colonial peruana. Felipe Guamán Poma de Ayala, «Nueva corónica y buen gobierno», 1615, f. 495. Biblioteca Real, Copenhage, Dinamarca.

explotación. Los estribos y arcos que sostenían los techos de las minas habían sido dañados o destruidos en la búsqueda por obtener mineral en forma fácil sin cuidar la infraestructura esencial y su restauración. En consecuencia, los frecuentes derrumbes mataban a muchos indios que trabajaban en las minas. Las autoridades no castigaban esta práctica abusiva y costosa. Más aún, las autoridades se apropiaban de parte del mineral de mercurio producido en lugar de distribuirlo, como era propio, entre los mineros de plata que lo necesitaban para sus obras de refinamiento. Los oficiales reales tampoco implementaban mejoras e imprescindibles técnicas como la debida ventilación y un socavón de desagüe. Los indios reclutados en número insuficiente a través del sistema de la mita eran sobreexplotados. Muchos de ellos morían debido al agotamiento y a las enfermedades. Las empobrecidas comunidades de indígenas y sus curacas se veían precisados a pagar por la exoneración de este servicio laboral en las minas. Con la complicidad de los corregidores, los mineros se beneficiaban de estos pagos ilegales, abusaban de los indios que trabajaban para ellos y atentaban contra la productividad de las minas.[47]

La imagen que Aponte tenía de la situación de las minas de Huancavelica queda corroborada por la correspondencia oficial de la segunda mitad del siglo XVII y de las décadas posteriores. En 1645, el marqués de Mancera, virrey entre 1639 y 1648, afirmó que, al asumir su cargo, la minería del mercurio en Huancavelica se hallaba en una notoria condición miserable, debido a los ruinosos derrumbes, ocurridos no hacía mucho, que hacían muy difícil la extracción del azogue.[48] El asunto era urgente porque la preservación de los reinos del Perú y, en consecuencia, la de la propia monarquía, dependían de la recuperación de la mina. Se consideró, entonces, concluir un socavón que yacía sin terminar desde comienzos del siglo XVII. Mancera le encargó a Constantino de Vasconcelos, un talentoso especialista de notable integridad y exento de intereses, que visitara la mina y propusiera soluciones técnicas. Este estudioso de matemáticas, geometría, arquitectura y dibujo concluyó que la causa principal del estado ruinoso de la mina era el método de explotación desorganizado y negligente. Los explotadores se concentraban en la extracción e ignoraban la infraestructura de la mina. A partir del plano detallado que hiciera del lugar, Vasconcelos recomendó que se racionalizaran los trabajos mineros. Su asesoría técnica se topó, sin embargo, con la oposición de personas interesadas en desvirtuar los cambios propuestos y seguir con las destructivas prácticas del pasado.

Luis de Sotomayor Pimentel, un familiar laico de la Inquisición e integrante del círculo íntimo del virrey, fue nombrado, entonces, gobernador de Huancavelica, un cargo tradicionalmente reservado a los oidores de Lima. Sotomayor rechazó totalmente las prudentes innovaciones planteadas por

Vasconcelos. Insistió, por el contrario, que la mejor forma de proceder era dirigirse hacia las venas más ricas del mineral, reparando la mina allí donde fuera necesario, usando la mano de obra indígena y siguiendo prácticas de larga data.[49]

Unos cuantos años más tarde era claro que la situación de Huancavelica no había mejorado. Por el contrario, una nueva visita e inspección de la mina en 1649 verificó abundantes daños que conllevaban elevados riesgos para los arcos y estribos debido al saqueo y los errores. En tal estado, sostenían los inspectores, la operación de Huancavelica no merecía llevar la denominación de «mina».[50] En la década de 1660 se reportaron otros problemas como la continua caída de la producción y el mal manejo de los fondos por parte de los funcionarios en Huancavelica.[51] Casi un siglo después, el reformador técnico ilustrado don Antonio de Ulloa habría de enfrentar problemas similares durante su gestión como gobernador de Huancavelica.

Purgatorio minero

Luego de presentar su informe confidencial sobre el mal gobierno del Perú en 1749, Ulloa se desempeñó como informante secreto y agente de la Corona en Francia, Flandes, Dinamarca y Suecia a comienzos del decenio de 1750.[52] Bajo la apariencia de un erudito matemático, Ulloa brindó al gobierno información delicada sobre puertos, canales, caminos, factorías, minas y mano de obra en esos países. Sus contribuciones científicas fueron reconocidas en Europa e incluían la información inicial que proporcionó sobre un metal aún por bautizar, luego denominado platino, con el que se topó durante su primer viaje americano. Luego radicó en Cádiz y sirvió como oficial naval hasta que aceptó el nombramiento en Huancavelica.

Anteriores intentos por reformar la pésima administración minera, el fraude y el contrabando habían sido opuestos y derrotados por la interesada oposición local. Es el caso de los gobiernos de dos virreyes reformistas: el duque de la Palata (1681-1689) y el marqués de Castelfuerte (1724-1736).[53] Ulloa conocía el grado de dificultad asociado a su nuevo puesto, pero no podía prever la seriedad de los problemas que le esperaban en lo que posteriormente llamó «un purgatorio de continuos desabrimientos».[54]

Los informes de Ulloa contra la corrupción antes de asumir su cargo en Huancavelica habían sido elaborados desde el punto de vista de un observador confidencial. Como gobernador de Huancavelica, a partir de noviembre de 1758, sus observaciones sobre las serias distorsiones administrativas locales emanaban de las propias entrañas de la burocracia colonial.[55] En su extensa e importante «Relación de gobierno» (1763), la situación descrita es aún peor a la de su «Discurso» (1749).[56] Ulloa también dejó para la posteridad otro informe oficial basado en su experiencia administrativa andina e incontables cartas oficiales con valiosa información crítica. Además se vio envuelto en diversos juicios y procesos legales en los cuales tuvo que defenderse de maliciosas acusaciones.[57] En resumen, Ulloa se enfrentó a un bastión de intereses corruptos, coludidos con las más altas autoridades coloniales, y perdió. El honrado e ilustrado administrador tuvo que dejar el Perú en 1764, incapaz de cambiar las redes e intereses que siguieron socavando la economía colonial peruana.

Las autoridades de la corte en Madrid entendieron bien la importancia que tenían las minas de Huancavelica para la economía imperial, basada en la producción y circulación de la plata; por ello el decaimiento de las minas de mercurio andino trajo serias pérdidas para todo el Imperio. Desde la segunda década del siglo XVIII, los burócratas de la monarquía borbónica habían tratado de reformar la decadente situación de la administración y el gobierno de Huancavelica y del virreinato, tal como la describieran Aponte, Mancera y Vasconcelos. Pero estos esfuerzos tuvieron resultados mixtos. Los mineros de mercurio y plata sufrían una crónica escasez de capital. Vivían endeudados con la Corona y a merced de acreedores mercantiles privados y autoridades locales que ofrecían crédito usurario a los mineros.

Un paso importante para aliviar la crisis minera fue la introducción de adelantos en efectivo del tesoro real a los mineros de azogue para asegurar así la compra del mercurio a precios oficiales. El manejo de estos fondos crediticios fue transferido de las manos de los virreyes y oficiales reales de Lima a las de los más honestos y recién nombrados gobernadores de Huancavelica. El tesoro real también empezó a suministrar mercurio a crédito a los mineros de plata del virreinato. Así, los mineros del azogue disminuyeron la venta ilegal del metal líquido a compradores privados que lo desviaban hacia la producción de plata piña, no registrada ni gravada, destinada al contrabando. En consecuencia, la producción de plata destinada al pago del quinto real se incrementó. Todas estas medidas le dieron un muy necesario impulso a la economía andina de plata a comienzos de la década de 1750.[58]

Sin embargo, para cuando Ulloa se hizo cargo del gobierno de Huancavelica, la vieja corrupción había regresado con fuerza. El interino gobernador anterior, Pablo de la Vega y Bárcena (1755-1758), había deshecho el orden y la labor reformista de los dos gobernadores que lo precedieron, Jerónimo de Sola y Gaspar de la Cerda y Leiva. Según Ulloa, citando lo que consideraba era la confesión de parte de Vega, la mina de Huancavelica se explotaba sin preocupación alguna por su derrumbe; la contabilidad y tesoro real quedó a merced de los fraudes de los oficiales e «inteligencias particulares»;

el monopolio de la compra y distribución del mercurio se convirtió en objeto de utilidad privada; la tiranía había reemplazado al buen gobierno; y el cohecho dominaba la administración de justicia.

Al momento de tomar posesión del mando, Ulloa no recibió de parte de Vega, como era debido, los acostumbrados informes contables de los tres ramos más importantes: tesorería, gremio de mineros y azogue. Por el contrario, Vega había dejado un desorden monumental que escondía innumerables abusos y fraudes contra los intereses reales. A través de medios ilícitos, Vega había ganado más de 30.000 pesos al año durante su mandato. Esta era una cifra extraordinaria si se considera que el salario legal anual de un oidor de Lima suponía entre 4000 y 5000 pesos, y el de un oficial de caja real, 400 pesos al año, mientras que a un trabajador minero libre se le pagaba 4 pesos a la semana o unos 200 pesos anuales. Las más altas autoridades permitían tal desmesurada e ilícita ganancia, pues recibían regalos en la forma de barras de plata por el día de su santo o cuando quiera que enfrentaban alguna dificultad. El no participar en tal costumbre de cohecho y soborno le trajo, a Ulloa, muchos problemas durante su gobernación.[59]

Ulloa decidió aplicar su conocimiento científico y técnico para lograr la extracción más eficiente del mineral de mercurio y reformar la organización de la mina. Sin embargo, los mineros y veedores oficiales se coludieron para desobedecer y sabotear las órdenes y regulaciones técnicas dictadas por Ulloa. Desconfiando de los veedores, Ulloa tuvo que verificar personalmente las condiciones físicas de las minas en forma periódica. Demostró, así, que las tareas urgentes de mantenimiento y reparación de paredes, techos y estribos de las minas, así como la limpieza y pavimentado de los socavones de drenaje de San Javier y San Nicolás, se habían retrasado negligentemente. Los mineros se resistían a cumplir estas obligaciones y conseguían, más bien, permisos falsificados para trabajar sitios prohibidos dentro de la mina, en los que extraían el mineral de estribos estructurales y luego cubrían la extracción ilegal con desmonte que debía sacarse de la mina. Los derrumbes peligrosos y ruinosos ocurrieron debido a obras ilegales de mineros como Francisco Gómez y Baltasar de Cañas, yerno y concuñado respectivamente del veedor José Campuzano. Los otros supervisores, Fernando Anthesana, Juan Afino y Francisco San Martín eran también culpables de fraude y complicidad con otros mineros y comerciantes inescrupulosos.[60] Además, como lo había hecho en su «Discurso» de 1749, Ulloa también denunció los excesos de los repartos, el fraude en la cuenta de los indios tributarios y el abuso de la mano de obra indígena.[61]

Con respecto a la calidad decreciente del mineral en Huancavelica, Ulloa confirmó que los depósitos más profundos tenían menor contenido metálico.

Sin embargo, culpó al gremio de mineros por no implementar las inversiones necesarias en hornos e insumos para incrementar la productividad. Ulloa incluso experimentó con operaciones mineras financiadas por el erario real, en una iniciativa que se llamó la Minería del Rey y que fue muy rechazada por los mineros, quienes temían el eventual control fiscal de las actividades mineras en Huancavelica. Ulloa pronto reconoció la imposibilidad de reconciliar los intereses del gremio de mineros con los del rey y su hacienda. Si ocurrían monstruosidades en la asociación de los hombres, Ulloa afirmaba, en ninguna otra sociedad era esto más cierto que en la del gremio de mineros de Huancavelica. Los mineros usualmente daban regalos al gobernador de Huancavelica, además de beneficiarlo con lo que cobraba de derecho por cobijar juegos de cartas en su morada, costumbres que Ulloa rechazó y prohibió. Aún más, a pesar de recibir adelantos del erario para financiar la producción, los mineros realizaban ventas ilegales de azogue a particulares en lugar de pagar sus deudas al gobierno y depositar el mineral en los reales almacenes.[62] Los oficiales reales también obtenían ganancias ilegales al otorgar adelantos sobre el azogue a mineros descapitalizados, quienes luego revendían el mercurio a mayor precio y compartían la ganancia con los oficiales. Así transcurrieron años de descuido fraudulento en la cobranza de las deudas de mineros con el erario y arcas reales perdieron los fondos necesarios para continuar o expandir el sistema crediticio oficial de adelantos en efectivo y mercurio.[63]

En octubre de 1760, harto de la incompetencia técnica, la insubordinación y los abusos, Ulloa encarceló a los veedores principales Campuzano y Afino, junto con su asistente José Gordillo, acusándolos de permitir la explotación riesgosa de la mina y de exiliar a varios mineros.[64] Entre los partidarios de los veedores encarcelados se hallaban el contador real Juan Sierra y el clérigo Juan José de Aguirre. Ulloa se había enemistado anteriormente con tres sacerdotes seculares en Huancavelica, en incidentes separados. En 1759, el gobernador Ulloa había culpado al sacerdote Manuel Joseph de Villata de especular con la harina y contribuir, así, a su peligrosa carestía. Asimismo, había sancionado al sacerdote Antonio Segura por secuestrar a una joven mujer. Ulloa también había rechazado las pretensiones de Aguirre de ser su asesor.

El virrey en Lima y el obispo de Huamanga hicieron poco por corregir las transgresiones de estos clérigos, al tiempo que Ulloa denunciaba su falta de respeto a la autoridad, su abuso de los indios y sus públicas palizas proferidas a curacas. Según Ulloa, Aguirre se había beneficiado con la anterior administración de Vega que le permitía cobrar en exceso por derecho de entierro. Por su parte, Aguirre se enfrascó en una campaña por defenestrar a Ulloa y reemplazarlo con Vega como gobernador y Campuzano como veedor.

Enfrentado a esta conspiración, Ulloa logró una orden para evacuar a Vega de Huancavelica.[65] Aguirre organizó entonces una campaña local paralela y casi subversiva para descalificar y denigrar la actuación de Ulloa en el encarcelamiento de los veedores y mineros que ya habían confesado su culpa. Además, Aguirre movilizó a sus contactos en la Corte del virrey conde de Superunda (1745-1761) y su sucesor Manuel Amat y Junyent (1761-1776). Las quejas de Aguirre condujeron a una visita oficial a finales de 1761 con misivas deshonestas. Cristóbal de Mesía, oidor de Lima, llevó a cabo la visita en Huancavelica, con el corregidor Carlos Platsaert como testigo. Esta intervención concluyó con la excarcelación de los funcionarios apresados y la interrupción de su proceso legal.[66] Ulloa pronto se enteró de que varios miembros de la Audiencia de Lima y hasta el mismo Amat se habían parcializado en su contra y favorecido a sus enemigos en Huancavelica por instigación del obscuro asesor legal de Amat, José Perfecto de Salas.[67]

Los redoblados esfuerzos realizados en contra de Ulloa llevaron a una segunda averiguación oficial, encabezada por Diego de Holgado, el fiscal de la Audiencia de Lima que le abrió un juicio de residencia. A pesar de las decisiones judiciales iniciales, favorables a Ulloa, Amat y Holgado procedieron con nuevas investigaciones que minaron por completo la autoridad de Ulloa y lo acusaron de haber cometido los mismos delitos de corrupción que él había denunciado. Reportó a sus superiores en Madrid que Amat era un virrey venal, enfurecido porque Ulloa se había rehusado a entregarle el soborno acostumbrado de 10.000 pesos con el cual el puesto de gobernador de Huancavelica estaba extraoficialmente gravado para beneficio privado del virrey.[68] Más aún, en su «Relación de Gobierno», Ulloa criticó la escandalosa venta de corregimientos y otras transgresiones efectuadas por los virreyes Superunda y Amat.[69] Del mismo modo, Gaspar Alejo de Mendiolaza, el antiguo asentista del transporte del azogue en mula, acusó a Holgado de haber abusado de su cargo y, por tanto, de haber puesto en peligro el suministro estratégico de recursos, al favorecer a un nuevo postor del asiento que no contaba con el capital suficiente.[70]

Los esfuerzos reformistas de Ulloa para efectuar mejoras técnicas en la mina e infraestructura urbana de Huancavelica fueron socavados por los líos legales en los que se vio envuelto.[71] Aun así, el nivel de la producción de mercurio y plata durante su administración se incrementó, aunque volvió a caer luego de su partida. Intentos subsecuentes por reformar la administración de las minas de Huancavelica y superar los problemas técnicos también fracasaron. Con muy breves intervalos de mejoría, la producción de Huancavelica continuó en decadencia hasta 1813, cuando apenas producía una pequeña

Fig. 2. Virrey Manuel Amat y Junyent, 1761-1776. Virrey militar que personifica el abuso del poder y la ganancia privada del corrompido sistema colonial. Con la ayuda de su asesor legal, Juan Perfecto Salas y su círculo de clientela, Amat se ensañó con el gobernador reformista Antonio de Ulloa. Múltiples transgresiones legales del virrey y su entorno se detectan en los juicios de residencia respectivos. Retrato de Cristóbal Aguilar, 1769. Monasterio de Nazarenas Carmelitas, Lima. Foto de Daniel Giannoni.

fracción de lo que había arrojado con Ulloa. Su ulterior ruina devino con la independencia.[72] La minería peruana sufrió así un revés histórico debido, en no poca medida, a prácticas corruptas persistentes. En consecuencia, la sistemática corrupción colonial tuvo tres principales efectos en la economía local e imperial: el descuido y abandono técnico y operativo de las minas de mercurio, el deterioro de las condiciones laborales de los indios que allí trabajaban y el alza en el costo de financiación y producción tanto del mercurio como de la plata.

Intereses adversos a la reforma y profundamente arraigados vencieron a Ulloa, así como a otros reformadores que le precedieron, tal como frecuentemente ha sucedido en el transcurso de muchos intentos históricos por efectuar reformas administrativas y técnicas en el Perú. Las repetidas peticiones de Ulloa para ser relevado de sus deberes en Huancavelica fueron finalmente atendidas en Madrid. En julio de 1764, Ulloa recibió la orden de viajar a Cuba para luego asumir la gobernación de Luisiana.[73] Al virrey Amat se le ordenó no interferir con la partida de Ulloa. Desde Panamá, Ulloa le escribió una última y cáustica carta a Amat enumerando los delitos que había permitido quedaran sin castigo, entre los cuales mencionaba su reemplazo por Carlos Beranger, un dependiente del propio Amat en la gobernación de Huancavelica.[74] En venganza, Amat apresó a Juan de Alasta, partidario y fiador de Ulloa, ligado a la acaudalada familia Mendiolaza. Languideciendo en prisión, Alasta mostró señales de locura.[75]

Plata y contrabando

¿Cuáles fueron las raíces sistémicas más profundas de la oposición corrupta a los esfuerzos reformistas de Ulloa en Huancavelica? Para responder esta pregunta es necesario analizar el entendimiento entre las autoridades políticas y los intereses creados vinculados a la minería de plata y su comercio, el financiamiento, los impuestos reales que generaba y el contrabando al que daba lugar desde por lo menos los inicios del siglo XVIII. Estas conexiones favorecieron las ganancias privadas en desmedro de la producción y la honesta administración. Una vez más, el parecer de Ulloa sobre esta cuestión es valioso. Su último y mayormente olvidado tratado «Informes de D. Antonio de Ulloa dirigidos a Carlos III» que escribió en Cádiz en 1771, varios años después de su pesadilla peruana como gobernador de Huancavelica se refiere a este tema.

Vinculado al declive de la minería del azogue, el punto neurálgico del Imperio español en América era la producción de plata.[76] El tesoro real subsidiaba a los mineros de plata proporcionándoles azogue a crédito. Pero los oficiales corruptos de las cajas reales en provincias imponían condiciones interesadas para los adelantos en mercurio a los mineros. Especulando con la diferencia entre el precio oficial y el de venta del mercurio, en complicidad con aquellos mineros de plata que lo recibían privilegiadamente, los oficiales reales y sus socios privados se aseguraban ganancias ilícitas. Estos oficiales reales también exigían el pago del mercurio con plata piña, es decir, plata sin sellar ni quintar (toda plata producida estaba sujeta a un impuesto del 20 por ciento, el quinto real, al momento de fundirla en barras selladas oficialmente). Además, los oficiales demoraban el cobro de deudas fidedignas al erario y la presentación de cuentas formales causando, así, cuantiosas pérdidas a la Corona.[77]

La plata piña era el medio preferido para la adquisición de artículos de importación de contrabando. De este modo, el erario perdía aún más en derechos dejados de cobrar por comercio de importación. Los comerciantes de Lima eran los principales beneficiarios del contrabando, al sobornar a los oficiales de aduana y a los jueces del Tribunal del Consulado, institución que administraba la justicia comercial y atendía los casos del gremio de comerciantes de Lima. El enorme drenaje de los ingresos reales debido a estas prácticas era objeto de suma preocupación para los burócratas y reformadores en Madrid. Tratados tempranos sobre el costo del contrabando (definido literalmente como el contravenir un bando o decreto) subrayaban su carácter ilícito, pues implicaba tratar con los enemigos del rey. Combatir el contrabando era, pues, un esfuerzo necesario para la conservación de la monarquía.[78]

Desde comienzos del siglo XVIII, la Corona española concentró su vigilancia en el contrabando, en especial el de ingleses y holandeses, proveniente de Jamaica y Curaçao (introducido a Panamá, Cartagena y Cuba), el de portugueses de la colonia de Sacramento, el del Pacífico asiático transportado a México y el de franceses a Buenos Aires y el Perú. A través del Consejo de Indias, la Corona implementó una serie de órdenes, pesquisas y medidas con las cuales contener la propagación de tan dañino tráfico y la participación de sus propios súbditos en estas infracciones. Desde principios del siglo XVIII, el Consejo recibió información alarmante de Lima sobre el notorio incremento del contrabando en el Pacífico sur, realizado tanto por aliados franceses como por enemigos ingleses y holandeses.[79] Estos intereses extranjeros se vinculaban con los de los comerciantes y oficiales locales a través del contrabando.

El empuje reformista contra el contrabando en el Imperio español coincidió con el ascenso de la dinastía Borbón en España con Felipe V, nieto de Luis XIV, y con la Guerra de Sucesión Española (1701-1714), que enfrentó a Francia y España contra una coalición del imperio austriaco de los Habsburgo, Inglaterra y Holanda. Paradójicamente, el primer virrey que la monarquía borbónica nombró para gobernar el Perú, el catalán Manuel de

Oms de Santapau, marqués de Castelldosrius (1707-1710), tuvo una conspicua participación en unos escandalosos casos de contrabando francés durante su gestión. El respaldo incondicional que Castelldosrius diera a la causa borbónica como embajador español en la corte de Luis XIV le ganó como recompensa, en 1702, el cargo de virrey, pero no pudo embarcarse al Perú sino hasta 1706, debido al descalabro del transporte por la guerra naval. Castelldosrius había perdido sus propiedades en Barcelona cuando la ciudad cayó bajo el control del partido de los Austrias. Fuertemente endeudado, el futuro virrey hizo promesas de devolver favores, contando tal vez con la posibilidad de recuperar su fortuna y enriquecerse en el Perú. Castelldosrius solicitó la licencia de viaje acostumbrada para un grupo inusualmente grande de parientes, criados y dependientes: su séquito más cercano, que incluía a muchos franceses, y la base de la corte que pensaba establecer en Lima.[80]

Desde su arribo a Lima en 1707, Castelldosrius se esforzó por aumentar su fortuna privada y establecer alianzas con la élite local para así conseguir respaldo político. Emulando a Luis XIV, Castelldosrius auspició concursos literarios, eventos musicales y una academia literaria conformada por los mejores intelectos locales. Al mismo tiempo, estableció sociedades con comerciantes peninsulares de alto rango, como con Francisco de Lártiga, Bernardo de Solís Bango, Pedro Pérez de Hircio y Alonso Panizo, entre otros. Dichas sociedades estaban involucradas en transacciones de contrabando con capitanes de naves francesas que arribaban al puerto meridional de Pisco con la complicidad de autoridades locales. Castelldosrius obtuvo una tajada del 25 por ciento de la introducción ilegal proveniente de tres barcos franceses por un valor aproximado de tres millones de pesos. Los cobros ilegales a nombre del virrey los hizo Antonio Marí Ginovés, su asesor y representante de confianza, con la asistencia de Ramón de Tamaris, sobrino del virrey. Marí también administraba otras fuentes de ingreso del virrey como lo cobrado por el nombramiento de corregidores interinos. En este particular se benefició Phelipe Betancur, corregidor interino de Pisco e Ica, nombrado en lugar del titular Francisco Espinosa de los Monteros.

Espinosa y un grupo considerable de comerciantes vascos se hallaban enfrascados en una disputa en torno a la dirección del Consulado, en franca oposición a lo que consideraban un dañino contrabando «corrupto» que desviaba millones de pesos en plata piña y en barras. La facción de Espinosa denunció a Castelldosrius ante el Consejo de Indias. El fiscal del Consejo en Madrid calculaba que, en diez años, los franceses habían desviado cerca de cien millones de pesos en plata a través del comercio ilegal. Asimismo, sostuvo que el palacio virreinal había sido convertido en un «burdel» y que se debía dar un castigo ejemplar a los gobernadores, oficiales reales y jueces implicados. Castelldosrius fue separado de su cargo en 1709, una sanción con escasos precedentes. Falleció en Lima en 1710, mientras esperaba los resultados de su apelación. Como era de prever, su tardía residencia en 1717 no sancionó pena seria a sus herederos.[81]

La muerte del virrey Castelldosrius no puso fin a la bien establecida red de contrabando. Su sucesor, Diego Ladrón de Guevara (1710-1716), exobispo de Quito, también fue acusado por el Consulado de asistir al contrabando francés en el Pacífico. Andrés Munive, juez eclesiástico y asesor del virrey, lo ayudó a incrementar su riqueza privada por medio de varios casos bien documentados de contrabando. Un oficial del Consulado sorprendió a Munive cuando junto a otras personas cercanas al virrey entregaban 80.000 pesos en plata a bordo de una nave francesa. El oficial que destapó este asunto perdió su puesto por órdenes directas del virrey y gestionadas por su secretario, Luis Navarro, para así permitir el arribo irrestricto de contrabando francés. Quejas adicionales sobre la codicia de Ladrón de Guevara y sus ventas de cargos llevaron a su caída.[82] Entretanto la mina de Huancavelica continuaba deteriorándose, circunstancia que motivó el desesperado intento de cerrarla por parte del virrey príncipe de Santo Buono (1716-1720).

Solo con la llegada del virrey José de Armendariz, marqués de Castelfuerte (1724-1736), un militar estricto, se tomaron algunas medidas para poner un freno temporal al contrabando. Castelfuerte dio una orden especial para limitar el flujo de plata a manos extranjeras y el ingreso de textiles de contrabando de China y Europa. Las ferias mercantiles de Portobelo y Panamá, parte del sistema tradicional de las flotas, habían decaído debido al contrabando. Castelfuerte cuestionó, en particular, el gobierno anterior del virrey-arzobispo Diego Morcillo (1720-1724), durante el cual el contrabando había alcanzado altos niveles. Castelfuerte implementó la vigilancia naval, las inspecciones, los castigos y la confiscación de artículos de contrabando, y recompensó a los denunciantes con la tercera parte del valor del contrabando confiscado. Además, apresó al criollo José de Santa Cruz y Gallardo, conde de San Juan de Lurigancho y propietario del oficio heredado de tesorero de la ceca de Lima, debido a irregularidades en el peso y contenido de las monedas locales. Castelfuerte también reveló serias transgresiones de corregidores, sacerdotes y caciques en la cuenta y empleo de los indios de mita. El virrey fue atacado por los intereses afectados que denunciaron sus supuestas ganancias privadas obtenidas de la confiscación de artículos y caudales del contrabando.[83]

La efectividad de las medidas contra el contrabando fue puesta a prueba durante el periodo de transición transición en el cual los navíos de permiso y de registro reemplazaron al viejo y rígido sistema de flotas. Estos permitían una mayor frecuencia y flexibilidad en el intercambio comercial. Entre 1700 y 1750, diversas exenciones reales otorgadas a comerciantes extranjeros (los asientos de esclavos concedidos a franceses y, después de 1713, a ingleses) y otras medidas intentaron flexibilizar el comercio para renovar la decadente política comercial monopólica manifiesta en las flotas del Pacífico y del Atlántico. La tradicional feria de Portobelo, en la costa caribeña del istmo de Panamá, a la cual llegaba la plata peruana de la costa del Pacífico para ser intercambiada por bienes europeos importados, no se realizó entre 1707 y 1720; tampoco se celebró en 1721, 1723, 1730 ni en el periodo 1739-1740. El sistema comercial monopólico estuvo arruinado por la guerra y la competencia naval, así como por el mayor costo de financiar la flota en el Pacífico (la Armada del Sur). Los diversos impuestos, pagados por los comerciantes de Lima que sufrían la competencia del contrabando, hicieron que los costos relativos del comercio subieran aún más. Además, los comerciantes limeños quedaron expuestos a la rapacidad de las autoridades de Panamá, Santa Fe y Quito, quienes confiscaban parte de la plata en tránsito bajo la excusa de cubrir gastos de defensa local.[84]

Pese a la erosión de sus privilegios monopólicos, los comerciantes de Lima se adaptaron muy bien a un sistema comercial más libre y directo con Europa por la vía del cabo de Hornos. Diversificaron sus intereses, concentrándose en los rentables mercados cautivos de Chile y Quito y aprovechando las nuevas oportunidades ofrecidas por el contrabando. En efecto, la élite mercantil de Lima florecía económica y socialmente, incrementando sus operaciones crediticias comerciales y sus redes de corresponsales y comprando títulos de nobleza e importantes cargos oficiales. Estos comerciantes fueron beneficiarios del difundido contrabando que ahora ya formaba parte integral de la economía peruana. Los mercaderes más acaudalados y sus herederos estuvieron involucrados en casos de comercio ilícito (por ejemplo, el peninsular montañés José Bernardo de Tagle Bracho, marqués de Torre Tagle, habitualmente estuvo vinculado a los comerciantes contrabandistas franceses, a los cuales también les compraba costosas naves). La documentación adicional destaca a otros prominentes comerciantes españoles como participantes en operaciones de contrabando, entre ellos Pedro Gómez de Balbuena y Bernardo de Quirós. Antonio Hermenejildo de Querejazu, el hijo criollo de un comerciante vasco enriquecido en Lima, consiguió dispensas especiales para ejercer autoridad y contraer matrimonio mientras dirigía actividades comerciales y tenía propiedades en la localidad: este flagrante conflicto de intereses estaba prohibido por las leyes hispanas. Del mismo modo, la élite mercantil incorporada al Consulado incrementó su influencia con las autoridades imperiales haciendo donativos y préstamos al rey.[85]

El Consulado de Comercio de Lima actuaba como fachada para comercios ilícitos, al tiempo que presentaba quejas contra el contrabando y el relajamiento de las restricciones monopólicas. Dionisio de Alsedo y Herrera, diputado del Consulado en Madrid, usó esta doble estrategia exigiendo la restitución de los privilegios de recaudación de impuestos y monopolio afectados por las ilícitas introducciones francesas bajo la protección de autoridades locales. Al mismo tiempo, Alsedo alababa el comercio con otras naciones a través de Panamá y defendía el secreto comercial como un derecho mercantil.[86]

En 1759, Machado de Chaves, en un revelador reciclaje de su propuesta reformista de 1747, proponía las ventajas de la ruta alternativa y más barata por la vía de Buenos Aires y el cabo de Hornos, en lugar de la de Cartagena y Panamá-Portobelo.[87] Esta propuesta era visionaria en cuanto a enfrentar la antigua política comercial que sustentaba la difundida corrupción. Sin embargo, el establecimiento del virreinato de La Plata en 1776, a través del cual el competitivo comercio con Europa pasó a abastecer el mercado del Alto Perú (antes parte del virreinato peruano), así como la promulgación del Reglamento de Comercio Libre de 1778, que abrió más puertos al tráfico oficial, no impidieron el contrabando desde el Brasil y Buenos Aires.[88]

Así, el contrabando contribuyó significativamente a que la corrupción pública y privada formaran parte integral del liderazgo económico y político del virreinato peruano.[89] Al igual que en el caso del Río de la Plata, el origen y la formación de la élite mercantil y burocrática colonial estuvieron entrelazados con prácticas corruptas y de contrabando.[90] Estos y otros intereses sentaron las bases de las redes de patronazgo coloniales, que se hallaban controladas en la cima por autoridades políticas que buscaban ganancias privadas a costa del bien público.

Círculos de patronazgo virreinales

Un problema político primordial que enfrentaron los líderes de la conquista española, los primeros enviados reales y los virreyes, era cómo conciliar la diversidad de ambiciones de enriquecimiento rápido que atraía a sucesivas olas de conquistadores y colonos. Estos grupos disparejos y díscolos eran difíciles de controlar en ausencia de un ejército regular y disciplinado, que surgió recién en el siglo XVIII. Como lo comprueban las distintas experiencias de Cristóbal Colón, Hernán Cortés y los hermanos Pizarro, el uso de la fuerza era combinado con un hábil patronazgo y con sobornos, para crear así una semblanza de gobierno estable y aceptable para los reales ministros en España.[91]

Los primeros virreyes del Perú, Blasco Núñez de Vela y el marqués de Cañete, no pudieron imponer las leyes y planes de centralización sin desatar

grandes conflictos. La rebeldía y el descontento entre los antiguos conquistadores y encomenderos, desposeídos de sus mercedes de trabajo indígena, se
incubaron en algunos centros mineros estratégicos. Sin embargo, las hábiles
negociaciones del «pacificador» Pedro de la Gasca y las corruptelas durante el
gobierno del virrey conde de Nieva condujeron a un relativo acomodamiento
de intereses. Este tipo de acomodación sirvió como base de una estabilidad
virreinal que duraría casi dos siglos y medio, interrumpida ocasionalmente,
por reavivados conflictos entre facciones y por rebeliones indígenas.[92]

La estabilidad virreinal a través del patronazgo implicaba un costo alto.
Este sistema iba acompañado por la corrupción que, a veces, lograba suavi-
zar las fricciones inmediatas, pero que, en última instancia, ofrecía beneficios
solo para unos cuantos, a expensas de las leyes e instituciones que garantizaban el bien común.[93] Esta solución venal al conflicto político sobreviviría en el
Perú como un obstáculo arcaico, pero significativo, al desarrollo institucional.

A través de medios corruptos a veces sofisticados, el poder de los virreyes prevaleció en medio de conflictos de jurisdicción avivados por autoridades judiciales y eclesiásticas. Los virreyes patrocinaban facciones que los
respaldaban en el poder y neutralizaban a grupos hostiles. El virrey se rodea-
ba inicialmente de numerosos miembros de su familia, parientes, clientes y
criados que viajaban con él desde España. Este séquito cercano era crucial
para la obtención de beneficios no oficiales para el virrey. La red virreinal se
expandía luego para atraer a intereses locales ansiosos por cortejar al nuevo
virrey. Este patrón se repitió en los gobiernos de sucesivos virreyes desde los
primeros tiempos de la Colonia.

Existen ejemplos muy bien documentados de redes patrón-cliente que
tuvieron un impacto significativo en el virreinato. Los miembros del entorno
familiar y séquito del virrey Fernando de Torres y Portugal, conde del Villar
(1584-1589), fueron acusados de tráfico de influencias por súbditos contra-
riados. Entre los cargos, que fueron materia de una investigación posterior y
de una visita general, se acusaba a Villar de haber recibido sobornos a través
de la mediación de parientes cercanos (principalmente su hijo Jerónimo de
Torres y su sobrino Diego de Portugal) y de clientes (Juan Bello, su secretario
y chivo expiatorio) para otorgar nombramientos oficiales y conceder otros
favores. El patronazgo de Villar había infiltrado y dominado a la Audiencia de
Lima y al cabildo de la ciudad, que invariablemente respaldaban sus decisiones prepotentes. Su caída sin precedentes comenzó con la excomunión que
el indómito Santo Oficio de la Inquisición le fulminó. A este golpe le siguieron
acusaciones de abuso de poder, actividades ilegales y amargas disputas en
torno a precedencia y jurisdicción, que incluían, entre ellas, el derecho de
encarcelar al testigo Bello.[94]

En un extenso juicio de residencia, el exvirrey Pedro Álvarez de Toledo, marqués de Mancera (1639-1648), fue acusado por testigos confiables de haber cometido transgresiones similares a las de Villar. Había asignado altos salarios a muchos de sus criados y ministros por un total de 343.000 pesos. Les concedió empleo como corregidores, oficiales reales de hacienda y oidores y les encomendó efectuar visitas en la venta de tierras públicas y arreglo de linderos de propiedad (composición de tierras) en diversas provincias. Lázaro Julca Guamán, un representante indio de las tierras comunales cerca de la ciudad de Cajamarca, se quejó amargamente de que Pedro Meneses, enviado de Mancera, en colaboración con Matheo Bravo de Lagunas, teniente de corregidor local, y el curaca, habían despojado a varios indios de sus tierras para favorecer intereses particulares de españoles y mestizos. Abusos similares contra tierras comunales de indios fueron perpetrados en las provincias de Jauja y Cuzco. Por otro lado, don Fernando, otro miembro del clan criollo de los Bravo de Lagunas y contador del Tribunal de Cuentas, consiguió cuestionables pagos adicionales.[95]

En 1662, una carta anónima detallada y extensa desde Lima reportaba flagrantes irregularidades en la administración de la hacienda virreinal. La carta iba dirigida al rey Felipe IV por mediación de una persona de buen crédito y celo a su servicio. El rey ordenó al gobernador del Consejo de Indias la investigación del asunto.[96] El informante anónimo se quejaba de que las cartas que informaban al rey sobre malos administradores no llegaban a su destino porque eran entregadas a las mismas autoridades a las que denunciaban. Estos altos funcionarios, corrompidos por dádivas, faltaban a la lealtad y fe pública sobre las cuales se erigían los intercambios entre las personas.[97] Más aún, según esta reveladora carta, la ignorancia e incompetencia de los oficiales y contadores de la real hacienda y la total confusión contable que estos dejaban reflejaban el daño causado por la venta de oficios, pues aquel que compraba también vendía.[98]

Estos cargos deberían haber sido asignados a personas experimentadas que los merecieran. La malversación, la falta de informes periódicos, los crecientes déficits y deudas sin cobrar eran tema común en las cajas de Potosí, Cuzco, Huancavelica y demás. Fraudes fiscales adicionales incluían los malos manejos en el cobro del quinto real de la plata y el impuesto de avería a las mercancías embarcadas.[99] El informante afirmaba que el manejo bueno o malo de la hacienda dependía del resorte principal de la burocracia: los virreyes. Dado que los funcionarios, al igual que los camaleones, adoptaban los colores del virrey en apariencia más «absoluto» que el mismo rey, era necesario contar con administradores autónomos para mejorar el manejo del tesoro. Los virreyes, además, no deberían llegar acompañados por sus hijos, pues parecía haber tantos virreyes gobernando como el número de hijos que buscaban alcanzar sus propios fines.[100]

Presionados por un real mandato, la reacción del Consejo de Indias ante cargos tan serios fue rápida. El gobernador y dos ministros comisionados reconocieron que el alarmante informe sobre la real hacienda peruana era obra de alguien con gran conocimiento, inteligencia y experiencia. La mayoría de los puntos referidos a la calidad de los virreyes, los daños que sus hijos causaban, la necesidad de resolver los casos de fraude y tener informes regulares, fueron aceptados como ciertos por los ministros del Consejo (no así la cuestión de la venta de cargos, que permaneció mayormente ignorada). Los ministros incluso señalaron casos similares ocurridos en la Nueva España que habrían conducido a una visita de la real hacienda mexicana. Añadieron, también, un punto referido a la conducta de los oidores de la Audiencia de Lima, varios de los cuales eran criollos nacidos en dicha ciudad o habían contraído matrimonio con mujeres locales, comprometiendo así la administración imparcial de justicia. Los ministros del Consejo, asimismo, afirmaron que ya se habían emitido reales cédulas específicas contra estas prácticas, sin que se alcanzaran los resultados deseados. En consecuencia, luego de considerar la necesidad de alcanzar un universal remedio, los ministros del Consejo le propusieron al rey que se llevara a cabo una visita de la Audiencia de Lima, que incluyera al virrey o virreyes en funciones, así como al Tribunal de Cuentas y las cajas reales.[101]

El oidor Juan Cornejo, expresidente de la Audiencia de Santa Fe de Bogotá, fue nombrado para llevar a cabo esta compleja tarea. No se había realizado una inspección oficial de la Audiencia de Lima desde 1622. Entre los muchos defectos atribuidos en Lima al contador mayor Francisco Antonio Mansolo, Cornejo pronto reveló una inexplicable sustracción de 35.285 pesos de los fondos remitidos por el oficial real Diego Ruiz de Atriaca desde el poblado y provincia mineros de Cailloma en 1664. Ruiz había sido condenado ya antes por real cédula de 1661, lo que implicó la pérdida de su cargo oficial, la confiscación de sus propiedades y diez años de destierro de los reinos del Perú. Ruiz apeló al Tribunal de Cuentas en Lima y el virrey conde de Santisteban (1661-1666) le permitió conservar su puesto hasta que fuera interrogado por Cornejo.[102]

Cornejo recibió noticias alarmantes desde el pueblo minero de Laicacota (La Ycacota, Puno), no lejos de Cailloma, acerca de un incidente que consideró el más serio que se produjera en el transcurso de su visita oficial. En 1665, las crecientes disputas entre dos facciones de mineros, los «andaluces criollos» y los «vascongados», habían desencadenado violencia y dejado muchos muertos. Miles de mestizos e indios se habían aliado con uno u otro bando. Según Cornejo, el corregidor local, Andrés Flores, primero intentó contener la situación dando rienda suelta al castigo y al destierro contra las movidas agresivas de los vascongados. Presionado por sus clientes y por los miembros de su familia, el virrey Santisteban decidió reemplazar a Flores con el provascongado Ángel Peredo, quien permitió que esta facción regresara a Laicacota. Esta vez los andaluces criollos fueron expulsados del pueblo en medio de gran destrucción y pillaje. Algunos se dirigieron a Lima exigiendo justicia. El virrey, influido por los intereses que lo movían a prevaricar, arrestó a los jefes de este bando contra el parecer de Cornejo y de otros oidores. La decisión de Santisteban exacerbó la situación. Además, mientras que Cornejo aconsejaba separar de su cargo a Peredo, el virrey siguió los consejos del oidor Francisco Sarmiento y respondió que lo mantendría aun a costa de perderse el reino. Santisteban falleció en Lima unos cuantos días más tarde, en marzo de 1666. La corriente nuevamente se volvió en contra de los vascongados. Antes de que el conflicto pudiera ser resuelto, la nueva administración real en Madrid, tras el deceso de Felipe IV (en septiembre de 1665), ordenó a Cornejo que pusiera fin a la visita. La visita, en consecuencia, logró poco excepto documentar para la posteridad las corruptelas subyacentes a una administración incompetente, que tuvo que enfrentar el despertar de rudos conflictos.[103]

En el nuevo siglo borbónico, los círculos de patronazgo de los virreyes Castelldosrius y Ladrón de Guevara —ya examinados en relación con el frenesí del contrabando en el temprano siglo XVIII— no parecían diferir mucho de los de los virreyes durante la era Habsburgo. Sin embargo, podemos señalar una diferencia en el papel cada vez más importante desempeñado por asesores u hombres de confianza del virrey fuera de su familia inmediata. Ese fue el caso de Marí, quien conducía una red de actividades encubiertas bajo la protección del virrey Castelldosrius, así como el de Munive, quien ayudó al enriquecimiento privado de Ladrón de Guevara. Durante el gobierno del virrey Castelfuerte parece haber ocurrido una caída temporal del patronazgo corrupto. Sin embargo, la corruptela recrudecería gradualmente durante el gobierno del conde de Superunda (1741-1761), otro virrey militar. Así parecerían indicarlo las sospechas de una extendida corrupción, inmediatamente después del devastador terremoto de 1746,[104] así como el deterioro de la administración de Huancavelica, del cual Ulloa fuera testigo. Más aún, según recientes estudios efectuados en archivos privados, la creciente red de patronazgo de Superunda le permitió remitir fondos privados no oficiales del Perú a España, a través de clientes de confianza como Juan Bautista Casabone y, en especial, Martín Sáenz de Tejada, su mano derecha.[105] Pero si el infortunado Superunda —quien sufriera un castigo cruel tras salir del Perú por a su papel accidental en la fallida defensa de La Habana en 1762[106]— se enriqueció durante su mandato (como se esperaba de una prolongada carrera militar y virreinal), su sucesor Amat y Junyent contribuyó a elevar el patronazgo y la corrupción sistemática a nuevas alturas.

A pesar de sus distinguidos servicios militares en Europa, el virrey Amat se vio envuelto en múltiples corruptelas.[107] Su juicio de residencia es uno de los más largos y complicados que se encuentran en los archivos.[108] Los muchos cargos presentados contra su gobierno van desde el fraude y la corrupción de alto vuelo a otros de poca monta, como la apropiación de joyas y propiedades. Su estilo de vida privado atrajo el escándalo y la controversia moral. Amat mantuvo un amorío público con la hermosa actriz criolla Micaela Villegas, a la cual apodaba Perricholi, una joven modesta que amasó una fortuna gracias a los favores del virrey.[109] Al igual que muchos funcionarios acusados de corrupción administrativa o de haberla permitido, Amat culpó a los miembros de la élite criolla y al entorno virreinal por la difundida venalidad entre los oidores locales y oficiales de la real hacienda que, como el mismo admitía, existió durante su mandato.[110]

En efecto, por orden del Consejo de Indias, el presidente de la Audiencia de Lima, Pedro Bravo del Rivero, fue suspendido de sus funciones en 1764 por haberse dedicado a negocios ilegales. Asimismo, Amat acusó al oidor jubilado José de Tagle Bracho, marqués de Torre Tagle, de haber defraudado a los soldados del presidio del Real Felipe en el Callao y de haber conspirado con otros oidores de Lima. Además, les abrió causa por contrabando en varios puertos del Pacífico a varios oficiales del Callao y Lima; apresó al criollo Antonio Navia Bolaño, conde del Valle de Oselle (nieto del comerciante asturiano Bernardo Solís Bango), por sus serios defectos como administrador militar del Callao; y apoyó los cargos hechos contra el virrey saliente conde de Superunda. La clave del ataque contra estos funcionarios era que la mayoría de los acusados chocaban directamente con los intereses del séquito más íntimo de Amat.[111] Sin embargo, Amat se cuidó de no dar inicio a una campaña moralizadora más amplia que podría haber enajenado a sus propios partidarios.

La camarilla de la corte y la red de patronazgo de Amat, encabezadas por su asesor legal José Perfecto Salas, solamente satisfacían a intereses muy restringidos. Salas estuvo directamente implicado en varios de los juicios que se le abrieron a Amat y sus ministros durante el voluminoso juicio de residencia del virrey.[112] Amat gobernó un vasto territorio durante un periodo prolongado y difícil. Fue el virrey que activó las milicias coloniales siguiendo reales órdenes en respuesta a los adversos resultados de la Guerra de los Siete Años (1756-1763). Sin embargo, según posteriores evaluaciones y revistas militares, hay indicios de que infló el número de soldados bajo su mando.[113] Amat, asimismo, estuvo a cargo de la drástica expulsión y expropiación de los jesuitas en 1767. La venta pública subsiguiente de las propiedades expropiadas a los jesuitas abrió amplias oportunidades para los malos manejos, el desperdicio y el favoritismo.[114]

Hacia el final de su mandato, Amat había enajenado a un importante sector de Lima. Antes de su partida, se le exigió fiadores para garantizar la elevada suma de 100.000 pesos con que responder a los juicios que se le siguieron. Según los expedientes de su juicio de residencia hubo múltiples quejas de importantes intereses criollos y locales, entre ellos el acaudalado mercader y exoidor marqués de Torre Tagle y su hermano Pedro de Tagle, así como del conde del Valle de Oselle y el marqués de Bellavista.[115] Estos y otros particulares demandaron a Amat por más de 750.000 pesos.

En la década de 1770, los virreyes fueron objeto de creciente crítica por parte de los reformadores metropolitanos del Consejo de las Indias encabezados por José de Gálvez. En Madrid ganaba fuerza la idea de que el poder excesivo de los virreyes debía reducirse y contenerse para que la administración virreinal fuese más eficiente y menos corrupta. Otros asesores imperiales se opusieron a esta postura reformista, pues estaban convencidos de que, para poder gobernar los lejanos reinos americanos, era necesario la fuerte autoridad del virrey. La disminución del poder de los virreyes conllevó un giro importante que afectó los alcances del patronazgo corrupto.

El sucesor de Amat, el virrey Manuel Guirior (1776-1780), cortejó a amplios intereses de la élite local. Guirior ejercía su autoridad a través de los favores y el patronazgo de intereses que se oponían a las inminentes reformas de Gálvez (alza de impuestos y desmantelamiento del viejo sistema que ligaba a los corregidores, el reparto y la mita). Guirior se rodeó de prominentes asesores criollos, entre ellos el conde de Sierrabella, Antonio de Boza, marqués de Casa Boza; el marqués de Sotoflorido; el oidor Antonio Hermenegildo de Querejazu; y el rehabilitado Pedro Bravo del Rivero.[116] Del favor de Guirior también se benefició el noble criollo José Baquíjano y Carrillo, un jugador notorio de quien se sospechaba había obtenido su ansiado puesto en la Audiencia gracias al soborno.[117] Baquíjano siguió los pasos de Pablo de Olavide, otro notable patricio peruano y el más joven comprador del puesto de oidor de Lima. Olavide dejó Lima y partió a España en desgracia, acusado y luego encontrado culpable de haber cometido fraude privado: había falsificado una escritura de crédito por una suma sustancial.[118]

En abierto apoyo a los terratenientes y aristócratas de Lima, Guirior y su séquito —encabezado por su joven esposa, la bogotana María Ventura— se opusieron a la reforma y al alza de impuestos. En 1778, Guirior incluso propuso moderar la carga fiscal que pesaba sobre el comercio local y los productos agrícolas.[119] Esta oposición se desarrollaba al tiempo que Gálvez lanzaba su campaña para reformar el virreinato peruano comenzando con

la incorporación de Alto Perú y las minas de Potosí al recién creado virreinato de La Plata (1776), además del desmantelamiento del sistema del monopolio comercial (1778).[120] Al enviado de Gálvez, el visitador José Antonio
de Areche, se le otorgaron amplios poderes para controlar las finanzas del
virreinato, investigar irregularidades y decidir cambios necesarios en la
administración colonial. Areche, guiado por una copia personal del confidencial «Discurso y reflexiones políticas» de Ulloa y Juan, informaba detenidamente a Madrid sobre la difundida corrupción e hipocresía con las que
se había topado en Lima, así como los intereses locales que presionaban a
Guirior para estorbar la misión reformadora del visitador. El visitador consideraba que la nobleza criolla peruana, los magistrados y los oficiales eran
corruptos y estaban envueltos en patentes conflictos de interés. A pesar de
su enemistad con el visitador, el peninsular Melchor Jacot, recién nombrado
regente de la Audiencia de Lima, corroboró la postura de Areche en lo que tocaba a la venalidad y las conexiones acaudaladas de los oidores criollos. Areche
exigió que Guirior despidiera a sus asesores criollos; el virrey se rehusó a hacerlo y, en consecuencia, Areche y Guirior se enfrentaron decididamente.[121]

    En el expediente del juicio de residencia de Guirior, Jacot y otros presen-
taron quejas confidenciales y agravios privados. El regente Jacot denunció la
oposición de Guirior a sus regulaciones, así como la insubordinación de los
oidores encabezados por el oidor Bravo del Rivero, quien se jactó de contar
con la protección de Guirior.[122] Areche añadió que, durante el gobierno de
Guirior, los asuntos administrativos confidenciales se discutían ampliamente
en los cafés públicos, una situación caótica que ponía en peligro el mandato
reformista de Areche. El visitador atribuía todo esto a la cansada edad de
Guirior, a su relajada carrera y educación y a las dañinas lecciones de libertad
dadas a unos americanos desprovistos de probidad, desprendimiento y sentido de obligación para pagarle al Rey lo que se le debía. Areche opinaba que el
respaldo prestado por los asesores criollos a Guirior minaba la autoridad de
su visita. Dado que el fracaso de su misión podía conducir a procedimientos
despóticos y díscolos, Areche solicitó que o bien se le retirara del cargo, o se
le concedieran todos los poderes necesarios.[123]

    Estos y otros argumentos convencieron a Gálvez de retirar a Guirior de
su cargo. Para su sorpresa, el virrey recibió la noticia de su reemplazo a través
de su sucesor, el teniente general Agustín de Jáuregui, al arribar este al Callao
en julio de 1780. Guirior obedeció la decisión de Madrid, pero anotó que los
súbditos más importantes y acaudalados del Perú eran los principales testigos de su «incorruptibilidad», tanto así que incluso se habían ofrecido como
sus fiadores antes de su partida a Chile.[124] Areche posteriormente se quejaría
de Fernando Marquez de la Plata, juez encargado del juicio de residencia de

Guirior, por ser un cercano amigo de los agentes del virrey saliente. Según Areche, los sesgados procedimientos judiciales del juez Marquez erraron en concluir que Guirior había sido un buen virrey.[125] Las disputas entre el visitador y el virrey no cesaron con la llegada de Jáuregui.

Mientras se desarrollaban estas disputas burocráticas en 1780 estalló una gran rebelión, liderada por José Gabriel Condorcanqui, quien asumió el nombre de Túpac Amaru II y afirmó tener ascendencia incaica. Condorcanqui era un cacique indio que poseía un sólido negocio de transporte de mulas en la provincia de Tinta, obispado de Cuzco. Educado en el colegio de indios nobles dirigido por los jesuitas del Cuzco, absorbió la literatura de otro noble indígena, el escritor mestizo Inca Garcilaso de la Vega (1539-1616), quien enaltecía el pasado incaico.[126] A comienzos del siglo XVII, Guamán Poma, otro crítico indígena, también había denunciado el mal gobierno colonial, la injusticia y los abusos contra los indios cometidos por corregidores, curas y criollos.[127]

En esta tradición, Condorcanqui era otro reformador que criticaba la corrupción de los funcionarios coloniales, la de los corregidores en particular, y que se esforzó por trastornar el orden tradicional de la nobleza incaica del Cuzco.[128] Condorcanqui había tenido una experiencia negativa al intentar remediar, por medios legales, los abusos cometidos contra los indios. También había fracasado, luego de un largo litigio, en asegurar su derecho personal a la herencia de un título de nobleza incaico, el mayorazgo de la ñusta Beatriz.[129] Todos sus intentos formales terminaron frustrados, en particular sus apelaciones, presentadas personalmente ante la Audiencia de Lima. En términos institucionales, la postura reformista de Condorcanqui contra el mal gobierno y la mala administración abogaba por la abolición del cargo de corregidor, el reparto, el tributo y la mita. Asimismo, exigía el establecimiento de una audiencia en el Cuzco. Los criollos e indios nobles urbanos del Cuzco se opusieron decididamente al movimiento de Condorcanqui, cuyo apoyo principal radicaba en los indios del campo hartos de los abusos descritos ya antes por Guamán Poma y Ulloa. Luego que Condorcanqui fuera apresado y ejecutado, la rebelión radical se propagó al Alto Perú, para terminar en un baño de sangre, represión y la extinción final de los privilegios de los indios y caciques nobles.[130]

Pese a estos hechos, el legado reformista de Condorcanqui tuvo un impacto importante en la sierra sur del Perú, a lo largo del eje Cuzco-Puno-Arequipa. Areche y el general Jerónimo de Avilés, encargado de aplastar el levantamiento, coincidían con Ulloa, y paradójicamente también con Condorcanqui, en lo que tocaba a las causas generales de las rebeliones indígenas. Areche, Avilés y Gálvez concluyeron que el cargo de corregidor debía abolirse, así como el reparto y la mita. Asimismo, estuvieron de acuerdo con que sería conveniente fundar una audiencia en el Cuzco. Pero antes de que alguna reforma pudiera ser implementada en la sierra sur, la rebelión debía ser aplastada.

La reforma institucional para poner coto a la corrupción se vio así demorada una vez más. El considerable despliegue militar y las peleas entre el virrey Jáuregui (establecido en Lima) y Areche y Avilés (ambos en el Cuzco) continuaron bloqueando la agenda reformista, debido a que estos últimos consideraban que la amnistía que el virrey había ofrecido a los parientes de los rebeldes era prematura e imprudente.[131] Fue solo tras la partida del impopular Areche cuando comenzó a plasmarse una historia administrativa distinta en cada una de las dos regiones más importantes del Perú: Lima y la sierra central de un lado; y la sierra sur del otro.

Decreciente celo reformista

La pacificación eventual de la rebelión de Túpac Amaru II hizo que la reforma administrativa resultara más viable en la sierra sur que en la región central de Lima. Con la abolición de los corregimientos y el reparto, así como con la implementación del sistema administrativo descentralizador de las intendencias en 1784, la sierra meridional se benefició más ampliamente, al menos en el corto plazo. Unos años después se creó, en 1787, la Audiencia del Cuzco. Estos importantes cambios se produjeron bajo el mando de Jorge Escobedo (1781-1787), un nuevo visitador y superintendente que reemplazó a Areche.

Escobedo fue el arquitecto principal de reformas importantes y acertadas. Su gran logro fue la implementación detallada y meticulosa del régimen de intendentes. En particular, el cobro y manejo autónomos de las reales rentas, fuera de la injerencia del virrey, mejoró con el nuevo sistema de intendencias al reducir en algo la corrupción. Los intendentes de cada una de las intendencias o provincias creadas estaban ahora a cargo de la caja real provincial, con lo que la recaudación creció en el periodo 1785-1795. Del mismo modo, la producción de mineral en el centro y el norte experimentó una notable mejora en este periodo. Hasta Huancavelica vivió un breve periodo de mejora, aun cuando el resultado final, según un funcionario depuesto, fuese un agotamiento minero y tecnológico aun mayor.[132] Por otro lado, mejoró el cumplimiento de la ley y la vigilancia de los más de 40.000 habitantes de la peligrosa ciudad de Lima.[133] Sin embargo, estos éxitos reformistas iniciales fueron limitados y temporales, pues los intereses locales presentaron una fuerte resistencia a la reforma como lo muestran las voces contrarias al cambio.

Alonso Carrió de la Vandera, un elocuente defensor de los intereses criollos y peninsulares tradicionales en Lima, manifestó los matices de la oposición a las reformas. Carrió era un autor picaresco, un comerciante y oficial real de mediano rango. Aunque nació en Gijón, Asturias, y había pasado una década en México, Carrió residía hacía tiempo en Lima y estaba casado con una criolla con influyentes conexiones familiares. *El lazarillo de ciegos caminantes*, su clásica obra, fue publicada en 1776, en vísperas de la reforma institucional lanzada por Gálvez. En ella no solo se burlaba de los indios de la sierra sur, a quienes tenía en baja estima, sino que además defendía el legado histórico español en el Perú y rechazaba los cargos de abusos formulados contra criollos y peninsulares.[134]

En otra obra, un manuscrito de 1781 sin título e inconcluso, publicado solo en 1966 con el título asignado por el editor de *Reforma del Perú*, Carrió proponía que se mantuvieran los corregidores y repartos incluso después de la rebelión de Túpac Amaru. Sin embargo, en este mismo manuscrito propuso una reforma alternativa. Carrió tenía en mente una capitación directa aplicable a todos los súbditos en el Perú, en la que solo se distinguía entre los *españoles originarios* (indios), que debían pagar dieciséis pesos al año, y los *españoles* (peninsulares, criollos y mestizos), quienes debían pagar veinte pesos anuales.[135] Este impuesto universal directo, aparentemente pensado para unir a los súbditos peruanos sin consideración de etnicidad o de raza, habría sido rechazado rotundamente por criollos y mestizos por igual. Estos intereses se habían opuesto tradicionalmente al pago de impuestos directos y continuarían haciéndolo después de la independencia. Preferían los impuestos indirectos a la producción de plata y el comercio y continuar prestándole dinero al necesitado erario, puesto que los nuevos préstamos con intereses y un embrionario sistema de crédito público serían recién establecidos en 1777.[136] También sostenían que la carga tributaria directa debía continuar siendo asignada a la población india, que en su mayoría vivía en la sierra sur.

La oposición a la reforma se manifestó de diversas otras formas. Serios problemas jurisdiccionales surgieron poco después de la implementación del nuevo sistema de intendentes, en particular en la intendencia de Lima. El superintendente de Lima y los intendentes a su mando tenían poder para ejercer poderes ejecutivos locales y eso incluía el real patrocinio de la Iglesia, así como el manejo de los reales caudales, rentas y cuentas. En consecuencia, surgieron fuertes fricciones entre intendentes y obispos. Sin embargo, el conflicto más serio se produjo en la intendencia de Lima, donde las prerrogativas del virrey se superponían a las del superintendente. El virrey Teodoro de Croix (1784-1790) colaboró inicialmente con el superintendente Escobedo, pero desestimó e ignoró sus medidas y autoridad, sobre todo aquellas concernientes a la real hacienda que tradicionalmente había caído bajo la jurisdicción del virrey. En 1787, un cambio en la política imperial le devolvió la plena autoridad político-militar y fiscal a los virreyes: Escobedo fue llamado a Madrid y tuvo que entregar la autonomía fiscal-administrativa de su superintendencia a Croix.[137]

José de Gálvez, el enérgico arquitecto de la reforma imperial, había fallecido en 1787. Un dividido Consejo de Indias revirtió entonces el impulso reformador. Las decisiones de Madrid pasaron a tener más en cuenta la autoridad de los virreyes que la de los intendentes. Esta tendencia conservadora quedó reafirmada y se consolidó con la muerte del reformista rey Carlos III en 1788. Su hijo Carlos IV, asesorado por el «preferido» ministro Manuel Godoy, condujo a España y a su Imperio hacia una espiral de guerras y crisis. En este contexto, Croix, el virrey del Perú, se convirtió en el principal defensor de la supresión del sistema de intendencias. Sin embargo su posición fue rechazada por el Consejo de Indias en el periodo 1801-1802, gracias a los consejos de nada menos que Escobedo, quien sirvió como miembro del Consejo hasta su muerte en 1805. Pero esta fue una victoria pírrica para los reformadores. Como siempre, la política colonial había retrocedido frente al consabido e irrestricto poder de los virreyes, lo que abrió nuevamente las oportunidades para la corrupción administrativa. La monarquía española vaciló así en su celo reformista institucional. A partir de entonces, la corrupción administrativa virreinal, los malos manejos en la minería, el contrabando y el nepotismo volvieron a crecer.

En el ámbito provincial, los cargos de subdelegados o autoridades distritales, bajo la supervisión de los intendentes, fueron bastante codiciados por criollos desplazados de otros puestos administrativos. En la práctica, los intendentes y los subdelegados comenzaron a asumir la misma autoridad despótica que los corregidores: dejaban déficits y deudas, se inmiscuían cada vez más en los prohibidos repartos y cometían las mismas irregularidades y abusos que sus predecesores.[138] Hubo quejas contra intendentes que habían vendido el puesto de subdelegado de su jurisdicción para su lucro personal. Asimismo, se multiplicaron las propuestas y demandas de que se reviviera el reparto bajo otro nombre, implementado ya fuera por el consulado de comercio o por el gobierno.[139]

En efecto, la venta forzada de mercaderías a los indios prosiguió. Del mismo modo, la carga tributaria reformada impuesta a los indios abrió oportunidades para que los oficiales se dedicaran al cobro fraudulento e intencionalmente retrasado del tributo indígena. Para los primeros años del siglo XIX, estas autoridades locales combinaban el cobro de tributos con el revivido reparto que las comunidades de indígenas aborrecían. Los mismos intereses que se beneficiaban con la recaudación del tributo indígena derrotaron toda posibilidad de establecer una estructura tributaria unificada que incluyera a otros súbditos coloniales.[140] Por otro lado, el contrabando de mercaderías inglesas y norteamericanas también creció, particularmente a través de los puertos de Arequipa, no obstante los esfuerzos realizados por el reformista intendente Bartolomé Salamanca para atajar a contrabandistas como Santiago Aguirre, quien recibía apoyo del cabildo de Arequipa.[141] Todos estos factores dan fe de la acomodación de los intereses que presionaron para que las reformas finalmente se descarrilaran.

Huancavelica continuó su declive a pesar de los sucesivos cambios organizativos con que las autoridades experimentaban con la administración privada, gremial y estatal de las minas. Desde finales del decenio de 1780, los intendentes de Huancavelica investigaban los sospechosos derrumbes de la mina y la «defraudación de [la] Real Hacienda», además de encarcelar a los contratistas y oficiales de minas corruptos.[142] En 1804, el virrey Gabriel de Avilés (1801-1806) suspendió la venta de azogue a crédito a los mineros debido a las dificultades fiscales causadas, en parte, por la enorme acumulación de deudas impagas de los mismos mineros. Estas deudas habían crecido y aumentado su incumplimiento en parte gracias a la colusión de cobradores y oficiales corruptos.[143] Avilés lamentaba el fracaso de una reforma vigorosa y universal debido a una sistémica oposición local. Por ello, aconsejó a su sucesor, José de Abascal (1806-1816), que aplicara más bien «operaciones tranquilas y lentas» para hacer frente a la decadencia del Perú.[144] Para 1812, las minas de Huancavelica habían sido cerradas y el mercurio era importado desde Almadén, España.

En 1809 se daban claras señales de una renovada intensificación de la vieja corrupción. La incertidumbre política creada por la invasión napoleónica de España y la legislación liberal en las Cortes de Cádiz crearon confusión en las reglas institucionales y en el financiamiento bélico de emergencia. Los gastos militares en ascenso desde finales del siglo XVIII fueron drenando los recursos fiscales virreinales.[145] El virrey Abascal impuso un poder militar semidictatorial y permaneció ocupado enfrentando sucesivas insurrecciones. Fue capaz de recaudar fondos y rentas urgentemente necesarios a través de una élite comercial y terrateniente que apoyaba un embrionario sistema crediticio y fiscal público, introducido en 1777 y reestructurado en 1815.[146] Este tipo de medidas y políticas financieras constituyeron un legado prominente para el Perú republicano.

A pesar de su honestidad personal, Abascal se vio obligado a condonar la corrupción administrativa y dar cabida a unos marcados conflictos de interés entre las autoridades coloniales del más alto nivel. Según un informante

de Lima, los jueces, oficiales de hacienda y miembros del cabildo se beneficiaban personalmente de sus cargos por medio de injusticias y daños al
común debido al cohecho, vicio y otras granjerías.[147] Otro acomodamiento
clave bajo el mandato de Abascal se dio dentro de la organización militar. A
comienzos del siglo XIX, los criollos comprendían aproximadamente el 50 por
ciento de los oficiales del ejército regular, a pesar de la reforma militar de la
década de 1780 que redujo las milicias dominadas por ellos. La administración corrupta de recursos en las unidades del ejército había sido denunciada
por Ulloa, varias décadas antes, pero se hizo visible durante la administración del virrey Amat y, se agudizó a partir de 1768, con la expansión de los
privilegios del fuero militar.[148]

Durante el gobierno de Joaquín de la Pezuela (1816-1821), el penúltimo
virrey español, la corrupción militar y el favoritismo alcanzaron nuevos niveles. Pezuela, un virrey tiránico y conservador, gratificaba con su favor a los
oficiales reales que le eran fieles y a su círculo más íntimo.[149] De hecho, este
virrey dilapidó recursos vitales, dolorosamente exprimidos a los súbditos, en
expediciones militares fallidas que buscaban aplastar la creciente ola emancipadora en Chile y en otras provincias rebeldes. Guiado por intereses particulares y en medio de una situación militar cada vez más desesperada, Pezuela
se entregó a su yerno, el brigadier Mariano Osorio, quien demostró incompetencia militar, así como una ambición comercial indebida.[150] Por sus claras
falencias, defectos militares y venalidad, este virrey fue depuesto mediante el
que quizás fuera el primer golpe militar moderno en el Perú. Estuvo liderado
por el general liberal español José de la Serna (1821-1824), comandante de
la última resistencia contra las invasoras fuerzas emancipadoras, y sucedió en
condiciones bélicas favorables al contrabando y la corrupción.[151]

Ciclos de corrupción colonial

Sobre la base de las evidencias proporcionadas por Ulloa y otras fuentes relevantes examinadas en este capítulo, es posible sugerir la siguiente secuencia
de ciclos de corrupción durante el maduro virreinato peruano: (i) un nivel
sumamente alto de corrupción desde al menos la segunda mitad del siglo XVII
hasta el temprano XVIII, (ii) una caída temporal aunque ligera desde el decenio de 1720 hasta el de 1740, (iii) un incremento marcado desde el decenio
de 1750 al de 1770, (iv) una caída breve pero significativa en las décadas de
1780 y 1790, (v) un ligero incremento en la primera década del XIX, y (vi) una
aguda alza en la década anterior a la independencia.

En lo que sigue, este esbozo de ciclos sucesivos es objeto de un análisis comparativo más detallado, que toma en cuenta las cifras disponibles

y los estimados cuantitativos de los principales modos de corrupción administrativa colonial, y los costos que les estaban asociados a lo largo del tiempo. Como vemos en el cuadro 1.1, es posible cuantificar y estimar provisionalmente, de modo conservador, cuatro costos principales de la corrupción, subrayados por la literatura reformista y por los expedientes de los juicios de residencia y las visitas de la época, durante gobiernos virreinales claves. Estas categorías o formas de corrupción fueron las siguientes: (i) las ganancias ilegales e indebidas del virrey (es decir, su *premio*), obtenidas mediante la distribución injusta e interesada de cargos oficiales, otras comisiones cobradas y tratos privados o granjerías que fueron progresivamente prohibidos por reales cédulas desde el tardío siglo XVII;[152] (ii) las ganancias irregulares y abusivas exprimidas por los titulares e interinos de cargos venales como los de gobernador, corregidor y oidor (la venta de cargos fue particularmente intensa en el siglo XVII y temprano XVIII); (iii) ineficiencias administrativas ligadas a la corrupción como el retraso interesado en el cobro de deudas y el descuido en la supervisión y el mantenimiento de las minas; (iv) rentas no recabadas (el quinto real y la alcabala), perdidas debido al comercio de contrabando de bienes extranjeros adquiridos a cambio de plata piña no gravada, un costo que podemos clasificar como indirecto. Todos estos eran fondos desviados de fines públicos hacia ganancias privadas o de círculos de patronazgo. Esta definición operativa de un costo desviado (directo e indirecto) es útil para los estimados provisionales de los costos de la corrupción, continuados para el periodo posterior a la independencia en el apéndice del presente estudio.

Las cifras del cuadro 1.1 permiten observar que los virreyes que amasaron las mayores ganancias privadas, gracias a sus funciones oficiales, fueron Castelldosrius, Amat y Junyent y Pezuela. A su muerte, el virrey Villar solamente dejó un monto moderado para sus herederos, a pesar de las escandalosas comisiones cobradas por sus parientes y secretario para permitir la corrupción y el contrabando. Los virreyes Monclova, Castelfuerte y Gil de Taboada fueron los virreyes que se vieron menos expuestos al enriquecimiento privado. Sin embargo, otras categorías de corrupción administrativa, entre ellas la venalidad e ineficiencia de los oficiales reales, así como los costos indirectos del contrabando, fueron más prominentes con Villar, Mancera, Monclova y Castelldosrius, fundamentalmente en el siglo XVII y comienzos del XVIII. Estos costos adicionales fueron, asimismo, prominentes entre las décadas de 1740 y 1770 con Superunda y Amat y Junyent. La época de la reforma borbónica de las intendencias, bajo el superintendente Escobedo y el virrey Gil de Taboada, en el tardío siglo XVIII, tuvo los costos más bajos de corrupción, en tanto que estos se incrementaron notablemente por los gastos militares interesados realizados bajo el virrey Pezuela.

Cuadro 1.1
Costos estimados de la corrupción según categorías directas e indirectas, en algunos gobiernos virreinales, Perú, 1584-1821
(promedios anuales en millones de pesos corrientes[a])

Gobierno (años)	I Ganancias ilegales del virrey (premio)	II Otras irregularidades de oficiales	III Ineficiencia ligada a la corrupción	IV Pérdida indirecta de rentas al contrabando	Total
Conde del Villar (1584-1589)	0,1	2,0	0,3	0,1	2,5
Marqués de Mancera (1639-1648)	0,2	1,2	0,5	0,2	2,1
Conde de Monclova (1689-1705)	0,1	1,3	0,5	0,4	2,3
Marqués de Castelldosrius (1707-1710)	0,4	1,0	0,5	0,4	2,3
Marqués de Castelfuerte (1724-1736)	0,1	0,8	0,3	0,3	1,5
Amat y Junyent (1761-1776)	0,3	1,2	0,5	0,3	2,3
Gil de Taboada (1790-1796)	0,1	0,6	0,3	0,3	1,3
Pezuela (1816-1821)	0,3	0,8	0,5	0,4	2,0

Nota: I: sobre la base de la riqueza total documentada del virrey. II: sobre la base de los costos administrativos totales. III: con respecto al estimado de deudas no cobradas. IV: con respecto al valor estimado del contrabando.

[a] Peso de ocho reales = 272 maravedíes.

Fuentes: Juan y Ulloa, «Discurso y reflexiones políticas...» (1749), ff. 830-835; Ulloa, «Relación de gobierno» (1763), ff. 3-4v; Machado de Chaves, «Estado político del Reino del Perú...» (1747), ff. 21-22v; Fiscal Ríos (1710), Gobierno, Lima, leg. 482, AGI; Aponte, «Representación que en el año...» (1622), ff. 146–51; Moreno Cebrián y Sala i Vila, El «premio» de ser virrey..., pp. 45, 110-111 y 269-270; Klein, *The American Finances...*, pp. 51 y 69; Malamud, *Cádiz y Saint Malo...*, p. 30; Costa, «Patronage and Bribery...», pp. 311-312; y Holguín, *Poder, corrupción y tortura...*, pp. 69-70.

Cuadro 1.2

COSTOS Y NIVELES DE CORRUPCIÓN ESTIMADOS, VIRREINATO DEL PERÚ, 1680-1819
(promedios anuales por década, en millones de pesos corrientes y porcentajes)

Décadas	I Producción de plata	II Estimado del PBI[a] (I/0,1 o 0,07)	III Gastos fiscales	IV Costo estimado de corrupción	V Nivel del gasto (IV/III %)	VI Nivel del PBI (IV/II %)
1680-1689	5,1	51	5,3	2,1	40	4
1690-1699	4,5	45	4,6	2,3	50	5
1700-1709	2,7	27	3,8	2,3	61	9
1710-1719	2,9	29	2,4	2,1	88	7
1720-1729	3,0	30	2,6	1,5	58	5
1730-1739	3,5	35	2,6	1,7	65	5
1740-1749	4,3	43	2,6	2,0	77	5
1750-1759	4,8	48	3,4	2,0	59	4
1760-1769	5,7	57	4,2	2,3	55	4
1770-1779	6,8	68	5,3	2,3	43	3
1780-1789[b]	2,7	39	5,3	2,0	38	5
1790-1799	4,4	63	4,7	1,3	28	2
1800-1809	4,2	60	5,2	1,7	33	3
1810-1819	3,3	47	4,9	2,0	41	4

[a] Asumiendo que la producción de plata del Alto y Bajo Perú ascendía al 10 por ciento del PBI (según el método de estimado del PBI de Garner); si se considera solo Bajo Perú (1777-1819), una economía que dependía un poco menos de la minería y más del comercio, por ende, la producción de plata llegaba solo al 7 por ciento del PBI.
[b] Virreinato del Perú (Bajo Perú) sin la Audiencia de Charcas, ca. 1777 a 1819.

Fuentes: TePaske y Klein, *The Royal Treasuries* (1982), vol. 1; TePaske y Garner, «Annual silver data, 1559-1821»; Klein, *American Finances*, pp. 49 y 67; y las mismas del cuadro 1.1.

Para medir el impacto que los costos de la corrupción tuvieron sobre la economía colonial a lo largo del tiempo, el cuadro 1.2 utiliza estimados del producto bruto interno (PBI) (con respecto al valor de la producción de plata),[153] así como cifras confiables de los gastos fiscales totales,[154] para de este modo establecer el nivel relativo de estos costos de la corrupción (sobre la base de los totales del cuadro 1.1) por década, entre 1690 y 1819. El nivel más alto de corrupción, como porcentaje del gasto, tuvo lugar en 1700-1709 y 1710-1719 (61 y 88 por ciento, respectivamente), lo que coincidió con una mayor corrupción administrativa heredada del tardío siglo XVII, además de una marcada caída en la producción de plata y las reales rentas y gastos, crisis que comenzó a ser superada gradualmente solo a partir de mediados de siglo XVIII. Entre 1690 y 1719, el nivel medio de corrupción, como porcentaje del gasto, alcanzó un asombroso 66 por ciento, en tanto que el nivel de corrupción como porcentaje del PBI también llegó a su punto más alto con el 7 por ciento. Otras décadas con altos índices de corrupción fueron las de 1730 a 1770 (en especial la de 1740), que promediaron el 60 por ciento de los gastos pero solamente el 4,2 por ciento del PBI. Las décadas entre 1780 y 1809 tuvieron los niveles más bajos (especialmente en 1790-1809), con un promedio de apenas 30 por ciento del gasto y 3,3 por ciento del PBI. Los índices de corrupción se incrementaron hacia la última década de dominio colonial, alcanzando el 41 por ciento del gasto y 4 por ciento del PBI. En general, fueron costos importantes que en el largo plazo minaron todos los pequeños incrementos en el crecimiento de la economía colonial. Los costos de la corrupción implicaron una pesada carga y un legado que agravó el colapso económico y financiero producido durante las guerras de la independencia y la temprana época poscolonial.

Aquellos historiadores escépticos con respecto a la importancia de la corrupción en el virreinato del Perú o en otras sociedades coloniales hispanoamericanas, han dudado o ignorado la preciosa información y el análisis proporcionados por Ulloa y otros reformadores coloniales examinados en este capítulo. Pero detalladas evidencias adicionales provenientes de fuentes judiciales, administrativas y cuantitativas corroboran la principal afirmación sobre que la corrupción tuvo una rol central en el sistema colonial y fue la base para la futura corrupción sistémica. A pesar de serios intentos por efectuar reformas, la corrupción profundamente arraigada venció. Una evaluación general debe concluir que en el Perú, las reformas implementadas no lograron alcanzar las metas de largo plazo necesarias para remozar la ineficiencia administrativa colonial y contener la corrupción.[155] Estas reformas fueron minadas y en última instancia descarriladas por intereses locales que se coludían con autoridades corruptas. A lo largo del siglo XVIII los cambios en el liderazgo imperial español a partir de la década de 1790 y, en última instancia, las transgresiones cometidas en la política fiscal y comercial, los gastos militares, las finanzas de guerra y la administración provincial y minera facilitaban las corruptelas. Los intereses corruptos peninsulares y criollos continuaron sin control, en tanto que la mayoría de los súbditos del virreinato debía soportar los costos. En consecuencia, las instituciones virreinales se basaron en parte en leyes y autoridad españolas tradicionales o reformadas y en parte, a veces crucialmente, en intereses y prácticas corruptos inherentes al gobierno patrimonial local. El estudio de la corrupción resulta así esencial para comprender el funcionamiento sistémico, real y práctico, de las particulares instituciones coloniales en las que se basó la desenfrenada corrupción del Perú posterior a la independencia.

Las continuidades y legados de la corrupción, presentes en el Perú en la transición de las instituciones coloniales a las republicanas, hundían sus raíces en el poder centralista y patrimonial de los virreyes militares, respaldados por sus círculos de patronazgo. El abuso de las políticas financieras fiscales y de las instituciones continuó siendo un rasgo importante del legado colonial. Al carecer de una tradición significativa de pesos y contrapesos constitucionales y una división de poderes, las nuevas estructuras de poder surgidas en la década de 1820 se basaron en redes de patronazgo muy bien arraigadas, que fueron dominadas por los caudillos militares quienes a su vez heredaron la influencia de los oficiales militares del tardío sistema colonial.

CAPÍTULO 2

Cimientos socavados de la temprana república, 1821-1859

> *He dicho, después de haberlo comprobado,*
> *que en el Perú la clase alta está profundamente corrompida*
> *y que su egoísmo la lleva, para satisfacer su afán de lucro,*
> *su amor al poder y sus otras pasiones, a las tentativas más antisociales.*
>
> FLORA TRISTÁN (1838)[1]

E n 1818, el joven Domingo Elías (1805-1867) viajó a estudiar en España y Francia, tal como lo hacían varios otros criollos hijos de hacendados y comerciantes hacia finales del régimen virreinal. Al momento de su partida, justo antes de la fase final de las guerras de independencia, las penurias económicas y la corrupción habían abrumado a un virreinato peruano en declive. Con el fracaso de las reformas borbónicas, los grupos conservadores de la élite se acomodaban a un orden que condonaba la corrupción como medio para recibir respaldo local contra la inminente independencia. El fraude y el contrabando proliferaban sin control.[2] Los crecientes gastos militares exigían que las autoridades impusieran préstamos públicos voluntarios o forzados a los ricos comerciantes y a la nobleza de Lima, dispuestos a todo para conservar sus privilegios. Al mismo tiempo, los recursos fiscales colapsaban, la escasez y la guerra empujaban la moral y honestidad de los oficiales militares a su límite.

Habiendo adquirido ideas económicas y políticas liberales en la Europa de la era posnapoleónica, Elías retornó al Perú en 1825, después de que la independencia política hubiese sido alcanzada a un costo enorme.[3] ¿Qué tipos de corrupción surgieron o prevalecieron durante su ausencia y qué intereses yacían detrás de ellos? ¿Qué efectos tuvieron sobre las nuevas bases económicas, institucionales y políticas que la independencia trajo consigo? ¿Cómo se adaptó el joven hombre de negocios a estos cambios y continuidades? Seguir las actividades económicas, comerciales y políticas del polémico reformador civil Domingo Elías nos revela las viejas y nuevas características de una administración presa de la corrupción en una naciente república hispanoamericana.

Saqueo patriota

Al no contar con recursos financieros, los líderes y caudillos militares que apoyaron la causa emancipadora abusaron de la expropiación, las corruptelas y el crédito externo e interno en nombre de la causa patriota. En el periodo 1821-1822, el libertador José de San Martín y Bernardo Monteagudo, su ministro de confianza, expropiaron y dilapidaron a la élite mercantil y económica de Lima, sin conseguir la independencia definitiva del Perú. Monteagudo tenía en poca estima el nivel de civilización y las posibilidades democráticas de los peruanos. Su objetivo principal consistía en erradicar la amenaza española en La Plata y Chile independientes a cualquier costo, incluso la ruina económica del Perú.[4] Confiscó caudales y otros recursos para organizar redes locales de espionaje y operaciones encubiertas, dañinas a todas luces para lograr la confianza de la población local y su apoyo a la causa de la independencia. Algunos peruanos indignados protestaron contra lo que consideraban era la ambición ilimitada de Monteagudo, que había puesto su mira en las fortunas privadas. Así, ordenaba sustraer los tesoros de las iglesias de la ciudad, no para salvar a la patria sino para pagar a espías y obras públicas inútiles. Semejante radicalismo y expoliación condujeron a su salida obligada del Perú.[5]

La política de secuestros inaugurada por Monteagudo minó aún más una débil tradición del derecho a la propiedad y sentó las bases para las expropiaciones motivadas por razones políticas.[6] Las propiedades agrícolas y urbanas confiscadas a españoles y criollos realistas, fundamentalmente en la región de la costa central, fueron valorizadas en aproximadamente dos millones de pesos. Esta política provocó mayores problemas económicos y una caída de la inversión. Bajo estas condiciones, las propiedades confiscadas eran difíciles de vender sin poder así aumentar los débiles ingresos públicos. Al igual que la venta previa de las haciendas jesuitas expropiadas, llevada a cabo en el periodo 1767-1780, el prolongado proceso de vender y reasignar las propiedades confiscadas durante las luchas por la independencia estuvo cargado de irregularidades, favoritismo y patronazgo. Eventualmente, la mayor parte de los bienes expropiados se otorgó a oficiales militares que pedían compensación y recompensa por sus hazañas patrióticas. Entre los oficiales de alto rango que recibieron estas recompensas tenemos a Antonio José de Sucre, Bernardo O'Higgins, José Rufino Echenique, Juan Francisco Reyes, Blas Cerdeña y José María Plaza, entre otros.[7]

En provincias, los oficiales locales repetían los abusos de poder y las expoliaciones cometidas a nombre de la causa patriota. En octubre de 1821, el capitán Juan Delgado, comandante militar y teniente gobernador de Sayán en la provincia de Chancay, fue acusado de opresión y de efectuar extracciones ilegales para enriquecerse a costa de la población local y del Estado. A pesar de sus esfuerzos para influir el subsiguiente juicio de pesquisa, fueron 58 testigos los que confirmaron los cargos.[8] La corrupción de las autoridades de provincias, una expresión del colapso final de la reforma de las intendencias, perduraría así en el Perú independiente.

Para empeorar las cosas, el almirante Thomas Cochrane, cuyos servicios navales y gastos habían quedado impagos, se apropió de las reservas de plata en barras que habían sido penosa y prepotentemente acumuladas durante el gobierno de San Martín. Cochrane fue el comandante de la flota «libertadora» chilena y también se vio beneficiado con la captura y secuestro de naves mercantes peruanas.[9] Un diplomático francés informó a sus jefes en París que la falta de apoyo popular a la libertad y la independencia se explicaba por la corrupción de las nuevas autoridades separatistas y sus luchas internas. Otro enviado diplomático atribuyó la debilidad de estos nacientes gobiernos al reparto de cargos oficiales por medio de la protección y la intriga en lugar del reconocimiento al mérito.[10] Estas débiles bases organizativas brindaron fértiles condiciones para la corruptela y el abuso de poder.

El general Simón Bolívar, cabeza de la campaña final que venció al ejército realista en Perú, también tomó parte en las dañinas prácticas de expropiación local y abuso de autoridad. Bolívar y su dedicado ministro José Faustino Sánchez Carrión decretaron, en el periodo 1824-1825, la confiscación de las rentas y la expropiación subsiguiente de quienes se hubiesen refugiado en la fortaleza del Real Felipe en el Callao, el último bastión desesperado de españoles y criollos recalcitrantes. Sánchez Carrión recibió varias propiedades como recompensa a sus fieles servicios. En condiciones de extrema penuria fiscal y endeudamiento, un Congreso servil recompensó a Bolívar en 1826 con más de un millón de pesos.[11] Mientras tanto, los funcionarios de gobierno mal pagados saqueaban las rentas de provincias y confiscaban propiedades privadas. Tal fue el caso documentado del teniente coronel Juan Pablo Santa Cruz, gobernador de Chincha Baja y protegido del caudillo bolivariano, el general Antonio Gutiérrez de la Fuente: veintinueve vecinos verificaron la ilegal apropiación que Santa Cruz había hecho de ganado y bienes, no para el servicio de la patria sino para su propia ganancia, una forma de despotismo que consideraban era peor que el de los españoles.[12]

Al mando del gobierno, Bolívar ordenó a sus propios oficiales el despojar propiedades, incluidos los ornamentos de plata de las iglesias, como medio para financiar al ejército.[13] En una halagadora muestra de gratitud que prometía duraría hasta la tumba, el general Agustín Gamarra, prefecto del Cuzco, le presentó a Bolívar ochenta medallas de oro y quinientas de plata recién acuñadas en la localidad en su honor, además de reportar haber cumplido sus decretos de expropiar y gravar las propiedades eclesiásticas.[14] Hipólito Unanue, el ministro de Hacienda de Bolívar, y José de Larrea y Loredo, su sucesor, manifestaron preocupación por los excesos y el caos fiscal atribuidos a Gamarra y otras autoridades de provincias.[15] En la práctica y en términos políticos, Bolívar y su fiel mariscal Antonio José de Sucre formaron a la primera generación de caudillos militares andinos en el arte del financiamiento abusivo de las Fuerzas Armadas. Bolívar aplastó a los líderes de inspiración liberal y usurpó el poder constitucional.[16] En 1826 se vio obligado a dejar las riendas del poder dictatorial peruano debido a la oposición colombiana, peruana y boliviana a su grandioso plan de una confederación liderada por él mismo.[17]

«Desafortunadamente para el Perú» —escribió en mayo de 1824 William Tudor, el cónsul estadounidense en Lima, al secretario de Estado John Quincy Adams— «los invasores que vinieron a proclamar la libertad y la independencia eran crueles, rapaces, carentes de principios e incapaces. Sus malos manejos, su despilfarro y su sed de saqueo pronto alienaron los afectos de los habitantes».[18] Tudor no limitó sus críticas a los libertadores extranjeros; la población peruana, observó, era suave, afeminada e ignorante del resto del mundo debido a su reclusión bajo el dominio hispano. El cónsul también se quejó de las tarifas aduaneras prohibitivamente altas, así como de la confiscación de naves y propiedades de norteamericanos, sin ninguna otra razón aparente que la de «saquear a neutrales». El saqueo y el abuso de bienes privados y públicos por parte de jefes militares continuaron siendo frecuentes y causando problemas diplomáticos recurrentes durante el temprano periodo republicano. Estas prácticas descarrilaron y retrasaron constantemente una urgente reforma comercial y tratados de comercio con el exterior, necesarios para reconstruir la economía del país.

El manejo abusivo e inepto del crédito interno con préstamos obligatorios e impagos, asignados principalmente a comerciantes locales y extranjeros, así como la emisión de billetes sin respaldo adecuado, tuvieron como resultado la rápida pérdida de fuentes de crédito interno del nuevo Estado peruano.[19] Un parlamentario de esos años declaró que era evidente y conocido que el crédito del Estado se había perdido totalmente por incumplimiento de los acuerdos de préstamos anteriores.[20] La deuda interna de ese entonces incluía los salarios impagos de los empleados del gobierno, diversos reclamos de proveedores locales y propietarios expropiados y pagos incumplidos originalmente respaldados por la deuda externa, todo lo cual sumaba aproximadamente siete millones de pesos, además de los más de catorce millones de pesos de la heredada deuda colonial legítimamente debida a acreedores locales.[21] Esta deuda interna inicial y creciente, producto de las abusivas finanzas de emergencia, fue el primer ejemplo de una tendencia recurrente de encubrir el saqueo de la corrupción y mala administración con el incremento de obligaciones de deuda pública que los ciudadanos comunes debían, en efecto, pagar eventualmente a un costo mayor.

Turbios préstamos externos

Los arrasados recursos privados y el arruinado crédito interno llevaron a los estadistas fundadores de la república a contraer una costosa deuda pública externa para financiar los gastos públicos. Los primeros préstamos externos, contratados apresuradamente en el mercado de capitales londinense en el periodo 1822-1825, terminaron por declararse impagos casi de inmediato. El Perú no estuvo solo en este fracaso financiero, pues la Nueva Granada de Bolívar sentó este patrón en 1820, y luego Chile y México siguieron el mismo camino. Bajo las onerosas condiciones de los préstamos, la crítica situación de las finanzas públicas y los crecientes problemas legales y de opinión pública en el extranjero, las nuevas autoridades republicanas y sus contratistas usureros no pudieron pagar la amortización y el interés, no sin antes haber usado los fondos prestados en gastos militares y otros gastos y recompensas improductivos. Además, la expansión monetaria y la burbuja especulativa en Londres, de la cual formaban parte las emisiones de préstamos latinoamericanos, llevaron a una espectacular caída de la bolsa londinense a finales de 1825. Desde entonces, los mercados internacionales estuvieron efectivamente cerrados para el necesitado Estado peruano hasta finales del decenio de 1840.[22]

Desde los primeros esfuerzos por conseguir préstamos en el exterior, surgió un patrón de abusos entre funcionarios y diplomáticos peruanos y sus agentes financieros en el extranjero. Este legado contribuyó a arruinar persistentemente el crédito público externo del nuevo Estado. Al mismo tiempo, los agentes diplomáticos, provistos de amplios poderes discrecionales, tenían sus propios intereses ligados a la negociación de asuntos de gravísima importancia para el crédito nacional en el extranjero. Dado que el Estado peruano era consistentemente incapaz de pagar satisfactoriamente salarios y gastos de representación en el exterior, los funcionarios diplomáticos podían explotar esta situación de penuria fiscal en provecho propio.

El primer préstamo extranjero, por un monto de 1,2 millones de libras esterlinas a un interés del 6 por ciento anual, fue negociado en el boyante mercado londinense a comienzos de la década de 1820 por dos cuestionables enviados y amigos del general San Martín, el colombiano Juan García del Río y el médico británico James Paroissien.[23] Este último, bien recompensado por el gobierno de San Martín con el rango militar de general y parte de una hacienda confiscada, estableció unas relaciones de negocios impropias e incompatibles con su misión en Londres. Paroissien se dedicó a realizar tratos privados con el banquero mercantil londinense Thomas Kinder, el emprendedor contratista de la emisión del préstamo peruano, al mismo tiempo que negociaba, con el mismo Kinder, condiciones desfavorables para el préstamo público externo.[24] En opinión del procurador general de Londres, este contrato del primer préstamo externo peruano debía considerarse virtualmente nulo por motivo de usura.[25]

El primer contrato de préstamo externo se firmó en octubre de 1822 y fue aprobado por el Congreso Constituyente en 1823, durante el breve gobierno de José de la Riva-Agüero, el primer presidente del Perú. Las redes del temprano militarismo peruano habían impuesto la presidencia de Riva-Agüero inmediatamente después de que San Martín partiera de Lima y antes del arribo de Bolívar. El mariscal Riva-Agüero era un aristócrata criollo que había ganado fama gracias a sus actividades como jefe de espías a favor de la independencia. Tal como recordara el propio Riva-Agüero en 1823, en una carta a George Canning, el secretario británico de asuntos exteriores, él mismo había proporcionado a los británicos información secreta sobre los planes de Napoleón para España e Hispanoamérica en 1808.[26] En el Perú se le concedió a Riva-Agüero el más alto rango militar, a pesar de no haber participado en batalla alguna. Durante su presidencia fue acusado de presionar al Congreso para que aprobara una ley que destinaba 100.000 pesos de los fondos del préstamo externo y valiosas concesiones de tierras del Estado como compensación personal para sí mismo y para diversos contratistas asociados suyos.[27]

Un segundo préstamo de 616.000 libras, también a interés del 6 por ciento, fue contratado con el ubicuo Kinder en enero de 1825 por el nuevo agente del gobierno peruano, el comerciante John Parish Robertson, quien cobraba la considerable comisión del 2 por ciento. Para entonces, Bolívar controlaba el poder en el Perú y esperaba ansiosamente los fondos del préstamo, 40.000 libras de los cuales serían usados para comprar y remitir 25.000 rifles. Robertson había sido nombrado por el gobierno peruano gracias a sus conexiones con Robert Proctor, un agente de Kinder en Lima. Una pequeña camarilla de comerciantes banqueros, con base en Londres y conexiones políticas y financieras, dominaba, pues, el negocio de la emisión de préstamos latinoamericanos, además de dedicarse a otros planes y sociedades especulativas en minería y comercio.[28]

Las serias irregularidades cometidas en la contratación de los préstamos condujeron a problemas legales y airados debates en la opinión pública londinense, hecho que dificultó la colocación de los bonos peruanos en Londres. Finalmente, los incumplimientos tanto de Kinder, que no proporcionó el adelanto convenido sobre los montos contratados, como del gobierno peruano, que fue incapaz de cubrir los intereses, tuvieron como resultado el impago oficial de los préstamos externos peruanos. De la suma nominal total de 1.816.000 libras, contratada por los dos préstamos, el gobierno peruano solamente recibió el 50 por ciento después de deducidas las elevadas comisiones, costos de transacción y pagos de interés por adelantado. Los reducidos fondos de los préstamos que lograron llegar al Perú fueron dilapidados aún más en pagos exagerados o impropios a oficiales del victorioso ejército bolivariano.[29]

Los nuevos agentes diplomáticos José J. Olmedo y José Gregorio Paredes observaron el desastre del incumplimiento de los préstamos peruanos de 1826, debido, según describen, a las transacciones especulativas de los agentes Kinder y Robertson, agravadas por la repentina contracción del mercado de capitales londinense. Al verse privados, en consecuencia, de los fondos para sus salarios y gastos, Olmedo y Paredes se quejaban insistentemente de que debían pagar los gastos oficiales con sus propios recursos y con crédito privado.[30] Esta situación alcanzó niveles absurdos a finales del decenio de 1820 y en el de 1830, cuando los agentes diplomáticos peruanos en Londres pasaron a ser «acreedores» del Estado debido a los salarios que se les debía. Sin embargo, era la obligación de estos diplomáticos peruanos, irregularmente pagados, el llevar a cabo los asuntos, tratos y contratos esenciales para la posición, las finanzas y el comercio internacionales del naciente país.

Al no contar con un ingreso legítimo suficiente, los diplomáticos peruanos encontraron la forma de conseguir comisiones y tratos impropios con los cuales enriquecerse. Juan Manuel Iturregui prosiguió con una tendencia establecida por los primeros enviados diplomáticos peruanos en la década de 1820, de verse envuelto en negociaciones dudosas con financistas y proveedores extranjeros de armas y otros equipos.[31] Cuando Iturregui asumió la legación peruana en Londres por vez primera en 1827, se quejó de los magros ingresos que le habían sido asignados. Su correspondencia oficial propuso, primero, el proyecto poco ortodoxo de comprar en secreto los depreciados bonos peruanos, para enfrentar, así, el incumplimiento de la deuda y los problemas del pago de intereses.[32] Iturregui se mantendría como el representante peruano en Londres, con varias interrupciones en su servicio, hasta 1838.

El negocio de las emisiones de préstamos en Londres se alimentó con la esperanza de que las nuevas naciones hispanoamericanas pronto se recuperarían de la crisis minera de finales del periodo colonial y de las perturbaciones y la destrucción ocasionadas por las guerras de la independencia. Tras años de negligencia y decadencia, las actividades mineras necesitaban una masiva inversión de capital para producir suficiente plata y oro con que equilibrar el creciente déficit comercial. Pero, al margen de algunas empresas mineras especulativas que reunieron fondos en Londres, las inversiones necesitadas por la minería peruana no se hicieron presentes.

Sin embargo, la exportación ilegal de plata piña y de monedas del metal, efectuada frecuentemente en naves de guerra británicas y de otras nacionalidades, así como el contrabando de bienes importados, prosiguieron e, incluso, aumentaron después de la independencia. Los comerciantes y diplomáticos extranjeros, activos en los principales puertos y ciudades peruanos, describieron estas actividades como si fueran muy normales y frecuentes en sus tareas cotidianas.[33] Intercambios ilegales similares también fueron comunes en la costa occidental de México y persistirían hasta finales de la década de 1850.[34]

Así, el congresista liberal peruano Francisco Javier de Luna Pizarro deseaba incrementar la recaudación de aduanas para contribuir así a la moralización de los funcionarios de aduana y, con ello, erradicar el «inmenso contrabando».[35] Pero el general Antonio Gutiérrez de la Fuente, prefecto de Arequipa a finales de la década de 1820, protegía las operaciones de contrabando y desvió fondos públicos hasta amasar una fortuna de al menos 200.000 pesos.[36] Según un pensador liberal contemporáneo, el conjunto inadecuado de prohibiciones y barreras al comercio libre, heredado del régimen colonial, constituía el germen de la corrupción.[37] La extracción ilegal de plata y el contrabando ligaban los intereses privados y oficiales en redes de corrupción, causando una seria sangría de capital y circulante en el deprimido mercado nacional. Los prefectos y subprefectos de provincias, a menudo oficiales militares, estuvieron tradicionalmente involucrados en estas redes, con lo que se agravaban sus abusos y patronazgo en los contratos de adquisición del gobierno y el ejército.[38] A lo largo del siglo, la corrupción de las autoridades locales se mantuvo casi sin ningún control.

Hubo ciertos intentos tempranos pero débiles de moralizar la Administración Pública con unas cuantas reglas y medidas anticorrupción. Buscando las raíces del elusivo ideal de un Estado nacional, eficiente y honesto, el historiador Jorge Basadre documentó estos intentos moralizadores legislativos y administrativos —fundamentalmente debidos a Luna Pizarro, el presidente Manuel Menéndez (1844-1845) y otros liberales— contra diversas corruptelas y fraudes cometidos por los militares y otros funcionarios. En la década de 1820 se prohibió a los legisladores solicitar favores de las autoridades del Ejecutivo o tener empleos que dieran lugar a conflictos de interés.[39]

En teoría, y al igual que en la época colonial, los funcionarios del gobierno seguían estando sujetos a los juicio de residencia y a pesquisas, que buscaban explícitamente evidencias de fraudes y sobornos (cohechos).[40] Los oficiales de aduanas enfrentaban la pena de muerte si eran hallados culpables de haber asistido al contrabando. Estas medidas rara vez eran aplicadas: los funcionarios investigados lograban, por lo general, diluir las pesquisas con sobornos y declaraciones falsas de testigos. Muchos de estos acusados gozaban de protección o tan solo recibían leves castigos, si en efecto recibían alguno, según lo revelan los pocos expedientes sobrevivientes de juicios incompletos y viciados.[41] La evidencia legal que subsiste resulta, sin embargo, sintomática de los serios problemas de corrupción que plagaban al temprano Estado republicano. Según un pesimista observador contemporáneo, «la corrupción es demasiado inveterada y ha crecido con demasiado vigor en el Perú, como para ser erradicada rápidamente con cualquier medio, por juicioso o severo que sea».[42]

Círculos de patronazgo caudillesco

Podemos explicar la primera y las subsiguientes generaciones de caudillos militares republicanos como los ápices de redes de patronazgo, surgidas a medida que las viejas instituciones colapsaban y las nuevas se atrofiaban o debilitaban al nacer. Los altos oficiales militares Andrés de Santa Cruz, Agustín Gamarra, Antonio Gutiérrez de la Fuente, Ramón Castilla y José Rufino Echenique se formaron inicialmente en el Ejército español, antes de servir en las fuerzas armadas separatistas. Estos oficiales reprodujeron, en gran medida y en miniaturas inconexas, las redes de patronazgo antes encabezadas por el virrey y otros oficiales reales. Los círculos de clientelismo o bien eran fortalecidos por la corrupción o bien le brindaban amplias oportunidades. La participación de oficiales militares y soldados argentinos, chilenos, colombianos y europeos también contribuyó a la creciente importancia que las camarillas militares tuvieron después de la independencia.[43] Tener en cuenta las bases regionales, provinciales, rurales e, incluso, socioeconómicas de estos caudillos no basta para explicar sus motivaciones y medios de mantenimiento. Debemos, también, considerar los intereses de corruptelas y sus redes para cabalmente evaluar las bases de poder de los caudillos y sus descaminadas políticas.

Las conexiones establecidas entre los caudillos militares, la administración estatal y los compinches privados definieron los círculos de patronazgo después de la independencia. Un ejemplo temprano es la red encabezada por Gamarra y su aliado Gutiérrez de la Fuente. Junto con otros oficiales separatistas, Gamarra y La Fuente colaboraron con el primer pronunciamiento o golpe militar que llevó a Riva-Agüero a la presidencia en 1823. Desde entonces, los destinos políticos y pecuniarios de Gamarra y La Fuente estuvieron estrechamente ligados. Gamarra dependió continuamente de La Fuente para conseguir las armas y caudales con que poner en práctica sus designios políticos.[44] Durante las conmociones causadas por la forzada partida de Bolívar en 1826, Gamarra y La Fuente tomaron medidas para extender su poder e influencia. El Libertador les había dejado como prefectos de los departamentos sureños de Cuzco y Arequipa, respectivamente. Los dos prefectos conspiraron con Benito Laso, prefecto de Puno y también partidario de Bolívar, para conformar una federación sureña separada del resto del país. La Fuente incluso suspendió la remesa a Lima de las rentas públicas recaudadas en Arequipa.[45] La maniobra de los prefectos no avanzó debido a las decisivas medidas tomadas desde Lima por el general Santa Cruz, enemigo de Gamarra y cabeza de un grupo de patronazgo rival.

La insubordinación contra los planes continentales de Bolívar por parte de las tropas colombianas estacionadas en Lima había llevado al retiro pacífico de fuerzas extranjeras del territorio peruano. El patriota liberal Luna Pizarro, contrincante moralizador de Bolívar y cabeza de un nuevo Congreso peruano, pudo entonces convocar genuinas elecciones presidenciales en el seno de los representantes parlamentarios el 9 de junio de 1827. Los contendores eran los generales Santa Cruz y José de la Mar. El juez Manuel Lorenzo Vidaurre, un íntimo colaborador y exministro de Bolívar, apoyó a Santa Cruz. Sobre la base de fuentes informadas, James Cooley, encargado de negocios de EE. UU. en Lima, sostuvo que Santa Cruz y Vidaurre tenían «una mala reputación de poco talento y menos honestidad».[46] Aún más, el diplomático francés Chaumette des Fossés consideraba a Vidaurre inepto para ocupar el cargo de presidente de la Corte Suprema: «[N]inguna persona sacrifica con mayor facilidad los derechos de la justicia a sus [propios] intereses, o a la influencia de sus parientes y amigos [... Vidaurre] es, según casi todas las fuentes, la última persona que uno elegiría, de entre los disolutos habitantes de Lima, para que sea [...] el primer magistrado de la justicia peruana».[47]

La Mar ganó la elección y Santa Cruz marchó con un cargo diplomático a Chile, desde donde posteriormente se dirigió a Bolivia para convertirse luego en su presidente. La Mar, uno de los pocos oficiales de alto rango honestos, era admirador de EE. UU. y sus instituciones. Contó con el vigoroso respaldo de Luna Pizarro, el jefe del partido liberal.[48] Sin embargo, Gamarra y La Fuente conspiraron contra La Mar y Luna Pizarro. Una exitosa campaña militar contra el mariscal José Antonio de Sucre, presidente de Bolivia, se llevó a cabo desde el Cuzco por Gamarra, quien actuaba autónomamente y en abierto de-safío al gobierno de Lima. Inmediatamente después, otra guerra, esta vez con Colombia (1829) en torno de cuestiones territoriales, políticas, diplomáticas y de deuda, les dio a Gamarra y La Fuente la oportunidad de tomar el poder supremo. La guerra fue librada en territorio ecuatoriano y terminó con la re-tirada del ejército invasor peruano, dirigido por el mismo La Mar. Entretanto en Lima, La Fuente llevó a cabo un golpe de Estado que depuso al vicepresi-dente Manuel Salazar y al jefe parlamentario Luna Pizarro. Al norte, Gamarra, actuando en coordinación con La Fuente, arrestó y exilió a La Mar, con lo que puso fin al único gobierno parlamentario más o menos honrado y liberal que tuvo el Perú en los primeros años de gobierno republicano.

A pesar de contar con un débil respaldo popular, Gamarra fue elegido presidente bajo presión armada. Durante su ausencia en el interior, el vice-presidente La Fuente controlaba el gobierno de Lima con mano de hierro. Según los observadores locales, Gamarra y La Fuente recibían el respaldo de un «partido» que actuaba como un «mero instrumento» de los designios au-toritarios de Bolívar. Aún más, Gamarra apuntaló su despotismo militar, in-usualmente duradero, nombrando a sus fieles oficiales de alto rango como prefectos, retribuyendo favores con alzas salariales y empleos y manipulando los ascensos militares y los pases al retiro.[49] A comienzos de 1830, La Fuente viajó a las provincias del sur para recaudar fondos urgentemente necesarios para la causa de Gamarra, para lo que usó todos los medios posibles. Un di-plomático extranjero insinuó que el inminente viaje de La Fuente tenía una finalidad «de naturaleza más personal».[50]

La colaboración particular entre Gamarra y La Fuente quedó bien docu-mentada en la correspondencia que ambos mantuvieron durante la detes-tada campaña «recaudadora» de fondos en el sur. La Fuente se encargó de «ordeñar» tantas rentas como fuera posible de las manos de los prefectos y subprefectos de aquellas provincias, no obstante la penosa situación econó-mica de la región meridional. Los grupos de interés locales aborrecieron a La Fuente y Gamarra por las fuertes extorsiones que sufrían. Para conseguir la efectiva expoliación, se debía prometer favores y otros incentivos a los fun-cionarios y oficiales encargados, o simplemente se les amenazaba para que proporcionaran, sin la aprobación del Congreso, los cientos de miles de pesos que mantuvieron a Gamarra en el poder hasta 1833.[51]

La Fuente informó a Gamarra de la resistencia de los prefectos a rendir las sumas de impuestos y donativos forzosos tan dolorosamente extraídos de hacendados, comerciantes, templos y campesinado indígena. Asimismo, intervino en la política local en lo que tocaba al contrabando, las minas de oro, los proyectos de riego y los comerciantes y empresarios extranjeros. La

Fuente reconocía que el contrabando y la extracción ilegal de plata hecha por peruanos y extranjeros eran actividades importantes en los puertos sureños de Islay, Arica e Iquique, en la provincia minera de Tarapacá; sin embargo, estaba a favor de permitir la extracción ilegal de plata, debido a su valor comercial local, hasta que el Estado fuera capaz de imponer impuestos a la exportación. En este sentido, La Fuente apoyaba las demandas de los empresarios y mineros locales, y muy probablemente continuaba activo en la protección del contrabando. Con la ayuda de Gamarra también logró colocar varios empleados en la administración de aduanas. Insistió, además, en compartir con Gamarra las acciones de la empresa Vincocaya, un proyecto de irrigación que buscaba desviar un río para llevar agua a tierras no cultivadas que yacían al este y al oeste del volcán Misti en Arequipa. La Fuente le agradeció a Gamarra el decreto oficial que establecía este proyecto que, según él, incrementaría el afecto que Arequipa tenía por Gamarra.[52] Asimismo, solicitó mayores asignaciones salariales y se quejó, sin escrúpulo alguno, de que en un artículo aparecido en una publicación chilena se le hubiese acusado de deshonestidad administrativa.[53]

La corrupción entre los militares erguía su cabeza sobre las actividades del sector privado y agotaba los fondos públicos y las líneas de crédito. Los abrumadores préstamos y levas compulsivos, cargados a los empresarios y propietarios nacionales y extranjeros, se hicieron endémicos tras casi cualquier insurrección y contrainsurgencia militar. Este fue el caso de la insurrección de enero de 1834, vívidamente descrita por Flora Tristán, quien fuera testigo de sus efectos en Arequipa.[54] Una gran parte de las sumas extorsionadas se manejaron deshonesta e incompetentemente en nombre de torpes causas políticas y militares. Las incautaciones, condenas y confiscaciones ilegales de las propiedades de extranjeros, efectuadas desde las guerras de la independencia, agriaron las relaciones con las potencias extranjeras durante aproximadamente los primeros treinta años de la joven república.[55] La correspondencia diplomática con las autoridades peruanas estuvo repleta de pedidos y solicitudes referidas a reclamos de particulares y compañías, así como negociaciones frustradas de tratados bilaterales de amistad y comercio, que buscaban crear regulaciones contra los abusos y el trato desfavorable dado a los súbditos extranjeros en el Perú. Estos reclamos y negociaciones revelaron a los diplomáticos extranjeros que ciertos intereses locales deshonestos estaban decididos a paralizar tratados y acuerdos justos.

En Lima, Gamarra tuvo una conversación reveladora con un ciudadano estadounidense, quien luego transmitió su contenido al diplomático de su país Samuel Larned. Gamarra reveló, entonces, una intención clave que explicaba los intereses de patronazgo que yacían detrás de sus políticas antiextranjeras. Después de haber exigido, en general infructuosamente, adelantos en efectivo a comerciantes extranjeros a cambio de concesiones arancelarias, Gamarra deseaba favorecer, más bien, la formación de capitalistas nacionales sobre la base de grupos de comerciantes locales. Además, calculaba que después de verse favorecidos con una ventajosa legislación comercial y aduanera que protegiera la producción y las actividades comerciales nacionales, los empresarios nacionales responderían favorablemente cuando se les pidiera apoyo financiero o, en caso contrario, sufrirían las consecuencias. Gamarra creía, por otro lado, que los comerciantes extranjeros no aceptarían esto.[56] La legislación comercial proteccionista tenía, así, un sustento político cuestionable, aparte de los intereses comerciales creados por el antiguo tráfico de trigo chileno por azúcar y algodón peruanos.[57] Así, Gamarra tenía en mente la creación de una base de apoyo local a su gobierno y poder personal, poco distinguible del patronazgo y amiguismo.

Para complementar la estrategia político-económica y realizar su grandioso plan de convertir al Perú en la «Francia americana»,[58] Gamarra se esforzó por crear un ejército que, según el cónsul británico en Lima, Belford Hinton Wilson, estuviese «íntegramente dedicado a su persona, que al deberle todo a él fuera más probable que respaldara sus ambiciosos proyectos» y «solidificara su despotismo militar». Esta «manía militar» sería una de las causas fundamentales de las endebles condiciones financieras del país, al mantener a mil oficiales en un ejército de apenas cuatro mil hombres.[59] En estas circunstancias, el peligro constante de guerra externa contribuyó poco a incrementar la eficiencia del Estado peruano.

En realidad, los pequeños grupos de capitalistas peruanos formaban parte de redes de patronazgo particulares que se beneficiaban de favores oficiales a cambio del apoyo político y financiero que prestaban a los caudillos. Durante el gobierno de Gamarra, un importante mecanismo de favoritismo era la entrega de sumas al Estado como pago adelantado o «abono» de aranceles extremadamente elevados (90 por ciento en promedio), pero con un descuento considerable y pagado en parte con billetes depreciados. Este sistema de abonos beneficiaba a pequeños grupos de comerciantes locales que pasaban a ser acreedores privilegiados del Estado. Esta suerte de «nacionalismo» comercial sesgado derrotó, en la práctica, las mal diseñadas metas proteccionistas, puesto que la protección efectiva caía por debajo del 50 por ciento gracias a la artimaña del abono. A pesar de estos defectos inherentes, el séquito de intereses creados por Gamarra defendió agresivamente las medidas proteccionistas contra el comercio libre y los intereses extranjeros. Todo esto obstruyó y retrasó la aplicación de las reformas comerciales que tan urgentemente requería el Perú.[60]

Al buscar estadísticas de comercio confiables del Perú, el cónsul Wilson y otros diplomáticos encontraron que estas podían ser «compradas» en privado a los empleados públicos. En 1834, Wilson anotó que «el soborno es el principal resorte de acción de todas las relaciones públicas y privadas de la vida».[61] Además, en el Perú no había ningún sistema o no existían principios fijos de gobierno entre los aspirantes al poder, excepción hecha del «engrandecimiento personal como un medio de enriquecerse».[62] Al analizar la reciente administración vicepresidencial de La Fuente, el ministro francés Barrère concluyó que la «dilapidación, la corrupción y el robo eran los tres grandes planos del cuerpo político peruano».[63] Un testigo clave de la época, Heinrich Witt, hombre de negocios oriundo de Altona (Alemania) y residente en Lima, señaló, acerca de la integridad moral de La Fuente, que «no muchas cosas buenas se pueden decir [...]. Es un jugador empedernido, extravagante cuando tiene dinero y en cuanto a obtenerlo nunca ha estado particularmente dedicado en la elección de los medios».[64]

Francisca Zubiaga, la aguerrida esposa de Gamarra, y su propio séquito de monopolistas de la harina y hacendados proteccionistas, entre ellos el comerciante de harina Frederick Pfeiffer y el prefecto de Lima Juan Bautista Eléspuru, enjuiciado por su cuestionable gestión, le brindaron al caudillo otra parcializada base de respaldo.[65] En efecto, doña Francisca, a quien también se le conocía como «Pancha la Mariscala» o la «Presidenta», al advertir las crecientes discrepancias entre Gamarra y La Fuente en torno a la presidencia, obligó al vicepresidente La Fuente a que dejara su cargo en abril de 1831, acusándolo de conspiración y peculado.[66] Unos años después Gamarra y la Presidenta fueron, a su vez, depuestos y exiliados por las fuerzas liberales encabezadas por el general Luis José Orbegoso en el periodo 1833-1834. La interrumpida sociedad de Gamarra con La Fuente fue reestablecida luego del fallecimiento de doña Pancha, durante las luchas que ambos libraron contra Santa Cruz y que llevaron al segundo gobierno de Gamarra (1839-1841).[67]

Felipe Santiago Salaverry, un joven oficial de «temperamento violento y temerario, y de insaciable ambición», dio inicio a su gobierno tras realizar un motín de su guarnición contra Orbegoso el 23 de febrero de 1835. Salaverry, aliado de Bujanda, amigote de Gamarra, se esforzó para que los asuntos administrativos volvieran al típico saqueo y xenofobia caudillistas: «Pesadas contribuciones, impuestas con la bayoneta y el apresamiento en la cárcel común [...] han sido gravadas [...] hasta por un monto de [150.000] dólares [... así como la requisa] de hombres, caballos y otras bestias de carga». Los extranjeros fueron obligados a hacer préstamos forzosos bajo la amenaza de encarcelamiento y de «disparar a un par de cónsules». Se reestableció entonces la Acordada, un tribunal especial represivo y confiscatorio. Ni la «constitución ni las leyes brindan la más mínima garantía contra sus usurpaciones[, ...] ni moderación al ejercicio de su poder».[68]

Desde el decenio de 1820, Francisco Quirós —un comerciante con intereses mineros y políticos en Cerro de Pasco, forjados originalmente por su padre gallego como diputado del Tribunal de Minería virreinal— había dependido de socios extranjeros para obtener las concesiones y monopolios oficiales. Quirós tuvo un papel decisivo en la formación de la Pasco Peruana Co., la primera compañía minera mixta, y participó en los primeros planes ferroviarios.[69] Vinculado inicialmente a Riva-Agüero, Quirós fue luego nombrado, en 1833, prefecto de Junín por su amigo Gamarra, a quien respaldó e, incluso, otorgó garantías crediticias personales.[70] Otra conexión de patronazgo y amiguismo de la red de Gamarra incluía las vinculaciones de negocios del entonces coronel José Rufino Echenique en Arequipa: Echenique estaba casado con la hija mayor del patrón local Pío Tristán.[71]

¿Era acaso Domingo Elías, al igual que muchos de los capitalistas locales de ese entonces, un amigote civil de alguna de las redes de poder de un caudillo militar? En las precarias condiciones institucionales de la temprana república, Elías debe haberse topado con enormes dificultades o, a la inversa, pudo haber obtenido oportunidades privilegiadas en el proceso de construir su emporio de negocios. Inicialmente, amplió sus propiedades en el valle de Ica, al comprar las tierras de quebrados propietarios aristócratas mediante conexiones familiares. El precio de la tierra había colapsado después de la independencia, mientras que el bajo retorno medio anual de la producción agraria ascendía a solo 3 por ciento. La oferta de préstamos hipotecarios de largo plazo era extremadamente escasa, en tanto que el interés anual de los préstamos comerciales —prácticamente el único tipo de crédito a disposición de hacendados y agricultores— era prohibitivamente alto, entre el 12 y el 24 por ciento. A muy pocos hombres de negocios les interesaba invertir en la agricultura.

Elías vio la oportunidad de desarrollar la producción comercial de algodón y vino, usando mano de obra esclava en sus haciendas, complementada con compras clandestinas de esclavos, manumisos y libertos, efectuadas en Nueva Granada.[72] Al mismo tiempo, el algodón y el vino tenían mercados locales protegidos gracias al amparo aduanero oficial, en especial para las toscas manufacturas de algodón de producción local. Elías siguió una estrategia combinada de adquirir tierras productivas y baratas en la provincia de Ica, con la feroz eliminación de todo posible competidor a sus nichos monopólicos. Aunque su estrategia era riesgosa, ella le permitió acumular capital, mayormente fijo en propiedades agrarias, que sirvió como base para sus ambiciones políticas. Según uno de sus acreedores, el emprendedor Elías era una persona honesta, pues, de lo contrario, no habría podido conseguir crédito comercial. No era un jugador, aunque en ocasiones sí apostaba generosamente; no tomaba en exceso, pero sí comía mucho. Resultaba difícil advertir si el dinero era, para él, un medio con el cual conseguir poder o si, más bien, era el fin de sus esfuerzos políticos.[73]

Elías complementaba su estrategia de bienes raíces con un activo cabildeo (*lobby*) para obtener del Estado monopolios oficiales muy rentables. En este proceso siguió usando tácticas agresivas contra sus rivales comerciales, además de obtener dudosos favores políticos que conllevaban flagrantes conflictos de interés. Uno de sus mentores y socio comercial fue el mariscal Santa Cruz, quien lo nombró a un cargo oficial.[74] Durante la Confederación Peruano-Boliviana (1836-1839), inspirada y encabezada por Santa Cruz después de vencer y fusilar al proteccionista dictador Salaverry, Elías le compró al Estado dos valiosas haciendas con billetes depreciados a su valor nominal.[75]

En ese entonces, Santa Cruz era considerado más honrado que otros caudillos militares: «A pesar que [Santa Cruz] sabía cómo cuidar sus propios intereses, nunca fue acusado de enriquecerse ilícitamente ni, menos aún, de permitir que cualquiera de sus subalternos lo hiciera».[76] Sin embargo, la base de poder principal de Santa Cruz era un grupo de fieles generales extranjeros activos en el Ejército peruano desde las campañas de la independencia, así como los comerciantes y diplomáticos extranjeros interesados en alcanzar acuerdos de comercio libre y una reforma de la política aduanera.[77] En 1836, Santa Cruz, su aliado el general Orbegoso, y su alto mando militar se beneficiaron con generosas concesiones oficiales de altos salarios, así como recompensas en efectivo y bienes raíces. Cuando Gamarra regresó al poder en 1839, su gobierno superó largamente los excesos derrochadores previos. Gamarra concedió un millón de pesos a los principales causantes de la derrota de Santa Cruz: el «Restaurador» Ejército y Marina chilenos, y su propio grupo de oficiales gamarristas.[78] En su campaña contra la Confederación, Gamarra recibió el respaldo inicial de su viejo aliado, el general Juan Crisóstomo Torrico, una de las figuras más corrompidas e intrigantes del Perú decimonónico.[79]

Resulta obvio que la asociación de Elías con Santa Cruz significaba su enemistad con la red de patronazgo de Gamarra-La Fuente-Torrico. La derrota final de Santa Cruz en 1839 puso un abrupto fin a los códigos comerciales liberales y tratados de comercio y amistad, anteriormente negociados con las potencias extranjeras, la británica en particular. Un elaborado informe ligeramente anterior, preparado por el cónsul general inglés, reflexionaba acerca de los intereses que yacían detrás de la formidable oposición a la «reforma radical de los antiguos abusos» y de la resistencia que había en el Perú al orden y al método. Según este informe, no podía esperarse ningún respaldo público vigoroso a la extirpación de tales abusos. En realidad, tanto el Ejecutivo como las autoridades legislativas y judiciales subordinadas favorecían el incremento de los abusos, puesto que ello brindaba «la cosecha más rica para la realización de sus propias fortunas». La corrupción en el Perú era comparable con la de México, salvo por la naturaleza sanguinaria de esta última, sostuvo el cónsul Wilson. Sin embargo, la moralidad de la administración peruana era inferior a la de cualquier otra nación hispanoamericana: «Los peruanos pueden verdaderamente ser considerados como los napolitanos, y los mexicanos como los rusos de América».[80]

La hostilidad para con los extranjeros guió las acciones de los generales Gamarra, La Fuente y Torrico nuevamente en el poder.[81] Las evidencias de amenazas y complots contra la vida del cónsul Wilson se acumularon en 1841 y dieron paso a una investigación judicial seguida por un escándalo diplomático. A partir de las declaraciones de testigos (entre ellos, uno que había rechazado la propuesta de unirse a los conjurados), las anónimas notas de advertencia y otras evidencias periodísticas y circunstanciales, Wilson sostuvo que el general La Fuente y sus secuaces, el mayor Isidro Pavón y el periodista coronel José Félix Iguaín, eran los principales conspiradores en un intento de asesinarle. Aún más, Wilson acusó a los jueces de la Corte Suprema Francisco Javier Mariátegui y Manuel Antonio Colmenares de ser criaturas de La Fuente y de haber convertido la investigación en un juicio contra el mismo Wilson.[82]

La muerte en combate de Gamarra en 1841 y la caída de su sucesor Manuel Menéndez en 1842 desencadenaron otra crisis de inestabilidad política, anarquía y saqueo, que hicieron que las potencias extranjeras intervinieran para proteger a sus ciudadanos en el Perú.[83] La Fuente continuó con sus depredaciones en 1843. Como ministro de Hacienda en el breve gobierno del general Francisco Vidal, se sospechaba que La Fuente había huido con 23.000 dólares luego de un fallido intento por contratar agentes franceses para destruir una nave al servicio del caudillo Manuel Ignacio Vivanco.[84]

En este contexto, Elías colaboró en un inicio política y económicamente con Vivanco, el autoproclamado Director Supremo. Sin embargo en junio de 1844, como prefecto de Lima, Elías tomó la autoridad suprema para sí mismo y dio una proclama contra los supuestos egoísmo, incompetencia y deshonestidad de Vivanco.[85] Una profunda enemistad entre Elías y Echenique también surgió en estos días de confusas luchas por el poder. Estas circunstancias posicionaron a Elías, jefe de la milicia urbana de Lima, como líder del gobierno en desafío a la autoridad militar de Echenique en la sierra de Lima y Junín.

En el periodo 1844-1845, la anarquía en el país dio paso a un amplio apoyo, incluso por parte de Elías y Echenique, al general Ramón Castilla, nombrado presidente después de vencer a Vivanco.[86] Castilla era un general valiente y capaz, exministro de Hacienda de Gamarra y amigo de La Fuente al inicio de su carrera. También era íntimo amigo de Pedro Gonzales Candamo, un importante comerciante y prestamista que obtuvo importantes favores durante los dos gobiernos de Castilla. Un líder pragmático aunque xenófobo, Castilla dio inicio a reformas administrativas y arreglos políticos fundamentales que generaron cierta estabilidad durante varios años. Sin embargo, Castilla no estuvo exento de acusaciones por deshonestidad administrativa. Durante su mandato como subprefecto de Tarapacá en 1829 se le acusó de complicidad en el contrabando de licor a través del puerto de Arica.[87]

En noviembre de 1845, Albert Jewett, encargado de negocios de EE. UU. en Lima, reportó que, cuando le tocó enfrentar la renuncia del gobierno peruano a efectuar pagos de indemnización a ciudadanos estadounidenses previamente acordados, tuvo que lidiar con «el más extraordinario gobierno desleal, corrupto e insolente». Según Jewett, el general Castilla era un «hombre sumamente ignorante» y su gabinete estaba conformado por «ladrones audaces y sin escrúpulos del erario público, que no permitirán que un dólar del dinero del Estado sea desviado del uso de ellos mismos y sus amigos, salvo lo que pueda ser necesario para fines de soborno».[88]

En 1848, Castilla escribió: «Me llaman vicioso y jugador y ladrón del Tesoro cuando siempre perseguí a los jugadores y ladrones».[89] En efecto, Castilla puso freno a actos cometidos por algunos funcionarios deshonestos de su primer gobierno, aunque con demasiada benevolencia, como en el caso del ministro de Relaciones Exteriores José Gregorio Paz Soldán, un astuto y temido abogado con el cual Castilla tuvo serias diferencias.[90] Por otro lado, Castilla retuvo a otros funcionarios de alto rango, como al ministro de Hacienda Manuel del Río, a pesar de los incesantes rumores y acusaciones de fraude y derroche de rentas nacionales propinadas por la prensa, los jueces y miembros del Congreso. Del Río colaboró estrechamente con Castilla en la promulgación de la ley de consolidación de la deuda interna y en la promoción de cientos de oficiales del ejército.[91] A pesar de su indulgencia para con estos funcionarios, Castilla contribuyó a una importante reorganización de la administración estatal e implantó, por vez primera, la práctica de los presupuestos nacionales. Un agudo observador y admirador señaló que Castilla era una persona honrada y sensata, un verdadero patriota que se esforzaba por el bienestar del país, pese a carecer de educación y ser tosco, algo obstinado y gustar de los juegos de cartas y dados.[92]

Como una forma de ejercer y mantener su poder, Castilla hizo las veces de árbitro entre personas con ambiciones políticas rivales, en especial entre Elías y Echenique. Durante el primer gobierno de Castilla, Echenique estuvo a

Fig. 3. Ministro Juan Crisóstomo Torrico, 1851-1854. Cabecilla de los consolidados rodeado y halado por gallinazos, fumando un carísimo cigarro que representa los millones de pesos distribuidos por tramas corruptas de la consolidación de la deuda interna durante la presidencia del general José Rufino Echenique. Cándido, *Adefesios*. Lima: L. Williez, 1855, grabado n.° 2. Biblioteca Nacional del Perú, Lima.

Fig. 4. Adelantos a cuenta de la exportación del guano. Costosa y viciada dependencia fiscal con respecto a adelantos o préstamos irregulares de contratistas extranjeros (Gibbs, Montané) para el comercio del guano durante la segunda administración del general Ramón Castilla (1855-1862). «A ver... Míster... tres millones pronto... ¡Doble interés, si no mí no entiende!». *La Zamacueca Política*, n.° 44, 1859. Biblioteca Nacional del Perú, Lima.

cargo del Ministerio de Guerra y, posteriormente, fue nombrado primer ministro. Elías entre tanto tuvo un papel importante como miembro, junto con Quirós y Manuel de Mendiburu, de una comisión oficial que investigó el presupuesto del periodo 1846-1847. En 1849, el gobierno de Castilla le otorgó a Elías dos concesiones monopólicas cruciales bajo el manto de la ley general de inmigración. La primera concesión permitía el pago de 30 pesos por cada culí chino contratado y embarcado por Elías y sus socios para emplearse en la agricultura de la costa; la segunda concesión consistía en el contrato exclusivo para cargar el guano, actividad para la que Elías empleaba una fuerza laboral conformada por endeudados culí, esclavos y convictos.[93] A la inversa, Castilla favoreció a Echenique como candidato presidencial acaudalado y bien conectado en el violento y corrompido proceso electoral de 1850. Echenique fue elegido por la mayoría de los delegados en la disputa electoral final frente a Elías, quien quedó en segundo lugar, y el general Vivanco.[94] Una vez en la presidencia, Echenique revocó los contratos oficiales otorgados a Elías.

Las oportunidades eran escasas para los negociantes honrados y competitivos, debido a los turbios tratos entre caudillos y capitalistas parasitarios. Manuel Argumaniz Muñoz, un inversionista marginado, dejó un revelador escrito inédito en el que denunciaba la colusión de los hombres de negocios más importantes con autoridades corruptas. Argumaniz era un capitalista de Lima que acumuló su caudal inicial ejerciendo como comerciante en Valparaíso. En sus años como joven de la marina mercante tuvo una disputa con su empleador, un despótico naviero peruano que se dedicaba al contrabando. En 1835, Argumaniz había hecho un envío considerable para Lima, pero se vio forzado a vender su mercadería en la provincia de Ica debido a las luchas intestinas que entonces asolaban la capital peruana. A pesar de las perjudiciales campañas militares y de las extorsiones sufridas, Argumaniz se convirtió en proveedor a gran escala de bienes de consumo tales como harina, arroz y aguardiente en las provincias sureñas de Ica, Pisco y Chincha. Estos eran, sin embargo, territorios celosamente guardados por Domingo Elías, quien presionó a las autoridades municipales y a los hacendados locales para que acosaran las actividades rivales de Argumaniz. Las maniobras de Elías se impusieron a pesar de los esfuerzos que Argumaniz hizo para fortalecer su posición empresarial local con la formación de una sociedad con el capitalista extranjero Miguel Montané. En 1841, Argumaniz tuvo que trasladarse a Lima.[95]

Además, entre varios otros proyectos de negocios, entre 1842 y 1844 Argumaniz estableció una sociedad con Gonzales Candamo para la compra especulativa de plata piña en Cerro de Pasco. Los problemas surgidos entre ellos llevaron a la disolución inamistosa de su sociedad. Argumaniz también señalaba como su enemigo al general Castilla. Durante el primer gobierno de Castilla, las propuestas que Argumaniz hiciera para los codiciados proyectos de construcción ferroviaria fueron rechazadas, mientras que las presentadas por Gonzales Candamo y sus socios fueron predeciblemente aceptadas. Desilusionado con la atmósfera empresarial en Perú, Argumaniz vivió principalmente en París a partir de 1848, donde actuó como socio del consignatario guanero Julián Zaracondegui. A su regreso al Perú años más tarde, la camarilla capitalista de Lima siguió siéndole adversa y marginándolo.[96]

Aunque movido por sus propios intereses, Elías eventualmente denunció la corrupción existente entre los caudillos militares y puso en riesgo su fortuna, su libertad y su vida.[97] Elías abrazó las reformas civiles liberales que chocaban con las tradiciones e intereses corruptos y autoritarios. En este sentido, su participación en las elecciones presidenciales de 1850 como candidato del Club Progresista, el primer partido civil, fue una importante ruptura con la acostumbrada política caudillista. Después de años de colaborar con caudillos militares, Elías y Francisco Quirós, otro converso al liberalismo, propusieron una reforma democrática que buscaba un cambio institucional para evitar los abusos y la corrupción política.[98] La formación de partidos políticos civiles enfrentaba y competía directamente con las viejas redes de patronazgo y reducía, en teoría, las oportunidades para la corrupción y el favoritismo en la cultura política de ese entonces. Desafortunadamente, estos reformadores civiles y los que luego siguieron sus pasos fueron vencidos o impedidos de alcanzar sus objetivos por recalcitrantes intereses creados, firmemente ligados a la naciente burocracia estatal, el despotismo militar y la administración corrupta de los recursos proporcionados por la comercialización del guano.

El azote del régimen guanero

En 1841, los diplomáticos extranjeros informaron a sus gobiernos del descubrimiento de una nueva fuente de riqueza peruana. Uno de estos informes decía que «generalmente se supone que el *huano* es el excremento de aves marinas [...]. Se le encuentra en gran abundancia en unas pequeñas islas unos cuantos grados al sur de Lima, y se le ha usado en la agricultura como abono desde tiempos inmemoriales [... Se] vende en Inglaterra a diez dólares la tonelada dando una ganancia neta de al menos 50 [por ciento]».[99] Las islas guaneras pronto se convirtieron en objeto de la ambición de funcionarios, hombres de negocios y acreedores. Sirvieron como garantía del pago de múltiples reclamos y deudas contraídas por el exhausto erario peruano. Más aún, las islas fueron materia de continuas amenazas e intentos de ocupación por parte de aquellas potencias extranjeras que buscaban obligar al Perú a pagar sus obligaciones financieras.[100]

En noviembre de 1840, Gamarra y su ministro de Hacienda Castilla habían otorgado el primer y extremadamente rentable contrato monopólico del guano al capitalista nativo Francisco Quirós y a sus socios franceses Aquiles Allier, Carlos Barroilhet y M. Dutey. El consorcio Quirós, Allier & Co. solamente pagó 90.000 pesos (18.000 libras) en cuotas en efectivo y billetes para la extracción y venta ilimitadas del guano en Europa por nueve años. El Estado peruano se encontraba, entonces, seriamente necesitado de adelantos en efectivo ante la proximidad de una guerra con Bolivia. El oneroso contrato inicial fue rescindido en 1841 y reemplazado por otros contratos con un nuevo consorcio que contaba con una participación local y extranjera más amplia.

Fuentes independientes dan fe del pago de sobornos a las más altas autoridades para así conseguir estos contratos. Los comerciantes extranjeros competidores se quejaron de estas estratagemas.[101] El general Francisco de Vidal sostuvo, en sus memorias, que de haber aceptado las generosas ofertas de dinero hechas por Lucas Fonseca, un agente de Quirós y Allier, se habría convertido en el mayor millonario de la república.[102] Con Gamarra, las instituciones judiciales, las garantes en última instancia de los negocios y contratos justos, tampoco eran de confiar: «Ciertamente, en ningún país de la cristiandad está la pureza judicial menos por encima de toda sospecha como en el Perú, y en ninguno puede tenerse menos confianza en la integridad de los magistrados [...]. Algunos [miembros] de la judicatura peruana no son ni incorruptibles ni incorruptos», debido, en parte, a «las interminables y desmoralizadoras guerras civiles, el derroche oficial de los tiempos, la pobreza de algunos jueces, su dependencia del Ejecutivo [...] y por último, sus salarios que son pagados con muy poca regularidad».[103] Por entonces, diversas pesquisas dejaron al descubierto tramas de sobornos entre jueces prominentes e intereses privados.[104]

Las débiles disposiciones institucionales en la contratación para la extracción y comercialización del guano contribuyeron, de modo crucial, a frustrar el progreso socioeconómico y político del Perú de mediados del siglo XIX. La primera generación de contratos de guano en las décadas de 1840 y 1850 sentó las bases de los futuros problemas financieros del Estado peruano. Estos contratos otorgaban fundamentalmente concesiones monopólicas a casas comerciales supuestamente sólidas para la venta de cargamentos de guano en Europa, EE. UU. y otros mercados extranjeros. El Estado peruano continuaba siendo el único propietario de los depósitos de guano, pero pagaba una comisión a los consignatarios, aparte de los costos de comercialización que eran cargados a la cuenta estatal. Las consignaciones se otorgaban, además, a empresas dispuestas a adelantar al gobierno fondos a un interés elevado que llegó hasta el uno por ciento mensual, aparte de pagar sobornos a funcionarios de sucesivos gobiernos. Todo esto significa que los consignatarios tenían pocos incentivos para reducir los costos de intermediación o para ser honestos con las cuentas del guano. Asimismo, los adelantos en efectivo y los préstamos a los gobiernos, en parte en depreciados papeles de deuda, así como los crónicos déficits presupuestarios, indujeron a los funcionarios estatales a perpetuar estos defectuosos contratos.[105]

Dos tipos de intereses presionaban para que se mantuviera este modelo básico de contrato: el de corruptos funcionarios gubernamentales y el de las casas comerciales que buscaban una ganancia monopólica. Un diplomático inglés que contaba con una vasta experiencia en el Perú explicaba que los intentos efectuados en la década de 1840 para establecer unas sólidas políticas comerciales y contratos se vieron estorbados por «los intereses personales y pecuniarios de la entonces corrupta administración del Perú y de los acaudalados extranjeros que deseaban conseguir el monopolio».[106] Las inescrupulosas casas consignatarias del guano incluían, en esta época, a Montané & Co., el abastecedor del mercado guanero francés; Cristóbal de Murrieta & Co., el abastecedor de España; Quirós, Allier & Co. y Puymerol, Poumarroux & Co., que abastecían otros mercados europeos, y Federico Barreda y Hno., el proveedor de Estados Unidos.

En el periodo 1842-1861, Antony Gibbs & Sons y su filial en el Perú surgió como el más importante consignatario guanero. El presidente Castilla confiaba en los servicios administrativos y financieros de Gibbs. Sin embargo, la estabilidad financiera de la conservadora casa inglesa y su disposición a adelantarle grandes sumas al gobierno fueron factores más importantes para concederle monopolios guaneros. Al igual que los otros consignatarios del guano, Gibbs estuvo bajo sospecha de manipulaciones contables dudosas e interesadas. En 1846, el gobierno peruano ordenó a su representante en Londres que investigara las comisiones cobradas por Gibbs y otros consignatarios, que se pensaba eran indebidamente elevadas y fraudulentas.[107]

Tan pronto como el general Echenique asumió el mando en 1851, se hizo evidente que este había gastado personalmente mucho más en ganar la elección de lo que podía ganar como presidente. Según el diplomático estadounidense J. Randolph Clay, los consignatarios se aprovechaban de dichas circunstancias para «asegurar la influencia del nuevo presidente mediante préstamos personales», tal como había sucedido con sus predecesores.[108] En 1853, Gibbs negoció en Lima la prórroga de su contrato con el gobierno de Echenique. Esta prórroga estuvo envuelta en un muy dudoso secreto, pues no se publicaron sus cláusulas y condiciones, aunque un cuantioso adelanto

y, probablemente, el soborno de funcionarios formaron parte de la negociación. Una comisión especial que investigó el asunto en 1856, durante el segundo gobierno de Castilla, dejó a Gibbs sin castigo.[109] Más aún, esta casa
también enfrentó imputaciones de cobrar comisiones adicionales disfrazadas
en los costos de flete y de cargar exageradamente las cuentas del gobierno.

En este entorno institucional apuntalado por sobornos, privilegios indebidos y tratos turbios, las rentas guaneras fueron usadas por los gobiernos
peruanos fundamentalmente en gastos improductivos. El problema se vio
agravado por la falta de educación y experiencia de los funcionarios estatales, que ahora tenían que administrar una repentina fuente de riqueza nacional.[110] Asimismo, se diseñaron otros mecanismos dañinos y engañosos, como
la consolidación de la deuda interna y la compensación dada a los dueños por
la manumisión de esclavos, para beneficiar unos mezquinos intereses mediante los recursos públicos del guano.

Escándalos de la consolidación de la deuda

Uno de los escándalos de corrupción mejor documentados en la temprana
historia republicana está vinculado a la «consolidación» de la deuda interna
en la década de 1850. En paralelo a los esfuerzos realizados por restructu-
rar la deuda externa y recuperar así acceso a préstamos extranjeros, la meta
declarada de la consolidación de las diversas deudas internas era renovar la
confianza en el crédito público nacional. Finalmente, se reconocía clara y públicamente, luego de décadas de descuido y abusos, que una deuda interna
bien servida era la base sobre la cual se podía sustentar el desarrollo financiero y económico del país. En consecuencia, durante el primer gobierno de
Castilla se dieron pasos importantes para la reforma de las bases del crédito
externo e interno. La consolidación de la deuda interna fue, pues, un fundamento importante del crédito público moderno en el Perú.

En realidad, dos tipos distintos de deuda interna habían ido formándose
desde el decenio de 1820. La deuda en que se incurrió por las expropiaciones
y los préstamos forzosos, en general, no había sido reconocida, o había sido
garantizada con billetes gubernamentales extremadamente depreciados.
A este primer tipo de deuda, que era de lejos el más grande, pertenecían
también los créditos genuinos, debidos a prestamistas privados de fines de la
época colonial. Por otro lado, un grupo de negociantes acreedores, que suministraron préstamos de emergencia en las décadas de 1830 y 1840, lograron
conseguir un reconocimiento y pago privilegiado de altos intereses, en parte
gracias a sus particulares conexiones con sucesivos caudillos. A este segundo
tipo de deuda favorecida pertenecían los fondos cuyos intereses se pagaban

con la renta de impuestos sobre las importaciones o arbitrios. Para 1850 estos fondos sumaban un millón de pesos a una tasa mensual de interés de entre 1 y 2 por ciento. Los grandes comerciantes se beneficiaban aún más, al pagar sus impuestos de importación con depreciados billetes u otros certificados de deuda pública. Sin embargo, desde finales del decenio de 1840 hasta la dación de la ley del 16 de marzo de 1850, los créditos no reconocidos que databan de la guerra de independencia fueron gradualmente garantizados con las cédulas y vales de consolidación. La ley de 1850, que oficialmente abrió la consolidación de la deuda interna, fue una ley defectuosa por dos motivos. En primer lugar, la ley no estableció normas claras para el reconocimiento de deudas insuficientemente sustentadas y, en segundo lugar, no precisaba los criterios apropiados para su endose o traspaso. Estos vacíos legales permitieron que se pervirtieran los vales de deuda de largo plazo y se convirtieran en valores de intercambio comercial de corto plazo.[111] La ley de 1850, juntamente con la legislación complementaria dada entre 1851 y 1853, abrió amplias oportunidades para la especulación y los procedimientos fraudulentos de reconocimiento que eventualmente derrotaron las indispensables metas financieras de la consolidación.

El cabildeo de los grupos de interés buscaba el reconocimiento exagerado y fraudulento de las viejas y descuidadas deudas internas. Reclamos que, antes de 1850 prácticamente carecían de valor, se convirtieron en objeto de intereses especulativos dispuestos a beneficiarse del toque de Midas de la consolidación. Los capitalistas más importantes, entre ellos Elías y Gonzales Candamo, se dedicaron a auspiciar el reconocimiento de los grandes expedientes de consolidación con miras a obtener jugosas comisiones. Los especuladores compraron documentos de reclamo o deuda a muy bajo precio y negociaron luego su reconocimiento a un valor muchas veces mayor. Los funcionarios del gobierno, asimismo, auspiciaban estas pretensiones, prometiendo un reconocimiento privilegiado a cambio de participaciones y comisiones ilegales. En consecuencia, la deuda interna consolidada se infló de cinco millones de pesos en 1851 a 24 millones en 1852. Una última oleada de reconocimiento de deudas tuvo lugar en los escasos meses previos a las fechas límites de junio y octubre de 1852, cuando se procesaron los expedientes más fraudulentos. La nueva camarilla gobernante, liderada por el presidente Echenique, se distinguió por el manejo extremadamente deshonesto en la administración de la deuda interna.

La negociación del reconocimiento de reclamos y deudas particulares generó conflictos y denuncias públicas que dejaron al descubierto detalles escabrosos de procedimientos ilegales y fraudulentos. Se falsificaron documentos y firmas y se sobornó a los empleados del gobierno. Algunos casos notorios incluyeron deudas reconocidas de cientos de miles de pesos repartidas entre distintos agentes intermediarios, de modo que los reclamantes originales en realidad obtuvieron sumas bastante menores. Uno de estos casos, el de doña Ignacia Novoa de Arredondo, produjo una disputa entre Elías y el general Juan Crisóstomo Torrico, el ministro de Guerra de Echenique. Novoa tenía un legítimo acuerdo de negocios con Elías, quien manejaba algunos de sus asuntos financieros a cambio de una comisión. En 1852, Elías intentó conseguir que el gobierno aprobara una deuda de entre 500.000 y 600.000 pesos que Novoa reclamaba como el valor estimado de una hacienda expropiada con quinientos esclavos y su lucro cesante durante los siguientes treinta y dos años. Elías esperaba recibir 200.000 pesos por su intermediación en este negocio que no fue la única operación de reclamo en la cual actuó como intermediario. Echenique personalmente le comunicó a Elías que el reclamo de Novoa no había cumplido con el plazo oficial para su aprobación. Sin embargo, unos cuantos días más tarde el expediente de Novoa fue aprobado por la extraordinaria suma de 948.500 pesos en vales, gracias a la participación directa de Torrico, quien le aseguró a Novoa que el reclamo solamente podría ser aprobado con su intervención.[112] Novoa probablemente recibió alrededor de 180.000 pesos en vales de consolidación.[113]

Este flagrante conflicto con Echenique y Torrico llevó a Elías a denunciar la naturaleza corrupta del proceso de consolidación en dos cartas dirigidas a Echenique y publicadas en un periódico local en agosto de 1853. Elías desató un gran revuelo con estas misivas, en las que advertía contra el manejo desordenado de las finanzas públicas, la naturaleza finita de los depósitos de guano y sus rentas, el escandaloso manejo de la deuda pública interna y su conversión en deuda externa. La consolidación de la deuda había sido, según Elías, transformada en un obstáculo para el curso industrial, mercantil y rentístico del país; era, en efecto, una gangrena para la moral pública de los ciudadanos. En última instancia, la consolidación no beneficiaba a los demandantes originales sino, más bien, a los agiotistas.[114]

Elías denunció, además, la tramitación fraudulenta de varios expedientes notorios: la donación de un millón de pesos a los herederos de Bolívar, tramitada mediante sobornos por Leocadio Guzmán, el ministro venezolano en Lima (ayudado, según otros, por Manuel María Cotes, un comerciante venezolano y primo político de Echenique); el reclamo injusto del conde de Montemar y Monteblanco, Fernando Carrillo de Albornoz y Zavala, y su madre Petronila Zavala (con la asistencia de su pariente político José Gregorio Paz Soldán, fiscal de la corte suprema y posteriormente ministro de Relaciones Exteriores de Echenique, casado con Grimanesa Zavala); y el reclamo efectuado por el endeudado hacendado Manuel Aparicio, protegido por su sobrino conservador Bartolomé Herrera, otro ministro (de Justicia) de Echenique. Entre los especuladores de expedientes figuraban el chileno Juan José Concha, varios oficiales militares y otros parientes de Echenique. No obstante las obvias evidencias, el gobierno no hizo nada para procesar a los involucrados en esta trama de corrupción de la consolidación.[115] Previsiblemente, Elías fue apresado a poco de la publicación de sus cartas; después de ser liberado, encabezó un movimiento revolucionario para derrocar a Echenique.

El estudio independiente de la documentación oficial de la consolidación y las averiguaciones subsiguientes confirman el grueso de las denuncias hechas por Elías. Los mal concebidos vales de la consolidación contribuyeron poco al mercado doméstico de capitales, puesto que, debido principalmente al origen ilícito de la mayoría, fueron objeto de especulación a corto plazo. De la deuda total de la consolidación, que ascendía a 24 millones de pesos en vales, altamente concentrados entre unas cuantas personas, aproximadamente el 16 por ciento fue directamente a funcionarios venales y sus secuaces; más del 30 por ciento se dirigió indirectamente a agentes corruptos a través de comisiones ilegales; y alrededor del 50 por ciento se convirtió en deuda externa mediante unos turbios tratos y contratos de conversión.[116] Más aún, luego de unos cuantos años, los vales de la deuda interna no redimidos estuvieron casi íntegramente concentrados entre unos cuantos comerciantes y especuladores. La mayoría de los reclamantes originales y deudores legales, así como los pequeños inversionistas que hubiesen podido participar adquiriendo valores de deuda pública, quedaron radicalmente excluidos de este mecanismo de deuda interna. Este hecho contradice frontalmente la cínica pretensión de Echenique según la cual, a pesar de la inevitable especulación, fueron miles de familias las que se beneficiaron con la consolidación. En realidad, el presidente había seguido estrategias de patronazgo con las cuales ganarse un respaldo privado y militar, similares a las que antes usara Gamarra. Echenique justificó dichas estrategias argumentando que los fondos de la consolidación habían creado una clase capitalista nacional. Algunos historiadores se han hecho eco de la interesada justificación que Echenique hiciera de esta descarada corrupción.[117] De este modo, con el manejo que su gobierno hizo del crédito público, el capitalismo nacional perdió una oportunidad crucial para desarrollar sólidas bases financieras, afincadas en una transparente deuda pública, así como unas raíces sociales más amplias y equitativas.

En lugar de ello, las redes de autoridades venales y sus amigotes privados demostraron gran habilidad para utilizar la deuda pública para promover sus propios intereses. Aún más, este patrón de corrupción se reprodujo y regeneró a sí mismo mediante sucesivas generaciones de redes que minaban instituciones domésticas claves. Las primeras redes de patronazgo de los caudillos militares, dependientes de la rapiña y las inconstantes finanzas de emergencia y guerra, se transformaron gracias a los ingresos del guano en redes más sofisticadas, que audazmente abusaban de los medios financieros públicos a una escala y coordinación nunca antes vistos. Los lazos existentes entre los principales jefes y figuras de estas redes y sus relaciones generacionales brindan evidencias reveladoras del lado obscuro de la historia peruana y su legado de corrupción orgánica y sistemática.

La red de corrupción que creció durante los años de la consolidación de la deuda conectó a varias docenas de personas conocidas como *mazorqueros* o miembros de una camarilla subterránea.[118] Colectivamente, se les conoció también como los *consolidados*, un término usado extensamente en ese entonces para denotar a personas vinculadas a la corrupción o robo políticos.[119] Las más altas autoridades, entre ellas Echenique y la mayoría de sus ministros (Torrico, La Fuente, Paz Soldán, Piérola, Herrera y otros más), encabezaban obscuros intereses decididos a conseguir o permitir beneficios políticos y pecuniarios ilícitos, manipulando mecanismos financieros e instituciones vulnerables. El núcleo central lo constituían jefes militares proclives a la corrupción. El general Echenique confiaba excesivamente en Juan Crisóstomo Torrico, uno de los generales de peor reputación, primero como premier y luego como jefe del estratégico Ministerio de Guerra. Torrico pretendía suceder a Echenique en la presidencia, no obstante la severa oposición de Castilla. El general Torrico acumuló un cuantioso fondo privado con lo obtenido ilegalmente con la consolidación y comisiones procedentes de la compra de material militar.[120] Nuestro viejo conocido, el mariscal Antonio Gutiérrez de la Fuente, que en algún momento fue ministro de Guerra de Echenique, tuvo, asimismo, una participación probada en lo cobrado ilícitamente con la consolidación y en favores oficiales, gracias a la ayuda de su subalterno el coronel Felipe Rivas.[121]

Bajo la influencia y el mando de Echenique, La Fuente y sobre todo Torrico, así como varios coroneles del ejército participaron como figuras satélites intermediarias en los tratos de la consolidación: Felipe Rivas, Felipe Coz y Pascual Saco, entre muchos otros.[122] Saco también favoreció a su tío Pío Tristán, el acaudalado suegro de Echenique. Tristán repentinamente se vio involucrado en tratos de la consolidación que le rindieron 124.000 pesos en vales; junto con su hija Victoria, Tristán fue también el mayor acreedor del ramo de arbitrios en 1852-1855.[123] Como copropietario de una hacienda en Camaná (Arequipa), Saco era también socio de otro arequipeño asociado con Tristán: don Nicolás Fernández de Piérola y Flórez, uno de los principales ministros de Hacienda de Echenique (1852-1853).[124] Como veremos en el siguiente capítulo, el hijo de Piérola —Nicolás de Piérola y Villena— encabezaría la siguiente generación de administradores públicos proclives a la corrupción (no obstante su supuesta pobreza, en su último testamento fechado el 14 de mayo de 1857, Teresa Villena de Piérola, la viuda de Piérola y Flórez, enumeró entre sus posesiones un «vale» de consolidación por cincuenta mil pesos e intereses de cuyo valor era conocedor uno de sus albaceas).[125] Echenique y varios de sus parientes también se beneficiaron, directa e indirectamente, con las medidas de la consolidación.[126]

Otro grupo que facilitó el desvío de fondos públicos en la década de 1850 estuvo integrado por empleados civiles del gobierno ligados al fiscal y ministro José Gregorio Paz Soldán, y al juez de la corte suprema Manuel del Carpio. Estos facilitadores incluían al tasador judicial Nicanor González y el empleado administrativo Fernando Casós.[127] Además, varios especuladores comerciales, entre otros, José Manuel Piedra (primo de Echenique y delegado de los mineros de Cerro de Pasco), Martín Daniel de la Torre, Manuel y Camilo González, los chilenos Gregorio Videla y Juan José Concha, y el comerciante venezolano y consignatario guanero Manuel María Cotes, primo político de Echenique por recibir en 1853 el cuantioso pago que el Perú le debía a Bolívar.[128] Según otro observador confiable, Cotes y Torrico estuvieron entre los que lograron legar sus mal habidas fortunas a sus respectivas viudas.[129]

El último grupo crucial en los eslabonamientos indebidos de la consolidación incluía a los agentes que actuaban como blanqueadores de dinero en el extranjero. Estas operaciones encubiertas implicaban la coordinación de diplomáticos, comisionados y agentes especiales peruanos, e interesados comerciantes y financistas extranjeros. La flexibilidad permitida a los diplomáticos peruanos mal pagados en asuntos financieros importantes fue una tradición firmemente arraigada desde la década de 1820. A finales de los años cuarenta y comienzos de los cincuenta, los enviados peruanos encargados de la contratación de compras y acuerdos financieros a nombre del Estado incluían a Juan Manuel Iturregui, José Joaquín de Osma, Felipe Barreda (de Barreda y Hno.), Francisco de Rivero y Manuel de Mendiburu. Las casas extranjeras sospechosas de colusión eran las más importantes: Murrieta, Uribarren, Montané y Gibbs.

En 1845, durante el primer gobierno de Castilla, Iturregui había regresado a Europa como ministro plenipotenciario en las cortes de Londres, París, Madrid y Roma. Entre las muchas órdenes de abastecimiento recibidas del Perú, Iturregui estaba a cargo de las compras de armas para el Ejército peruano. Asimismo, este y sus sucesores inmediatos en Londres concertaron la construcción de uno de los primeros vapores para la armada peruana.[130] En 1847, Iturregui negoció en Europa un préstamo con los consignatarios del guano por un valor de 900.000 pesos, 350.000 de los cuales serían enviados a Joaquín José de Osma en EE. UU. para otras compras a cuenta del gobierno. Como principal representante diplomático en Washington, Osma también se encargó del contrato para la construcción del vapor *Rímac* y de envíos de armas desde EE. UU.[131] Una carrera armamentista y el frenesí por contratar préstamos fueron estimulados por la amenaza de una invasión expedicionaria organizada en Europa por el general Juan José Flores, el expresidente conservador del Ecuador.[132]

Iturregui consideró necesario publicar en los diarios peruanos una defensa de los acuerdos financieros a los cuales había llegado en el extranjero.[133] En 1848, Osma se trasladó a Londres como ministro plenipotenciario, dejando a su hermano, Juan Ignacio de Osma, a cargo de la legación peruana en Washington. El joven Osma también se quejó de lo que consideraba un salario insuficiente, que limitaba el cumplimiento de sus importantes labores oficiales.[134] En diciembre de 1848, el presidente Castilla nombró a Joaquín José de Osma y Felipe Barreda (pariente de Osma y futuro consignatario del guano en el mercado estadounidense) agentes a cargo de la restructuración de la vieja deuda con los tenedores británicos de bonos en Londres.[135] Los agentes peruanos, asistidos por el diplomático Francisco de Rivero, inicialmente se acercaron al consignatario guanero Antony Gibbs & Sons, a quien solicitaron una comisión personal de 0,5 por ciento del monto total del acuerdo de la deuda, a cambio de otorgarle el manejo exclusivo de la conversión de la vieja deuda peruana en bonos nuevos. Gibbs solo habría aceptado pagar si esta comisión estaba claramente justificada y sustentada ante el gobierno peruano.[136]

Sin embargo, en enero de 1849 los agentes diplomáticos peruanos prefirieron nombrar como agente de la conversión de la deuda peruana a Cristóbal de Murrieta & Co., una casa española con sede en Londres, de dudoso prestigio y consignataria del guano para el mercado español. Los viejos bonos de 1822 y 1825 se convirtieron a nuevos bonos de la deuda que rendían debidamente un interés anual de 4 por ciento; los viejos intereses impagos fueron recalculados a 65 por ciento de su valor. Castilla aprobó el contrato de Osma con George Richard Robinson, el representante británico de los tenedores de bonos, así como el que se llevó a cabo con Murrieta, que incluía un «premio» no revelado para los comisionados peruanos.[137] Estos contratos fueron posteriormente criticados por la creciente sospecha de que Osma, Barreda y Rivero se habían beneficiado personalmente del trámite. De hecho, estos diplomáticos eran partes interesadas en el arreglo de la deuda, puesto que recibieron una comisión en nuevos bonos cuyo beneficio inicial más que duplicaron en el corto plazo.[138]

En 1853, el presidente Echenique envió a Manuel de Mendiburu como ministro plenipotenciario a Londres con una carta de recomendación para Murrieta & Co.[139] Mendiburu tenía como principales tareas la renegociación del arreglo de la deuda de 1849, así como la contratación de la conversión de una parte importante de la deuda interna consolidada en nueva deuda externa. Mendiburu sostuvo que partes del acuerdo sobre la deuda de 1849 concertado por Osma eran perjudiciales para los intereses peruanos, principalmente porque los bonos de 1849 no estaban sujetos al límite de su valor nominal al momento de su amortización, aun si el precio de mercado de estos bonos estuviese por encima de la media.[140] Osma, entonces enviado de Echenique en Madrid, protestó por las afirmaciones hechas por Mendiburu y sostuvo que el contrato de la deuda de 1849 no tenía tales supuestas omisiones y puntos obscuros.[141] Esto fue escrito después de que el contrato de 1849 le hubiese ofrecido a Osma la oportunidad de hacer efectivos sus propios bonos por encima de su valor nominal. Mendiburu, por otro lado, siempre justificó sus actos como desinteresados y beneficiosos para las finanzas peruanas, aunque también se le otorgó una comisión «legal», aunque inferior, a la de Osma y sus amigos.[142]

Sin embargo, la más controvertida de las medidas financieras tomadas por Mendiburu en Londres fue la escandalosa conversión de la deuda interna en externa. La operación consistió en el intercambio de vales de consolidación nacionales, que ganaban un interés de 6 por ciento, por nuevos bonos de la deuda externa con un interés de 4,5 por ciento. En total, cerca del 46 por ciento de toda la deuda interna consolidada fue silenciosamente convertida mediante contratos con los consignatarios guaneros Uribarren et Cie. de París (firmado por Mendiburu en Londres por hasta seis millones de pesos en vales) y Montané et Cie. (firmado en Lima por tres millones de pesos en vales). Estas compañías habían acumulado vales antes de la firma de sus contratos y, en consecuencia, se beneficiaron con el alza repentina en la cotización de la deuda convertida. Estas casas eran parte de un grupo de presión formado a través de operaciones privadas con interesados tenedores de vales de consolidación. Otra conversión de dos millones de pesos en vales había sido contratada antes, en agosto de 1852, con el contratista Joseph Hegan, quien financió el proyecto del ferrocarril Tacna-Arica con esta especulación altamente rentable.[143] En esencia, estas maniobras de conversión se diseñaron para «lavar» instrumentos financieros manchados por su origen corrupto durante la consolidación. Al comprometer el crédito externo peruano para honrar una deuda interna creada en gran parte mediante la deshonestidad administrativa, estas conversiones beneficiaban a especuladores de vales inescrupulosos y, al mismo tiempo, prevenían futuras investigaciones y esfuerzos oficiales para invalidar arreglos tan costosos para los recursos públicos.

Compensación de la manumisión

Mediante una alianza estratégica con el mariscal Castilla, Elías logró sacar a Echenique del poder luego de una sangrienta guerra civil librada en casi todas las regiones del país. El ataque demoledor de Elías contra Echenique puso énfasis en las expoliaciones de una «pandilla de falsos patriotas y negociantes desalmados», en medio de una «justicia prostituida». Ellos habían llevado al país a un pantano hediondo de corrupción culminada por la inolvidable consolidación de la deuda interna. Elías ligó el fracaso de la república peruana, tras 34 años de una independencia «violenta y prematura», con el despotismo, el militarismo, los privilegios y la corrupción. En su manifiesto de 1855, Elías hizo un diagnóstico histórico: «La corrupción como una lava abrazadora extendiéndose por todos los ángulos de nuestro inmenso territorio ha herido a la República en todo lo que ella abriga de más grande, más noble y más generoso: en su moral, su religión y sus leyes».[144] Sin embargo, una vez en el poder, el nuevo gobierno dirigido por Castilla y su ministro de Hacienda, el mismo Elías, se volcó a un plan para compensar a los exdueños de esclavos, una medida que repetía en diversa forma los favores oficiales otorgados a un pequeño grupo privilegiado.

En medio de la guerra civil, Castilla había decretado la libertad o manumisión de los esclavos en 1854 para ganar respaldo popular y reclutar soldados. A partir de 1855 se repartieron a los antiguos propietarios de esclavos que habían solicitado compensación en vales de manumisión con un interés del 6 por ciento. El valor de la compensación por cada uno de los esclavos manumitidos fue fijado en trescientos pesos. Los antiguos dueños de esclavos recibieron aproximadamente 2,8 millones de pesos en efectivo y 5,2 millones de pesos en vales por un total de casi ocho millones de pesos. El tercer expropietario de esclavos más importante, el ministro de Hacienda Domingo Elías, fue indemnizado con 111.000 pesos en vales por 370 esclavos; otros importantes expropietarios indemnizados incluyeron a varios monasterios y a hacendados como Fernando Carrillo de Albornoz, Antonio Fernández Prada y Mariano Osma. El servicio de la deuda de los vales de manumisión fue pagado puntualmente y, para el periodo 1860-1861, estos papeles se amortizaban casi a la par. Debido a la rápida alza en valor de los vales, los comerciantes en busca de una fácil ganancia y los acreedores de aquellos hacendados generosamente compensados, pronto adquirieron vales por diversas vías y coparon así el exclusivo mercado de los vales de manumisión.[145]

El proceso de compensación de la manumisión estuvo plagado de inexactitudes, especulación y reclamos exagerados o abiertamente fraudulentos. Algunos antiguos dueños incluyeron esclavos muertos o inflaron artificialmente la cantidad que sostenían haber tenido antes del decreto de manumisión.[146] Castilla y Elías llevaron a cabo con inusual celeridad este proceso de indemnización que estuvo cargado de favoritismo. Pagaban así favores políticos para asegurar el respaldo de la élite al nuevo régimen a costa del erario nacional. Para finales del decenio de 1850 se había iniciado una nueva fase de contratos y compensaciones inflados, en un clima de revivida expansión financiera. En el ínterin, la muy anunciada lucha contra el abuso corrupto del erario y el crédito público había colapsado. En el periodo 1855-1858 se perdió así otra oportunidad histórica de introducir reformas y controles eficaces contra la corrupción.

Venalidad impertérrita

Poco después de la destitución de Echenique, una comisión investigadora oficial inició una profunda averiguación de los abusos e ilegalidades de la consolidación y la conversión, así como otras cuestiones ligadas a la corrupción administrativa de su gobierno. Gracias a los esfuerzos de la Junta de Examen Fiscal se ha conservado información acerca de las personas infractoras y sus redes. La investigación fue exhaustiva e inicialmente contó con el respaldo del Poder Ejecutivo y el Legislativo.[147] Según una ley aprobada el 29 de diciembre de 1856, se suspendió del servicio de la deuda a los vales de la deuda interna que tuvieron su origen en reclamos fraudulentos, ilegales y exagerados. Además, se detuvo temporalmente la conversión de deuda interna en externa. Estas medidas buscaban restituir, en parte, el tremendo daño infligido a las finanzas estatales por los tratos corruptos de la consolidación y la conversión. Algunas personas fueron llevadas a juicio, pero muchas ya habían huido del país, entre ellas Torrico, Echenique y Mendiburu.[148]

    Los legisladores y autoridades del Ejecutivo más decididos en la lucha contra los abusos del gobierno anterior se vieron sometidos, sin embargo, a una intensa presión para que revirtieran las medidas anticorrupción adoptadas en el periodo 1855-1856. Un argumento para ello fue que los títulos de la deuda se emitieron en forma similar a un billete sujeto a endose y que, en consecuencia, los tenedores de vales y bonos no deberían quedar sujetos a la pena de perder su inversión tan solo porque unos funcionarios corruptos habían tramitado inicialmente tales títulos. El argumento legal opuesto, utilizado por los investigadores de la Junta de Examen Fiscal y la recién creada Dirección de Crédito Nacional, era que si bien los vales de la deuda interna habían sido endosados ampliamente en operaciones comerciales, ellos no perdían su condición original de obligaciones estatales y, en cuanto tales, estaban sujetos a una anulación legal debido al fraude o la corrupción.[149] Este conflicto legal trajo consigo varios juicios y peticiones encabezados por los más poderosos comerciantes y financistas extranjeros y nacionales, así como por los representantes diplomáticos de Gran Bretaña y Francia.[150]

Entonces una retractación crucial en la posición de las más importantes autoridades peruanas conllevó a la revocación y derrota de las iniciales medidas contra la corrupción. En medio de otra guerra civil, esta vez desencadenada por el alzamiento del «Regenerador», el general Manuel Ignacio de Vivanco, el control oficial del gobierno sobre las islas guaneras se vio amenazado por navíos rebeldes, parciales a Vivanco, así como por barcos de guerra ingleses y franceses, prestos a intervenir en defensa de las demandas de sus súbditos, entre los que se incluían inversionistas indignados y tenedores de vales y bonos de conversión excluidos. Echenique también conspiró para organizar una expedición de mercenarios contratados en EE. UU.[151]

Castilla tomó medidas para conseguir el respaldo de la mayoría de los diplomáticos y acreedores extranjeros más importantes en Lima. Los representantes de Francia, Albert Huet, y Gran Bretaña, Stephen Henry Sulivan, rehusaron su apoyo si no se reconocía antes la validez y los intereses atrasados de todos los vales de la consolidación convertidos y emitidos por el gobierno de Echenique. Ante estas difíciles condiciones, el arreglo propuesto por los extranjeros era probablemente el único que Castilla podía contemplar para lograr mantenerse en el poder.[152] Surgió además un escándalo sobre firma de órdenes por parte de Castilla de proseguir con el servicio de instrumentos de deuda convertidos en Europa.[153] Bajo presión local y externa, Castilla y el Congreso decretaron la ley del 11 de marzo de 1857 que restauró todos los acuerdos suspendidos en materia de bonos y conversión. Esta ley de «tabla rasa» absolvía, en efecto, a los especuladores y funcionarios que se beneficiaron de los abusos de la consolidación y conversión. Vivanco pudo, entonces, ser derrotado militarmente y Castilla logró gozar así de un poder incuestionado por varios años más.

En agosto de 1857, tres o cuatro pistoleros invadieron el hogar del cónsul general inglés Sulivan y lo asesinaron impunemente. Se especuló que su asesinato había sigo un acto de venganza política cometido «por personas de cierta posición en la sociedad» porque Sulivan había apoyado inicialmente a Vivanco y Echenique para luego tomar partido por Castilla: «Los asesinos tal vez nunca sean descubiertos, puesto que gracias a la negligencia de la policía y la mala administración de la ley en el Perú, los más atroces criminales a menudo escapan a la justicia».[154]

El escándalo de corrupción más notorio durante el segundo gobierno de Castilla tocó a su ministro de Relaciones Exteriores, Manuel Ortiz de Zevallos, principal impulsor de la restitución de las porciones cuestionadas de las deudas de la consolidación y conversión. Juan B. Colombier, un agente de la compañía francesa Société Générale Maritime, declaró que para conseguir del gobierno peruano un contrato de consignación del guano a Francia y España, en mayo de 1858 sobornó a Ortiz de Zevallos con un presente de 50.000 pesos. Colombier informó a su compañía que había prodigado infructuosamente 70.000 pesos en gastos secretos. Aunque Ortiz de Zevallos reaccionó con indignación ante estas alegaciones en su correspondencia y en la prensa, el ministro continuó negociando con el agente francés. Lo más escandaloso fue, sin embargo, la revelación oficial hecha por Ortiz de Zevallos sobre que el soborno de 70.000 pesos había, en realidad, sido repartido entre los miembros del Congreso que estaban a cargo de aprobar el contrato en cuestión.[155] En efecto, el cuerpo legislativo gozaba, en ese entonces, de poca confianza en el público; el único parlamentario con experiencia era Buenaventura Seoane, pero en los círculos diplomáticos lo consideraban «oportunista y venal».[156]

Como veremos con mayor detenimiento en el siguiente capítulo, el soborno de funcionarios claves por parte de compañías e inversionistas extranjeros, ansiosos por conseguir una ventaja monopólica sobre sus competidores, era una práctica claramente establecida para lograr contratos cada vez mayores de consignación del guano y obras públicas. La restitución en 1857 de los instrumentos de deuda fraudulentos sentó importantes bases para la vigorización de esta onerosa tendencia.

Inicialmente, Elías se opuso a la restitución de los vales y bonos impugnados a pesar de las contradictorias decisiones oficiales sobre las conversiones en el extranjero. En respuesta a una creciente presión, Elías se vio obligado a abandonar el gabinete de Castilla para pasar a ser el encargado de negocios peruano en Francia. Otros decididos opositores a la corrupción también perdieron autoridad ante las nuevas condiciones políticas. Elías permaneció poco tiempo en Europa, puesto que su salud se deterioró y se vio obligado a regresar al Perú. Tras un fallido intento de postular a la presidencia en 1858, se retiró de la política hasta su muerte acaecida en 1867.[157] De este modo, llegó a su fin la carrera política del primer líder civil reconocido. En su madurez política, Elías defendió importantes reformas y medidas para contener la corrupción, pero no dejó de beneficiarse de los monopolios y compensaciones oficiales que comprometieron flagrantes conflictos de intereses, apadrinados por los caudillos militares a quienes apoyó en su momento.

* * *

En conclusión, la temprana república heredó las viejas estructuras patrimoniales de la corrupción ligadas al patronazgo de los caudillos militares. Estas redes caudillescas tenían una importante similitud con el patronazgo de la corte virreinal, al practicar transgresiones comparables en condiciones de guerras de independencia y civiles, en materia de finanzas públicas, saqueos y expropiaciones abusivas. La prominencia de la «patriótica» rapiña caudillista y la corrupción en las adquisiciones militares emuló el viejo «premio» del virrey y el drenaje de los recursos militares virreinales. El contrabando de plata y la pérdida concomitante de rentas continuó e, incluso, creció durante la primera década después de la independencia, para prolongarse después hasta el decenio de 1850 y más tarde aún. Los sobornos en los contratos públicos, particularmente los de las exportaciones de guano, se dispararon en las décadas de 1840 y 1850, a medida que la renta guanera crecía y las camarillas deseaban conseguir ganancias monopólicas rentistas (véanse cuadros A.2 y A.3 en el apéndice). Los extensos abusos y la corrupción incontenida de las autoridades provinciales enfatizaron el fracaso de anteriores reformas administrativas. Este no fue un fenómeno únicamente peruano, puesto que también se manifestó en los recién independizados México, Nueva Granada y las Provincias Unidas del Río de la Plata. Este legado interactuó con el derrumbe de las viejas instituciones y la deformación de las nuevas en un contexto duradero de inestabilidad política y económica.

La legislación de la deuda pública, los tempranos contratos de consignación del guano y las políticas económicas y comerciales fueron desviados intencionalmente de su objetivo del bien común por autoridades, empleados públicos y parlamentarios corruptos, así como por grupos de interés locales y extranjeros. El compuesto legal resultante fue un conjunto de normas innecesariamente complejas, poco claras y contradictorias, que inflaban significativamente los costos de transacción de los acreedores e inversionistas ordinarios.

Los funcionarios gubernamentales coludidos, los enviados diplomáticos peruanos en el extranjero y los hombres de negocios locales y extranjeros manipularon en provecho propio las normas y metas del crédito público. En lugar de sentar una base segura para unos mercados de capital sumamente necesarios, los instrumentos fraudulentos del primitivo crédito público minaron seriamente el desarrollo financiero peruano. Estas corruptas manipulaciones financieras sirvieron los mezquinos intereses de funcionarios venales y comerciantes especuladores que buscaban privilegios rentistas. Dicha forma de corrupción financiera fue una costosa «innovación» hispanoamericana posterior a la independencia, al utilizar los mecanismos de la deuda pública para «esconder» o lavar sobornos y otras ganancias indebidas. Tal desvío y mala asignación de fondos pesó fuertemente sobre las generaciones futuras y tuvo como resultado unas considerables pérdidas indirectas (debido a la minada posición crediticia y la inestabilidad financiera) en las inversiones extranjeras, de cartera y directas. En el Perú, estas pérdidas fueron particularmente fuertes en las décadas de 1820 y 1850, y posteriormente en las de 1860 y 1870 (véase cuadro A.3).

Combinadas, las distintas formas de corrupción características de los tempranos gobiernos republicanos ocasionaron fuertes costos y una burda asignación de recursos públicos, hecho que tuvo consecuencias negativas para la recuperación económica, el desarrollo y el bienestar. Según los estimados explicados y calculados en el cuadro A.4 del apéndice, los niveles comparativos más altos de corrupción (6,1 por ciento del PBI estimado y 135 por ciento de los gastos oficiales del gobierno), agravados por la guerra y las iniciales penurias fiscales, se dieron en el decenio de 1820. Sin embargo, las décadas de 1830 y 1840 también tuvieron altos niveles (que giraron en torno a 4,2 y 4,3 por ciento del PBI y 79 y 42 por ciento de los gastos gubernamentales, respectivamente). Un alza en el costo total estimado de la corrupción, que suma un promedio anual de cinco millones de pesos, tuvo lugar en la década de 1850 (duplicando el costo total del decenio de 1840) y continuó creciendo hasta 8,3 millones de pesos/soles en los años sesenta. Excepción hecha de la década de 1820, los niveles más altos como porcentaje del gasto (63 por ciento) y del PBI (4,3 por ciento) se alcanzaron en el decenio de 1850. En consecuencia, y con las evidencias cualitativas mostradas en este capítulo, resumidos en los estimados del cuadro A.7, podemos considerar los gobiernos de Echenique-Torrico (1851-1855) y Gamarra-La Fuente (1829-1833) como los más corruptos del temprano periodo republicano (igualados luego, tal vez, por los gobiernos de finales del decenio de 1860 y de comienzos y finales de la década siguiente).

La tolerancia del público a la creciente corrupción tuvo, a pesar de todo, ciertos límites impuestos por las depredaciones evidentes, los escándalos, las campañas periodísticas y la oposición política. Elías y Castilla pujaron por el poder sobre varias oleadas de creciente percepción pública de la corrupción, inicialmente protestando públicamente, estimulando levantamientos y conflictos civiles armados y deponiendo autoridades corruptas. Si bien los esfuerzos más prometedores de reformadores civiles liberales fueron relevantes para exponer serios defectos administrativos y de corrupción, también fueron demasiado débiles para imponerse y no estuvieron exentos de sus propios intereses particulares.

A pesar de los intentos legislativos y judiciales para limpiar el contaminado crédito y los contratos públicos de prácticas corruptas, a mediados del siglo grupos de presión bien establecidos obligaron a retroceder radicalmente

cualquier intento de reforma (posteriormente continuaría el notorio soborno de senadores y diputados para conseguir la aprobación parlamentaria de
contratos públicos, efectuado por los beneficiados y magnates que buscaban
conseguir ganancias monopólicas). La persistencia de la campaña contra la
corrupción podría haber conllevado la caída de un gobierno que continuase
apoyando una reforma honesta del crédito público. El pragmático Castilla y su
séquito, que en algún momento incluyó al reformador civil Domingo Elías, se
adaptaron consecuentemente a una administración del crédito público inherentemente contaminada. Una indomable corrupción había, pues, sentado
las condiciones para un mayor abuso a costa de la renta del guano, del crédito público y de los contratos de obras públicas durante el siguiente ciclo de
depredación.

CAPÍTULO 3

El sinuoso camino al desastre, 1860-1883

*Desde la declaración de la independencia del Perú, la venalidad, la corrupción
y los sobornos no habían sido algo del todo extraño en las oficinas de los ministros
y sus dependientes, ni tampoco en los salones del presidente mismo, o en las viviendas
de sus parientes cercanos. Se creía que bajo el gobierno de Echenique en tiempos
de la Consolidación habían alcanzado su punto más alto, pero se engañaban
enormemente quienes así lo pensaron; estos delitos nunca acecharon con mayor
descaro desvergonzado que en el periodo actual.*

HEINRICH WITT (20 de noviembre de 1871)[1]

L a ciudad de Lima gozaba de una peculiar prosperidad hacia 1860 en medio
de una corrupción sin tapujos. El auge guanero torpemente administrado
iba transformando de manera irreversible a la vieja capital virreinal. Nuevas
fortunas eran gastadas en estilos de vida suntuosos; se abrían bancos, mientras que las compañías financieras y comerciales construían ferrocarriles. Los
ricos consumían lujos importados, acicalaban el centro de la ciudad y erigían
ranchos elegantes en el balneario de juego de Chorrillos. Los nuevos acaudalados y los poderosos lucían su riqueza en los bailes de sociedad ataviados ex-
travagantemente con joyas preciosas. Un espejismo de bonanza económica y
febril ambición disipaba cualquier preocupación sobre los peligros financieros
que se avizoraban. La deshonestidad administrativa heredada ensombrecía
el cuadragésimo aniversario de la independencia. «¿Qué importaba todo?»,
preguntaba un panfletista con ironía y vergüenza, «¿no hay esta noche baile
en palacio?».[2]

Los florecientes negocios del país, la vida intelectual y la imprenta se
concentraban en Lima. La ciudad atraía a hombres ávidos y capaces tanto de
provincias como del extranjero. Francisco García Calderón Landa, un jurista
arequipeño de veinticinco años de edad, llegó a Lima en 1859 provisto de cartas de recomendación para arequipeños influyentes residentes en la capital y
de un manuscrito, su *Diccionario de la legislación peruana*, escrito mientras
se desempeñaba como abogado y profesor de colegio en su ciudad natal.
Los dos volúmenes de esta obra monumental fueron publicados entre 1860

y 1862 con el respaldo financiero del gobierno de Castilla. Pronto pasó a ser lectura obligatoria para los expertos legistas peruanos y ganó altos reconocimientos y honores.[3] Por fin, un importante esfuerzo intelectual, basado más en el derecho positivo que en el derecho natural, contribuía a la sistematización nacional de la nueva y vieja legislación sobre asuntos civiles, comerciales, penales y administrativos.[4]

La carrera de García Calderón en Lima avanzó vertiginosamente en su condición tanto de funcionario del Ministerio de Hacienda como de abogado prominente de las más importantes firmas nacionales y extranjeras. Lindando en ocasiones con el conflicto de interés, dado su papel combinado de abogado privado y trabajador público, García Calderón contribuyó a modernizar las normas administrativas y contractuales. También vio esas mismas normas violadas de modo consistente durante los cruciales años que precedieron a la quiebra fiscal y la subsiguiente y desastrosa Guerra del Pacífico (1879-1883).

Según el diccionario legal de García Calderón, el término *corrupción* quedaba definido sucintamente como un delito cometido por personas con algún grado de autoridad que «sucumben a la seducción», así como por aquellos que se esfuerzan por corromper a aquellas autoridades. *Corruptela* era asimismo definido como una mala costumbre o abuso establecido en contra de la ley y la justicia. Otras definiciones más formales y detalladas del soborno y la venta y distorsión interesadas de la justicia se incluyeron en las entradas de los términos *cohecho, concusión, prevaricato* y *soborno*, y definieron legalmente la corrupción entre los funcionarios según leyes existentes pero rara vez aplicadas.[5]

Establecer el imperio de la ley en la joven república era un gran reto, uno que desbordaba los esfuerzos individuales. Las tempranas Constituciones de 1823, 1826, 1836 y 1839, que alternaron el carácter liberal o autoritario de la ley fundamental, habían sido descartadas o ignoradas en la práctica ante la irrupción de los golpes de Estado y los decretos ejecutivos de los caudillos militares. En 1852 se legislaron los nuevos códigos Comercial y Civil para sentar principios liberales básicos y moderados en el comercio, así como derechos civiles y de propiedad que, sin embargo, reñían con las costumbres existentes. Este choque acentuó los aspectos litigiosos de las prácticas de negocios y sociales peruanas. Además, las leyes que regulaban la Administración Pública eran incompletas o defectuosas. La norma que creaba el presupuesto público obligatorio fue implementada recién en 1849, casi al mismo tiempo que la fallida legislación que reglamentaba los créditos internos y externos. Otras partes cruciales del aparato administrativo público quedaron sin reformar, entre ellas el sistema judicial.[6]

Entre 1856 y 1860, un importante debate constitucional resaltó la necesidad de contar con un marco legal más eficiente ante la presión por lograr la
modernización económica. Estos fueron años de inestabilidad política debido
a una serie de levantamientos militares contra el presidente Castilla. Bajo presión local y externa, Castilla y sus partidarios en el Congreso continuaron en el
poder y revocaron las medidas anticorrupción que interferían con las demandas de acreedores extranjeros. Asimismo, se modificó la Constitución liberal
de 1856 para derivar en la moderada de 1860, que se mantuvo vigente, con
algunas interrupciones, hasta 1919.[7] Esta transformación constitucional contribuyó, en cierta medida, a limitar el tradicional dominio de la fuerza a favor
del imperio de la ley.

Sin embargo, este modernizado marco legal tenía un defecto importante
que arrastraba desde su pasado colonial. La Constitución de 1860 continuaba
sancionando un Estado patrimonial centralizado, que mantenía derechos de
propiedad sobre las principales fuentes de riqueza nacional. En consecuencia,
la administración estatal actuaba como el principal mediador en lo económico. Los hombres de negocios locales y extranjeros debían pues cortejar
a los administradores políticos para obtener favores y monopolios oficiales.
Este defecto yacía al centro de las causas o incentivos institucionales para la
corrupción y los intereses creados que se beneficiaban con ella.

Heinrich Witt fue un testigo excepcional y participante en las transformaciones económicas de las décadas de 1860 y 1870. Como miembro prominente de la élite de negocios limeña, Witt construyó su fortuna estrechamente
ligada al crédito comercial y a la exportación de guano consignada a compañías monopólicas. El comerciante germano radicado en Lima compartió las
ganancias de Witt, Schutte & Co., consignatarios del guano para Alemania.
Hacia finales del decenio de 1860, Witt poseía acciones en el nuevo e inicialmente prometedor sector de banca y seguros, así como en compañías de
ferrocarriles, agua y gas. Todas estas operaciones dependían, de un modo u
otro, de la solidez de las finanzas públicas, debido a los arreglos financieros o
monopólicos privados con el gobierno de turno. Cuando las finanzas públicas
tambaleaban, las grandes empresas vinculadas a negocios con el gobierno
inmediatamente sentían el apretón. Witt se vio, asimismo, embrollado en litigios prolongados en torno a propiedades urbanas, arrendatarios, vecinos y
cantidades que se le adeudaban.

Como lo revela su diario, escrito a lo largo de su extensa vida en el Perú,
la formación protestante de Witt le permitió observar agudamente la moral y
el comportamiento ético de sus colegas negociantes y de los políticos y funcionarios locales. El diario le fue muy útil como ayuda para detectar y rastrear
los rasgos personales y familiares de sus clientes y socios. Witt reconoció, así,

el valor moral e intelectual de figuras claves como Manuel Pardo y Francisco García Calderón, no obstante las fricciones que alguna vez tuvo con ellos. A la inversa, Witt sospechaba de —o temía a— José Gregorio Paz Soldán, Manuel Ortiz de Zevallos, Juan Manuel Iturregui y muchos otros por el abuso que hacían del poder, sus hábitos de apostar y beber o sus prácticas fraudulentas. También se sintió repelido por los designios del clan Echenique, de Nicolás de Piérola y de Henry Meiggs. Las observaciones de Witt y los ejemplos que ofrece de sobornos y venalidad administrativa coinciden estrechamente con los proporcionados por otros importantes críticos de la corrupción, entre los cuales se encuentran José Arnaldo Márquez y Manuel González Prada, así como con los casos que cita el historiador Watt Stewart para esta época.

A partir de dichas fuentes resulta posible volver a rastrear cómo fue que los funcionarios estatales y los caudillos militares, en complicidad con ciertos agentes de negocios, continuaron formando redes interesadas en evadir, defraudar y violar medidas legales para provecho propio. Estos actos minaron la eficiencia de los tres poderes del Estado: el Ejecutivo, el Legislativo y el Judicial. Las redes de corrupción enlazaban a ministros, parlamentarios, jueces y hombres de negocios, así como a ciertos abogados que actuaban como intermediarios claves. En tales circunstancias, los derechos de propiedad privada y los arreglos contractuales permanecieron inseguros y sujetos a litigios impredecibles. Los sobornos y favores políticos desplazaban a la competencia abierta en la puja por los contratos oficiales e inyectaban un serio sesgo a la toma de decisiones transcendentales para el desarrollo económico e institucional del país. Todo esto elevaba los riesgos financieros y los costos de transacción y debilitaba la eficiencia de la economía en general. A pesar de la existencia de restricciones legales, el difundido abuso del sistema llevó a ganancias desmedidas ligadas a la corrupción. Dichas prácticas se justificaron como medios para lograr el progreso económico y el bien común prometidos por los grandes proyectos de obras públicas que alcanzaron su clímax a comienzos de la década de 1870.

Negocios guaneros monopólicos

Una importante modificación legal ordenó en 1860 que todo contrato público importante debía ser obligatoriamente aprobado por el Congreso.[8] En un principio, esta fue una innovación bienvenida, luego de décadas de contratos públicos sancionados principalmente a través de decisiones y decretos ejecutivos. Sin embargo, esta nueva norma resultó también difícil de implementar o seriamente distorsionada, como lo ejemplifica la complicada manipulación de los contratos guaneros. En efecto, al surgir un número mayor de funcionarios que sobornar, la aprobación parlamentaria de todos los contratos estatales pudo haber incrementado el uso y monto de los sobornos que buscaban alcanzar favores y ganancias rentistas extraeconómicas.

El contrato cuasimonopólico del guano a cargo de Antony Gibbs & Sons fue cuestionado por su obscura extensión aprobada por el gobierno de Echenique (entre otras alegaciones de abusos). Las acusaciones contra Gibbs implicaron a los agentes diplomáticos peruanos en Londres y París. En 1860, Francisco de Rivero, el encargado de los negocios del Perú en Londres, se defendió de las críticas públicas de su colega diplomático Luis Mesones y del exconsignatario guanero Carlos Barroilhet. A Rivero se le imputaba el haber incurrido en serios conflictos de interés, al ponerse del lado de las políticas de fijación del precio del guano aplicadas por Gibbs; el haber cobrado honorarios impropios por sus servicios diplomáticos ligados a transacciones financieras peruanas en Europa; y el especular con bonos peruanos para aumentar su propia fortuna. En lugar de negar los cargos, Rivero afirmó su derecho a cobrar una comisión del 2 por ciento en su manejo de las transacciones financieras oficiales en el extranjero, así como a especular con bonos peruanos. Basó estas afirmaciones en licencias similares permitidas a los antiguos enviados Osma y Mendiburu. Rivero, asimismo, aprobó los precios rebajados del guano fijados por Gibbs, pese a la existencia de precios más altos en otros lugares.[9] Era claro que la falta de una estricta regulación administrativa permitía obvios conflictos de interés.

Cuando el contrato de Gibbs llegó a su fin en enero de 1862, se firmó un nuevo contrato para el suministro de guano a Gran Bretaña y sus colonias con un grupo de capitalistas nativos que formó la Compañía Nacional. Entre sus asociados estaban Clemente Ortiz de Villate, Felipe S. Gordillo, José Canevaro, Manuel Pardo, Carlos Delgado y Felipe Barreda. A pesar de la ley de 1860, el nuevo contrato no se remitió al Congreso para su aprobación, sino que fue autorizado, más bien, por José Fabio Melgar, el ministro de Hacienda de Castilla. Guillermo Bogardus, un hombre de negocios y político interesado, hizo oír su protesta al afirmar que el contrato era ilegal y que el Congreso debía anularlo y enjuiciar a los nuevos contratistas por abusos cometidos contra los intereses del Estado. Bogardus, además, sostenía que estos contratistas «nacionales» conformaban un círculo codicioso que había traicionado el espíritu del principio legal de 1849, que concedía la preferencia a peruanos en casos de ofertas iguales en contratos públicos. Según Bogardus, la Compañía Nacional no contaba con el capital suficiente y se había unido con la casa británica Thomson, Bonar & Co. en «corruptelas» financieras dañinas para el Estado.[10] Bogardus acosó a los capitalistas guaneros peruanos por más de una década. Este sonado debate culminó con un arreglo alcanzado en 1878 con Thomson, Bonar & Co., luego de un juicio iniciado por agentes fiscales peruanos en Londres por cobros irregulares que se remontaban a la década de 1860. La suma acordada fue relativamente pequeña y Bogardus recibió parte de ella como recompensa por haber revelado el asunto. Los consignatarios nacionales, sin embargo, no tuvieron culpa alguna en el caso y, más bien, se presentaron como codemandantes contra la firma británica.[11]

Varios factores locales y extranjeros conspiraron contra el cumplimiento de los nuevos requisitos constitucionales y legales, no obstante la censura parlamentaria ocasional de alguno de los ministros de Castilla. En octubre de 1862, este logró concertar, una vez más, la transición pacífica del poder en los parámetros de la nueva Constitución, pero en medio de una situación fiscal deteriorada por crecientes gastos militares y navales, obras públicas y una breve guerra con el Ecuador.[12] El general Miguel de San Román, un viejo partidario de Castilla, fue elegido presidente, el general Juan Antonio Pezet primer vicepresidente y el general Pedro Diez Canseco (cuñado de Castilla), segundo vicepresidente. San Román falleció apenas a los cinco meses de iniciado su gobierno y Pezet asumió el mando tras regresar de Europa, donde se hallaba al momento de la muerte de San Román. El presidente Pezet pronto tuvo que enfrentar la crisis externa más seria de la joven república desde la independencia.

Los gobiernos de España y Perú habían intentado regularizar sus relaciones diplomáticas desde la década de 1850. Importantes obstáculos complicaban este acercamiento diplomático. Entre ellos se contaban los reclamos españoles por las deudas privadas impagas de la época colonial, la confiscación de una nave comercial de bandera española y los abusos cometidos en el Perú contra los antiguos súbditos españoles.[13] La mala prensa en París y Madrid en torno a los asuntos administrativos peruanos y los supuestos abusos cometidos contra extranjeros contribuyó a que se formara una opinión pública internacional adversa, que estimuló la especulación con los instrumentos de la deuda externa peruana.[14] Los agentes diplomáticos José Barrenechea y José Gálvez intentaron contrarrestar este problema que asumían era de publicidad. Los diplomáticos peruanos solicitaron fondos del gobierno destinados a pagar a periodistas y editores de publicaciones en francés y español en París para que escribieran favorablemente sobre el Perú. Esta era aparentemente una práctica común seguida por otras misiones diplomáticas latinoamericanas en dicha ciudad.[15]

En 1863 una flota española con una misión científica y diplomática arribó al Callao para presionar las demandas peninsulares ante el gobierno peruano. El exagerado sentido del honor de los enviados españoles Luis Hernández de Pinzón y Eusebio Salazar y Mazarredo, así como la falta de tacto del gobierno de Pezet, condujeron a un serio incidente diplomático que se vio complicado con nuevas denuncias de abusos cometidos contra inmigrantes vascos en la hacienda norteña de Talambo. En abril de 1864, la flota española tomó las islas Chincha, la fuente más importante de la renta guanera usada como garantía de la deuda pública. El gobierno de Pezet, en consecuencia, se vio en una seria situación financiera. Los consignatarios del guano solo adelantaban fondos de corto plazo a un altísimo interés, en ocasiones hasta más del 30 por ciento. En Londres, una comisión fiscal debidamente autorizada, conformada por los prominentes capitalistas peruanos José Sevilla y Manuel Pardo, tuvo problemas para conseguir préstamos y comprar buques de guerra, pues el crédito peruano en el extranjero se había deteriorado frente a las drásticas medidas españolas.[16] Bajo tal coacción, Pezet negoció un acuerdo con España que esencialmente concedía un pago de tres millones de pesos para satisfacer sus demandas.[17]

Los viejos generales Castilla y Echenique, que eran respectivamente los jefes de las Cámaras de Senadores y de Diputados en el Congreso, dirigieron inicialmente una indignada oposición a la política apaciguadora seguida por Pezet. La deportación de Castilla en 1865 fue seguida por varias insurrecciones militares encabezadas por los coroneles Mariano Ignacio Prado y José Balta con el apoyo del general Diez Canseco. Este movimiento logró deponer a Pezet y estableció una dictadura patriótica bajo el liderazgo del coronel Prado. En alianza con Chile, el Perú le declaró entonces la guerra a España. Pezet fue acusado de tiranía, traición y robo de fondos públicos, cargos a los que respondió indicando que los grandes gastos y préstamos a alto interés eran urgentemente necesarios para la defensa nacional. Desde su perspectiva, los responsables del golpe que lo depuso en violación de la ley eran quienes habían cometido el verdadero daño.[18] Sin embargo, años más tarde Pezet alardearía de una fortuna considerable que le habría permitido construir un «palacio» en el balneario de Chorrillos.[19] Durante su mandato, Pezet consintió, asimismo, el regreso al Perú del desprestigiado general Juan Crisóstomo Torrico, un viejo amigote suyo. Desde su exilio en 1855, Torrico había estado gastando en París su fortuna mal habida. En 1865, Pezet lo recompensó escandalosamente nombrándolo ministro plenipotenciario ante la corte de Napoleón III en la capital francesa, donde Torrico permaneció sin ser molestado y continuó envuelto en turbios negocios relacionados con el Perú.[20]

Durante el gobierno dictatorial de Prado, diversas reformas administrativas y tributarias fueron introducidas por su ministro de Hacienda Manuel Pardo. Estas medidas incluyeron la abolición de las gravosas pensiones hereditarias y la reorganización de funcionarios de la hacienda pública para así mejorar su profesionalismo. Algunas de estas reformas despertaron viva oposición como lo demuestra el levantamiento que estalló en Huancané, Puno, en 1866 contra la reintroducción de la contribución indígena. Pardo también ordenó que se investigara la administración de las aduanas de Arica, Pisagua e Iquique. Esta última resultó estar del todo desorganizada y plagada de deudas fraudulentas que dañaban al erario y el comercio privado.[21] Aún más, durante su gestión como ministro, Pardo dejó expuestos varios graves casos de corrupción, entre los cuales destaca el de José García Urrutia, ministro de Hacienda de Pezet. García Urrutia se habría apropiado ilegalmente de 200.000 pesos de las rentas fiscales en complicidad con el tesorero y el cajero del ministerio.[22] Otro caso implicó al extesorero interino Manuel Lombard, a quien se acusó de haber malversado 50.000 pesos a través de pagos de salarios fraudulentos.[23]

Los críticos de Manuel Pardo usaron en su contra rumores y escándalos referidos a sus negocios y familia (Pardo era hijo del escritor y político conservador Felipe Pardo y Aliaga y de Petronila Lavalle, y estaba casado con Mariana Barreda y Osma).[24] Además, se cuestionó a Pardo por diversas otras razones: sus vinculaciones con la Compañía Nacional, los empréstitos usureros contraídos con Thomson, Bonar & Co. en 1865 y con Thomas Lachambre & Co. en 1866, así como la compra de dos costosos navíos de guerra en Estados Unidos (el *Oneoto* y el *Catawba*, a los cuales se rebautizó como *Manco Cápac* y *Atahualpa*, respectivamente) a un armador estadounidense, bajo las exigencias de la guerra con España y sus secuelas.[25] Pardo y sus partidarios respondieron públicamente que aquellos préstamos y compras estaban debidamente justificados y que Bogardus, su principal crítico, era un calumniador y una persona sospechosa.[26] La contratación de préstamos a alto interés en tiempo de guerra no constituye una razón verosímil para acusar a Pardo quien, por el contrario, llevaba a cabo sus asuntos oficiales, entonces y después, con una transparencia y honestidad inusuales, no obstante los defectos de algunos de sus asociados comerciales.

El conflicto con España, la disensión política interna y el elevado gasto realizado para armar al Ejército y la Marina socavaron tanto el orden constitucional como las endebles finanzas nacionales. La flota española se retiró de la costa peruana tras sufrir considerables bajas en su inútil bombardeo punitivo del Callao el 2 de mayo de 1866. En estas circunstancias, la dictadura de Prado intentó legitimarse auspiciando una asamblea constitucional que redactara otra Constitución más para reemplazar la de 1860. Los legisladores liberales, entre ellos el radical José María Quimper, el poco confiable Fernando Casós y el moderado Francisco García Calderón, diseñaron la Constitución liberal de 1867. Esta prestaba particular énfasis a la reforma del sistema judicial. Sin embargo, la Constitución de 1867, al igual que su predecesora de 1856, tuvo que enfrentar la dura oposición del clero católico y de los conservadores exaltados.[27]

La oposición a Prado venía incubándose dentro de la misma Asamblea Constituyente. García Calderón, presidente de la asamblea, se distinguió en su defensa de los principios constitucionales y el imperio de la ley. Argumentando que la nueva Carta de 1867 había sido violada flagrantemente por el régimen de Prado, García Calderón proclamó la vacancia presidencial y solicitó la renuncia de Prado en aras del bien común. García Calderón manifestó estas ideas precisamente cuando Prado había dejado Lima para encabezar la campaña militar contra un levantamiento armado dirigido por el general Diez Canseco en Arequipa, la ciudad natal de García Calderón.[28] Casi de inmediato estalló otra rebelión militar en el norte, al mando del coronel Balta, que aseguró la caída final de Prado.

De vuelta provisionalmente al poder en 1868, Diez Canseco restableció la Constitución de 1860. Se mantuvo en el poder lo suficiente como para aprobar contratos públicos que «se dice le enriquecieron».[29] Durante su breve mandato, Diez Canseco inauguró una nueva fase en la contratación de obras públicas con la construcción de un ferrocarril que unió la ciudad de Arequipa con el puerto de Mollendo.[30] Los arequipeños Diez Canseco y Manuel Polar, su primer ministro, invitaron al contratista ferroviario estadounidense Henry Meiggs a que construyera el ferrocarril en Arequipa, con la intención manifiesta de beneficiar a toda la provincia y región. Estas autoridades insistían en que Meiggs tenía una reputación muy merecida luego de haber construido la muy rentable vía ferroviaria Valparaíso-Santiago en Chile. No se exigió ninguna otra garantía al contratista, a quien se le pagaría en efectivo por cada milla de ferrovía construida, un arreglo sumamente ventajoso para Meiggs. La opinión pública sospechaba que se habían pagado sobornos a Diez Canseco, sus ministros y asesores cercanos (entre ellos Diego Masías y Domingo Gamio). Hay también indicios de que Meiggs les otorgó a Diez Canseco y Polar letras de cambio por 100.000 pesos de regalo a cada uno, aunque luego estas letras le fueron supuestamente devueltas.[31] Este fue el inicio de los asombrosos negocios en que Meiggs se aprovechaba de la venalidad de las autoridades peruanas. Diez Canseco tuvo que enfrentar una investigación parlamentaria de varias de sus acciones en diciembre de 1868, a poco de dejar la presidencia, entre las cuales se contaban sus tratos con Meiggs. Las investigaciones predeciblemente no prosperaron.[32]

El coronel Balta fue elegido presidente y asumió el mando en agosto de 1868. Este era conocido por sus estallidos de cólera y autoritarismo, mientras que su gobierno se caracterizó por gastos militares descontrolados. En su primer gabinete nombró a Francisco García Calderón como ministro de

Hacienda, quien intentó contener la corrupción con reformas administrativas que recompensaban la experiencia y el mérito. A comienzos de la gestión ministerial de García Calderón se aprobó una ley que consideraba a los funcionarios de Hacienda responsables por su mal proceder, pero esta norma fue mayormente ignorada. García Calderón, asimismo, planeaba reorganizar el servicio de aduanas para limitar el contrabando, controlar el gasto público y reducir el creciente déficit fiscal. Para financiar el déficit propuso continuar apoyándose en los adelantos efectuados por los consignatarios. Aunque favorecía un nuevo sistema abierto de ventas de guano en su lugar de origen para reemplazar al viejo sistema de las consignaciones, también advirtió que los cambios en la práctica de la consignación debían ser graduales hasta que se resolviera la crisis fiscal. García Calderón se oponía a un mayor endeudamiento externo, porque este venía alcanzando niveles peligrosos.[33]

Los serios desacuerdos con Balta en torno a la cuestión de la deuda externa, así como la oposición parlamentaria a las medidas propuestas por el innovador ministro de Hacienda, llevaron a la renuncia de García Calderón el 22 de diciembre de 1868.[34] Una estrategia dominante venía prosperando en la Cámara de Diputados para otorgar amplios poderes al Ejecutivo que le permitieran contratar grandes préstamos en el extranjero y «resolver» así el déficit.[35] Sobre estas bases, conducentes al aumento del gasto público, el sucesor de García Calderón, Nicolás de Piérola, llevó al país al borde del desastre financiero con la firma de nuevos contratos para la exportación del guano, la obtención de cuantiosos préstamos extranjeros y la construcción fastuosa de ferrocarriles y otras obras públicas de dudoso origen.

El infame Contrato Dreyfus

Inmediatamente después de la renuncia de García Calderón a la cartera de Hacienda, el expresidente José Rufino Echenique recomendó vigorosamente al joven Nicolás de Piérola para el puesto vacante. Echenique había regresado a Lima y conseguido su rehabilitación política tras un largo exilio. Desde el extranjero, el general Echenique no cesó de conspirar contra Castilla y, en 1860, intentó influir sobre viejos amigos en el Congreso para que lo rehabilitaran y legislaran a favor de reconocerle reclamos por salarios impagos atrasados y una compensación por propiedades.[36] A su regreso en 1861, Echenique reorganizó su red de patronazgo con la asistencia de sus hijos (Juan Martín, Rufino y Pío), parientes y partidarios. También logró ser elegido diputado en 1862 y la restitución de sus propiedades y salarios reclamados. En el periodo 1868-1872, Echenique intentó influir sobre el presidente Balta, su antiguo subalterno en el ejército, para apuntalar sus propias ambiciones presidenciales.

Piérola era un pariente distante y aliado político de Echenique, negociante, católico conservador e hijo de un controvertido ministro de Hacienda (1852-1853) durante el corrupto gobierno de Echenique. En sus memorias, Echenique minimiza su papel como recomendante directo de Piérola ante Balta, señalando que su recomendación la hizo a través de una tercera persona, no obstante admitir que, en esos días, tuvo varias reuniones confidenciales con Balta. Otros ponen a Echenique directamente en presencia de Balta para respaldar enérgicamente a Piérola como ministro de Hacienda.[37] No cabe duda, sin embargo, de que Piérola era un muy cercano asociado de Echenique. Eventualmente, encabezaría una nueva generación de funcionarios y políticos que heredaron las viejas artimañas de la generación de Echenique.

El inexperto ministro Piérola pronto sorprendió a todos al convertirse en la fuerza motriz de estrategias dudosas para hacer frente al alarmante déficit fiscal. Su enfoque fue radicalmente distinto al de García Calderón y contribuyó, más bien, a la tendencia de parlamentarios interesados, como Juan Martín Echenique y el mismo presidente Balta, en apoyarse excesivamente en el endeudamiento externo. El abogado Fernando Palacios concibió la idea de contratar un empréstito externo para cubrir el déficit mediante una licitación previamente autorizada por el Congreso. Palacios se reunió en varias oportunidades con Balta y Piérola entre diciembre de 1868 y enero de 1869 para tratar los detalles de este proyecto. Al plan original, el presidente y su ministro le añadieron sus particulares sesgos: así, obtuvieron una amplia autorización del Congreso el 25 de enero de 1869, aun cuando ya desde diciembre de 1868 el gobierno había establecido contacto con la casa parisina Dreyfus Frères et Cie. Mientras la licitación «abierta» se llevaba a cabo con al menos cuatro propuestas sobre la mesa, Piérola prácticamente ya había aprobado la oferta de Dreyfus de adelantarle al gobierno fondos contra dos millones de toneladas de guano, que el Estado vendería a un precio fijo durante un periodo determinado.[38]

Dreyfus le venía adelantando dinero al gobierno peruano desde mayo de 1869, meses antes de la presentación formal de las otras tres propuestas. Además, Juan Martín Echenique había sido enviado a París como comisionado oficial con instrucciones precisas de firmar junto con Toribio Sanz un contrato formal con Dreyfus. El contrato se firmó, junto con un acuerdo complementario secreto, el 5 de julio de 1869. El acuerdo secreto estipulaba que Thomson, Bonar & Co., el agente financiero del gobierno peruano en Londres, se reemplazaría por otra casa comercial que debía ser escogida posteriormente por Dreyfus. El contratista francés luego eligió a Henry Schroder & Co., una compañía banquera londinense que tendría un papel clave en los tratos financieros subsiguientes entre Dreyfus y el gobierno de Balta.[39]

Con la asociación financiera adicional de los gigantes Société Générale y Leiden Premsel et Cie. de París, Dreyfus logró ejercer un control cuasimonopólico sobre el grueso de las finanzas peruanas como acreedor, agente financiero y contratista del guano. Antes de la ratificación formal en el Perú del contrato ad referéndum, Dreyfus ya había repartido acciones del negociado por sesenta millones de francos entre sus socios en París: la Société Générale tomó acciones por 22,5 millones de francos, Leiden Premsel por 22,5 millones y Dreyfus por 15 millones. Poco después, cada uno de los principales socios diversificó su participación entre otros suscriptores. Dreyfus obtuvo la participación de peruanos con intereses estratégicos en la defensa de la ratificación final del contrato: un exconsignatario encargado de cargar el guano, Andrés Álvarez Calderón, «adquirió» acciones por un valor de 600.000 francos; el controvertido diplomático Francisco de Rivero, por 500.000; Luis Benjamín Cisneros, el cónsul peruano en el Havre y enlace entre Dreyfus y el gobierno de Balta, por 190.000; el viejo consolidado Nicanor González, por 156.750; el parlamentario y abogado Fernando Casós, por 95.000; el futuro agente fiscal, coronel Joaquín Torrico, hermano y colaborador del notorio general Juan Crisóstomo Torrico, por 47.500; Guillermo Bogardus, por 4.750; e, incluso, el negociador oficial Juan Martín Echenique, por 100.000, entre muchos otros.[40]

Según el contrato público final, ratificado en Lima el 17 de agosto de 1869, Dreyfus reemplazaría a los consignatarios existentes en toda Europa a la expiración de sus contratos. Dreyfus prometió adelantarle al gobierno 700.000 soles cada mes por un total de 2,4 millones de soles y cubrir el servicio del empréstito externo de 1865 y las deudas a los antiguos consignatarios. Estas condiciones monopólicas y la escandalosa manipulación de una licitación supuestamente abierta hicieron surgir demandas para que se rescindiera el Contrato con Dreyfus. Sin embargo, Piérola tenía el trato prácticamente asegurado debido a que su cancelación habría implicado reembolsarle a Dreyfus las sumas ya adelantadas al gobierno en efectivo, y eso resultaba imposible para un erario carente de fondos.[41]

Siguió entonces un gran debate público entre intereses rivales. Quienes buscaban eliminar la influencia de los consignatarios nacionales del guano sobre los asuntos fiscales, negaban la prórroga de esos contratos, alegando ganancias excesivas y supuestos abusos, y apoyaban o justificaban, por tanto, el contrato Dreyfus.[42] Las averiguaciones oficiales realizadas por Toribio Sanz en Europa desde 1867 habían revelado irregularidades que antecedieron a las acusaciones legales contra los consignatarios de Alemania (Schutte) y Francia (Lachambre) en 1869.[43] Luis Benjamín Cisneros y su hermano, el abogado y parlamentario Luciano B. Cisneros, partidarios de Echenique y profundamente ligados a los tratos con Dreyfus, se distinguieron por su defensa oratoria y legal del contrato y sus críticas a los capitalistas nacionales. Los hermanos alegaban astutamente la existencia de conexiones entre las prácticas usureras de los antiguos consignatarios y los abusos cometidos por los nuevos consignatarios nacionales.[44] En este clima, el encargado de negocios francés en Lima observó que los consignatarios del guano eran sumamente impopulares.[45] A la inversa, quienes se oponían al Contrato Dreyfus sostenían que este era ilegal, puesto que su firma había incumplido con la autorización legislativa específica y con los procedimientos de una licitación abierta. Los consignatarios nacionales hicieron pública su contraoferta al acuerdo con Dreyfus. Exigían que se acataran las resoluciones legislativas de 1849 y 1860, que otorgaban la preferencia a los ciudadanos peruanos en las licitaciones públicas en las que los nacionales y extranjeros hicieran ofertas iguales.[46]

La encarnizada lucha política y legal en torno al Contrato Dreyfus dominó la política peruana durante meses. Cuando los capitalistas nacionales ofrecieron igualar las condiciones financieras de Dreyfus con el respaldo del Banco del Perú, una institución fundada en 1863 por diez socios nativos y consignatarios guaneros, el Ejecutivo respondió decretando que los billetes de este banco no serían aceptados en las oficinas del gobierno. Quienes se oponían al contrato con Dreyfus, entre los cuales se encontraba el gerente del Banco del Perú Emilio de Althaus, fueron arrestados. Entre octubre y noviembre de 1869, la Corte Suprema de Justicia reafirmó su jurisdicción para declarar que los nacionales habían sido despojados de sus derechos por el Contrato Dreyfus y que, en consecuencia, este debía ser rescindido. Casi al mismo tiempo, una comisión parlamentaria votó por una mayoría de ocho contra seis que al ser inconstitucional el contrato resultaba ilegal. Estos reveses temporales generaron un conflicto entre Balta y Piérola, del cual salieron ganadores este último y Dreyfus. El Ejecutivo redobló su campaña en defensa del contrato y simplemente desautorizó al Poder Judicial, colocando la decisión final en manos del Legislativo.[47] Para noviembre de 1870, la campaña legal y pública de Dreyfus y el soborno de parlamentarios habían inclinado la balanza a favor de la aprobación del contrato por 63 votos contra 33 en la Cámara de Diputados, una decisión que en breve sería ratificada por el Senado.[48]

Aunque Manuel Angulo reemplazó temporalmente a Piérola como ministro de Hacienda entre noviembre de 1869 y febrero de 1870, Piérola mantuvo su influencia en la defensa del Contrato Dreyfus tras bastidores; Angulo era considerado, además, un mero títere de Piérola. El futuro financiero del país quedó sellado en estos meses con el retorno de Piérola a la cartera de Hacienda, entre febrero de 1870 y julio de 1871. Durante este periodo se implementaron adicionalmente dos devastadores proyectos financieros. El constructor de sistemas ferroviarios y especulador Henry Meiggs fue contratado para construir dos ferrocarriles de gran escala y el mismo Dreyfus en París fue comisionado el 19 de mayo de 1870 para lograr un enorme préstamo externo de 12 millones de libras esterlinas (59,6 millones de soles), al que naturalmente siguió otro préstamo de refinanciamiento, nuevamente a cargo de Dreyfus, por 36,8 millones de libras el 31 de diciembre de 1871. Ya en la primera mitad de 1870, Dreyfus cobraba comisiones de hasta 357.000 libras por administrar el pago de intereses devengados por bonos de ferrocarriles en el extranjero. Piérola fue atacado en la prensa por estas irregularidades. A pesar de sus protestas de rectitud y de la defensa que el respetado historiador Jorge Basadre hiciera de sus actos oficiales, el apego de Piérola por el poder y las ganancias personales contribuyó decisivamente a la desastrosa bancarrota financiera del Perú, que tardó muy poco en precipitarse.[49]

El núcleo de los hombres de negocios de Lima tuvo que adaptarse a la nueva dinámica financiera adoptada e impuesta por el gobierno y fuertemente influida por la alianza *de facto* entre Dreyfus y Meiggs. El motor de la economía estaba avanzando en la dirección equivocada de obras públicas no rentables, financiadas por el déficit fiscal y una deuda externa inmanejable. Varios hombres de negocios locales y extranjeros eran conscientes de esta realidad, pero optaron por buscar ventajas marginales antes de que ocurriese el colapso.[50] Los antiguos enemigos comerciales y financieros de Dreyfus y Meiggs ahora participaban cautelosamente junto a ellos en empresas conjuntas. Los bancos de Lima ofrecieron sus servicios en cuenta corriente y crédito comercial a Dreyfus y Meiggs, al mismo tiempo que apuntalaban préstamos al Estado, de servicio cada vez más atrasado. Los proyectos privados que buscaban desarrollar líneas ferroviarias productivas como la Compañía Ferrocarril del Mineral de Cerro de Pasco arriesgaban caer en la insolvencia y buscaban el apoyo del gobierno. En este momento de incertidumbre irrumpieron en la escena de los negocios financieros Juan Martín Echenique y Emilio de Piérola, un hermano de Nicolás. Con el respaldo del gobierno y su camarilla política, Echenique y Piérola compraron o invirtieron en sociedades anónimas, nuevas o con problemas financieros, para asumir su control. Entre ellas estuvieron la del Ferrocarril del Mineral de Cerro de Pasco, la compañía inmobiliaria y de construcción La Constructora y la Compañía del Ferrocarril Lima-Huacho.[51]

En efecto, durante el gobierno de Balta, la red de Echenique-Piérola avanzó considerablemente en alcanzar posiciones estratégicas de poder y riqueza. Sus integrantes coparon al personal gerencial de las compañías bajo su control: los hijos del general Echenique, Juan Martín, Rufino y Pío; su sobrino político Augusto Althaus; su cuñado Santiago Lanfranco; César Saco y Flores; y Emilio de Piérola eran, todos, gerentes de La Constructora.

Esta compañía se vio favorecida con diversos proyectos de obras públicas. Luego de dejar la cartera de Hacienda, Nicolás de Piérola fue elegido diputado echeniquista por Lima en las elecciones parlamentarias de noviembre de 1871. Piérola apoyaba al llamado grupo o partido católico afín a la política conservadora del general Echenique. Para las elecciones presidenciales de 1872, este último fue inicialmente el candidato favorito del presidente Balta. Sin embargo, las ambiciones del general resultaron contraproducentes, luego que un decreto ejecutivo concediera a Juan Martín Echenique el privilegio exclusivo de exportar e importar todos los materiales del gobierno. Frente a la indignación generalizada y el escándalo público, Balta decidió anular este decreto de absurdo favoritismo. En consecuencia, las relaciones entre Balta y Echenique se enfriaron hasta el punto de que Balta decidió, más bien, apoyar como candidato presidencial oficial al abogado Antonio Arenas.[52] El designado por Balta se enfrentó a Manuel Pardo, candidato de la oposición y popular alcalde de Lima, jefe de un Partido Civil de ancha base formado en 1871. Esta organización política se constituyó en el primer partido civil moderno del país, preparado para superar a los grupos políticos liderados por caudillos que tenían como base fundamentalmente el patronazgo electoral, la violencia y la corrupción.[53]

La compleja y legalmente cuestionada licitación de los contratos oficiales minó los esfuerzos por establecer un orden legal en los negocios y los asuntos públicos. Según un diplomático extranjero, la Constitución y las leyes no tenían el control. En lugar de ello, «sólo la voluntad de unas cuantas familias es la ley».[54] En tales circunstancias, existía una gran demanda de abogados como Francisco García Calderón, para que negociaran asuntos legales entre el gobierno y los intereses privados. Tenía una reputación merecida como honesto reformador legislativo, escrupuloso abogado del sector privado y empleado público. Pero en aquellos tiempos, ni siquiera él estaba libre de embarazosos conflictos de interés. Sus clientes buscaban un asesor legal que pudiera manejar el engorroso laberinto burocrático y, al mismo tiempo, usara su posición de influencia o favoritismo entre quienes tomaban las decisiones y controlaban el gobierno.

Bajo estos ambiguos supuestos, García Calderón ejerció la representación legal de importantes clientes privados como algunos demandantes estadounidenses, el consignatario guanero Schutte & Co. e, incluso, Henry Meiggs. Algunos de sus clientes estaban dispuestos a sobornar a las autoridades para conseguir resoluciones favorables a sus demandas y contratos. El encargado de negocios estadounidense Alvin Hovey reconoció que varios demandantes de su país, representados por García Calderón contra el Estado peruano, eran chantajistas que sobornaban o mentían para conseguir una justificación legal a sus pedidos de reparaciones. García Calderón también era parte de amargas disputas públicas con sus clientes en torno a sus honorarios de abogado, los que, al final de los procedimientos legales, eran a veces considerados desproporcionadamente altos. Estas disputas surgían debido a la falta de claridad al establecer previamente acuerdos de pago con sus clientes.[55] Llama además la atención que García Calderón haya actuado como representante legal del magnate ferroviario y especulador Henry Meiggs, bien conocido por su uso del soborno y otras aventuras ilegales que contribuyeron al colapso institucional y financiero del Perú.

Avalancha de obras públicas

El Contrato Dreyfus y los arreglos financieros que le siguieron ahondaron los problemas del déficit que desde 1868 había alarmado a los preocupados ciudadanos. Estas medidas financieras irresponsables se diseñaron, al parecer, para generar oportunidades a ganancias corruptas. Los acuerdos financieros con Dreyfus cobijaron los gastos exagerados e ilegales de inmensos proyectos de obras públicas e incrementaron la deuda externa. Estos tratos atrajeron a ambiciosos especuladores que buscaban ganancias rápidas y por cualquier medio a costa de todo un país. El 15 de enero de 1869, el Congreso autorizó al Ejecutivo para que otorgara contratos de obras de construcción de ferrocarriles financiadas con bonos que rendían un interés del 6 por ciento. Este arreglo financiero era defectuoso porque favorecía una riesgosa especulación, puesto que los contratistas pagados con bonos buscaban, luego, colocarlos en mercados extranjeros. Se desató, entonces, un frenesí en la contratación de obras públicas para la construcción de ferrocarriles, proyectos de irrigación, puentes, embarcaderos, muelles, edificios públicos y mejoras urbanas sin un cálculo sólido de su rentabilidad y factibilidad. La mayoría de estos proyectos no se terminaban o ni siquiera comenzaban. Sin embargo, estas obras públicas se anunciaron a la ciudadanía como la varita mágica que llevaría a la riqueza y el desarrollo.

Algunos peruanos creían sinceramente en los beneficios que tendrían la construcción de ferrocarriles y otros proyectos impulsados por el Estado. El mismo Manuel Pardo había contribuido a implantar la idea de que los ferrocarriles significaban el progreso.[56] Pero, evidentemente, ello no ocurría en circunstancias de una corrupción generalizada. El empresario y capitalista Manuel Argumaniz Muñoz participó en la licitación oficial para la construcción de un ferrocarril transandino que uniría la ciudad de Jauja, en la sierra central, con Lima. La propuesta de Argumaniz contaba con el respaldo de instituciones financieras locales y extranjeras, pero en la puja oficial por obtener el contrato se enfrentó a Meiggs. En sus memorias, Argumaniz escribió que Meiggs obtuvo el contrato favorecido por los círculos oficiales porque fue «derramando el oro hasta a los porteros del Ministerio [...] conociendo perfectamente la índole del país». Recordaba, además, que una señora limeña que tenía conexiones con la Cámara de Diputados y el gobierno le visitó para proponerle que hiciera un pago ilegal para que se aprobara su oferta en la licitación. Ante su cortés negativa de implicar a una dama en un soborno en el cual él, además, no deseaba participar, la señora le respondió con pesar que esa era una costumbre muy arraigada y que nada se podía lograr sin recurrir a ello.[57]

Para conseguir la aprobación de sus ofertas para la construcción de los ferrocarriles transandinos de Lima-La Oroya y Arequipa-Puno, Meiggs siguió el mismo procedimiento que había implementado al negociar la línea Arequipa-Mollendo: le confió a un representante de los acreedores británicos que su secreto al tratar con distintos gobiernos consistía en permitir que las autoridades más altas se vendieran y fijaran su propio precio. Luego de obtener el contrato, Meiggs simplemente añadía el monto de los sobornos al costo total de la obra contratada. Estas prácticas habituales «hacían que los sobornos y la corrupción peruanos fueran proverbiales incluso en Sudamérica».[58] Se calcula que Meiggs repartió más de once millones de soles en sobornos a autoridades, cuyo registro llevaba en sus legendarios cuadernos verdes o rojos.[59] Esta suma gastada en sobornos representaba alrededor del 8 y 10 por ciento del costo total de sus ferrocarriles que fluctuó entre 120 y 140 millones de soles.

Siguiendo el ejemplo de Meiggs, otros negociantes locales compitieron entre sí para construir ferrocarriles a muy alto costo y así obtener elevadísimas ganancias. Tal fue el caso de la Compañía del Ferrocarril Chimbote-Huaraz, promovida por Benito Valdeavellano y Dionisio Derteano, el más conspicuo socio «silencioso» de Dreyfus, y conformada por otros diez accionistas. El costo total propuesto para esta obra ascendía a veintiún millones de soles. Meiggs asumió este contrato aliándose con Valdeavellano y Derteano, para lo que compró las partes de varios de los socios originales hasta en 600.000 soles por cada una y pagó sobornos a parientes claves de las principales autoridades. En consecuencia, el costo total propuesto por Meiggs y aprobado por el gobierno subió a 24 millones de soles.[60]

Para celebrar la colocación de la primera piedra del ferrocarril Lima-La Oroya el 1 de enero de 1870, Meiggs y el gobierno realizaron unos elaborados eventos y ofrecieron un lujoso banquete para 800 invitados por el costo aproximado de 47.500 soles.[61] Del mismo modo, para la inauguración de la línea Arequipa-Mollendo en enero de 1871, aproximadamente mil invitados fueron llevados desde Lima al sur en tres barcos de guerra y un vapor.

También se transportó grandes cantidades de comida, bebida, fuegos artificiales y un equipo de artistas ecuestres para la diversión del público y los bailes que Meiggs, Balta y los magnates locales ofrecerían durante varios días de celebraciones.[62] Meiggs era conocido como el «hombre más generoso del Perú». Entre abril de 1868 y diciembre de 1871, se le concedieron o asumió contratos para la construcción de siete líneas que sumaban un total de 700 millas y 120 millones de soles. Meiggs fue pagado mayormente con bonos del gobierno emitidos desde 1869 a un interés de 6 por ciento y una amortización de 2 por ciento que se iniciaría diez años después de la fecha de emisión. Este modo de pago ponía a Meiggs en riesgo de quebrar si el mercado de los bonos ferroviarios peruanos en el extranjero colapsaba. El futuro financiero del Perú ya era muy preocupante en agosto de 1870 debido a sus grandes y descontrolados déficit fiscal y deuda externa. El agregado estadounidense en Lima recomendó que los capitalistas de su país se abstuvieran de invertir en bonos ferroviarios peruanos. El frenesí de los ferrocarriles transandinos, alimentado por expectativas exageradas de ganancias, había ignorado convenientemente las limitadas condiciones de mercado para el transporte de carga y pasajeros en el Perú, adversas a la construcción de ferrocarriles rentables a tan alto costo.[63]

Si bien la construcción de ferrocarriles sobresalió como el mayor negocio especulativo del momento, esta no fue la única fuente de ganancias apadrinada por la corrupción en la contratación de obras públicas. Meiggs también estuvo involucrado en la especulación de bienes raíces iniciada con la demolición de las viejas murallas coloniales que rodeaban Lima; la construcción y pavimentación de calles, aceras para peatones y edificios públicos y privados, así como concesiones de mineral y obras de irrigación. Meiggs incluso se arriesgó a suministrar armas de fuego y municiones de factura estadounidense a Bolivia, bajo la mirada interesada de las autoridades peruanas, según atestigua el diplomático y general estadounidense Alvin Hovey. En 1874, Meiggs también organizó la Compañía de Obras Públicas y Fomento, una empresa de construcción e inversiones, destinada a comprar y vender bienes raíces urbanos y rurales mediante su intermediación entre inversionistas privados y entidades públicas. García Calderón ejerció como el vicepresidente de esta compañía y estuvo encargado del manejo de delicadas negociaciones legales con el Estado. Al mismo tiempo sirvió como asesor legal de Meiggs hasta la muerte del magnate en 1877. García Calderón asesoró también a los herederos de Meiggs en materia de procedimientos de bancarrota y arreglo de cuentas con el Estado.[64]

Otros grandes proyectos de obras públicas también dejaron huellas obscuras para la posteridad. Uno de ellos fue la contratación pública para la construcción y la administración de instalaciones portuarias y de aduana en el Callao. El contrato para el muelle y dársena del Callao se concedió inicialmente por seis años e incluía un privilegio exclusivo para la carga y descarga de naves por diez años. La Cámara de Diputados otorgó el contrato a la empresa Templeman, Bergman & Co. en agosto de 1869, no obstante los limitados recursos de capital de esta compañía y la vigorosa oposición pública al acuerdo que se calculaba elevaría los costos portuarios para las importaciones y exportaciones. Los hermanos Charles y Frederick Bergman, jefes de la compañía y cuñados de Auguste Dreyfus, habrían sobornado a un ministro y a otros funcionarios para conseguir el contrato con la intención de transferir la concesión, tan pronto se asegurase el contrato, a una gran empresa europea. En 1874, los Bergman y Dreyfus consumaron su especulación vendiendo los derechos sobre el muelle y dársena a la Société Générale. Al tomar control de esas obras, la entidad financiera parisina incurrió en demoras y altos costos, entonces procedió a cobrar altas tarifas que resintieron a los usuarios de las instalaciones portuarias.[65]

Otro proyecto oneroso, la prolongada construcción del edificio público del Palacio de la Exposición, así como el parque y el zoológico que lo rodearían, entre 1869 y 1872, desató un escándalo en Lima debido a su inesperado alto costo de aproximadamente dos millones de soles. En un intento por emular las exposiciones europeas de moda, este extravagante proyecto estuvo bajo la supervisión del viejo caudillo Vivanco y del jurista Manuel Atanasio Fuentes, de quien se sospechaba habría recibido parte de los fondos del proyecto. Este asunto, así como la compra de barcos de guerra en Estados Unidos supervisada por el juez Mariano Álvarez (a quien se acusó de haberse beneficiado personalmente con la transacción), generó serias fricciones entre Balta y Piérola.[66] Algunos años más tarde, un parlamentario de ideología liberal escribiría el epitafio definitivo de este periodo: «el Perú dejó de ser una nación de ciudadanos y se convirtió en una sociedad de mercaderes; la corrupción se infiltró en todos sus poros».[67]

Hacia la bancarrota

Las elecciones presidenciales de 1872 las ganó claramente don Manuel Pardo, un líder popular apoyado por el moderno Partido Civil. Pero poco antes de la transferencia del poder, un golpe militar liderado por los despiadados coroneles y hermanos Silvestre, Marceliano, Marcelino y el ministro de Guerra Tomás Gutiérrez, depuso y asesinó al presidente Balta, quien había apadrinado antes a los hermanos Gutiérrez. En respuesta, el pueblo linchó en las calles a tres de los jefes del golpe y cortó de raíz las nuevas intenciones dictatoriales. Pardo asumió el mando como presidente constitucionalmente electo en agosto de 1872. En su primer mensaje público al Congreso, Pardo fue categórico: la bonanza del guano se convertiría en una pesadilla de no adoptarse medidas drásticas. La renta procedente de la venta del guano estaba íntegramente comprometida al servicio de la deuda externa. El déficit fiscal debía ser financiado con nuevos impuestos a la exportación y otros impuestos indirectos. Pardo también propuso ahorros fiscales mediante reformas y medidas descentralizadoras.[68]

Todo ello se reflejó en las lamentaciones de un contemporáneo hombre de negocios: «¿Qué buen uso se ha dado a esos millones y millones de dólares provistos por el guano? ¡Casi nada para el país mismo! Los asuntos privados se han enriquecido y mucho dinero ha sido gastado en pólvora, balas, cañones, rifles, espadas y blindados».[69] Para los observadores extranjeros bien informados, los suntuosos gastos del gobierno de Balta habían dejado al erario en la más lamentable situación, a pesar de las rentas del guano y aduanas. Unas cuestionables obras públicas de todo tipo habían sido concedidas «para conservar la popularidad [del gobierno]»; los costosos ferrocarriles eran «prematuros, por decir lo menos».[70] Bajo el peso de la excesiva deuda pública, el déficit fiscal crónico sumaba más de veinte millones de soles al año.[71] Según una evaluación periodística crítica y reveladora, los dreyfuistas habían comprometido el crédito nacional para toda una generación. Habían vendido la última pizca de guano; construido ferrocarriles «a la luna», entre otras obras monumentales; y repartido contratos de obras públicas, algunas de las cuales se hicieron mediante la farsa de las licitaciones públicas, con lo cual prácticamente no habían dejado nada a los siguientes gobiernos. La transición del gobierno de Balta-Dreyfus al de Pardo fue la transición del escándalo de la «[p]estilente corrupción a la notable pureza».[72]

Pardo era considerado un «auténtico reformista», en consonancia con sus políticas anteriores como ministro de Hacienda en el decenio de 1860. El presidente civil abanderó un sincero intento de reformar las finanzas públicas y la administración estatal para construir una estabilidad institucional.[73] Ya desde noviembre de 1872 se abocó a realizar una reorganización exhaustiva del ejército, reduciendo su tamaño y costos, al mismo tiempo que incrementaba su formación profesional mediante la fundación de las escuelas militares y navales. Muchos oficiales fueron separados del servicio activo, en tanto que una nueva guardia nacional reclutaba civiles para asegurar el orden público. Del mismo modo, la burocracia pública, semillero del patronazgo, se aminoró, sobre todo en el caso de la administración de las aduanas. En esta última se redujo el tamaño del personal y se aumentaron salarios para minimizar la corrupción y el contrabando. La descentralización fiscal y las reformas administrativas de Pardo enarbolaron la bandera de la lucha contra la corruptela pública a través de medios constitucionales. Durante su gobierno se descubrieron prácticas corruptas en la administración del erario. El Congreso celebró audiencias y debatió en torno a los cargos constitucionales presentados contra varios ministros de Balta. Sin embargo, este impulso anticorrupción parlamentario no logró reunir una mayoría que pudiera imponer medidas punitivas. La plataforma reformista de Pardo para su «república práctica» incluía el incremento de la inversión estatal en la educación primaria y reafirmaba la convicción de que las capacidades humanas podían mejorarse mediante la instrucción y la práctica del autogobierno local.[74]

A estos esfuerzos reformistas de Pardo se opusieron quienes deseaban regresar a las condiciones favorables de la acumulación deshonesta de riqueza y poder. Oficiales militares descontentos, algunos separados del servicio activo tras la reforma del ejército, incubaron un profundo resentimiento contra Pardo y estuvieron en el centro mismo de las conjuras planeadas contra su vida. Los católicos y religiosos a ultranza se unieron a la oposición en defensa de las tradiciones que veían atacadas por Pardo, la instrucción pública en particular. El fallido intento de asesinar al presidente en la plaza mayor de Lima el 22 de agosto de 1874 implicó al descontento capitán Juan Boza y a otros oficiales del ejército. En la escena se oyó el lema «larga vida a la religión y muerte a Pardo». Las conspiraciones se multiplicaron durante su gobierno, pero este resultó notablemente resistente, gracias al respaldo popular con que contaba en Lima, así como a la fiel jefatura del ejército regular, la Marina y la Guardia Nacional.[75]

Entre los enemigos declarados y más virulentos de Pardo figuraba Nicolás de Piérola, quien ahora actuaba como caudillo civil beneficiario de la oposición conservadora. En 1872, Piérola defendió sus acciones como ministro ante una legislatura incapaz de probar convincentemente su corrupción administrativa. Desde entonces estuvo implicado en conspiraciones armadas, izando el pendón de una guerra necesaria contra el gobierno. En diciembre de 1872, Bogardus, el fiel partidario de Piérola y archienemigo de Pardo, diseñó un plan para hacer volar el tren que transportaba al presidente hacia Chorrillos. En 1874, Bogardus también invirtió alrededor de 60.000 soles en Liverpool para comprar el vapor *Talismán* y 2000 para adquirir rifles. Comandada por el mismo Piérola en 1875, la expedición insurrecta del *Talismán* desató el caos en el norte y el sur del Perú, propagándose a Arequipa, antes de que fuera vencida por Pardo y sus fuerzas navales y militares. Piérola, un conspirador incurable, cultivó el arte de los levantamientos políticos y las aventuras militares. Sus partidarios financieros y políticos incluían a Dionisio Derteano, Juan Martín Echenique, Guillermo Billinghurst, el chileno Barahona y, claro está,

Dreyfus, quien esperaba recibir una excelente retribución una vez que Piérola lograra capturar el poder.[76]

Pardo inicialmente se enfrentó a Dreyfus y Meiggs sobre asuntos contractuales y de cobros indebidos, pero no logró librar de inmediato al erario peruano de su control. Debía cubrirse el servicio de la deuda externa del país, aunque el fisco se hallaba urgentemente necesitado de rentas. Los negocios locales estaban sedientos de letras de cambio y las obras de construcción ferrocarrilera debían proseguirse o, por el contrario, se arriesgarían convulsiones internas por el despido forzado de alrededor de 20.000 trabajadores. Unos continuos arreglos y ajustes financieros tanto con Dreyfus como con Meiggs fueron algo inevitable durante los primeros años de crisis monetaria y financiera del gobierno de Pardo. Dos nuevos acuerdos con Dreyfus garantizaron un ingreso mensual fijo y el servicio de la deuda pública. Solo en abril de 1874 pudo Pardo sentar las bases para la liquidación ulterior del Contrato Dreyfus.[77]

Dreyfus continuó luchando tenazmente al contar ahora con el influyente respaldo político de su antiguo abogado Jules Grévy, presidente de la Asamblea Nacional de Francia (y posteriormente presidente de la República entre 1879 y 1887), quien hizo una recomendación especial a la misión de su país en Lima a favor de Dreyfus. En septiembre de 1873, el representante diplomático francés en Lima temía que la «campaña contra la casa Dreyfus», emprendida por el gobierno peruano, pudiera tener consecuencias desastrosas para los intereses franceses en el Perú y, por tanto, que su gobierno pudiera verse obligado a intervenir.[78] En marzo de 1876, el general Mariano Ignacio Prado, el enviado peruano en Londres, firmó un nuevo contrato de venta del guano con el banco comercial Raphael & Sons y los capitalistas peruanos Carlos Gonzales Candamo y Arturo Heeren, quienes formaron la Peruvian Guano Company. Dreyfus se opuso a estas medidas que buscaban quitarle el monopolio del fertilizante y le declaró la guerra abierta al gobierno peruano, lo cual implicó costosos litigios en Londres y en París. En consecuencia, el conflicto con Dreyfus acentuó la incapacidad de Lima para cubrir el servicio de la deuda externa, lo que significaba un cese de pagos de facto que afectó el crédito del país en el extranjero. Estos hechos ocurrieron en medio de una recesión internacional e intensificaron la crisis monetaria y económica del país.[79]

La presión conjunta, ejercida internamente por Piérola y financiera y políticamente en el exterior por Dreyfus, limitaron la capacidad del presidente Pardo de tomar medidas para desembrollar el dilema financiero del Estado. En estas circunstancias y con presión del Congreso, Pardo siguió la política de elevar los impuestos y eventualmente expropiar los campos de salitre de

Tarapacá con el fin de crear un monopolio estatal que pudiera resolver los problemas fiscales. Esta acción fue un grave error, pues la nueva estrategia del salitre generó menos ingresos de lo esperado y no logró detener la competencia entre los precios del salitre y el guano. La tasación oficial para las expropiaciones y la especulación con los certificados salitreros, emitidos como compensación a los dueños o concesionarios de salitreras, abrieron nuevas vías a la corrupción.[80] Aún más, los impuestos más altos al salitre y la expropiación desataron la oposición militante de los intereses peruanos (Guillermo Billinghurst), chilenos e ingleses (Gibbs & Co.), vinculados al negocio de este producto de exportación.

Para financiar las medidas referidas al salitre y el creciente déficit, Pardo cometió, asimismo, el error de confiar en la debilitada banca peruana. La percepción pública consideraba que los bancos locales eran los vástagos de los excesos de la era del guano. La crisis monetaria de 1872-1873 y las crecientes necesidades fiscales inclinaron al gobierno a decretar que los bancos podían garantizar sus emisiones particulares de papel moneda con deuda pública. A partir de este momento, el Estado incrementó su intervención en el sistema bancario, una política criticada por García Calderón.[81] En agosto y septiembre de 1875, la peligrosas suertes de los bancos y el fisco quedaron firmemente ligadas: los primeros le otorgaban préstamos al gobierno y, a cambio, los depreciados billetes bancarios eran declarados circulante obligatorio. Estas y otras medidas anteriores poco ortodoxas contribuyeron a la mala administración de los principales bancos privados, lo cual incluyó préstamos a sí mismos para atender negocios propios en detrimento de los de sus clientes (Banco del Perú), la emisión clandestina o ilegal de papel moneda (Banco Nacional de Dreyfus y Banco Garantizador) y el fraude y desfalco desembozados (Banco de la Providencia, administrado por Domingo Porras).[82] La colaboración de los banqueros con el gobierno en la comercialización del salitre y otros arreglos crediticios y monetarios obstruyeron la quiebra necesaria de los bancos desvirtuados y menos eficientes, lo que a su vez minó a todo el sistema bancario y crediticio en vísperas de la Guerra del Pacífico.

Ignominia en la guerra

Durante el gobierno elegido del general Mariano Ignacio Prado (1876-1879), el expresidente Pardo, en ese entonces presidente del Senado, fue asesinado mientras era recibido por un destacamento militar a la entrada del Congreso. El sargento Melchor Montoya, un miembro del destacamento protocolar, usó su rifle para dispararle a quemarropa. Los conspiradores militares le habían puesto la mira al líder civilista, en represalia por la reforma de los ascensos militares que el Congreso venía discutiendo. Sus furiosos oponentes habían logrado, finalmente, asesinar a Pardo, luego de varios intentos preparados por los pierolistas y sus aliados conservadores. Se esperaba que Pardo volviera al poder una vez finalizado el mandato de Prado. De este modo, la carrera de un auténtico reformista se vio truncada por las fuerzas que se resistían a la necesaria reestructuración de las condiciones institucionales que amparaban la corrupción.

Piérola continuó conspirando contra el presidente Prado con el decidido respaldo de Juan Martín Echenique, Bogardus y el coronel Federico Larrañaga. Ellos estuvieron detrás de la dañina insurrección a bordo del acorazado monitor *Huáscar* que conmovió al régimen en 1877 y dejó considerables gastos poco antes de la guerra con Chile. Dreyfus siguió compitiendo con la Peruvian Guano Company y disputó, en los tribunales, la resolución financiera exigida por el gobierno peruano. En este complicado escenario financiero internacional eran cuatro los principales intereses que estaban en juego: el del gobierno peruano (representado por los comisionados fiscales José Araníbar y Emilio Althaus), el de los tenedores de bonos extranjeros, el de Dreyfus y el de la Peruvian Guano Company. Esta última dejó de cubrir el servicio de la deuda externa en enero de 1879, el segundo cese de pagos de facto en tres años. Durante la guerra, la Peruvian Guano Co. también cesó los pagos al gobierno peruano y prefirió tratar directamente con Chile, juntamente con un comité de tenedores ingleses de bonos de la deuda peruana.

Las tirantes relaciones diplomáticas con Chile en torno a las políticas tributarias bolivianas en la región productora de salitre de Atacama y una alianza defensiva secreta entre Perú y Bolivia fueron los principales factores que se han alegado desataron la Guerra del Pacífico (1879-1883). El cese de pagos de la deuda externa por parte del gobierno peruano incrementó su aislamiento de las fuentes de crédito internacional y de cualquier tipo de respaldo diplomático. La obtención de fondos y crédito para la defensa nacional se fue haciendo cada vez más difícil.[83] Solamente unas cuantas casas comerciales interesadas se arriesgaron a asistir al asediado gobierno peruano en la compra de armamento sumamente necesario. Entre ellas, una empresa mediana fue la Grace Brothers & Co., que contaba con una estratégica organización internacional, asegurada por su capitalización inicial en el Perú iniciada a mediados de siglo, durante la temprana bonanza del guano. Su muy rentable negocio evolucionó de abastecedor de barcos en las islas guaneras de Chincha y el puerto del Callao a importador mayorista, sirviendo a clientes prominentes (Dreyfus entre ellos), a *brokers* suministrando pertrechos para la Marina peruana y, ya en 1869 durante el gobierno de Balta, a proveedores de madera de pino para los proyectos ferroviarios de Meiggs, así como dando crédito

Fig. 5. Ordeñando la vaca lechera nacional. Extracciones del tesoro nacional por parte de autoridades militares y civiles que imponen a su vez austeridad a famélicos peruanos durante la primera administración del general Manuel Ignacio Prado (sosteniendo la cuerda que ata la vaca por el cuello) y su vicepresidente general Pedro Diez Canseco (en uniforme, ordeñando). «Lechería peruana» por J. J. Rasoir, *La Campana*, n.° 3, 1867, p. 4. Biblioteca Nacional del Perú, Lima.

Fig. 6. Drenaje del ingreso nacional del guano por la élite política y económica. «En esta tierra guanera ¡Qué buena es la mamadera!». *El Cascabel*, n.° 16, 1873, p. 3. Biblioteca Nacional del Perú, Lima.

comercial a los hacendados azucareros. Finalmente, apoyó a los especuladores y consignatarios del guano y salitre, respaldados financieramente por Baring Brothers & Co. de Londres. William R. Grace, el jefe de la compañía, se casó con una mujer estadounidense y eventualmente se mudó a Nueva York, donde se convertiría en el primer alcalde católico irlandés (1881-1882) apoyado por la maquinaria del Partido Demócrata. Michael P. Grace, un hermano menor, quedó a cargo del negocio peruano y posteriormente desarrolló su propio emporio con base en Londres.[84]

A lo largo de los años, los Grace y sus asociados se habían esforzado por establecer relaciones amistosas con las más altas autoridades peruanas. Ellos mantuvieron una correspondencia personal con el presidente Prado referida, entre otros asuntos de negocios privados y oficiales, a la compra de caballos pura sangre y transacciones de guano y salitre. En 1879, Grace Brothers & Co. actuaba como acreedor comercial privado de Prado. Este, a su vez, le otorgó a la Grace la consignación del guano y del nitrato en los mercados estadounidense y británico, así como el permiso para que actuara como agente financiero peruano en Nueva York y San Francisco. A partir de estas bases personales y oficiales, Grace también lucró con el comercio de rifles, carabinas, cartuchos, torpedos y naves torpederas manufacturados en Estados Unidos y suministrados a las Fuerzas Armadas peruanas durante la guerra.[85] Sus intereses comerciales y financieros pusieron a los Grace firmemente del lado peruano durante la guerra con Chile. La compañía también usó la importante influencia que tenía en Estados Unidos —en los medios financieros, de prensa y políticos— para cabildear a favor de una política diplomática estadounidense que apoyara a sus intereses en el guano y el salitre que se encontraban en juego por la Guerra del Pacífico.[86]

Desde el inicio de la guerra, la derrota de las fuerzas navales y militares peruanas estaba casi asegurada, dada la superioridad de las fuerzas navales y terrestres chilenas y su muy desarrollada red de apoyo internacional. Después de perderse las primeras batallas, el presidente Prado decidió abandonar el país en medio de la guerra, con el pretexto de comprar en el extranjero material bélico necesario. Este fue un grave error, seriamente criticado por generaciones venideras, y que según algunos testigos fue inducido por la enfermedad o por el temor que Prado sentía por su vida, bajo la creciente amenaza del movimiento insurrecto de Piérola.[87] Ante la ausencia de Prado, Piérola llevó a cabo un golpe de Estado oportunista y asumió el control del gobierno. Denigró entonces a Prado como un cobarde y lo acusó de haberse robado fondos nacionales. El gobierno dictatorial de Piérola, sin embargo, continuó comprando armas y municiones muy costosas y en ocasiones defectuosas a Grace Brothers & Co., así como a otros proveedores.[88] Gracias a estas conexiones de negocios, Piérola pasó a ser un buen amigo de M. P. Grace, con quien mantuvo una correspondencia regular e inquietantemente franca.[89]

La dictadura de Piérola impuso nocivas decisiones financieras que aceleraron la inevitable derrota militar. Por cierto, una de las primeras medidas tomadas por su gobierno fue devolverle a Dreyfus su papel como principal agente financiero del Perú y su acreedor en el extranjero, hecho que violó los acuerdos financieros existentes con otras compañías. Un decreto firmado por Piérola y su ministro de Hacienda Manuel Antonio Barinaga en noviembre de 1880 reconoció, asimismo, todas las demandas contables pasadas que la casa francesa tenía contra el Perú. A pesar de una resolución previa tomada en 1878, según la cual Dreyfus en realidad debía 657.387 soles, la deuda total con Dreyfus que Piérola reconoció sumaba casi 17 millones de soles (3,2 millones de libras).[90] Con esto, Piérola estaba claramente recompensando el respaldo político y financiero que Dreyfus le había prestado. Los juicios que este controversial decreto generó se prologaron por décadas.

Más aún, Piérola canceló el contrato Rosas-Goyeneche con el Crédit Industriel, rival de Dreyfus, que representaba a los tenedores de bonos franceses, belgas y holandeses que habían prometido recursos para librar la guerra. Arremetió contra los negociadores de este y otros acuerdos en el extranjero, confiscando las propiedades de Francisco Rosas y Juan M. Goyeneche en Perú. Muchas otras personas que criticaban sus políticas financieras fueron arrestadas o amenazadas.[91] Además, Piérola diseñó la cancelación de la deuda externa con la audaz transferencia de la propiedad de los ferrocarriles nacionales a los tenedores de bonos extranjeros, quienes rechazaron la oferta y trataron entonces directamente con Chile. Su política monetaria exacerbó la crisis financiera y la inflación.[92] Todas estas medidas estuvieron «signadas por la ignorancia o la deshonestidad» y los nuevos contratos con Dreyfus se consideraron desastrosos e impropios, puesto que muchos observadores pensaban que Piérola tenía una participación en las ganancias.[93]

La estrategia seguida por Piérola para defender Lima de las fuerzas invasoras chilenas fue del todo inepta y estuvo dirigida por oficiales del ejército de reserva como Juan Martín Echenique, a los que se había nombrado por razones políticas. En su huida del ejército enemigo que avanzaba sobre Lima, los incompetentes oficiales de Piérola olvidaron destruir información delicada y confidencial, que cayó en manos chilenas. Dicha información revelaba, entre otras cosas, la política exterior de Piérola y sus tirantes relaciones con el ministro británico en el Perú.[94]

En medio de una crisis extrema, Piérola encontró excelentes oportunidades para malversar y saquear los fondos destinados a la defensa nacional.[95] Jamás se presentó cuenta o registro oficial alguno para justificar los retiros y el gasto de entre 95 y 130 millones de soles durante el año de dictadura de Piérola: una investigación oficial llevada a cabo años más tarde encontró que durante la guerra hubo irregularidades extremas en el manejo de los fondos y gastos públicos, pero nunca se impuso sanción alguna.[96] Este uso descuidado de fondos públicos en medio de la guerra se justificó como parte de una serie de medidas imperativas, tomadas para «salvar» y «defender» la patria. El resultado práctico de las acciones de Piérola fue exactamente lo opuesto a una salvación y defensa exitosa.

Luego de huir al interior del país, Piérola continuó sometiendo a diversas aldeas y pueblos a expoliaciones que le sirvieron principalmente para apuntalar su decreciente fortuna política. Nombró entonces a tres grandes jefes regionales políticos para que encabezaran su movimiento: Pedro A. del Solar (sur), Juan Martín Echenique (centro) y Lizardo Montero (norte). Pronto, el disenso político entre las muchas facciones peruanas en guerra creó las condiciones de una guerra civil y de clase, bajo la ocupación y la opresión chilena.[97] Tras un entendimiento «privado y confidencial» con las autoridades de ocupación chilenas y con su consentimiento, Piérola finalmente dejó el país en marzo de 1882. Se dirigió entonces directamente al exilio en París, donde los fondos y la hospitalidad de su amigo Dreyfus le apoyarían en otra campaña más para volver a capturar el poder cuando las condiciones así lo permitiesen.[98] Michael P. Grace también le escribió a uno de sus asociados que Piérola «siempre ha mostrado ser un valioso amigo, y probablemente [estará] en posición de hacerlo nuevamente».[99] Además, a pedido de Piérola, Grace le proporcionó unos «préstamos» en reconocimiento a sus «pasados» servicios y con la interesada expectativa de que el exdictador nuevamente volviera a ser presidente.[100] (Grace ya había desarrollado «evidentes propensiones chilenas» y había abierto una sucursal de su compañía en Valparaíso.[101]) Este patrón de emplear medios corruptos para conseguir poder político a cualquier costo, incluyendo los subsidios indebidos de parte de intereses extranjeros, se convirtió en una larga tradición en la política peruana.

Pérdidas exacerbadas

En 1882, Lima era una «ville complètement ruinée», con su comercio paralizado y su población y propietarios expuestos a crueles abusos, destructivas represalias y levas de parte de los ocupantes chilenos.[102] Para presionar por demandas territoriales anexionistas en el sur, el ejército invasor destruyó propiedades y extrajo contribuciones compulsivas, de forma parecida a como lo habían hecho los tempranos caudillos militares en el turbulento pasado. En las cenizas de la derrota, la élite peruana se agrupó en torno a Francisco

García Calderón, quien fue nombrado presidente provisional del Perú bajo la ocupación enemiga. Las autoridades chilenas pensaban que el gobierno cautivo de Magdalena, así llamado por el pueblo en las afueras de Lima donde García Calderón despachaba los asuntos oficiales, satisfaría sus demandas. En lugar de ello, este gobierno simbólico defendió a los propietarios peruanos de las expoliaciones chilenas, restableció la Constitución de 1860, mantuvo consultas con una legislatura nominal y criticó las ambiciones dictatoriales de Piérola.[103] García Calderón usó su precaria posición para desarrollar una estrategia inteligente de rechazo a las concesiones territoriales a Chile, unir a los jefes políticos peruanos y ganar el respaldo diplomático de Estados Unidos. Si alguien podía lograr semejantes hazañas, tenía que ser este experimentado y hábil abogado y negociador, que había contribuido ya antes a la reforma legal y constitucional del Perú.

Para alarma de las autoridades chilenas y de los diplomáticos españoles que actuaban como mediadores, Stephen A. Hurlbut, general de la Guerra de Secesión norteamericana, diplomático republicano, enviado extraordinario y ministro plenipotenciario de Estados Unidos en el Perú, se dedicó a detalladas negociaciones con García Calderón para presionar la aceptación del pago de una indemnización financiera a Chile en lugar de ceder territorio. Hurlbut aplicó dicha estrategia «firme y mesurada» siguiendo las instrucciones generales de James Blaine, el secretario de Estado de EE. UU., quien aprobaba esta posición intervencionista en el conflicto sobre la base de la Doctrina Monroe y los intereses estadounidenses en la costa occidental de Sudamérica: se trataba de contrarrestar el poder que, apuntalado por los británicos, estaba ganando Chile en el Pacífico.[104] Hurlbut y Blaine urgieron la unión entre las facciones peruanas y se opusieron a todo trato con el exdictador Piérola, quien había llevado el país a la derrota y venía intentando minar al gobierno de García Calderón.[105] Varias potencias europeas con intereses en la región, sobre todo España que buscaba mantener la isla de Cuba como colonia, se esforzaron por evitar la intervención de Estados Unidos en esta tensa situación internacional.

El 20 de septiembre de 1881, Hurlbut obtuvo una importante concesión firmada por García Calderón: según un protocolo de cuatro puntos, el Perú le otorgaría a Estados Unidos el derecho indefinido (sujeto a cancelarse por notificación con un año de anticipación) a establecer una base naval y una estación de abastecimiento de carbón en el puerto y rada de Chimbote. Hurlbut le escribió a Blaine que lamentaba no conseguir más con el acuerdo, pero anotó que la concesión de Chimbote era un valioso punto de apoyo que podría posteriormente convertirse en una concesión más exclusiva en sentido jurisdiccional.[106]

Las autoridades y la prensa chilena, alertadas por los ministros británico y español en Lima opuestos al protocolo de Chimbote, exageraron sus ramificaciones y le llamaron un «tratado secreto», además de propagar noticias sesgadas de los intentos de anexión o establecimiento de un protectorado por parte de Estados Unidos en el Perú.[107] Asimismo, a Blaine y Hurlbut se les implicó en una especulación colosal, ligada a dudosas demandas franco-estadounidenses (Cochet y Landreau) contra Perú, en supuesta coordinación con el Crédit Industriel. Este sindicato financiero reclamaba el derecho a explotar los depósitos de guano y salitre de la ocupada provincia peruana de Tarapacá, para así pagarle al gobierno chileno una indemnización financiera.[108] Según los informes de la prensa en Nueva York y Chile, hasta el presidente francés Grévy estaba supuestamente involucrado en este plan.[109] Aunque basados en hechos parciales, tales informes se fundaron en alegaciones falsas, alimentadas en parte por la campaña del abogado neoyorquino Jacob Shipherd, jefe del sindicato financiero de fachada «Peruvian Company». Este venía cabildeando para que se estableciera un protectorado estadounidense en el Perú que impusiera un arreglo multimillonario a las demandas especulativas de Cochet y Landreau.[110]

El protocolo firmado por Hurlbut y García Calderón tenía un grave defecto, que provocó su rechazo en Estados Unidos: Hurlbut había sido asignado como el titular legal temporal de la concesión, y eso despertó sospechas de conflictos de interés con sus obligaciones oficiales. Hurlbut recibió un telegrama cifrado del mismo Blaine advirtiéndole su implicación en posibles actos impropios.[111] El protocolo fue posteriormente rechazado por el gobierno de Estados Unidos. Mientras preparaba su inminente partida de Lima para enfrentar una indagación del Congreso en Washington, Hurlbut sufrió lo que pareció ser un ataque al corazón y falleció a finales de marzo de 1882.[112]

La estrategia intervencionista de Blaine cambió radicalmente tras la muerte del presidente republicano James Garfield (jefe de la facción republicana más liberal de los *half-breed* o mestizos). A finales de diciembre de 1881, el nuevo presidente Chester Arthur (un republicano *stalwart* o incondicional) nombró al conservador F. T. Frelinghuysen en reemplazo de Blaine como secretario de Estado. Ahora se instruía a los enviados estadounidenses a que presionaran a favor de que el Perú aceptara las concesiones territoriales como requisito para un tratado de paz con Chile.[113] Según el enviado diplomático español, el prestigio de la política estadounidense en la región sufrió debido a sus vacilaciones, errores y a la «inepcia y honorabilidad muy cuestionable» de sus agentes diplomáticos.[114]

Michael P. Grace, quien había criticado también la errática política diplomática de Washington,[115] reconoció ahora la necesidad de efectuar concesiones territoriales a Chile y le escribió con estas ideas al exiliado exdictador

Piérola.[116] El general Miguel Iglesias, uno de los más estrechos aliados políticos de Piérola y su exministro, aprovechó la oportunidad ofrecida por las autoridades chilenas y los diplomáticos, comerciantes y financistas extranjeros para firmar el tratado de paz de Ancón, cediendo una gran parte del territorio peruano a Chile.

A pesar del fracaso final de las negociaciones de García Calderón, condenadas y tachadas por la influencia de intereses extranjeros y la enorme presión a que se vieron sometidas, sus esfuerzos sentaron las bases para la reconstrucción constitucional al finalizar el conflicto. García Calderón ofreció una alternativa a la del caudillo Piérola más en consonancia con las opciones reformistas civiles iniciadas por Manuel Pardo a finales de la década de 1860. A su regreso del exilio impuesto por las autoridades chilenas, García Calderón, el máximo negociador y conciliador de los intereses públicos y privados, contribuyó a la reconstrucción de las bases empresariales y legales que lanzaron al Perú a una nueva etapa de modernización. Esta era, desafortunadamente, también estuvo asociada a un nuevo ciclo de corrupción desenfrenada.

En discrepancia con las perspectivas históricas que han restado importancia a la corrupción durante esta fase crucial de bonanza que generó la era del guano, las evidencias muestran que las corruptelas tuvieron un peso particularmente crucial en este periodo. La corrupción contribuyó a la derrota de reformas legales y administrativas necesarias, así como a exacerbar la crisis financiera, reducir el potencial para el desarrollo económico y, en última instancia, conducir al Perú al peor desastre económico, político y nacional de su historia.

* * *

El ciclo de corrupción del guano, que venía creciendo desde mediados de siglo en paralelo a sus crecientes recursos, alcanzó su punto máximo a finales del decenio de 1860 y comienzos del siguiente con los costos de corrupción más altos del siglo, que sumaron un estimado de 108 millones de soles para la década de 1870, es decir, el promedio anual más alto de todo el periodo republicano de 1820-1899 (véase el cuadro A.3 del apéndice). Del mismo modo, el nivel comparativo de la corrupción, medido como un porcentaje del producto bruto interno (PBI), alcanzó el índice más elevado de la etapa decimonónica (exceptuando la década muy particular de 1820): un asombroso estimado de 4,6 por ciento del PBI (véase el cuadro A.4). Específicamente, el gobierno de Balta-Piérola (1869-1872) y la dictadura de Piérola (1879-1881) durante la guerra con Chile resultaron ser los más corruptos de esta época (cuadro A.7).

El costo total directo de la corrupción aumentó cuando la creciente deuda pública, intencionalmente mal gestionada, y las prácticas ya arraigadas de soborno en los contratos guaneros y de obras públicas, pasaron a ser los principales medios para amparar la corrupción. Parlamentarios y jueces, juntamente con las autoridades del Ejecutivo, participaron de modo más amplio en el tráfico de influencias y corruptela dentro de un aparato gubernamental más complejo, evadiendo consistentemente la mejora de leyes y reglamentos. Aunque la corrupción militar, una constante a lo largo del siglo, había quedado temporalmente restringida a mediados del decenio de 1870, esta se amplió considerablemente con la escalada bélica mediante las adquisiciones de armas y equipos, en las cuales intervenía una compañía extranjera favorecida indebidamente. La reputación del Perú como un nido de políticos y negociantes corruptos también contribuyó indirectamente a la pérdida de una inversión extranjera y doméstica más transparente, la baja reputación crediticia y el aislamiento internacional en vísperas de la guerra.

El destape de transgresiones corruptas alcanzó su paroxismo en la década de 1870, cuando se multiplicaron las campañas periodísticas y panfletarias, financiadas a menudo por las partes interesadas que se echaban la culpa mutuamente. Un descabellado viaje del presidente en medio de la guerra fue usado para justificar una insurrección, que produjo aun peores casos de corrupción a pesar de la inminente derrota militar. Durante la ocupación chilena, fracasaron los esfuerzos realizados por unos cuantos jefes peruanos para reducir pérdidas exageradas. Debido a la extensa devastación material, institucional y moral como consecuencia de la guerra, el camino hacia la reconstrucción y la recuperación continuó obstaculizado por la corrupción. Generaciones de peruanos quedaron marcadas por esta ignominiosa derrota en la guerra y por la pérdida del patrimonio nacional, todo lo cual resulta difícil de olvidar o de esconder.

CAPÍTULO 4

La modernización y sus secuaces, 1884-1930

M anuel González Prada (1844-1918), testigo presencial de la caída y ocupación de Lima por el Ejército chileno, elaboró a partir de estas dolorosas memorias una fuerte crítica literaria contra la dirigencia política y social del país, pues las considera responsables del desastre. Desde los últimos reductos de defensa de la ciudad, el indómito heredero de una conservadora familia terrateniente observó la deserción de las bisoñas tropas peruanas ante el avance de curtidos soldados chilenos. En medio de los improvisados preparativos de último minuto, varios oficiales de reserva abandonaron sus puestos por noches de disipación. Vándalos y soldados descarriados saquearon tiendas y casas de residentes chinos tras la ignominiosa derrota militar. Ileso pero amargado, González Prada retornó a su hogar limeño, donde permaneció encerrado durante los dos años y medio que duró la ocupación militar hasta la firma del oneroso tratado de paz de Ancón, el 20 de octubre de 1883.[1]

Al finalizar la guerra, González Prada forjó su acerba crítica en diversos discursos, artículos periodísticos, libros y manuscritos inéditos. El escritor se convirtió así en uno de los luchadores y críticos más implacables contra la corrupción en la historia moderna peruana. Ofreciendo romper el «pacto infame i tácito» de insinceridad e hipocresía, González Prada expuso con claridad el legado y las raíces históricas del liderazgo corrupto, inepto e irresponsable. En notable similitud con la postura que su distinguido ancestro materno Antonio de Ulloa tomara contra la corrupción, González Prada sostuvo que los políticos habían vendido su conciencia y pluma al más alto postor. Familias enteras habían vivido del tesoro nacional como si se tratara de un derecho heredado sin implementar los cambios realmente necesarios y patrióticos. Esta forma de ganarse la vida generaba mediocridad y cobardía moral. Todos pretendían ser lo que no eran como actores de una farsa colosal. Las recurrentes luchas por el poder brindaban recompensas inmerecidas a los partidarios políticos, mediante favores ilícitos y el abuso de las finanzas gubernamentales. Los partidos políticos eran meros clubes electorales de malsanas ambiciones mercantiles. «¿Qué era el Poder Judicial? Almoneda pública, desde la Corte

Suprema hasta el Juzgado de Paz.» El Congreso, un grupo envilecido conformado por los parientes, amigos y criados del presidente.[2] El Perú era un organismo enfermo, «donde se aplica el dedo brota pus».[3]

En su impotencia y rabia ante el estado calamitoso del país, González
Prada lanzó un ataque radical contra múltiples instituciones y personalidades. Creía que en el país no había una sola persona honrada. Una sombría
interpretación histórica sustentaba su crítica. Desde la década de 1840, los
«hacendistas criollos», supuestamente expertos nativos en finanzas, habían
intentado balancear los crónicos déficits presupuestarios con empréstitos de
altos intereses contraídos con los consignatarios de la riqueza guanera. El país
se había beneficiado muy poco o nada con los ingresos provenientes de las
exportaciones de guano y salitre: calculaba que apenas un 2 por ciento del
valor total de tales exportaciones había sido invertido en obras públicas genuinas. Argüía a continuación que los «mercaderes políticos» habían saquea-
do los activos nacionales y que la «riqueza nos sirvió de elemento corruptor,
no de progreso material». Escandalosos gatuperios tuvieron lugar en la adquisición de préstamos públicos, la construcción de ferrocarriles, las emisiones
de papel moneda y la expropiación de las salitreras. Los contratos Dreyfus,
Meiggs y Grace fueron grandes ferias en las cuales la prensa, empleados públicos, diplomáticos, tribunales de justicia, cámaras del Congreso, ministros
y presidentes se ponían a la venta. Todas las clases buscaban un enriquecimiento rápido para el cual ningún medio ilícito. Estaban infectadas por una
«neurosis metálica» que hacía que los esposos vendieran a sus esposas, los
padres a sus hijas y los hermanos a sus hermanas. Conformando un extenso
harén para Meiggs, las familias «decentes» eran parte del ambiente general
de prostitución moral. Aún más, en medio de la guerra, los jefes militares,
«eternos succionadores de los jugos nacionales», hurtaban fondos destinados a las tropas, jugaban, bebían y se disipaban en lugar de combatir.[4]

Estas imágenes pesimistas tuvieron un profundo impacto sobre varias generaciones de peruanos. Su inicial postura de vengador moral llevó a
González Prada a concebir difusas alternativas de reforma y revolución social.
Sus ideas anarquistas, reforzadas durante su estadía en Europa entre 1891 y
1898, fertilizaron a futuros movimientos radicales de izquierda en el Perú. Ni
siquiera la evidente recuperación económica a partir de la década de 1890 lo
disuadió de su lúgubre perspectiva, pues el progreso económico significaba
para él solo el enriquecimiento de la élite en medio de una extensa pobreza.
Estas ideas se adaptaban bien a una dicotomía que impregnaba el país: o bien
uno se beneficiaba del desorden existente, o bien se luchaba por destruirlo
todo.[5] A pesar de las ideas nihilistas de González Prada, la realidad de recuperación y modernización se fue imponiendo. Luego de alcanzar su nadir, la

situación del país fue mejorando. Pese a ello, los elementos notorios de la vieja corrupción, que en el pasado habían debilitado las instituciones y el crecimiento, persistieron tercamente.

Se alquilan militares

González Prada sostenía que la guerra, el desastre económico y una sustancial pérdida de territorio no habían servido de lecciones para enmendar los males heredados. La élite civil había quedado sumamente debilitada con los pesados gravámenes, expropiaciones, quiebras y la perturbación económica durante la guerra y la ocupación militar. Profundas divisiones políticas continuaron minando la unidad y la estabilidad nacionales. El camino hacia la recuperación inevitablemente comenzó con el renacimiento de los feudos militares, pagados y mantenidos por extranjeros o nacionales, hecho que reforzó a grupos o redes de interés. En cierta medida, la Guerra del Pacífico había contribuido a una involución que recordaba los días más obscuros del caudillismo inmediatamente posterior a la independencia. En forma parecida a los primeros días de la república, los caudillos militares luchaban entre sí por el poder, las finanzas públicas eran caóticas, no existía el crédito externo y la recaudación de las rentas públicas semejaba un saqueo bajo el disfraz de la causa nacional.

El gobierno del general Miguel Iglesias (1882-1885) fue descrito como un títere de los intereses chilenos.[6] Repudiado por la mayoría de los peruanos, su sostén en realidad lo proporcionaban las tropas chilenas. El régimen de Iglesias fue reconocido apresuradamente por gobiernos extranjeros, ansiosos por inyectar estabilidad en esta parte volátil del Pacífico. Algunos de estos respaldaron el «derecho de conquista» chileno y se opusieron a cualquier tipo de intervencionismo de Estados Unidos.[7] Con el consentimiento chileno, Grace Brothers & Co., el principal proveedor de armas para el Perú durante la guerra, le vendía a Iglesias carabinas y municiones manufacturadas en Estados Unidos, como parte de la nueva y ambiciosa estrategia de la compañía por consolidar su influencia y concesiones en la región.[8] Iglesias también recibió el respaldo de los principales jefes pierolistas (Manuel Antonio Barinaga, Juan Martín Echenique, así como de Joaquín y Rufino Torrico), quienes serían ministros de su primer gabinete y funcionarios de alto rango, y de solo un puñado de miembros disidentes del Partido Civil (civilistas) como Ignacio de Osma (hermano de Pedro de Osma, un seguidor incondicional de Piérola).[9]

El Tratado de Ancón habría significado el suicidio político de cualquier líder que hubiese aceptado firmarlo. El movimiento de Iglesias, asistido por los seguidores de Piérola, fue un chivo expiatorio conveniente que rubricó la pérdida de las provincias de Iquique y Tarapacá, así como el cautiverio temporal de Tacna y Arica. El gobierno de Iglesias representó un nuevo tipo de militarismo, nacido de la derrota y rendición. No tenía ningún futuro político, pero no dejó de cobrar un precio por sus servicios, incluyendo honorarios e impuestos que lindaban con la extorsión, así como sobornos y sinecuras pagados por intereses extranjeros y nacionales, comprometidos a encontrar remedios económicos y financieros esenciales para la recuperación económica. El general Manuel de la Cotera, un viejo rival político, caracterizó a Iglesias como un obscuro conspirador, instrumento servil del exdictador Piérola. Llamó a su gobierno un régimen de terror, violencia y malversación que atraía a los elementos más corrompidos del país.[10]

Mientras las tropas chilenas eran retiradas del territorio peruano en agosto de 1884, un amargo conflicto político y armado se libraba entre Iglesias y el general Andrés A. Cáceres, tenaz héroe de la resistencia contra la ocupación chilena. Esta lucha interna paralizó las escasas fuerzas vitales del país. La creciente influencia de Piérola a través de su partido, rebautizado ahora como el Partido Demócrata, y de sus seguidores entre las clases bajas de Lima le prestaron un perceptible respaldo al asediado Iglesias, así como a los oficiales chilenos mercenarios enrolados en su ejército.[11] Ni Cáceres ni Piérola intentaron revertir el tratado de Ancón, pues lo consideraron un hecho consumado. Sus ambiciones eran, más bien, mundanamente prácticas. Cáceres buscaba ocupar la presidencia y reemplazar a Iglesias, quien venía perdiendo terreno rápidamente.[12] Cáceres aspiraba a lo que González Prada consideraba era la meta de los altos oficiales militares: alcanzar la presidencia como el ascenso máximo en la carrera militar.[13]

Presionado por las autoridades chilenas y con la asistencia de su ministro de Guerra Juan Martín Echenique, Iglesias desencadenó una cruel represión política y militar contra los seguidores y partidarios de Cáceres. Muchos murieron o fueron deportados, especialmente a raíz de la represión del levantamiento cacerista de Trujillo en octubre de 1884. Una década más tarde, alrededor de cuatrocientos vecinos de Trujillo firmaron una carta en la cual se oponían vehementemente al ascenso a rango de general de Echenique, uno de los aliados más antiguo y cercanos de Piérola. Los firmantes aún recordaban el saqueo, incendio, devastación y extorsiones causados por la expedición punitiva que Echenique dirigiera contra la ciudad norteña. Se le describió como un «hijo ímprobo del Perú», con una carrera militar notoriamente inepta e irregular basada en favores políticos. Durante el ataque a Trujillo, Echenique incluso se apropió de objetos valiosos del hogar del entonces prefecto José María de la Puente como botín de guerra. En el país «no existía sanción moral» contra esas infracciones, afirmaban los vecinos trujillanos.[14]

En noviembre de 1884, un diplomático español lamentó los bárbaros actos cometidos por Iglesias contra sus propios paisanos.[15] Temiendo la creciente oposición en su retaguardia y la cada vez mayor presión del gobierno chileno, Iglesias también deportó y encarceló, en septiembre de 1885, a los dirigentes civilistas José María Quimper y Manuel Candamo, y bajo apremio chileno, hasta a Piérola y algunos de sus seguidores.[16] Aún más, ciertos empresarios británicos se quejaron de que la «administración de justicia [...] ha pasado a ser indigna de dicho nombre» y que fuertes multas eran impuestas a las compañías extranjeras.[17] El enviado estadounidense en Lima reportó el comportamiento arbitrario del gobierno de Iglesias para con los contratistas ferroviarios norteamericanos, quienes sufrían exacciones, requisas y la falta de compensación por el transporte prestado bajo amenazas de confiscación de sus propiedades ferrocarrileras. Iglesias había llegado al poder con poca riqueza y su gobierno recababa pocas rentas y no tenía crédito alguno.[18]

En medio de estas penurias, el gobierno de Iglesias hizo varias concesiones importantes a empresas extranjeras mediante decretos ejecutivos firmados «en la obscuridad de la noche» y violando la legislación existente. Los beneficiarios incluían a varios ciudadanos estadounidenses, entre los cuales se encontraban Edward Du Bois (accionista del ferrocarril de Trujillo) y su socio Michael P. Grace «de Nueva York», quienes arreglaban así sus «prolongadas y continuas dificultades» con las autoridades peruanas.[19] En febrero de 1885, Grace Brothers & Co. obtuvo una concesión de importancia estratégica. La compañía poseía los derechos sobre la línea de ferrocarril Lima-Chilca (comprada por M. P. Grace a la familia de Meiggs y otros accionistas). Sobre esta base, Grace consiguió del gobierno el derecho adicional para la prolongación de dicha línea a los centros mineros de La Oroya y Cerro de Pasco, así como a las obras de drenaje de este último. Esta concesión le proporcionó al consorcio Grace una influencia notable, que aprovechó para conseguir el máximo beneficio en las negociaciones complejas y plagadas de corruptelas que condujeron a la firma del llamado Contrato Grace.

Grace había proporcionado pequeños préstamos y ayudas al necesitado gobierno de Iglesias con el fin de obtener ansiadas concesiones y otras retribuciones, tal como lo explicara el mismo M. P. Grace en referencia a sus negociaciones financieras con el gobierno:

> Nuestra autorización [...] para adelantar £5,000 al gobierno a cambio de los poderes apropiados para forzar un arreglo con la Peruvian Guano Company [deudora del Estado] fue dada porque estamos convencidos que con tal poder eventualmente forzaremos un acuerdo, que [...] nos [...] dará fondos para obligar

al gobierno a cancelar cualquier deuda con [Grace Brothers & Co., en especial la abultada por $66,023] del ferrocarril de Trujillo.[20]

Grace también explicó en la misma carta lo siguiente:

> [...] el adelanto de mil libras a Monocle [el nombre en clave de Piérola] que autorizamos [...] lo hicimos en vista de los muchos servicios que hemos recibido hasta ahora de sus manos, y en general consideramos que no sería buena política rehusarle este monto, siendo él el líder de un partido político grande, y puede que vuelva en el futuro a ocupar el primer plano.[21]

Del mismo modo, la tramitación «torcida y viciosa» de un negociado «entre las sombras de la noche» condujo, en 1885, a un contrato firmado por Manuel Galup, ministro de Hacienda de Iglesias, que otorgó, a la Société Générale de París, la prórroga por cincuenta años de su costosa y criticada administración monopólica del muelle y dársena del Callao. (En 1869, pero implementado solo a partir de 1877, el privilegio exclusivo inicial de cargar y descargar naves comerciales había sido fijado en diez años.) A cambio, el gobierno obtuvo de la Société Générale un préstamo de medio millón de soles, garantizado con la renta aduanera. La compañía francesa cobraba altas tarifas de embarque y desembarque, injustamente reducidas únicamente para las compañías navieras de vapor de banderas chilena y británica.[22] Estos acuerdos fueron cuestionados y vueltos a negociar tras la caída del poder de Iglesias, pero siguieron siendo piedras angulares defectuosas para la recuperación económica y financiera del Perú. Dado el turbio origen de estos contratos, no sorprende que Iglesias y su séquito se hayan beneficiado personalmente con dichos acuerdos oficiales. Asimismo, Michael P. Grace estableció amistades impropias con Iglesias, así como con Piérola y Cáceres, los dos otros contendores por el poder, a quienes Grace cortejaba al mismo tiempo. Apenas a año y medio de su forzado retiro de la escena política, Iglesias fue visto gozando agradablemente de la hospitalidad de Grace en París.[23]

Durante las negociaciones de paz, Iglesias había intentado sobornar a Cáceres prometiéndole una amnistía y un puesto diplomático en Europa si deponía las armas. El «Brujo de los Andes», que es como se conocía a Cáceres por sus hazañas militares contra los chilenos, rechazó indignadamente la oferta y rompió las negociaciones.[24] A medida que el conflicto armado entre los dos generales se intensificaba, Cáceres logró burlar a los comandantes del ejército enviado contra sus fuerzas en la sierra central para tomar control de la capital, prácticamente indefensa; así obligó a Iglesias a renunciar en diciembre de 1885. Un consejo de ministros interino, que contaba con el respaldo de la comunidad empresarial y del cuerpo diplomático extranjero, reintrodujo la Constitución de 1860 y convocó a elecciones, que se celebraron en junio de 1886. En esta transición, el ministro español Emilio de Ojeda jugó un papel clave como mediador y pasó a ser, también, un confidente con acceso privilegiado a Cáceres y a una información excepcional sobre los asuntos políticos internos. Piérola había regresado del exilio en enero, pero se abstuvo de presentar su candidatura, rechazando públicamente la manipulación de reglas electorales mientras preparaba encubiertamente su siguiente insurrección.[25]

El consejo transitorio liderado por el civil Antonio Arenas logró garantizar un mínimo de orden, no obstante la multitud de soldados desmovilizados y los continuos abusos cometidos por las autoridades militares. Estas fueron descritas como «hombres que han estado acostumbrados durante largo tiempo a los procesos militares y a ignorar los métodos legales».[26] Subsistían, sin embargo, los temores en torno de la influencia que ejercían sobre Cáceres las personas que exigían beneficios y recompensas a su lealtad. Se decía que Cáceres era «demasiado aquiescente con sus amigos».[27] El general Cáceres ganó las elecciones indirectas sin oposición alguna, respaldado por el Partido Constitucional, recién formado, y aliado con el Partido Civil, que se hallaba demasiado débil como para presentar su propio candidato.

Una vez en el poder, Cáceres no se distinguió mucho de los caudillos militares anteriores. González Prada era de la opinión de que había dos personificaciones de Cáceres: una de ellas era el héroe de la resistencia contra Chile y la otra emergió durante sus dos mandatos presidenciales (1886-1890 y 1894-1895). Según González Prada, el presidente Cáceres se dedicó a la «rapiña casera» y a la tiranía, violó derechos individuales y estuvo involucrado en dos escándalos de asesinato político, además de interferir con investigaciones judiciales y malversar fondos públicos. Así como Piérola representaba los intereses de Dreyfus, Cáceres representaba los de Grace.[28]

Otros observadores locales y extranjeros verificaron algunas de las afirmaciones hechas por González Prada. Inicialmente, la escasez de recursos financieros obligó al gobierno de Cáceres a forzar préstamos de la comunidad empresarial, mediante «todo subterfugio en su poder para obtener dinero de quien sea [...] en muchos casos injustamente».[29] Una nota entregada a través de la intermediación de dos diplomáticos españoles revelaba el intento del gobierno chileno de sobornar a Cáceres, ofreciéndole dinero para desbaratar acuerdos financieros que venían siendo negociados en ese entonces en el extranjero y que Chile consideraba contrarios a sus intereses. Acertadamente, Cáceres percibió estos ofrecimientos como una trampa. Sin embargo, el diplomático británico que reveló esta información confidencial dudaba sinceramente de un rechazo rotundo a la oferta chilena, puesto que «la necesidad de dinero es tan urgente, y las "camarillas" tan codiciosas, que yo no estaría dispuesto a realizar ningún pronóstico definitivo».[30] Para permanecer en el poder, Cáceres debía alimentar a una camarilla de ambiciosos asociados.

¿Quiénes conformaban esta camarilla? Fundamentalmente los miembros del séquito militar que ayudaron a Cáceres a capturar el poder, luego de las legendarias campañas contra los chilenos e Iglesias. Entre los colaboradores más cercanos y fieles, a los que se recompensó con altos cargos en el gobierno o escaños en el parlamento, estuvieron Justiniano Borgoño, Remigio Morales Bermúdez, Hildebrando Fuentes, Luis Ibarra, Mariano Alcázar, Manuel Patiño Zamudio, Francisco Mendizábal, Daniel de los Heros, Teodomiro Gadea y Manuel E. Lecca. Varios de estos oficiales militares eran también integrantes de la junta directiva del nuevo Centro Militar del Perú, un influyente club social militar que, junto a varias publicaciones militares, recibió el auspicio del gobierno de Cáceres. Los civiles Pedro A. del Solar, Aurelio Denegri, Isaac Alzamora, Ántero Aspíllaga y Elías Mujica, los principales ministros nombrados desde 1886, también habían colaborado fundamentalmente como figuras políticas con rango militar en las campañas dirigidas por Cáceres.[31] Solar, en particular, era el asesor político más fiel y cercano de Cáceres, pese a sus orígenes pierolistas.

Durante los primeros años de la presidencia de Cáceres se produjo una seria ruptura entre el Ejecutivo y el Legislativo. En este último, los civilistas influyentes lamentaban la selección de Solar como primer ministro debido a su vieja y estrecha vinculación con Piérola y su postura clerical. Más aún, el cuerpo legislativo carecía de disciplina interna o de competencia. La mayoría de sus jóvenes miembros debían su elección a los servicios pasados prestados a Cáceres. Los diputados caceristas, por su parte, resentían la influyente posición de Solar y sostenían que este se había unido a Cáceres en los últimos momentos de la lucha contra Iglesias. En octubre de 1886, Solar fue criticado en el Congreso y tuvo que renunciar, pero Cáceres posteriormente volvió a nombrarle primer ministro en otras dos coyunturas cruciales. En algún momento, Solar y Cáceres consideraron cerrar el Legislativo, pero un pacto con el expresidente García Calderón —en ese entonces jefe de una facción parlamentaria civilista dispuesta a colaborar con Cáceres— previno la crisis. Fisuras más profundas surgieron debido al favoritismo que el Ejecutivo mostraba hacia ciertos empresarios en los contratos oficiales, así como al incumplimiento del reglamento del presupuesto público en cuestiones de gastos y nombramientos. Igualmente, se produjeron fricciones entre los ministros de Cáceres: José Araníbar, ministro de Hacienda y primer ministro, renunció en noviembre de 1886, supuestamente porque el presidente lo presionaba para satisfacer las apremiantes demandas de su camarilla militar.[32]

Después de la desmovilización de las guerrillas de Cáceres y las tropas de Iglesias, el anticuado orden militar liderado por Cáceres desde el poder tenía tareas gigantescas que cumplir. Debía fortalecer, modernizar, profesionalizar y armar a las fuerzas militares peruanas para prevenir derrotas en guerras externas e imponer respeto a Chile. El gobierno de Cáceres contribuyó modestamente a la reorganización del ejército con una restructuración básica del caótico sistema de rangos militares y la reapertura de la escuela militar, creada en 1872.[33] Este reacomodo limitado benefició fundamentalmente a los fieles oficiales que participaron en las campañas caceristas.[34] Cáceres mismo se había formado en la vieja tradición de los caudillos militares del estilo de Castilla y Prado. La falta de fondos limitaba el tamaño de las fuerzas armadas regulares a no más de 3300 hombres, entre ellos 3 generales de división, 8 generales de brigada, 32 coroneles, 217 tenientes coroneles y otros oficiales menores, lo que sumaba un total inflado de 2131 oficiales; y tres navíos de guerra pequeños (de los cuales solo uno se compró durante el gobierno de Cáceres).[35] Además, el salario militar era muy bajo y los militares tenían también funciones policiales que complicaban las cosas. Según un testigo británico, «en el Perú la policía [es ...] tal vez la peor de entre las así llamadas comunidades civilizadas; la de Lima constituye una parte integral del ejército regular».[36] Con esta escasez y recursos tan cortos, la reforma militar se hallaba en riesgo.

El desvío sistemático de fondos públicos para el lucro privado se encontraba al fondo de la obstinada resistencia a la reforma y modernización militares. En noviembre de 1887, Aurelio Denegri, el primer ministro de Cáceres, afirmó en un diario local que los fondos nacionales habían sido desviados ilegalmente por sus predecesores inmediatos en el gabinete; mencionó, en particular, al ministro de Guerra, quien se había rehusado a implementar las reformas necesarias en las Fuerzas Armadas para superar el desorden.[37] Las extorsiones cometidas por los oficiales militares se justificaban como la recompensa duramente ganada por sus pasados actos patrióticos. Con Cáceres crecieron las oportunidades para que los oficiales obtuvieran un ingreso superior a su salario. En respuesta a González Prada y a críticos similares, Cáceres defendió su reputación aludiendo a su patriotismo y buenas intenciones para restaurar el crédito del país, atraer capitales y crear trabajo para el pobre.[38]

La popularidad de Cáceres como presidente comenzó a caer hacia abril de 1887 debido a varios factores, entre ellos la misteriosa desaparición del coronel Romero Flores, de quien se sospechaba había sido fusilado y enterrado en secreto por orden directa del presidente.[39] Asimismo, el descontento se debía a la prolongada depresión económica, el desempleo y la extendida pobreza, todo lo cual se consideraba en peor estado que en el gobierno de

Iglesias.[40] Hacia enero de 1891, el prestigio de Cáceres se había derrumbado aún más, luego de cuatro años de gobierno «señalados por peculaciones [sic] y abusos sin cuento»; el más flagrante e injustificado entre ellos era la notoria riqueza privada de Cáceres, no obstante haber llegado a la presidencia sin más fortuna que su intachable nombre.[41] Dos años y medio más tarde, el ministro británico afirmó que el erario peruano se encontraba inusualmente vacío debido al despilfarro, la malversación y el desfalco y a que el «general Cáceres se encuentra del todo desacreditado por la revelación de su corrupción durante su presidencia y las inescrupulosas ilegalidades, etc., de su actual campaña [política]».[42] Para completar la figura, representantes diplomáticos franceses posteriormente observaron que el gobierno de Cáceres estuvo tan signado por los expolios que lo citaban como un «[g]ouvernement de bandits».[43]

Ante la extrema escasez de rentas y sin crédito externo alguno del que abusar, ¿dónde encontraban los militares y los burócratas estatales sus esperadas recompensas? Pese a una frustrada reforma militar y estatal, los hombres de negocios y los financistas presionaban insistentemente para sentar las bases legales de la recuperación económica. Durante el primer gobierno de Cáceres, estas incluían el repudio del depreciado papel moneda (algo dañino para los trabajadores y personas con modestos ahorros en papel moneda que protestaron el retiro del billete fiscal), la implantación de una moneda bimetálica (oro y plata), el establecimiento y la reorganización de bancos comerciales y agencias de seguros y, sobre todo, la creación del primer registro público de inmuebles (1888). Este último resolvió dificultades para establecer derechos de propiedad claros sobre bienes inmuebles urbanos, lo cual contribuyó al desarrollo del crédito hipotecario a partir de una innovadora ley de banca hipotecaria en 1889.[44]

Los capitalistas extranjeros y nativos, apoyados en sus redes políticas y periodísticas, estaban dispuestos a auspiciar a la camarilla de Cáceres a cambio de la aprobación e implementación oficial de estas medidas económicas y financieras, consideradas necesarias para la recuperación. Los intereses extranjeros también requerían de la disposición favorable de Cáceres y de su séquito en el Ejecutivo y el Legislativo para concertar contratos claves en obras públicas, ferrocarriles y el arreglo de la deuda externa. Las medidas previas tomadas por Piérola e Iglesias fueron declaradas nulas por el régimen cacerista en octubre de 1886, puesto que habían ignorado las normas constitucionales y la aprobación por parte del Congreso. Varios intereses extranjeros se vieron afectados por esta drástica modificación. El ministro de Estados Unidos, considerando que conflictos venideros tocarían a intereses estadounidenses, opinaba que se necesitaba una postura firme ante este

Fig. 7. Presidente Nicolás de Piérola, admirador de Napoleon III, en 1897. Político controvertido, otrora dictador y perenne conspirador, Piérola fue imputado hasta por sus más cercanos seguidores por deshonestidad y corrupción política. Colección fotográfica de Humberto Currarino, Callao.

Fig. 8. Ministro de Hacienda Augusto B. Leguía, enredado en asuntos y medidas sospechosas, intenta vender su pesca al presidente José Pardo: «Los pulpos de Leguía». Por Chambon. *Fray K Bezón*, n.° 29, 1907, p. 4. Biblioteca Central, Pontificia Universidad Católica del Perú, Lima.

desafío a los «derechos y principios internacionales».[45] Asimismo, tras un serio incidente diplomático con Francia, el contrato del muelle y dársena con la Société Générale fue renegociado para limitar la duración de su monopolio a apenas veinticinco años (en lugar de cincuenta), regular las tarifas cobradas y conseguir futuros préstamos.[46] Sin embargo, el verdadero premio para los corruptibles funcionarios llegó con las prolongadas y complejas negociaciones del Contrato Grace.

El Contrato Grace

Michael P. Grace, el negociador y piedra angular del arreglo con los acreedores extranjeros del Perú conocido como el Contrato Grace, fue un verdadero y mejorado discípulo del magnate Henry Meiggs. En la década de 1870, Grace había compartido fiestas suntuosas y lucrativos convenios de negocios en Lima con Meiggs.[47] En sus relaciones oficiales con los diversos gobiernos peruanos de turno, Grace siguió una estrategia similar a la de Meiggs, pero más económica. Como explicara un viejo asociado y primo de Grace en una carta confidencial, «durante sus muchos años de residencia en Perú, [M. P. Grace] mantuvo nuestra casa en las relaciones más amistosas y estrechas con cada uno y todos los gobiernos que iban llegando». A manera de reprimenda a los inexpertos sucesores de Grace en el mando de la oficina de Lima, el veterano añadía:

> No proponemos que ustedes incurran en gastos irrazonables para lograr tales relaciones amistosas, e insistimos en este punto porque sabemos por experiencia que a menos que las insinuaciones se hagan con cautela, frecuentemente ustedes recibirán demandas de acomodamiento financiero poco razonables, y vuestra habilidad consistirá en evadir tales pedidos sin causar ofensa alguna.[48]

Dicha estrategia obtuvo resultados sustanciales en la batalla cuesta arriba que Grace libró para conseguir la aprobación del contrato que lleva su nombre por parte del Ejecutivo y Legislativo. Las negociaciones del Contrato Grace pasaron por diversas etapas entre 1886 y 1890 y estuvieron a punto de fracasar por completo en diversos momentos. Lo que estaba en juego era la difícil cuestión de las deudas impagas de 1869, 1870 y 1872 por aproximadamente 32 millones de libras esterlinas, debidos en su mayor parte a inversionistas representados por el Comité de Tenedores de Bonos Extranjeros con sede en Londres. Debido a las condiciones de derrota y depresión económica, el Perú era incapaz de pagar semejante deuda. Además, los tenedores británicos se encontraban en malas relaciones con el gobierno peruano porque habían intentado negociar el pago de lo adeudado directamente con Chile. En esta coyuntura, Grace ofreció sus servicios al Comité aduciendo sus intereses ferroviarios y sus buenas relaciones con las autoridades peruanas.[49] Un acuerdo financiero de tal envergadura prometía facilitar el ingreso de capital extranjero para, entre otros propósitos, explotar y mejorar el costoso sistema ferroviario que yacía mayormente como un enorme monumento a la corrupción de la preguerra. El funcionamiento de conexiones y líneas ferroviarias, así como su extensión a los principales centros mineros ayudarían a realizar el potencial económico medular del país.

La habilidad de Grace en mediar y presentar el acuerdo como el vínculo entre una solución práctica a los problemas de la deuda y la muy deseada recuperación económica del Perú contribuyó a ganarle respaldo local a su plan. En realidad, sin embargo, la estrategia empresarial de Grace en el Perú era escéptica de las posibilidades que el país tenía para conseguir inversión de capital. Preocupado por sus grandes pérdidas en el Perú —unas del orden de 200.000 dólares debido a malas deudas, privadas y públicas, así como a las periódicas contracciones financieras internacionales a comienzos de la década de 1880—, Grace buscó obtener pagos en efectivo para promover negocios en otros lugares, inclusive en Chile, donde abrió una nueva sucursal.[50] Desde sus esfuerzos iniciales por adquirir el control de contratos ferroviarios oficiales, Grace había reconocido en su correspondencia privada que su compromiso legal para construir extensiones ferroviarias y obras de drenaje de minas era una mera pieza en el juego por lograr futuras ganancias especulativas.[51] Sus negociaciones hacia la firma del Contrato Grace, usando derechos contractuales ferroviarios como su principal participación en el acuerdo, formaron parte de un gran plan especulativo que al final le recompensó magníficamente.

Intereses nacionalistas y locales se opusieron tenazmente a la aprobación del contrato. Sostenían que el Perú pagaría un precio exorbitante por una deuda que había pasado a ser responsabilidad exclusiva de Chile, país que ahora controlaba los exterritorios peruanos con los depósitos de guano y salitre hipotecados a los acreedores extranjeros. Advertían, además, que el control propuesto sobre el sistema ferroviario por parte de capitalistas extranjeros significaría la ruina del Perú, bajo un dominio similar al que sufriera la India en manos de la Compañía de las Indias Orientales británica. Algunos mineros y hacendados de la sierra central, influyentes en el Congreso, le abrieron juicios a Grace como parte de su oposición a los monopolios ferroviario y minero de extranjeros que se temía conducirían a pérdidas financieras y al despojo de valiosos recursos minerales nativos.[52]

Grace advirtió que los enemigos más importantes de su proyecto eran el senador Manuel Candamo y su facción civilista mayoritaria en ambas cámaras del Congreso.[53] Candamo y sus correligionarios representaban a la élite nacional de empresarios, terratenientes y mineros que se oponían a la penetración económica y geopolítica estadounidense, en conformidad con el principio diplomático español de «evitar a todo trance la mínima posibilidad de una injerencia de los Estados Unidos en estos países».[54] Candamo criticó públicamente a Grace, describiéndole como un astuto especulador de las concesiones ferroviarias, nocivas para el país y para el sector minero de Yauli.[55] Otros congresistas liderados por José María Quimper se opusieron al contrato hasta el amargo final. Se realizaron comparaciones denigrantes con contratos anteriores, negociados por Dreyfus y Meiggs. Grace fue acusado de estar motivado por un plan de negocios «grandioso» y «monstruoso», que con toda seguridad le arrojaría enormes ganancias. A pesar de todo, el negociador Grace persistió en su intento por convencer a la oposición, dentro y fuera del país, de los beneficios de su proyecto. Para persuadir a las principales figuras de la oposición llegó al uso de amistades como intermediarios,[56] al igual que otros métodos menos escrupulosos.

Con el respaldo de los civilistas de Candamo, Aurelio Denegri, el primer ministro cacerista, presionó enérgicamente para que se nacionalizara todo el sistema ferroviario movido, según el ministro estadounidense Charles Buck, por el «jingoísmo» y la sed de «expoliación».[57] Esta ofensiva nacionalista fue inicialmente afrontada con medidas a favor de una decidida intervención diplomática estadounidense, presionada por los intereses de W. R. Grace en Washington, que incluyeron planes para desplegar el poderío naval de Estados Unidos en defensa de los intereses estadounidenses en el Perú.[58] Sin embargo, el ulterior plan «especial» de M. P. Grace, asociado más bien a intereses británicos, obligó a los diplomáticos estadounidenses a efectuar un embarazoso retroceso. Como parte de sus esfuerzos por conseguir la aprobación del contrato en el Perú, M. P. Grace intentó impedir la caída del gabinete Denegri ante las presiones ejercidas por Estados Unidos. Una baja de este fiasco fue el mismo Buck, quien había implementado la dura política de su país hacia el gobierno peruano. Mencionando la influencia política que Grace tenía en Washington, Buck se quejó directamente al secretario de Estado, el demócrata Thomas F. Bayard: Buck culpó a Bayard por no haberle apoyado y por su inconsistencia sin principios, a la que describió como dañina para «la dignidad del gobierno de Estados Unidos». Lamentó también que la «influencia y acción oficial [de su gobierno] estuviesen sujetas a un juego tan irresponsable para la conveniencia o intereses de una aventura especulativa o empresa comercial, no siendo esta tampoco norteamericana». Señaló, además, que el proyecto del Contrato Grace era visto en Lima «con gran suspicacia, y [...] gran oposición, puesto que había [...] implicado mucha reflexión pestilente en lo que toca a las influencias que hacen accionar a los miembros del gobierno y el Congreso [peruanos]».[59]

Un feroz debate público fue librado por los partidarios y los oponentes del Contrato Grace. Convencidos por principios o por codicia mercenaria, algunos diarios y periodistas importantes o se oponían (*La Época* y *El Amigo del Pueblo*) o apoyaban (*La Opinión Nacional* y *El Bien Público*)[60] el proyecto de Grace. En noviembre de 1886, un primer informe favorable presentado por los comisionados especiales Francisco García Calderón, Francisco Rosas y Aurelio Denegri constituyó un respaldo respetable a un acuerdo que prometía oportunidades de inversión extranjera.[61] Sin embargo, Cáceres inicialmente se mostró renuente a suscribir el contrato, aunque posteriormente lo apoyó decididamente. En noviembre de 1888, la Cámara de Diputados rechazó una versión final del Contrato Grace. En este punto bajo para las expectativas de éxito del contrato, un importante socio británico le escribió a W. R. Grace:

> El asunto para usted es una operación puramente mercantil. Si hubiese procedido, bien, usted habría recuperado todo desembolso, habría obtenido una considerable ganancia o comisión, habría dominado todos los contratos de extensiones ferroviarias y habría controlado el comercio y negocios del Perú.[62]

Sin embargo, hacia abril de 1889, la opinión se había desplazado a favor de Grace. ¿Qué había sucedido que permitió este cambio hacia la aprobación final del contrato? Grace había modificado su propuesta inicial, reduciendo la parte de la deuda que sería pagada con la enajenación temporal de los activos nacionales, sobre todo con las concesiones ferroviarias, y consintiendo periodos más cortos para tales arreglos monopólicos. Además, reclutó como «amigos» de su causa a agentes claves que ejercían influencia sobre otros, entre los cuales se encontraban Pedro del Solar, el cercano colaborador político de Cáceres y receptor de préstamos personales otorgados por el gerente de Grace en Lima; el líder parlamentario Alejandro Arenas; y el ministro y fiscal José Araníbar.[63] Los amigos de Grace se encontraban en las más altas esferas de los Poderes Ejecutivo y Legislativo, así como en los mandos medios, en especial en el caso de las personas encargadas de preparar informes «técnicos» para los ministerios del gobierno, como Simón Yrigoyen y Narciso Alayza, los parlamentarios Martín Álvarez Delgado (Cuzco) y Wenceslao Venegas (Callao) y los periodistas Rafael Galván y E. J. Casanave. Estas personas recibieron de Grace unos costosos relojes de oro encargados de Nueva York como recompensa por la «asistencia [que prestaron] a nuestra causa», aunque uno de ellos también recibió una «cartita de atención», reprendiéndole por sus pretensiones más ambiciosas.[64]

La medida final que garantizó la aprobación del Contrato Grace en el Congreso fue el decreto ejecutivo del 8 de abril de 1889, firmado por el primer ministro Solar y el presidente Cáceres. Allí se convocó a elecciones especiales para reemplazar a los diputados, liderados por Quimper, que se oponían tenazmente a la aprobación del contrato. Esta transgresión constitucional consolidó, dentro del Congreso, a las fuerzas favorables al Contrato Grace, un proceso en el cual intervinieron los sobornos o, en palabras del historiador Basadre, «corrió dinero».[65]

A pesar de los métodos inescrupulosos y nada éticos empleados para aprobar el Contrato Grace, el convenio desempeñó un papel importante en la recuperación financiera y económica del Perú, al retirar grandes obstáculos al ingreso de inversiones extranjeras directas y de cartera. Era un acuerdo muchísimo mejor que el Contrato Dreyfus y su elaboración y discusión fueron al menos públicas. El Contrato Dreyfus arruinó las finanzas peruanas por décadas. En cierta medida, el Contrato Grace era el corolario lógico e inevitable del negociado Dreyfus y la desastrosa guerra con Chile. A pesar de la derrota y pérdida de territorio, el Perú seguía siendo responsable de una parte sustancial de su vieja deuda. Por otro lado, la firma del Contrato Grace involucró la corrupción de funcionarios peruanos, lo cual, en última instancia se sumó al alto costo que el país tuvo que pagar para recuperar su calificación crediticia internacional. La firma tomó además demasiado tiempo para que los efectos positivos facilitados por el convenio se hicieran evidentes, puesto que la depresión económica y los malos manejos administrativos continuaron plagando al régimen cacerista hasta su fin.[66]

En 1890, poco después de la aprobación final del Contrato Grace en octubre de 1889 y de zanjarse las objeciones chilenas, se formó la Peruvian Corporation para reemplazar al Comité de Tenedores de Bonos Extranjeros. En representación de sus accionistas, la corporación obtuvo el derecho a administrar los principales ferrocarriles y efectuar otros servicios financieros, empresariales y monopólicos en el Perú por 66 años. La deuda impaga del Perú se canceló a cambio de los derechos otorgados a sus antiguos acreedores mediante el Contrato Grace. Por su parte, Grace transfirió sus derechos sobre los ferrocarriles a la Peruvian Corporation a cambio de un tercio de las acciones de la línea a La Oroya de la nueva corporación. Asimismo, recibió honorarios por su mediación y una comisión del 3 por ciento sobre las nuevas acciones repartidas a los antiguos tenedores de bonos.[67] Gracias a la corrupción de los funcionarios peruanos, Grace y sus intereses en el Perú recibieron, en parte, grandes ganancias, pero el resto de accionistas de la

Peruvian Corporation obtuvo, en cambio, dividendos sumamente modestos o prácticamente nulos en el largo plazo.

A pesar de haber aceptado formalmente la Constitución de 1860 y comprometerse a dejar el poder, el presidente Cáceres aprovechó los vacíos legales, así como las imprecisiones de la legislación y la práctica electoral en beneficio de su sucesor designado, el coronel (posteriormente general) Remigio Morales Bermúdez.[68] Su gobierno se consideró una administración «sin iniciativas y sin significación pero normal y tolerablemente honrada».[69] Esta noción se mantuvo, no obstante las acusaciones de malversación de fondos contra el ministro de Relaciones Exteriores Federico Elmore, de corrupción y abuso en las elecciones municipales y de soborno a parlamentarios disidentes en una campaña denominada «propaganda del cohecho».[70]

El deceso inesperado de Morales Bermúdez, antes del final de su mandato presidencial y justo antes de las elecciones de 1894, impulsó a Cáceres a imponerse como presidente mediante flagrantes transgresiones constitucionales. Contó para esto con la ayuda del dócil presidente interino Justiniano Borgoño, quien había desplazado al primer vicepresidente Solar tras la muerte de Morales Bermúdez.[71] Durante el breve gobierno de Borgoño, Horacio Ferreccio, su ministro de Hacienda, fue acusado en la Cámara de Diputados de hasta diez cargos relacionados con corrupción, a los cuales respondió huyendo del país.[72] Además, en diciembre de 1894 se denunció en el Congreso, el uso ilegal de bonos municipales para financiar la compra del vapor Coya y sus aparejos de artillería (por los cuales Grace Brothers & Co. cobró hasta 15.000 libras en efectivo), entre otros convenios para el suministro de armas.[73] Grace continuó brindándole préstamos a Cáceres para «sostener su gobierno».[74] En particular, el recurso cacerista al fraude electoral contribuyó a minar aún más la maltrecha institución de las elecciones democráticas, un problema fundamental que continuaría afectando a la política peruana durante la mayor parte del siguiente siglo.

La desatinada decisión de Cáceres de ocupar nuevamente la presidencia contribuyó a su caída. Sus errores políticos lo pusieron a merced de Nicolás de Piérola, su tenaz enemigo, a quien sus partidarios llamaban «el Califa». Junto a su socio Echenique, Piérola había venido organizando levantamientos incansablemente desde su exilio en Chile. El fracaso de sus alzamientos en 1889 provocó su encarcelación en abril de 1890 seguida por su audaz fuga seis meses más tarde. Sin embargo, en 1895, Cáceres sufrió una contundente derrota política a manos del popular exdictador, quien esta vez lideró una insurrección exitosa en Lima.

Incluso después de su retiro forzado, Cáceres retuvo su influencia político-militar durante las siguientes dos décadas y media. En ese lapso, Cáceres obtuvo codiciados puestos diplomáticos en el extranjero de manos de los presidentes civiles Romaña, Pardo y Leguía. Se le resarcía de este modo para asegurar que no desestabilizase el orden constitucional-civil establecido luego de 1895. En el siglo XX, este tipo de sinecura política pasó a ser una tradición en el trato con altos oficiales militares, cargados de ambiciones políticas.

El legado del Califa

El papel histórico del caudillo civil Nicolás de Piérola y su movimiento político sigue siendo materia de debate entre los historiadores. Una postura es aquella sostenida por Jorge Basadre en su monumental *Historia de la República del Perú*, en la que se argumenta que el presidente Piérola (1895-1899) fue el auténtico héroe popular de la reconstrucción nacional de posguerra. Basadre consideró que Piérola rectificó sus errores del pasado y se reinventó a sí mismo para lidiar con un «Estado empírico», desorganizado e improvisado.[75] Asimismo, algunos historiadores económicos han alabado las políticas financieras y económicas supuestamente favorables durante su mandato, junto a la depreciación de la tasa de cambio para el desarrollo de las exportaciones y la manufactura nacional hacia finales de la década de 1890.[76] Tal vez impresionado por las evidentes mejoras económicas y financieras, el entonces encargado de negocios de Estados Unidos en Lima concluyó que el gobierno de Piérola «parece ser eficiente, conservador y honesto, y se presenta viable a los intereses de negocios del pueblo peruano en general».[77]

Una perspectiva radicalmente opuesta surge de los argumentos y evidencias presentados por Manuel González Prada. El escritor distinguió a Piérola como uno de los peores líderes políticos de la historia, al no ser capaz ni estar dispuesto a cambiar sus procederes anteriores. Según la pluma apasionada de González Prada, Piérola fue uno de aquellos políticos nacidos para la ruina y vergüenza de su gente, pues con una mano dejaba manchas de sangre y, con la otra, rastros de lodo.[78]

González Prada siguió de cerca la carrera de Piérola. Casi contemporáneos, habían estudiado en el mismo colegio-seminario pero terminaron adoptando ideas diametralmente opuestas. El primero fue un librepensador, anticlerical y demócrata, mientras que el segundo, un conservador con inclinación clerical y dictatorial, que gustaba de su apodo teocrático de «el Califa» y admiraba a Napoleón III, de quien tomó su estilizada barba y bigotes.[79] Por otro lado, el primero tuvo pocos partidarios, mientras que el segundo encabezó un movimiento de gran escala. El uno era sincero y honesto; el otro, engañoso y de dudosa honestidad. Para González Prada, el exdictador era un bárbaro prehistórico en medio de la civilización moderna, representante de todo lo que se hallaba torcido y deficiente en la historia peruana.[80]

La presidencia «legal» de Piérola, un producto de incesantes conspiraciones y violencia insurreccional, estuvo, asimismo, plagada de ataques autoritarios contra la libertad de prensa, los derechos políticos y electorales,
así como a la probidad de la Administración Pública.[81] Gobernando desde el
«núcleo purulento» del centro de negocios limeño, Piérola cultivó una nueva
alianza estratégica con los civilistas, sus antiguos enemigos, les dio la espalda
a sus seguidores más radicales y atendió, más bien, a la élite económica y
sus nuevos tratos con el gobierno. El segundo régimen de Piérola fue, pues,
una «dictadura económica» que no respetó las normas fiscales ni las cuentas
transparentes del sector público.[82]

La lógica de la recuperación de posguerra, basada en arreglos pragmáticos con reestructurados y nuevos intereses, nacionales y extranjeros, había
transformado el papel del Estado como agente económico antes del segundo
gobierno de Piérola. Ahora se contrataba con grupos del sector privado para
que recaudaran las rentas del gobierno y se hicieran cargo de obras públicas
y otros servicios. Existían, así, en teoría, menos oportunidades para que los
jefes políticos manipularan el fisco y el endeudamiento extranjero. Piérola
tuvo que cambiar sus vínculos con los intereses extranjeros que se beneficiaban utilizando la deuda pública peruana. Los nuevos arreglos económicos y
financieros favorecían ahora a unos cuantos intereses oligopólicos, fundados
principalmente en la inversión directa y las líneas de crédito de la banca local.
En estas circunstancias, la vieja estrategia pierolista para financiar intentonas
violentas con el fin de tomar el poder iba siendo menos efectiva.

El turbio financiamiento de las campañas políticas de Piérola, en la década de 1880 y comienzos de la de 1890, se apoyó en seguidores y especuladores interesados que esperaban recibir recompensas una vez que el Califa
volviera al poder. Este hecho queda claramente ejemplificado en el «préstamo» que Grace le hiciera en 1884, ya descrito, y su pertinaz y escandaloso
vínculo con Dreyfus. Los críticos de Piérola, en particular González Prada y
Clorinda Matto de Turner,[83] denunciaron dichas conexiones privadas y este
modo de financiamiento irregular, que llevaba al abuso del interés público.

Durante su exilio en el periodo 1882-1883, el Califa fue mantenido en
París por Dreyfus en «condición humillante». En esos años de vacas flacas,
los servicios prestados por Piérola a Dreyfus incluyeron atestiguar a favor del
financista francés en sus demandas financieras contra el Perú y sus acreedores en juicios internacionales. Las medidas dictatoriales tomadas por Piérola
en 1880 habían reconocido sesgadamente todas las demandas de Dreyfus
contra el Perú[84] y servían de base para las batallas judiciales entabladas en
tribunales europeos. Para estas, Dreyfus también contaba con el respaldo político de su exabogado Jules Grévy, entonces presidente de la república de

Francia (1879-1887). Sin embargo, tanto Dreyfus como Grévy sufrieron, en diciembre de 1887, un serio revés: el presidente francés se vio obligado a renunciar debido a un escándalo que tocaba directamente a Daniel Wilson, yerno y protegido político de Grévy, quien, entre otras acusaciones formuladas por la prensa y la opinión pública francesas, se vio implicado en la venta ilegal de condecoraciones militares en combinación con conocidos generales franceses y un exministro de Guerra.[85]

La prensa peruana rápidamente asoció el escándalo Wilson-Grévy con la «presión» oficial ejercida en los tribunales franceses a favor de los reclamos de Dreyfus que Piérola respaldaba. En reacción a estas revelaciones, Piérola ordenó a Manuel Pablo Olaechea, abogado y defensor legal de Dreyfus en Lima, a que abriera juicio por difamación contra el editor de *El Nacional*. Esta medida fue criticada como parte de los intentos previos y subsiguientes de Piérola por silenciar a la prensa local.[86] La Corte Superior dictaminó que la demanda de Piérola no daba a lugar.

Unos meses antes de morir, Dreyfus le escribió una carta dramática a Piérola poco después de que este hubiese recuperado la presidencia. Recordando los veinticinco años de su mutua amistad, Dreyfus declaró que, en alma y corazón, él había sido para Piérola «todo lo que un ser en este mundo puede ser para otro». Invocando el bienestar de su segunda esposa e hijas, le confió a Piérola la tarea de dar solución final a los reclamos de acreencias que el francés mantenía contra el Perú. En la misma misiva Dreyfus clamaba que gran parte de su capital y muchos años de trabajo estaban ligados a las demandas pendientes, cuya indefinición era también causa de sus problemas financieros en los últimos diez años. Encargó también a Piérola y al abogado Olaechea que guardaran su memoria y nombre «pisoteado» en el Perú y que se aseguraran que dos o tres de los mayores diarios, así como alguien que se encargara de los detalles, restauraran su nombre para la posteridad.[87] En una carta anterior aún más imperativa, Dreyfus le había comisionado a Piérola, ahora al mando del gobierno peruano, que se realizara un acuerdo irreversible con el gobierno francés para garantizar el pago de los reclamos de Dreyfus e impedir que futuros gobiernos peruanos alteraran tal convenio.[88] Estas fueron las últimas cartas entre Dreyfus y Piérola que demuestran la larga y retorcida relación entre el financista y el político.

Asimismo, la correspondencia privada de Piérola revela varias otras fuentes de financiamiento para sus aventuras y conspiraciones políticas. Muchas de estas deudas, en las que incurrió con sus seguidores políticos y otras personas jamás fueron pagadas o reconocidas. En algunos casos, la única prueba del adeudo era la enojada insistencia del acreedor. En 1897, Augusto Barrenechea sostuvo haber esperado lo suficiente sin haber oído una sola palabra de

Piérola concerniente al pago de dinero sin intereses, entregado en muchas ocasiones a este, a su hijo Isaías y a una persona no mencionada por razones de delicadeza.[89] En 1903, Piérola reconoció una deuda por 12.400 soles a los herederos de José Araníbar, funcionario clave que en el periodo 1880-1881 le había suministrado fondos a Jesús Iturbide de Piérola, la esposa del Califa, para cubrir gastos urgentes debidos a la lucha política.[90] Del mismo modo, en 1901 y 1902, Piérola se vio presionado para arreglar el pago de viejas deudas debidas a los hermanos del difunto José Francisco Canevaro (quien había sido, al igual que Grace, un importante proveedor de armas para su dictadura en 1880), así como a la viuda de Andrés Malatesta.[91]

Las acusaciones más reveladoras contra Piérola sobre responsabilidades personales y públicas entremezcladas, así como abusos financieros, provienen de la correspondencia que mantuvo con Guillermo Billinghurst, su excolaborador y vicepresidente. Indignado por la traición política de Piérola, el acaudalado de Billinghurst escribió cartas recriminatorias que fueron leídas y citadas por González Prada.[92] En las cartas originales, Billinghurst revelaba haber ayudado a cubrir los gastos de la insurrección de Piérola en el periodo 1894-1895 con hasta 8700 libras esterlinas (monto que incluyó el pago de 2000 libras a Pedro A. del Solar, para entonces reincidente colaborador de Piérola). También reveló que el industrial salitrero español Francisco A. Oliván hizo contribuciones que incluyeron 2000 dólares entregados a Juan Martín Echenique, el veterano asociado político de Piérola, para la compra de una goleta. Citando una carta de Piérola en la que le pedía a Oliván un nuevo préstamo con la promesa de resarcirle luego a cuenta de gravámenes, Billinghurst le increpaba a Piérola a que presentara las cuentas claras de cómo se habían utilizado dichas sumas y si los gastos violaban las leyes civiles e incluso criminales.[93]

Piérola replicó a las imputaciones de su desencantado correligionario con cautela, atribuyendo las críticas de Billinghurst a un exabrupto apasionado. Prometía, además, que el Estado pagaría las deudas en que se había incurrido durante sus actividades insurreccionales privadas, según anunciaría pronto en un mensaje especial al Congreso.[94] Billinghurst aprovechó la oportunidad para responder con una mordaz carta de catorce páginas, en la que desenmascaraba esas promesas de pago obviamente insinceras e insólitas. Billinghurst añadió que, en el periodo 1894-1895, Echenique y Madame Garreaud, la amante de Piérola, habían colocado un total de 6000 libras en emisiones clandestinas e irregulares de bonos en Valparaíso y Lima para financiar su insurrección contra Cáceres. Piérola ordenó pagar dicha suma una vez en el poder sin contar con autorización del Legislativo. Este hecho formaba parte de una andanada de acusaciones en torno a la deshonestidad e hipocresía que abarcaba toda la carrera política del viejo caudillo e incluía su segundo mandato presidencial, al que Billinghurst describió como plagado por unos cuantos «logreros» que disponían de los fondos fiscales como si fueran propios.[95]

Durante su segundo gobierno (1895-1899), Piérola llevó a cabo una serie de aparentes reformas con la intención política de retener el poder. Atendiendo a los intereses financieros y económicos que respaldaban su gobierno, Piérola y un Congreso colaborador introdujeron diversas medidas. Una de ellas fue el establecimiento de una agencia de recaudación privada, la Sociedad Recaudadora de Impuestos, que retenía comisiones hasta por el 25 por ciento del total de los impuestos recaudados, luego de deducir el 15 por ciento por costos operativos, así como realizaba adelantos en efectivo al gobierno. Esta práctica, juntamente con el aborrecido estanco de la sal y los contratos para la construcción de una carretera a la selva central (la vía del Pichis), fueron criticados por González Prada como medios de corrupción y «gatuperios» concertados con aliados civilistas.[96] El ilustre radical también atacó la nueva legislación para la reforma de la moneda nacional, el sistema bancario y la industria de seguros. Las nuevas y sólidas conexiones con la élite financiera en rápido crecimiento le dieron a Piérola tanto ventajas políticas como una participación personal en tratos especulativos de bienes raíces y acciones. Ello le brindó un ingreso considerable, incluso después de dejar el mando. José Payán, un emigrado cubano y una figura central en las esferas financieras peruanas, fue un cercano amigo y asesor de Piérola en cuestiones financieras.[97]

Durante su presidencia, Piérola también estableció una misión militar francesa para implementar la profesionalización del Ejército peruano. Esta medida implicó principalmente la reducción del ejército a la mitad de su tamaño y la erradicación del personal cacerista. La resistencia y las conspiraciones militares contra el gobierno de Piérola se vieron así sustancialmente reducidas. Sin embargo, estas fuerzas militares más obedientes e institucionalizadas resultaron ser fatídicas para las futuras aventuras insurreccionales pierolistas. De igual modo, la tan publicada reforma electoral para prevenir los abusos que a menudo se producían en la elección fraudulenta del candidato oficialista no aseguró la elección subsiguiente de Piérola, luego de que sus aliados civilistas capturaron la nueva maquinaria electoral.

A pesar de estos cambios, en 1897 Piérola intentó lanzar una nueva «orgía» de fabulosos préstamos externos para la construcción de carreteras y ferrocarriles, esta vez hacia la selva. Evidentemente, estas estrategias eran muy similares a las que habían favorecido a los especuladores de la pasada era del guano. Se crearon puestos y cargos en el gobierno para los amigos, se pagaron enormes comisiones oficiales, se compraron periódicos para volverlos serviles o se les cerraba si sus periodistas permanecían críticos, se ignoraron acusaciones de fraude en el sector público, no se guardaron los requisitos fiscales y contables y se malinterpretaron las leyes o no se las aplicó como era debido.[98] Todo esto se hizo muy obvio cuando Billinghurst vio frustradas sus esperanzas de que Piérola respaldara incondicionalmente su candidatura presidencial y que el Partido Demócrata permaneciera en el poder.

La recalcitrante postura anticivilista de Billinghurst contradecía la nueva y oportunista amistad de Piérola con Candamo y su partido. Actuando como plenipotenciario en las negociaciones con Chile sobre Tacna y Arica, Billinghurst se rehusó a subordinar su política a la del ministro de Relaciones Exteriores y primer ministro, el civilista Enrique de la Riva-Agüero. Las intrigas políticas subsiguientes contribuyeron a que Piérola abandonara a Billinghurst y pasara a apoyar a Eduardo López de Romaña, el candidato presidencial de compromiso, un político proclerical, paisano arequipeño y exministro.[99]

En airada respuesta, Billinghurst atacó la inflada vanidad de Piérola y su duplicidad política como la fuente de sus descaminados defectos políticos: «la hipocrecía [sic] política es mil veces más funesta que la hipocrecía [sic] religiosa, y Ud. Sor. D. Nicolás, posee la primera en grado que nadie que no lo conozca íntimamente podría imaginarse».[100] Piérola había usado a Billinghurst mientras lo necesitó, prometiéndole que le sucedería como presidente para luego incumplir. Sus partidarios demócratas solo sirvieron de peldaño para que Piérola llegara al poder. Se trató de una larga lucha, que fue causa de «tanto derramamiento de sangre, de la pérdida de tantos millones y del estancamiento del progreso material del Perú».[101] Sin embargo, y tal como González Prada anotara, Billinghurst tenía responsabilidad directa en esta tradición de violencia política que tanto le costó al pueblo y a las instituciones del país.

La división de los demócratas socavó una cierta ventaja política que se les atribuía en consideración de la «corrupción y la naturaleza dictatorial del partido militarista [cacerista] de un lado, y la supuesta composición aristocrática del Partido Civil, del otro».[102] La elección de López de Romaña permitió a los civilistas desplazar políticamente al partido y a la influencia pierolistas. Para 1902, los escollos electorales frustraron consistentemente las ambiciones presidenciales de los demócratas.[103]

Piérola y su círculo más íntimo continuaron resistiendo y criticando a los que llegaban al poder a partir de 1899, mas no lograron conseguir otro mandato presidencial. Su partido decayó marcadamente, pero sin dejar de ocasionar serios daños a la estabilidad institucional y la recuperación del país. Una política de abstención en sucesivas elecciones e interminables conspiraciones insurreccionales agravaron el creciente aislamiento del anciano caudillo. Sin embargo, entre 1900 y 1908, Piérola fue gerente nominal o miembro de la junta de directores de varias compañías, y eso le permitió enriquecerse con el respaldo de algunos de los más conocidos financistas de Lima. Este hecho parece haber representado un premio consuelo para contenerlo a que llevara a cabo dañinas intervenciones políticas e insurrecciones.

La compañía constructora y de ahorros La Colmena, fundada en 1900, proyectó abrir una nueva calle principal en el centro de Lima, construir edificios de lujo financiados con el ahorro local y vender las nuevas propiedades al público. Piérola fue el presidente de la firma y varios de los empresarios y financistas más prominentes formaron parte de su junta de directores con el designio de obtener altas ganancias. La municipalidad de Lima brindó a La Colmena los permisos necesarios para una construcción que transformaría sustancialmente una sección importante de la ciudad.[104] Asimismo, la Azufrera Sechura era una sociedad anónima que buscaba captar capital a gran escala para desarrollar y comercializar productos de azufre. Sin embargo, ambas empresas habían quebrado hacia 1909, debido a excesos especulativos en una coyuntura de recesión. Un juez incluso ordenó infructuosamente la detención de los responsables, incluido el mismo Piérola, por una quiebra irregular que afectó a muchos ahorristas e inversionistas locales.[105] Las sinecuras económicas proporcionadas por la élite a Piérola habían llegado a su fin. En consecuencia, una nueva oleada de ardor insurrecto agitó a Piérola y a sus seguidores.

El 28 de abril de 1908, Raoul de Saint-Seine, el gerente francés de la importante Empresa Muelle y Dársena y representante de la Société Générale visitó a Pierre Merlou, el encargado de negocios de Francia en Lima, portando una revelación sensacional. El día anterior el expresidente Piérola se había reunido con Saint-Seine y luego de explicarle la situación política como una de creciente descontento contra los esfuerzos civilistas por elegir a su candidato presidencial, le pidió sin rodeos 5000 libras para financiar una revolución programada a estallar antes de las próximas elecciones. El plan consistía en que los demócratas de Piérola controlaran Lima, aprovechando al mismo tiempo los alzamientos que como distracción estallarían en provincias al mando del aliado liberal radical Augusto Durand. Al enterarse de ello, Merlou telegrafió y escribió de inmediato una carta detallada a sus superiores en París, en la que les informaba de la situación y ofrecía sus ideas en torno a esta cuestión y el curso que proponía sugerir al perplejo Saint-Seine.[106] A pesar de considerar a Piérola un gran y recto líder popular, además de un «ami sincère de France», Merlou intentó disuadir vigorosamente a Saint-Seine de proporcionar el donativo solicitado por Piérola.[107]

Según Merlou, las cosas habían cambiado y las condiciones ya no eran favorables para las insurrecciones pierolistas. Las grandes corporaciones extranjeras como la Cerro de Pasco Mining Company, Peruvian Corporation, Grace, Duncan Fox, Graham Rowe, Lockett y otras se opondrían fuertemente a una insurrección que perturbaría la posición crediticia internacional peruana tan penosamente reconstruida. José Pardo, el líder civilista, y el candidato de su partido, Augusto B. Leguía, jefe del gabinete y ministro de Hacienda, habían ampliado las oportunidades para la inversión del capital extranjero. Además, los oficiales militares ahora tenían mejores salarios y pensiones, razón por la cual no serían fácilmente convencidos para que tomaran parte en un levantamiento.

Además, Piérola ya no gozaba del respaldo de patrocinadores acaudalados: Merlou había sido informado por fuentes confiables que su grupo había intentado reunir 10.000 libras mediante una emisión de bonos que había fracasado. Según Merlou, dado que algunos calculaban que al menos 400.000 libras eran necesarias para organizar una revolución, el fracaso en reunir solo 10.000 era una prueba concluyente del apoyo decreciente a los pierolistas. Saint-Seine eventualmente estuvo de acuerdo con Merlou pero, considerando que el Perú era un lugar donde «las cosas más inverosímiles a veces se vuelven realidad», continuó preguntándole a Merlou si no sería prudente pagar una suerte de prima de seguro, ofreciéndole a Piérola un «adelanto» por acciones de La Colmena y la Azufrera Sechura, mayoritariamente propiedad de los amigos del Califa.[108] Merlou replicó que las acciones de esta última compañía no valían nada y que las de La Colmena estaban muy depreciadas. No solamente sería difícil mantener semejante arreglo en secreto ante la mirada de tantos accionistas, sino que, además, sería casi imposible ocultar al público que semejante préstamo sobre las acciones de dichas compañías no era más que un subsidio directo para la insurrección. Por último, se le comunicó a Saint-Seine que la legación francesa no podría defenderle de forma adecuada contra cualquier represalia y peligro a los cuales quedaría sujeto si financiaba de cualquier manera la revolución de Piérola.[109]

La insurrección de Durand estalló el 1 de mayo de 1908, en Huánuco y en otras provincias, no así la acción concertada de Piérola en Lima. La represión fue eficaz; Durand fue arrestado, aunque pronto logró escapar para seguir armando conspiraciones.[110] Merlou había estado en lo cierto: hasta Grace & Co. se había vuelto más cautelosa al tratar con Piérola desde finales de la década de 1890, debido en parte a los acuerdos financieros incumplidos con la Peruvian Corporation y a otros conflictos que Piérola tuvo con intereses extranjeros durante su mandato.[111] En el temprano siglo XX, el país había sido parcialmente modernizado e institucionalizado. En consecuencia, el patrón violento y venal del pierolismo se había debilitado.[112] Para remozar los medios obscuros con que conseguir y conservar el poder, es decir, para reinventar las estrategias corruptas del Califa, era necesario que apareciera un nuevo tipo de líder. El único político que mostraba semejante perfil era Augusto B. Leguía, en varios sentidos un discípulo aventajado de Piérola.

Leguía y los civilistas

Los herederos de la organización política fundada por Manuel Pardo en la década de 1860 fueron capaces de derrotar a Piérola a largo plazo. A comienzos del siglo XX, los civilistas se encontraban liderados por una nueva generación de hombres como Manuel Candamo y José Pardo, lo que contribuyó a que el país alcanzara un grado de modernización institucional. Pese a ello, los civilistas han sido criticados desde entonces y de manera implacable por formar parte de una élite acaudalada y retrógrada, un pequeño grupo de «gente decente» que incluía a propietarios urbanos y rurales, a profesionales y a sus aliados «gamonales». Analistas, diplomáticos e historiadores han descrito y examinado este conglomerado sociopolítico que supuestamente gobernó como una «oligarquía», por lo menos, desde finales de la década de 1870.[113]

En su vieja cruzada contra los civilistas, Piérola recibió un apoyo importante de la multitud exaltada que gritaba en ocasiones lo siguiente: «¡Abajo la argolla!». A los civilistas también se les ha acusado de usar el poder del dinero para comprar votantes, arreglar elecciones, controlar el sistema electoral, distorsionar y corromper la ley y marginar a los líderes populares.[114] Los civilistas formaron «el partido de los inteligentes y pudientes pero desafortunadamente este siempre ha sido atacado como aristocrático y [por] estar desprovisto de una simpatía apropiada para con las masas del pueblo».[115] Sin embargo, en comparación con los gobiernos de Piérola y Cáceres, los gobiernos civilistas tuvieron niveles de corrupción marcadamente inferiores hasta el ascenso de Leguía y la interferencia desafortunada de militares «protectores» de los intereses políticos de la élite.

Unos cuantos casos de flagrante corrupción fueron hechos públicos durante el gobierno de transición de López de Romaña (1899-1903). Tal vez el más importante y mejor documentado sea el que involucró al empresario arequipeño Mariano A. Belaunde, un cercano amigo del presidente y su ministro de Hacienda, además de amigo político de Piérola y vínculo sólido entre López de Romaña y el expresidente demócrata. Actuando oficialmente como ministro de Hacienda, Belaunde usó en 1899 letras de cambio de su propia compañía para transferir a Europa fondos oficiales hasta por 500.000 francos, con el objeto de comprar armas para el Ejército peruano. Los corresponsales europeos de Belaunde no aceptaron sus letras, desatando un gran escándalo político y financiero. El procedimiento usado por el ministro no solo era irregular, sino que, además, combinaba ilícitamente intereses privados y públicos. Belaunde fue acusado de «malversación por imprudencia temeraria», se le arrestó y sus bienes se confiscaron en medio de un extenso proceso judicial que solo terminó en 1904. Alrededor de unas tres mil personas organizaron una protesta pública para exigir que el presidente asegurara el encarcelamiento de Belaunde y, dadas sus conocidas conexiones con Piérola, también se manifestaron frente a la oficina central de La Colmena, donde varios protestantes fueron heridos por los sables de la policía.[116]

La fisura entre Piérola y López de Romaña se intensificó con las recompensas y concesiones hechas al general Cáceres en el exilio, así como a sus seguidores militares en el Perú. López de Romaña le encargó oficialmente a Cáceres la compra de armas para el Ejército peruano en Francia. Era «prácticamente seguro» que parte de los fondos puestos a su disposición sirvió «como un soborno a Cáceres para que permaneciera tranquilamente en un cómodo exilio».[117] Según un diplomático francés que recordaba las «exacciones» cometidas durante el anterior régimen de Cáceres, López de Romaña se había rodeado imprudentemente de caceristas a los cuales otorgó puestos militares importantes para contrarrestar a Piérola.[118] Cáceres regresó al Perú para desempeñar un papel político importante en las disputadas elecciones de 1903, que habrían sufrido de «fraudes incalculables» y compra de votos por parte de los civilistas en Lima y provincias.[119] El civilista Manuel Candamo fue elegido presidente luego de establecer una alianza estratégica con el militarista y cacerista Partido Constitucionalista.[120] Igualmente, en 1905, el civilista José Pardo, elegido presidente en las controvertidas elecciones que se organizaron tras la repentina muerte de Candamo, recompensó a Cáceres por el respaldo prestado con una generosa representación diplomática plenipotenciaria en Roma.[121]

El mal funcionamiento de las instituciones electorales era la principal fuente de conflictos políticos, así como de acusaciones de corrupción política por parte de los partidos que controlaban la maquinaria electoral. En 1902, durante la presidencia de López de Romaña, se modificó la composición política de la Junta Electoral Nacional, entidad que desde la dación de la ley electoral de 1896 regulaba los asuntos electorales del país. Aquella estaba compuesta por nueve miembros, cuatro elegidos por el Congreso (dos por cada Cámara), cuatro por el Poder Judicial y uno por el gobierno.

En agosto de 1902, los congresistas demócratas intentaron influir en la renovación de la junta electoral enfrentándose al gobierno y a los civilistas. Los demócratas de Piérola aún conservaban la mayoría en la Cámara de

Diputados y se daban conspicuos abusos por parte de Carlos de Piérola, el entonces jefe de la junta electoral y hermano del Califa.[122] Con su renovación en 1902, a pesar de la airada oposición y tacha de los demócratas, los civilistas obtuvieron la mayoría en la composición de la junta electoral.

Graves debates en torno a la composición y representación de la junta electoral y sus decisiones continuaron dándose en prácticamente todas las coyunturas electorales del siglo XX. En la primera parte del siglo, tanto los civilistas como Billinghurst y Leguía fueron acusados de cometer transgresiones electorales, especialmente en 1903, 1904, 1908 y 1912. Juntamente con la autodestructiva estrategia de abstención y violencia electoral practicada por Piérola y sus seguidores, estos cambios electorales impidieron efectivamente la reelección del Califa.[123]

La animosidad visceral entre las familias y grupos inmersos en la lucha política produjo sonadas conspiraciones y acciones para asesinar o agredir personas, como los ataques de los rencorosos Piérola contra los altivos Pardo, la acción de turbas contra hogares respetables, los sangrientos duelos de honor e, incluso, el boicot del matrimonio de un Durand por discriminatorias familias civilistas. Los mezquinos intereses personales o de grupo, concluyó un diplomático francés, prevalecían sobre el interés público más amplio.[124]

Pese a estas circunstancias, Candamo y Pardo desarrollaron una estrategia financiera común, diseñada por Augusto B. Leguía, el ministro de Hacienda y primer ministro quien sirviera a ambos gobiernos. Bajo la bandera de «orden y progreso», estos dos gobiernos se vieron constreñidos por limitaciones fiscales y presupuestarias, así como por el pánico financiero internacional de 1907, circunstancias que efectivamente limitaron el gasto público expansivo que generalmente llevaba al endeudamiento externo y a la corrupción administrativa.

La recuperación económica del país se intensificó especialmente en el gobierno de Pardo. De hecho, menos casos de corrupción fueron denunciados en el Congreso.[125] Sin embargo, Leguía presionaba cada vez más para que se aplicaran nuevos impuestos al alcohol, al azúcar y a los fósforos con el objetivo de incrementar las rentas y justificar así un gasto público mayor, fundamentalmente en las áreas de defensa y construcción de ferrocarriles, obedeciendo a supuestas necesidades de seguridad internacional y de mejorar las riquezas naturales del país. En consecuencia, la deuda externa comenzó a crecer.

Las políticas expansivas de Leguía provocaron fricciones con la fiscalmente austera dirigencia civilista y con la oposición. Las medidas para la construcción ferroviaria aprobadas en 1904 estimularon el ambicioso proyecto de un costoso ferrocarril que uniría la sierra central con un puerto en el río Ucayali, en el umbral de la selva amazónica. En el Congreso, civilistas y demócratas por

igual se opusieron a este proyecto financieramente irresponsable y mal diseñado. Una propuesta para un préstamo externo de tres millones de libras del
Deutsche Bank, promovida por el ministro Leguía para financiar el proyecto
ferroviario del Ucayali y otros cuatro más, fue rechazada por el Congreso en
1906.[126]

Pero en abril de 1907 un controvertido contrato para financiar la construcción de la línea a Ucayali por etapas fue firmado por funcionarios peruanos y el empresario estadounidense Alfred W. McCune, gerente y socio de
la Cerro de Pasco Mining Co., que contaba con el apoyo de los legendarios
financistas Morgan, Vanderbilt, Frick y Hearst. McCune no logró iniciar las
obras debido al pánico financiero de 1906, que pospuso temporalmente todo
debate sobre el tema. La eventual división del civilismo en las facciones leguiista y el «Bloque» obedeció a los profundos desacuerdos en torno a cuestiones financieras y administrativas, antes que a cualquier rencor que Leguía
guardara por la forma en que los líderes civilistas lo habían tratado. Estos,
supuestamente le habían dado un trato semejante al que un hacendado daba
a su administrador provinciano o mayordomo.[127]

Al igual que Piérola, Leguía se esforzaba por atender los intereses extranjeros que pudieran ofrecerle bases efectivas de poder. Así, mientras que Piérola
despertaba comentarios favorables de parte de agentes franceses y españoles,
Leguía era muy admirado por empresarios y diplomáticos británicos y, sobre
todo, estadounidenses. Se le consideraba una persona que había avanzado
por sus propios méritos, aunque en realidad se trataba del heredero de una
familia terrateniente en la provincia norteña de Lambayeque. Leguía tenía experiencia en administración de empresas y hablaba muy bien el inglés. Poseía
además un cierto encanto, una fuerte voluntad y la ambición del aspirante a
magnate. Aparentemente cautivó a muchos extranjeros. Antes de su carrera
política, Leguía había administrado haciendas azucareras y trabajado para la
casa importadora y exportadora estadounidense de Charles Prevost & Co., así
como para la New York Life Insurance Company. Los contactos empresariales y
políticos de Leguía en Nueva York y Washington resultaron invalorables en su
carrera política. Contemporáneo de los legendarios *robber barons*, magnates
monopolistas estadounidenses, Leguía se nutrió del clima cultural de los monopolios y *trusts* internacionales en expansión. Admiraba, además, a Porfirio
Díaz como «brillante figura [...] a quien se debe por entero la reorganización social y económica de» México.[128] A través de su matrimonio y el de sus tres hijas,
Leguía estuvo estrechamente emparentado con importantes familias. Augusto,
José y Juan, sus tres hijos, adolescentes en 1909, estudiaron en el extranjero
bajo la supervisión de parientes, amigos y diplomáticos en servicio activo.[129]

En las condiciones modernizantes del Perú en el temprano siglo XX, Leguía encajaba mejor que Piérola en el rol de árbitro político dispuesto a ofrecer o permitir recompensas impropias, favorecer intereses extranjeros o romper reglas a fin de alcanzar y conservar el poder. Habiendo asegurado su elección a la presidencia como el sucesor oficial de Pardo en 1908, Leguía concibió la política aparentemente conciliadora de «ubicaciones» o escaños parlamentarios asignados a pierolistas como estrategia para neutralizar a la facción civilista que se oponía a sus medidas en el Congreso. Sin embargo, Leguía pronto aprendió duras lecciones políticas por parte de insurgentes demócratas y de sus aliados los liberales. El golpe del 1 de mayo de 1908, urdido por el anciano Piérola y Durand, y, sobre todo, la aventura insurreccional del 29 de mayo de 1909, encabezada por su hermano Carlos y sus hijos Isaías y Amadeo Piérola, apoyada por Orestes Ferro y Enrique Llosa, casi le costaron a Leguía la presidencia y la vida. Estos acontecimientos inyectaron un nuevo matiz en su decisión personal de seguir y afirmar metas autoritarias durante su primer gobierno.[130] La subsiguiente represión y el endurecimiento de su régimen esbozaron una estrategia política y económica, formal e informal, que caracterizó no solo los restantes años de su primer gobierno (1908-1912) sino, también, sus once años de dictadura (1919-1930).

El presidente Leguía amplió los proyectos económicos y financieros que había introducido cuando sirvió como primer ministro de Pardo. Se enfrentó, entonces, a una renovada y feroz oposición parlamentaria civilista, que no estaba dispuesta a aprobar gastos públicos expansivos que pudieran llevar a un enorme déficit presupuestal. Los civilistas, asimismo, se oponían fuertemente a la pragmática política exterior de Leguía, conducida por su ministro Melitón Porras. Este último, para ganar tiempo ante una costosa recuperación militar, propuso efectuar concesiones territoriales, así como la intermediación diplomática de Estados Unidos en el transcurso de negociaciones sobre disputas limítrofes simultáneas que casi llevaron al Perú a la guerra con varios de sus vecinos.[131] Leguía presionó a favor de su política exterior, su ambicioso programa de gasto militar y naval, y una coalición de intereses estadounidenses y locales decididos a construir el grandioso y mal diseñado proyecto ferroviario de Ucayali.[132] En realidad, esta concesión ferroviaria fue, en el periodo 1911-1912, el principal punto en disputa entre el «Bloque» civilista en el Congreso y Leguía, quien continuaba defendiéndola «debido a motivos que distan de ser desinteresados».[133] Este conflicto político subyace a la criticada injerencia de Leguía en asuntos de normas y elecciones parlamentarias con el fin de lograr la mayoría en el Congreso de 1912 para sus seguidores.

A partir de sus extensas relaciones familiares, y sin contar con un partido o alianza política, Leguía construyó una red de apoyo político disidente entre políticos oportunistas de clase media y nuevos ricos, quienes exigían recompensas ligadas a obras públicas, malversación de fondos, contratos para suministros y cargos gubernamentales. Varios de sus parientes y amigos cercanos fueron nombrados en cargos ministeriales importantes y lideraron la facción parlamentaria leguiista. Entre ellos se pueden contar a Eulogio Romero, Enrique Oyanguren, Enrique C. Basadre, Germán Leguía y Martínez y Roberto Leguía.

Julio Ego-Aguirre, ministro de Fomento (1909-1911) y uno de los más cercanos colaboradores de Leguía, además de promotor clave del ferrocarril de Ucayali, tuvo una relación duradera como abogado y socio de Julio C. Arana, el mayor terrateniente y magnate del caucho en la región del Putumayo, en el departamento amazónico de Loreto. Durante el primer gobierno de Leguía, la prensa internacional y local denunció a Arana y sus capataces por explotar, esclavizar y causar la muerte de miles de indígenas amazónicos en sus extensas propiedades caucheras. Ego-Aguirre y el prefecto de Loreto y amigo de Leguía, Francisco Alayza Paz Soldán, trataron con lenidad al cacique regional Arana y le ayudaron a superar el escándalo, tras lograr que lo exoneraran de responsabilidad directa luego de varias investigaciones oficiales y diplomáticas.[134] Leguía aceptó el argumento de Arana de que tales cargos eran producto del chantaje de sus enemigos.[135] *Peru To-Day*, una publicación en lengua inglesa financiada por el gobierno peruano y con un personal de periodistas estadounidenses contratados en Lima, contribuyó a difundir internacionalmente la sesgada política del gobierno en el Putumayo como parte de la innovadora estrategia de Leguía por influir la opinión pública extranjera.[136]

La correspondencia personal de Leguía en su primer gobierno revela un flujo incesante de pedidos de cargos oficiales y favores, provenientes de una amplia gama de personas que recomendaban a sus parientes o favoritos. Algunos de estos pedidos fueron concedidos y otros rechazados o pospuestos según las cambiantes necesidades políticas de Leguía: sus parientes (su tío Bernardino Salcedo y hermano Eduardo S. Leguía) y amigos políticos (el exjuez Jorge Polar de Arequipa, Juan Antonio Trelles de Abancay y Víctor Larco Herrera de Trujillo) fueron rápidamente satisfechos o se les prometió que pronto lo serían; a Alejandro Garland, quien solicitó un cargo para su hijo, se le invitó a que escribiera sobre finanzas en *El Diario*, publicación periódica bajo el control del gobierno; el pedido hecho por Mariano Ignacio Prado Ugarteche, jefe civilista e hijo mayor del expresidente, a nombre de un tal señor Pérez, fue cortésmente pospuesto.[137]

El general Cáceres, bien recompensado por Leguía como embajador peruano en Roma y posteriormente en Berlín, mantuvo una correspondencia muy amistosa con el presidente, quien accedió a promover a Ignacio

Dianderas, sobrino del general, al puesto de subprefecto de Jauja.[138] La influencia que Cáceres aún tenía en las Fuerzas Armadas le dio a Leguía la confianza necesaria para proceder con sus políticas agresivas contra la oposición sin tener que preocuparse por golpes militares.[139] De hecho, según un diplomático francés, a pesar de la generosa actitud que el presidente tenía para con los intereses anglofranceses, uno de sus principales defectos era «el patrocinar al general Cáceres, quien simboliza la corrupción cínica y la ausencia de todo sentido moral».[140]

En efecto, Leguía accedió a los pedidos militares para incrementar el gasto de defensa, que alimentó las comisiones ilegales y coimas a oficiales y proveedores extranjeros. En 1909, el ministro de Guerra Pedro Muñiz, un integrante de los constitucionalistas caceristas, logró que se mantuviera el máuser como el rifle oficial del ejército en contra de la propuesta por reemplazarlo con el japonés arizaka. Asimismo, se compraron varios buques torpederos y submarinos franceses, siguiendo el consejo de la misión naval francesa contratada para que organizara la marina peruana. Algunas de estas compras se cuestionaron en el Congreso por irregularidades y falta de autorización legislativa, así como por contribuir al incremento innecesario de la deuda externa, según los diputados de la minoría civilista José Matías Manzanilla y Luis Miró Quesada.

Por ejemplo, la adquisición, a la larga frustrada, del anticuado acorazado francés Dupuy de Lôme a un precio excesivo ocasionó fuertes acusaciones contra Leguía. Del mismo modo, generó suspicacias que la compra de ocho submarinos, sujeta a la aprobación parlamentaria de bonos del tesoro de corto plazo por un total de 862.500 dólares, se concertara en 1912 con la Electric Boat Company de Estados Unidos, un proveedor naval que acostumbraba pagar «comisiones locales» (un eufemismo para referirse a sobornos) para asegurar sus ventas. La compra de estos submarinos fue también cancelada debido a su alto costo por el sucesor de Leguía. En realidad, las transferencias presupuestarias irregulares y el gasto excesivo inflaron el déficit de los ministerios de Defensa, Gobierno (que incluía a la policía secreta) y Fomento, en tanto que se descuidaba otros sectores como el de Educación.

En particular, el financiamiento irregular de la policía secreta (encabezada por Enrique Iza, célebre por el uso excesivo de la fuerza) se denunció como una perniciosa innovación del primer gobierno de Leguía. (Acabado su primer mandato, esta y otras acusaciones llevaron a la formación de una comisión parlamentaria encargada de investigar varias de las medidas y procedimientos seguidos por Leguía. Tras diversas tácticas dilatorias, la comisión compuesta por una mayoría leguiista no logró cumplir con esta tarea.)[141]

La creciente oposición nunca dejó de preocupar a Leguía: su correspondencia refleja los esfuerzos realizados para controlar la sedición política mediante la vigilancia secreta de sospechosos y autoridades provinciales que no seguían los patrones tolerados por la administración.[142] De esta forma, Leguía se iba haciendo cada vez más impopular.[143] Dicha situación coincidió con la descripción de un diplomático británico en 1911:

> El Perú se encuentra actualmente en una de esas fases, tristemente bastante común en las repúblicas hispanoamericanas, en la cual el gobierno central es débil, una condición que permite a cualquier autoridad menor actuar de modo prepotente, lo que puede llevar a las situaciones más infortunadas. En la mayoría de los casos el motivo es lo que en Estados Unidos se conoce como «graft» [corruptela] y estos funcionarios menores esperan la exacción o chantaje de sus víctimas sabiendo muy bien que tienen muy poco que temer de los poderes por encima de ellos. Por muchas fuentes [nos hemos enterado de] pedidos de sumas de dinero para que las cosas puedan funcionar, pedidos que en ocasiones son lamentablemente accedidos y alientan aún más extorsiones.[144]

Con el fin de afirmar su autoridad en los últimos dos años de su presidencia, Leguía empleó medidas escandalosas para subvertir las reglas electorales y los procedimientos parlamentarios. Su régimen pasó a depender cada vez más de la vigilancia policial y el espionaje.[145] Los intentos de influir sobre la Junta Electoral Nacional culminaron en un decreto ejecutivo que la clausuró inmediatamente antes de las elecciones parlamentarias de 1911. Esta medida condujo a la instalación ilegítima de nuevos congresistas y le dio a Leguía el control de la mayoría parlamentaria en medio de la violencia de turbas dirigidas por agentes de la policía secreta.[146] Los civilistas, en cambio, conformaban ahora una minoría; además el presidente acababa de subir los sueldos de las Fuerzas Armadas poco antes.[147] Estos procedimientos políticos, que minaban las instituciones electorales, legislativas y militares, le permitieron a Leguía consolidar un grupo de respaldo cuya principal recompensa era la corrupción institucionalizada.

Las elecciones presidenciales de 1912 le ofrecieron a Leguía otra oportunidad de aplazar su salida del poder y asestarle otro golpe devastador a su exagrupación, el Partido Civil. Los civilistas confiaban en que Ántero Aspíllaga, su candidato, vencería fácilmente en las elecciones. Sin embargo, un nuevo y amenazante candidato apareció repentinamente en escena, el expierolista Guillermo Billinghurst, que fue ganando el respaldo popular por medio de la demagogia populista. Con la clara intención de impedir las elecciones que calificaba anticipadamente como fraudulentas, Billinghurst logró interrumpir la votación, asistido por multitudes violentas azuzadas por un paro general.

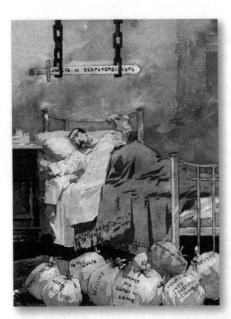

Fig. 9. Presidente Augusto B. Leguía gozando de impunidad ante la falta de juicio de responsabilidad por múltiples transgresiones y malversaciones al final de su primera administración. «Sueño tranquilo». Por González Gamarra. *Variedades* 8, n.° 240, 1912, p. 1. Biblioteca Nacional del Perú, Lima.

Fig. 10. Presidente Augusto B. Leguía con sus ministros saliendo de la Catedral de Lima durante su larga y hondamente corrupta segunda administración, 1919-1930.
Foto de José L. Avilés, ca. 1921. Colección fotográfica de Humberto Currarino, Callao.

Ante la nulidad forzada del proceso electoral, la decisión sobre la sucesión presidencial recayó entonces en el Congreso, donde la mayoría proleguiista refrendó un acuerdo entre Leguía y Billinghurst para que Roberto Leguía, hermano del presidente saliente, y el hacendado leguiista Miguel Echenique fueran nominados primer y segundo vicepresidente, respectivamente. El nuevo mandatario pronto denunció el catastrófico estado de las finanzas nacionales que heredó; se rehusó, así, a honrar contratos y acuerdos que Leguía había iniciado y esperaba que Billinghurst concluyera. La deuda pública sumaba 82 millones de soles y era necesario efectuar grandes recortes en el gasto.[148]

Este serio desacuerdo entre Billinghurst y Leguía tuvo muchas ramificaciones. Inicialmente llevó, luego de algunas dudas, a la cancelación de varios proyectos ferroviarios y de irrigación, así como de contratos de compra de armas, con los cuales Leguía había estado profundamente comprometido. Entre los acuerdos cancelados figuraba la línea a Ucayali que esperaba la concreción de préstamos extranjeros, fundamentalmente del National City Bank y otros financistas de Estados Unidos, así como la compra de los submarinos de la Electric Boat Company. En consecuencia, Billinghurst fue considerado antiestadounidense por los diplomáticos de dicho país, que informaban, además, que el presidente prefería tratar con empresas anglofrancesas.[149]

Leguía mismo se exilió luego de que una turba atacara su residencia, la que el expresidente y un puñado de amigos defendieron con revólveres. Billinghurst gobernó con un estilo dictatorial que evocaba el radicalismo jacobino con el apoyo del Comité de Salud Pública, institución vinculada a una oficina de obras públicas urbanas dirigida por el militante Lauro A. Curletti, un sujeto proclive al soborno. El gobierno procedió a expropiar la compañía de agua potable, la Empresa del Agua de Lima, y propuso armar al pueblo. Asimismo, tuvo que enfrentar a la corrupción dentro de su propio gobierno: a un miembro de su gabinete se le pidió la renuncia al encontrarse que estaba lucrando con la venta de carbón a la marina.[150]

A comienzos de 1914, Billinghurst planeaba cerrar el Congreso para librar a su gobierno de la mayoría leguiista. El eterno conspirador Augusto Durand diseñaba un levantamiento que contaba con el respaldo de militares descontentos. Graves desacuerdos entre el presidente y el coronel Óscar R. Benavides llevaron a la renuncia de este último a la jefatura del Estado Mayor. Estos ominosos acontecimientos culminaron en un golpe cívico-militar instigado por Durand pero ejecutado por Benavides y sus cercanos amigos Jorge y Manuel Prado Ugarteche, partícipes del asalto al palacio presidencial. El golpe resultó en la muerte del ministro de Guerra, el general Enrique Varela, y el derrocamiento de Billinghurst el 4 de febrero de 1914.[151] En un manifiesto escrito tras ser depuesto, Billinghurst denunció una conspiración de «logreros políticos» interesados personalmente en los turbios proyectos ferroviarios de Ucayali y Huacho, plagados por la malversación de fondos públicos.[152] Según fuentes estadounidenses, Durand, quien poseía extensos cocales en la provincia de Huánuco, era uno de los partidarios de que el ferrocarril a Ucayali pasara por dicha circunscripción política.[153]

Después del golpe, el coronel Benavides asumió un rol protagónico. Siendo uno de los primeros graduados de la instrucción militar francesa iniciada en 1895, quedaba en claro que la reforma militar, que buscaba mantener a los militares fuera de la política, había fracasado.[154] Los hermanos Prado Ugarteche (Mariano Ignacio, Javier, Jorge y Manuel), jefes de una facción ascendente entre los civilistas, apoyaron a Benavides como presidente provisional. En protesta, González Prada renunció al cargo de director de la Biblioteca Nacional que había ocupado desde 1911. El escritor procedió entonces a criticar a Benavides por su militarismo o «corporalismo sudamericano», que amenazaba con instaurar otra ronda de degradante servidumbre, favoritismo y malversación fiscal. Arriesgándose a las represalias, González Prada denunció el enriquecimiento sorprendente de Benavides que permitió a su familia cancelar simultáneamente varias hipotecas, insinuando así que esa fortuna provenía de fuentes civilistas o del mal uso de fondos públicos. (A pesar de su larga cruzada contra la corrupción, González Prada se encontró, al final de su vida, defendiendo a Leguía de sus críticos.)[155]

Debido a los problemas financieros internacionales durante los años iniciales de la Primera Guerra Mundial, el gobierno provisional de Benavides no pudo valerse del endeudamiento externo, aunque sí le fue posible echar mano del crédito interno. Se notaba un creciente militarismo, a medida que el presidente colocaba a sus parientes en lucrativos puestos públicos y su entorno se dedicaba a «negocios tan poco delicados como la compra de créditos contra el fisco», todo lo cual contribuía a la impopularidad del régimen.[156] Se sospechaba, además, que el creciente gasto militar servía para «recompensar servicios no muy correctos».[157]

Javier Prado Ugarteche, íntimo aliado de Benavides, estuvo envuelto en un intento de venta encubierta de miles de rifles máuser de sistema moderno al gobierno español a un precio más ventajoso que el de la misma casa manufacturera. Prado mismo había recomendado personalmente a Manuel Valladares, el agente de la sinuosa transacción, ante el jefe de la misión diplomática española en Lima.[158] (En 1910, Benavides casualmente estuvo de agregado en la fábrica Máuser en Alemania durante varios meses.[159]) Mariano Ignacio, hermano mayor y cabeza acaudalada del clan Prado, también fue descrito como un empresario inescrupuloso y un político de dudosa moral.[160]

La primera fase del juicio llevado a cabo para esclarecer el asesinato del general Varela durante el golpe se declaró viciada debido a irregularidades procesales. Al finalizar su impopular mandato, Benavides fue despedido con pifias por grupos que le gritaban «ladrón y asesino».[161] José Pardo, electo en 1915 para su segundo mandato presidencial, recompensó a Benavides con un puesto diplomático en Europa.

Pardo gobernó el país con su tradicional conservadurismo fiscal. Las acostumbradas disputas y manipulaciones electorales se caldearon tras el asesinato del leguiista Rafael Grau. La familia de Grau y la oposición política responsabilizaron al gobierno de su muerte. Las ambiciones políticas de Javier Prado, respaldadas por sus hermanos y un grupo considerable de civilistas, llevaron a una división de facto del Partido Civil, que debilitó la posición de Pardo.

Además, la controvertida cuestión tributaria concerniente a los campos petrolíferos de La Brea y Pariñas acosó al Ejecutivo y al Legislativo durante todo el gobierno de Pardo. En medio de la Primera Guerra Mundial, agentes británicos y estadounidenses presionaron para que se alcanzara una resolución judicial internacional de la disputa, librada en torno a los impuestos ridículamente bajos que pagaba la London & Pacific Petroleum Co., una subsidiaria de la Standard Oil Corporation de Estados Unidos. Los críticos posteriormente culparon al gobierno de Pardo y a la mayoría civilista en el Congreso por haber cedido a estas demandas.

Para completar este panorama internacional adverso, el gobierno de Pardo demoró innecesariamente la ruptura de relaciones diplomáticas con Alemania, incluso después de que Estados Unidos entrase a la guerra en 1917. La oposición explotó esta descaminada política exterior seguida por el conservador Enrique de la Riva-Agüero.

Leguía, entretanto, conspiraba desde su exilio. Tras su partida del Perú en 1912, se estableció en Londres, desde donde conducía sus negocios personales y una campaña política orientada a devolverle al poder. En su residencia en 28 Holland Park, Leguía recibía consejos políticos de su colaborador y exministro Julio Ego-Aguirre. Durante la mayor parte de 1917, la Home Office británica tuvo a Leguía bajo vigilancia, en caso violara la Foreign Enlistment Act y contratara ciudadanos británicos para derrocar al gobierno peruano. No se detectó ningún acto semejante. Sin embargo, la Foreign Office recibió información detallada sobre los movimientos de Leguía, sus contactos y una copiosa correspondencia personal entre el expresidente, partidarios políticos y militares en el Perú, que incluía copias fotográficas y traducciones de cartas interceptadas.[162]

Gracias a esta fuente extraordinaria, podemos afirmar que Leguía efectivamente estaba planeando su retorno político y que, para este fin, contaba con el fuerte apoyo, tanto de oficiales militares retirados, como en servicio activo en el Perú. Los más decididos en la planificación práctica de levantamientos simultáneos de tropas en ciudades estratégicas del Perú fueron el coronel César Gonzales y los oficiales Pedro A. Ríos y Francisco La Rosa, quienes, junto con muchos otros oficiales, aborrecían la política de recortes a las Fuerzas Armadas seguida por Pardo.

En sus cartas, Leguía incitaba vivamente a Víctor Larco Herrera y otros candidatos parlamentarios a que se unieran a este «movimiento reaccionario» contra Pardo. El abogado José Manuel García fue puesto a cargo de la organización política y el financiamiento del movimiento en el Perú, así como de la propaganda en la prensa. Este recibió fondos en Lima de Augusto Leguía Swayne, el hijo mayor del expresidente y administrador de la empresa exportadora de azúcar y algodón de la familia. Las negociaciones políticas llevadas a cabo por García incluyeron contactos con Cáceres. El viejo general había sido rechazado por los civilistas cuando regresó al Perú en 1915 y había prometido (pero no pudo cumplir) el respaldo de su partido militarista a la insurrección leguiista. Del mismo modo, Carlos de Piérola, el jefe opositor del casi extinto Partido Demócrata, manifestó su respaldo a la causa y liderazgo de Leguía.[163]

La causa insurreccional de Leguía heredó la tradición ideológica y política de los viejos movimientos anticivilistas que habían jurado cambiar radicalmente el «estado feudal» del Perú. Al narrar una conversación confidencial con Piérola, uno de los conjurados con Leguía manifestó vívidamente unas ambiciosas metas políticas que Leguía posteriormente pondría a su manera en práctica:

> Necesitamos a un hombre que encabece una reacción sangrienta que destruya todo lo que al presente existe. Todo debe ser renovado. Los Poderes Ejecutivo, Legislativo y Judicial. Las universidades, el ejército y todas las instituciones y su personal deben ser reorganizadas, y como complemento, este grupo de hombres, cuya existencia es peligrosa para la república, debe ser destruido.[164]

Este corresponsal se encontraba animado por el creciente descontento de aquellos que, abandonando el campo de Leguía, se habían visto obligados a tocar las puertas de los poderosos de la «civilización pardista» con el objetivo de saciar su apetito de poder. Estas personas «furiosas y desilusionadas», bien conocidas por Leguía, regresaban a su antiguo bando a pedir venganza. Un nuevo partido debía ser formado entre estos y otros actores políticos.

Otro amigo político sugirió a Leguía seguir el ejemplo de Billinghurst de elevar las expectativas de los desposeídos con «esperanzas concretas de beneficio personal» como el ofrecer puestos en consulados peruanos del extranjero. Este mismo personaje maquiavélico también propuso encargarle a

Julio Ego-Aguirre lanzase una falsa campaña electoral para engañar a Pardo y permitir el regreso de Leguía al Perú.[165] Sin embargo, el coronel Gonzales advirtió a Leguía que el creciente apoyo a su causa no era suficiente en el Perú, donde la «decadencia moral» era grande y no podía confiarse demasiado en estos partidarios y asesores políticos que carecían de «honestidad política»:

> Los mismos hombres a quien usted conoce con los mismos vicios, posiblemente hasta más corruptos, conforman esta [nueva] organización política. No esperan nada de acciones a las cuales podría llamárseles enérgicas y honorables, sino que prefieren la intriga con la cual generalmente ganan más que mostrando su mano.[166]

Diversos amigos epistolares de Leguía en esta época le pidieron dinero para gastos o para su sustento, luego de perder su cargo o ver vencida su postulación al Parlamento.[167] Así, un diplomático que seguía de cerca la política peruana en ese entonces consideraba que la mayoría de estos partidarios que urgían el derrocamiento de Pardo constituía un grupo de «aprovechados decepcionados».[168]

La estrategia política de Leguía evolucionó hacia un plan secreto para regresar al Perú, respaldado por el nuevo partido en formación, y exigir un gobierno provisional y la convocatoria a una convención nacional, objetivos todos que serían apuntalados por un levantamiento militar.[169] La prematura rebelión de la guarnición de Ancón en agosto de 1918 estuvo vinculada a las redes militares de Cáceres que apoyaban a Leguía.[170] Las condiciones para el retorno del expresidente coincidieron con el lanzamiento de su campaña presidencial para las elecciones de 1919, en las cuales salió vencedor. Pero su victoria electoral no bastaba para el aspirante a dictador. Leguía llevó a cabo un golpe «sagaz» antes de la ceremonia de investidura, argumentando haber descubierto una conspiración para impedirle asumir el mando (cargo sobre el cual testigos extranjeros no encontraron evidencia alguna). El golpe contó con un amplio respaldo militar que puso abrupto fin al relativamente honesto gobierno de Pardo, el último del civilismo, y destrozó la oposición organizada, iniciando así una nueva era de dictadura y corrupción.[171]

Escándalos del Oncenio de Leguía

Así, Leguía comenzó su segundo gobierno (1919-1930) sin oposición institucionalizada. Fiel a su plan original, interfirió en la instalación del Congreso y convocó una asamblea constitucional para que reformara la vieja Carta de 1860. Mariano H. Cornejo, antiguo parlamentario demócrata y ministro de Billinghurst, fue el arquitecto de la «reforma» constitucional que apoyaba un régimen dictatorial eufemísticamente conocido como la «Patria Nueva».[172] Los hermanos Prado colaboraron en este proyecto leguiista durante un tiempo. La Constitución resultante de 1920 significó un revés histórico para las débiles instituciones y normas de la democracia republicana peruana y la coexistencia política, construidas dolorosamente durante décadas.[173]

Justificando su proceder con la excusa de combatir conspiraciones recurrentes, Leguía destruyó a la dirigencia civilista mediante encarcelamientos en la isla de San Lorenzo, deportación y ataques de turbas contra casas y oficinas de prensa.[174] Siguió entonces una devastadora agresión contra otros grupos políticos. El gasto de la policía secreta creció significativamente para formar un extenso sistema de espionaje. El «doctor» Bernardo Fernández Oliva, un jefe particularmente temido de la policía secreta, fue acusado de torturar a los prisioneros políticos.[175] La represión desatada contra todo opositor por el ministro de Gobierno Germán Leguía y Martínez, primo del presidente, forzó una estabilidad política beneficiosa para la dictadura.

Sin embargo, las drásticas medidas punitivas dictadas por Leguía y Martínez causaron conflictos entre el Poder Ejecutivo y el Poder Judicial, alarmaron a empresarios y banqueros locales, así como preocuparon a la comunidad internacional por la violación de derechos civiles fundamentales. El requisito legal del *habeas corpus* se ignoró y la propiedad privada se vio amenazada por un decreto de confiscación políticamente motivado y retroactivo.[176] La prensa independiente fue cerrada o mantenida bajo la constante amenaza de ser clausurada y la libertad de expresión en las universidades quedó limitada drásticamente. Una maquinaria propagandística bien aceitada que incluía al diario *La Prensa* (expropiado al exiliado Augusto Durand en 1921) y el *West Coast Leader*, publicación en inglés sucesora del *Peru To-Day*, alababa los «logros» del gobierno y confundía a la opinión pública nacional e internacional.

Una vez que los contrapesos políticos fueron violentamente desmantelados, Leguía pudo dedicarse a sus anchas a su querida política de grandes obras públicas plagadas de corrupción y financiadas con un masivo endeudamiento externo. El difunto plan de la línea férrea a Ucayali se reemplazó con una nueva obsesión por la urbanización, los proyectos de irrigación y la construcción de carreteras. Los masivos préstamos de la banca estadounidense financiaron obras públicas asignadas a contratistas norteamericanos: el monopolio de las obras urbanas y de salubridad por la Foundation Company, la construcción de carreteras y puertos por Snare & Co. y los proyectos públicos de irrigación (entre ellos, el gran proyecto de Pampas Imperial en Cañete y de Olmos en Lambayeque, en los que Leguía tenía sustanciales intereses) a cargo del ingeniero Charles W. Sutton. Estos préstamos, privilegios y monopolios causaron críticas por parte de otras compañías y representantes extranjeros, en los que generó suspicacia el impacto de la «insaciable codicia yanqui» para la soberanía del Perú.[177]

Las suntuosas celebraciones por el centenario de la independencia acarrearon gastos excesivos y derroche de fondos públicos a gran escala, no obstante la caída de los precios de las exportaciones en 1921. Se erigieron nuevos edificios públicos y monumentos patrióticos. Para ganarse la buena fe de diversos intereses extranjeros, el gobierno de Leguía le regaló a la embajada española un edificio que valía 45.000 libras peruanas, contrató profesionales estadounidenses como administradores públicos y estableció una misión policial española y otra naval estadounidense.[178]

Del mismo modo, se otorgaron concesiones importantes a la Peruvian Corporation, a la London & Pacific Petroleum Co. y a la British Marconi Wireless Co. para el monopolio de los servicios locales de correo y telégrafo. Casi todos estos acuerdos y contratos con empresas foráneas tuvieron resultados negativos. El contrato con la Marconi fue objeto de una investigación parlamentaria por ineficiencia y corrupción, debidas a los problemas causados por empleados nativos que, según un informante extranjero, «consideran que el servicio público es una sinecura permanente y una oportunidad para la "corruptela"».[179] La misión policial española inicialmente mejoró la posición profesional de la policía peruana, pero inevitablemente chocó con autoridades consideradas corruptas, como el prefecto de Lima Octavio Casanave.[180]

El desorden y la venalidad se evidenciaron desde el inicio mismo del nuevo régimen.[181] La corrupción prevaleció en todo ámbito administrativo: el mal ejemplo fue dado por los ministros y funcionarios de alto rango, que llegaron a su cargo sin riqueza personal y, en corto tiempo, aparecían amasando fortunas. Destacaron, en este desarrollo, Julio Ego-Aguirre, ministro de Fomento y posteriormente de Relaciones Exteriores y primer ministro; Alberto Salomón, ministro de Relaciones Exteriores;[182] y Pedro José Rada y Gamio, primer ministro.[183]

El doctor Lauro A. Curletti, ministro de Fomento en 1923, se vio obligado a renunciar solamente cuando exageró sus propias ambiciones presidenciales, no obstante habérsele permitido antes usar su cargo para cometer «malversaciones flagrantes» de fondos públicos.[184] Un informe biográfico confidencial del servicio diplomático estadounidense sobre Alejandrino Maguiña, ministro de Justicia y Educación y primer ministro en 1926, explicaba que su principal motivación para tomar parte en la política gubernamental era «hacer dinero». En efecto, Maguiña renunció después de ignorar repetidos pedidos del Congreso para que presentara cuentas claras de los gastos que había efectuado desde 1923 para la construcción de escuelas primarias. Fue incluido en

«el grupo de políticos de clase media, inteligentes pero frecuentemente inescrupulosos, a los cuales el presidente ha llevado al gobierno». De igual modo,
el «ambicioso y de sangre fría» Celestino Manchego Muñoz encabezaba un
«fuerte séquito de aprovechados».[185]

Los parientes cercanos y amigos de Leguía se encontraban en la cima de
esta cadena informal. Su primo Eulogio Romero, presidente del nuevo Banco
de Reserva, su yerno Pedro Larrañaga y su antiguo amigo político Miguel
Echenique se beneficiaron con el auge de la construcción como contratistas
(Cía. de Autovías y Pavimentos) y socios privilegiados del monopolio del ce-
mento (la Cía. Portland Peruana).

El economista estadounidense William W. Cumberland fue testigo privilegiado de la difundida corrupción del gobierno de Leguía y de su círculo
más íntimo. A pedido de Leguía, Cumberland, funcionario del Departamento
de Estado de EE. UU, fue nombrado, en 1921, jefe de la Administración de
Aduanas y Presupuesto; y, en 1922, director del primer banco central, el
Banco de Reserva del Perú.[186] Cumberland pronto descubrió que el gasto fiscal ascendía a aproximadamente el doble de las rentas, lo cual ejercía fuerte
presión para la devaluación de la moneda. Hacia la segunda mitad de 1922,
la «grosera extravagancia» del gasto fiscal mediante «créditos especiales»
y malversaciones había generado un déficit inmanejable en casi todos los
ministerios.[187]

Años más tarde, Cumberland contó que, en la Administración de
Aduanas, la «corrupción proliferaba pues pocos eran los que pagaban los
aranceles como era debido [y por tanto] la cuestión era negociar [el pago] con
los funcionarios peruanos».[188] Un trabajador de aduanas despedido por participar en dicha corruptela llegó incluso a retar a Cumberland a duelo. Además,
Cumberland no pudo evitar la interferencia del gobierno en el manejo del
banco central, pues Eulogio Romero, presidente del banco entre 1922 y 1925,
era «un político muy astuto y sumamente inescrupuloso». Para cubrir las necesidades de fondos del gobierno, Romero diseñó y llevó a cabo un plan para
reducir el contenido de plata de las monedas peruanas. En consecuencia, en
1923 Cumberland renunció como director del banco. Reveló después que
Leguía «permitió a todos sus asociados aprovecharse de la corrupción a sus
anchas [... Leguía] arruinó las finanzas del Perú tan exhaustivamente como si
él mismo hubiese sido el corrupto».[189]

La creciente falta de recursos fiscales obligaba a pagar los magros salarios de los profesores de colegio con vales. Se hizo una costumbre intercam-
biar estos últimos por dinero a través de la mediación política de congresistas
que cobraban una «comisión» del 25 por ciento. Al verse cuestionados por
Cumberland, hubo quienes intentaron ofrecerle una tajada de tal ganancia

abusiva. Según el funcionario estadounidense, esta confabulación «era una de las mayores fuentes de corrupción en Perú y una de las principales motivaciones para ser senador o diputado. Cada uno cobraba una parte sustancial de los salarios de los profesores de su distrito».[190] Sin embargo, Juan Leguía Swayne, el más joven de los hijos del presidente, superó a todos los demás asociados cercanos a Leguía en el cobro de «comisiones» y sobornos por diversos tratos oficiales, especialmente en la contratación de préstamos extranjeros y compra de equipos militares, navales y aviones de guerra.

El presidente Leguía había recompensado a los oficiales militares y navales en un grado sin precedentes, corrompiendo profundamente a las Fuerzas Armadas. Varios oficiales fueron ascendidos luego del golpe del 4 de julio de 1919. El viejo general Cáceres, un influyente partidario de la aventura dictatorial de Leguía, fue glorificado y ascendido al rango máximo y exaltado de mariscal. En declaraciones clandestinas, oficiales descontentos con la creciente corrupción de las instituciones militares denunciaban el uso de los ascensos militares por políticos inescrupulosos.[191] La explotación política de los militares continuaría siendo un problema principal para el desarrollo de las Fuerzas Armadas.

La negociación de la cuestión de Tacna y Arica con Chile, el asunto más importante en materia de Relaciones Exteriores, tenía como base una política de rearme que implicaba mayores gastos fiscales. La iniciativa de Leguía de comprar las armas más nuevas de ese entonces, los submarinos y aeroplanos, le brindó fuerte apoyo entre los militares y sus seguidores nacionalistas. Sin embargo, los contratos de estas compras estuvieron expuestos a la reinante corrupción. Juan Leguía ostentaba el rango de coronel y el cargo oficial de inspector en jefe de la Aviación Naval y Militar. Esta condición lo vinculó directamente a la negociación de los contratos con la Electric Boat Company y el fabricante de aviones Curtiss. Juan Leguía viajaba frecuentemente a los Estados Unidos, donde en una oportunidad lanzó acusaciones alarmantes contra los asesores militares franceses y alemanes en el Perú, y brindó su apoyo a las misiones naval y militar estadounidenses. La vieja misión militar francesa en el Perú llegaba a su fin en medio de escándalos y acusaciones de insubordinación, irregularidades en las adquisiciones y corrupción. Por otro lado, dirigentes políticos alababan a los asesores navales y de aviación de Estados Unidos.[192] Los diplomáticos estadounidenses reconocieron el papel que Juan Leguía tuvo en asegurar compras de material bélico estadounidense y la cooperación naval y militar de los Estados Unidos, en competencia con otros intereses extranjeros.[193]

En 1928, el embajador británico en el Perú reportó serias irregularidades en la venta de destructores navales y material de guerra al Perú por valor de cinco millones de libras esterlinas. El negocio implicaba al general Wilhelm von Faupel, el jefe del ejército peruano en ese entonces, quien «ponía reparos a muchas cuestiones de detalle, y no estaba por encima de las sospechas desde una perspectiva venal». Este militar mantenía, además, frecuentes altercados con Juan Leguía, mientras que el capitán Charles G. Davy (exmiembro de la marina de Estados Unidos), jefe en funciones de la misión naval estadounidense, negociaba una «comisión» o soborno inicialmente fijado en 2,5 por ciento y luego reducido al 1,5 por ciento del valor total de la compra.[194] Los principales comandantes y el mismo presidente Leguía reconocían, además, la difundida apropiación ilícita de carbón, armas y materiales de algunos oficiales para su ganancia privada.[195]

Un pilar fundamental de los abusos de Leguía fue el respaldo inquebrantable y a veces descaminado de bancos, corporaciones e, incluso, diplomáticos estadounidenses. Una admiración casi ciega por Leguía hizo que algunos de estos diplomáticos sostuvieran que, bajo el estado actual de la civilización en el Perú, su régimen «progresivo, aunque autocrático» era tal vez la mejor opción.[196] La amistad y el respaldo de estos representantes llegó incluso a hacerlos declarar que Leguía era uno de los hombres más notables del hemisferio occidental, un «gigante del Pacífico» digno de un premio Nobel.[197] En efecto, William Gonzales, un exembajador en Perú favorable a Leguía, fue acusado por un exiliado peruano de actuar como agente de propaganda, remunerado por el dictador, en Nueva York.[198]

A pesar de las señales de un creciente sentimiento antiestadounidense en Perú, el endose diplomático de Estados Unidos a sus programas financieros y de inversión sostuvo a Leguía en el poder durante prácticamente los once años de su régimen. El arreglo de las disputas limítrofes con Chile y Colombia a través de tratados mediados por Estados Unidos consolidó la posición internacional de Leguía. Sin embargo, la oposición doméstica a estos tratados internacionales le causó problemas políticos internos que resultaron muy serios. Es el caso del senador Julio C. Arana, antiguo aliado político que buscaba una compensación privada por sus tierras cedidas a Colombia en el territorio cauchero del Putumayo. Hubo también una reacción de descontento militar por la entrega de Arica a Chile.[199]

Mientras tanto, representantes estadounidenses urgían el otorgamiento de más préstamos al régimen leguiista, afirmando que era beneficioso para los intereses empresariales de Estados Unidos en el Perú. Las crecientes evidencias de una extensa corrupción en el gobierno de Leguía se ignoraron o justificaron.[200] La penosa consecuencia de esta descarriada simpatía oficial hacia el dictatorial régimen leguiista fue el fracaso de préstamos claramente mal aconsejados y mal manejados, financiados mediante la emisión de bonos en el mercado de capitales de EE. U.U. En realidad, la corrupción desalentaba a los inversionistas honestos a desarrollar negocios en el Perú.

Al igual que otros dictadores latinoamericanos, las dificultades más serias que Leguía tenía para prolongar su régimen emanaban de su ambición por una continua reelección. En 1923, las intenciones de Leguía chocaron con las ambiciones presidenciales de su propio primo Germán Leguía y Martínez, «El Tigre». El aguerrido primo denunció las nocivas implicaciones de una reelección y juró corregir vicios inveterados y combatir el monopolio antidemocrático del poder fomentado por aquellos que medraban a su sombra.[201] A pesar de su poder vertical represivo durante sus tres años como ministro de Gobierno, «El Tigre» aparentemente no siguió el ejemplo de otros funcionarios de alto rango que acumularon fortunas mal habidas.[202] Temeroso del creciente y oportunista apoyo a la quijotesca causa de su primo, el presidente Leguía lo encarceló y posteriormente lo deportó.

Otros críticos más dignos se opusieron valiente y tenazmente a los abusos cometidos por Leguía y sus subsiguientes campañas de reelección. El legendario González Prada había fallecido antes del inicio del segundo mandato de Leguía en 1919. Contribuyeron a su legado anticorrupción Manuel Vicente Villarán, Víctor Andrés Belaunde y varios dirigentes de un ascendente movimiento entre los estudiantes universitarios y obreros. Villarán renunció como rector de la asediada Universidad Nacional Mayor de San Marcos para proseguir una oposición subterránea al gobierno. El exrector publicó varios volantes y panfletos ampliamente distribuidos, en los cuales establecía la conexión entre la destrucción institucional y el abuso, la masiva corrupción y las necesidades políticas del régimen de Leguía.[203]

La campaña de reelección de 1929, justificada mediante una enmienda constitucional previa, en medio de una situación económica internacional y nacional en deterioro, selló el destino político de Leguía. Durante los últimos meses del Oncenio, la prensa controlada por el gobierno publicaba noticias sobre supuestas conjuras para asesinar al presidente. Tales manipulaciones alarmistas se usaron recurrentemente para justificar la represión interna. Esta vez, la popularidad de Leguía se encontraba en su punto más bajo y eran pocos los que creían que las noticias sensacionalistas eran ciertas. Los préstamos extranjeros para refinanciar la inmensa deuda pública y comprar equipos militares fueron cancelados o reducidos en su fuente debido a la Gran Depresión. Leguía reaccionó airadamente ante lo que consideraba una traición de los financistas de Estados Unidos. Uno de los asesores militares norteamericanos en Perú intentó llamar la atención de los funcionarios en Washington sobre la falta de voluntad de los banqueros de Nueva York para conceder nuevos préstamos al gobierno peruano para la compra de aviones militares.[204]

El 22 de agosto de 1930, un levantamiento militar en Arequipa, liderado por el comandante Luis M. Sánchez Cerro, anterior opositor pero también beneficiario de recompensas y ascensos concedidos por el régimen, desató la caída de Leguía. En medio de la inestabilidad y desorden extendidos a Lima, Leguía se vio forzado a renunciar tres días más tarde a favor de una junta militar. Puesto a bordo de un crucero de la Armada peruana frente a las costas de la capital, rumbo al exilio, el achacoso exdictador y su hijo Juan fueron pronto encarcelados, por órdenes de Sánchez Cerro, irónicamente en el temido penal de la isla de San Lorenzo a donde Leguía había enviado a innumerables presos políticos. Padre e hijo fueron posteriormente juzgados por los más graves cargos de corrupción hasta ese entonces presentados contra un presidente, su familia y sus cómplices.

Sanciones ineptas

Como postulado central para llegar al poder, el nuevo régimen militar encabezado por Sánchez Cerro prometió castigar la corrupción del difunto gobierno y elevar los principios morales de la Administración Pública.[205] El 31 de agosto de 1930 se creó un tribunal especial para que investigara, juzgara y castigara los delitos relativos al abuso de cargos públicos, los contratos gubernamentales y el «enriquecimiento ilícito» de los líderes y asociados del régimen anterior. Este Tribunal de Sanción Nacional alentó a los ciudadanos comunes a que presentaran cargos contra empleados públicos y evidencias de sus actividades ilegales.[206] Sin embargo, apenas el 11 por ciento de un total aproximado de 664 acusaciones formales recibidas fue efectivamente procesado por el tribunal especial. De las 75 acusaciones que llegaron a juicio, la mayoría presentadas por oficinas gubernamentales, 41 casos concluyeron con sentencias de no culpabilidad; 16 se desestimaron, debido a evidencias insuficientes; y menos de 10 resultaron en condenas y confiscación de propiedades mal habidas como reparación civil.[207] Después de estos espectaculares juicios y publicidad, la mayoría de las exautoridades ligadas a la corrupción fueron calladamente exoneradas, castigadas levemente o, incluso, certificadas como inocentes.

El incumplimiento de procedimientos legales acostumbrados de presunción de inocencia y retroactividad, la interferencia militar y cargos de inconstitucionalidad contra el propio tribunal, juntamente con la evidente incapacidad para procesar tales juicios, afectaron seriamente la capacidad y legitimidad del tribunal. Sobre la base de tales argumentos legales, algunos autores han condonado o compadecido a Leguía luego de su caída; cuestionan su participación directa en la desenfrenada corrupción y sostienen que el Tribunal tenía una motivación política para ejercer venganzas.[208] Estas apreciaciones coinciden, en parte, con algunas versiones periodísticas extranjeras del momento que sostenían que Leguía era culpable de ambición política antes que de corrupción, aunque le habría sido difícil ignorar «que sus hijos, parientes y amigos recibían millones en comisiones y ganacias derivadas de los préstamos extranjeros y contratos de obras públicas».[209] Estos argumentos resonaron en la defensa póstuma que Leguía supuestamente habría hecho de sí mismo, en la cual sostuvo no ser responsable por la corrupción de otros a lo largo de su gobierno.[210]

A pesar de la ineptitud del Tribunal de Sanción Nacional, la información que este produjo es valiosa para rastrear los mecanismos de corrupción y sus consecuencias en el Oncenio tardío. José B. Ugarte, director del Ministerio del Gobierno, sostuvo que aproximadamente 105 millones de soles habían sido mal utilizados en el periodo 1920-1929: fondos públicos destinados para la policía secreta fueron más bien desviados a grupos políticos que apoyaban al gobierno y para cubrir los gastos electorales leguiistas, en tanto que bajo la etiqueta de «gastos reservados» se pagaban salarios suplementarios a los políticos. Ugarte concluyó que tales prácticas constituían la raíz de la inmanejable expansión de la deuda interna y externa.[211] Quedó claro que el ímpetu modernizador de Leguía tenía como base el gasto en obras públicas que no podían explicar el incremento exponencial de la deuda pública. Era la corrupción y la incompetencia las que habían elevado los costos de obras y contratos hasta el doble de su valor real.[212]

Al finalizar sus actividades en abril de 1931, el Tribunal concentró las relativamente pocas condenas probadas en Leguía y su círculo íntimo de parientes y secuaces. Dichas condenas representaban solo un segmento de las abundantes transgresiones en los contratos públicos, concesión de monopolios, comisiones, préstamos externos, obras públicas, venta fraudulenta de tierras del Estado e, incluso, la protección de la venta del opio y el juego.[213] Un análisis más detallado de la documentación original del Tribunal ilumina mejor los escándalos de corrupción del Oncenio.

La corrupción había infiltrado casi todos los aspectos del sector público y de la vida empresarial privada. En muchas provincias, los campesinos indígenas sostuvieron que los gamonales locales se habían coludido con los prefectos, subprefectos y otros empleados públicos para expropiar sus tierras y abusar de los trabajadores, lucrando con la aplicación de la ley de conscripción vial, que implicaba el reclutamiento auspiciado por el Estado de trabajo forzado para construir carreteras. En pueblos y ciudades reinaba la malversación de los impuestos municipales y la corrupción de inescrupulosos contratistas urbanos. La administración de la educación pública y la construcción de escuelas también sufrieron debido a los abusos de los funcionarios del ramo.[214]

Un cargo en particular que el Tribunal desestimó contenía serias revelaciones que quedaron parcialmente corroboradas por otros juicios y condenas. Fernando Bontá Chávez, el acusador, había sido un empleado público que censuraba telegramas y redactaba propaganda gubernamental durante el Oncenio. Bontá citó y prometió presentar evidencias documentales; su denuncia, además, fue hecha pública por la prensa local.[215] Bontá denunció actos ilegales por parte de varios peruanos y extranjeros que colaboraron con Leguía en un sistema encubierto de malversación de fondos, que fueron invertidos en bolsas extranjeras y utilizados en las campañas para reelegir al dictador.

Una importante fuente de fondos malversados derivó de la colusión entre la Administración de Fomento y la Foundation Company, el contratista urbano dominante. Además, los colaboradores políticos se beneficiaban personalmente con esta colusión y corrupción: ministros y políticos importantes (Benjamín Huamán de los Heros, Mariano N. Barbosa, Alfredo Mendiola y Celestino Manchego Muñoz), burócratas de alto rango (Carlos Aramburú Salinas y Luis A. Guevara) y funcionarios de mediano rango que cobraban un derecho del 4 por ciento para acelerar los pagos y permisos, e inversionistas privados de la Foundation Co. tan plagada de fraudes. Muchos empleados públicos y hasta el personal de la Foundation Co. eran obligados a trabajar para las campañas de relección de Leguía.[216]

Según Bontá, Leguía financió además sus campañas políticas mediante un elaborado plan que ligaba sus negocios privados, manejados por agentes pagados con fondos públicos (entre ellos, C. R. H. Shoobridge, su secretario personal británico, y el estadounidense C. N. Griffis, su secretario y editor en jefe del *West Coast Leader*, la publicación en lengua inglesa diseñada para desinformar a la opinión pública internacional). Asimismo, se contrataron los servicios de los corredores de bolsa británicos John Coward y H. Baum estacionados en Lima con un servicio moderno de cotizaciones y telegráfico a su disposición. La pasión de Leguía por los caballos de carrera, así como sus crecientes pérdidas en riesgosas transacciones con futuros papeles en el mercado del algodón, podría también explicar el lavado de ingresos y la ruina final de su fortuna.[217]

Legados duraderos

Revelaciones surgidas en las investigaciones efectuadas por el Tribunal de Sanción Nacional y su difusión en la prensa local y extranjera dieron, a los senadores estadounidenses, información clave para sus propias investigaciones. Durante las audiencias del comité de finanzas del Senado norteamericano en enero de 1932 se cuestionaron varias emisiones de bonos de préstamos al

Perú por hasta 106 millones de dólares en 1927 y 1928, negociadas por banqueros de Nueva York. Estos préstamos permanecían impagos desde abril de 1931, debido al sobreendeudamiento, el gasto en obras públicas costosas e improductivas y el declive económico en el Perú agravado por la Gran Depresión. Confrontados por la información confidencial a disposición de los senadores comisionados (en particular del senador Hiram Johnson), Frederick Strauss y Henry Breck, banqueros y jefes de J. W. Seligman & Co., revelaron que, a fin de facilitar la aprobación de préstamos en Perú, habían pagado, en efecto, comisiones que iban de 0,5 a 0,75 por ciento del valor nominal total de los préstamos peruanos, alrededor de 415.000 dólares, nada menos que a Juan Leguía, el hijo del depuesto dictador. En realidad, un análisis detenido de la cuenta corriente de Juan Leguía con Seligman reveló que el tristemente célebre hijo de Leguía había recibido depósitos por aproximadamente un millón de dólares.[218]

Al justificar este cuestionable proceder, los banqueros de Seligman afirmaron que el negocio peruano les había llegado con aquellas condiciones por intermedio de F. J. Lisman & Co. y que inicialmente desconocían la identidad del beneficiario. Admitieron haber contratado a exdiplomáticos estadounidenses para facilitar la aprobación de los préstamos. Al continuar el interrogatorio, también revelaron haber abierto una cuenta corriente a nombre de Juan Leguía, donde depositaron los montos de las «comisiones». En el transcurso de varios viajes a Nueva York, Juan Leguía fue retirando dinero de esta cuenta o giró cheques para gastos de hotel y otros. Según los banqueros, Juan Leguía llevó la gran vida, gastando hasta 200.000 o 300.000 dólares anuales durante varios años. Además, los banqueros se vieron forzados a admitir que, si bien las comisiones de Leguía eran algo excesivas, la contratación de tales préstamos en países latinoamericanos como Costa Rica y Colombia involucraba, por lo general, el pago de una «comisión» negociada con funcionarios locales que prometían la aprobación del gobierno.[219]

En 1934 se interrogó a Henry Carse y Lawrence Spear, el presidente y el vicepresidente, respectivamente, de la Electric Boat Company. Ello en el transcurso de una audiencia de un comité especial del Senado de Estados Unidos que investigaba el negocio de municiones de guerra con el cual se sospechaba se había lucrado en el extranjero. La Electric Boat había tomado parte en las negociaciones para la venta de submarinos al gobierno de Leguía en 1912, 1919 y a lo largo del resto del Oncenio. Los fondos para dicha compra se obtuvieron mediante un incremento de la deuda externa y de la emisión de bonos de deuda interna. Parte de la popularidad de modernizador del dictador se basó en sus esfuerzos por introducir las nuevas armas anfibias para competir en la carrera armamentista con Chile.

La Electric Boat contaba con los servicios de un oficial naval peruano, el comandante Luis Aubry (dentro y fuera del servicio activo durante el periodo en cuestión), quien promovió la venta de submarinos, recibió una comisión del 3 por ciento de las ventas y negoció las «comisiones locales» pagadas a tres funcionarios claves en Perú. Entre 1924 y 1926, la marina peruana adquirió cuatro submarinos de la Electric Boat construidos en Groton, Connecticut, que costaron un total de 5,8 millones de dólares. Los ejecutivos de la Electric Boat autorizaron a Aubry a que pagara a los funcionarios peruanos una «comisión» de 15.000 dólares por submarino.

En el periodo 1927-1929, otro contrato a la larga frustrado para la venta de dos submarinos por un valor de 2,5 millones de dólares incluyó una promesa de la Electric Boat de pagarle a Juan Leguía un soborno de 20.000 dólares por nave, además de la comisión acostumbrada a Aubry y 10.000 dólares más por nave a otros dos funcionarios. Los miembros del comité del Senado, en particular el senador Bennett C. Clark, obtuvieron estas confesiones tajantes refiriéndose y mostrando en parte la comprometedora correspondencia interna de la empresa. Cuando se le preguntó si consideraba que la corrupción y el soborno eran la base de sus negocios en Sudamérica, Spear sostuvo que lo que los estadounidenses llamaban un soborno no era considerado así en América del Sur. Allí, esa transacción era, más bien, una práctica general, una «vieja costumbre española» de «aceitar las vías» y «cuidar de los amigos mediante negocios gubernamentales».[220]

Todas estas investigaciones y revelaciones causaron un mayor escándalo público en el Perú, pero no lograron generar la reforma institucional efectiva, necesaria para detener la corrupción arraigada en la política y los negocios.[221] Algo tan difundido fue incluso exacerbado por el régimen dictatorial de Leguía, en forma similar al accionar de Alberto Fujimori en la década de 1990. Los esfuerzos anticorrupción y los impulsos moralizadores se quedaban cortos al intentar implantar mecanismos legales eficaces que previnieran la proliferación de la corrupción.

* * *

Para recapitular, la recuperación de la posguerra del Pacífico y la modernización, particularmente en las décadas de 1880 y 1890, se caracterizaron por muchos de los mismos mecanismos de corrupción que alcanzaron su punto máximo en la década de 1870. Al principio, los escasos recursos fiscales y crédito externo limitaron el crecimiento de estas formas de corrupción heredadas. Las gollerías que beneficiaban a una camarilla militar tuvieron un lugar prominente en esos años, aunque el soborno fue sumamente importante para la aprobación del acuerdo financiero estratégico alcanzado con los acreedores extranjeros en 1889.

Cuando Piérola asumió nuevamente la presidencia en 1895, los cambios en las estructuras económicas e institucionales ofrecieron algunos contrapesos al viejo estilo caudillista de corrupción y patronazgo político. Las Fuerzas Armadas fueron restructuradas y profesionalizadas, mientras que los oficiales de alto rango fueron comprados con recompensas financieras y prebendas en el extranjero. Los grupos económicos favorecieron derechos de propiedad más claros, estabilidad y costos de transacción más bajos. Los gastos presupuestarios y las obras públicas fueron limitados (salvo durante el primer gobierno de Leguía, cuyos excesos fueron contenidos por la oposición parlamentaria civilista), mientras que los sistemas político y electoral fueron reordenados.

Estas limitaciones impuestas a la corrupción, modestas pero dignas de notar, perduraron a lo largo del periodo 1899-1919, aunque con algunas interrupciones importantes. Conspiraron contra la estabilidad institucional y el control de la corrupción, por un lado, el movimiento insurreccional pierolista en bajada y los aspirantes a ser sus herederos políticos, como Leguía y Billinghurst; y, por el otro, el golpe del coronel Benavides de 1914. Este último, al proteger aunque sea temporalmente los intereses políticos y económicos de la élite, contribuyó sin embargo a la dañina y reciclada participación de los militares en política, perjudicando así las pretensiones civilistas de legitimidad electoral. En un contexto en el que las estructuras de los partidos populares se iban debilitando, el patronazgo continuó recabando el respaldo que los ambiciosos líderes políticos necesitaban para alcanzar el poder y retenerlo. Con recursos fiscales limitados y bajos salarios de los empleados públicos, los políticos permitieron e incluso fomentaron la corrupción en los niveles administrativos altos y bajos, para así complementar las recompensas y favores políticos.

Este patrón de corrupción política persistió tenazmente en el siglo XX. No obstante, la evolución de las elecciones políticas, un mecanismo cada vez más popular para legitimar los gobiernos, le complicó la vida a las redes de patronazgo. La competencia por el control del sistema electoral mediante la captura de juntas electorales, fraude, compra de votos, violencia y medidas dictatoriales, dejó una huella en las percepciones populares de la corrupción, reduciendo su «umbral de tolerancia» acostumbrado. El financiamiento de los partidos políticos y sus campañas dependía menos de contribuyentes extranjeros a la caza de rentas, como Dreyfus, y más de empresas nacionales y extranjeras interesadas en lograr un entorno de estabilidad política para la inversión directa local.

La prensa alcanzó un mayor grado de libertad, a pesar de los frustrados intentos de controlarla y manipularla por parte de Piérola, el primer gobierno de Leguía, Billinghurst y del general Benavides. Todos estos avances, aunque modestos, fueron radicalmente revertidos durante el Oncenio leguiista. La corrupción incontrolada y la injerencia presidencial permearon todas las instituciones claves y los medios. Los pesos y contrapesos constitucionales quedaron destruidos. El mal manejo de la deuda externa, el soborno en las compras civiles y militares, además de las coimas en las inmensas obras públicas volvieron a ser las principales formas de corrupción, incrementando el déficit y los costos al público.

El promedio estimado anual de los costos de la corrupción en la década de 1920 sumaba seis veces el del periodo 1910-1919 y quince veces el del periodo 1900-1909 (véase el cuadro A.5). En lo que toca al costo de la corrupción como un porcentaje del gasto gubernamental, mientras el promedio anual del periodo 1900-1909 fue de 25 por ciento y el del periodo 1910-1919 de alrededor de 28 por ciento, el del periodo 1920-1929 alcanzó un asombroso 72 por ciento. El costo de la corrupción se incrementó como porcentaje del PBI hasta un 3,8 por ciento, en comparación con el 1 y 1,1 por ciento de las dos décadas anteriores, respectivamente (véase el cuadro A.6). El Oncenio de Leguía fue claramente el más corrupto de la era de la modernización y compite con los niveles de corrupción alcanzados posteriormente por los regímenes de las décadas de 1970 y 1990.

El intento de Leguía por apañar otra relección en 1930 superó el límite de la tolerancia del pueblo y desencadenó un levantamiento militar que prometió poner fin a la corrupción incontrolada. Con el fin de legitimarse, el nuevo régimen militar impuso un tribunal de sanciones para castigar a exfuncionarios y captar el respaldo del pueblo. Lamentablemente, las gestiones de dicho tribunal se echaron a perder debido a sus cuestionados procedimientos y su naturaleza inconstitucional. Una nueva era de actores políticos populares y populistas había comenzado. Durante ella, nuevos mecanismos de corrupción se enlazaron con viejos legados.

Capítulo 5

Dictadores venales y pactos secretos, 1931-1962

E n 1930, el historiador Jorge Basadre (1903-1980) presenció el derrumbe del régimen dictatorial de Leguía. La insostenible modernización incitada por la extravagancia financiera del Oncenio abrió las puertas a una crisis política y social de grandes proporciones. La crisis se vio agravada por la depresión económica y el surgimiento de nuevos actores populares.[1] Basadre fue perseguido durante el Oncenio por sus actividades reformistas y antigobiernistas como dirigente estudiantil. En 1927, fue encarcelado por varios meses en la isla San Lorenzo. Tras la caída de Leguía, el ilustre profesor universitario y bibliotecario contribuyó a promover reformas democráticas y electorales urgentes para reconstruir el marco institucional del país, tan deteriorado durante el Oncenio.

Basadre constató que Leguía había destruido los partidos políticos tradicionales.[2] Luego de la caída del dictador, dos nuevos adversarios políticos aprovecharon el momento: el movimiento militarista «revolucionario», encabezado por el teniente coronel Luis Sánchez Cerro, y la nueva y radical APRA (Alianza Popular Revolucionaria Americana), dirigida por Víctor Raúl Haya de la Torre. Basadre discrepaba resueltamente con la postura antidemocrática de ambos grupos populistas que llevaron al Perú al borde de la guerra civil. Además, ambas fuerzas recurrieron en más de una oportunidad a distintas formas de corrupción para alcanzar sus metas políticas.

Las disputadas elecciones presidenciales de 1931 dieron como resultado el triunfo de Sánchez Cerro. El nuevo gobierno pronto dictó la clausura de la Universidad de San Marcos, donde Basadre ejercía su empleo principal. El historiador viajó al extranjero y solo regresó al país cuando la universidad reabrió sus puertas en 1935. Durante su larga trayectoria como profesor y empleado público, Basadre experimentó repetidas frustraciones en sus esfuerzos por efectuar reformas de corte institucional y educativo. Tuvo que enfrentar la tenaz oposición y el sabotaje por parte de intereses que utilizaron medios astutos para beneficiarse indebidamente con las cambiantes circunstancias políticas. Basadre, asimismo, fue testigo de sucesivas dictaduras y procesos electorales plagados de escandalosos fraudes y pactos secretos que beneficiaron a las camarillas dominantes. El periodo que le tocó vivir fue uno de agudísimos problemas sociales, mientras que la corrupción persistía como medio probado para apuntalar continuidades políticas y retrasar así reformas urgentes.

Un coronel populista frente al APRA

Sánchez Cerro manifestó su intención de limpiar la Administración Pública y erradicar las prácticas corruptas prevalecientes durante el régimen de Leguía. El coronel sustentó su promesa de «moralización» en el apresamiento de algunas de las más visibles figuras del difunto régimen, entre ellas el expresidente Leguía y su hijo Juan, y en la confiscación de sus propiedades. El Tribunal de Sanción Nacional *ad hoc* presentó acusaciones devastadoras de «enriquecimiento ilícito» contra Leguía y sus exministros. Según el encargado de negocios británico en Lima, estas acusaciones «dejarían en ridículo al Perú ante el mundo pero eran a pesar de todo ciertas».[3] Entretanto, se ignoraron importantes reformas administrativas, similares a las que contuvieron la corrupción en Chile desde 1925 y recomendadas al gobierno peruano por el economista estadounidense Edwin Kemmerer como consultor contratado por el nuevo régimen.[4]

El anciano y enfermo Leguía fue trasladado a la Penitenciaría de Lima, donde estuvo encarcelado hasta poco antes de su muerte acaecida en febrero de 1932 en un hospital naval. La estricta determinación de Sánchez Cerro por castigar a Leguía se percibió tanto como una venganza personal que exacerbaba las divisiones políticas, como una actitud de principios contra la corrupción.[5] Sin embargo, los procedimientos y acciones legales del Tribunal de Sanción encargado de juzgar a Leguía y sus asociados probaron ser ineficientes e inconstitucionales. La administración de las propiedades confiscadas a los acusados de corrupción se caracterizó por el abierto malgasto y la venalidad. Hubo «bastante corrupción y negligencia» en los trámites oficiales relativos a varios de los acusados que se habían refugiado en embajadas extranjeras. Por ejemplo, los partidarios leguiistas de alto rango Jesús Salazar, Sebastián Lorente y Foción Mariátegui aparentemente tuvieron que pagar sobornos para ser exonerados o evitar ser encarcelados.[6]

A pesar de su popularidad y el apoyo de los miembros más conservadores de la élite, Sánchez Cerro seguía sin contar con un partido organizado que diera cauce a sus infladas ambiciones presidenciales. Sánchez Cerro estaba convencido de que la presidencia era su justa recompensa por haber depuesto a Leguía, pero enfrentaba una vigorosa oposición dentro de las Fuerzas Armadas. Un número creciente de levantamientos de unidades del ejército y la marina auguraba una anarquía generalizada. Sánchez Cerro renunció como jefe de la Junta Militar para mantener abiertas sus opciones presidenciales en las elecciones de 1931. Oficiales ambiciosos como el teniente coronel Gustavo «Zorro» Jiménez le disputaron decididamente el espacio político abierto por la crisis. En marzo de 1931, David Samanez Ocampo, un político de viejas inclinaciones pierolistas procedente del sur del país, recibió el respaldo de Jiménez para que liderara un gobierno provisional. El breve mandato de Samanez decretó una gran expansión del electorado y le encomendó a una junta electoral la realización de las elecciones presidenciales y de representantes a la Asamblea Constituyente programadas para octubre de 1931.[7]

Durante su breve dictadura anterior a las elecciones, Sánchez Cerro dio «empleo a su familia entera y sus colaboradores probablemente hicieron lo mismo».[8] Los observadores diplomáticos pensaban que la corrupción en la Junta Militar era casi tan amplia como lo había sido con Leguía. Se citaba el caso de la sospechosa moratoria otorgada al Banco del Perú y Londres en camino a la quiebra. Asimismo, se mencionaba que el coronel Ernesto Montagne, ministro de Relaciones Exteriores, y otros miembros del gabinete se habían mudado a casas lujosas y mejorado su estilo de vida sin ganar un salario oficial conmensurable con ello.[9]

El círculo político íntimo de Sánchez Cerro incluía a su inescrupuloso hermano Pablo Ernesto, un estudiante de medicina que fue nombrado director de la oficina de Salud Pública. J. Hortensio, otro hermano, también consiguió un empleo gubernamental. De Pablo Ernesto se sospechaba que controlaba el tinglado ilegal antes explotado por Juan Leguía de la venta de opio, principalmente a los residentes chinos de Lima.[10] Se consideraba a Pablo Ernesto como la conexión con el juego, las drogas, la prostitución y otros intereses del crimen organizado que contribuyeron con dinero para promover las ambiciones políticas de su hermano.[11] Antes de las elecciones de 1931, Pablo Ernesto preparó la llegada de su hermano del extranjero con el lanzamiento de una campaña electoral bien financiada. El lujoso alojamiento de Pablo Ernesto en el exclusivo hotel Bolívar de Lima era financiado con contribuciones obscuras y la asistencia de partidarios acaudalados como la del minero Lizandro Proaño.[12] Entre los más notorios asesores y colaboradores del candidato figuraban Francisco R. Lanatta, un abogado de reputación cuestionable y ambiciones ministeriales, y el profascista Luis A. Flores. Para defender la candidatura de Sánchez Cerro se formó un nuevo partido, la Unión Revolucionaria (UR).

Entretanto, Haya de la Torre, el otro candidato importante en las elecciones de 1931, también preparaba su arribo a Lima, luego de años de exilio y de campañas políticas realizadas desde el extranjero. Haya, un connotado líder opositor a lo largo del Oncenio, había fundado, en México, el APRA, un movimiento de inclinaciones radical-populistas, intervencionistas y antiimperialistas. Sus disciplinados colaboradores en el Perú habían organizado este partido, en rápido crecimiento desde 1930, bajo el nombre tácticamente modificado de Partido Aprista Peruano (PAP), sobre la base de un llamado masivo a los trabajadores organizados y a las clases medias y profesionales.[13] Los años de lucha contra la dictadura habían generado una dirigencia aprista dispuesta a usar cualquier medio, entre los cuales se contaba la violencia y las acciones clandestinas o ilegales para alcanzar el poder.

Los apristas, asimismo, sostenían estar comprometidos con la lucha contra la corrupción gubernamental, así como con la influencia corruptora de los ricos. Los seguidores de Haya vislumbraban instaurar un Estado eficiente, tecnocrático e intervencionista contra los privilegios locales y extranjeros.[14] Acusaban a Sánchez Cerro de recibir apoyo y fondos de los miembros más antiapristas y conservadores de la élite, incluido el notorio grupo Miró Quesada, los propietarios de *El Comercio*, el periódico local más importante e influyente. El APRA, por otro lado, recibió el respaldo de prominentes leguiistas ansiosos por derrotar a su enemigo Sánchez Cerro. Dos importantes jefes leguiistas dirigían las estratégicas secretarías apristas de finanzas y política.[15] Además, diplomáticos estadounidenses reportaron que un importante donante de la campaña aprista de 1931 fue Carlos Fernández Bácula, un exdiplomático «sospechoso de ser un agente [en el ...] tráfico clandestino de narcóticos». Fernández Bácula confió a un miembro de la embajada de Estados Unidos el haber contribuido generosamente a la campaña de Haya.[16]

Al igual que en otros países latinoamericanos, la lucha por aprovechar las oportunidades políticas, inauguradas a comienzos de los años trienta por la crisis, resultó en el choque de ideologías de extrema derecha e izquierda en competencia por capitalizar este momento favorable al populismo. Sánchez Cerro venció claramente en las disputadas elecciones que según Basadre y otros observadores imparciales fueron inusualmente limpias.[17] Los apristas, siguiendo la vieja táctica pierolista, alegaron un fraude electoral «sancho-civilista» y pasaron rápidamente a la acción insurreccional violenta.[18]

Una vez en el poder, los sanchezcerristas y sus aliados conservadores implementaron un amplio cambio en el personal del Estado, alienando aún más a la oposición.[19] También consiguieron la mayoría en el Congreso Constituyente: hasta Pablo Ernesto, el poco capacitado hermano del presidente y «chanchullero menor», ganó un escaño en representación de la provincia de Piura.[20] Sánchez Cerro pasó entonces a reprimir a los apristas y a los oficiales y reclutas de las Fuerzas Armadas que apoyaban las medidas insurreccionales del APRA. Los parlamentarios elegidos por este partido fueron detenidos y deportados.

Un fallido intento de asesinato ejecutado por un adolescente aprista en marzo de 1932, que casi le cuesta la vida a Sánchez Cerro, fue seguido por una masiva represión contra el APRA y el encarcelamiento de Haya. Días más tarde, un motín de inspiración aprista estalló el 7 de mayo a bordo de dos barcos de la Armada en el puerto del Callao. Aproximadamente mil personas murieron en la ciudad norteña de Trujillo, luego de un violento y sangriento levantamiento aprista dirigido por Agustín Haya, hermano de Víctor Raúl. Varios oficiales militares, soldados y policías, desarmados y prisioneros de los apristas, fueron asesinados. Las tropas del ejército volvieron a tomar la ciudad y masacraron a muchos militantes y seguidores apristas. Cientos de ellos fueron condenados a muerte por una apresurada corte marcial, aunque unos cuantos fueron perdonados después de que sobornaran a los encargados de llevar a cabo las ejecuciones.[21]

Tras el atentado, Sánchez Cerro pasó un mes en el hospital curándose las heridas de bala recibidas en el pecho. Durante su ausencia en el mando se destapó un escándalo de corrupción ligado a Lanatta, el colaborador político más cercano y de más confianza del presidente que sería como su primer ministro y ministro de Hacienda. Tal fue la gravedad de las acusaciones contra Lanatta que Sánchez Cerro interrumpió su recuperación para supervisar personalmente la renuncia de Lanatta a su puesto de ministro a comienzos de abril.[22] Lanatta, sin embargo, retuvo su escaño en el Congreso Constituyente, donde fue rehabilitado con ayuda de la mayoría sanchezcerrista. Así logró evitar ser acusado formalmente por los delitos en el cargo, citados en el informe en minoría de una comisión investigadora parlamentaria especial.[23] Pero el público se percató plenamente de la grave responsabilidad del exministro. En consecuencia, las pretensiones de probidad administrativa de Sánchez Cerro perdieron aún más credibilidad.[24]

Las dimensiones de la corrupción del cuestionado ministro quedan reveladas en la correspondencia confidencial de empresarios y diplomáticos estadounidenses. Lanatta había tratado de dominar el escenario político inmediatamente después del atentado contra Sánchez Cerro. El ministro intensificó su acoso a grandes empresas extranjeras con intenciones de cohecho. Se le conocía como un inescrupuloso abogado que dos décadas antes se había desempeñado como uno de los abogados de la Cerro de Pasco Copper Corporation. Muchos parecían estar al tanto de su turbio proceder, inclusive ciertos grupos de interés que buscaban sostenerle en un alto cargo político para que así «se puedan llevar a cabo maniobras cuestionables».[25]

Al menos diez casos serios de corrupción que implicaban a Lanatta y su asistente, el señor Botto, se reportaron a la embajada de Estados Unidos. En primer lugar, estaba la demora en las negociaciones con las corporaciones

Cerro de Pasco y Frederick Snare para la construcción de las nuevas instalaciones portuarias en el Callao, con miras a recibir 20.000 soles como «una leve consideración a su favor». Lanatta también pidió un puesto bien remunerado en la administración portuaria para el hermano del presidente.[26]

Otros incidentes incluyeron un pedido de coima para arreglar una deuda de 70.000 soles debida a la International Petroleum Company por combustible suministrado a la marina de guerra peruana y la manipulación de vales de aduanas por 60.000 soles asignados a la Marina (estos últimos designios aparentemente fueron puestos en conocimiento de Sánchez Cerro); la extorsión de varios comerciantes chinos por 10.000 soles; la apropiación de 15.000 soles de subsidios para la Universidad de San Marcos; un monto desconocido cobrado a Grace & Co. y el intento de conseguir un soborno de 30.000 soles de H. J. Gildred & Co., el contratista para la construcción del Palacio de Justicia.[27] La acostumbrada «comisión» ilegal solicitada por Lanatta fluctuaba entre 45 y 60 por ciento; en total, es posible que haya recaudado alrededor de un millón de soles con este descarado tráfico de influencias.[28] Unos cuantos años más tarde, el exministro también intentó la introducción ilegal de muestras de cocaína a Estados Unidos con miras a su distribución entre grandes compañías químicas.[29]

Ya en febrero de 1932 el embajador de Estados Unidos, dudoso del temperamento inestable de Sánchez Cerro y de su actitud para con las corporaciones extranjeras, escribió que su régimen «se había podrido hasta el tuétano» y que el presidente se «rodeó de los miembros con menos principios y más impulsivos entre sus seguidores».[30] Estos personajes reemplazaron a las figuras civilistas del primer gobierno de Sánchez Cerro, a excepción del ministro de Marina Alfredo Benavides Diez Canseco, cuñado del general Benavides.[31] El expresidente Benavides, mentor y apoyo de Sánchez Cerro, fue recompensado con una embajada primero en Madrid y luego en Londres, además de restituírsele salarios impagos durante el exilio que le fuera impuesto por Leguía. Benavides había buscado soporte entre sus amigos militares para la elección de Sánchez Cerro.[32]

Los ministros y asesores sanchezcerristas cuestionados, todos ellos congresistas elegidos, incluían a Luis A. Flores (ministro de Gobierno, asistido por el sanguinario director de policía Ricardo Guzmán Marquina), Carlos Sayán Álvarez (ministro de Justicia), Gerardo Balbuena, un «abogado y político listo y sin principios» y, por supuesto, Francisco Lanatta.[33] Algunos consideraban al teniente coronel Guzmán Marquina como el «rasgo más cruel y venal» del gobierno de Sánchez Cerro. Antes de las elecciones de 1931, Guzmán Marquina no poseía gran cosa, pero apenas unos cuantos meses más tarde ya era rico y alardeaba de un extravagante estilo de vida. Supuestamente se enriqueció

Fig. 11. Polémico tribunal *ad hoc*, establecido en agosto de 1930 por el régimen militar del comandante Luis M. Sánchez Cerro, para castigar a exfuncionarios luego de la caída de Leguía. «La prórroga [del Tribunal de Sanción]». Por Raúl Vizcarra. *Variedades* 28, n.° 1209, 1931, p. 1. Biblioteca Central, Pontificia Universidad Católica del Perú, Lima.

Fig. 12. Intenciones moralizadoras del presidente José Luis Bustamante y Rivero (1945-1948). A pesar de su honestidad personal y sus sinceros intentos por limpiar su administración de la extendida plaga de la corrupción, Bustamante no tuvo éxito ante la presión del APRA, de los militares y de la derecha conservadora. «Como en la Dinamarca de Hamlet, "hay algo que huele podrido" en el Perú». Por Geo. *Suácate* 1, n.° 7, 1945, p. 1. Biblioteca Nacional del Perú, Lima.

con sobornos vinculados a contratos gubernamentales y cobrando grandes sumas por no ejecutar sentencias de muerte dictadas contra apristas insurrectos en Trujillo y Cajamarca.[34]

Los crecientes «actos de corrupción y absurda mala administración de las responsabilidades públicas» habían alejado a la mayoría de los colaboradores más respetables de Sánchez Cerro.[35] Sin embargo, el magnate de la prensa conservadora Antonio Miró Quesada continuó apoyando las nocivas políticas del presidente. José Matías Manzanilla, histórico parlamentario civilista entrado ya en años y amigo cercano del director de *El Comercio*, perjudicó su reputación al proponer obsequiosamente al Congreso que ascendiera a Sánchez Cerro al rango de general. Esta petición le ganó luego a Manzanilla el nombramiento de ministro de Relaciones Exteriores y primer ministro.[36]

Las crecientes presiones financieras obligaron a retrasar por varios meses el pago a empleados públicos y personal del ejército. Esta era una situación peligrosa para el régimen. Una solución temporal pero irresponsable fue drenar al Banco Central de Reserva. Del mismo modo, el coronel Rodrigo Zárate, un integrante de la comisión diplomática del Congreso Constituyente, presionó a los diplomáticos extranjeros a que gastaran más en agasajar a ministros, parlamentarios y al presidente, para así facilitar las negociaciones con intereses extranjeros. Claramente, las autoridades sanchezcerristas esperaban recibir deferencia y presentes de los representantes extranjeros,[37] aun si los contratos públicos formales se violaban a menudo y las rentas públicas eran «desviadas para fines privados».[38]

Los problemas del régimen continuaron creciendo, agravados por decisiones y actos oficiales controvertidos, incompetentes e ilegales. Una disputa fronteriza con Colombia, en la zona de Leticia, amenazaba agravarse hasta conducir a una guerra abierta. Sánchez Cerro estaba decidido a revertir el acuerdo internacional que había cedido Leticia a Colombia durante el gobierno de Leguía. Contando con el respaldo de *El Comercio* y el ministro de Relaciones Exteriores Manzanilla, el belicoso presidente decidió seguir el camino de la guerra, pero tuvo que enfrentar la patética falta de preparación de las Fuerzas Armadas y los problemas financieros que las afectaban. Para apuntalar su campaña por la guerra, Sánchez Cerro nombró al general Benavides —su viejo mentor y entonces embajador en Londres— director del Consejo de Defensa Nacional, un nuevo cargo de mayor jerarquía que el de los ministros de Guerra y Marina.[39]

Además, se informó que el régimen de Sánchez Cerro negociaba un pacto secreto de «guano por armas» con el Japón, en respuesta a la renuencia de Estados Unidos a venderle armas al Perú en circunstancias de una guerra inminente con Colombia. Supuestamente, este costoso acuerdo, llevado a cabo inicialmente por la Okura Trading Co., también conllevaba la explotación de una isla guanera por intereses japoneses. El envío encubierto de miles de rifles desde el Japón al Perú fue reportado por diplomáticos colombianos y estadounidenses. Este esfuerzo improvisado por suministrar armas al Ejército peruano también implicó el contrabando de mercadería japonesa y opio a través de las estratégicas islas guaneras. Este escándalo solamente estalló en el Perú después de la muerte de Sánchez Cerro.[40]

Los planes de guerra mal concebidos y peligrosos tuvieron un temprano y abrupto final en la tarde del 30 de abril de 1933, cuando la caravana presidencial abandonaba la sede de un desfile militar. Un aprista de diecisiete años se acercó al presidente y le efectuó varios disparos de pistola que acabaron con la vida de Sánchez Cerro. Horas más tarde, una sesión de emergencia del Congreso aprobó por abrumadora mayoría nombrar al general Benavides como presidente para completar el mandato del difunto Sánchez Cerro. Esta medida contradecía, sin embargo, la nueva Constitución de 1933, que prohibía a los oficiales militares en servicio activo ocupar la presidencia. Se impuso, entonces, la ley marcial por temor al desorden subsiguiente. Benavides incluyó en su primer gabinete a los sanchezcerristas radicales Luis A. Flores, ministro de Marina, y Pablo Ernesto Sánchez Cerro, ministro de Fomento. Evidentemente, esta era una medida para aplacar a los enardecidos miembros de la UR que habían contemplado una asonada para asesinar a Haya de la Torre y otros apristas que se hallaban en prisión. Este plan se vio frustrado por una iniciativa tomada por diplomáticos extranjeros.[41] Benavides negoció diestramente una salida a esta peligrosa situación que lindaba con una guerra civil y externa, combinando medios legales, autoritarios y corruptos.

Restauración con Benavides

En su breve discurso de aceptación del mando, el presidente Benavides declaró que, al no ser él un político, esperaba contar con la colaboración de todos los peruanos. Esta afirmación se interpretó como una promesa de amnistía política general que beneficiaría principalmente a los apristas.[42] Benavides tenía las «habilidades» necesarias para una solución negociada pero conservadora de la crisis política, puesto que se le consideraba «astuto, sagaz, cruel y carente de principios».[43] El presidente comenzó por suprimir los fondos gubernamentales suministrados por el gobierno de Sánchez Cerro a los locales partidarios de la Unión Revolucionaria (UR) y a sus redes de espionaje.[44] Benavides luego ratificó la decisión de un tribunal militar que absolvía —por falta de evidencias y por haberse extraído las confesiones bajo tortura— a un grupo de veinte apristas acusados de haber tomado parte en el asesinato de

Sánchez Cerro. En consecuencia, los tres ministros sanchezcerristas del primer gabinete de Benavides renunciaron.[45]

Frente a una mayoría venal de la UR en el Congreso, Benavides buscó dividir a esta agrupación para poder así dirigir a la derecha política. En noviembre de 1933 se lanzó una campaña en el seno de la Cámara de Diputados contra la mayoritaria UR acusada del mal manejo de cuatro millones de soles asignados a los gastos de dicha Cámara.[46] El principal enemigo de Benavides era Luis Flores, el jefe de la UR, quien conspiró para organizar una legión fascista según el modelo italiano con la colaboración de funcionarios del gobierno y miembros de la élite empresarial simpatizantes con su causa.[47] Guzmán Marquina, colaborador cercano de Flores, fue retirado momentáneamente de la escena al ser nombrado agregado de Aviación en Francia, aunque luego se las ingenió para candidatear a un puesto parlamentario.[48] La poderosa influencia de *El Comercio* también fue contenida temporalmente, ofreciendo cargos diplomáticos a varios miembros de la familia Miró Quesada.[49] Apoyado por las fuerzas armadas, Benavides desactivó, asimismo, la posibilidad de una guerra con Colombia mediante un acuerdo internacional alcanzado en 1934.[50]

En el avance de este peligroso curso político, Benavides recibió la asesoría de su amigo Jorge Prado Ugarteche, quien fue nombrado primer ministro en junio de 1933. Prado pasó a ser la punta de lanza de una política de conciliación que buscaba «comprar» la cooperación del APRA. En marcado contraste con la contraproducente política de extermino de Sánchez Cerro contra el APRA, Prado más bien concibió y puso en práctica una política de cooptación que resultó parcialmente exitosa. Prado fue el primero de varios políticos conservadores que reconocerían que las bases venales de la política peruana también podían incluir a los líderes del APRA.[51] La conciliación temporal se dio después de negociaciones que incluyeron conversaciones con el jefe aprista Haya de la Torre. Hacia julio de 1933 se había liberado a los presos políticos, excepto Haya, y se había permitido que Juan Leguía saliera del país.[52] Aunque el APRA continuó siendo un partido ilegal, se concedió la excarcelación de Haya el 9 de agosto con el entendimiento de que moderaría las acciones políticas de su partido. A su salida de prisión, Haya visitó a Benavides.[53] El régimen procedió, entonces, a restaurar las garantías constitucionales. Bajo el lema oficial de «paz, orden y trabajo», la economía peruana comenzó su recuperación gracias a la mejora de la demanda internacional y de los precios del algodón y otras exportaciones, a la expansión de la base agrícola del país, a reformas en el financiamiento privado y público, a la producción industrial en ascenso, así como a políticas de obras públicas y construcción de carreteras que suministraron miles de empleos.[54]

Pese a estos logros significativos, el régimen de Benavides no logró construir o cooptar un soporte político organizado. La oposición política de derecha e izquierda continuaba amenazando la supervivencia del régimen al acercarse las elecciones presidenciales de octubre de 1936. Los diversos grupos políticos asumían al gobierno como un fenómeno temporal, mientras que el general Benavides consideraba que su misión restauradora terminaría con la transferencia del poder al candidato oficial Jorge Prado. Las insatisfechas ambiciones del APRA, la UR y otros dirigentes partidarios amenazaban la estabilidad política y la recuperación económica. Estos jefes políticos llegaron a conspirar para derrocar a Benavides por la fuerza. Ya en noviembre de 1933, Jorge Prado se vio forzado a renunciar como primer ministro debido a las crecientes presiones políticas, campañas hostiles en la prensa y la oposición reaccionaria a su política conciliadora y de respaldo a los derechos constitucionales.[55]

Prado fue reemplazado por el intelectual archiconservador José de la Riva-Agüero, quien se concentró en combatir duramente las huelgas y conspiraciones de inspiración aprista. Tales acciones se intensificaron en el norte, donde el APRA ejercía una fuerte influencia política, así como entre oficiales militares pro apristas de mediano y bajo rango. Haya continuó reuniéndose con Benavides a pesar de las abiertas amenazas.[56] Este comportamiento característico de Haya ha sido interpretado como un intento oportunista de negociar su acceso al poder a escondidas de sus partidarios y de la opinión pública en general.[57] El jefe aprista posteriormente le confió al científico social e historiador Frank Tannenbaum, durante una entrevista realizada en Lima, que Benavides le ofreció significativos incentivos personales y políticos, entre ellos un 25 por ciento de la representación parlamentaria para el APRA, siempre y cuando colaborara con los planes electorales del general.[58]

Benavides obviamente no podía confiar en las intenciones de un Haya presionado por otros jefes apristas más radicales. En efecto, la dirigencia aprista estuvo profundamente envuelta en la desestabilización del régimen de Benavides antes de las elecciones presidenciales de 1936. El 15 de mayo de 1935, un aprista de diecinueve años de edad asesinó al influyente líder conservador Antonio Miró Quesada y a su esposa, María Laos de Miró Quesada. Este acto le generó serios problemas políticos a Benavides. Un nuevo gabinete conformado íntegramente por oficiales militares juramentó dos días después del asesinato. La familia Miró Quesada, *El Comercio* y la UR atacaron a Benavides por negarse a usar un tribunal militar para enjuiciar al asesino.[59] La extrema derecha incrementaba así su presión sobre un régimen que iba debilitándose políticamente.

En mayo de 1936, la dirigencia aprista en el exilio conspiró para armar a sus militantes y lanzar una insurrección en el sur del país bajo el mando de Julio Cárdenas. El plan conllevaba convencer al coronel David Toro —el presidente izquierdista de Bolivia opuesto al gobierno de Benavides— para que suministrara dinero y armas a los militantes apristas en diversas partes de la frontera entre Perú y Bolivia. A cambio, el líder aprista Manuel Seoane prometió a Toro que tras la caída de Benavides, el Perú no se opondría a que Chile cediera a Bolivia una salida al mar a través de territorios que habían sido peruanos. Esta parte del acuerdo entre Toro y el APRA violaba el tratado de paz de Ancón entre Perú y Chile de 1883. El complot aproboliviano sufrió demoras cruciales debido a la falta de fondos: los bonos apristas de un millón de dólares para un préstamo de «acción social» no encontraron suficientes inversionistas fuera de ciertas figuras políticas extranjeras como Lázaro Cárdenas. La atrevida conspiración finalmente fracasó debido a las enérgicas presiones diplomáticas ejercidas por el gobierno de Benavides. Un complot posterior incubado por el próximo presidente boliviano, Germán Busch, para entregar armas a conspiradores apoyados por el APRA, también fue descubierto por espías y liquidado por los agentes de Benavides, que arrestaron a los cabecillas peruanos en el suelo boliviano de La Paz.[60]

A medida que la campaña electoral iba avanzando, el APRA fue rotulado como una organización internacional ilegal y, por tanto, proscrita en el Perú. Incapaz de presentar su propio candidato, el APRA prestó su apoyo al candidato de la alianza izquierdista Frente Democrático, Luis Antonio Eguiguren, exalcalde de Lima y cercano colaborador de Sánchez Cerro. La derecha fue a las urnas completamente dividida. La profascista UR fue liderada por Flores y José Quesada. Jorge Prado había intentado negociar el respaldo del APRA, pero la exiliada dirigencia de este partido rechazó sus tentativas. Para Prado disminuyeron así las posibilidades de obtener el éxito electoral a la cabeza del Frente Nacional.[61] En estas circunstancias y mientras los votos venían contándose, Benavides, con la ayuda de un Congreso sumiso, declaró inválidas las elecciones, pues los resultados iban favoreciendo claramente a Eguiguren. El Congreso se disolvió a sí mismo y Benavides quedó en control del país hasta las nuevas elecciones de 1939. Flores fue pronto exiliado a México.[62] Se intensificó, entonces, la oposición a estas medidas por parte de diversos grupos económicos y políticos opuestos a la dictadura de Benavides.

La dirigencia aprista lanzó una campaña para desacreditar al gobierno de Benavides en los ámbitos tanto nacional como internacional. Autores apristas lo acusaron de ponerse del lado de Mussolini y del movimiento fascista.[63] Recientes estudios históricos sobre la correspondencia diplomática italiana de ese entonces han demostrado que estas imputaciones no tenían fundamento. Benavides era, en realidad, un moderado ideológico que enfatizaba una postura política de «ni comunismo ni fascismo».[64] Si bien tuvo parte en arreglos financieros con la comunidad italiana en el Perú, lo hizo por razones prácticas. También compró pertrechos italianos para la infantería y la fuerza aérea, entrenó pilotos peruanos en Italia, permitió que se instalara una fábrica de aviones italianos Caproni en Lima y contrató una misión policial italiana, cuya actividad de espionaje le causó graves problemas al APRA. Pero estas medidas no convertían a Benavides en fascista. Según un embajador fascista italiano, el Perú no era tierra fértil para el fascismo en 1937 y, además, el presidente Benavides jamás abrazaría dicha ideología debido a sus antecedentes culturales y sus «viejas tendencias liberales democráticas».[65]

Pese a ello, las acusaciones de corrupción que el APRA lanzaba contra el régimen de Benavides tuvieron un impacto sobre la percepción que el público se iba formando de las continuas irregularidades cometidas en la Administración Pública. En septiembre de 1934, la malversación de un millón de soles de las utilidades de la Compañía Administradora del Guano se denunció públicamente en una carta abierta firmada por el exgerente de la compañía, el sanchezcerrista Adolfo Lainez Lozada.[66] Las ventas de guano a Japón continuaron despertando las sospechas de autoridades estadounidenses todavía en marzo de 1938. J. Edgar Hoover, el director del FBI (Buró Federal de Investigación, en español), le comunicó al secretario de estado de Estados Unidos que un informante, el exvicecónsul peruano en Yokohama, alegaba que seguía intercambiándose guano por armas japonesas.[67] Del mismo modo, un panfleto aprista denunciaba la corrupción y el mal uso de fondos públicos en la contratación que el gobierno hizo de trescientos millones de soles en préstamos nacionales para proyectos de obras públicas. Estas maniobras financieras supuestamente explicaban los lujosos hogares del ministro de Gobierno, general Antonio Rodríguez, y del exministro de Fomento, coronel Federico Recabarren. El folleto asimismo afirmaba que los intentos de Benavides para que un candidato «amistoso» le sucediera estaban motivados por su deseo de impedir que se investigaran dichas irregularidades financieras al finalizar su gobierno.[68] Estas denuncias no fueron confirmadas por otras fuentes.

Existen otras evidencias más confiables relacionadas con la corrupción administrativa durante el gobierno de Benavides. En una queja firmada por los habitantes de la colonia de Satipo, se acusó públicamente al ministro de Fomento del régimen inicial —el sanchezcerrista Arturo Chávez Cabello— de desviar subsidios públicos destinados para esa colonia amazónica.[69] Del mismo modo, el ministro de Hacienda Benjamín Roca se vio obligado a renunciar en diciembre de 1934, en medio de una creciente tensión entre el Ejecutivo y el Legislativo. A Roca se le imputaba haberse rehusado a despedir a un gerente de la Caja de Depósitos y Consignaciones (la agencia recaudadora de impuestos), que había sido denunciada en los periódicos y el Congreso por estar plagada de malversaciones, empleados incompetentes y depósitos perdidos.[70]

En febrero de 1937, Julio Villegas, fiscal de la Corte Superior de Justicia de Lima, despertó un vendaval, al procesar exitosamente un caso de corrupción en el Ministerio de Gobierno. El empleado culpable fue despedido de su cargo, pero poco después José Carlos Bernales, un ciudadano particular, publicó una carta abierta dirigida a Villegas, en la cual denunciaba serias irregularidades en el Banco Central Hipotecario estatal. Villegas respondió con otra carta abierta en la prensa local anunciando que investigaría el caso. También reveló haber recibido informes anónimos de corrupción y mala administración en oficinas gubernamentales claves, entre las cuales se encontraba la Secretaría de la Presidencia, el Ministerio de Hacienda y el Estado Mayor del ejército. Los jueces de la Corte Suprema inmediatamente reprendieron a Villegas por sus revelaciones francas pero inapropiadas.[71] Pronto comenzaron a circular rumores acerca del difundido nivel de corrupción pública. Un diplomático de Estados Unidos describió la situación como sigue:

> Uno de los temas de creciente intensidad en las conversaciones en el club y los círculos políticos, es la cantidad de corruptelas que se cree existen en las oficinas públicas. Se citan casos concretos de cuando en cuando. El gobierno no hace nada sobre este particular, salvo en raras ocasiones cuando se despide a empleados subalternos acusados de corrupción.[72]

El 9 de agosto de 1937 se expidieron dos decretos firmados por Benavides y el general Rodríguez, dirigidos a contener la corrupción. El primer decreto —basado en los artículos 333, 343 y 353 del Código Penal contra las infracciones cometidas en los cargos públicos como solicitar o recibir pagos ilegales por servicios públicos prestados (*concusión*), perversión o mala administración de la justicia (*prevaricato*) y soborno (*cohecho*)— declaraba que los funcionarios que no denunciaran tales infracciones serían despedidos y procesados según la ley. El segundo decreto establecía que los empleados públicos no podían ser parte o agentes en contratos en los cuales participase una agencia estatal.[73]

Estas medidas legales rara vez eran cumplidas, en tanto que los sobornos y la corrupción continuaron siendo algo acostumbrado en los asuntos oficiales. En este sentido, resulta revelador un caso que implicó a una compañía estadounidense. En febrero de 1939, el presidente de Contract Sales Inc., un consorcio comercializador de muebles manufacturados en Estados Unidos, escribió una carta al secretario de Estado de su país, en la que se quejaba de que, en el Perú, las firmas europeas gozaban de un respaldo diplomático que ponía en desventaja a las compañías estadounidenses, puesto que estas no contaban con la misma «flexibilidad» por parte de sus representantes diplomáticos.

Laurence Steinhardt, el embajador de Estados Unidos en Lima, se ofendió ante esta queja y pasó a informar detalladamente sobre los tratos ilegales en los que Hans von Dreyhausen, el agente de Contract Sales en Lima, estuvo envuelto desde abril de 1938. El gobierno peruano tradicionalmente compraba muebles a las compañías londinenses Maple & Co. y Waring & Gillow. Decidido a desplazar a los competidores británicos mediante técnicas de «ventas de alta presión», Von Dreyhausen informó a Steinhardt que una «comisión de algún tipo» había servido para llegar a un «arreglo» entre Maple & Co. y el embajador peruano en Gran Bretaña para una orden de compra por 100.000 dólares.

Además, Von Dreyhausen ofreció a Gustavo Berckemeyer, el agente personal y asesor financiero del presidente Benavides, una comisión de 25.000 soles si lograba convencer a Benavides para que se hiciera un pedido de compra a Contract Sales. Esta última transacción no tuvo éxito porque el presidente rechazó la oferta. Sin embargo, Von Dreyhausen sí logró asegurar una orden de compra oficial por 300.000 dólares para la decoración y amoblado del nuevo Palacio de Justicia, mediante el pago de un comisión de «financiamiento de estricta reciprocidad» de más de 10 por ciento al arquitecto e ingeniero en jefe, Juvenal Monge.[74]

El embajador Steinhardt concluyó que la «flexibilidad» que Contract Sales exigía a los diplomáticos de Estados Unidos en el Perú «parece ser de una naturaleza tal que no se la permitiría persona alguna que se respete a sí misma, estuviese esta persona vinculada a negocios privados o a la representación de un gobierno». En ausencia de una legislación internacional que prohibiera el soborno de funcionarios extranjeros, los empresarios estadounidenses tenían los mismos «derechos» que los europeos, inclusive «el derecho a ofrecer comisiones a empleados públicos», tal como Von Dreyhausen había hecho para conseguir contratos «tras las bambalinas».[75]

A pesar de los logros del gobierno de Benavides con respecto a la estabilización política y la recuperación económica, varios fueron los factores que contribuyeron a la supervivencia de las prácticas corruptas en el periodo 1933-1939. Benavides tenía un débil respaldo político más allá de su base militar institucional. Incluso, este apoyo aparentemente sólido vaciló seriamente en febrero de 1939, cuando el supuesto fiel general Rodríguez lideró un golpe de Estado contra él, con el respaldo del APRA y de la UR. El golpe fracasó; Rodríguez fue muerto en la intentona y más de cuarenta conspiradores militares recibieron condenas de prisión. Este violento suceso obligó a Benavides a seguir con el calendario electoral de 1939.[76]

Esta vez Benavides respaldó a Manuel Prado, el hermano menor de Jorge, expresidente del Banco Central de Reserva y facilitador de las políticas intervencionistas en materia de reservas monetarias nacionales. A pesar de las crecientes críticas al presidente por tramitar el apoyo electoral aprista para el candidato oficial, se esperaba que Manuel Prado venciera en las elecciones de octubre de 1939.[77] Pero las numerosas negociaciones llevadas a cabo en vísperas de los comicios combinaron varias posibilidades oportunistas de alianzas políticas, tales como la de un pacto antes inconcebible entre Flores y Haya para respaldar a José Quesada, candidato de la UR.[78]

Prado llegó a ganar las elecciones presidenciales, dada la desorientación de los votantes apristas combinada con una dosis de fraude electoral. Las elecciones restringidas, arregladas y fraudulentas de 1936 y 1939 con Benavides sembraron las semillas de procesos electorales similares, especialmente en 1950, 1956 y 1962. Estos sancionaron resultados poco democráticos y la continuidad de corruptelas en la Administración Pública.

Entre crecientes críticas desde todos los flancos, especialmente el virulento ataque derechista de la familia Miró Quesada,[79] Benavides buscó garantizar el apoyo esencial de sus seguidores algo veleidosos que incluían a militares, la burocracia estatal, el clan Prado y otros grupos de la élite. Cabe poca duda de que el gobierno de Benavides permitió prácticas corruptas entre los militares y sus servidores públicos. Estas se dieron bajo el manto de obras públicas que ofrecían trabajo en medio de la recuperación económica. Asimismo, sus manipulaciones electorales, quedaron como modelo de fraude y de turbios arreglos políticos. Sin embargo, a diferencia de periodos anteriores de corrupción incontrolada, durante el régimen de Benavides se llevaron a cabo ciertos intentos cosméticos para «moderar» la corrupción. Por lo tanto, la restauración de Benavides puede también ser entendida como una «normalización» de los elevados niveles de corrupción heredada y persistente.

Política de guerra sin principios

Cuando el presidente Manuel Prado Ugarteche asumió el mando en diciembre de 1939 durante la Segunda Guerra Mundial, Jorge Basadre había alcanzado prominencia como profesor y bibliotecario de la Universidad Nacional Mayor de San Marcos. Su prestigio como intelectual independiente y progresista era ampliamente reconocido entre las élites políticas e intelectuales. Basadre regresó al Perú en 1935, luego de haber estudiado y dado conferencias en Estados Unidos, Alemania y España y de haber sido testigo del auge del fascismo en Europa. Ante la severa mirada del presidente Benavides, Basadre ofreció la conferencia inaugural del Congreso de Americanistas, celebrado en Lima en 1939. También en ese año se publicó su primera *Historia general de la República del Perú.* Unos cuantos años más tarde, Prado le nombró director de la Biblioteca Nacional, una posición importante aunque difícil, pues se le encargó su reconstrucción tras un desastroso incendio. Esta y otras experiencias como empleado público le proporcionaron a Basadre una visión interna de la corrupción arraigada y tradicional en la burocracia del gobierno y la toma de decisiones administrativas.

La guerra mundial alteró significativamente el paisaje político en el Perú. El apoyo oficial que Prado había recibido para llegar a ser presidente le impedía tener una amplia base política. Tuvo, más bien, que depender de los militares, de sus amigos políticos y de una comunidad banquera y empresarial infiltrada por intereses parciales a las potencias del Eje. Prado enfrentó una seria oposición política de parte de la profascista UR y del antifascista APRA.

A medida que la guerra avanzaba, fue creciendo la presión sobre Prado para competir con el APRA por las simpatías de los Aliados. Tras rechazar una temprana oferta que Prado hiciera a comienzos de 1940 para la formación de un gabinete de coalición, Haya lanzó una intensa campaña con el fin de desestabilizar al gobierno explotando las debilidades del régimen. En el transcurso de varias reuniones que tuvo con diplomáticos de Estados Unidos y agentes del FBI, Haya acusó a Prado y sus ministros de proteger los intereses del Eje. Estas revelaciones eran parte de la información política y de inteligencia que el líder aprista brindaba a los agentes de los gobiernos Aliados.

La dirigencia del APRA favorecía entonces al antifascismo internacional con la expectativa de gozar del favor de diversos gobiernos extranjeros, en especial el de Estados Unidos, para ejercer presión sobre Prado para que restaurara las libertades civiles y de expresión.[80] Esta era una abierta invitación a la intervención extranjera en los asuntos internos peruanos, supuestamente justificada por el creciente peligro totalitario. Al igual que Getulio Vargas en el Brasil, pero a diferencia de Juan Perón en la Argentina, el populista Haya de la Torre optó por el campo de los Aliados para sustentar su búsqueda por el poder. Prado respondió aumentando la colaboración con los Aliados, particularmente a comienzos de 1942 cuando Estados Unidos entró a la guerra. Prado, asimismo, sedujo a diversos dirigentes comunistas y apristas para que defeccionaran y se unieran a su bando, dedicándose, al mismo tiempo, a una implacable campaña de represión para detener las acciones del APRA.[81]

La situación de guerra internacional también le proveyó un entorno distinto a la corrupción tradicional. La creciente demanda de bienes agrícolas y otras materias primas por parte de empresas alemanas, italianas y japonesas incentivó a exportadores, comerciantes y autoridades venales peruanos, a pesar de que los Aliados colocaron en la lista negra a aquellas empresas favorables al Eje. La inteligencia aliada informó sobre las redes de abastecimiento del Eje que eran permitidas o protegidas por autoridades peruanas sobornadas. Se aplicó una celosa vigilancia a la producción y comercialización de drogas (principalmente cocaína y opio), algodón, productos petrolíferos y otras exportaciones estratégicas.

A partir de la inteligencia reunida por el FBI en el Perú, J. Edgar Hoover informó al Departamento de Estado de Estados Unidos, en octubre de 1941, que el gobierno peruano estaba vendiendo combustible de petróleo de los depósitos de reserva a los japoneses a casi el doble de su precio normal; también había una creciente preocupación por el cultivo y la compra de algodón por parte de compañías japonesas. Unos cuantos meses más tarde, Hoover también proporcionó información confidencial acerca del tráfico de cocaína por parte de una red de espías argentinos y peruanos favorables al Eje.[82]

El ministro de Hacienda David Dasso informó a diplomáticos de Estados Unidos en 1941 que alrededor de 1000 kilos de cocaína habían sido exportados legalmente a Alemania e Italia a través de la aerolínea Lufthansa, pasando por Bolivia y Brasil. Asimismo, los funcionarios del Departamento de Estado estimaban que 1200 kilos de cocaína habían sido contrabandeados de Perú a Alemania e Italia vía Argentina.[83] Se sospechaba que Suiza y España eran otros destinos de la droga.[84]

La producción de cocaína por encima de la demanda de las exportaciones legales y del mercado doméstico se canalizó hacia el mercado negro. En 1943 se descubrieron y eliminaron varias redes de tráfico de drogas en el Perú.[85] La más notoria de estas redes conectaba a compradores de los países del Eje con los contrabandistas Héctor Pizarro y «Chino» Morales. La investigación del caso reveló que César Cárdenas García, director del Ministerio de Gobierno, recibía un soborno de 5000 soles mensuales y el prefecto de Lima otros 2000 soles al mes por permitir que las actividades de contrabando se realizaran sin molestias.[86]

Se sospechaba que otros funcionarios de alta jerarquía del gobierno de Prado también lucraban con la guerra. En septiembre de 1942, Guillermo Garrido Lecca Montoya, el ministro de Gobierno, fue denunciado y posteriormente cesado por especular con arroz y exportarlo en grandes cantidades, con lo que contribuía a la escasez doméstica de este producto de primera necesidad.[87] Del mismo modo, David Dasso, el ministro de Hacienda y confidente de diplomáticos estadounidenses en cuestiones comerciales y económicas, sufrió un ataque al corazón poco después de ser denunciado en el Congreso peruano por contribuir a las ganancias excesivas de la compañía importadora de madera de su familia (gracias a aranceles más bajos para la madera que Dasso personalmente negoció en un acuerdo comercial con Estados Unidos), así como por beneficiarse personalmente, utilizando un programa de desarrollo gubernamental del carbón y el hierro.[88]

Estos escándalos, la creciente inflación, el control de precios y los impuestos locales más altos contribuyeron a formar una adversa opinión pública sobre una ya sospechada concentración de riqueza por parte del «Imperio Prado» durante los años de la guerra.[89] Diplomáticos estadounidenses observaron un marcado deterioro en la posición del régimen debido a la siguiente razón:

> [... el] chisme concerniente a las actividades económicas del presidente Prado y el grupo que le rodea y del cual depende. En todos los grupos se alega crecientemente que el círculo de Prado viene adquiriendo paso a paso todas las fuentes disponibles de riqueza del país [...]. No se ha hecho ninguna defensa efectiva contra estas imputaciones.[90]

Prado optó por fortalecer su posición interna y externamente. A pesar de las serias dudas que los funcionarios del Departamento de Estado de EE. UU. tenían sobre el compromiso de su gobierno con los Aliados, Prado había alcanzado, para marzo de 1942, importantes logros diplomáticos. Ellos fueron descritos como el cambio «de una política vacilante e indecisa a un enfoque definitivamente a favor de la democracia y cooperación con los Estados Unidos».[91]

El Perú participó en la Conferencia de Río que suscribió la defensa democrática del hemisferio. Además, el gobierno rompió relaciones con las potencias del Eje y llegó a un acuerdo con el Ecuador en torno al conflicto fronterizo de 1941. El resultado favorable de este breve enfrentamiento armado entre las dos naciones vecinas ayudó a consolidar la posición nacional de Prado y fortalecer su apoyo entre los militares. Las Fuerzas Armadas reafirmaron su compromiso profesional con la defensa nacional. Gracias a un presupuesto especial de defensa, financiado a través de préstamos nacionales reservados, Prado brindó generosas recompensas en la forma de ascensos militares y paga más alta, para así garantizar el respaldo político de las Fuerzas Armadas. Además, el seguro social y los grandes programas de obras públicas, también financiados con préstamos nacionales, continuaron la política fiscal heredada de Benavides.[92] No obstante, la corrupción, los déficits y las presiones inflacionarias entraron en una espiral de descontrol que sentaría las bases para endémicas interrelaciones entre problemas deficitarios e inflación, presentes durante prácticamente el resto del siglo XX.

Las medidas que el régimen adoptó para sancionar económicamente y expulsar del Perú a ciudadanos del Eje estuvieron acompañadas por serios casos de corrupción de empleados públicos. Se congelaron fondos japoneses y alemanes; el Banco Italiano fue suspendido y obligado a cambiar de nombre; productos importados no se entregaban a una «lista proclamada» de empresas; y se implementaron las leyes 9586 y 9592 para anular las operaciones comerciales, bancarias, agrícolas e industriales del Eje en el Perú.[93] El gobierno aplicó estas medidas siguiendo las recomendaciones de funcionarios estadounidenses. Más de 1800 ciudadanos japoneses varones, entre ellos maestros y miembros de asociaciones japonesas locales, fueron deportados forzosamente a Estados Unidos.[94] Los colegios, asociaciones, negocios y propiedades japoneses fueron clausurados y sus activos expropiados. Todas estas medidas estuvieron precedidas por la violencia de las turbas contra personas y propiedades japonesas, en particular las asonadas de mayo de 1940.[95]

Varios funcionarios de alto rango recibieron sobornos de ciudadanos japoneses y alemanes que intentaban eludir la deportación y expropiación, o se apropiaron ilegalmente de propiedades confiscadas a personas que habían sido deportadas.[96] Hoover informó que Moisés Mier y Terán, el jefe de la División de Investigaciones de la policía, juntamente con César Cárdenas García, director de Gobierno, fueron condenados por extorsión a gran escala y otras serias irregularidades perpetradas durante la deportación de ciudadanos del Eje en febrero de 1943. Mier, un agente clave en la represión de los apristas, había sido ascendido por Manuel Ugarteche Jiménez, el primo progermano del presidente. A pesar de los cargos formulados en su contra, Mier continuó trabajando para la división de investigaciones en provincias del interior.[97] Otro plan llevado a cabo por funcionarios del Ministerio de Relaciones Exteriores fue la venta, por miles de soles, de documentos de ciudadanía peruana a japoneses que estaban a punto de ser deportados.[98]

El gobierno de Prado enfrentó las elecciones programadas para junio de 1945 en medio de crecientes problemas para contener la corrupción, lidiar con la oposición política y manejar la deteriorada situación financiera. Las publicaciones apristas continuaron sus ataques, pero ahora apelaban abiertamente a jóvenes oficiales militares para que tomaran acción contra lo que el partido aprista consideraba era un gobierno hondamente corrupto.[99] Justo antes de las elecciones, el Comité Revolucionario de Oficiales del Ejército (CROE), liderado por el mayor Víctor Villanueva, un simpatizante aprista que criticaba el tráfico de influencias políticas y la corrupción dentro de las Fuerzas Armadas, comenzó a preocupar a las autoridades peruanas y a los funcionarios de inteligencia estadounidenses.[100]

Prado jugó con la idea de la reelección, pero advirtiendo la probabilidad de su fracaso optó finalmente por prestar su apoyo al general Eloy Ureta, un héroe de la guerra de 1941 con el Ecuador. Esta estrategia electoral, que favorecía prolongar la fórmula de alianza élite-Fuerza Armada, molestó al mariscal Benavides, quien había retornado al Perú de sus misiones diplomáticas con la expectativa de que Prado le devolvería el favor electoral de 1939. En enero de 1945, Benavides publicó un manifiesto urgiendo la candidatura de un civil honesto y la unidad de las Fuerzas Armadas, en lo que era un evidente rechazo tanto a Prado como a Ureta. Esta medida del sagaz Benavides dividió el bando de derecha de Prado y favoreció las tendencias izquierdistas apoyadas por el APRA.[101]

El Partido Aprista negoció con el Frente Democrático Nacional (FDN), cuyo candidato era José Luis Bustamante y Rivero, a quien se le tenía en su Arequipa natal como «demasiado honesto y demasiado carente de carácter político» como para que gobernara al Perú.[102] El mariscal Benavides se opuso a Ureta, afirmando que en el Perú era necesario contar con un presidente civil. La postura de Benavides benefició a Bustamante y a sus aliados apristas. Sin embargo, las negociaciones de último minuto entre los dirigentes apristas y los seguidores de Ureta en la UR amenazaron la alianza izquierdista con el FDN. Asimismo, la alianza fue puesta en peligro por las exigentes demandas que el Partido Aprista le hizo al FDN en lo que tocaba a la proporción aprista en la lista de candidatos parlamentarios.

Estas maniobras electorales se consideraron como «una serie de traiciones, impresionantes incluso para la política peruana», que recordaban a las intrigas electorales de 1939.[103] El persistente patrón de un oportunismo electoral carente de principios, que minaba en efecto a la democracia para beneficiar a unos cuantos políticos, formaba parte de los altos costos de transacción de una cultura política infestada por la desconfianza y la corrupción. Al final, Bustamante fue elegido presidente por amplio margen sobre Ureta, gracias en gran medida a los votos apristas. El repentino deceso del mariscal Benavides a comienzos de julio de 1945, cuando se estaban contando los votos, privó al FDN de Bustamante de un aliado importante con el cual moderar las crecientes expectativas políticas apristas.[104] La dirigencia y la militancia aprista estaban listas para el «cogobierno» como medio para tomar el poder a cualquier costo posible.

Transición en la cuerda floja

Inmediatamente después de asumir el mando, Bustamante emitió una serie de decretos que buscaban «limpiar la casa» heredada del gobierno anterior. Las nuevas medidas estaban orientadas a inspeccionar más estrechamente las finanzas estatales, eliminar sinecuras y empleos superfluos y despedir a funcionarios deshonestos.[105] El primer gabinete del nuevo régimen, al cual se le denominó el «gobierno moralizador», estuvo formado por jóvenes profesionales. Basadre, una figura políticamente independiente, fue nombrado ministro de Educación y desde su posición intentó combatir la corrupción entre los funcionarios del ministerio. Aunque tenía una experiencia limitada para semejante cargo, Basadre sostuvo que «por lo menos, fuimos honestos».[106] Una de sus primeras medidas fue realizar una profunda investigación del sospechoso incendio que había destruido la Biblioteca Nacional, un desastre sobre el que no se había indagado plenamente.[107]

Para asumir su nuevo cargo ministerial, Basadre dejó temporalmente la dirección de la Biblioteca Nacional, puesto que había asumido inmediatamente después del incendio de mayo de 1943. En esa función de reconstruir y restaurar la biblioteca, Basadre tuvo fricciones con la compañía y el ingeniero contratados por el Ministerio de Fomento para construir su nuevo edificio: los costos continuaban creciendo sin tener en consideración las necesidades presupuestarias y técnicas. Como ministro, Basadre también descubrió una trama para defraudar al Estado por aproximadamente el 40 por ciento del valor de un número considerable de pupitres escolares, fabricados por un contratista en colusión con un funcionario de alto rango. Basadre sentó la denuncia y remitió el caso a un tribunal independiente. El funcionario acusado respondió apoyándose en influencias políticas para evitar ser procesado e inició trámites para un juicio por difamación contra el ministro.

Este episodio y la presión política ejercida por el APRA obligaron a Basadre a renunciar como ministro a solo dos escasos meses y días de asumir la cartera. Luego de su renuncia, Basadre volvió a su puesto de director de la Biblioteca Nacional hasta el año 1947. A partir de esta experiencia fugaz como ministro, Basadre concluyó que, en el Perú, los burócratas del Estado asumían que el enriquecimiento ilícito mediante la corrupción era una actividad normal.[108]

Las publicaciones apristas criticaron e insultaron a Basadre sin cesar debido a su independencia política, llamándole «un cobarde y un adulón que ha sacrificado la integridad de su posición a cambio de la sinecura».[109] El APRA presionaba para tener el control de varios ministerios claves, entre ellos el de Educación, para así promover sus objetivos políticos. Basadre y otros ministros pasaron a ser el blanco favorito de los dardos apristas como parte de la estrategia global del APRA de humillar, obstruir y desestabilizar al régimen de Bustamante.

Bustamante y su primer ministro, Rafael Belaunde, inicialmente le habían ofrecido dos carteras al APRA. Sin embargo, la dirigencia aprista exigía al menos cuatro ministerios, entre ellos los de Relaciones Exteriores, Hacienda, Fomento y Educación.[110] Desde el principio, la alianza electoral inicial no se tradujo en una colaboración en el gobierno. El APRA había ganado más del 50 por ciento de todos los escaños en el Congreso. Con el control de la legislatura, el «partido del pueblo», organizado verticalmente, bloqueó las iniciativas legislativas de Bustamante y le disputó la autoridad ejecutiva. El primer acto de este Congreso «independiente» fue aprobar una amplia ley de amnistía que beneficiaba fundamentalmente a los apristas presos por haber cometido actos violentos.

Siguiendo una disciplina estrictamente jerárquica, los parlamentarios apristas bregaron por legislar según la agenda de su partido. Todos los senadores y diputados apristas electos tuvieron que entregar una carta de renuncia en blanco al jefe del partido. Por iniciativa de esta agrupación se formaron varias comisiones investigadoras en el Congreso, supuestamente para perseguir la corrupción, pero lo hicieron en realidad para entrometerse en los asuntos del Poder Ejecutivo. Una ley de elecciones municipales auspiciada por el APRA facilitó el control aprista sobre muchos municipios locales que competían con las prerrogativas tributarias del gobierno nacional. Esta era una estrategia de oposición política riesgosa y peligrosa, que exacerbaba los conflictos locales.[111]

Las serias diferencias que Bustamante y su primer ministro tenían con respecto a cómo manejar las violentas manifestaciones apristas llevaron a la renuncia de Belaunde. En enero de 1946, Bustamante intentó aplacar al APRA entregándole tres carteras estratégicas: Hacienda, Fomento y Agricultura. La acrecentada influencia aprista en materia de política económica se tradujo en el crecimiento de la burocracia estatal, que llegó hasta un total de 44.700 empleados, 160 por ciento más que con Benavides y 60 por ciento más que con Prado.[112] Muchos de los nuevos puestos estatales fueron para militantes del APRA. Esta política presupuestaria expansiva chocaba con una situación económica en deterioro, con inflación y escasas reservas de divisas, todo lo cual ya era observable hacia el final del gobierno anterior. Para los apristas, entre otros, la reforma social justificaba el incremento del gasto público, aun cuando esto beneficiaba fundamentalmente a la misma burocracia estatal.

Del mismo modo, las políticas de tipo de cambio y controles a las importaciones, heredadas del régimen de Prado —medidas supuestamente necesarias para incrementar las reservas de divisas e impedir la fuga de capitales—, en realidad beneficiaban a quienes obtenían licencias de cambio y de importación. Estos permisos fomentaban privilegiadas ventajas monopólicas y eran obtenidas mediante la influencia o el soborno.[113] Entretanto, el control de cambios sofocaba los incentivos para la exportación; en consecuencia, el volumen de las exportaciones se estancó y los ingresos procedentes de las exportaciones decayeron. Los exportadores, liderados por Pedro Beltrán, manifestaron su descontento. La escasez de los productos de primera necesidad alimentaba el descontento popular. Los controles de precios empeoraron las cosas. La crítica carencia de divisas extranjeras intensificó la necesidad de contar con préstamos externos de estabilización, que, sin embargo, se encontraban empantanados debido a la espinosa cuestión del subsistente impago de la deuda externa anterior. A pesar de los frenéticos esfuerzos oficiales, las negociaciones en torno a la deuda externa siguieron fracasando y eso se sumó a las dificultades que sufría el asediado gobierno de Bustamante.[114] La influencia aprista en la política económica, en combinación con las descaminadas políticas heredadas, resultó desastrosa.

La ambición aprista por el poder supremo justificaba no solamente aplicar políticas económicas irresponsables, sino también prácticas irregulares e ilegales por parte de sus militantes, sin importar el empeoramiento de la situación económica y social. Una temprana medida ventajosa para las operaciones clandestinas del APRA fue la disolución de la división de la policía de investigaciones y la «reorganización» general de las fuerzas policiales presionada por legisladores apristas.[115] Se otorgaron prefecturas y subprefecturas de provincias claves a miembros de este partido. Además, asistidos por una sesgada ley electoral municipal aprobada en el Congreso, políticos apristas controlaron abusivamente las «juntas transitorias» que malversaban los fondos municipales por medio de «verdaderos peculados».[116]

Los anónimos informantes confidenciales del agregado militar de Estados Unidos reportaban que el APRA se había apropiado ilegalmente de fondos considerables mediante su manejo de las finanzas nacionales, el clientelismo en las obras públicas y el control de las licencias de importación. Estos fondos fueron supuestamente transferidos a Estados Unidos y Europa por un leal confidente aprista para financiar las operaciones del partido en caso se presentasen problemas en el Perú. Aunque el embajador estadounidense consideraba que esta información era exagerada, otros funcionarios pensaban que el informe coincidía con información independiente acerca del «crecimiento de una difundida corrupción en el Perú». Varios nombres y ejemplos fueron mencionados como evidencia.[117]

Con el fin estratégico de conservar sus buenas relaciones con los funcionarios e intereses de Estados Unidos, la dirigencia aprista apoyó el apresurado contrato *ad referendum* de Bustamante para otorgarle, a la International Petroleum Company (IPC), una subsidiaria canadiense de la Standard Oil de Nueva Jersey, una concesión perpetua de derechos de exploración petrolera en el desierto norteño de Sechura. Esta postura a favor de la IPC le ganó al APRA amigos influyentes en Washington. Sin embargo, conservadores y comunistas se opusieron por igual a este acuerdo. Estos opositores sostenían que el contrato debió darse después de la promulgación de una ley general de explotación petrolera, además de que los políticos apristas estaban implicados indebidamente en tal proyecto para su propio beneficio pecuniario. El convenio no fue aprobado en el Congreso, puesto que la conservadora

Alianza Nacional, dirigida por Beltrán, apoyó la abstención de la oposición en la sesión de apertura del Legislativo en julio de 1947. Esta medida obligó a tomar un prolongado receso parlamentario.[118]

Uno de los opositores más activos al contrato de Sechura fue Francisco Graña Garland, presidente de la junta directiva del periódico *La Prensa* e influyente hombre de negocios. El 7 de febrero de 1947, cuando abandonaba el edificio de una de sus empresas, Graña fue muerto a tiros por varios hombres que huyeron en un automóvil verde marca Buick. A pesar de la ineptitud de la policía de investigaciones que truncó la resolución del caso, se logró identificar a Manuel López Obeso como el dueño del vehículo y se acusó formalmente al congresista aprista Alfredo Tello, el secretario de defensa del partido a cargo de los escuadrones de fuerza.[119] El APRA negó estar involucrado en el asesinato y comunicó a través de varios canales teorías descabelladas que apuntaban hacia otros posibles culpables.[120] En efecto, el asesinato de Graña transformó la escena política y minó la posición del APRA; sus jefes se vieron forzados a proponer una «retirada estratégica» y la renuncia de los tres miembros apristas del gabinete. Bustamante rompió abiertamente con el APRA, pero luego cometió el error garrafal de formar un gabinete integrado por militares, con el que buscaba estabilizar la volátil situación. Esta dependencia excesiva de las Fuerzas Armadas abrió las puertas a una costosa intervención militar.

El APRA no dejó de conspirar, promover la subversión entre los oficiales subalternos e interferir en el proceso de ascensos militares. El CROE y otras organizaciones militares ilegales prepararon un clima de insurrección, fomentado tanto por dirigentes apristas como por sectores reaccionarios.[121] En una entrevista con diplomáticos estadounidenses en agosto de 1948, Haya anunció planes en marcha para lo que sería un derrocamiento militar del presidente Bustamante «sin derramamiento de sangre».[122] Haya, asimismo, informó al embajador español que la opresión de la oligarquía cesaría en cualquier momento.[123] El alto mando militar quedó preocupado con la inminente revolución aprista.

En abril de 1948, se encontró una gran cantidad de armas a bordo del navío de guerra peruano BAP *Callao* que regresaba de efectuar reparaciones en un astillero de Nueva York. Aparentemente estaban destinadas a los insurgentes. Se sospechó, entonces, de la participación de oficiales de marina apristas. Haya había estado en Nueva York a comienzos de 1948, cuando la embarcación aún se hallaba en puerto. Aún más, los oficiales al mando de la nao le habían invitado a que cenara a bordo.[124] Según testigos, se sospechaba que el traficante en narcóticos Eduardo Balarezo se encontraba suministrando armas, municiones y fondos al APRA. Este abordó el *Callao* llevando costosos artefactos de contrabando, que fueron interceptados en el puerto del Callao por funcionarios de aduanas, a los cuales intentó sobornar. La posible vinculación del APRA con el tráfico ilegal de Balarezo fue revelada por la prensa estadounidense y peruana de 1949-1950. Una investigación del Buró Federal de Narcóticos en Nueva York reveló la operación de contrabando de cocaína a Estados Unidos realizada por Balarezo y sus posibles vínculos con el partido de Haya.[125]

Tras un intento abortado en febrero de 1948, el muy esperado levantamiento aprista tuvo lugar el 3 de octubre de ese año. Esta asonada involucró a marineros y oficiales de la marina en el Callao, pilotos de la Fuerza Aérea de la base de Las Palmas y civiles en Lima. Los insurrectos controlaron varios navíos de guerra, la escuela naval y la guarnición del Real Felipe, pero no lograron capturar bases del ejército ni de la Fuerza Aérea. En Lima, una turba atacó la central telefónica y trastornó las comunicaciones. No cabía duda de que los apristas radicales habían preparado el movimiento, dada la identidad de la dirigencia naval de la insurrección y su acción coordinada con militantes armados. Estos radicales habían sido animados consistentemente a que tomaran estas acciones, aunque la dirigencia del partido pudo atemorizarse a último momento.[126] El levantamiento aprista perdió impulso y fue aplastado por el ejército. Los principales dirigentes del partido pasaron a la clandestinidad o buscaron asilo en diversas embajadas.

Bustamante quedó entonces expuesto a la influencia del general Manuel Odría, exjefe del Estado Mayor del ejército y ministro de Gobierno, quien desde mayo de 1947 venía activamente abogando para que se colocara al APRA fuera de la ley y para reabrir carta blanca en los asuntos de seguridad interna.[127] Odría era un firme paladín antiaprista, que contaba con un sólido respaldo entre los oficiales militares de alto rango, comprometidos con la destrucción del APRA y su perniciosa influencia dentro de las Fuerzas Armadas. Bustamante retiró a Odría del gabinete en junio de 1948, pero no logró detener su amenazante conspiración. Apenas unas cuantas semanas después del levantamiento aprista, el 28 de octubre de 1948, Odría realizó un clásico golpe militar en Arequipa. Fue cuidadosamente planeado y muy parecido al que Sánchez Cerro escenificara en 1930. Los regimientos más importantes en provincias y en Lima apoyaron a Odría en su acción de deponer a Bustamante, quien fue forzado a exiliarse.[128] La dictadura militar establecida por Odría abrió un nuevo capítulo en la historia de la corrupción del sector público, implicando profundamente al sector militar que ahora poseía el control directo del gobierno y sus recursos.

La recompensa del general Odría

Siguiendo los ejemplos anteriores de Cáceres, Benavides y Sánchez Cerro, un líder militar nuevamente se levantaba para «restaurar» y «rescatar» la política peruana de la inestabilidad extrema y del conflicto interno. Odría dio a su golpe el contradictorio título de la «revolución restauradora». Como lo alertaban los políticos de entonces, su movimiento dictatorial solamente podía mantenerse en el poder si, «poseía la habilidad de resolver los problemas económicos... o de reprimir con puño de hierro y sobornar a mano abierta».[129]

Inicialmente, los miembros antiapristas claves de la élite agroexportadora y empresarial apoyaron el movimiento restaurador de Odría, que prometía celebrar nuevas elecciones presidenciales en 1950.[130] Pedro Beltrán, entonces presidente del Banco Central, proporcionó los conocimientos de política económica necesarios para un vigoroso giro hacia principios económicos liberales que eliminaron los controles de cambios, comercio exterior y precios, para permitir la recuperación económica y estimular la inversión extranjera. Según Beltrán, los controles intervencionistas «habían tenido como resultado la corrupción, una intervención gubernamental innecesaria en la industria privada, y habían alcanzado precisamente efectos contrarios a los deseados».[131]

Algunos han sostenido, desde una perspectiva económica heterodoxa, que esta alianza inicial expresaba una transacción partidaria entre la facción de la «oligarquía» agroexportadora, que buscaba maximizar sus ganancias de divisas extranjeras, y la dictadura militar de Odría.[132] Sin embargo, a medida que se acercaban las elecciones programadas para 1950, Beltrán y un sector importante de la élite económica organizada en la Alianza Nacional riñeron abiertamente con Odría y su séquito militar. Sus principales diferencias concernían a asuntos económicos y políticos fundamentales, entre los cuales ocupaban un lugar central correspondientes al fraude electoral y al gasto público repleto de corruptelas y proclive al déficit.[133] Odría procedió entonces a suprimir la oposición de élite y a amañar las elecciones de 1950, que posiblemente fueron las más fraudulentas de toda la historia peruana. Estas maniobras le permitieron gobernar hasta 1956 con una mayoría abrumadora de senadores y diputados sumisos.[134] Al igual que en dictaduras pasadas, los partidos políticos se derrumbaron dejando atrás a una pequeña colección de personalidades y grupos oportunistas con un «casi absoluto carecimiento de principios doctrinales serios».[135]

Según fuentes e informes diplomáticos confidenciales, el círculo íntimo de Odría fue caracterizado como un grupo radicalmente «nacionalista».[136] Los militares de alto rango controlaban prácticamente todas las carteras. Entre sus asesores civiles figuró hasta los últimos años de su gobierno Héctor Boza, el exministro de Fomento de Benavides. En esta escena política transformada, el régimen fue entregando cada vez más poder y recursos a las instituciones militares y su cuerpo de oficiales. Los salarios de los oficiales militares se incrementaron hasta en 25 por ciento y el presupuesto de defensa militar subió en 45 por ciento, tan solo durante el primer año de gobierno de Odría.[137]

En las Fuerzas Armadas, diversas facciones se disputaban el poder celosamente guardado por Odría como caudillo en jefe. Por un lado estaba, por ejemplo, la facción favorable a la UR formada por el volátil coronel Alfonso Llosa, quien fue recompensado financieramente con fondos públicos por sus actos insurrectos contra Bustamante, además de ser nombrado ministro de Fomento en 1948; el mariscal Ureta quien, al igual que el líder de la UR fue premiado con una embajada en Europa; y el general sanchezcerrista Ernesto Montagne, un veterano favorecido. Esta facción fue pronto erradicada por sus crecientes ambiciones políticas y su desafiante puja electoral en 1950. Por otro lado figuraba el almirante proestadounidense Roque Saldías. Aunque el general Zenón Noriega, mano derecha de Odría y beneficiario de fondos públicos a su disposición, tenía ideas peronistas. Noriega se oponía radicalmente a la influencia de la élite, en una época en la cual la figura de Perón, antítesis del liberalismo económico, venía creciendo en América Latina.[138]

Odría también buscó ganarse el respaldo de la creciente población inmigrante llegada del campo a Lima y a otras ciudades, ofreciéndoles un gasto de bienestar social y permitiendo la toma ilegal de terrenos baldíos por parte de los residentes en barriadas. Los costosos proyectos de irrigación y de construcción de carreteras, que incluyeron una pista al pueblo natal de Odría en Tarma se aceleraron a comienzos de 1951.[139]

El creciente déficit presupuestario presionaba a favor de la devaluación de la moneda y obligó a incrementar la deuda externa del sector público, que acababa de ser reestructurada en 1952 tras casi dos décadas de permanecer impaga.[140] Todos estos errores de cálculo económico tuvieron como origen una política deliberada de patronazgo entre los partidarios militares y civiles del régimen. Un diplomático hizo el siguiente comentario sobre las redes de clientelaje de Odría: «el esquema es uno familiar en Latinoamérica: el de un jefe fuerte y capaz rodeado de un grupo que se beneficia del "patrón" y al cual le muestra lealtad».[141] Las crecientes necesidades de patronazgo del régimen dominado por los militares chocaban con las políticas liberales defendidas por Beltrán y el control presupuestario aconsejado por una comisión económica especial, encabezada por Julius Klein, exsubsecretario del Departamento de Comercio de Estados Unidos.[142]

Fig. 13. El dictator Manuel A. Odría (centro) y su colaborador íntimo general Zenón Noriega (derecha), 1954. Odría (1948-1956) obtuvo el poder tras un golpe militar contra el presidente Bustamante, se enriqueció durante los ocho años de su dictadura y permitió el abuso de poder y de los fondos públicos por parte de otros altos jefes militares. Colección fotográfica de Humberto Currarino, Callao.

Fig. 14. Odría (derecha, en terno blanco) disfrutando de una fiesta de carnaval, hacia 1956. Era de público conocimiento que Odría compartía extravagantes celebraciones con círculos de la élite y amigotes. Colección fotográfica de Humberto Currarino, Callao.

A pesar de sus tendencias populistas, Odría continuó dependiendo de los préstamos de estabilización y la creciente asistencia militar y de equipos proveniente de Estados Unidos. Varios de sus oficiales de mayor confianza viajaron a Washington a negociar préstamos y la compra a crédito de aviones *jet*, submarinos, tanques y otros equipos militares.[143] Odría usaba constantemente su endose a las políticas económicas liberales y su colaboración a la campaña militar continental contra el comunismo como las cartas de presentación más importantes en su política respecto de las relaciones entre el Perú y Estados Unidos. Sin embargo, en varias cuestiones diplomáticas esenciales, su gobierno claramente contradijo la política exterior estadounidense de conservar un «patio trasero» tranquilo y estable en América Latina durante la Guerra Fría.[144] Estas instancias de fricción incluyeron las negociaciones con Perón, enemigo de Estados Unidos, para el trueque de trigo argentino cuando escaseaban los alimentos; las continuas disputas limítrofes con el Ecuador; una política marítima cada vez más nacionalista;[145] y el caso sumamente publicitado del asilo de Haya en la embajada colombiana de Lima, un incidente de importantes repercusiones internacionales.[146]

Haya buscó asilo en la embajada colombiana en enero de 1949, intentando eludir la fuerte represión y persecución de Odría. Al rehusársele un salvoconducto para salir del país, Odría exacerbó la oposición internacional contra los cargos criminales y de tráfico de drogas formulados por el gobierno peruano contra el derecho de asilo de Haya de la Torre. La disputa en torno a su asilo elevó la tensión entre Perú y Colombia, y el caso se presentó luego ante la Corte Internacional de Justicia de La Haya. A pesar de la preocupación de los agentes de la ley de Estados Unidos por el creciente contrabando de cocaína desde el Perú[147] —una actividad ampliamente publicitada debido al caso de narcotráfico de Balarezo que se juzgaba entonces en Nueva York—, la posición diplomática oficial de Estados Unidos consistía en afirmar que no había ninguna evidencia definitiva sobre el financiamiento que Balarezo supuestamente había proporcionado al levantamiento aprista del 3 de octubre de 1948.[148]

La conexión de Haya con Balarezo había surgido de modo prominente en la correspondencia de la Oficina Federal de Narcóticos de Estados Unidos (cartas de Garland Williams, comisionado de narcóticos de Nueva York, a su jefe, Harry J. Anslinger), así como en el expediente del caso Balarezo.[149] El fiscal de Nueva York, Joseph Martin, siguió las ramificaciones políticas del caso de narcóticos solo hasta cierto punto. Presionados por personas influyentes en Estados Unidos, que consideraban a Haya un héroe de la democracia amenazado por un gobierno dictatorial, los funcionarios del Departamento de Estado optaron por exculpar a Haya en beneficio de la estabilidad continental y las pacíficas relaciones interamericanas. Haya permaneció confinado en la embajada de Colombia hasta 1954, cuando finalmente se le permitió dejar el país tras negociaciones bilaterales entre Perú y Colombia.[150]

Las evidencias de casos específicos de corrupción durante el gobierno de Odría solo aparecieron esporádicamente antes de 1956. Era una época de condiciones represivascon el constante peligro de deportación, una libertad de imprenta limitada y un Poder Legislativo servil. Sin embargo, una creciente percepción del enriquecimiento indebido de Odría, junto al de sus ministros y círculo más íntimo, se iba perfilando entre la oposición política, la opinión pública y el personal diplomático. Un despacho diplomático afirmaba que «Odría ha adquirido al menos tres casas como regalos de parte de calculadores adherentes, y se dice que ha adquirido otras formas de riqueza. [... Que él] esté dispuesto a dejar una posición tan gratificante y altanera parece muy improbable».[151] Estos elementos de enriquecimiento indebido, probados con incriminadores títulos de propiedad, fueron usados como argumentos para pedir una investigación parlamentaria formal, tras el final del régimen odriista en 1956.

Además, un incidente de abuso doméstico en Washington, D. C. —según quejas presentadas a la policía por una ciudadana estadounidense casada con el capitán Antonio Ipinza Vargas, un asistente cercano de Odría— despertó fundamentadas sospechas de turbias conexiones financieras. Ipinza había sido edecán de Odría desde la época en que el general ejerció como ministro de Gobierno en el periodo 1947-1948. Fuentes confidenciales de Lima confirmaron que Ipinza era un «hombre inescrupuloso», que había usado su cargo oficial para enriquecerse y extorsionar a súbditos chinos y japoneses. Ipinza se mantuvo cerca de Odría durante y después del golpe de 1948 y en 1952 obtuvo una visa de negocios de la embajada de Estados Unidos a solicitud del gobierno peruano. En Washington, Ipinza compró propiedades por las sumas entonces fenomenales de 55.000 y 265.000 dólares y eso llevó a la conclusión de que «podría estar llevando a cabo algunas transacciones financieras privadas del Presidente».[152] En 1958, luego del final del gobierno de Odría, Ipinza fue elegido diputado y posteriormente estuvo involucrado en un fallido complot para deponer al presidente de ese entonces. En esta conjura, Ipinza estuvo asociado con otros odriistas que se habían enriquecido gracias a una empresa de fabricación de armas de mala calidad (la fábrica de armas Los Andes) y a los contratos de venta pactados con el ministro de Guerra de Odría.[153]

Hacia comienzos de 1954, la deteriorada situación monetaria y económica enfatizaba la declinante posición política de Odría. La moneda nacional se depreció aún más y se contrataron nuevos préstamos de estabilización para compensar el excesivo gasto gubernamental, la expansión del crédito bancario (generada por los préstamos internos del gobierno) y el déficit en el comercio exterior.[154] En agosto de 1954, el general Noriega, el políticamente ambicioso ministro de Guerra, lanzó, junto a un grupo de oficiales del ejército, un golpe fallido contra Odría, acción que se sospechaba contó con el respaldo de Perón. Noriega fue inmediatamente exiliado. Tras ser traicionado por su cercano asociado político y militar, Odría le confió a Harold Tittman, el embajador de Estados Unidos, que le había permitido a Noriega usar su posición como ministro de Guerra y los fondos oficiales a su disposición para que promoviera sus propias metas políticas, «aunque sus actos fueron obviamente incorrectos puesto que debió haber renunciado [a su puesto] antes de iniciar una campaña política».[155]

Al irse aproximando las elecciones generales programadas para julio de 1956, Odría fue criticado desde varios flancos en particular por los abusos administrativos y las malversaciones cometidos durante su régimen. En diciembre de 1954, Raúl Porras Barrenechea, el conocido historiador y exdiplomático, criticó públicamente la injustificable demora del régimen en la reconstrucción de partes considerables de la ciudad del Cuzco tras el terremoto de 1951.[156] (En 1956, Porras impulsó una moción en el Senado para investigar las transgresiones administrativas y la corrupción del Ochenio de Odría.) La seguridad interna del régimen y las leyes electorales eran una clara amenaza a unas elecciones democráticas limpias y al bienestar de los partidos políticos formales. El control abrumador que Odría ejercía sobre su Congreso inconstitucional queda en evidencia con el siguiente recuento: de un total de 47 senadores, 41 eran odriistas y de un total de 156 diputados, 146 lo eran. Desde La Prensa, Pedro Beltrán continuó criticando las políticas inflacionarias, el derroche de fondos gubernamentales en «suntuosas» obras públicas, políticas inadecuadas de vivienda e imposiciones antidemocráticas.[157]

Alejandro Esparza Zañartu, el abusivo ministro de Gobierno, pasó a ser el blanco de una campaña negativa de relaciones públicas que culminó con su renuncia a mediados de 1955, en medio de huelgas a gran escala.[158] En un mensaje al Perú, impreso en 1955, el exiliado exmandatario Bustamante y Rivero, al resumir los males generados por la dictadura de Odría, sostenía lo siguiente:

> El país ha descendido no pocos grados en el nivel de la ética social —eso que siempre habíamos llamado la «corrección» y «decencia»—. Son notorios en altas personalidades del régimen los casos de enriquecimiento ilícito. Se han improvisado grandes fortunas a la sombra de la posición e influencia política. Esta mugre ha salpicado a los Institutos Armados.[159]

Según Bustamante, el gobierno de Odría tenía un sistema de «comisiones», «participaciones» y «primas» para otorgar contratos de obras públicas y otros negocios oficiales. Gracias a este tráfico de favores se trocaba la adhesión política por fáciles ganancias: el político se convertía en comerciante y el hombre de negocios en político. Carecían de toda preocupación social o interés reformista. Las personas en el poder necesitaban asegurarse resultados electorales ventajosos al concluir la dictadura, para así protegerse de posibles sanciones.[160]

Fue precisamente bajo las vergonzosas condiciones descritas por Bustamante que un nuevo frenesí de negociaciones políticas precedió a las elecciones de 1956. Odría tenía la intención de arreglar el resultado a su favor, pero se vio forzado a negociar su salida del gobierno presionado por inminentes conspiraciones militares. El levantamiento de la guarnición de Iquitos, encabezado por el general Marcial Merino, denunció las falsas promesas electorales de Odría. El dictador reaccionó de modo exagerado al mandar encarcelar a prominentes civiles, Beltrán entre ellos, que habían sido implicados erróneamente con el levantamiento de Merino.

Odría intensificó, así, su juego electoral deshonesto. Ante la sorpresa de todos, el dictador mantuvo negociaciones políticas con Ramiro Prialé, un jefe del ilegal partido aprista que acababa de salir de prisión. Odría favorecía la candidatura del abogado Hernando Lavalle, quien inicialmente también fue cortejado por los dirigentes apristas. Lavalle fue, sin embargo, rechazado en última instancia por los votantes, fundamentalmente por considerársele candidato oficial de Odría. En esa coyuntura el expresidente Manuel Prado llegó de París para negociar la promesa de una amnistía, la coexistencia política (la convivencia) y puestos parlamentarios para el APRA a cambio de apoyo electoral. Prado, asimismo, le prometió a Odría y a sus ministros inmunidad contra las acusaciones de corrupción y actos inconstitucionales.[161]

Este pacto secreto y turbio, sellado apenas unas cuantas horas antes de las elecciones, le aseguró a Prado el triunfo a pesar del vigoroso éxito obtenido por el arquitecto Fernando Belaunde Terry. Apoyado por un movimiento joven y popular que luchó por conseguir su inclusión en el proceso electoral, Belaunde proclamó la urgente necesidad de efectuar reformas sociales e institucionales dejadas prácticamente de lado por líderes oportunistas.[162] Su fresca postura política estaba libre de la mancha de sospechosos pactos políticos carentes de principios. Trágicamente, el gobierno de Prado retrasó aún más las cruciales reformas bajo la influencia de sus aliados políticos, los miembros venales de su propio partido y los compromisos retorcidos que limitaron la eficiencia y dirección de su segundo mandato.

Perdonar y olvidar

Una de las primeras leyes aprobadas en el Congreso e implementadas por el gobierno de Prado, a poco de asumir el mando el 28 de julio de 1956, fue una amnistía política general encarnada en la ley 12654. Este instrumento legal no solamente beneficiaba a los miembros del APRA, sino que, además, protegía a Odría y su séquito de toda persecución. Sin embargo, la oposición parlamentaria, liderada por el nuevo Partido Demócrata Cristiano (PDC) y el movimiento belaundista, presionó para que se investigaran y sancionaran las flagrantes infracciones constitucionales e irregularidades administrativas cometidas por el gobierno de Odría. Invocando la Constitución de 1933 y las leyes existentes, que penaban la transgresión de las funciones del sector público, el 14 de agosto de 1956 se formó una comisión especial en el Senado para que investigara las violaciones constitucionales cometidas durante el régimen odriísta y determinara culpabilidades.[163] Del mismo modo, en la Cámara de Diputados se presentaron varias mociones con la iniciativa del diputado del PDC Héctor Cornejo Chávez, para que se investigara a la policía secreta de Odría, las irregularidades administrativas, la evasión tributaria y el enriquecimiento ilícito.[164]

Durante el mes de septiembre se produjo un debate constitucional importante. Esta controversia parlamentaria puso atención sobre la necesidad de reforzar los frenos a las transgresiones constitucionales y a las prácticas corruptas con la legislación existente. La comisión del Senado a cargo de investigar las infracciones constitucionales cometidas por Odría quedó dividida, con lo que se produjo un informe en mayoría y otro en minoría. El primero, defendido por cuatro senadores (tres pradistas y un «independiente»), era un argumento legalista en contra de la investigación de violaciones constitucionales pasadas partiendo de dos premisas. En primer lugar, la legislación existente no especificaba qué medidas podían ser calificadas de inconstitucionales, lo que a su vez impedía que el Poder Judicial estableciera lo mismo. En segundo lugar, la política general de amnistía política recientemente decretada con la Ley n.° 12654 debía tenerse en cuenta y ratificarse. Al sustentar esta posición, el senador Víctor Arévalo sostuvo que para resolver los vacíos legales y de lenguaje era necesario enmendar la Constitución y, por tanto, los cargos de violación constitucional contra Odría resultaban extemporáneos, porque estos solo podían presentarse contra funcionarios activos y no contra los que habían dejado de ejercer funciones.[165]

El informe en minoría era una refutación del texto en mayoría, que obviamente no cumplía con el mandato senatorial de investigar las transgresiones constitucionales. El senador demócrata cristiano Mario Polar sustentó el dictamen en minoría, enumerando algunas de las violaciones constitucionales más serias cometidas por Odría y su exministro de Gobierno Esparza Zañartu, escandalosamente recompensado con un puesto diplomático en el extranjero. Entre las numerosas infracciones citadas figuraba la supresión de derechos constitucionales por ocho años, hecho que claramente infringía la legislación sobre el «estado de sitio», que contemplaba la suspensión temporal de ciertos derechos pero solo para defender el orden constitucional.

Además, los artículos 8 y 31 de la Constitución habían sido violados, puesto que Odría estuvo ilegalmente exento del pago de impuestos sobre sus transacciones en bienes raíces. El informe en minoría pasaba entonces a analizar los mecanismos legales específicos a través de los cuales podía señalarse claras culpabilidades según la legislación existente. Polar no coincidía con la tesis de que un vacío legal impedía realizar dicha investigación. Citó así los artículos 20 y 179 de la Constitución, que específicamente señalaban las responsabilidades políticas, civiles y criminales de los funcionarios, así como los artículos 19 a 22 de la ley de 1878, que establecían que el Senado poseía el mandato de decidir si un expresidente podía ser procesado después de que la Cámara de Diputados presentara formalmente los cargos.[166]

Otro senador de la oposición, Alejandro Barco López, observó que el informe en minoría no solicitaba una investigación sobre el enriquecimiento ilícito de los exfuncionarios y parlamentarios, que incluía los «regalos» de casas, terrenos y joyas dados por compañías como pago para obtener contratos del sector público; así como la suma estimada de 10 millones de dólares que Odría había acumulado en cuentas bancarias en Estados Unidos (según un número de *Visión*, una revista en español impresa quincenalmente en Nueva York por Time Inc. para los mercados latinoamericanos, correspondiente a junio de 1954). Esa tarea, dijo, era para la Cámara de Diputados; el informe en minoría solo pedía que se investigaran las infracciones constitucionales, lo que en sí mismo representaría, al menos, una sanción moral y una alerta para corregir todo vacío legal o constitucional, o lenguaje ambiguo, de modo que tales infracciones pudiesen ser enjuiciadas.[167]

En respaldo a su posición, Polar citó a expertos legales que recomendaban el gobierno de la ley y no el de los hombres, así como la tesis de Max Weber sobre el gobierno limitado, insistiendo en la necesidad de defender la ley constitucional contra la burla que de ella hacía el informe en mayoría, favorable a la impunidad de Odría. Polar sostuvo que el informe mayoritario equivalía al acto de Poncio Pilatos de lavarse las manos. Concluyó entonces que, dada la impunidad y la consigna de poner tales delitos en el olvido, sería imposible implementar un cambio radical en los métodos y sistemas de gobierno. Tal estado de cosas se opondría a lo que los votantes peruanos habían elegido en las recientes elecciones, esto es, un orden constitucional democrático. El historiador Raúl Porras, presidente del Senado, manifestó una posición similar con respecto al «continuismo». Esta continuidad política, concertada entre grupos como el Movimiento Democrático Peruano (MDP) de Prado y el Partido Restaurador (PR) de Odría, era un mecanismo que minaba las instituciones fundamentales.[168]

Desgraciadamente, los esfuerzos reformistas de la minoría fueron vencidos en el Senado. El informe en mayoría se aprobó en la Cámara Alta el 20 de septiembre de 1956, con una votación de 30 contra 13.[169] Los políticos pradistas negaron consistentemente la existencia de un pacto preelectoral entre Prado y Odría. Pese a ello, el público estaba convencido de que tal pacto secreto existía, pues los pradistas se rehusaban a investigar al exdictador. Era un resultado predecible. Según un funcionario extranjero, el presidente Prado había «sugerido a diversos congresistas que si intenta[ban] procesar a Odría, él allanaría el camino para el gobierno de una junta».[170] Así, por conveniencia política, ese día se sentó un precedente negativo que otorgaba la inmunidad a quienes violaban la Constitución. El aspecto crucial de instituir y respetar las reglas constitucionales a fin de detener la corrupción —una noción preminente en la elaboración y aplicación de la Constitución de Estados Unidos— fue ignorado por la mayoría de los representantes políticos del Perú. Esta grave falla reafirmó la práctica política de permitir y brindar incentivos para la corrupción política.

El debate pertinente en la Cámara de Diputados duró más que el del Senado, gracias a la tenaz insistencia de los representantes del PDC, encabezados por Cornejo Chávez. El 20 de agosto, los diputados del PDC presentaron un pedido para investigar las irregularidades fiscales cometidas durante el gobierno anterior y solicitaron la información relevante a los Ministerios de Hacienda, Fomento, Marina y Agricultura. Las irregularidades sospechadas, citadas como ejemplos de corrupción, incluían dispensas tributarias a los autos importados por Odría y otros; el verdadero origen financiero de las residencias donadas a Odría o compradas por él en Lima, Monterrico, San Bartolo, Paracas y otras partes del país; una casa donada al exministro Zenón Noriega; cuentas y activos de la oficina de Asistencia Social, antes dirigida por la esposa de Odría; y el manejo de los fondos para el transporte de combustibles para los barcos de la marina peruana.[171] Muchos otros pedidos específicos de investigaciones parlamentarias fueron presentados en las siguientes semanas. Eran numerosas las sospechas de transacciones, malversaciones y corruptelas durante el gobierno de Odría.[172]

La cuestión que desató los debates más encendidos fue el pedido para investigar el origen de las propiedades de Odría que habían sido compradas, transferidas y exoneradas de impuestos durante su gobierno. En su cruzada por descubrir y castigar la «corrupción e inmoralidad», Cornejo Chávez probó con documentos legales que Odría había recibido dichas propiedades como donaciones, evadiendo los impuestos correspondientes.[173] Los donantes de estas propiedades incluían a contratistas del sector público como la compañía estadounidense Anderson, Clayton & Co., que estaba a cargo del proyecto de irrigación en Pampa de los Castillos y por el cual recibió el 50 por ciento de las tierras afectadas a pesar de las protestas de la comunidad local.[174] El 14 de septiembre Javier Ortiz de Zevallos, líder del pradista MDP, afirmó que su agrupación política votaría en contra de semejante investigación para mantenerse fiel a las metas de unidad y amnistía que su partido había adoptado. Los miembros del PR odriista y los diputados pradistas atacaron a los demócratas cristianos por su cercanía al fracasado régimen de Bustamante, su falta de espíritu cristiano al no considerar el perdón y el desperdicio de tiempo del Poder Legislativo en cuestiones que no concernían directamente a la acción constructiva de emitir leyes para el presente.[175] Entre los diputados restauradores que defendieron firmemente a Odría figuraban Víctor Freundt Rosell,[176] Manuel Montesinos, Héctor Castañeda (exsecretario de Odría y oficial militar), Pedro Chávez Riva y Antonio Ipinza Vargas (el exasistente de Odría y su supuesto agente financiero en Washington, D. C.).[177]

El 11 de diciembre, Cornejo Chávez denunció la excesiva demora y los errores fácticos del ministro de Hacienda al proporcionar la información solicitada sobre el pago de impuestos de Odría. Cornejo consideraba que este hecho era una manifestación de la política del gobierno de «borrón y cuenta nueva», esto es, de condonar la corrupción pasada a fin de proceder como si nada hubiese ocurrido.[178] El debate continuó hasta comienzos de enero de 1957.[179]

Los diputados pradistas insistieron en que Odría no podía ser acusado en el Senado o en los tribunales, debido a la falta de especificidad en la Constitución y al compromiso de su partido con la amnistía. Ortiz de Zevallos reafirmó la posición de su partido, negando nuevamente la existencia de un pacto bipartidario favorable al supuesto continuismo practicado por el gobierno de Prado. Algunos diputados independientes (principalmente apristas) coincidieron con este argumento legal.[180] Al igual que en el Senado, el reiterado pedido de abrir una investigación parlamentaria sobre las patentes transgresiones cometidas por Odría fue negado en la Cámara de Diputados por una votación de 91 contra 39.[181] Solamente un par de pesquisas posteriores tuvieron cierta repercusión en los siguientes años, siendo la más conspicua el caso de los contratos de suministros militares del periodo 1950-1955. En este caso se señaló como chivo expiatorio a Francisco Mendoza, un empresario que tenía lazos con el caído general Zenón Noriega y que, como contratista, se valió de sobornos para venderle al gobierno material militar obsoleto, defectuoso y con sobreprecio.[182] Sin embargo, prácticamente todas estas averiguaciones caducaron y no tuvieron como resultado sanciones judiciales.

La impunidad permitida al pasado régimen dictatorial también fomentó la corrupción entre funcionarios y congresistas pradistas. La venalidad de los políticos y empleados públicos pradistas fue observada de primera mano por el honrado y políticamente independiente Jorge Basadre, quien fue nombrado por segunda vez ministro de Educación por el presidente Prado. Basadre ocupó dicho cargo entre julio de 1956 y octubre de 1958, cuando renunció por supuestas razones de salud. Sin embargo, Basadre posteriormente reveló que su renuncia tuvo otros motivos. Como ministro, nuevamente se esforzó por llevar a cabo un estudio integral de la situación real de la educación peruana y, sobre dicha base, proponerle al Congreso una ley general de educación pública. Estos esfuerzos constructivos fueron materia de abrumadoras dificultades en el Congreso. Las serias diferencias que Basadre tenía con algunos senadores y diputados pradistas continuaron y se intensificaron en torno a la cuestión de la construcción de varios colegios.[183]

La creciente población peruana de ese entonces ya superaba lo que el limitado sistema educativo podía ofrecer. El objetivo de Basadre era introducir urgentes reformas educativas. Tristemente, varios parlamentarios venales tenían otras prioridades que descarrilaron una vez más los esfuerzos reformistas de Basadre. El aplazamiento de las reformas necesarias debido a los intereses partidarios del segundo gobierno de Prado tendría consecuencias costosas para la sociedad y la economía peruana en las décadas siguientes.

El ministro Basadre fue presionado por los principales dirigentes del MDP para que aprobara las condiciones del contratista RIMSA. Esta compañía tuvo una disputa con el Ministerio de Educación en torno al incremento sustancial en los costos cobrados en la construcción de dos grandes colegios (el colegio Hipólito Unánue y la Unidad Escolar de Huaraz), cuyos planos de construcción originales habían sido modificados para que cumplieran nuevos requisitos. Los expertos técnicos afirmaron que dichos cambios no justificaban el exorbitante alza de los costos.[184]

En el transcurso de estas negociaciones, los dirigentes del MDP ejercieron su influencia política sobre el ministro. Como Basadre tenía una estrecha relación con los funcionarios de la embajada de Estados Unidos, a los que les confió verse obligado a esconderse en una pequeña oficina anónima del ministerio para así evitar los incesantes asedios, influencias y demandas de funcionarios nombrados por motivos políticos. También les comunicó a los diplomáticos estadounidenses que los tres principales políticos que lo estaban presionando no eran otros que los conspicuos Carlos Ledgard Jiménez (presidente de la Cámara de Diputados y jefe del MDP), Javier Ortiz de Zevallos (líder de la bancada parlamentaria del MDP) y Max Peña Prado, un pariente influyente del presidente.[185]

Basadre le escribió un memorando al presidente Prado en junio de 1958, exponiendo sus condiciones para continuar en el gabinete. El ministro exigía una limpieza administrativa integral que eliminara a los agentes del peculado, así como el acceso ilegal de empleados públicos y otros a los pagos, la contratación de obras y el financiamiento del sector público. Basadre, asimismo, urgió la implementación de una ley contra el enriquecimiento ilícito y propuso reformas constitucionales para limitar los gastos presupuestales descontrolados y la interferencia indebida de parlamentarios y otros funcionarios en las funciones del gobierno fuera de su jurisdicción. Según un diplomático estadounidense, el memorando de Basadre causó un considerable alboroto debido a que proponía eliminar las corruptelas y el favoritismo político. Desgraciadamente, Basadre era solo una «voz en el desierto».[186]

Para mediados de 1958, el gobierno de Prado experimentaba grandes dificultades políticas y financieras, en lo que se denominó una «crise de régime».[187] La dependencia de Prado con respecto a un pequeño grupo de políticos venales del MDP y la dañina alianza con apristas y odriistas trajeron consigo crecientes críticas a su gobierno. Un golpe intentado por varios tenientes coroneles, ayudados por el diputado odriista Antonio Ipinza y el senador Wilson Sologuren, quienes gozaban de inmunidad parlamentaria, fue frustrado en marzo de 1958. Sologuren reaccionó insultando al ministro de Gobierno Jorge Fernández Stoll, quien satisfizo su honor retándolo a duelo, una aparatosa ceremonia formalmente prohibida pero muy de moda entre hombres cuyo honor en otras esferas dejaba que desear.[188]

Los déficits presupuestales se incrementaron en 1957 y 1958.[189] La moneda peruana fue devaluada en 30 por ciento. Augusto Thorndike, ministro de Hacienda y partidario de ampliar la oferta monetaria, fue retirado del gabinete en junio de 1958 debido a sus conocidas operaciones de tráfico de influencias. Según *El Comercio*, Thorndike había vendido 170 licencias tributarias de importación a concesionarios de automóviles europeos.[190] Otro escándalo, la exoneración de impuestos a la importación de automóviles para 22 senadores y 67 diputados, quedó expuesto por *La Prensa* en septiembre de 1958 y fue explotado por la oposición.[191]

El escándalo más dañino para el régimen de Prado se produjo a raíz de la firma, el 24 de diciembre de 1958, de un contrato por 200 millones de soles con la International Standard Electric Corporation de Nueva York, para la modernización de la red de teletipos del gobierno peruano sin una licitación pública previa. La prensa local y el diputado Cornejo Chávez sostuvieron que este turbio acuerdo incluía un «margen» inexplicado de 60 millones de soles o el 30 por ciento de la suma total contratada. El precio real de los equipos era considerablemente más bajo que el cotizado en el contrato y la diferencia supuestamente se canalizaría a varios funcionarios venales.

El dirigente del MDP Ledgard Jiménez, el ministro de Gobierno Carlos Carrillo Smith y varios parlamentarios fueron considerados responsables por haber promovido y permitido estas transacciones. Las consecuencias políticas de este caso incluyeron la renuncia de Carrillo al ministerio y la dimisión de Ledgard como jefe del MDP. El contrato fue rescindido. Basadre eligió esta oportunidad para anunciar públicamente que su renuncia como ministro de Educación se había debido a las presiones políticas ejercidas en el caso RIMSA.[192] Al analizar estos escándalos de corrupción, un diplomático estadounidense concluyó que si bien las «corruptelas son un problema omnipresente en el Perú, parecería que en estos casos las personas cercanas al gobierno de Prado podrían haberse extralimitado».[193]

Reformas pospuestas

«Tal vez el mayor factor desfavorable», escribió el embajador estadounidense Theodore Achilles al explicar la deteriorada situación socioeconómica y política en Perú, «es la sobrepoblación de la sierra en parcelas de tierra demasiado pequeñas y poco fértiles por familia».[194] Impedir que masas de indígenas pobres se inclinaran hacia el lado equivocado de la Cortina de Hierro hacía necesario efectuar reformas urgentes y tener un gobierno más eficiente. Fernando Belaunde y Pedro Beltrán eran los críticos más conspicuos del gobierno de Prado. Ambos enfatizaron la necesidad de vivienda y de una reforma agraria, así como la «moralización» de la Administración Pública. Ambos tenían ambiciones presidenciales para las elecciones de 1962. Ya en enero de 1957, Belaunde había denunciado, en una emisión radial altamente publicitada, el pacto encubierto entre pradistas, odriistas y apristas como la razón principal por la cual el gobierno de Prado había logrado tan poco. Además, Belaunde subrayó un conjunto exhaustivo de reformas con las cuales verdaderamente transformar al país. La réplica publicada por el diputado del MDP Eduardo Watson hizo que Belaunde citara la injuria contra su honor y valor de caballero como razón para exigir un duelo a sable, lo cual causó sensación en la prensa.[195]

Las críticas de Beltrán fueron desatadas en mayo de 1958 a través de editoriales e informes de escándalos de corrupción ampliamente publicitados por su periódico La Prensa. Esta exhibición periodística enfureció al presidente

Fig. 15. Escándalo del contrato por 200 millones de soles para equipos telegráficos (teletipos) con la International Standard Electric Corporation de Nueva York, revelado al público en diciembre de 1958. Una diferencia del 30 por ciento (60 millones de soles) entre el precio real del equipo y el monto señalado en el contrato comprometió al ministro de Gobierno, Carlos Carrillo Smith. «Negociado de telégrafos». Por Pablo Marcos, «Marcos». *Rochabús* 2, n.º 73, 1959, p. 2.

Fig. 16. El presidente Manuel Prado se lava las manos, acto que simboliza su tolerancia hacia los múltiples escándalos de corrupción que plagaron su segunda administración. «¡Al fin hombre, algo limpio en el régimen!». Por Pablo Marcos, «Marcos». *Rochabús* 2, n.º 76, 1959, p. 1.

Prado y a los parlamentarios del MDP.[196] En octubre de 1958, Beltrán escribió una convincente propuesta política en la cual argumentaba a favor de cambios radicales en las normas y el comportamiento político, la «moralización» y la eficiencia en todas las actividades del sector público, una reforma agraria tecnocrática, un programa de vivienda que hiciera frente a la cuestión de las crecientes barriadas urbanas, la facilitación del crédito y la reforma tributaria. Desde una perspectiva liberal, Beltrán pensaba que el Estado crecía a costa de los ciudadanos y citó las escandalosas exenciones tributarias a parlamentarios por los automóviles importados como ejemplo de cómo es que los políticos solo piensan en sí mismos y no en aquellos a quienes gobiernan. Según Beltrán, la mayoría de los peruanos deseaba una amplia reducción de la corrupción en los asuntos del Poder Ejecutivo y del Poder Judicial, así como en el ámbito de la educación. Los ciudadanos aspiraban al fin de los abusos, del enriquecimiento ilícito de los empleados públicos, del favoritismo y del gobierno deshonesto. Semejante moralización del sector público, afirmaba Beltrán, conformaría la base de un renacimiento espiritual con el cual mantener la fe en el futuro.[197]

La prolongada crisis política llegó a su clímax en marzo de 1959. Luis Gallo Porras, primer ministro y ministro de Hacienda de Prado, intentó introducir urgentes medidas económicas y tributarias para enfrentar la devaluación de la moneda. La guardia vieja del MDP se opuso a ellas y, en consecuencia, Gallo fue obligado a dejar la dirigencia partidaria. Sorprendentemente, Beltrán fue convocado en julio de 1959 como primer ministro y ministro de Hacienda, cargos que aceptó para llevar a cabo un programa de estabilización y recuperación económica. El alza de las exportaciones de minerales y de harina de pescado contribuyó a la mejora de la situación económica, mientras que el déficit fiscal fue significativamente reducido en el periodo 1960-1961. Sin embargo, Beltrán sucumbió a la *realpolitik* existente y se involucró profundamente en el pacto encubierto Prado-APRA, comportamiento que le costó caro a sus aspiraciones presidenciales. (Ya en agosto de 1957, los periódicos reportaban que Eudocio Ravines, un cercano asociado político de Beltrán, había visitado la casa de su viejo enemigo Haya de la Torre en Miraflores, de donde salieron reconciliados sobre la base de su mutuo anticomunismo, aprobación de la inversión extranjera y respaldo a la reforma agraria.)[198]

El grueso del programa inicial de reforma política de Beltrán no se materializó, no obstante reafirmaciones periódicas del mismo en *La Prensa* y del grandilocuente anuncio de un programa de 1700 millones de soles para la reforma agraria y de vivienda en abril de 1961.[199] Beltrán reforzó su acercamiento con el APRA apoyando como ministro de Fomento a Jorge Grieve, un proaprista.[200] La oposición de derecha e izquierda continuó atacando los pactos encubiertos que sustentaban al régimen de Prado.

El Comercio, fiel a su línea editorial antiaprista, fue implacable en su exposición de los acuerdos de la convivencia entre el APRA y el gobierno de Prado. En junio de 1957 se reportó la sensacional historia de que José Luis Arteta Yábar, un sacerdote aprista peruano, estaba relacionado con la falsificación de 300 millones de soles en Caracas. La policía venezolana implicó a Arteta en el intento de proveer dinero falsificado al APRA para designios revolucionarios. El sacerdote actuaba como agregado cultural de la embajada peruana en Caracas con la aprobación de las autoridades pradistas.[201] *El Comercio* intensificó su campaña contra la convivencia en 1961 y 1962. Una serie de artículos denunciaron varias actividades corruptas del APRA, entre las cuales destacan los beneficios ilegales provenientes de sus lazos con la Federación de Choferes, un sindicato de transporte al que se le había otorgado la exoneración de impuestos sobre autos y ómnibus importados; los subsidios otorgados por el Ministerio de Gobierno al periódico aprista *La Tribuna*; una operación de contrabando que traía armas desde Colombia; y varias otras acusaciones de soborno, malversación y favoritismo que implicaban a autoridades apristas y pradistas.[202]

Como resultado de la investigación efectuada por una subcomisión del Congreso de Estados Unidos, se encontró también que las autoridades pradistas habían estado involucradas en el desvío y malversación del 60 por ciento de los fondos de asistencia externa estadounidense, destinados a la construcción de carreteras y ayuda alimentaria.[203] Una propuesta para investigar la vinculación de Beltrán con los supuestos tratos ilegales de compañías urbanizadoras como Mutual Perú y Urbanizadora Repartición fue bloqueada en el Congreso por los Diputados pradistas y apristas.[204] Los parlamentarios demócrata-cristianos pidieron la renuncia del primer ministro. El gabinete de Beltrán se hallaba bajo fuego graneado justo antes de las elecciones de junio de 1962, a medida que su programa económico iba haciendo agua.[205]

La incapacidad de la convivencia para ocuparse de algunos de los problemas más urgentes del país también tuvo como resultado el crecimiento de la izquierda radical. El APRA perdió gran cantidad de sus jóvenes integrantes de los grupos proguerrilleros APRA Rebelde y Movimiento de Izquierda Revolucionaria (MIR). Un bien organizado grupo de presión favorable a Cuba había surgido a escasos dos años de la Revolución en ese país. Este movimiento explotó las debilidades del régimen de la convivencia, especialmente el asunto ardientemente debatido de La Brea y Pariñas, en torno a la cuestionada propiedad de los campos petrolíferos norteños en manos de la International Petroleum Company (IPC).

En noviembre de 1960, una incursión en las oficinas de la embajada cubana llevada a cabo por exiliados cubanos anticastristas reveló documentos secretos firmados por Luis Ricardo Alonso, el embajador de Cuba en el Perú. Los documentos capturados implicaban a una vasta red de políticos, parlamentarios, periodistas, dirigentes estudiantiles y activistas de izquierda como agentes pagados del gobierno cubano. El 4 de enero de 1961, Ricardo Elías Aparicio, ministro de Gobierno y Policía, y Alejandro Cuadra Ravines, ministro de Guerra, presentaron información adicional de la inteligencia peruana durante una tormentosa sesión del Senado. Allí dieron los nombres de quienes habían recibido estipendios y pagos mensuales del gobierno cubano a través de su embajada para que realizaran campañas políticas contra el gobierno peruano. Entre los operadores políticos izquierdistas pagados, los más prominentes eran conspicuos críticos de los arreglos con la IPC. A pesar de las excusas ideológicas y de las justificaciones hechas a nombre de la justicia social y del antiimperialismo, este tipo de corrupción estuvo difundido dentro de la izquierda legal desde el inicio de su influencia en la política nacional.[206] Además, en el periodo 1961-1962 se iniciaron las acciones guerrilleras urbanas y los asaltos a bancos por el Frente de Izquierda Revolucionaria (FIR), en respaldo a las tomas de tierras en el valle de La Convención del Cuzco, promovidas por el dirigente trotskista Hugo Blanco.[207]

El fracaso de la reforma nacional también tuvo un impacto sobre los oficiales militares formados en el recientemente renovado Centro de Altos Estudios Militares (CAEM). La estrategia de antiinsurgencia se combinó con políticas militares «reformistas» para desarrollar el país, bajo la creciente influencia de ideologías nacionalistas de izquierda derivadas del nasserismo.[208] Fue precisamente a partir de estas nuevas tendencias que una facción de comandantes militares de alto rango concibió nuevas oportunidades y papeles políticos. Esta nueva postura política de los oficiales militares, una variación sustancial del nacionalismo caudillista venal de Odría, sentó las bases para los golpes militares «institucionales» de 1962 y 1968.

Justo antes de las elecciones presidenciales de junio de 1962, la oposición belaundista denunció el fraude electoral que iban perpetrando los partidos en el poder. Acción Popular (AP), el partido de Belaunde, sostenía que el registro de hasta 200.000 votantes era fraudulento. Los principales líderes de la convivencia venían negociando alianzas y pactos electorales bajo la mesa. El Jurado Nacional de Elecciones (JNE) estaba conformado casi íntegramente por pradistas. Unos cuantos días antes de los comicios, pesquisas judiciales confirmaron la falsificación de padrones oficiales de votantes, obtenidos ilegalmente, en las oficinas del APRA y el MDP. El APRA no fue sancionado por estas prácticas ilegales. El alto mando de las Fuerzas Armadas, tradicionalmente antiaprista, condujo su propia investigación. Los militares encontraron que el 40 por ciento de los padrones electorales que investigaron era incorrecto o fraudulento y declararon públicamente, con un lenguaje deliberadamente neutro, que había una «voluntad» de cometer fraude electoral. Esta fue una ominosa señal de advertencia dirigida contra las pretensiones electorales del APRA.

Los funcionarios de la embajada de Estados Unidos creían que el fraude sí se había dado, pero se interpretó que no era de escala suficiente como para influir en las elecciones.[209] La Junta Electoral ignoró las serias quejas de fraude y continuó con los comicios. Con el respaldo de Prado y Beltrán, el líder aprista Haya obtuvo ligeramente más votos que Belaunde. Odría, a la cabeza de la Unión Nacional Odriista (UNO), su partido recién formado, quedó en tercer lugar. El 32,9 por ciento de la victoria electoral de Haya no bastaba para satisfacer el requisito legal de las dos terceras partes de los votos para ser declarado presidente. La tarea de escoger al nuevo mandatario estaba ahora en manos del Congreso recién electo.[210]

En esta tensa situación política, el mando militar pidió la anulación de las elecciones. La tensión creció cuando los partidarios de Belaunde amenazaron con rebelarse y pidieron la intervención militar. En una jugada de último minuto, Haya renunció a sus ambiciones presidenciales a favor de su antiguo archienemigo Odría. Pero ya era demasiado tarde. El 18 de julio de 1962, una junta militar encabezada por el general Ricardo Pérez Godoy depuso y arrestó al presidente Prado. Las elecciones fueron anuladas. La junta militar prometió nuevas elecciones al siguiente año. Cuando Prado llegó exiliado a su predilecta ciudad de París para solicitar inmunidad diplomática, tal como lo había hecho en 1948, las autoridades francesas le informaron que había un límite legal al valor de las joyas y metales preciosos que su familia podía llevar a Francia.[211] Las elecciones de 1963 despertaron la esperanza de un pronto establecimiento de un orden democrático más limpio y honrado, sin dictadores venales, políticos inescrupulosos ni pactos encubiertos.

* * *

Para concluir, la reconstrucción económica y constitucional, luego del nocivo gobierno de Leguía, estuvo plagada de conflictos políticos y pugnas civiles, enmarcadas dentro del difícil contexto internacional de las décadas de 1930 y 1940. Estos conflictos sirvieron para encubrir la corruptela oficial y el abuso en ocasiones despiadado del poder, así como las transgresiones radicales y violentas de nuevos movimientos populistas que no se regían por los límites legales y los constreñimientos éticos para cumplir con su fin máximo de alcanzar el poder.

Las formas de corrupción más viejas y persistentes se combinaron con otras más nuevas, surgidas de los cambios en las condiciones y las políticas financieras, económicas e institucionales. Las corruptelas militares en la adquisición de armas ganaron importancia, en un momento en que el papel político de las Fuerzas Armadas era de suma importancia (durante los gobiernos del coronel Sánchez Cerro, el general Benavides y el general Odría) y en que los conflictos limítrofes llevaban a una escalada en el armamento militar. El mal manejo de la deuda pública pasó de concentrarse en la deuda externa (el cese de pagos de largo plazo y sus consecuencias, que tuvieron su origen en los excesos de la década de 1920) a la deuda interna a través de préstamos nacionales, que involucraron a la banca y camarillas económicas locales durante el gobierno de Benavides y el primer gobierno de Prado. Los sobornos y el tráfico de influencias en las obras y servicios públicos se mantuvieron constantes, aunque con cierta tendencia a crecer durante el mandato de Odría y el segundo gobierno de Prado.

Un cambio en la política relacionado con los controles de cambio y las licencias de importación —que formaban parte de la creciente ola proteccionista en Latinoamérica, a la que se conoce como «industrialización por sustitución de importaciones»— abrió las compuertas al favoritismo, al tráfico de influencias y los abusos durante los gobiernos de Prado y Bustamante en las décadas de 1940 y 1950. (Estos mecanismos intervencionistas «novedosos» de la corrupción continuaron dejando su huella en la segunda mitad del siglo.) La inflación y los déficits fueron el resultado; así, las rentas perdidas debido al contrabando crecieron. Las pérdidas debidas al temprano tráfico de drogas y la inversión extranjera no percibida fueron relativamente bajas. La creciente dependencia de la deuda y la asistencia externa, y su mal manejo concomitante, siguieron a la restructuración y el reinicio del servicio de la incumplida deuda externa en 1952.

En términos comparativos, los costos medios estimados de la corrupción por año en la década de 1930 continuaron siendo altos, pero se mantuvieron estables. En el decenio de 1940, estos costos se duplicaron en cifras corrientes (no teniendo en cuenta la inflación) y volvieron a hacerlo en la década siguiente (véase el cuadro A.5). Sin embargo, el nivel de los costos de corrupción subió como porcentaje del gasto del gobierno, de 31 por ciento en la década de 1930 a 42 por ciento en los años de 1940 y a 46 por ciento en los de 1950. Como porcentaje del PBI, esta progresión en el nivel de los costos estimados de la corrupción fue de 3,1, 3,3 y 3,6 por ciento, respectivamente, en cada una de las tres décadas (compárese en el cuadro A.6). El crecimiento constante y gradual de dichos costos tal vez sea la razón por la cual Basadre consideraba que la corrupción en ese entonces era ubicua y estructural.

A medida que la contenciosa esfera política desempeñaba un papel crucial en las disputas electorales entre 1931 y 1962, su amañamiento y el fraude condicionaron la legitimidad de los gobiernos. Se convocaba a elecciones cuando las soluciones dictatoriales se agotaban y los partidos políticos realizaban pactos secretos detrás de bambalinas. El resultado de dichos pactos y alianzas era en ocasiones tan escandaloso que desataba una protesta generalizada por lo inútil que resultaba esperar que los políticos trabajaran a favor del bien común. En el ínterin se descuidaron reformas políticas e institucionales urgentes, a pesar de los crecientes problemas sociales y económicos. La prensa reportaba cada vez más los pactos escondidos de la mirada pública, los privilegios que generaban y los escándalos que les seguían. La cobertura de la prensa y la oposición parlamentaria, particularmente en la década de 1950, expuso escándalos e hizo público el perdón de los antiguos líderes corruptos en la clásica fórmula del «borrón y cuenta nueva», que generaba un profundo escepticismo popular hacia el orden político. Una vez más volvió a considerarse que una solución militar, esta vez para impedir un supuesto fraude electoral, era una opción en medio de la considerable apatía. Estas débiles bases para el retorno de la democracia en los años de 1960 limitaron la capacidad de las instituciones peruanas para ponerle coto a la corrupción y prevenir nuevas intervenciones militares.

CAPÍTULO 6

Asaltos a la democracia, 1963-1989

C uando se escribían estas líneas, el exparlamentario Héctor Vargas Haya aún vivía en la misma casa familiar que había ocupado por muchos años en un barrio limeño desprovisto de las típicas ostentaciones en las que cae, por lo general, la clase política peruana. Desde los años sesenta, Vargas Haya se había dedicado a la investigación de casos notorios de corrupción en la Administración Pública. Entre sus credenciales estaban el haber servido honestamente como diputado por casi veinte años y haber presidido la Cámara de Diputados durante el periodo 1988-1989. Después de más de diez años de amargas discrepancias con la dirigencia de su propio partido, Vargas Haya renunció oficialmente, en el año 2000, a toda una vida de militancia aprista. El exparlamentario denunció consistentemente la corrupción en sus diversas formas y exigió una urgente reforma constitucional para reconstruir instituciones que desde hacía décadas continuaban desvirtuándose.

En una entrevista periodística, Vargas Haya sostuvo que, en «el Perú, ser honesto es como ser un leproso».[1] Es comprensible que este político jubilado tuviera una visión pesimista con respecto a la corrupción y su vinculación con las debilidades institucionales. A lo largo de su vida, las diversas oportunidades de lograr una reforma real del sistema al parecer se vieron frustradas y desperdiciadas debido, en gran medida, a intereses sustentados en la corrupción. Al igual que Basadre, el historiador y funcionario, Vargas Haya, el político y legislador, fue un testigo de este fenómeno desde el interior mismo del sistema político. Vargas Haya es autor de importantes libros que documentan detenidamente la evolución de las formas de la corrupción de alto vuelo durante los dos gobiernos de Belaunde (1963-1968 y 1980-1985), la dictadura militar «revolucionaria» (1968-1980), el primer periodo presidencial del líder del APRA Alan García Pérez (1985-1990) y el régimen de Alberto Fujimori (1990-2000). El relato histórico que sigue compara y contrasta la solitaria voz pública de Vargas Haya con otras fuentes excepcionales. En este caso, ilustra una lucha particularmente difícil en el transcurso de la cual avances democráticos claves —efectuados bajo la presión de una población creciente

y empobrecida— fueron víctimas de arteros asaltos a dichas aspiraciones democráticas por parte de líderes políticos y jefes militares enmarañados en
cuestionados legados.

Las promesas rotas de Belaunde

Fernando Belaunde, el candidato reformista de Acción Popular (AP), fue elegido presidente del Perú en junio de 1963 con el apoyo de la alianza con el
Partido Demócrata Cristiano (PDC). Estas elecciones fueron reguladas y moni-
toreadas detenidamente por la Junta Militar que gobernó el Perú entre 1962
y 1963. Varios jefes del alto mando militar preferían a Belaunde y simpatizaban con su ideología tecnocrática. La junta había justificado su toma del
poder para combatir un supuesto fraude en las elecciones anuladas de 1962
y cumplir con el objetivo de una «república verdaderamente democrática».

Para contener la toma ilegal de tierras en el Cuzco, el gobierno militar implementó una reforma agraria piloto en el valle de La Convención —subven-
cionada por préstamos de la Agencia de los Estados Unidos para el Desarrollo
Internacional (USAID, por sus siglas en inglés)— con resultados alentadores pero
limitados. La Junta, asimismo, implementó sus aspiraciones tecnocráticas con
la creación del Instituto Nacional de Planificación (INP), un organismo cen-
tralizador de estrategias para el desarrollo. Estas medidas favorecieron las
tendencias burocráticas y las políticas de centro-izquierda, pero también reforzaron la oposición militar a los esfuerzos apristas por alcanzar el poder.

Diversas facciones se manifestaron en el seno de la junta militar en los
meses previos a las elecciones programadas para 1963. El general Ricardo
Pérez Godoy, el vocero más visible de la junta, encarnó con el apoyo del ministro de Gobierno, el general Juan Bossio, una tendencia autoritaria perso-
nalista, similar a la de anteriores dictadores militares. Pérez Godoy y Bossio
buscaron el reconocimiento público mediante sus intentos por anular el controvertido laudo arbitral de 1922, que otorgó a la International Petroleum
Company (IPC) los derechos de superficie sobre los yacimientos de petróleo
de La Brea y Pariñas. Esta solución unilateral al dilatado problema con la IPC
formaba parte de dogmas nacionalistas desarrollados desde 1959 por ideólogos de izquierda que influyeron en las estrategias intervencionistas «reformistas» del Centro de Altos Estudios Militares (CAEM). El general Nicolás Lindley y
otros dos miembros de la Junta Militar se oponían a esta posición nacionalista
considerada como una opción radical. Los militares «moderados» prevalecieron sobre Pérez Godoy y Bossio, les obligaron a renunciar y cumplieron
la promesa de celebrar elecciones sin más intervenciones inconstitucionales.

Lindley fue posteriormente recompensado por Belaunde con el puesto de embajador en Madrid.[2]

Antes de asumir oficialmente su cargo, el electo presidente Belaunde tuvo una importante reunión privada con el embajador estadounidense John Wesley Jones. En lo referente a las relaciones con Estados Unidos, Belaunde consideraba la vieja cuestión de La Brea y Pariñas como una «bomba de tiempo» que debía ser resuelta con premura. Este problema había sido heredado de gobiernos anteriores y su renacida controversia era peligrosa en las circunstancias políticas del momento. Belaunde reveló entonces que la posición de su partido era similar a la de los militares: el fallo de 1922 favorable a la IPC era «nulo e inválido», puesto que la empresa debía al Perú una gran suma en impuestos no pagados.

Por razones políticas debidas a la oposición que Belaunde esperaba encontrar en el Congreso, resultaba imperativo que se negociara algún tipo de arreglo, no necesariamente monetario, entre la compañía y el Poder Ejecutivo peruano. Jones replicó que la posición de Belaunde con respecto al laudo de 1922 no ayudaría a las negociaciones con la IPC y los círculos financieros estadounidenses.[3] Días más tarde, Celso Pastor, cuñado y cercano asesor de Belaunde, declaró a un sorprendido diplomático estadounidense que el problema más apremiante que el presidente electo enfrentaba era consolidar su autoridad sobre los militares.[4]

A pesar de su limpia procedencia democrática, el sostén político que Belaunde obtuvo de los militares para vencer al candidato aprista Haya de la Torre era, tal vez, el pasivo más importante que sellaría el destino de su gobierno. Cuando un periodista extranjero le preguntó cuál era a su juicio el rol apropiado de las Fuerzas Armadas en los asuntos nacionales, Belaunde respondió que la cooperación entre civiles y militares era necesaria, y que las Fuerzas Armadas constituían verdaderas escuelas para los reclutas indígenas.[5] Según un diplomático de Estados Unidos, esta actitud acomodaticia hacia los militares resultaba comprensible, «en vista de la deuda que tiene con las Fuerzas Armadas por su elección en 1963».[6]

Paradójicamente, la regeneración de la democracia constitucional peruana, las reformas radicales y las prácticas «moralizadoras» prometidas por Belaunde dependían, en gran medida, del viejo y peligroso juego de atraer y recompensar a los militares para que se alinearan con una de las facciones políticas. Este error estratégico era el mismo que el gobierno de Bustamante había cometido ante la presión insurreccional aprista de 1948. En el largo plazo, el entendimiento implícito entre Belaunde y los militares fracasó sin lograr contener la trayectoria sinuosa y desestabilizadora del APRA, partido que en el pasado había intentado repetidamente penetrar e influir entre la oficialidad militar.

Asimismo, el respaldo inicial que las Fuerzas Armadas le brindaron a Belaunde dio a los apristas una justificación histórica para oponerse duramente a su gobierno y a su programa de reformas urgentemente necesarias. El APRA formó una coalición reaccionaria e inescrupulosa con Odría y la UNO (la Unión Nacional Odriista) para controlar el Congreso y contrarrestar la popularidad inicial de Belaunde. En su primer discurso presidencial, Belaunde había prometido resolver prontamente la cuestión de La Brea y Pariñas. En un intento preventivo de ganar la iniciativa, así como los votos necesarios para las cercanas elecciones municipales, el bloque parlamentario APRA-UNO aprobó una ley el 31 de octubre en ambas Cámaras y declaró que el laudo de 1922 era nulo «por haber violado requisitos legales pertinentes».[7]

El ambicioso programa reformista de Belaunde pasó así a ser presa de las presiones tanto parlamentarias como militares. Una renovada y más seria oleada de tomas de tierra se propagó por el campo el mismo día en que Belaunde asumió el mando presidencial. Esta vez, la promesa de una reforma agraria, mediante expropiaciones debidamente compensadas, alentó la ocupación ilegal por parte de arrendatarios y campesinos sin tierra. También era motivo de preocupación la infiltración izquierdista en el partido Acción Popular, las instituciones gubernamentales y las Fuerzas Armadas. Mientras su gobierno lideaba con las tomas de tierras y expropiaba unas cuantas haciendas por decreto, Belaunde había enviado, en agosto de 1963, su proyecto de reforma agraria al Congreso, el cual retrasó su aprobación hasta por ocho meses.

La ley de reforma agraria finalmente aprobada fue diluida para que encajara con los intereses de la coalición APRA-UNO, emasculando así su efectividad. Con la creciente preocupación por los negativos efectos fiscales e inflacionarios del costoso programa de reformas y obras públicas de Belaunde, los apristas y odriistas también se opusieron tenazmente al proyecto preferido del presidente para construir la carretera Marginal de la Selva, una vía que proyectaba recorrer de norte a sur más de mil kilómetros de la región de la selva alta.[8]

Aunque los demócrata-cristianos ocuparon posiciones claves en el Ministerio de Agricultura y el Instituto de Reforma Agraria, Cornejo Chávez y su partido se resintieron ante el compromiso final de la ley de reforma agraria. Se irritaron también por la baja prioridad que se le dio al programa radical de la reforma original, que había servido de base a la alianza AP-PDC, persistentemente erosionada por acción de la reaccionaria oposición parlamentaria.[9] Del mismo modo, varios de los ministros de Belaunde fueron censurados por la coalición APRA-UNO en el Congreso. Harto de este obstruccionismo parlamentario, Belaunde consideró realizar un referéndum para respaldar las iniciativas del Ejecutivo. Eligió a más ministros militares para ocupar puestos claves de su gabinete. También le concedió a los oficiales militares cargos importantes como planificadores nacionales y directores de obras públicas. Es más, con la propagación de las actividades guerrilleras en 1965, los militares presionaron a Belaunde para que les otorgara carta blanca en la lucha contra los movimientos insurreccionales. Así en 1967, las Fuerzas Armadas lograron asegurar la compra de un escuadrón de *Mirage* V, aviones de combate franceses costosos y sofisticados. Esta compra generó tensiones con el gobierno de Estados Unidos, que intentaba limitar la proliferación de aeronaves supersónicas en la región con la venta programada de aviones F-5 de fabricación estadounidense.[10]

La toma de decisiones por parte de Belaunde se vio limitada aún más por un grupo de asesores y amigos íntimos conocidos como los «carlistas», llamados así porque varios se llamaban Carlos (entre ellos el acaudalado industrial Carlos Ferrero, y los empresarios y parientes Carlos Velarde y Carlos Muñoz). Esta camarilla privilegiada y conservadora era vista como más interesada en incrementar activos particulares que en servir al público. Entre los carlistas más conspicuos figuraban Manuel Ulloa, a quien observadores extranjeros consideraban un político de pocos escrúpulos, y Carlos Muñoz, primo político de Belaunde y jefe de una compañía de agentes de aduana, así como miembro de la junta directiva del Fondo Nacional de Salud y Bienestar Social nombrado por el gobierno.[11] En las filas de AP, los carlistas enfrentaban a los «termocéfalos», la facción liderada por el doctrinario Edgardo Seoane, un ardiente defensor de la rectitud administrativa y partidario de la ideología nacionalista y reformista original de AP.

El debilitamiento y la posición políticamente dependiente de Belaunde estorbaron la toma de medidas vigorosas para contener y repeler la corrupción cada vez más evidente entre funcionarios y militares. Según un analista político extranjero, «los líderes de AP creen que el patronazgo es una recompensa natural del control político».[12] Tradicionalmente, esta red de «amiguismo» había anidado en el Ejecutivo, fuertemente concentrado en Lima a pesar de los intentos de descentralización. Dicha burocracia ejercía un tipo particular de democracia elitista, tutelar o guiada, que generaba excesos burocráticos e ineficiencia.[13] El gobierno de Belaunde no fue la excepción a la regla, pero sí trajo consigo manifestaciones específicas.

Los primeros indicios de gestiones impropias de la administración Belaunde incluyeron el favoritismo y el tráfico de influencias en los contratos del gobierno. Uno de estos casos implicó al ministro de Fomento y Obras Públicas y a otros importantes funcionarios influidos por un consorcio italiano decidido a conseguir un contrato de obras públicas. A comienzos de 1966 el gobierno había cancelado, con el raro respaldo parlamentario de la coalición APRA-UNO, un contrato previo con una empresa angloalemana para un proyecto de desarrollo en la cuenca del Mantaro en el departamento de Huancavelica. El contrato se otorgó, entonces, a un contratista italiano que había presentado una propuesta económica un 15 por ciento más baja. Sin embargo, el nuevo contratista tomó más tiempo en terminar el proyecto y el costo subió a 237 millones de dólares, casi 140 por ciento más de lo originalmente presupuestado. Cuando el ministro cesó su cargo retuvo, sin embargo, su escaño de senador pero se le expulsó de AP en 1967 por «desviarse de la línea partidaria», en evidente referencia a su comportamiento como ministro.[14]

Otra temprana indicación de mala administración fue proporcionada por una comisión investigadora parlamentaria integrada por el joven diputado Vargas Haya en los años 1963-1965. La investigación se centró en los tratos realizados por el Fondo Nacional de Desarrollo Económico (FNDE) y Socimpex, una compañía francoperuana encargada de financiar proyectos de electrificación. Con la complicidad de los funcionarios del FNDE, Socimpex había cobrado excesivamente por concepto de intereses más de 10 millones de dólares al gobierno peruano. Un abogado peruano y representante de la compañía financiera intentó comprar el favor de Vargas Haya ofreciéndole un viaje pagado para que «visite» la sede en París de Schneider Electric, el proveedor principal de la Socimpex y así «mejorar» la investigación. Vargas Haya inmediatamente presentó cargos contra el frustrado sobornador.

Al conocerse los severos informes de la comisión parlamentaria, se procedió a la cancelación del contrato con Socimpex y al rembolso del monto cobrado de más. Varios funcionarios y empresarios fueron procesados, pero pronto se abandonó el caso judicial sin imponer sanciones efectivas.[15] Del mismo modo, el descubrimiento de una gran cantidad de contrabando transportado por barcos de la marina peruana entre 1962 y 1965 fue acallado con el despido de varios oficiales subalternos. Estos incidentes aparentemente aislados solo generaron una publicidad marginal, aun cuando eran las primeras manifestaciones de una creciente corruptela en las esferas más altas del gobierno y las instituciones militares, un escándalo listo para estallar bajo las condiciones políticas y económicas apropiadas.

Según informes bien documentados y perceptivos, el gobierno de Belaunde fue inicialmente considerado uno de los más limpios en la historia del país. Esta era la opinión común de los «peruanos, muchos de los cuales tienden a ser cínicamente tolerantes de la difundida corrupción que tradicionalmente ha permeado al gobierno peruano de arriba abajo».[16] La popularidad inicial de Belaunde debía bastante a la imagen proyectada de un presidente incorruptible, que exigía cabal integridad a sus ministros y funcionarios. Sin embargo, después de los tres primeros años de su régimen, la situación fiscal mostraba alarmantes señales de un mal manejo debido a gastos públicos excesivos sin un incremento correspondiente en los ingresos fiscales. La reforma tributaria prometida para incrementar los impuestos directos y disminuir la dependencia de los indirectos, así como la urgente creación de gravámenes indirectos más efectivos, fue combatida eficazmente por la coalición APRA-UNO en el Congreso. La asistencia y los préstamos extranjeros fueron limitados e, incluso, paralizados debido a la intensificada disputa con la IPC y la compra de los aviones *Mirage*. Los altos déficits fiscales fueron cubiertos mediante la expansión monetaria, lo cual llevó a la inflación y la devaluación del sol peruano en noviembre de 1967.[17] Entonces el prestigio del gobierno de Belaunde se derrumbó precipitadamente. A comienzos de 1968 aumentaron los rumores que indicaban que el Estado no cobraba rentas sumamente necesarias por culpa del extenso contrabando asistido por funcionarios del gobierno. Estos rumores capturaron la atención del público.

El escándalo del contrabando

En febrero de 1968, los diarios de Lima lucían primeras planas con la historia del sensacional aterrizaje clandestino de un cuatrimotor perteneciente a la línea aérea peruana de carga Rutas Internacionales Peruanas S. A. (Ripsa). La prensa reportó que en diciembre de 1967 el avión fue visto desembarcando su cargamento en una pista clandestina en el desierto cerca de la carretera Panamericana, a 260 kilómetros al sur de Lima. Este era apenas uno de muchos aterrizajes ilegales detectados.[18]

La información sobre las actividades irregulares de Ripsa aparentemente le fue proporcionada al diario *El Comercio* por intereses textiles locales que estaban sufriendo pérdidas debido al creciente contrabando.[19] Poco después se denunciaron varios otros casos en la prensa y en el Congreso. Estos escándalos de contrabando dañaron la imagen del gobierno belaundista y de las Fuerzas Armadas. Una comisión multipartidaria del Congreso, encabezada por el diputado aprista Vargas Haya, fue formada para investigar el contrabando que implicaba a funcionarios del gobierno, a empresarios civiles y a la policía aduanera. Además de los reveladores informes de la policía fiscal, la comisión pronto recibió más de quinientas páginas de acusaciones y quejas hechas por ciudadanos particulares e informantes anónimos.[20] La escala de las redes de contrabando con protección oficial era más grande y seria de lo que se había sospechado.

El escándalo de contrabando se intensificó cuando el senador Cornejo Chávez se refirió a un informe oficial de julio de 1965,[21] citado ya antes por el diario aprista *La Tribuna* en 1966. Dicho documento revelaba que varios exoficiales de la marina habían participado en un extenso contrabando a bordo de naves de la Armada peruana. Las observaciones hechas por Cornejo Chávez hicieron que el vicealmirante Raúl Delgado, ministro de marina, se presentara ante el Senado, admitiera el problema del contrabando en su armada y prometiera llevar ante una corte marcial a los responsables de la mercadería ilegal encontrada en la carga del BAP *Callao* en 1965.

En ese año, un reacomodo inesperado del gabinete privó al almirante Florencio Teixeira de la cartera de Marina. Desde que fuera nombrado ministro de Marina en 1963, Teixeira había firmado contratos con empresas privadas con el fin de arrendar el *Callao* y usarlo para importar mercancía de contrabando. La nave, comandada por personal de la marina, realizó varios de estos viajes irregulares mientras el ministro Teixeira pudo proteger las importaciones de contrabando. Sin embargo, en septiembre de 1965, el *Callao* fue puesto bajo estricta vigilancia al asumir el cargo un nuevo ministro. En los almacenes del puerto se localizó mercadería de contrabando no reclamada, valorizada en 10,9 millones de soles y con un costo adicional de 44 millones de soles por evasión de impuestos a la importación. La mencionada mercancía estaba destinada a los bazares de la marina, el ejército y la fuerza aérea. Con suficiente documentación en mano, la comisión parlamentaria encontró que Teixeira era directamente responsable de este caso de contrabando.

Otro caso similar, que involucró al BAP *Chimbote* en 1964, también fue investigado por la comisión parlamentaria. Aquí se halló evidencias adecuadas para acusar a un exministro de Gobierno y a un director general de la Guardia Republicana, quien posteriormente fuera juzgado en un tribunal militar y hallado culpable del cargo menor de fraude. Teixeira fue acusado formalmente, encontrado culpable y cumplió su pena en prisión, a pesar de los intentos de altos mandos de la marina para desestimar el caso.[22] Esta fue una sanción sin precedentes en la larga historia de inmunidad de facto de que gozaban los funcionarios civiles y militares.

El asunto del contrabando y las investigaciones relacionadas se abrieron en diversas direcciones entre marzo y mayo de 1968. El diputado Napoleón Martínez tuvo que defenderse de las evidencias que, presentadas en un informe oficial, indicaban que él había abusado de sus privilegios diplomáticos y exenciones de impuestos. Martínez había convenido con el empresario privado Sigmund Markewitz para importar autos Mercedes Benz adquiridos en el extranjero con descuento y sin pagar impuestos con el fin de venderlos luego en el Perú con una enorme ganancia. En su defensa, el diputado afirmó que solamente había importado nueve y no doce autos a su nombre, que había muchos otros casos similares y que un país extranjero conspiraba en su contra, acusación que un observador calificó como ejemplo clásico del dicho de que el «patriotismo es el último refugio de los canallas».[23] Eventualmente, Martínez fue privado de su inmunidad parlamentaria, procesado y encontrado culpable en 1969.[24]

El escándalo ampliamente publicitado de Ripsa impactó de lleno en el círculo más íntimo del presidente Belaunde. La comisión parlamentaria presentó cargos contra los ejecutivos de Consorcio Aduanero, una compañía de agentes de aduanas administrada por José Carlos Quiñones Muñoz y dirigida por su tío Carlos Muñoz, el conspicuo asesor carlista de Belaunde. Quiñones había sobornado a oficiales de la Policía de Investigaciones (PIP) para asegurar el despacho de la mercadería de contrabando en la aduana y el cobro de coimas por Muñoz.[25] Este último cayó en desgracia al ser suspendido de sus vínculos con AP. Varios otros parientes del presidente, exministros y miembros de AP también resultaron investigados. Entre ellos se encontraba el secretario de la presidencia y un exministro de Hacienda.[26]

Víctor Guillén, militante de AP, había sido colocado como perito de aduanas en el aeropuerto internacional Jorge Chávez. Gracias al abuso de dicho puesto y al ingreso que ello le producía, Guillén pronto adquirió casas, edificios comerciales e, incluso, acciones en la compañía de agentes de aduana de Muñoz. Guillén ayudó a Quiñones a conseguir tasaciones tributarias extremadamente bajas mediante la declaración de importaciones subvaluadas, negociadas por varias compañías (Continental Motors, Nadir, Hiltra y Globoimport) vinculadas a un grupo de empresarios implicados en otros casos de contrabando. Guillén confesó a la policía sus negocios con Quiñones y la forma en que se repartían los sobornos: 30 por ciento iba al superintendente general de aduanas, José Chaparro Melgar; 20 por ciento el jefe de aduanas del aeropuerto; 20 por ciento a Guillén; y 30 por ciento a otros funcionarios de aduanas.[27]

Por otro lado, las revelaciones del caso Ripsa llevaron al despido de Javier Campos Montoya, un alto director de la PIP, a quien se le acusó de proteger el contrabando. En respuesta a un artículo de la revista *Caretas* acerca de su opulento estilo de vida, Campos reveló a la prensa que, en 1958, había ganado dos veces la lotería y que había tenido suerte apostando en las carreras de caballos.[28] Campos, Chaparro y otros fueron acusados formalmente y llevados a los tribunales por cohecho y abuso de sus cargos.

La policía fiscal, por su parte, presentó a los investigadores parlamentarios evidencias detalladas de una red de contrabando que comprendía a la mayoría de los funcionarios de las aduanas postales de Lima, en colusión con empresarios locales para subvaluar diversas importaciones, falsificar documentos y evadir impuestos. Los acusados incluían a veinte empleados de la aduana postal, entre los cuales se encontraba el administrador en jefe Luis Porras Tizón y el tesorero Alberto Núñez Alarco, así como una gama asombrosa de propietarios y gerentes de negocios muy conocidos como Chicolandia, Hogar S. A., Otecsa y Casa Fernández Hermanos, entre muchos otros.[29] Además de los empleados de la aduana postal de Lima, docenas más fueron despedidos de sus puestos como funcionarios de aduana en el puerto del Callao y en el aeropuerto internacional.[30] Aparentemente, casi la totalidad de la Administración de Aduanas estaba afectada.

En marzo de 1968, *La Prensa* reportó que veintinueve paquetes importados, cuyo contenido estaba etiquetado como telas de paracaídas y tenía como destino el alto mando del ejército, contenían en realidad finas telas para ropa de mujer. El ministro de Gobierno, vicealmirante Luis Ponce, afirmó que reportes falsos de la prensa como este le hacían daño al país. Ponce también le comentó a un funcionario de la embajada de Estados Unidos que, a su juicio, el escándalo del contrabando estaba siendo manipulado por el APRA para desacreditar al gobierno y a las Fuerzas Armadas.[31]

En esta crucial coyuntura, Belaunde nombró al general Francisco Morales Bermúdez Cerruti como ministro de Hacienda, no solo para ocuparse de la crisis fiscal sino también para manejar la investigación del Ejecutivo sobre las aduanas y el contrabando. Con el fin de desalentar futuras investigaciones sobre la participación del ejército en los escándalos de contrabando, el ministro de Guerra Julio Doig celebró una conferencia de prensa en presencia del comandante general del ejército, el general Juan Velasco Alvarado, y el jefe de Estado Mayor Roberto Dianderas, en la que afirmó que el ejército no estaba involucrado en el contrabando de los «paracaídas». Doig también sostuvo que las maniobras de la extrema izquierda buscaban vincular a las Fuerzas Armadas con el contrabando para desacreditarlas ante la opinión pública.[32]

Inesperadamente, el general Morales Bermúdez proporcionó una asistencia importante a la comisión parlamentaria. Los investigadores de la policía fiscal habían incautado la correspondencia de Novelty Supply, una compañía de importación, y su asociada panameña, Peikard S. A., de la cuales se sospechaba que se dedicaban a un extenso contrabando. Morales Bermúdez entregó la correspondencia incriminadora a la comisión parlamentaria.[33] Para asombro del general y de la comisión, estas cartas escritas entre diciembre de 1965 y enero de 1968 suministraron cuantiosas evidencias de operaciones empresariales ilegales e implicaron a altos oficiales militares en el encubrimiento y facilitación del contrabando a cambio de favores y sobornos. Los principales autores, los empresarios José Trajtman y Sam Kardonsky, revelaron sus elaboradas estrategias para asegurar la protección y la colusión de oficiales militares y policiales, mediante una red de contactos personales e intermediarios con información interna privilegiada. Dichas cartas discutían la conveniencia de otorgar «comisiones» o sobornos a uno u otro funcionario. Estos últimos competían entre sí por los sobornos, se quejaban de su monto insuficiente y aceptaban «regalos» de máquinas de lavar u otros aparatos eléctricos importados.[34]

El centro de estas operaciones de contrabando lo constituían las mercancías importadas destinadas a los bazares de las fuerzas armadas y policiales. A todas estas instituciones se les había concedido el privilegio de importar cierta cantidad de mercadería exenta de impuestos para uso exclusivo del personal militar y policial. Sin embargo, estos bazares solo tenían una línea de crédito limitada y garantizada por el gobierno central. No obstante, diversas compañías, como Novelty Supply, ofrecían, amplio crédito privado, hecho que mejoraba considerablemente la capacidad de importación de los bazares. A su vez, estas compañías privadas obtenían de los gerentes, ministros y generales supervisores de los bazares, una gran cantidad de mercadería exenta de impuestos para su venta a los civiles. Esta operación arrojaba grandes utilidades a dichas empresas a cambio de sobornos para todos los oficiales involucrados.[35]

Entre los oficiales de alto rango implicados en esta trama de contrabando figuraban el vicealmirante Ponce (futuro ministro del Gobierno), el general Ítalo Arbulú (exjefe del Comando Conjunto de las Fuerzas Armadas), otro general, tres coroneles y dos tenientes coroneles. En lugar de hacer públicos estos nombres, la comisión parlamentaria remitió la lista del personal militar y policial mencionado en las cartas a los ministerios respectivos para una investigación interna. Las autoridades de los ministerios desecharon los cargos y declararon a los sospechosos «inocentes». Un informe del inspector general del ejército, recibido por el general Velasco Alvarado y convalidado con su firma antes de remitirse a los comisionados parlamentarios, exoneraba a todos los oficiales implicados por las cartas debido supuestamente a la insuficiencia de pruebas.[36]

Gracias a la investigación realizada por la comisión del Congreso en 1968, más de trescientas personas, entre las cuales se encontraban funcionarios del gobierno y empresarios privados, fueron procesadas en los tribunales civiles peruanos luego de la abrupta suspensión de las actividades de la comisión, en octubre de dicho año.[37] La mayoría de los oficiales militares acusados fueron procesados en tribunales militares y gran parte de ellos fue absuelta. Según una fuente diplomática estadounidense, el escándalo había sacudido la confianza del público en Belaunde y manchado el prestigio de las Fuerzas Armadas, causando así una gran tensión dentro de estas. Ello tendría gran importancia para la política nacional: «No cabe duda de que para fines de 1967, el contrabando de artículos de lujo y otros bienes al Perú se había vuelto un negocio masivo y bien organizado, que operaba evidentemente con el conocimiento y la complicidad de altos funcionarios civiles y militares del gobierno peruano».[38]

En su libro de 1976 titulado *Contrabando*, Vargas Haya realizó cálculos estimados del costo total del contrabando y de las rentas tributarias no recaudadas en el periodo 1963-1967. Al valor declarado de las importaciones imponibles (47.000 millones de soles), Vargas Haya le sumó el valor estimado de las importaciones de contrabando y subvaluaciones (70.000 millones de soles), lo que dio un monto total de 117.000 millones de soles. Al aplicar una tasa tributaria promedio de 70 por ciento, la renta tributaria total por importaciones debió haber sumado alrededor de 82.000 millones de soles (16,4 mil millones de soles al año). Dado que la renta tributaria efectivamente recaudada por importación totalizaba solo 23 mil millones de soles, la renta sin recaudar se calculaba, así, en 59.000 millones de soles (un promedio de 11,8 mil millones de soles o 440 millones de dólares al año).[39] Si el gobierno hubiese recaudado siquiera la tercera parte de este ingreso perdido por la corrupta evasión, el déficit comercial anual medio de 3000 millones de soles podría haberse eliminado por completo.

Los cálculos de Vargas Haya toman como base inicial promedio unas altas tasas de tributación y evasión. Este mismo autor preparó, sin embargo, distintos cálculos estimados. De este modo, tan solo para 1967 calculó que aproximadamente el 68 por ciento de los impuestos por aduanas quedó sin cobrar debido al contrabando, la subvaluación y las exenciones. Adicionalmente, a partir de datos obtenidos en el transcurso de las investigaciones parlamentarias, Vargas Haya estimó tasas de evasión tributaria de 45 por ciento en las importaciones de 1966, 32 por ciento en las de 1965, 24 por ciento en las de 1964 y 18 por ciento en las de 1963, con lo que resultaba un promedio de 37 por ciento al año entre 1963 y 1967.[40] Sobre la base de una tasa tributaria media más realista de 50 por ciento y una tasa de evasión de 37 por ciento, la renta tributaria no recaudada debido al contrabando y la evasión habrían sumado 14.000 millones de soles (un promedio anual de 2800 millones de soles o 104 millones de dólares), casi lo suficiente como para cubrir el déficit comercial anual medio durante el periodo. En consecuencia, revisando dichos estimados, el costo de las actividades de contrabando facilitadas por la corrupción durante el régimen de Belaunde equivalió a aproximadamente el 14 o 15 por ciento de los ingresos del gobierno nacional en el periodo 1963-1967.[41]

Para abril de 1968, la presión política ejercida sobre los integrantes de la comisión investigadora parlamentaria era enorme. Aumentaban también

Fig. 17. El general Juan Velasco Alvarado (1968-1975) rodeado por oficiales en el poder en 1969. A través del sistemático desmantelamiento de contrapesos constitucionales, judiciales y parlamentarios, y ante la neutralización de los medios de comunicación independientes, el régimen militar «revolucionario» contribuyó al mal gasto e ineficiente administración de los recursos públicos que cobijaron una amplia corrupción burocrática. Archivo Revista *Caretas*.

Fig. 18. Juego de cartas militar. En un contexto de huelgas, represión y persistentes privilegios para los oficiales de las Fuerzas Armadas, el presidente, general Francisco Morales Bermúdez (1975-1980) y el primer ministro, general Pedro Richter Prada, representan un juego intervencionista bien conocido por la opinión pública. «La timba está legal». Por Carlos Tovar, «Carlín». *Monos y Monadas* 74, n.° 134, 1979, p. 3. Biblioteca Nacional del Perú, Lima.

los rumores referentes a que las personas de alto rango implicadas en el escándalo de contrabando incluían a parientes cercanos de Belaunde, a los más importantes oficiales militares y a dirigentes parlamentarios de diversos partidos.[42] Los miembros de la comisión investigadora y sus familias fueron amenazados con llamadas telefónicas anónimas y sufrieron enojosas investigaciones por parte de ciertas autoridades. *El Comercio* clamaba por el pronto anuncio del nombre de las personalidades prominentes involucradas en el escándalo.[43] Las autoridades militares incrementaron la presión, en particular contra el demócrata-cristiano Rafael Cubas Vinatea, un prominente miembro de la comisión investigadora.

En este momento tan crucial, el general Doig anunció en un impactante comunicado de prensa que el alto mando militar abandonaría su tradicional veto a la candidatura presidencial de Haya de la Torre. Este hecho desató la especulación en torno a que venía cocinándose un compromiso entre los militares y el APRA para detener la investigación sobre el contrabando y evitar la revelación de los nombres de los militares implicados. Vargas Haya negó la existencia de semejante trato y afirmó que la investigación parlamentaria continuaría sin dejarse intimidar.[44] Sin embargo, como miembro disciplinado del APRA, muchas de las decisiones políticas quedaban más allá de su control, puesto que eran tomadas directamente por Haya de la Torre y Armando Villanueva del Campo, el secretario general del partido. El PDC y Cornejo Chávez en el Senado advirtieron a los investigadores parlamentarios que se les estaba poniendo de lado a favor de un pacto político para demoler la investigación acerca del contrabando. En consecuencia, Cubas Vinatea renunció a la comisión investigadora.[45] Parecía también que al APRA se le iba presionando a retroceder en medio de una creciente preocupación sobre un posible golpe militar. Hacia mediados de mayo, la investigación del contrabando parecía haber disminuido considerablemente y era muy improbable que se tomaran mayores medidas contra los funcionarios implicados en el asunto.[46]

El escándalo del contrabando agravó la crisis política del régimen y de los partidos y facciones que lo apoyaban. El ministro de Hacienda Morales Bermúdez renunció en mayo, afirmando que «consideraciones políticas partidarias» habían retrasado peligrosamente la solución a la crisis fiscal y económica. En el Congreso, el APRA se había opuesto a un incremento del impuesto a la gasolina, una parte crucial del programa de recuperación fiscal de Morales Bermúdez. Los jefes militares también le habían retirado calladamente el apoyo a este ministro por el papel que desempeñó en la investigación del contrabando.[47]

Los divididos demócrata-cristianos rompieron su alianza con AP por cuestiones de principios políticos. Hasta la coalición APRA-UNO se desintegró.

Por último, AP se dividió luego de un choque en torno a la cuestión de la IPC; por un lado quedó la facción termocéfala, encabezada por Seoane, y por otro la mayoría progobiernista. Sin embargo, Belaunde había encontrado un valioso apoyo político en el «carlista» Ulloa, nombrado ministro de Hacienda y primer ministro para negociar un acuerdo temporal con el APRA para la resolución de algunos de los problemas fiscales. En estas condiciones políticas extremadamente críticas, era interés del APRA apuntalar a Belaunde hasta las elecciones presidenciales de 1969, que ellos creían le darían a Haya la victoria largamente esperada.[48]

El escándalo del contrabando amainó, pero dejó tras de sí una profunda insatisfacción y una falta de confianza en el régimen. El gobierno de Belaunde había esperado poner fin a las humillaciones políticas que iba sufriendo enterrando este asunto.[49] Sin embargo, pronto se reavivó y estalló otro gravísimo escándalo relacionado esta vez con el petróleo y la IPC. Los ejecutivos de esta compañía se aproximaron al presidente para manifestarle su deseo de alcanzar un acuerdo final sobre el problema de La Brea y Pariñas. Las intransigencias previas fueron negociadas rápidamente para así conseguir unos puntos políticos sumamente necesarios para Belaunde. Parecía como si esta antigua cuestión, dilatada fundamentalmente por la corrupción de gobiernos anteriores, estuviera a punto de ser resuelta.

Un contrato sancionaría la entrega de los derechos de superficie y subsuelo de La Brea y Pariñas al Estado peruano. El documento fue firmado apresuradamente por Fernando Espinosa, gerente general de la IPC, y Carlos Loret de Mola por la Empresa Petrolera Fiscal (EPF). Sin embargo, semanas más tarde, Loret de Mola desató, durante una emisión televisiva, la que habría de ser la crisis final del acosado gobierno de Belaunde. El presidente de la EPF informó que faltaba una página del contrato original, la infame página once, en la cual él había firmado y estipulado de su puño y letra la base para el precio del petróleo que la EPF le vendería a la IPC para su refinamiento.

Algunos han dudado de que dicha página alguna vez existiera o contemplan la posibilidad de una pérdida accidental. Otros responsabilizan a las motivaciones políticas de Loret de Mola, así como a su ambición, irresponsabilidad o ingenuidad.[50] Una cosa era cierta: los escándalos de corrupción todavía recientes y la desconfianza que estos generaron pesaron fuertemente sobre la percepción negativa del público en torno al contrato con la IPC.[51] El escándalo de la «desaparición» de la página once y las acusaciones de una abyecta capitulación o «entreguismo» a la IPC era, según lo indican todas las evidencias, parte de una campaña política que acusaba al régimen de Belaunde de traidor y corrupto. La imputación era infundada en sus detalles, pero logró tener inmensas repercusiones. Un grupo de conspiradores militares aprovechó el escándalo para justificar públicamente y llevar a cabo un golpe de Estado que trajo consigo cambios drásticos en la conformación política, social y económica del país y sus instituciones.

«Revolución» militar

Mientras los tanques cercaban el palacio presidencial en el inicio del golpe para deponer a Belaunde el 3 de octubre de 1968, un destacamento militar especial ocupó el Congreso. Unos cuantos días más tarde las tropas del ejército confiscaron y saquearon las oficinas y la documentación de la comisión parlamentaria de investigación del contrabando.[52] Este hecho tuvo un impacto demoledor sobre el diputado Vargas Haya, quien fue privado de su escaño y del acceso a las evidencias documentales con las cuales finalizar su investigación. Su partido, el APRA, se vio asimismo negado de una victoria segura en las elecciones de 1969 que jamás se celebraron.

Vargas Haya decidió arriesgarse a escribir un libro para documentar los resultados de la comisión investigadora del contrabando y publicar evidencias contra los militares. En abril de 1970, agentes de la policía secreta incursionaron en las instalaciones de los talleres en donde se venía imprimiendo el libro para confiscar y destruir su primera edición. Vargas Haya sostuvo que este ataque contra la libertad de expresión fue ordenado por el general Velasco Alvarado. Años más tarde, estas afirmaciones fueron confirmadas en declaraciones hechas a la prensa por un exministro del Interior. La segunda edición del libro solamente apareció en 1976, cuando Velasco había dejado la presidencia.[53]

Los mandos militares que urdieron el golpe pensaban permanecer en el poder por largo tiempo. Este no era un «golpe puente» ordinario, que sirviera de transición entre un régimen civil o de mandato constitucional y el siguiente. Velasco y sus asesores más cercanos anunciaron que eran cuatro las causas principales de la intervención militar contra la democracia: el imperativo de defender la «dignidad» nacional, herida por la IPC y el escándalo de la «página once»; introducir reformas socioeconómicas estructurales; contener el peligroso deterioro de las condiciones políticas civiles, que abrían las puertas a una victoria electoral aprista y la insurrección comunista; y, finalmente, superar la degradación moral del país.[54] Las versiones convencionales del papel histórico del régimen militar de 1968 han subrayado estos argumentos oficiales.[55]

Vargas Haya, por su parte, ha sostenido consistentemente que los jefes del golpe militar tuvieron dos grandes objetivos: enterrar para siempre las evidencias de la participación de los militares y la intervención personal de

Velasco en el escándalo del contrabando, y frustrar una vez más el acceso del APRA al poder.[56] En respaldo de esta afirmación, Vargas Haya presentó evidencias reveladoras, aunque necesariamente parciales. Su apoyo partidario a la obstinada oposición aprista al régimen militar, así como la existencia de otras causas institucionales e ideológicas más probables del golpe de 1968, pueden ser aducidas como argumentos para matizar la explicación dada por Vargas Haya. Sin embargo, diversas fuentes independientes indican que la corrupción y el patronazgo sí tuvieron un lugar prominente entre las causas y consecuencias del golpe. En cierto modo, constituyeron las bases políticas del régimen «revolucionario». Vargas Haya y otros han sostenido que la cuestión de la IPC y la página once solamente fue un pretexto para destruir la democracia peruana. Más aún, analistas políticos coinciden en que la dura postura «nacionalista» contra la IPC fue usada por Velasco y su facción para consolidar su control directo sobre el régimen y desplazar a otras facciones militares más moderadas.[57]

Una temprana campaña de «moralización» en 1968 se utilizó para desacreditar a las instituciones democráticas y a los exfuncionarios civiles del gobierno de Belaunde. Velasco y sus seguidores radicales lanzaron un duro ataque contra la supuesta incompetencia, enriquecimiento ilícito y desfalcos de algunos funcionarios depuestos, que supuestamente permitían un injusto enriquecimiento de intereses extranjeros. Se les tildó de «malos» peruanos, que habían traicionado a su país.[58] Aunque no se formó un tribunal *ad hoc* para que impusieran sanciones, como sucedió durante la dictadura de Sánchez Cerro del periodo 1930-1931, el gobierno militar asumió poderes legislativos e, incluso, judiciales para denunciar, acusar y procesar a varios exministros por corrupción en relación con el escándalo de la IPC, entre otros cargos.[59] Velasco, asimismo, amenazó a otros excongresistas para que hicieran frente a lo que él llamó el escándalo parlamentario de fondos públicos mal utilizados.[60] El general Armando Artola, ministro del Interior, sostuvo que se habían detectado serias irregularidades en el Congreso y en la Junta de Asistencia Nacional dirigida por la hermana de Belaunde. Estos cargos no fueron probados o se encontró que carecían de sustento alguno.[61]

A comienzos de 1969 se estableció una comisión especial para investigar las supuestas transferencias ilegales de 17 millones de dólares en utilidades repatriadas por la IPC, permitidas por el Banco Central y el ministro de Hacienda después del golpe de 1968. Esta comisión, dirigida por el vicealmirante Enrique Carbonel Crespo y conformada por asesores civiles radicales, despidió a los gerentes más altos del Banco Central de Reserva y puso fin a su independencia. De este modo, Velasco neutralizó las intensificadas críticas periodísticas contra la integridad de su política «dura» con respecto a la IPC; obligó a renunciar y luego hizo procesar al moderado ministro de Hacienda, el general Ángel Valdivia; y fortaleció el control del régimen sobre instituciones financieras claves.[62] El jefe de la comisión Carbonel, un exoficial de inteligencia de la marina, implicado en el escándalo de contrabando, era un amigo cercano y colaborador de Velasco. A diferencia de otros oficiales de marina vulnerables, involucrados en el escándalo y posteriormente purgados por conveniencia política, Carbonel fue perdonado y posteriormente presidió el Comando Conjunto de las Fuerzas Armadas. De este modo, el Ejército, con Velasco al mando, dominó a la marina así como a la fuerza aérea cuyo orden de ascenso tradicional fue manipulado por el general golpista a favor de su primo, el teniente coronel Eduardo Camino Velasco, al igual que de otros oficiales que apoyaban al dictador.[63]

La consolidación de la facción de Velasco trajo consigo el surgimiento de la izquierdista «generación terremoto» de coroneles y generales, decididos a implementar radicales reformas estructurales. Los más conspicuos fueron el general Jorge Fernández Maldonado, ministro de Energía y Minas, y el general Leonidas Rodríguez Figueroa, jefe de la vertical organización corporativa SINAMOS. Estos ministros nombraron como sus más cercanos asesores pagados y funcionarios de alto rango a diversos civiles de izquierda que habían figurado de modo prominente en la prolongada campaña política y legal contra la IPC. Algunos de estos asesores habían alcanzado una influencia política sin precedentes, infiltrándose en la academia militar y el CAEM, orquestando además campañas «nacionalistas» a favor de la política confiscatoria de Velasco para con la IPC. Este grupo de asesores incluía a Alberto Ruiz Eldredge, Alfonso Benavides Correa, Germán Tito Gutiérrez, Guillermo García Montúfar, Efraín Ruiz Caro y Augusto Zimmerman (sobrino del polémico exsenador Alfonso Montesinos), entre otros.[64]

Algunos de estos privilegiados asesores de izquierda, entre ellos exparlamentarios y figuras públicas, habrían recibido fondos del gobierno cubano desde 1961 para erosionar la democracia peruana y para organizar campañas políticas como la cruzada contra la IPC. Muchos de ellos habrían recibido estipendios mensuales de miles de soles. Aunque justificados por una ideología «revolucionaria», los pagos hechos por extranjeros a funcionarios y personalidades peruanos constituían también casos de influencia indebida. Según el encargado de negocios español en La Habana, era posible que periodistas muy influyentes hayan recibido dinero cubano para difundir campañas mediáticas velasquistas.[65]

Los asesores y periodistas izquierdistas conformaban una red de asociados que, juntamente con los jefes militares, repartía empleos y favores entre sus seguidores y amigos ideológicos. Algunos asesores y confidentes

izquierdistas de alto rango defendían una colaboración íntima con la entonces Unión Soviética. Uno de estos influyentes asesores, que controlaba dos
diarios gubernamentales, era pagado (con al menos 5000 dólares en 1971)
por la KGB para que influyera en las decisiones del gobierno y la opinión pública. En 1972, la KGB contaba con nueve de estos contactos estratégicos y
confidenciales, muchos de ellos seducidos con presentes, dinero y viajes a la
URSS. El Servicio de Inteligencia Nacional peruano (SIN) también cooperaba
formalmente con su contraparte soviética para neutralizar las redes de espionaje de Estados Unidos.[66] Los éxitos aparentes de la influencia encubierta, la
propaganda y la desinformación soviética y cubana fueron contrarrestados
por operaciones rivales de la CIA en el Perú.

El capitán Vladimiro Montesinos —sobrino de Alfonso Montesinos y
primo del intelectual en apuros financieros Augusto Zimmerman, jefe de la
Oficina Nacional de Información (ONI)— también tuvo acceso a los favores
repartidos por la red izquierdista.[67] Sin embargo, en ese tiempo Vladimiro
Montesinos trabajaba para la inteligencia de Estados Unidos. Sus contactos
con la embajada de ese país en Lima y su papel como informante confidencial
se confirmaron con evidencias documentales. En 1977 fue arrestado por esta
razón, así como por haber viajado a Washington como invitado del gobierno
estadounidense sin autorización oficial peruana. A Montesinos se le describió
como un agente de la CIA que reunía información en torno al séquito de asesores izquierdistas de los generales, ministros y exjefes de inteligencia claves
Edgardo Mercado Jarrín, Enrique Gallegos Venero y Fernández Maldonado.[68]

En otras redes civiles, algunos conservadores prominentes como Beltrán
y los Miró Quesada inicialmente prestaron su respaldo a las políticas nacionalistas del régimen militar.[69] Sin embargo, estos y otros políticos y empresarios
conservadores pronto se alarmaron por el giro izquierdista del régimen. No
obstante, un grupo particular de amigos influyentes, los así llamados «altecos»,[70] se mantuvieron fieles al régimen de Velasco hasta el final. El miembro
más conspicuo de ese grupo era el acaudalado político Enrique León Velarde,
un amigo cercano de Velasco. León Velarde tenía relaciones de patronazgo
con grupos civiles de interés y fue decisivo en el nombramiento por «dedo-
cracia» de los alcaldes de las municipalidades distritales más importantes de
Lima. La selección de estos alcaldes, en la cual León Velarde ejerció su influencia a favor de amigos cercanos y «amigotes sociales» de Velasco entre
los alteccos, era considerada el «regreso a [las] prácticas corruptas que caracterizaron a los gobiernos locales en la era pre-Belaunde».[71]

León Velarde, un magnate en bienes raíces y financiero, además de
propietario de caballos pura sangre, le ofreció a Velasco acceso a las celebridades locales en fiestas realizadas en mansiones privadas y yates. El amigo

del presidente también fue un importante asesor político de inclinaciones populistas, nombrado viceministro del Interior en 1971. Desde esta posición estratégica, León Velarde resolvió muchos problemas para sus amigos a través de su acceso directo a Velasco. En sus memorias sinceras y chispeantes, el sociable asesor narra los favores especiales y los chismes íntimos de estos años. Sin al parecer advertir las distorsiones políticas, institucionales, sociales y morales introducidas por la «revolución» de Velasco, León Velarde pinta un cuadro apologético pero revelador del dañino legado de la dictadura militar para los contrapesos institucionales a la desenfrenada corrupción.[72]

Entre las personas favorecidas por Velasco, uno de sus cuñados fue colocado en la planilla de diversas empresas estatales y actuó como director del mal administrado seguro social.[73] Todas estas redes de patronazgo prestaron apoyo político temporal a cambio de favores y colusión a un régimen que jamás logró convocar y organizar un apoyo político masivo. Este fracaso organizativo eventualmente erosionó el control que el régimen tenía sobre el poder en medio de una decadencia institucional generalizada.[74]

Durante el régimen militar, el patronazgo y la corrupción se beneficiaron del cambio institucional radical que demolió las débiles bases de la democracia política en el Perú. Esta transformación ha tenido un legado duradero. Las nuevas reglas y prácticas introducidas por los militares entre 1968 y 1979, juntamente con nuevas empresas estatales, ministerios y organizaciones, generaron ineficiencia y abusos que escondían o protegían la corrupción.[75] De entre la multitud de estas deformaciones institucionales, unas cuantas bastan para brindar ejemplos reveladores.

La organización del Estado fue reestructurada mediante una serie de decretos leyes y leyes «orgánicas» que aumentaron la centralización, el Poder Ejecutivo y la autoridad personal de Velasco y su sucesor Morales Bermúdez. El Comité de Asesoramiento de la Presidencia (COAP) pasó a ser un órgano estratégico de toma de decisiones. Tenía poder para legislar, pero carecía de la capacidad de centralizar la implementación, que estaba sujeta a interpretaciones contradictorias e inconsistentes de ministros caprichosos.[76] En efecto, la reorganización de la judicatura a través de la inconstitucional Ley Orgánica del Poder Judicial (Decreto ley n.° 18060) privó al país de un sistema judicial realmente independiente, puesto que los jueces eran nombrados y estaban sujetos a confirmación por el Poder Ejecutivo.

Los abogados que contribuyeron a este dañino acto contra la autonomía judicial fueron los célebres asesores legales izquierdistas Ruiz Eldredge, Benavides Correa, Alfonso Montesinos y el demócrata-cristiano Cornejo Chávez. Posteriormente, todos ellos recibieron puestos en el gobierno o se les nombró embajadores. El detonante de esta demolición judicial fue el arresto de un juez de la Corte Suprema que había intentado contrabandear diamantes a Estados Unidos usando su pasaporte diplomático: el gobierno militar usó el escandaloso caso de este juez para acusar a la Corte Suprema de prácticas corruptas.[77] Otros jueces experimentados y honrados fueron así despedidos y reemplazados por magistrados mediocres y a menudo corruptos. Los observadores extranjeros concluyeron que en la práctica el imperio de la ley había quedado abolido. La desconfianza hacia el Poder Judicial creció y pasó a ser un rasgo más o menos permanente en el seno de la opinión pública.[78]

El caso más conspicuo de ineptitud económica fue el manejo de la industria pesquera por parte de empleados estatales, hecho que llevó a una captura excesiva, así como a la expropiación y demolición de la capacidad empresarial de este sector productivo clave. Más aún, los recursos del sector pesquero administrados por Pescaperú se usaron para promover un patronazgo político reaccionario a costa de los trabajadores y consumidores.[79] En consecuencia, los peruanos tuvieron significativamente menos pescado que comer, y la alguna vez boyante industria de exportación de harina de pescado se vio seriamente afectada.

Del mismo modo, la reforma agraria de 1969 —muy alabada en ciertos sectores por redistribuir verticalmente la tierra de modo más equitativo— contribuyó a una caída de la productividad agrícola que redujo las agroexportaciones y generó una mayor dependencia de las importaciones de alimentos, sin llegar a resolver los problemas de la inmensa mayoría de los trabajadores del sector agrícola (los minifundistas y los campesinos sin tierra comprendían el 85 por ciento de la fuerza laboral agraria). Los abusos y la corrupción en la implementación de la reforma y en el manejo de las recién formadas cooperativas agrícolas se extendieron. La inclusión de grandes complejos agroexportadores en el plan de expropiaciones quebró a capitalistas nativos como los grupos Prado y Aspíllaga, que representaban conglomerados de carteras diversificadas más allá de la agricultura de exportación.[80] El hecho fue alabado por el sector oficialista como el ocaso exitoso de la «oligarquía», un término sumamente manipulado que ocultaba la importancia de los grupos económicos.

La mayoría de las empresas estatales (Petroperú, Mineroperú, Empresa Pública de Servicios Agropecuarios [EPSA], Pescaperú, Sedapal y la Compañía Peruana de Teléfonos [CPT]) resultaron ser muy ineficientes. Como parte de un ciclo vicioso de prácticas administrativas, estas empresas consistentemente acumularon pérdidas que el gobierno financiaba a través de la expansión del crédito y de préstamos externos. Sin embargo, el financiamiento del déficit de las empresas estatales ofrecía una excelente cobertura para las ganancias personales de empleados públicos, a costa de la mayoría de los ciudadanos y contribuyentes.[81] El monstruoso crecimiento de la deuda externa se debió en gran parte a una administración ineficiente y a la corrupción. Asimismo, la fallida política petrolera de los militares fue criticada por expertos que, al alegar que se habían rendido los recursos petroleros nacionales a intereses japoneses y a otras empresas extranjeras, fueron perseguidos y deportados.[82]

El control ideológico y represivo inicialmente ejercido sobre la prensa se hizo absoluto con la expropiación de todos los medios de comunicación masiva en 1974. Los ingresos de los periodistas asalariados pasaron a depender del Estado, por lo que comprometieron su pluma y su conciencia. Varios se dedicaron a difamar a la oposición política y a llevar a cabo campañas para manipular a la opinión pública. Los pocos periodistas y propietarios de medios de comunicación independientes eran deportados si iban más allá de lo permitido.[83] Fruto de este copamiento de los medios de comunicación por personal del gobierno fue la desaparición del papel vigilante de la prensa libre contra las injusticias, los abusos y la corrupción.

El descubrimiento de los escándalos de corrupción bajo las condiciones institucionales distorsionadas impuestas por el régimen militar quedó, pues, limitado por el control dictatorial del Poder Judicial y los medios de comunicación masiva. En ausencia del Poder Legislativo era imposible una investigación parlamentaria de los casos de corrupción descarada en el sector público. Además, había una actitud general de espíritu de cuerpo que impedía que los posibles informantes revelaran la corrupción. El temor a la represalia acalló muchas voces. La cultura política y económica había cambiado de modo tan dramático, y los incentivos estaban tan distorsionados, que las mismas autoridades tenían patentes dificultades conceptuales para reconocer su propia corrupción. Una investigación más profunda que se concentre en la Administración Pública entre 1968 y 1980, indudablemente descubrirá más aspectos en la historia de la corrupción en el Perú. No obstante, existen algunos casos bien documentados de escándalos de corrupción en el gobierno militar que podemos citar como prueba del generalizado estado subyacente de corrupción ilimitada.

A través de entrevistas con exoficiales militares, un especialista en estudios militares peruanos se informó que el extendido uso y abuso del poder tuvo el efecto de incrementar sustancialmente la corrupción entre las Fuerzas Armadas y sus instituciones.[84] Uno de los privilegios más resguardados y secretos de los militares —la compra de armas y de materiales en el extranjero— permitía recibir sobornos que enriquecieron a unos cuantos oficiales y comandantes. El informe oficial acerca de la compra aparentemente ventajosa de tanques y equipos militares soviéticos con bajo interés y financiada a largo plazo, sospechosamente jamás se publicó.[85] Del mismo modo, los oficiales militares gozaban de gollerías que irritaban al civil promedio, como el uso de autos con chofer y gasolina gratis. Las políticas proteccionistas más estrictas adoptadas por el gobierno militar no redujeron el contrabando. Por el contrario, el ingreso ilegal de importaciones prohibidas como automóviles, aparatos eléctricos y televisores en color creció de modo evidente.[86]

En octubre de 1974 estalló en la prensa parametrada un gran escándalo de malversación que involucró a EPSA, la empresa estatal a cargo de la venta de alimentos al por menor. Más de cien empleados fueron implicados y arrestados; Luis Barandiarán, el ministro de Comercio, se vio obligado a renunciar. Este tipo de corrupción perjudicaba al peruano promedio porque afectaba los productos de primera necesidad y, por ende, la supervivencia de la población empobrecida. El escándalo, asimismo, obligó a la renuncia y posterior encarcelamiento del general Enrique Valdez Angulo, ministro de Agricultura. Posteriormente, los cargos fueron reducidos y eventualmente sobreseídos debido a las dificultades que los fiscales tuvieron para determinar las irregularidades de EPSA con separación del sistema intervencionista, generador de déficit y financiado con endeudamiento.[87]

El caso más aparente de corrupción fue el del general Javier Tantaleán Vanini, quien manejaba la empresa estatal Pescaperú. Los fondos destinados para la empresa se gastaron en viajes en *jet* privados, equipos de fútbol y diversos lujos. Los déficits de Pescaperú fueron virtualmente ignorados puesto que se sabía que el Estado los cubriría generando nuevas deudas. Hacia el final del gobierno de Velasco, Tantaleán junto con otros oficiales y ministros tuvieron un acceso privilegiado al presidente. Este grupo reaccionario, al que se conoce como La Misión, había desplazado a los altecos como el círculo íntimo de Velasco, debido en parte a una discrepancia seria aunque temporal entre León Velarde y Velasco. Entretanto Tantaleán, quien estaba emparentado con el presidente a través de su familia política, era considerado su más probable sucesor. La Misión apoyó a un Velasco cada vez menos apto física y mentalmente con la esperanza de aprovechar esta ventana de oportunidad que se cerraba rápidamente.[88]

Cuando Velasco fue finalmente depuesto del poder por el general Morales Bermúdez en 1975, Tantaleán y otros velasquistas, entre ellos León Velarde y varios altecos, fueron encarcelados y sus cuentas bancarias y propiedades embargadas. La neutralización de la influencia de estos derechistas y su riqueza se realizó fundamentalmente para contener la inmanejable corrupción durante los primeros y cruciales días del nuevo gobierno.[89]

Morales Bermúdez procedió entonces a minar a los grupos izquierdistas en medio de una situación política y económica realmente difícil. Al igual que Velasco, el nuevo mandatario militar intentó establecer una base de apoyo político pero fracasó. Entonces se dio cuenta de que necesitaba una estrategia de salida constitucional. Morales Bermúdez decidió implementar un cronograma de transición de tres años para que se lograra la transferencia del poder a los civiles y el retorno de los militares a sus cuarteles. Aunque fue duramente reprimido, el descontento social abrió el camino para las elecciones prometidas a una asamblea constituyente en 1978, así como a elecciones generales luego de completada la nueva Constitución en 1980.

Sin embargo, Morales Bermúdez gozó en el periodo 1975-1979 de un poder autoritario, similar al que ejerció Velasco. En efecto, la deportación de políticos, personalidades y periodistas de izquierda y derecha se incrementó durante su gestión. La censura de los medios, la disfunción del sector público y la ineficiencia económica se mantuvieron con pocos cambios. El deterioro en la situación económica, alimentado por un creciente déficit presupuestario y por la deuda externa, fue enfrentado con unas controversiales políticas de estabilización económica y refinanciamiento de la deuda. El déficit público cayó hasta porcentajes de un solo dígito. Una política modernizada para estimular la exportación de manufacturas «no tradicionales», de textiles en particular, tuvo ciertos resultados positivos iniciales gracias a incentivos tributarios, financieros y subsidios bajo la forma del Certex (certificados de reintegro tributario a las exportaciones), que pronto pasaron a ser mecanismos de tráfico de influencias por parte de falsos exportadores.[90]

El régimen militar dejó en claro que una asamblea constituyente debería incorporar los «logros» de la «revolución». Morales Bermúdez y los resucitados partidos políticos, fundamentalmente el APRA y el Partido Popular Cristiano (PPC), que conformaban la mayoría de la nueva asamblea, llegaron a un acuerdo implícito. El cronograma no sería alterado siempre y cuando se cumpliera con cada paso de la transición. Morales Bermúdez realizó un gran esfuerzo para dejar atrás la vieja disputa entre los militares y el APRA. En una jugada que finalmente le resultaría políticamente ventajosa, Belaunde y AP se mantuvieron al margen de este oneroso compromiso con el régimen militar, al no tomar parte en las elecciones a la Asamblea Constituyente.

Con la expectativa de vencer en las elecciones presidenciales de 1980, los asambleístas del APRA y del PPC diseñaron una Constitución con serios defectos. En un intento por resolver los *impasses* entre el Ejecutivo y el Legislativo que habían resultado evidentes en los pasados regímenes democráticos, la Carta de 1979 fortaleció al primero y debilitó al segundo. Un ejemplo de ello fue la concesión al Ejecutivo del derecho a emitir decretos especiales en asuntos económicos y financieros. Además, el presidente podía suspender los derechos constitucionales por periodos renovables de sesenta días en casos de emergencia. También se le dio al mandatario autoridad para nombrar los jueces de la Corte Suprema y la Corte Superior a partir de un grupo seleccionado por un consejo encabezado por el fiscal general. Finalmente, la propia Constitución solamente podía ser enmendada con gran dificultad.[91] Estos defectos constitucionales y su aprovechamiento por los presidentes civiles contribuyeron a minar los contrapesos cruciales para contener la corrupción desde la década de 1980.

Entre otros legados dañinos del régimen militar, el vergonzoso descuido del desarrollo de la infraestructura y la seguridad en las provincias y en el campo permitió que la amenaza subversiva maoísta de Sendero Luminoso se arraigara y creciera. Además, en la década de 1970, el aumento explosivo de la producción y contrabando de cocaína planteó problemas insolubles para el cumplimiento de las leyes, el sistema de justicia criminal y el imperio de la ley. Desde al menos mediados de los años sesenta, algunos cárteles de drogas ricos y poderosos infiltraron y sobornaron a las autoridades de la policía de investigaciones. El general Fernando Velit, el último ministro del Interior del régimen militar, fue implicado luego en la liberación ilegal de la prisión del narcotraficante y financista Carlos Langberg. Este mismo traficante habría buscado asegurarse políticamente durante la transición contribuyendo a la campaña de Armando Villanueva, el infructuoso candidato presidencial del APRA.[92]

Belaunde fue elegido presidente por segunda vez en 1980 en un contexto de escalada del terrorismo y del narcotráfico, un exagerado intervencionismo económico estatal, una deuda externa de 10.000 millones de dólares y otras condiciones adversas para el renacer de las instituciones democráticas. Además, su nuevo gobierno tuvo que enfrentar el dilema recurrente de cómo tratar a los militares y sus apremiantes demandas por conservar sus privilegios, recursos e inmunidad bajo la recién restaurada democracia civil.

Negligencia benigna

El orden democrático inaugurado en julio de 1980 contó con el inicial y entusiasta respaldo de una gran parte de la ciudadanía peruana. Belaunde fue elegido por una mayoría respetable y Acción Popular, aliado del PPC, consiguió la mayoría en el Congreso. Belaunde prometía una renovación democrática acompañada por ambiciosos proyectos públicos, no obstante los serios problemas que planteaba una transición incierta y difícil. Esta se veía directamente amenazada por los intereses creados por intervencionistas legados económicos e institucionales, y por las crecientes actividades subversivas y otras vinculadas al narcotráfico.[93]

Al inicio de su gobierno, Belaunde no se dedicó a una campaña de «moralización» ni tampoco inventarió las adversas condiciones financieras, sociales e institucionales que había heredado. Por el contrario, el nuevo régimen se apresuró a apaciguar a los todavía influyentes militares, declarando que no tenía intención alguna de buscar represalias ni restituciones. Además, Belaunde estableció un acuerdo pragmático con el general Rafael Hoyos Rubio, el más alto oficial militar que tuvo lazos orgánicos con el exrégimen de Morales Bermúdez. A las Fuerzas Armadas se les garantizó la autonomía en cuestiones profesionales internas e inmunidad por cualquier ofensa o delito previo, a cambio de que el poder de los militares se limitara a la esfera puramente castrense.[94] Este pacto de un *modus vivendi* con los militares tuvo serias consecuencias políticas y económicas en los años siguientes. Tras una escaramuza fronteriza con el Ecuador a comienzos de 1981 y la venta de aviones de caza usados a la Argentina durante el conflicto de las islas Falklands-Malvinas en 1982, los militares recibieron luz verde para adquirir una flota de modernos cazas *Mirage* 2000 por 870 millones de dólares que fueron financiados a un alto interés. Este elevado gasto chocó con el programa económico liberal que el nuevo gobierno intentaba aplicar.[95]

Bajo el lema liberal de «trabajar y dejar trabajar», Belaunde fue asistido por un equipo de tecnócratas denominado «Dinamo» y encabezado por Manuel Ulloa, el controvertido primer ministro y ministro de Economía. Al timón de este grupo de economistas profesionales, educados en el extranjero y con experiencia en corporaciones y agencias internacionales, Ulloa dio inicio a un intento inconsistente de liberalizar el comercio, privatizar las empresas estatales y promover la inversión extranjera. Los diarios se devolvieron a sus antiguos propietarios y unas cuantas empresas del Estado se privatizaron (p. ej.: Cementos Lima). Belaunde dio libertad de acción al grupo Dinamo, mientras que él se concentraba más bien en diseñar y publicitar costosos proyectos públicos que en última instancia contradecían las políticas de reducción del déficit. Una facción de AP, liderada por Javier Alva Orlandini, también presionaba para realizar un mayor gasto público.[96] Además, la excesiva y continua dependencia de la deuda externa y sus mecanismos de refinanciamiento se incrementaron en lugar de disminuir.

A la agenda económica liberal de Ulloa se le opusieron tenazmente los intereses arraigados del sector manufacturero, que dependían de la protección del Estado, así como las presiones del personal administrativo de las empresas estatales. La oposición al desmantelamiento de los sistemas estatistas y proteccionistas heredados y las flagrantes inconsistencias e irregularidades en la implementación de medidas claves llevaron a una liberalización económica trunca y en última instancia ineficaz.[97] Los parlamentarios y políticos izquierdistas y apristas, Vargas Haya entre ellos, también protestaron contra lo que consideraban políticas elitistas favorables a los extranjeros, que recordaban el «entreguismo» del primer gobierno de Belaunde. Además, el equipo Dinamo generó decretos ejecutivos que evadían el debate legislativo. El Congreso no solo perdió importancia, sino que se deterioró internamente, a medida que algunos diputados y senadores se ocupaban de sus negocios privados asistidos por su influencia parlamentaria.[98]

La luna de miel del gobierno de Belaunde había terminado para finales de 1982. Diversos factores contribuyeron a la catastrófica erosión de su respaldo político. La recesión internacional y la contracción financiera del periodo 1982-1983 ayudaron a la caída de los precios de las principales exportaciones peruanas y a una debacle de los términos de intercambio y balanza de pagos. La reducción de los ingresos fiscales produjo un déficit creciente y una galopante inflación. En 1983, el producto bruto interno cayó en 13 por ciento y la inflación anual alcanzó 130 por ciento. La deuda externa creció en 40 por ciento hasta totalizar 14.000 millones de dólares. Para empeorar las cosas aún más, una serie de desastres climáticos destruyeron la infraestructura y causaron daños estimados en 1000 millones de dólares.[99]

Entretanto, Sendero Luminoso intensificó sus violentos ataques y asesinatos. El crecimiento de la organización subversiva no se controló en esta temprana y crucial fase debido, en gran medida, a la ineficiencia y corrupción de las unidades de la policía de investigaciones dirigidas por notorios generales, quienes fueron vinculados al cártel narcotraficante de Reynaldo Rodríguez López (alias «El Padrino»).[100] En un intento descaminado por enfrentar el creciente terrorismo y la subversión, Belaunde tomó la aciaga decisión de suspender las garantías constitucionales y permitir que los militares tuvieran el control total de varias provincias de los Andes centrales, las así llamadas «zonas de emergencia». En lugar de pacificar la región, los militares exacerbaron la violencia y cometieron abusos contra los derechos humanos. Para 1984, el control militar se había extendido a otras regiones, entre las cuales se contaba la zona productora de coca del valle del Alto Huallaga, que había sido penetrado por Sendero Luminoso con la intención de «proteger» a los cocaleros de las operaciones de erradicación e interdicción de la droga auspiciadas por Estados Unidos. De este modo, los derechos civiles fundamentales de aproximadamente el 60 por ciento de la población peruana se vieron restringidos.[101]

Los desafíos planteados por Sendero Luminoso y el creciente narcotráfico minaron las debilitadas instituciones democráticas y el imperio de la ley.[102] Los partidos políticos se vieron expuestos a la influencia de narcotraficantes que buscaban generar influencia política. A comienzos de la década de 1980, el traficante Carlos Langberg seguía estando vinculado a un sector de la cúpula del APRA, el partido de oposición.[103]

El Poder Judicial fue una de las instituciones centrales que más sufrió con el asalto insurgente y el narcotráfico, ya de por sí erosionado en su autonomía e integridad durante el régimen militar anterior. Más aún, la Constitución de 1979 permitía al Ejecutivo influir sobre el sistema judicial mediante el nombramiento de jueces. Los escandalosos casos de ineficiencia judicial, el descarrío de la justicia y el soborno de los magistrados contribuyeron a la caída precipitada del prestigio de la judicatura. La creciente cantidad de presos que esperaban ser juzgados y la percepción de que los jueces estaban parcializados o sobornados por terroristas y traficantes detenidos exacerbaron el cinismo con respecto al Poder Judicial.[104]

En 1980, el acaudalado narcotraficante Guillermo Cárdenas Dávila, alias «Mosca Loca», asombró a todos con su audaz promesa de pagar la deuda externa peruana si se le permitía operar con tranquilidad. En 1981, Mosca Loca se encontraba preso y esperaba ser sentenciado en el juicio seguido contra él y sus asociados en la Corte Suprema. Pero cinco de los jueces encontraron que las evidencias no bastaban para condenar al traficante y ordenaron su inmediata liberación. Los cargos se desestimaron. La indignación ciudadana y la protesta del Ministerio Público obligaron a los jueces del caso a revertir su decisión. Según su propio testimonio, esta había sido tomada sin ver las evidencias principales, excluidas «inadvertidamente» de su consideración. Mosca Loca fue finalmente condenado a veinte años de prisión.[105] Mientras cumplía su sentencia, pagó por lo bajo para poder tener un espacio más cómodo y otros lujos negados a los demás prisioneros. En cierto momento, compartió la celda con Antonio Díaz Martínez, un ideólogo de Sendero Luminoso. En 1984, Mosca Loca resultó muerto durante un motín provocado por el severo hacinamiento y las atroces condiciones de vida en la prisión.

El manejo de las prisiones y correccionales era responsabilidad del ministro de Justicia. Belaunde le entregó esta cartera clave a sus aliados del PPC. Enrique Elías Laroza, un notable abogado y dirigente del PPC, fue ministro de este sector en el periodo 1981-1982. Durante el año que estuvo en el cargo, Elías firmó contratos importantes para la construcción y el equipamiento de nuevas prisiones «de última generación» con la compañía española Guvarte. El trato formaba parte de un acuerdo de asistencia crediticia entre los gobiernos peruano y español. El elevado costo de 55 millones de dólares para las nuevas prisiones y sus aparentes insuficiencias despertaron sospechas. La incompetencia, la corrupción y el proceso de investigación subsiguiente retrasaron aún más la solución de las condiciones abismales de las prisiones del Estado. Miguel Ángel Cussianovich, el contralor general, presentó cargos contra Elías Laroza y sus colaboradores cercanos por malversación de fondos públicos. El caso fue eventualmente abandonado, puesto que Elías adquirió inmunidad parlamentaria tras ser elegido diputado en 1985. En su defensa, sostuvo que los cargos habían sido motivados por una conspiración política por parte de sectores de izquierda y políticos de AP que tenían intereses creados en su contra.[106]

Vargas Haya formó parte de varias comisiones parlamentarias creadas para investigar los supuestos casos de corrupción administrativa una vez terminado el segundo gobierno de Belaunde. Estas investigaciones generaron varios cargos de violaciones de la Constitución. En particular, los parlamentarios y políticos apristas e izquierdistas pusieron la mira sobre las medidas, decretos ley y contratos públicos implementados y promovidos por dos ministros de Economía, Manuel Ulloa y Carlos Rodríguez Pastor, y el ministro de Energía y Minas Pedro Pablo Kuczynski. Algunas de estas acusaciones tenían un claro sesgo político, en consonancia con las posiciones «nacionalistas» típicas del régimen velasquista. Sin embargo, otros cargos se debieron a escándalos que involucraban notorios conflictos de interés. Ulloa, por ejemplo, era un empresario con intereses en varias industrias, entre las cuales se contaban medios de comunicación (el diario *Expreso* y el canal 5 de televisión). Además, su renuncia en diciembre de 1982 se produjo poco después de que el escándalo Vollmer desatase una investigación parlamentaria y presiones políticas. Ulloa aparentemente favoreció a un conglomerado empresarial venezolano, el grupo Vollmer, en la venta de Irrigadora Chimbote S. A. De hecho, Ulloa había sido accionista y miembro del directorio de dicho grupo.[107]

En 1982, el fracasado rescate estatal de Bancoper, un banco privado que se encontraba en serias dificultades financieras por préstamos hechos a empresas del grupo Bertello, uno de sus principales accionistas, llevó a que el Estado usara hasta 30 millones de dólares del Banco Central de Reserva y del Banco de la Nación para cancelar deudas del sector privado. Este procedimiento irregular generó una «acusación constitucional» en 1985, sobre la base del informe en mayoría de una comisión investigadora del parlamento.[108] Otro cargo fue hecho contra dos exministros del régimen belaundista por haber aceptado una deuda de 42 millones de dólares (posteriormente elevada a 73 millones), generada por las pérdidas en el arriendo y posterior «compra» del *Mantaro* y el *Pachitea*, dos naves de carga inútiles. Estas transacciones se concertaron en 1981 con una compañía italiana por el gerente general de la Corporación Peruana de Vapores (CPV), Sandro Arbulú Doig, y otros funcionarios de la CPV.[109]

Ambos cargos no avanzaron debido a obstáculos parlamentarios y judiciales asociados con el principio político de «borrón y cuenta nueva»,

Fig. 19. Asalto a los bancos. En 1987, el presidente Alan García Pérez (1985-1990) añade motivos de sospecha a su declinante primera administración con un intento explosivo por nacionalizar el sistema bancario. «¡Manos arriba!». Por Eduardo Rodríguez, «Heduardo». *La historia según Heduardo*. Lima: Empresa Editora *Caretas*, 1990.

Fig. 20. Alan García se defiende contra acusaciones de corrupción en 1991, poco después del término de su primer mandato. Una serie de imputaciones se acumularon contra García sobre la base de evidencias provenientes de Nueva York, Italia y de investigaciones parlamentarias. Los cargos contra García fueron archivados debido a alegaciones sobre la amenaza a los derechos humanos refrendadas por la Comisión Interamericana de Derechos Humanos, así como por evidentes errores procesales durante el fujimorato. Archivo Revista *Caretas*.

aplicado durante el gobierno siguiente de Alan García. Pero tal vez el caso más escandaloso de abuso involucró el uso de los incentivos fiscales del Certex, permitido por los funcionarios del Ministerio de Economía y la Administración de Aduanas. Exportadores inescrupulosos, entre los cuales se encontraban los propietarios de Confecciones Carolina, recibieron pagos en efectivo del Certex por el envío de contenedores con exportaciones «no tradicionales» falsas o inexistentes; o, en su forma de carrusel, por la «exportación» e «importación» del mismo producto hacia y desde un país vecino. Estos y otros abusos contribuyeron a disputas con Estados Unidos en torno al comercio bilateral de productos textiles.[110]

Al final, la víctima principal de los malos manejos, la corrupción y la incompetencia de la negligencia benigna del segundo régimen belaundista fue la mismísima democracia liberal. Esta se tildó de democracia «delegativa» o democracia con un asterisco.[111] La pérdida de confianza en las instituciones democráticas camufló una proclividad generalizada hacia la corrupción en todos los sectores de la Administración Pública y de la vida cotidiana. Los problemas económicos exacerbaron esta tendencia. Más aún, la creciente percepción de la incompetencia de la democracia liberal para resolver problemas urgentes inclinó la balanza a favor de posturas populistas y del intervencionismo estatal del joven candidato aprista Alan García Pérez, quien prometió honestidad y medidas urgentes para superar la crisis.[112]

Los medios de Alan García

La toma de mando de García Pérez en julio de 1985 se recibió con grandes expectativas. Era la primera vez en la historia que el viejo partido aprista dominaba el Poder Ejecutivo sin rival alguno y contaba además con una clara mayoría en el Congreso. Las recompensas esperadas por tantos años de lucha política animaban a jóvenes y viejos apristas: esta era la oportunidad largamente esperada de resolver los problemas del Perú siguiendo el lema sectario de «solo el APRA salvará al Perú». García, de treinta y seis años, confiaba más bien en la vieja escuela populista radical, opuesta a la postura moderada en retirada.[113] Con el respaldo del viejo dirigente partidario Armando Villanueva, García desplazó a las facciones rivales surgidas tras la muerte de Haya en 1979, consolidó la autoridad partidaria y se convirtió en secretario general del APRA y su candidato presidencial en 1984 y 1985, respectivamente.

Los apristas desplazados pronto criticaron lo que vieron como el creciente distanciamiento ideológico y moral que separaba a García del reverenciado patriarca Haya. También denunciaron la incapacidad de García para superar el soborno y la corruptela en su recién inaugurado gobierno.[114] Vargas Haya, diputado elegido por el APRA en 1985 y presidente de la Cámara de Diputados en 1988, discrepaba con los procedimientos de la dirigencia de su partido en varios aspectos, sobre todo en lo que él consideraba como el perdón de la corrupción del gobierno anterior.[115] A Vargas Haya le tomó varios años denunciar públicamente los males de su partido y, finalmente, renunciar a su antigua militancia aprista. La creciente decepción con el gobierno de García dentro del APRA y entre quienes votaron por él creció después de su primer año y se extendió tras su segundo año en el mando.

Inicialmente, el presidente había logrado mantener un importante respaldo público y la colaboración de influyentes grupos de élite gracias a su carisma personal y a sus sigilosas transacciones políticas y económicas. Su política económica central fue diseñada por un pequeño grupo de estrategas económicos «heterodoxos» de inclinación izquierdista. Pronto se hizo evidente que García buscaba manipular el manejo económico para conseguir resultados políticos. Sus medidas intervencionistas recordaban a las implementadas por los gobiernos de Bustamante y Velasco puesto que favorecían los controles de precios, importaciones y divisas extranjeras, todas ellas fuentes principales de un abusivo poder discrecional, favoritismo y tráfico de influencias. García, además, elevó los salarios, lanzó un ambicioso programa de empleo y prometió reducir el gasto militar.[116]

Los peligros de la intervención populista no perturbaron a los importantes intereses económicos que habían logrado un pacto o concertación con el gobierno de García con la finalidad de que reactivara la economía mediante la expansión de la oferta interna. Las políticas que reducían la capacidad industrial subutilizada y daban un acceso privilegiado a las divisas extranjeras, a una tasa subsidiada más baja (dólar de mercado único de cambio o dólar MUC), fueron particularmente beneficiosas para aproximadamente una docena de grupos empresariales nacionales cuyos líderes pasaron a ser conocidos como los «doce apóstoles» por su compromiso con García. Los más importantes de ellos habían contribuido discreta pero generosamente a su campaña presidencial.[117]

Asimismo, la estrategia económica y financiera de García descansaba sobre la temprana y controversial decisión de limitar el pago de los intereses de la deuda externa al 10 por ciento de los ingresos totales de las exportaciones peruanas. Las implicaciones políticas internacionales de este audaz anuncio colocaron al Perú, un país con urgentes necesidades de financiamiento e inversión extranjera, en una situación incómoda con la comunidad financiera internacional. Esta vulnerabilidad eventualmente tuvo consecuencias negativas para las finanzas y reservas peruanas. Sin embargo, García se presentó como el valeroso defensor de un pequeño país asediado por las grandes instituciones bancarias internacionales. El artificio económico contradictorio, preparado por García, sus asesores y aliados, solamente funcionó por dos años. Comenzó a derrumbarse después de que el presidente anunciara su decisión de nacionalizar los bancos y las compañías de seguros en julio de 1987. Esta decisión fue un error monumental que alejó a sus amigos capitalistas, varios de los cuales eran propietarios de los bancos más importantes del país, y a la mayoría de la clase media. Así, pese a los serios esfuerzos realizados por el Ejecutivo para implementar la nacionalización, la creciente oposición y los obstáculos legales derrotaron el plan radical de García.

En lo que concierne a las fuerzas policiales y militares, las primeras medidas de García se concentraron en la «moralización» y el respeto por los derechos humanos. La reacción de este presidente populista a la extendida corrupción de las diversas ramas de la policía al finalizar el gobierno de Belaunde consiguió logros modestos. Se despidió u obligó a pasar al retiro a los funcionarios y autoridades corruptos y reorganizó la Guardia Civil, la Guardia Republicana y la Policía de Investigaciones. A comienzos de 1986, estas se rebautizaron como los departamentos de Policía General, de Seguridad y Técnica, respectivamente, y los tres fueron puestos bajo la égida de una Policía Nacional. La Policía Técnica de investigaciones, en particular, profundamente corrompida durante el gobierno anterior, experimentó una mejora al enfrentar los delitos relacionados con el tráfico de drogas.[118]

García había pensado depender más de las fuerzas policiales bajo la autoridad de su ministro del Interior, al tiempo que limitaba el poder inflado de los militares en cuestiones del gasto en adquisición de armas y represión de la subversión. Varios generales fueron responsabilizados por distintas masacres de civiles en las zonas de emergencia y obligados a pasar a retiro. García envió mensajes contradictorios a los militares en relación con esfuerzos antiterroristas y creó un único Ministerio de Defensa que absorbió a los ministerios de las tres Fuerzas Armadas. Aunque el cambio fue fundamentalmente burocrático y cosmético, muchos altos oficiales consideraron que se trataba de una intromisión indeseable en los asuntos militares y amenazaron con un golpe.[119] Pero tal vez la decisión más controvertida en lo que respecta a los militares fue la que implicó el corte de parte de la compra de veintiséis aviones caza *Mirage* 2000 pactada por el gobierno de Belaunde con las compañías estatales francesas Marcel Dassault y Snecma Thomson. García y sus asesores sostenían que reducir la compra a doce aviones le ahorraría al gobierno peruano una suma considerable que podría usarse en rubros más urgentes. Sin embargo, las negociaciones secretas y el arreglo final de este asunto dejaron persistentes dudas.[120]

Durante los primeros años de gobierno, los medios de comunicación tuvieron una actitud benigna con García. Los dueños de diarios, radios y empresas televisivas tenían un acceso privilegiado a los dólares MUC, a la tasa oficial para importar bienes y pagar por servicios en el extranjero. Además, García contaba con el respaldo de propietarios claves de los medios, como su cercano amigo y asesor Héctor Delgado Parker, copropietario de la red de TV más importante de la época. La influyente revista *Caretas* y el diario de izquierda *La República* también simpatizaban con García. Otros periódicos ligados a importantes grupos económicos evitaron molestar al joven presidente con miras a conseguir algún tipo de beneficio. No sorprende que aparecieran pocos escándalos de corrupción antes de 1987. Solamente Fernando Olivera, un tenaz diputado de la oposición, planteó preguntas enojosas acerca de los orígenes de los ingresos y propiedades del presidente electo justo antes de asumir el mando. Olivera propuso una investigación parlamentaria que fue rechazada por la mayoría aprista en la Cámara de Diputados.[121]

Las primeras señales y percepciones de renovada corrupción aparecieron debido a la presencia cada vez mayor de militantes y simpatizantes apristas en los puestos e instituciones de la Administración Pública. La competencia técnica y el mérito pesaban menos que el auspicio partidario. Las burocracias claves como el Banco Central de Reserva (BCR), el departamento de contribuciones (DGC) y el seguro social (IPSS) fueron controladas por funcionarios apristas.[122] Los amigos cercanos de García y su partido, como algunos empresarios, tuvieron acceso a dólares a una tasa de cambio subvaluada para sus propios negocios privados. Asuntos similares trajeron abajo al régimen de Fernando Collor de Mello en Brasil.

El sistema de justicia mantuvo una decadencia que parecía imparable. El gobierno de García impuso la selección de varios jueces entre miembros de su partido. Los recursos urgentemente necesarios para revivir el sistema judicial no llegaban. De este modo, las condiciones de jueces incompetentes, salarios extremadamente bajos y una peligrosa cantidad de casos pendientes, el 80 por ciento de los cuales estaba ligado a personas detenidas en prisión, no cambiaron o más bien empeoraron. Muchos narcotraficantes operaban con virtual impunidad sobornando a los jueces, en tanto que los magistrados de Lima y provincias temían condenar a terroristas por miedo a sufrir represalias.[123] Al explicar la información conseguida por los funcionarios del programa USAID sobre reformas judiciales en el Perú desde 1987, un funcionario de Estados Unidos sostuvo que el presupuesto inadecuado era «probablemente la causa más importante del fracaso del sistema, puesto que lleva a la corrupción del personal judicial, que para su supervivencia económica depende de pagos de dinero bajo la mesa hechos por abogados y clientes».[124]

Uno de los escándalos que remeció al gobierno de García se derivó de las espantosas condiciones de vida en las prisiones estatales. Los senderistas detenidos, la mayoría de los cuales esperaba ser juzgado, habían convertido varias prisiones en bastiones de resistencia, propaganda y reclutamiento. Así, los presos terroristas coordinaron levantamientos simultáneos en tres penales de Lima en vísperas de la conferencia de la Internacional Socialista, celebrada en Lima en junio de 1986, en la cual García esperaba tener un papel estelar. El presidente ordenó al alto mando de las Fuerzas Armadas que se hiciera cargo del asunto, en lo que sería una acción militar que dejó alrededor de trescientos presos muertos, un gran número de los cuales fueron ejecutados *in situ* luego de haberse rendido.[125] Los pedidos de investigaciones por los abusos cometidos contra los derechos humanos se multiplicaron tanto dentro como fuera del país, una vez que se supo la magnitud de la masacre unos cuantos días más tarde. García dio marcha atrás en su postura inicialmente desafiante y atribuyó a la débil Guardia Republicana lo que él llamó los «excesos» cometidos en la represión de los levantamientos, en lugar de implicar a los militares o a su mando civil. En esta ocasión, García demostró su semblante político al evitar asumir obvias responsabilidades. Su reputación había sido dañada y su imagen se erosionó profundamente.[126]

Los escándalos de corrupción comenzaron a salir a la luz tras la fallida nacionalización de la banca en 1987, que convenció a un importante sector de la élite y de los medios de masas de oponerse a las inconsistencias, políticas contradictorias y traiciones de García. Dionisio Romero, uno de los banqueros más ricos e influyentes del Perú, declaró en el canal 5 de televisión que él había contribuido al financiamiento de la campaña electoral de Alan García.[127] El depósito irregular de las decrecientes reservas del BCR en el Banco de Crédito y Comercio Internacional (BCCI), que estaba en problemas y que era culpable de lavado de dinero y de otras prácticas ilegales en el ámbito global, captó la atención de la creciente oposición. El sospechoso papel desempeñado por el gobierno en un posible encubrimiento de tráfico de armas en conexión con el general Manuel Noriega de Panamá (el caso de la nave danesa *Pía Vesta*) y el ministro del Interior Agustín Mantilla (la nave peruana *Sabogal* y la polaca *Zuznica*), exsecretario de García y su mano derecha, a quien además se acusaba de proteger a comandos paramilitares, llevó a diversas investigaciones y especulaciones.[128] El desastroso desempeño económico que condujo a tasas de inflación de cuatro dígitos y a una caída del 14 por ciento del PBI incrementó la presión contra el régimen aprista en el poder. Las obras públicas fallidas o ineficientes como el costoso tren eléctrico, anunciado como la solución al problema del transporte de Lima, y el proyecto de irrigación de Chavimochic, en la región norte, pasaron a ser símbolos icónicos de la corrupción.

Asimismo, el fracaso de la política agraria de García, de los controles de precios y de las restricciones a la importación de alimentos, tuvo varias consecuencias desastrosas. Surgió entonces un mercado negro de productos alimenticios, y la especulación y otras manipulaciones provocaron grandes penurias para los consumidores de bajos ingresos. Los funcionarios del Estado se encontraron implicados en numerosos escándalos. Por ejemplo, el ministro de Agricultura Remigio Morales Bermúdez Pedraglio se vio forzado a renunciar a mediados de 1988, luego de que un envío de carne importada fuera descubierto podrido a su arribo, supuestamente por un mal manejo burocrático.[129]

En el campo del narcotráfico, el compromiso del gobierno con la erradicación de la coca y la interdicción del tráfico de cocaína, en colaboración con los programas de la Agencia Antidrogas (DEA) del Departamento de Justicia de Estados Unidos que aprobó automáticamente la certificación del Congreso estadounidense para la asistencia técnica, fue minado por la oposición política izquierdista y las actividades rebeldes en el Alto Huallaga. La respuesta militar a los ataques insurgentes contra la base policial antidrogas de Santa Lucía (cerca de Uchiza, en la provincia de San Martín), comandada por el brigadier general Alberto Arciniega, habría sido proteger a los productores y traficantes de coca para así contrarrestar la influencia de Sendero Luminoso y beneficiarse personalmente.[130] Un informe de la Agencia de Inteligencia de Defensa (DIA) estadounidense afirmaba, en septiembre de 1989, que los «militares peruanos están ahora involucrados con los traficantes de drogas al tiempo que intentan erradicar la insurgencia».[131]

Sin embargo, las revelaciones y descubrimientos más importantes de malos manejos y corrupción tuvieron lugar después de que García dejara el mando en julio de 1990. Una serie de complicadas alegaciones y cargos que llevaron a investigaciones, sanciones y procesos parlamentarios echó luz sobre una amplia gama de corruptelas que habría existido durante el gobierno de García. Ellas comenzaron con las investigaciones parlamentarias. García, con el respaldo infalible de sus asesores y colaboradores políticos y legales, se defendió con enérgicas muestras de destreza legal y oratoria. Una nueva generación de políticos anticorrupción —los diputados Fernando Olivera, Lourdes Flores y Pedro Cateriano, entre otros— unieron fuerzas para privar a García de su inmunidad parlamentaria como primer paso para que fuera enjuiciado.

Los principales cargos presentados contra García en 1991 incluían el enriquecimiento ilícito como funcionario, debido a ingresos no declarados de dudoso origen y probables ganancias ilegales provenientes de su participación directa en los casos de los aviones *Mirage* y el BCCI. Cargos adicionales incluyeron el pedido y la recepción de sobornos de la agencia estatal italiana que financió la construcción del sistema del tren eléctrico de Lima. Altos exfuncionarios, entre ellos Mantilla, el último ministro del Interior de García, también enfrentaron cargos. Las evidencias provinieron inicialmente de investigaciones no relacionadas entre sí, llevadas a cabo en Estados Unidos e Italia, así como de las repercusiones de las averiguaciones parlamentarias y judiciales de la década de 1990. A pesar de los errores procesales que finalmente descarrilaron el caso de la fiscalía contra García, y del corrupto contexto político e institucional del posterior régimen de Fujimori, se aprendieron importantes lecciones para el establecimiento de procedimientos anticorrupción modernos en los sistemas tanto político como legal del Perú.

La habilidad oratoria y demagógica de García lo hizo un dirigente carismático y popular. Pero él distaba mucho de ser un líder adecuado para las urgentes circunstancias del momento. Vargas Haya consideraba que García era movido fundamentalmente por el beneficio personal inmediato y por el supremo deseo de conquistar el poder.[132] Sus notorias tendencias egocéntricas, autocráticas y sectarias minaron en lugar de reforzar las instituciones del sector público que tan necesitadas estaban de un cambio profundo. Muchos analistas se han concentrado en las consecuencias negativas de los rasgos políticos y autoritarios de García, descuidando, sin embargo, la difundida corrupción que semejante estilo político generó.[133] La historia de los casos legales abiertos en su contra entre 1990 y 2001 ilustra un patrón de aprovechamiento de la incompetencia judicial y de la política como un medio para recuperar el poder.

Juicio frustrado

El 16 de agosto de 1990, durante una de las primeras sesiones de la nueva legislatura tras el fin del primer gobierno de García, se aprobó una moción multipartidaria en la Cámara de Diputados para crear una comisión especial que investigara las transacciones locales y extranjeras de García durante su mandato. La insatisfacción pública con su gobierno apoyó la medida legislativa de investigar al expresidente y senador vitalicio. Si la pesquisa producía evidencias suficientes para dudar de la honestidad administrativa de García, el expresidente perdería su inmunidad parlamentaria e iría a juicio por «enriquecimiento ilícito». La decisión del Congreso de permitir que la comisión especial investigue las finanzas de García era un mero formalismo, puesto que el entendimiento entre el APRA y Fujimori podría fácilmente haber detenido toda acción parlamentaria efectiva en contra de García. Un intento simultáneo de acusarle de violaciones de los derechos humanos en relación con la masacre de los penales de 1986 fue frustrado por los diputados apristas y fujimoristas.

La investigación sobre los ingresos de García fue liderada por Fernando Olivera, tenaz diputado que representaba a un nuevo partido, el Frente Independiente Moralizador (FIM), que había competido en las elecciones de 1990 bajo la bandera de la lucha contra la corrupción. La comisión especial estaba asimismo integrada por tres otros prometedores abogados y miembros de la minoría opositora: Lourdes Flores, Pedro Cateriano y Fausto Alvarado. La Comisión Olivera, como se la llamó, tuvo un encargo limitado: encontrar evidencias creíbles para presentar a la Cámara de Diputados la posibilidad de establecer cargos formales contra García.

Con poco tiempo para construir el caso, la Comisión Olivera optó por encontrar evidencias de ingresos sospechosos que pudieran constituir la base de una acusación de enriquecimiento ilícito. Este método tenía, sin embargo, una debilidad flagrante: incluso si los miembros de la comisión podían probar una desproporción considerable entre el ingreso oficial de García y sus activos declarados, sería necesario contar con más evidencias para convencer a una audiencia parlamentaria o jurado de la existencia de delitos relacionados con la corrupción.

Las declaraciones completas del impuesto a la renta de García y otras fuentes financieras fueron difíciles de obtener, debido a que los altos funcionarios del nuevo gobierno de Fujimori no colaboraban. Sin embargo, la comisión reunió datos interrogando a testigos y contratando a dos agencias privadas de detectives: Kroll de Nueva York y Larc de Miami. Además, la investigación del caso de los *Mirage* reveló que lejos de haber sido una transacción ventajosa para el Estado peruano, como afirmaba García, el gobierno había perdido un ingreso potencial de aproximadamente trescientos millones de dólares. Según los contratos originales, si el gobierno francés hubiera dado su aprobación, el Perú podría haber revendido los catorce aviones no deseados con una ganancia gracias al alza del precio de las aeronaves en el mercado internacional. De este modo, una tercera parte que actuaba a nombre de un país de Oriente Medio pudo haber sobornado a funcionarios peruanos para beneficiarse con la reventa que el gobierno desistió de llevar a cabo. La Comisión Olivera presentó evidencias demostrando que las reuniones de García con el legendario traficante de armas Abderraman El Assir, que el exmandatario negaba, en realidad sí tuvieron lugar.[134] Sin embargo, los representantes del gobierno francés del presidente François Mitterrand declararon que no hubo ninguna irregularidad en la compra peruana.

Entretanto, las agencias Kroll y Larc presentaron —independientemente la una de la otra— evidencias de posibles cuentas bancarias en Estados

Unidos bajo el nombre de García o el de su esposa, abiertas en la década de 1980. García, representado legalmente por Jorge del Castillo, abogado, exparlamentario y exalcalde de Lima, había conseguido los servicios de la poderosa firma legal Arnold & Porter de Washington, D. C., para contrarrestar las investigaciones de la Comisión Olivera en Estados Unidos.[135] Las averiguaciones de Kroll y Larc se vieron limitadas por varios factores. La Comisión Olivera tuvo dificultades para pagar los servicios proporcionados por ambas agencias, puesto que carecía de respaldo financiero para sus gastos. Además, Arnold & Porter sostuvo quejas formales a nombre de García contra ambas agencias por irregularidades empresariales. Las quejas presentadas en Florida tuvieron como resultado multas menores impuestas a Ralph García, el investigador y propietario de Larc, circunstancia que el APRA y sus partidarios aprovecharon en los medios peruanos para desacreditar los hallazgos de la Comisión Olivera.

Cuando la investigación estaba a punto de encallar, aparecieron evidencias adicionales provenientes de una fuente inesperada. Mientras la Comisión Olivera intentaba salvar en Estados Unidos las tenues evidencias presentadas por Kroll y Larc, apelando a las autoridades estadounidenses para que levantaran el secreto sobre las cuentas que García podía tener en dicho país, también se iba siguiendo la pista de las conexiones de García con el BCCI. Miembros de la comisión peruana se reunieron con el personal de la comisión del Congreso de Estados Unidos, liderada por el senador John Kerry, que entre otros asuntos estaba a cargo de la investigación del lavado internacional de dinero y el tráfico de armas del BCCI. En julio de 1991, las autoridades británicas y estadounidenses emitieron órdenes judiciales para el cierre de las sucursales del BCCI en catorce países y la confiscación de los archivos de la compañía. En Washington, D. C., los miembros de la Comisión Olivera fueron informados de que Robert Morgenthau, el fiscal de distrito de la ciudad de Nueva York, se encontraba investigando el caso.

Unas cuantas semanas más tarde, el New York Times y otras fuentes en los medios publicaron informes de sospechosas transacciones entre el gobierno peruano y el BCCI en la época de García. El 1 de agosto de 1991, Morgenthau reportó en un noticiario emitido en el Perú que los dos más altos funcionarios del Banco Central de Reserva del Perú (BCR) en el periodo 1985-1986, su presidente Leonel Figueroa y su gerente Héctor Neyra, habían recibido sobornos por un total de tres millones de dólares en dos cuentas offshore por haber arreglado un depósito de hasta 250 millones de dólares de las reservas del BCR en la sucursal panameña del BCCI. Morgenthau reveló los nombres en clave de las cuentas y sostuvo que García sabía y aprobó estas riesgosas transacciones. La información de Morgenthau se derivó del examen de documentos confiscados del BCCI y de testigos acusados que optaron por colaborar con el proceso a cambio de la reducción de su sentencia o su absolución. Morgenthau le aconsejó a la Comisión Olivera que, en tales casos, los acuerdos de colaboración con los testigos eran la única forma en que se podía obtener evidencias legalmente admisibles. En el Perú, los procedimientos legales para conseguir testimonios de testigos acusados o con posibilidades de serlo a cambio de protección y de colaboración eficaz fueron introducidos años más tarde (mediante la Ley n.° 27378 del 20 de diciembre de 2000).

Con la información así reunida, la Comisión Olivera presentó su informe a la Cámara de Diputados. La opinión pública estaba abrumadoramente a favor de que se procesara a García, a Figueroa y a Neyra (los dos últimos habían fugado del país). Información adicional solicitada al Departamento del Tesoro de Estados Unidos dio evidencias adicionales de que varias personas del entorno de García habían declarado grandes sumas de dólares en efectivo en las aduanas de Estados Unidos. Entonces, en octubre de 1991, una mayoría de diputados y senadores decidió suspender la inmunidad de García y procesarle por enriquecimiento ilícito.[136] Sin embargo, la primera corte penal peruana rápidamente desestimó el caso por falta de evidencias e imprecisión de los cargos criminales. Los jueces responsables por esta controvertida decisión habían sido nombrados durante el gobierno de García o tenían sólidos vínculos con el APRA.

El 5 de abril de 1992, el autogolpe de Alberto Fujimori, que contó con el respaldo de los militares, demolió toda apelación legal de base constitucional en el caso de García. Se enviaron oficiales militares a que arrestaran al expresidente y a otros jefes políticos. García supuestamente evadió la prisión escondiéndose durante tres días en una obra en construcción cerca de su casa. Luego, buscó asilo en la embajada colombiana, un tradicional refugio aprista. El presidente colombiano César Gaviria dispuso personalmente que un avión militar lo retirara del Perú en junio de 1992 y el gobierno de Fujimori le permitió partir sin recurrir a los procedimientos de deportación. García pasó los siguientes ocho años viviendo entre Bogotá y París, donde se arguye adquirió inmuebles de mucho valor. Los fiscales iniciaron el proceso en su contra in absentia en un tribunal criminal especial en septiembre de 1992. El caso (expediente 21-92) incorporó todas las evidencias presentadas por la Comisión Olivera.[137]

En noviembre de 1993 se obtuvo información adicional crucial contra García cuando Vittorio Paraggio, un fiscal italiano, llegó a Lima para compartir y corroborar los resultados de una investigación italiana. Paraggio estaba investigando la corrupción del expresidente italiano Bettino Craxi y de su ministro de Relaciones Exteriores Giulio Andreotti. Sergio Siragusa, un testigo italiano especial y jefe de Tralima —una agencia vinculada con el departamento italiano de asistencia al exterior, a cargo del financiamiento de la construcción del sistema del tren eléctrico de Lima—, hizo un testimonio comprometedor mediante el procedimiento italiano de colaboración eficaz. Siragusa afirmaba que García personalmente había solicitado «comisiones» similares a las de «Bettino» para facilitar el proyecto de construcción. Siragusa atestiguó que él mismo había entregado dinero en efectivo, además de realizar depósitos en una cuenta del Barclays Bank de Gran Caimán, perteneciente a Alfredo Zanatti, el amigo de García, por un total de unos siete millones de dólares. Estas evidencias novedosas fueron la base de un nuevo caso abierto en 1995 (01-95), que incorporó y sustituyó al anterior (21-92). Los fiscales *ad hoc* del Ministerio Público y del Ministerio de Justicia acordaron los cargos contra García: conspiración para defraudar (colusión ilegal), tráfico de influencias (negociación incompatible), recepción de sobornos (cohecho pasivo) y enriquecimiento ilícito.[138] Se repartió una orden judicial a las agencias apropiadas de los gobiernos extranjeros para que se arrestara a García bajo el cargo de «reo contumaz».

Del Castillo, el abogado defensor de García, y su sucesora, la abogada aprista Judith de la Matta, fundaron la defensa sobre una queja presentada ante la Comisión Interamericana de Derechos Humanos (CIDH) de la Organización de Estados Americanos, encabezada en ese entonces por el expresidente colombiano Gaviria. La decisión de la CIDH, emitida en 1995, fue favorable a García y recomendaba desestimar los cargos debido a las restricciones políticamente motivadas al ejercicio de los derechos humanos de García. Tras la caída de Fujimori, la sala criminal especial a cargo del caso 01-95, al contemplar la decisión de la CIDH remitida por el entonces ministro de Justicia Diego García Sayán, aprobó que se desestimaran los cargos debido a la prescripción de los delitos alegados. Esta controvertida decisión fue infructuosamente apelada por el fiscal *ad hoc* Jorge Melo-Vega Layseca. Dado que García ya no enfrentaba un juicio, le fue posible lanzar su candidatura a la presidencia en las elecciones de abril de 2001.

Los escándalos que involucraban a miembros del círculo íntimo de García continuaron apareciendo. El líder y parlamentario aprista Agustín Mantilla, su exministro del Interior, fue captado en una grabación de video (1830 y 1831, 13 de marzo de 2000) recibiendo 30.000 dólares de Vladimiro Montesinos para financiar la debilitada campaña electoral aprista y, además, prestarle cierta credibilidad a la farsa electoral de 2000.[139] La investigación parlamentaria y el proceso judicial del caso Mantilla revelaron, adicionalmente, los acuerdos que hiciera como ministro y viceministro del Interior en el periodo 1985-1990 con el traficante de armas israelí Zvi Sudit y sus asociados.

Este último evitó una pena de prisión declarando tanto contra Montesinos como contra Mantilla.

Dos compañías incorporadas en las Islas Vírgenes británicas pertenecientes a Mantilla y a su hermano, Jorge Luis Mantilla, movieron más de seis millones de dólares en la sucursal de Miami del Union Bank de Suiza (UBS). Estas cuentas habían sido abiertas en 1990 con depósitos del israelí Discount Bank, el banco preferido de Sudit.[140] Según los hermanos Mantilla, el dinero en sus cuentas secretas se derivaba de donaciones extranjeras no fundamentadas para las campañas del APRA en el Perú. La mayoría de las transferencias provenía de las cuentas de Mantilla en el UBS, usando el modo *swift* que protege la identidad del receptor. Los fondos extranjeros se canalizaron al Perú a través de una serie de cuentas en bancos peruanos, con el nombre de numerosos parientes y asociados. Mantilla fue liberado en 2005, luego de cinco años de prisión. A lo largo de su juicio y mientras estuvo en la cárcel, no admitió haber creado o participado en una red encubierta que canalizaba dinero a García y al APRA. Finalmente, en septiembre de 2006, Mantilla dijo haber seguido órdenes en un video emitido públicamente.[141]

García afirmó no haber estado involucrado en las actividades corruptas de Mantilla, Zanatti, Figueroa y Neyra. Durante su exilio en Colombia escribió una relación ficticia de sus recientes aventuras políticas, titulada *El mundo de Maquiavelo*.[142] García sostuvo consistentemente que los diversos cargos presentados en su contra obedecían a una motivación política y montó, de modo igualmente consistente, una defensa detallada y enérgica basada en tecnicismos, entre los cuales se encuentran la transgresión de sus derechos humanos y políticos, la inapropiada aplicación retroactiva y la prescripción de los delitos que supuestamente habría cometido. Otros expertos apristas ofrecieron detalladas refutaciones legales contra los cargos, describiéndolos como una violación de la Constitución motivada por la venganza.[143] Los argumentos de esta defensa legal son muy parecidos a los que usaron virreyes y funcionarios coloniales cuando enfrentaron a sus supuestos «enemigos» y acusadores partidarios en los denominados juicios de residencia.

Persistencia de los patrones de corrupción

El APRA mostró que su legendaria disciplina interna, sus astutos abogados y sus conexiones internacionales podían ser usados una y otra vez para acceder y mantenerse en el poder. Además, después de 1992, el gobierno inconstitucional de Fujimori ayudó indirectamente a la defensa legal de García, gracias a su interferencia en un juicio torpemente manejado, que tuvo como resultado la desestimación del caso contra el exiliado expresidente. En suma, García y sus asociados se beneficiaron con el continuo deterioro del sistema legal peruano, influido y corrompido aún más por las fuerzas escondidas detrás del régimen de Fujimori.

* * *

Para recapitular: es justo anotar que, desde la década de 1960 hasta la de 1980, los asaltos a la democracia revelaron las débiles bases institucionales, las reformas incompletas y los crecientes problemas sociales heredados desde la década de 1950. Pese a la voluntad de avanzar con una reforma honesta, el primer gobierno de Belaunde quedó atrapado en un lodazal político que finalmente produjo su caída. Belaunde y su partido estuvieron sujetos a una creciente influencia militar y a la corrupción en las adquisiciones de las instituciones armadas, que se permitió e ignoró debido a favores políticos contraídos en el pasado con el alto mando de las fuerzas militares. Una recalcitrante oposición parlamentaria encabezada por el APRA, que se esforzaba por vencer en las siguientes elecciones presidenciales, minó al régimen, retrasando reformas y medidas de política urgentes. Así también, reactivos intereses extranjeros, el alza de la inflación y los crecientes montos del déficit y de la deuda externa agravaron la crisis. Belaunde, por su parte, enfrentó una corrupción de alto vuelo relacionada con el contrabando, que involucró a miembros de su propio partido, empresarios privados y oficiales militares. Estos escándalos de contrabando anularon el poco prestigio del primer régimen belaundista y resultaron en altos costos de corrupción, bajo la forma de rentas perdidas del sector público y sobornos para los funcionarios.

La investigación parlamentaria de este extenso contrabando se vio interrumpida en 1968 por un golpe militar, que arrasó con los débiles avances democráticos de las décadas anteriores. Durante doce años, la Constitución, las instituciones, las políticas públicas, la economía y los medios de comunicación se vieron sometidos a la intervención y el control militar. El Congreso fue cerrado y las autoridades judiciales y de los gobiernos locales fueron nombradas o ratificadas por los militares. El gobierno se llevaba a cabo fundamentalmente mediante decretos ejecutivos. En este marco institucional, la corrupción y la ineficiencia quedaron sin control, y a menudo era difícil distinguirlas. Los crecientes déficits debidos a las fallidas empresas estatales se cubrieron con nuevos préstamos del extranjero. Un cronograma de transición fue luego aplicado para devolver el poder a funcionarios electos en 1980.

Sin embargo, los medios de corrupción heredados del régimen militar —como el abuso en los subsidios a las exportaciones, los controles de cambio y las tasas de dólares preferenciales— perduraron en la década de 1980. Las rentas gubernamentales perdidas y otros costos de corrupción continuaron existiendo durante el segundo régimen belaundista y el primer gobierno de García. (En la década de 1980 y comienzos de la de 1990, escándalos similares estallaron en otras naciones latinoamericanas con nuevos gobiernos democráticos. Estos casos incluyeron noticias sobre el desvío de recursos públicos a las arcas secretas de partidos durante las presidencias de Carlos Andrés Pérez y Jaime Lusinchi en Venezuela, así como tramas de soborno que habrían beneficiado a Fernando Collor de Mello en Brasil.)[144]

La creciente deuda externa trajo consigo el mal manejo y el uso irregular e ilegal de la deuda pública, la deuda externa y las reservas. Los contratos de adquisiciones militares y de obras públicas continuaron siendo empleados como medios de corrupción. Desde mediados de la década de 1970 y particularmente en la de 1980, los problemas del narcotráfico, asociados fundamentalmente con la creciente producción y el contrabando de cocaína, corroyeron seriamente el cumplimiento de la ley y las instituciones judiciales. El financiamiento ilegal de los políticos, partidos y campañas con narcodólares fue algo usual en el Perú de esta época, al igual que en otros países latinoamericanos, como sucedió, en la campaña electoral del presidente colombiano Ernesto Samper a comienzos de la década de 1990. El costo indirecto de las inversiones extranjeras perdidas creció cuando la inversión extranjera directa y de cartera estuvo algo más disponible en las décadas de 1970 y 1980, pero la inestabilidad y la corrupción institucionales obstaculizaron la confianza y los incentivos a los inversionistas.

El costo global de la corrupción creció consistentemente en el periodo 1960-1989, alcanzando un estimado anual medio de alrededor de 1000 millones de dólares en la década de 1980 (cuadro A.5). Sin embargo, en términos comparativos, los niveles más altos de corrupción tuvieron lugar en la década de 1970, con 42 por ciento del gasto gubernamental y 4,9 por ciento del PBI. Compárense estas cifras con el 31 por ciento de gasto y 3,7 por ciento del PBI en la década de 1970, y el 35 por ciento del gasto y 3,9 por ciento del PBI en la década de 1980 (cuadro A.6). En consecuencia, podemos considerar al régimen militar «revolucionario» como el más corrupto del periodo, seguido por el primer gobierno de Alan García (cuadro A.7).

Aunque la acusación formal y el procesamiento del expresidente Alan García fueron manejados torpemente y, finalmente, quedaron descarrilados por razones técnicas, sí se aprendieron importantes lecciones acerca de la exposición, la investigación y los procedimientos legales que se deben seguir para procesar la corrupción. La percepción, tolerancia y reacción del público, asimismo, ganaron experiencia para eventualmente enfrentar la inmensa ola de corrupción que creció durante la «década infame» del depredador régimen de Fujimori-Montesinos.

CAPÍTULO 7

Conspiraciones corruptas, 1990-2000

L as complejidades de la sociedad y la política peruana han fascinado y repelido, a la vez, al afamado escritor Mario Vargas Llosa, Premio Nobel
de Literatura 2010. En sus primeras novelas de inspiración autobiográfica e
histórica, su pluma retrató el entorno decadente de la vida militar, la dictadura y la prostitución en el Perú de su juventud.[1] A finales de la década de
1980, en el apogeo de su carrera literaria, Vargas Llosa encabezó movimientos cívicos y políticos de oposición al intervencionismo estatal que afectaba
instituciones y mercados del país. Su paso por el laberinto de las luchas por
reformas institucionales y económicas fue rápido pero significativo, a pesar
del duro ataque de poderosos y venales intereses. Vargas Llosa siguió, así, los
pasos de quienes en el pasado combatieron la corrupción, descubriendo, en
el proceso, evidencias claves para comprender la persistente y costosa carga
de tal abuso.

Luego de su ruptura con las posiciones de izquierda que adoptó en su
juventud, Vargas Llosa asumió con ardor el liberalismo político y económico
de libre mercado.[2] Una decidida reacción cívica contra el fallido intento del
presidente Alan García por expropiar la banca privada en 1987 catapultó el
ascenso meteórico de Vargas Llosa en la esfera política peruana como líder
del movimiento Libertad y del Frente Democrático (FREDEMO). Defendiendo
la propuesta de una exhaustiva reestructuración económica, Vargas Llosa
postuló con ventaja en la campaña presidencial de 1990 y en difíciles condiciones de creciente subversión y terrorismo, oportunismo político de aliados
y trucos arteros de contrincantes. Vargas Llosa ganó la primera vuelta electoral en abril con cuatro puntos porcentuales por encima de un sorpresivo candidato, el inescrutable Alberto Fujimori, quien surgió como contendor serio
apenas unas cuantas semanas antes de las elecciones.[3] Aunque no contaba
con una auténtica organización partidaria, Fujimori ganó la segunda vuelta
de las elecciones en junio, capitalizando los votos que, en la primera vuelta,
habían apoyado las opciones del APRA y de la izquierda.

Inmediatamente después de los comicios, el grueso de los analistas concluía que el electorado peruano había rechazado la propuesta de Vargas Llosa para favorecer, más bien, la de un candidato de compromiso populista. Fujimori fungía de reformador popular, al usurpar parte de la agenda política de Vargas Llosa y prometer un ajuste económico menos radical.[4] Sin embargo, a poco de asumir el poder, quedó claro que las promesas e improvisado plan de gobierno de Fujimori fueron parte de una estratagema demagógica para hacerse del poder y el dominio sin control que permitía el Ejecutivo. La asistencia logística encubierta prestada a Fujimori durante su milagroso ascenso electoral y facilitada por la creciente influencia de Vladimiro Montesinos Torres en el Servicio de Inteligencia Nacional (SIN), solo sería de conocimiento público un par de años después de las elecciones de 1990.

Sobre la base de revelaciones periodísticas pioneras, Vargas Llosa y su hijo Álvaro publicaron —entre los años 1991 y 1993, y en sendas obras— información clave sobre los medios ilegales y subrepticios que llevaron a Fujimori a la presidencia. Gracias a las afinidades políticas preelectorales con el gobierno aprista, Fujimori había ganado significativos favores, entre los cuales se encontraba la conducción de un programa televisivo estatal que le permitió un preciado despliegue en el ámbito nacional hacia finales de la década de 1980. Además, al reconocer la segura derrota electoral del candidato del APRA, la dirigencia aprista apuntaló la campaña presidencial de Fujimori, a la que brindó un respaldo irregular en un momento electoral crítico.[5] En efecto, entre los meses de abril y junio de 1990, el saliente presidente García confió al servicio de inteligencia, dirigido por el general del ejército Edwin Díaz, el apoyo a la campaña de Fujimori con logística y encuestas electorales privilegiadas.[6] Pocos quisieron creer en estas revelaciones de los Vargas Llosa. Por el contrario, la opinión pública peruana le fue crecientemente hostil al escritor y excandidato por criticar y oponerse francamente al régimen cada vez más autoritario de Fujimori.

Las operaciones ilegales que influyeron en el proceso electoral de 1990 —el inicio de un patrón sistemático de corrupción y violación de leyes— fueron ampliamente reconocidas solo tras la caída oprobiosa de Fujimori y Montesinos diez años después. El surgimiento de un corpus singular de evidencias desde septiembre de 2000 corroboró reclamaciones previas, a menudo silenciadas a la fuerza, que denunciaban la profunda corrupción entre las más altas autoridades del fujimorato. Vargas Llosa y otros decididos periodistas y jefes de la oposición habían tenido razón en sus evaluaciones y denuncias. Pruebas irrefutables mostraron que múltiples maniobras ilegales contribuyeron a la derrota electoral de Vargas Llosa, así como a las victorias de Fujimori en todas las subsiguientes elecciones fraudulentas realizadas en su mandato.

Gracias a evidencias de fuentes audiovisuales, periodísticas y judiciales, así como de testigos sujetos a la colaboración eficaz, difundidas ampliamente tras la caída del régimen fujimorista (implicando a más de 1600 personas en complejas redes de corrupción), es posible pintar detalladamente parte importante de la corrupción sistemática heredada y ampliada por Fujimori y su asesor Montesinos. Estas evidencias extraordinarias yacen en el centro de una reinterpretación necesaria del papel histórico de la corrupción, a la vez como una consecuencia y herencia de instituciones debilitadas, y como un factor activo que minó aún más las bases reguladoras de la vida política, social y económica del Perú. La asociación ilegal, la conspiración autoritaria y las redes encubiertas interactuaron entre sí para emascular a las instituciones formales y el imperio de la ley; y de este modo enriquecer y sustentar a un compacto grupo en la cima.

Remozando la corrupción

Un grupo de oficiales militares, inspirados en la vieja tradición de intervención «patriótica» en coyunturas políticas críticas, había diseñado desde 1988 un plan secreto para llevar a cabo un golpe contra el gobierno del presidente García. Los golpistas esperaban que la opinión pública tolerara el golpe en medio del descontento general con el disfuncional gobierno aprista. Este plan no se materializó pero fue adoptado y modificado por el inescrupuloso jefe de espías Montesinos, un exoficial del ejército con influyentes conexiones en redes corruptas. El plan original de la conspiración contemplaba políticas económicas neoliberales implementadas por un gobierno autoritario irrestricto detrás de un remedo de democracia electoral.[7]

Montesinos conoció a Fujimori en el transcurso de la tarea encubierta, asignada al SIN, de ayudar al candidato en su campaña electoral de 1990. Fujimori confió en Montesinos para que le «resolviera» un serio problema de evasión tributaria, entre otras cuestiones legales que amenazaban con arruinar la reputación y ambiciones presidenciales de Fujimori.[8] Según la información confidencial recogida por diplomáticos norteamericanos, los agentes de Montesinos colocaron una bomba para asustar a un parlamentario opositor que había descubierto los incómodos secretos de Fujimori.[9]

Montesinos fue implementando metódicamente sus planes conspirativos en colaboración con el venal Fujimori para avanzar hacia un poder autoritario con careta democrática o «democracia dirigida». Para hacerlo disponía de planes dictatoriales, un profundo conocimiento de los códigos de corrupción militar y judicial, vínculos con la CIA y conexiones con cárteles de drogas. Provisto de estos tenebrosos activos, Montesinos contribuyó decisivamente a la campaña electoral de Fujimori y logró obtener, supuestamente, cuantiosas donaciones de dudoso origen.[10] A partir de estos obscuros orígenes, la corrupción se propagó en casi todas las direcciones durante la «década infame» del régimen de Fujimori.

Vladimiro Montesinos Torres, al igual que Mario Vargas Llosa, nació en una familia de clase media con raíces en Arequipa, la segunda ciudad más grande del Perú. Además, ambos jóvenes recibieron educación militar en Lima.[11] Los paralelos se detienen allí. Mientras que Vargas Llosa denunció en su primera novela los rasgos crueles y deshumanizantes de la cultura militar peruana, el joven Montesinos los absorbió ávidamente mientras cursaba estudios en la Escuela Militar de Chorrillos. A comienzos de 1965, y con diecinueve años de edad, el cadete Montesinos se entrenó durante un mes en la Escuela de las Américas (SOA), institución militar norteamericana en Panamá, poco antes de la graduación en ella de otro exalumno de la Escuela Militar de Chorrillos, el futuro dictador panameño Manuel Antonio Noriega.[12] A partir de las conexiones y favores iniciales que Montesinos cultivó entre sus amigos del regimiento de infantería, se fue urdiendo una red de colaboradores que eventualmente conseguiría controlar el mando de las Fuerzas Armadas y otros puestos claves del gobierno de la década de 1990.

El golpe militar de 1968 había abierto grandes oportunidades para oficiales militares con desmedidas aspiraciones. Desde comienzos de la década de 1970, Montesinos, un joven y ambicioso capitán de infantería, logró posicionarse exitosamente como secretario personal o asistente de importantes militares y exjefes de inteligencia: el ministro de Relaciones Exteriores y primer ministro Edgardo Mercado Jarrín (1973-1974); el ministro de Agricultura Enrique Gallegos Venero (1974-1975); y los primeros ministros Jorge Fernández Maldonado (1976) y Guillermo Arbulú Galiani (julio-agosto de 1976). A medida que el estado de salud del presidente Juan Velasco Alvarado se iba deteriorando, Montesinos complotaba por adelantar las posiciones políticas de sus jefes en pugna por la presidencia.[13]

Montesinos también reunió abundante información confidencial que compartió con la embajada norteamericana y con agentes de la CIA en Lima. La embajada lo cultivó como un contacto importante entre los oficiales militares con potencial de liderazgo.[14] Sin embargo, en agosto de 1975, el general Francisco Morales Bermúdez depuso al general Velasco, derrotando asimismo a la facción izquierdista liderada por los generales Gallegos y Fernández Maldonado. Entonces, el capitán Montesinos fue perdiendo bases de influencia entre sus mentores desplazados. Pronto se vio obligado a retirarse de los corredores limeños del poder al ser reasignado a un distante puesto militar en medio de un desierto norteño. En 1976 abandonó su puesto para viajar a

Estados Unidos, usando una falsa autorización y el auspicio de una beca del gobierno norteamericano para líderes extranjeros visitantes.[15] A su retorno, Montesinos fue acusado de viajar sin permiso oficial, espionaje e insubordinación. Fue juzgado por un tribunal militar, expulsado del ejército y confinado en una prisión militar por casi dos años (1976-1978).

Montesinos estudió derecho durante su prisión y se graduó de abogado en tiempo récord, unos cuantos meses después de ser liberado. Inició, entonces, una nueva carrera como abogado defensor de narcotraficantes. Entre sus defendidos se encontraba Evaristo Porras Ardila, el jefe de uno de los carteles de la droga de Medellín. Montesinos tenía contactos en el sistema judicial y contaba con la pericia necesaria para «resolver» sus casos mediante el soborno, el chantaje y la presión. Durante la «década perdida» de los años de 1980, el Perú tuvo gobiernos elegidos democráticamente pero que hicieron poco por modernizar un Poder Judicial abrumado y en crisis. Al igual que otras instituciones públicas en franco declive, el sistema judicial se vio apabullado por el crecido número de casos y la falta de recursos para procesarlos. En estas circunstancias, Montesinos contribuyó a minar aún más el sistema judicial, a la par que incrementaba aviesamente sus ingresos personales.

Por otro lado, el deseo de venganza hacia la facción militar que lo encarceló y luego condujo la transición a la democracia en el país motivó el osado desafío de Montesinos a los altos mandos militares. Colaboró para esto con su primo Augusto Zimmerman, el exsecretario de prensa en desgracia del dictador Velasco. Bajo la dirección de Zimmerman, la sensacionalista revista *Kausachum* divulgó embarazosos secretos y documentos de inteligencia militares, además de insultar e injuriar a varios generales en servicio. Montesinos se jactaba de haber penetrado exhaustivamente la inteligencia militar. En respuesta, las Fuerzas Armadas lo acusaron de traición e instigador de enredadas conjuras y amenazas de bomba. La revelación pública de sus actividades ilícitas obligó a Montesinos a huir del país en 1983.[16] Vivió en Argentina hasta 1985 y, a su retorno, el alto mando militar le prohibió ingresar a cualquier instalación u oficina militar. Entre sus muchos enemigos militares figuraba el exmayor José Fernández Salvatecci, quien lo había denunciado pública y reiteradamente como traidor y de haber espiado para la CIA.[17] El conocido pasado deshonroso de Montesinos lo acosó a lo largo de su posterior ascenso a la influencia y poder encubiertos.

La fama de Montesinos como abogado defensor creció en ciertos círculos a finales de la década de 1980, al ampliar su clientela entre policías y militares acusados judicialmente. En 1985, un escándalo que la prensa denominó «Villa Coca» involucró a una banda traficante de cocaína que actuaba en colusión con la policía. Reynaldo Rodríguez López, alias «El Padrino», el capturado jefe de la banda, implicó a 72 personas en el caso, entre las que se encontraban varios oficiales de alto rango de la Policía de Investigaciones del Perú (PIP), así como oficiales militares, políticos y celebridades del espectáculo.[18] Montesinos coordinó la defensa de los oficiales de policía implicados y, fungiendo de asesor del fiscal de la Nación, derrotó judicialmente la acusación contra sus clientes en 1988.[19]

Otro caso notorio en el cual Montesinos intervino fue el del general de infantería José Valdivia, acusado de violaciones de los derechos humanos por ordenar acciones punitivas denominadas antiterroristas en las comunidades andinas de Cayara, Erusco y Moyopampa, en Ayacucho. Estos hechos resultaron en la muerte de veintiocho campesinos en mayo de 1988. El encubrimiento oficial, asesinato de testigos y las amenazas contra el fiscal superior, quien fue ulteriormente retirado del caso, acarrearon otra victoria judicial de Montesinos y la exoneración del acusado.[20] Así, el excapitán ganó reputación de exitoso e inescrupuloso defensor de oficiales militares y policiales en problemas con la ley. Este apoyo a la impunidad de miembros de las Fuerzas Armadas le valió, asimismo, renovado acceso entre altos oficiales que iban reemplazando a sus antiguos enemigos del comando del ejército que entraban en situación de retiro. La anterior tacha y prohibición militar en su contra fue entonces levantada. En 1989, Montesinos se acercó a Edwin Díaz, el jefe del SIN, con documentos judiciales confidenciales de sospechosos acusados de terrorismo. Con tales medios, Montesinos consiguió un codiciado y prominente puesto en la comunidad de inteligencia.

Montesinos se convirtió en el asesor de confianza de Fujimori y en el jefe de facto del SIN en julio de 1990. Los jefes formales del servicio de inteligencia pasaron a ser simplemente figurativos. El poder encubierto de Montesinos estaba más allá de la supervisión o control institucional. Desde su cargo no oficial, el asesor espía ejercía una influencia indebida, tomando decisiones de poder invisible detrás de la presidencia del país. Montesinos aprovechó los vacíos institucionales en colaboración con un presidente en vulnerable posición política, dispuesto a minar las normas constitucionales y ejercer el Poder Ejecutivo sin límites. Fujimori no contaba con un partido político coherente y sus partidarios no tenían la mayoría en el Congreso. Además, Montesinos alimentaba la inseguridad del presidente alarmándole con supuestas conjuras para deponerle y asesinarle.

La creciente corrupción, ligada al tráfico de narcóticos entre las fuerzas policiales, ofreció la oportunidad al dúo Fujimori-Montesinos para reordenar rápidamente los escalones superiores de la policía. En su discurso inaugural, Fujimori lanzó una campaña «moralizadora» contra la corrupción heredada, en una temprana muestra de su demagógico estilo de pragmatismo. Un total de 135 altos oficiales de la policía, entre los cuales se encontraban muchos capaces y honestos, fueron pasados al retiro o transferidos. Unos cuantos días antes, el astuto Montesinos se había reunido con funcionarios diplomáticos de Estados Unidos para filtrar información de «inteligencia» sobre la complicidad con el narcotráfico de altos oficiales de la policía y del séquito de Agustín Mantilla, el exministro del Interior aprista.[21] A continuación, los puestos dejados vacantes en el mando policial fueron asignados a oficiales militares, en claro viraje estratégico del papel que la policía había alcanzado durante el régimen aprista en la lucha contra las drogas y la subversión. Con esta medida, los programas antinarcóticos y antiterroristas que recibían considerable asistencia de Estados Unidos para la interdicción cayeron bajo total control militar.

Estas fueron las primeras salvas en un tira y afloja soterrado que afectó la institucionalización profesional de la policía y de las fuerzas militares. El objetivo práctico ulterior era purgar a los oficiales con inclinaciones apristas, así como a los comandantes institucionalistas de carrera y enemigos de Montesinos que pudiesen oponerse a las nuevas estrategias de corruptela. Uno a uno, los generales y almirantes en puestos claves fueron reasignados o pasados al retiro y reemplazados por nuevos comandantes dispuestos a contribuir al plan de Montesinos-Fujimori. Actuando como eje central en materia de seguridad nacional, Montesinos convenció a Fujimori de las amenazas golpistas planteadas por jefes militares que había aconsejado despedir. Ya en agosto de 1990, algunos periódicos recordaban a sus lectores los vínculos de Montesinos con narcotraficantes. Prominentes generales en retiro se quejaban confidencialmente ante funcionarios estadounidenses que, gracias a la influencia indebida ejercida por Montesinos sobre Fujimori, en realidad era el servicio de inteligencia nacional el que manejaba el gobierno y Estado peruanos.[22]

Los nuevos jefes militares incluían a generales y almirantes que brindaron las bases del poder subterráneo preferidas por Fujimori y Montesinos para consolidar su régimen. El general Jorge Torres Aciego pasó a ser ministro de Defensa en julio de 1990. El vicealmirante Luis Montes Lecaros reemplazó al almirante Alfonso Panizo como jefe del Comando Conjunto. El general José Valdivia (cliente de Montesinos en el controvertido caso Cayara) sustituyó al disconforme general Jaime Salinas Sedó como comandante de la importante Segunda Región Militar con base en Lima. El coronel de infantería Alberto Pinto Cárdenas, amigo personal de Montesinos, fue nombrado jefe de inteligencia del ejército. En diciembre de 1991, el general Nicolás Hermoza Ríos ocupó el puesto de comandante en jefe del ejército por encima de otros generales en línea para el ascenso. Con este último nombramiento, Montesinos

Fig. 21. Vladimiro Montesinos, verdadero jefe del Servicio Nacional de Inteligencia (SIN) durante la presidencia de Alberto Fujimori (1990-2000), contando fajos de dinero destinado al soborno de dueños de medios de comunicación frente a dos testigos. Fotograma de Vladivideo n.° 1778-1779, 6 de noviembre de 1999. De «State of Fear» («Estado de Miedo»), Skylight Pictures.

Fig. 22. Entrevista televisiva a Vladimiro Montesinos y Alberto Fujimori en la infame salita del SIN, 1999. Archivo Revista *Caretas*.

redondeó su red informal dentro del alto mando militar, minando de esta manera las normas de promoción militar consagradas por el tiempo.[23] Actuando como enlace extraoficial entre Fujimori y el comando militar, Montesinos sentó las bases para el autogolpe de 1992. En este proceso, la eficiencia militar y el respeto por la Constitución se deterioraron en forma abrumadora.[24]

Los cambios estratégicos en el liderazgo de las fuerzas militares y policiales habrían sido difíciles sin la manipulación previa del sistema judicial y de la Fiscalía de la Nación en el Ministerio Público. Así, se ofrecía virtual impunidad a militares aliados frente a posibles procesamientos. Para este fin Montesinos diseñó un sistema integrado por jueces, fiscales, funcionarios de cárceles y oficiales de policía. El asesor presidencial continuó perfeccionando esta red judicial informal entre julio de 1990 y abril de 1992. Montesinos, asimismo, manipuló el aparato judicial para castigar e intimidar a los medios independientes por la información generada. Una experta evaluación auspiciada por la agencia estadounidense USAID y preparada por juristas peruanos concluyó, en septiembre de 1991, que la crisis del sistema judicial era, bajo las presiones de una corrupción a gran escala, el tráfico de drogas y el terrorismo, un campo de cultivo para la violación de los derechos humanos.[25]

Montesinos usó sus singulares fuentes de información secreta para renovar vínculos con la CIA y minar los esfuerzos antidrogas de la DEA en el Perú.[26] Entre abril y septiembre de 1991, el asesor espía asumió el control administrativo de las operaciones antidrogas conjuntas peruano-estadounidenses. Estas recibían asistencia de Estados Unidos por cerca de 35 millones de dólares en 1991 y 40 millones de dólares en 1992. Se formó una división antidrogas dentro del SIN que no hizo mucho por perseguir a traficantes, puesto que en el servicio de inteligencia se privilegiaban otras operaciones encubiertas, delictivas y violentas, como en el caso de la masacre de Barrios Altos y la vigilancia telefónica o *chuponeo* de importantes líderes de la oposición, entre los cuales destacaba el mismísimo Vargas Llosa.[27]

Sin embargo, un alto diplomático estadounidense, a pesar de simpatizar con la aparente eficiencia tecnocrática de Fujimori en materia de acciones antiterroristas e interdicción de narcóticos durante su primer año en el poder, tomó nota «del problema prevalente de la corrupción interna del gobierno». No obstante los reacomodos en la policía, continúa afirmando el diplomático, la «corrupción y la ineficiencia en las filas de la Policía Nacional peruana continúan siendo problemas muy reales». En la zona selvática del alto Huallaga, «la triple plaga de las drogas, el terrorismo y la corrupción está en todos lados».[28] Asimismo, un influyente grupo de parlamentarios estadounidenses, entre los cuales se encontraban los senadores demócratas Edward Kennedy y John Kerry, atentos a los requisitos de la certificación necesaria para recibir asistencia adicional en la lucha antinarcóticos, le escribió al presidente George H. Bush manifestando su preocupación por las «atroces» condiciones de los derechos humanos en el Perú, hecho que se manifestaba en la incapacidad de reducir durante cuatro años seguidos las «desapariciones» perpetradas por las fuerzas de seguridad.[29]

Montesinos encontró la fórmula para recompensar y mantener fieles a sus cómplices en designios ocultos. El desvío ilícito de fondos oficiales de defensa e inteligencia, los sobornos, las comisiones ilegales en las adquisiciones de material militar y los cupos impuestos a las actividades del narcotráfico en las zonas de selva, controladas por los militares, fueron los principales medios por los cuales se pagó al parcializado mando militar y al séquito político de Fujimori. Usando esas mismas fuentes de ingreso, Montesinos reforzó las operaciones encubiertas e ilegales dirigidas por el SIN. Una comisión parlamentaria investigó y presentó información reveladora y pionera sobre los vínculos entre el narcotráfico, las bases militares en la selva y las agencias antidrogas controladas por Montesinos.[30] Sin embargo, el anticonstitucional autogolpe del 5 de abril de 1992 interrumpió abruptamente el accionar de esta comisión, a la que, además, se le despojó del grueso de sus informes y documentos.

Dictadura cívico-militar

Desde el inicio mismo del régimen de Fujimori, las crecientes redes encubiertas de inteligencia y militares operaron para derribar los contrapesos constitucionales, parlamentarios y judiciales que estorbaban el control autoritario del Estado. Este objetivo se logró consolidar rotundamente con el autogolpe de abril de 1992. Semejante golpe fue justificado ideológicamente como necesario para conseguir la derrota del terrorismo. Sin embargo, la dictadura absoluta y la supresión abierta de la libertad de expresión y de la prensa en el contexto de aquellos años no eran algo fácil de alcanzar debido a la reprobación internacional.[31] Las emergentes posturas autoritarias en el país debían adaptarse, por lo tanto, a las circunstancias mundiales del momento. Entretanto, el gobierno apoyó la implementación de políticas económicas neoliberales, al mismo tiempo que facilitaba la corrupción para alimentar mecanismos informales y ocultos que sustentaban una guerra sucia contra la subversión y el terrorismo. La corrupción era, pues, un medio con el cual alcanzar, consolidar y mantener el poder autoritario y abusivo. Este principio distorsionado ha sido denominado la «economía inmoral» del fujimorismo.[32]

En el ámbito internacional Fujimori había logrado conseguir tempranamente un vigoroso respaldo del Fondo Monetario Internacional (FMI). Este apoyo clave vino tras el rápido avance en el arreglo de los problemas de la deuda externa heredados del anterior gobierno, cuya negociación la condujo el economista Hernando de Soto, quien utilizó sus amplios contactos internacionales. Juan Carlos Hurtado Miller, el primer ministro de Economía de Fujimori, implementó en agosto de 1990 un drástico paquete de ajuste que inició la tendencia al control de la inflación galopante. Sorprendentemente, casi no hubo reacción popular contra el doloroso paquete económico debido en parte a la caída de la inflación pero también a la lucha abierta y clandestina contra el terrorismo, que inhibía drásticamente la protesta popular y los derechos ciudadanos. Fujimori y Montesinos acudían a la desinformación y a las campañas de manipulación o «psicosociales» propaladas por medios de comunicación masiva. Se alimentaba, así, una opinión pública conservadora en tanto que múltiples encuestas de opinión indicaban la preferencia por un gobierno «fuerte», sin aparente preocupación por los abusos que este pudiese generar.[33]

El atractivo popular de Fujimori se vio impulsado, aún más, por sus programas «sociales» populistas y clientelistas de reparto de alimentos y medicinas gratuitos, así como por obras públicas de motivación política que abarcaban la muy pregonada construcción de escuelas. Estos programas, bajo el control y ejecución directos del presidente, se financiaron mediante el manejo irregular de donaciones japonesas y transferencias mensuales clandestinas de fondos del SIN aun en 1991.[34]

La senda hacia el golpe de 1992 se construyó sobre campañas políticas y legislativas claves lideradas por Fujimori. En 1991, el presidente pasó a la ofensiva cuando tachó al Palacio de Justicia como el «de la injusticia». El Congreso fue, a su vez, descrito como un lugar de cabildeo o *lobby* para el narcotráfico. A continuación, Fujimori y sus parlamentarios, invocando circunstancias de emergencia, lograron que legisladores del FREDEMO y el APRA aprobaran facultades extraordinarias, delegando al Poder Ejecutivo la capacidad de emitir decretos en materia de reformas económicas y privatizaciones, asuntos laborales y guerra contra el terrorismo: la Ley n.° 25327, aprobada en junio de 1991, le permitió a Fujimori ampliar sus poderes para proponer y dictar leyes en las áreas citadas durante un periodo de 150 días.

Justo antes de que dicho lapso expirara en noviembre, el Ejecutivo emitió una avalancha de 126 decretos legislativos impulsados por el ministro de Economía Carlos Boloña. Muchos de estos decretos claramente sobrepasaban los límites legales permitidos por el Congreso. El Ejecutivo usurpó, en consecuencia, el derecho a tomar decisiones legislativas, sin la requerida deliberación parlamentaria, sobre la privatización de empresas estatales claves (Decreto ley n.° 674), la reforma del sector público, el financiamiento externo,

los derechos laborales, la salud pública, la educación privada y el establecimiento de medidas de seguridad que cercenaban los derechos civiles y la
autonomía estatutaria de las universidades.[35]

Los decretos gubernamentales transgresores desataron la oposición
parlamentaria, particularmente en las cuestiones referidas a seguridad nacional e inteligencia. El Decreto ley n.° 743 creó el Sistema de Defensa Nacional
(SDN) dirigido por un Consejo de Defensa Nacional (CDN) encabezado por el
presidente y conformado por varios ministros, el jefe del comando conjunto
de las Fuerzas Armadas, los comandantes generales y el jefe del SIN. Además,
mediante el Decreto ley n.° 746 se integró todas las unidades de inteligencia
de las fuerzas militares y policiales bajo el Sistema de Inteligencia Nacional
(SINA), un organismo dirigido por el SIN con inusitado rango ministerial y poderes extraordinarios. El Congreso rechazó varios de estos decretos como violaciones flagrantes de los derechos civiles. Fujimori se enfrentó, entonces, con
el Legislativo y acusó a los parlamentarios de obstruir intereses nacionales.[36]

Los artículos periodísticos aparecidos en *Expreso* y *La República* desde
febrero de 1992 minaron, aún más, la reputación de los sistemas judicial y
penal: decenas de prisioneros acusados de terrorismo estaban siendo liberados al amparo de la ley vigente que permitía la reducción de sus sentencias.
La Corte Suprema también desestimó los cargos de enriquecimiento ilícito
presentados contra el expresidente Alan García, así como los de terrorismo
contra el líder senderista Abimael Guzmán. La opinión pública asoció la obvia
corrupción judicial con el nombramiento de jueces durante el gobierno de
García.[37] Un crecido número de amenazas de muerte y asesinatos por parte
de agentes del régimen complementó el ataque contra el ordenamiento
constitucional existente antes del 5 de abril de 1992.

Montesinos y dos jefes militares planearon el golpe en el cuartel general
del ejército. Mientras un mensaje grabado por Fujimori era emitido por la televisión, en la noche del domingo 5 de abril, el general Valdivia, comandante
de la región militar de Lima, y el coronel Alberto Pinto Cárdenas, el jefe de
inteligencia militar, llevaron a cabo demostraciones de fuerza. Para prevenir
un contragolpe se había ordenado a los comandantes de las otras regiones
militares que asistieran a reuniones urgentes en Lima cuando el golpe se
realizaba.[38]

El gobierno golpista cerró el Congreso indefinidamente y las oficinas del
Poder Judicial por más de veinte días. Las sedes de los más importantes medios de comunicación fueron ocupadas por casi dos días. Varios periodistas,
políticos y dirigentes sindicales fueron detenidos o secuestrados por los militares. Los archivos del Palacio de Justicia y el Ministerio Público que contenían
información confidencial fueron confiscados y retirados a un lugar secreto
luego de lo cual jamás volvieron a aparecer. La oposición protestó y afirmó

que el golpe era una consecuencia directa de las comprometedoras revelaciones hechas por Susana Higuchi, la esposa de Fujimori, quien había acusado a sus parientes políticos de irregularidades administrativas y corrupción.[39] La inmediata protesta internacional como consecuencia del golpe dio por resultado la suspensión de la mayor parte de la asistencia extranjera de la cual el país dependía. No se impusieron, sin embargo, sanciones económicas internacionales contra la dictadura de Fujimori ante la preocupación de funcionarios de Estados Unidos y otros que consideraban que podían hacer peligrar la guerra contra el terrorismo en el Perú. Las sanciones propuestas por miembros de la Organización de Estados Americanos (OEA) lograron evitarse mediante un acuerdo negociado en parte por el embajador estadounidense en Lima con el ministro de Economía Boloña, quien ofreció así su prestigio internacional a los golpistas.[40] Fujimori prometió, por su parte, convocar a elecciones para una asamblea constituyente. El camino hacia la institucionalización del golpe y el gobierno por decreto había sido despejado.[41] Sin embargo, Vargas Llosa se mantuvo firme en sus ataques periodísticos contra Fujimori y el autogolpe.

La violencia se intensificó a poco del golpe. Los actos senderistas contra blancos civiles estratégicos se multiplicaron. Se cuentan, entre ellos, el atentado contra el canal 2 de televisión en junio, así como el de la calle Tarata en Miraflores en julio, en el que veintidós personas murieron y muchas más quedaron heridas. A su vez, el régimen utilizó operativos extrajudiciales, parte del designio de guerra sucia dirigido a eliminar el senderismo, como la ejecución de los prisioneros políticos de Canto Grande en mayo y la matanza de un profesor y nueve estudiantes de la Universidad La Cantuta en julio. Para fortuna política del régimen dictatorial, Abimael Guzmán, el jefe principal de Sendero Luminoso, fue capturado en septiembre de 1992 por la GEIN-DINCOTE, una unidad de inteligencia de la policía encabezada por el general Ketín Vidal, quien se había mantenido tenazmente al margen de la red de Montesinos.[42] A partir de entonces, las amenazas senderistas disminuyeron considerablemente.

El proceso de adaptar las instituciones y la política económica a las metas de un presidencialismo autocrático, sin contrapesos, recibió un fuerte impulso con el golpe de 1992. Los jueces y fiscales independientes fueron removidos y el Poder Judicial fue reestructurado, reducido y adecuado a las necesidades políticas de Fujimori y Montesinos. Para liderar este sistema judicial abierto a la prevaricación y cohecho, el juez Luis Serpa Segura fue nombrado presidente de la Corte Suprema, y la magistrada Blanca Nélida Colán fue designada fiscal de la Nación. Los actos delictivos de empleados públicos y militares adictos al régimen rara vez eran procesados y su impunidad quedaba asegurada. Los inconstitucionales tribunales y jueces «sin rostro» juzgaron sumariamente y dictaron duras sentencias contra los sospechosos de terrorismo, muchos de los cuales eran inocentes.

En los sondeos de opinión pública, la supuesta reforma judicial tuvo un respaldo del 95 por ciento de los encuestados. Las posibilidades abiertas para modernizar el sistema de justicia peruano, cambiando sus bases de derecho romano por las del sistema estadounidense, llevaron al embajador Anthony Quainton a considerar que el ataque de Fujimori al Poder Judicial era una buena oportunidad para influir en materia de reformas favorables a los intereses de Estados Unidos.[43] Aunque el golpe tuvo consecuencias negativas para la cooperación bilateral en las áreas enfatizadas por la política exterior de Estados Unidos —fundamentalmente «democracia, desarrollo y drogas»—, Quainton concluyó que «Perú está dirigiéndose en una dirección que es consistente con nuestros intereses de largo plazo».[44]

Montesinos y el comando del ejército continuaron purgando a honestos oficiales constitucionalistas y disidentes acusados de conspirar contra Fujimori. El general Jaime Salinas Sedó y otros implicados en el intento de un golpe para restaurar la Constitución y opuestos al fraude electoral de noviembre de 1992 fueron encarcelados. El general Alberto Arciniega Huby, un juez militar que culpaba a Montesinos de haber destruido la independencia de la justicia militar y las instituciones del país, fue acusado de difamación y forzado a pasar al retiro en enero de 1993. En mayo de ese año, el general Rodolfo Robles Espinoza fue también obligado a pasar al retiro y exiliarse por haber denunciado públicamente la existencia del Grupo Colina, el escuadrón responsable por las masacres de Barrios Altos y La Cantuta, organizado bajo las órdenes y protección de Montesinos.[45]

El restablecimiento del Poder Legislativo bajo la forma de una Asamblea Constituyente se debió en gran parte a la presión internacional. Sin embargo, la autonomía limitada y la debilidad fundamental del nuevo Congreso fueron intencionales. En lugar de las acostumbradas dos Cámaras y 240 parlamentarios, el nuevo Congreso Constituyente Democrático (CCD, 1992-1995) era unicameral y comprendía apenas ochenta miembros de un único distrito electoral nacional. El ataque constante de Fujimori a los partidos políticos, a los que tildaba de oligarquías corruptas, contribuyó a la percepción bastante generalizada de irrelevancia de la política formal. Los propios representantes de Fujimori en el CCD se eligieron, no por sus méritos, sino simplemente por ser seguidores del líder populista. Una ligera mayoría pro-Fujimori en el CCD le entregó importantes prerrogativas legislativas al Ejecutivo. Una vez que la nueva Constitución quedara completada en agosto de 1993 y fuera aprobada por estrecho margen mediante un referéndum, surgió, por ejemplo, la oposición de la Asociación Nacional de Alcaldes, entre otras organizaciones preocupadas por la excesiva centralización de las funciones del sector público.[46]

La Carta de 1993 y las leyes *ad hoc* del Ejecutivo debilitaron aún más el marco institucional, la protección de los derechos humanos y las barreras contra la corrupción. Con la complicidad de ministros y funcionarios allegados, aproximadamente 250 decretos inconstitucionales entraron en vigor entre el 5 de abril de 1992 y el 20 de noviembre de 2000.[47] Provisto de estas armas legislativas hechas a la medida, el régimen de Fujimori duró hasta noviembre de 2000 gracias a las elecciones fraudulentas del periodo 1992-1993 y los años 1995 (primera reelección) y 2000 (segunda reelección).

El autocrático gobierno de Fujimori fue desafiado solo por unos cuantos opositores decididos y por reportajes periodísticos enfrentados a arduos obstáculos luego del golpe de 1992. Los puntos débiles iniciales del régimen estaban invariablemente ligados a la violación de los derechos humanos y al papel desempeñado por Montesinos, el oculto operador que no se mostraba en público. Los medios impresos ocasionalmente cuestionaron la influencia política invisible de Montesinos, así como su participación en atrocidades y asuntos vinculados al tráfico de drogas. Las grandes redes televisivas del país y otros medios influyentes respaldaban y alababan al régimen sin mayor cuestionamiento. Los parlamentarios y jueces fujimoristas defendieron y protegieron a Montesinos. En una entrevista, el presidente rechazó las alegaciones de tráfico de drogas hechas contra su asesor y citó implícitamente los vínculos que Montesinos mantenía con la CIA.[48]

La investigación judicial de las masacres de La Cantuta y Barrios Altos, impulsada por los informes de valientes periodistas y testigos presenciales, terminó en un tribunal militar en el cual unos cuantos chivos expiatorios recibieron condenas de veinte años de prisión. Sin embargo, luego de su reelección en 1995, Fujimori promulgó y publicó, el 15 de junio, una ley de amnistía (la Ley n.° 26479), aprobada el día anterior por el CCD. Esta exoneró a todos los oficiales militares procesados o condenados por delitos contra los derechos humanos desde mayo de 1980. Estallaron, entonces, las protestas de la prensa, el Congreso e, incluso, algunos jueces normalmente dóciles. El embajador estadounidense Alvin Adams aconsejó a Washington que manifestara su decepción frente a tal injusta amnistía al embajador peruano allí, al presidente del Congreso Jaime Yoshiyama y al mismo Montesinos.[49]

El régimen había sufrido, por otro lado, un inconveniente más grave de alcance internacional. Sin que el público peruano lo supiera de inmediato, tropas ecuatorianas habían ocupado una pequeña parte del territorio fronterizo peruano en enero de 1995. Esta acción constituía una embarazosa derrota militar para los ineficaces comandantes del ejército peruano, hecho que llevó a frenéticos esfuerzos diplomáticos para alcanzar un acuerdo de paz en medio de la campaña reeleccionista.[50]

Otros impactos internos dañinos para el régimen ocurrieron en 1996 y 1997. Entre ellos se cuenta el asesinato de Mariella Barreto y la tortura de Leonor La Rosa, ambas oficiales del servicio de inteligencia militar, presuntamente castigadas con suma crueldad por sus propios jefes por filtrar información comprometedora a la prensa. Asimismo, revelaciones sobre el espionaje electrónico e interceptación telefónica atribuidos al SIN captaron la atención de la opinión pública. En diciembre 1996, el régimen de Fujimori quedó aturdido por la audaz toma de rehenes en la residencia del embajador japonés en Lima por parte de un grupo armado del Movimiento Revolucionario Túpac Amaru (MRTA). Luego de varias semanas de tensa espera y cobertura por la prensa y televisión internacional, comandos de fuerzas especiales recuperaron la residencia y dieron muerte a todos los secuestradores.

Paradójicamente, la octava conferencia internacional contra la corrupción se celebró en Lima, en septiembre de 1997. Con patente cinismo, Fujimori inauguró el foro acompañado por César Gaviria, el presidente de la OEA, la fiscal de la Nación Blanca Nélida Colán y el contralor general de la República Víctor Caso Lay, junto con otros dignatarios fujimoristas. Algunos periodistas advirtieron rápidamente la ironía de que el país anfitrión de la conferencia fuera el peor ejemplo existente de Administración Pública. Una larga lista de casos de clamorosa corrupción pedía a gritos que se investigara, pero esta posibilidad fue rechazada sistemáticamente por las autoridades competentes como la fiscal Colán y el contralor Caso. Los asuntos sin investigar incluían las cuestión candente del origen de los ingresos de Montesinos, las denuncias hechas por Susana Higuchi concernientes a las organizaciones no gubernamentales (ONG) vinculadas a la familia Fujimori, el saqueo de la caja de pensiones militar y policial, y la malversación de la compañía de seguros estatal Popular y Porvenir, entre otros.[51]

La decadencia del régimen fujimorista durante sus últimos tres años, entre 1998 y 2000, ligada a agudos problemas económicos y al pasivo generado por Montesinos, así como a una creciente oposición política y cívica, se puede analizar mejor utilizando las evidencias procedentes de las grabaciones secretas hechas por el SIN y de los procesos judiciales armados a partir de dichas evidencias. Los acontecimientos políticos de la década de 1990 encubrieron la consolidación y el crecimiento de redes encubiertas e informales de un poder e influencia desproporcionados, alimentados por la corrupción y los abusos.

Redes de corrupción

Montesinos y Fujimori celebraban, bajo un manto de secreto, algunas ocasiones especiales en compañía de amigos y asociados íntimos. Los reporteros de prensa quedaban excluidos de estos acontecimientos, un indicador simbólico de los lazos poco transparentes entre el poder ilimitado y sus colaboradores encubiertos. Estas reuniones quedaron registradas solamente en las fotografías y videos del servicio de inteligencia. En el quincuagésimo tercer cumpleaños de Montesinos, el 20 de mayo de 1998, había bastante que celebrar en las lúgubres habitaciones y corredores del SIN. El régimen estaba consolidado en el poder, la maquinaria corrupta venía operando con pocos problemas y la campaña para la segunda reelección de Fujimori marchaba viento en popa. A la extraña reunión festiva acudió un grupo selecto de parlamentarios, ministros, generales de las Fuerzas Armadas y de la Policía, jueces, fiscales y empresarios. Esta y otras celebraciones secretas eran una muestra representativa de las vastas redes y ramas de corruptela en la década de 1990.[52]

Las redes de corrupción tenían, al centro, la íntima e intrincada alianza entre Fujimori y Montesinos. El primero se ocupaba fundamentalmente de la política y actuaba como imagen mediática populista; y el segundo negociaba secretamente con el alto comando militar y reunía fondos ilegales en medio de múltiples otras tareas de inteligencia desde el SIN, su cuartel general de espionaje. Durante la fase final del régimen de Fujimori, Montesinos mantenía enlaces con casi todas las ramas de la estructura de corruptela que controlaba el poder, manipulaba la información pública, saboteaba a la oposición y daba el mal ejemplo a los rangos inferiores de funcionarios y a la sociedad en general. El tamaño, alcance y composición de esta red fueron asombrosos (véase figura 7.1).

Las áreas estratégicas del sector público y las instituciones del Estado se vieron profundamente infiltradas. Una parte importante de la élite política y económica del Perú estuvo seriamente involucrada. Hasta los magnates de los medios y las celebridades del espectáculo fueron sobornados para que prestaran su apoyo a las campañas y abusos del régimen. Nunca antes en la historia peruana había sido posible obtener una imagen intestina que ilustrara tan clara y detalladamente el funcionamiento clandestino de la corrupción.

Fujimori contaba con un núcleo interno de parientes a cargo de los intereses familiares que giraban alrededor de su poderoso cargo. Víctor Aritomi Shinto, casado con Rosa, hermana de Fujimori, fue nombrado embajador del Perú en Japón en 1991, un puesto clave que mantuvo hasta los últimos días del régimen. Hábilmente, Fujimori y Aritomi utilizaron la nacionalidad japonesa, que podía otorgarles protección e impunidad. Entre otras varias

Figura 7.1
REDES, RAMAS Y LAZOS DE CORRUPCIÓN, 1990-2000

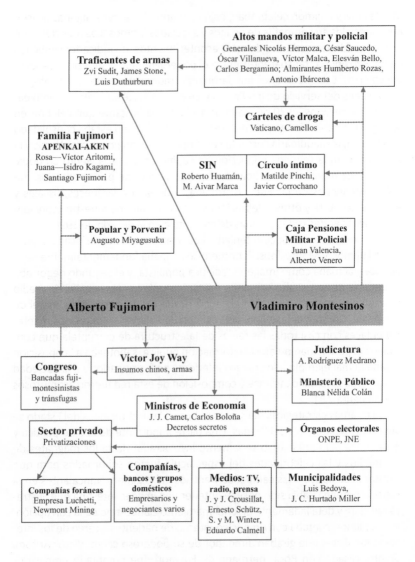

Fuentes: Evidencias publicadas por *La República, El Comercio* y el Congreso del Perú.

Nota del editor: Las personas, instituciones y empresas que aquí se nombran estuvieron implicadas en acusaciones por diversos delitos a la fecha de publicación de la versión en inglés de este libro (2008).

operaciones, Aritomi usó su inmunidad diplomática para transportar con regularidad los ingresos ilícitos de Fujimori al Japón, en montos manejables como para lavarlos sin dejar huellas evidentes. Además, la secretaria personal de Fujimori hizo transferencias bancarias a Aritomi de los fondos ilegales que el presidente recibía en el Perú. Aritomi también solicitó donaciones y fondos de socorro humanitario que se canalizaron a la familia Fujimori.[53]

Poco antes de su juramentación como presidente en 1990, Fujimori recibió una «donación» japonesa de 12,5 millones de dólares, destinada a satisfacer necesidades de los niños pobres. Sin embargo, y al igual que sucediera con tantas otras donaciones japonesas, Fujimori y sus parientes desviaron dicho dinero y lo utilizaron como un fondo discrecional para objetivos políticos y personales desde una cuenta bancaria en el Japón.[54] Las evidencias en video muestran a Fujimori manejando los recursos de «asistencia social» en desembolsos de dinero en efectivo, sin llevar las cuentas legales apropiadas.[55] Desde 1990, sus hermanos Rosa, Pedro y Juana Fujimori formaron y administraron en Perú las ONG APENKAI y AKEN, que eran notorias por sus laxas prácticas contables y el impropio uso de los almacenes públicos de la aduana. La ONG de los Fujimori sirvió para canalizar a las arcas de la familia alrededor de 100 millones de dólares en donaciones provenientes del Japón y de fuentes locales ilegales[56] (apenas alrededor del 10 por ciento de los donativos llegaron a sus destinatarios originales).[57]

Susana Higuchi, la distanciada esposa de Fujimori, había denunciado justo antes del golpe de 1992 la apropiación de donaciones japonesas por parte del séquito familiar de Fujimori, apuntando específicamente a sus parientes políticos Rosa y Santiago. Fujimori declaró públicamente que su esposa era mentalmente inestable y la mantuvo virtualmente prisionera en el palacio presidencial. Los hijos de Fujimori ignoraron las afirmaciones de su madre y se pusieron al lado del padre. Los cuatro hijos recibieron una educación universitaria de élite en Estados Unidos, que habría sido financiada con por lo menos 460.000 dólares entregados en efectivo en Nueva York y Boston a través de medios irregulares.[58]

Además, Juana Fujimori y su esposo Isidro Kagami Jiraku vendieron, en 1998, bienes raíces sobrevaluados a una compañía establecida en las Islas Vírgenes británicas. Dicha compañía fue usada para que Enrique Benavides Morales, uno de los principales agentes de Montesinos, lavara ingresos procedentes de varias tramas de corrupción.[59] Asimismo, Aritomi y su esposa Rosa Fujimori tenían considerables saldos no explicados en cuentas de la banca nacional y extranjera.[60] Santiago, el hermano favorito de Fujimori, encabezó la administración y la distribución local de los activos presidenciales y de las donaciones hasta que perdió el favor de Montesinos en 1996.

Además de los asuntos vinculados a su círculo familiar íntimo, Fujimori también estableció estrechas sociedades para el abuso del poder con ejecutivos y políticos claves que garantizaban confidencialidad y confianza en tales negocios. Augusto Miyagusuku Miagui colaboró activamente con la ONG de Fujimori entre 1991 y 1997 como tesorero y representante legal. También fue colocado como presidente del directorio de la compañía de seguros Popular y Porvenir, mayoritariamente de propiedad estatal. Miyagusuku colaboró en fraudulentas transacciones de alquiler y venta de propiedades de la compañía, así como en la venta sobrevaluada de pólizas de seguro a entidades del sector público, principalmente las Fuerzas Armadas, y el reparto de comisiones ilegales. Alrededor de veinte exdirectores y funcionarios de la compañía, además de cinco militares de alto rango, se coludieron en este negociado de seguros y fondos públicos. Debido a este saqueo sistemático, Popular y Porvenir perdió su posición en el mercado local y se salvó de la quiebra total solo tras una urgente privatización.[61]

Víctor Joy Way fue un asociado político cercano y constante de Fujimori: ministro de Industria en 1991 y luego congresista, primer ministro y, finalmente, ministro de Economía en 1999. Vestido invariablemente con elegantes trajes de marca, amasó una fortuna de por lo menos 22 millones de dólares, eventualmente confiscada en bancos de Suiza y Luxemburgo. Poseía, además, lujosas casas en el Perú, todo adquirido a través de flagrantes negociados endosados por Fujimori.[62]

Entre 1990 y 1998, Fujimori en colaboración con Joy Way implementó varios decretos para favorecer supuestamente la importación de medicinas, luego de un alarmante brote de cólera. Con la colaboración de algunos ministros de Salud, las agencias del sector se usaron como fachadas para comprar a precios inflados tractores, aviones, medicinas genéricas e instrumental y suministros quirúrgicos y de laboratorio chinos, exentos de impuestos. Joy Way, propietario de varias compañías de importación de mercadería china, obtenía jugosas ganancias con estas transacciones, indebidamente favorecidas. Estas operaciones, que sumaron 312 millones de dólares, hicieron perder al Estado aproximadamente 190 millones.[63] Una gran parte de estos productos chinos, comprados oficialmente para varios ministerios, terminaron siendo apropiados por dependencias bajo control directo de Fujimori: el Ministerio de la Presidencia, creado inmediatamente después del golpe de 1992; y la Casa Militar de Palacio, para desembolsos políticos y personales. En sus muchos viajes a las provincias del interior, el populista Fujimori repartió personalmente medicinas y tractores chinos, especialmente durante las campañas electorales de 1993 y 1995.[64]

Ayudado por su círculo más cercano de parientes y amigos, Fujimori se benefició del drenaje de aproximadamente 404 millones de dólares de fondos públicos peruanos mediante el abuso ilegal del poder. Solamente una pequeña parte del total extraído ha sido recuperada tras complicados e inconclusos trámites en los ámbitos nacional e internacional. Según lo indagado por autoridades financieras y judiciales luego del fin del régimen fujimorista, parte de estos fondos ilegales podría todavía ser rastreada en cuentas bancarias en Japón, Asia y Europa. Sin embargo, a diferencia de las cuentas secretas confirmadas de Joy Way y Montesinos en el extranjero, investigaciones internacionales aún no han identificado aquellas cuentas pertenecientes directamente al expresidente, aunque sí se han hallado cuentas de los más cercanos colaboradores de Fujimori. Los investigadores financieros alertaron que los ingresos documentados de Fujimori entre 1990 y 2000, alrededor de un millón de dólares, representaban apenas el 0,3 por ciento del ingreso total estimado recibido por Fujimori en el mismo lapso. Por lo tanto, faltaría justificar aproximadamente 371 millones de dólares. Las evidencias muestran que estos ingresos provinieron del desvío ilegal de fondos públicos y de comisiones inapropiadas.[65]

Las principales fuentes de los fondos ilícitos amasados por Fujimori y su entorno fueron las siguientes: la malversación de donaciones extranjeras por parte de las ONG gestionadas por familiares del expresidente (90 millones de dólares); la participación en los negocios de importaciones chinas con Joy Way (80 millones de dólares, alrededor de la mitad de lo drenado por el negociado total); las comisiones derivadas de diversos socios, entre los cuales se encontraba Miyagusuku (50 millones de dólares, cerca de la mitad del calculado beneficio y costo ilegal total generado por aquellos socios o allegados); los subsidios secretos del SIN (62 millones de dólares); y un «fondo de contingencia» políticamente motivado, acumulado principalmente con lo ordeñado de los fondos de las pensiones militar y policial, y las comisiones ilegales de las compras de armas y fondos de privatización (122 millones de dólares) (véase cuadro A.1 en el Apéndice). Estas dos últimas fuentes implican una estrecha colaboración con Montesinos y los jefes del alto mando militar. Además de la codicia personal, la principal motivación para este tinglado era conservar el poder y contar con suficientes fondos para sobornar y manejar fraudulentas campañas electorales y mediáticas.[66]

Si Fujimori fue respaldado por un núcleo interno de parientes y amigos que se beneficiaron de varias tramas de corrupción, el núcleo interno de Montesinos constaba fundamentalmente de oficiales de inteligencia y administradores al interior del SIN, así como de agentes o testaferros financieros, traficantes de armas y abogados encargados de facilitar el flujo de fondos ilegales dentro y fuera del país. Algunos miembros de la familia inmediata de Montesinos estuvieron parcialmente involucrados como titulares nominales de algunas de sus cuentas bancarias en el Perú. Sin embargo, fue desde el cuartel general de inteligencia que la influencia corruptora de Montesinos se propagó a diversos sectores claves. Cuanta más oposición política había contra el régimen de Fujimori,[67] tanto más Montesinos extendía su alcance a dos actividades interrelacionadas: la apropiación ilegal de fondos públicos a través de diversas estratagemas y el soborno de funcionarios, empresarios del sector privado y personalidades mediáticas. La apropiación ilegal de fondos fue el medio con el cual conseguir respaldo y complicidad para conservar el control político. El seguimiento de casos conspicuos y escandalosos de soborno permite identificar los diversos tentáculos y ramas de estas redes. La profundidad y alcance de algunas de ellas resultan verdaderamente asombrosos.

Héctor Chumpitaz fue el capitán de la selección de fútbol peruana en la década de 1970, tal vez el periodo más exitoso del equipo nacional. En medio del frenesí por reclutar respaldo político para Fujimori, el héroe del fútbol recibió sobornos de 10.000 dólares al mes (por un total de 30.000) directamente de Montesinos para que postulara como regidor en la lista de la fallida candidatura a la alcaldía de Lima de Juan Carlos Hurtado Miller en 1998.[68] Montesinos financió la campaña de Hurtado —un hombre leal a Fujimori y su exministro de Economía—, en la que gastó un estimado de 261.300 dólares. Así, Montesinos le brindó a Hurtado un respaldo estratégico contra Alberto Andrade, un candidato clave de la oposición y un rival potencialmente peligroso en las venideras elecciones presidenciales de 2000.[69] Otro candidato que arruinó su carrera política por colaborar con Fujimori y Montesinos fue Luis Bedoya de Vivanco, exalcalde y candidato a la alcaldía de Miraflores, uno de los distritos de clase alta de Lima. Bedoya fue grabado en video recibiendo 25.000 dólares de Montesinos y aceptando acceso mediático e información de inteligencia proporcionados por el asesor presidencial en una estratagema política contra el hermano de Alberto Andrade, Fernando, quien postulaba para su reelección como alcalde de Miraflores.[70]

Los fondos manejados por Montesinos para estos sobornos parecían ilimitados. El asesor espía le pagaba mensualmente al mismo Fujimori y, siguiendo sus instrucciones, a varios de sus ministros en diversos periodos. Montesinos incluso cancelaba los trajes a la medida a un primer ministro que supuestamente no tenía gusto alguno en ropa.[71] Además, el poder y la influencia corruptora ejercida por Montesinos en el Poder Judicial se hicieron casi absolutos después de 1992. Los jueces de la Corte Suprema y de los juzgados superiores y provinciales conformaron una red de prevaricación y cohecho que otorgaba decisiones y sentencias a favor de intereses privados y políticos protegidos por Montesinos. Un aliado principal de Montesinos en la Corte Suprema fue el juez Alejandro Rodríguez Medrano, quien convocaba a otros jueces para presionarles a dictaminar según lo requerido por el asesor presidencial.[72] En un caso particularmente vergonzoso, Montesinos le entregó al presidente de la Corte Suprema el borrador de una resolución favorable a la apelación de Fujimori para postular a la presidencia del país por tercera vez, no obstante los impedimentos constitucionales. El juez en cuestión y los miembros de la sala constitucional de la Corte Suprema se reunieron con Montesinos en el SIN para tratar sobre dicha resolución, que luego aprobaron oficialmente.[73]

Desde su supuesta reforma en 1992, todo el sistema judicial estaba plagado de «innovaciones» institucionales que servían como incentivo para los jueces mediocres y corruptos, y como castigo para los honrados. Aproximadamente cincuenta jueces de cortes superiores y provinciales colaboraron en la red judicial de Montesinos.[74] En otro caso notorio, Blanca Nélida Colán, la fiscal de la Nación y cabeza del Ministerio Público, desestimó diversas acusaciones formales contra Montesinos. Durante su larga permanencia en el cargo (1992-2001), la fiscal accedió a una vida de considerable lujo que luego no pudo justificar al ser encausada judicialmente.[75]

El soborno de las autoridades electorales para que llevaran a cabo el fraude fue particularmente escandaloso. En diciembre de 1999, José Portillo, el jefe de la Oficina Nacional de Procesos Electorales (ONPE), y aproximadamente cuarenta asociados vinculados a los congresistas Absalón Vásquez y María Jesús Espinoza falsificaron parte de las miles de firmas necesarias para la inscripción de Perú 2000, el rebautizado movimiento político de Fujimori. El fraude fue expuesto por informes de investigación publicados en *El Comercio*. Para la falsificación se usaron padrones confidenciales de votantes de elecciones anteriores. Además, un aparato sofisticado de espionaje telefónico masivo, que suministraba información directamente a Montesinos, fue instalado en la sede central de la ONPE. Portillo, así como Alipio Montes de Oca, el jefe del Jurado Nacional de Elecciones (JNE), visitaban a Montesinos en el SIN regularmente.[76] Invariablemente, el JNE rechazaba todas las quejas legales presentadas contra las maniobras reeleccionistas e inconstitucionales de Fujimori.

Los congresistas gobiernistas cobraban un alto precio por desinstitucionalizar el Poder Legislativo. La mayoría fujimorista en el Congreso cedió sistemáticamente sus derechos legislativos y sus facultades de supervisión, especialmente en la legislatura correspondiente al periodo 1995-2000. Este hecho les permitió a Fujimori y Montesinos ejercer un poder ilimitado sobre otras instituciones claves como el Poder Judicial y el JNE. Así también, los delitos y transgresiones de la cúpula en el poder quedaban impunes. El Congreso dominado por los fujimoristas no aprobó ni una sola moción para iniciar urgentes investigaciones sobre violación de derechos humanos o corrupción. El grado de comportamiento servil observado entre muchos integrantes del Congreso puede explicarse por el masivo reparto de pagos ilegales en su seno.

Varios congresistas claves recibieron apoyo financiero para sus campañas electorales, así como pagos mensuales de entre 10.000 y 20.000 dólares. Además, Montesinos organizaba reuniones en el SIN para trazar directivas y coordinar estrategias con estos representantes; una de estas reuniones, celebrada en el año 2000, congregó a casi todos los parlamentarios de Fujimori, esto es, 54 de los 120 congresistas elegidos en 1995.[77] Estos representantes tramaron formas de defender al régimen y destruir a la oposición. También trataron sobre diversas formas de minar la democracia para permanecer en el poder y beneficiarse personalmente. Montesinos actuaba como intermediario entre Fujimori y los legisladores venales, quienes favorecían al presidente defendiéndolo cada vez que era denunciado en el Congreso.[78] También tomaron parte en los procedimientos que Montesinos empleó para reclutar a miembros de la oposición legislativa y alcanzar la mayoría en el Congreso.[79]

Varios representantes elegidos por la oposición en el Congreso fueron sobornados por Montesinos para que cambiaran de bando en cuestiones claves, suministraran información confidencial acerca de los partidos de oposición o apoyaran en secreto a la bancada fujimorista en las votaciones. Este tipo de soborno se había venido dando desde por lo menos 1992, pero se intensificó después de las elecciones de 2000 porque la bancada fujimorista ya no tenía la mayoría. Los congresistas sobornados asistían a reuniones individuales y secretas con Montesinos en el SIN para concertar los pagos. Algunos recibieron dinero directamente de manos del asesor. Cada congresista tránsfuga tenía su precio. El más notorio fue el caso de Alberto Kouri, quien recibió 60.000 dólares para cambiar su lealtad partidaria inmediatamente después de las elecciones de 2000.[80]

La investigación sobre las actividades de otro de los congresistas tránsfugas, Jorge Polack, resulta bastante reveladora de los tratos realizados entre Montesinos y los dueños de medios de comunicación con el objetivo de manipular la opinión pública. Polack —el acaudalado propietario de Radio Libertad, una radioemisora e instrumento valioso de su propia campaña electoral— había sido elegido al Congreso en el año 2000 como integrante del partido de oposición Solidaridad Nacional. Polack fue acusado de recibir cerca de medio millón de dólares de Montesinos. Al parecer, este habría sido el soborno más grande dado a un congresista tránsfuga. Además, en agosto de 2000, la red radial de Polack habría recibido pagos por 118.000 dólares de tres compañías bajo el control de Montesinos y sus agentes para que emitiera avisos políticos. Polack, asimismo, fue sindicado por colaborar con uno de los agentes confidenciales del asesor presidencial que estaba a cargo de los equipos de vigilancia telefónica.[81] No obstante, Polack sería solo la punta del viciado témpano mediático.

Los magnates de los medios de comunicación de masas fueron los mejor pagados por Montesinos, debido a su papel estratégico en la información pública.[82] Dado que solo una parte menor de la población accedía a los medios impresos, el jefe de espías puso conscientemente la mira en la emisión televisiva como el medio de comunicación más influyente para sus fines. Los medios de comunicación no fueron censurados ni controlados directamente por el gobierno. Esta engañosa «libertad» de expresión y de prensa fue la cobertura para incesantes y bien orquestadas campañas mediáticas que apoyaban el «autoritarismo electoral» de Fujimori. El soborno de los magnates y celebridades mediáticas a cambio del respaldo político a Fujimori y de lanzar campañas de difamación contra la oposición fue una de las formas más perniciosas de corrupción que manejaron las altas jerarquías del gobierno.[83]

Los participantes más notorios en la corrupción de los medios fueron José Francisco y José Enrique Crousillat, padre e hijo entonces propietarios de América Televisión, canal 4. Dicha estación televisiva ofrecía programas parcializados, conducidos por Laura Bozzo, la anfitriona de denigrantes *reality shows*, y otros presentadores. Los Crousillat le vendieron la línea editorial de su emisora a Montesinos, desde por lo menos 1997, en cerca de 600.000 dólares mensuales. Montesinos arregló el refinanciamiento de la deuda de siete millones de dólares que los Crousillat tenían con el Banco Wiese y garantizó el pago de seis millones de dólares a los Crousillat, a través de la Caja de Pensiones Militar Policial-Banco de Comercio, que se encontraba bajo control financiero de agentes montesinistas. Los Crousillat amasaron fortunas personales de aproximadamente cinco millones de dólares en bienes raíces y en cuentas *offshore* en el Caribe y en Panamá.[84]

Los Crousillat y Bozzo fueron también los participantes más entusiastas en la llamada «escuelita del SIN», una serie de sesiones informativas celebradas por Montesinos y los estrategas militares para dar instrucciones acerca de la línea política apropiada que debían seguir. Los propietarios de otras emisoras televisivas importantes del país también participaron en dichas sesiones.[85]

Montesinos aludía a este grupo de magnates mediáticos como el «equipo». Un video grabado en 1999 mostró a Ernesto Schütz, presidente del directorio de Panamericana Televisión, canal 5, negociando con Montesinos por más de 12 millones de dólares para que vendiera su línea editorial y atacara a la oposición. Schütz tuvo que contentarse con 1,5 millones de dólares al mes por un total de 9 millones.[86] Los hermanos Samuel y Mendel Winter tal vez recibieron menos por la venta de su contenido editorial, pero quedaron agradecidos, pues lograron apropiarse del canal 2 en 1996, gracias a la persecución contra Baruch Ivcher, el principal accionista. Ivcher se vio obligado a exiliarse y fue privado de su ciudadanía peruana después de que le retirase su respaldo a Fujimori y emitiera informes reveladores sobre la tortura y el espionaje telefónico.[87] Genaro Delgado Parker, un importante accionista de canal 13 que tenía crónicos problemas legales, le prometió a Montesinos que despediría al periodista independiente César Hildebrandt a cambio de una sentencia favorable en una disputa por la propiedad de las acciones del canal.[88]

Entre los planes financieros elaborados para esconder el soborno de los magnates mediáticos, tal vez el más enrevesado fue el que diseñaron los propietarios de Cable Canal de Noticias (CCN), canal 10. CCN era propiedad de Manuel Ulloa van Peborgh y de Eduardo Calmell del Solar, un exparlamentario. Ambos eran también copropietarios de los periódicos profujimoristas *Expreso* y *Extra*. Los dos socios y Montesinos encontraron una tercera persona, un exaccionista de CCN, que arregló la venta ficticia de las acciones del canal al Ministerio de Defensa por dos millones de dólares para Ulloa y Calmell. Estos dos compartieron, además, 1,75 millones de dólares que recibieron de Montesinos como recompensa por el contenido editorial profujimorista de *Expreso*.[89]

La prensa amarilla, a la cual se conocía colectivamente como la «prensa chicha», atendía a las masas mal informadas. Los propietarios y editores de estos pasquines mostraban gran imaginación en propagar insultos estrambóticos, desinformación y manipulación sociopolítica. Los más exitosos en este tipo de periodismo y sus campañas «psicosociales» fueron los hermanos Alex y Moisés Wolfenson (este último un congresista fujimorista elegido en 2000), editores de *El Chino*. Otros propietarios de periódicos chicha como Rubén Gamarra (*La Yuca*) y José Olaya (*El Tío*) fueron sindicados por recibir cuantiosos subsidios impropios en 1999. Augusto Bresani, un periodista cercano al SIN, trabajó con Montesinos y el publicista Daniel Borobio en la transmisión tanto de titulares como de dinero a los editores de la prensa chicha. Bresani no solo recibía dinero de Montesinos sino también, a partir de 1997, de importantes corporaciones privadas decididas a prestar respaldo a Fujimori y sus campañas sucias. Entre los principales contribuyentes de la prensa chicha figuraron compañías extranjeras y grupos empresariales nacionales.[90] En marzo y abril de 1998, la prensa chicha lanzó una virulenta campaña de difamación contra prominentes periodistas independientes que iban descubriendo los aspectos más escabrosos del régimen, en particular aquellos

Fig. 23. Presidente Fujimori frente a una larga lista de escándalos de corrupción y abuso de poder destapados durante su largo régimen (1990-2000): «Heduardo en su tinta: ¿Y ustedes creen que seremos implacables con la corrupción...?». Por Eduardo Rodríguez, «Heduardo». *Caretas*, n.° 1562, 1999, p. 13.

que publicaban informes acerca de las fechorías de oficiales militares y de inteligencia en *La República*, entre ellos Fernando Rospigliosi, Ángel Páez y Edmundo Cruz. La manipulación de la prensa amarilla, complementada con amenazas de muerte y acusaciones de traición, representaba una censura *ex post facto* que caía pesadamente sobre los periodistas más honrados.[91]

Participación del sector privado

La formación de redes de corrupción en la década de 1990 tuvo conexiones estratégicas en el sector privado. Los fondos para el soborno se reunían considerablemente de este sector, el cual brindó, a la maquinaria de Montesinos-Fujimori una fuente importante para corromper y dominar la estructura de poder. Estos intereses privados buscaron activamente favores y protecciones especiales, se opusieron a regulaciones efectivas y tomaron parte en redes de corrupción encubiertas. Importantes cabildeos o *lobbies* económicos prestaron reiteradamente su respaldo a un régimen que prometía conservar un ambiente de negocios exageradamente desregulado y parcial para algunos grandes intereses. Sin embargo, en la década de 1990 el sector privado nacional se vio duramente golpeado por la competencia internacional. La drástica liberalización y privatización de la economía, bajo un régimen autoritario disfrazado, fue también, de interés para ciertas compañías e inversionistas extranjeros ávidos de riesgosa ganancia y dispuestos a competir por los favores oficiales.

Las reformas neoliberales emprendidas en el gobierno de Fujimori no tuvieron como resultado reglas de mercado claras. Sectores claves de la economía liberalizada se expusieron a retorcidas autoridades en colusión con intereses privados. Algunas compañías nacionales y extranjeras aceptaron y ensalzaron estas circunstancias de juego sucio sin principios. Inicialmente, los resultados macroeconómicos parecían ser ventajosos para todos. Los fondos de la privatización contribuyeron al espejismo. Sin embargo, la mayoría de este dinero no fue asignado al fortalecimiento del sistema económico, sino más bien desviado a otros fines propicios para consolidar beneficios económicos y políticos particulares. Al final, los crecientes problemas económicos originados en parte por el manejo corrupto de la economía y la falta de controles oficiales exacerbaron los conflictos dentro de y entre los intereses nacionales y extranjeros.[92] Las reformas económicas irregulares tuvieron de este modo consecuencias no intencionadas. De este modo, otra oportunidad histórica de alcanzar una reforma económica necesaria fue distorsionada y, finalmente, desperdiciada.

El grupo económico Romero lideraba un imperio maduro a finales de la década de 1960, que comprendía la banca (el Banco de Crédito del Perú,

BCP, el banco peruano más grande) y empresas agroindustriales (ALICORP), entre otras inversiones claves en el mercado nacional. La dirigencia del grupo había mostrado gran capacidad empresarial en la adaptación y transformación de sus activos empresariales. Sobrevivió exitosamente la reforma agraria velasquista aprovechando los bonos de expropiación para ingresar y dominar los protegidos sectores industrial y bancario. En la década de 1980, el grupo también se benefició de los incentivos a la inversión (cambiarios y tributarios) promovidos por el presidente García, en tanto que la gerencia del BCP diversificaba sus activos financieros para que incluyeran actividades *offshore*.[93] El alcance real de las vinculaciones entre los grupos nacionales más poderosos y las redes del poder en la década de 1990 solo puede ser inferido parcialmente a partir de algunas evidencias históricas existentes.

El jefe del grupo económico más importante del país, Dionisio Romero, tuvo reuniones secretas con Montesinos, en una de las cuales altos mandos militares, policiales y navales estuvieron presentes.[94] En esa reunión, Romero accedió a una entrevista periodística favorable a la relección de Fujimori que fue publicada poco después. Además, en medio de la hostil restructuración de propiedades y activos de la década de 1990, el BCP se vio envuelto en varios casos de cobranza judicial de deudas. Un caso particular involucró a la empresa naviera y pesquera Hayduk que fue confiscada y luego absorbida por su principal acreedor, el grupo Romero.[95]

Otro banquero importante que se reunía secretamente con Montesinos era Eugenio Bertini, gerente general del Banco Wiese (BW) y amigo cercano del asesor presidencial. Ambos intercambiaban información pertinente tanto al BW como a los designios financieros de Montesinos. Bertini también aconsejaba al asesor presidencial acerca de formas de mover dinero de cuentas *offshore* del extranjero y otras cuentas bancarias locales. Años más tarde Bertini fue absuelto, al igual que muchos otros agentes del sector privado envueltos en vínculos con el régimen, de las acusaciones judiciales a las que se vio expuesto por sus relaciones con Montesinos.[96]

Las operaciones de rescate gubernamental que beneficiaron al BW y a varias otras entidades bancarias locales, entre las cuales se encontraba el Banco Latino, expusieron el uso discrecional de fondos estatales desviados y una modificación *ad hoc* de las normas bancarias (Ley General de Banca de 1996) que prohibían expresamente que el gobierno asistiera a los bancos con problemas. Según las cuentas oficiales, en el periodo 1998-2000, estas operaciones de rescate que sumaron entre 935 y 1145 millones de dólares de los fondos públicos beneficiaron a intereses del sector privado mediante las directrices de los ministros de Economía Jorge Baca Campodónico (1998) y Joy Way (1999).[97] Estos fondos públicos de «rescate» provenían en parte de la apresurada liquidación de la banca de desarrollo de propiedad estatal.

En 1998, el BW experimentó serios problemas. Ignorando las advertencias de la Superintendencia de Banca y Seguros (SBS), la gerencia del banco optó por iniciar una fusión con el Banco de Lima Sudameris, una entidad financiera local de propiedad de intereses ítalofranceses. La fusión se realizó en junio de 1999, a pesar de la posición financiera extremadamente débil del BW, y contó con el respaldo activo del Ministerio de Economía, que suministró hasta 251 millones de dólares (entre 52 y 55 millones en efectivo, y alrededor de 195 o 196 millones en garantías financieras) para así apuntalar los depreciados activos del BW. Esta operación de rescate significó un desvío de fondos públicos que fue avalado por un decreto de emergencia (Decreto de urgencia n.° 034-99) promulgado en un momento sospechosamente oportuno para los intereses del moribundo banco (el 25 de junio de 1999).[98]

El Banco Latino era el buque insignia del grupo económico Picasso, que tenía inversiones en viñedos y bodegas de vino, minas y casas bursátiles. Para 1996, el Banco Latino se había especializado excesivamente en el otorgamiento de crédito a las compañías del grupo Picasso, que, a su vez, compraron activos altamente depreciados del banco. Esta estrategia de autofinanciamiento del grupo violaba patentemente las normas bancarias y ponía en riesgo los depósitos de sus clientes. La SBS mostró la luz roja, pero los accionistas del banco no prestaron atención. En 1998, el Banco de la Nación y el fondo de desarrollo COFIDE, instituciones estatales, fueron instruidos para que ayudaran al Banco Latino. COFIDE pasó a ser accionista del 86 por ciento de las acciones del tambaleante banco, asumió su control y continuó inyectando dinero hasta por una pérdida total de aproximadamente 436 millones de dólares. El Banco Latino fue liquidado a costa del Estado y solo entonces fue absorbido por otro banco, en el año 2000.[99] Otros bancos rescatados o liquidados (Banco Nuevo Mundo, NBK, Banex, Banco República, Orión, Daewoo, Serbanco y Finsur) dieron cuenta de unas pérdidas adicionales de entre 248 y 521 millones de dólares en fondos públicos irrecuperables.

Una serie de compañías privadas extranjeras también hicieron tratos subrepticios para conseguir favores judiciales y de otro tipo mediante sobornos pagados a funcionarios del más alto rango. La complicada estructura legal con respecto a los derechos de propiedad despertaba los apetitos de directivos de multinacionales dispuestos a negociar con la venal Administración Pública para provecho propio. Este no era un problema nuevo: en América Latina las compañías extranjeras envueltas en prácticas indebidas con funcionarios gubernamentales tienen una larga historia. Este patrón solo recientemente ha sido contenido, aunque de forma parcial, por leyes algo más duras en Estados

Unidos y Europa contra el soborno de funcionarios extranjeros. Sin embargo, tal como lo demuestran recientes trabajos periodísticos, el procesamiento y el castigo efectivo de estas compañías extranjeras en sus propios países resulta extremadamente difícil, debido a los grandes bolsillos y a los batallones de abogados corporativos que muchas multinacionales pueden esgrimir.[100]

Han surgido evidencias claras que implican a tres compañías extranjeras en sendos casos de soborno o evasión tributaria. Estas empresas defendían intereses por varios cientos de millones de dólares de inversión en el Perú. El conglomerado Empresas Lucchetti de Chile competía en la industria de procesamiento de alimentos en Lima; la Newmont Mining de Estados Unidos luchaba por la propiedad de la rica mina de oro de Yanacocha en Cajamarca y la canadiense Barrick Gold se esforzó por ahorrar millones en una estratagema de evasión tributaria vinculada a la explotación de minas de oro en Áncash.

En 1998, Lucchetti estaba enfrascada en una seria disputa legal con Alberto Andrade, alcalde de Lima y principal rival político de Fujimori. El problema giraba en torno a la tardía oposición presentada por Andrade a la construcción (concertada con la compañía constructora J. J. Camet, ligada a Jorge Camet, el exministro de Economía de Fujimori) de una sofisticada fábrica de fideos, valorizada en 150 millones de dólares, en los pantanos ecológicamente sensibles de Villa (Chorrillos, Lima). Sin embargo, otras compañías locales y extranjeras habían levantado plantas en la misma área protegida. Andrónico Luksic, el presidente de la compañía matriz chilena y uno de los hombres más ricos de América Latina, viajó a Lima para reunirse con Montesinos en el SIN. En unas reuniones grabadas secretamente, Luksic y otros ejecutivos de Lucchetti discutieron abiertamente la cuestión con Montesinos, quien prometió ayudarles a obtener una decisión judicial favorable. Poco después se le concedió a Lucchetti el derecho a proseguir con las operaciones de la fábrica de fideos. Los testigos confirmaron que esta empresa le pagó dos millones de dólares a Montesinos como una forma de contribución a la campaña política de Fujimori a cambio de estos favores judiciales. Este caso tuvo serias repercusiones en las relaciones bilaterales con Chile, y la fábrica Lucchetti se vio forzada a cerrar en enero de 2003.[101]

Yanacocha, el yacimiento de oro más grande y rico de Sudamérica, es un conjunto de minas a cielo abierto en una concesión que abarca 260 kilómetros cuadrados cerca de la ciudad de Cajamarca. Para 1992, su exploración y desarrollo inicial fue llevado a cabo fundamentalmente por la empresa peruana Minas Buenaventura (grupo Benavides), con el 32,3 por ciento de las acciones; la Newmont Mining Corporation de Denver, con el 38 por ciento, y la compañía estatal francesa Bureau de Recherches Géologiques et Minières (BRGM), con el 24,7 por ciento. La Corporación Financiera Internacional del

Banco Mundial también participó como accionista minoritario con 5 por ciento.

En 1994, el primer año de las operaciones notoriamente rentables de la mina, el Estado francés privatizó BRGM y ordenó que los activos franceses de Yanacocha pasaran a la compañía australiana Normandy Mining Ltd. Por su parte, Newmont, una de las compañías mineras de oro más grandes del mundo, y Buenaventura sostenían que como socios primigenios tenían un derecho contractual de preferencia sobre el 24,7 por ciento que BRGM intentaba transferir a Normandy Mining.[102]

El juicio subsiguiente, que puso en jaque una inversión de aproximadamente 500 millones de dólares, llegó a la Corte Suprema del Perú en 1998. Este proceso pasó a ser un punto focal de las presiones opuestas por parte de los gobiernos de Estados Unidos y Francia sobre el gobierno de Fujimori. Peter Romero, el subsecretario de Asuntos Latinoamericanos de Estados Unidos, insistió sobre el problema en reuniones con Fujimori y llamadas a Montesinos. John Hamilton, el embajador de Estados Unidos en Lima, también se reunió con Montesinos por este mismo tema.[103] En consecuencia, Montesinos citó en el SIN a Jaime Beltrán, juez de la Corte Suprema, con el cual tuvo una reveladora reunión registrada para la posteridad. Montesinos le dijo a Beltrán que los intereses nacionales del país estaban en juego y que el problema judicial ya no era una cuestión privada entre compañías mineras. No había otra opción: el juicio debía ser arreglado a favor de los intereses estadounidenses, puesto que, como árbitro internacional, Estados Unidos podía apremiar al gobierno ecuatoriano a que firmara rápidamente un crucial tratado con el Perú.[104]

Montesinos también le prometió a Beltrán un ascenso. Al día siguiente, el voto del juez Beltrán inclinó la balanza hacia una decisión favorable para Newmont-Buenaventura.[105] Newmont eventualmente arregló la cuestión financiera con Normandy por 80 millones de dólares. Sin embargo, el empresario francés Patrick Maugein —asesor del presidente Jacques Chirac de Francia— y otros testigos del sistema especial anticorrupción declararon hacia el año 2002 que Newmont-Buenaventura habría pagado hasta cuatro millones de dólares a Montesinos en 1998.[106]

La estratagema de evasión tributaria de la compañía canadiense Barrick Gold Corporation fue posible gracias al mal manejo fiscal característico del régimen venal de Fujimori. Aprovechando un instrumento legal (el Decreto supremo 124-4-EF de 1996) diseñado para extender favores especiales a las fusiones y privatizaciones de empresas, Barrick simuló la fusión de dos de sus compañías subsidiarias para así conseguir deducciones tributarias que sumaban 141 millones de dólares debidos al gobierno peruano (sin contar los 51 millones en intereses por el periodo 1996-2003).[107] Sin embargo, este caso no estuvo ligado al pago de sobornos a las autoridades tributarias o económicas. Pese a ello, la cuestión tributaria de Barrick formó parte del problema más amplio del manejo interesado de la política económica, que incluyó turbias estrategias de rescate bancario y de privatización, sancionadas por ministros de Economía ligados a intereses privados y extranjeros. En tales circunstancias, varias otras compañías extranjeras también defraudaron impuestos o abusaron de otros arreglos financieros con el Estado peruano.[108] El acumulado deterioro institucional causado por la corrupción sistemática había servido de barrera para el ingreso de 2363 millones de dólares estimados para el año 2000-2001, suma que ajustada conservadoramente a los vaivenes de la década de 1990 representaría un costo indirecto total de por lo menos 10.000 millones de dólares en inversión extranjera perdida durante el periodo 1990-1999. Este cálculo se basa en que muchas empresas extranjeras percibían que el pago casi obligatorio de sobornos era un impuesto excesivamente costoso y de alto riesgo.[109]

Durante el gobierno de Fujimori, el sector privado también se benefició de un proceso de reforma estatal y financiera llevado a cabo en secreto y con pocos controles. Carlos Boloña era un economista de alto nivel, educado en las mejores universidades peruanas y extranjeras. Antes de convertirse en el segundo ministro de Economía de Fujimori en febrero de 1991, Boloña fue un empresario exitoso, copropietario de una universidad particular y titular de varias franquicias extranjeras en el Perú. A comienzos de la década de 1990, sus ideas liberales derivaron en un autoritarismo económico teñido de ambición política.[110] Boloña colaboró activamente con Fujimori y Montesinos para implementar en el Perú una transformación económica radical pero torcida. Aparentemente, el avance del control de la inflación y las transformaciones estructurales, entre las cuales estaba la restructuración de la recaudación de impuestos, aranceles y aduanas, y de las finanzas, así como la privatización de las compañías y servicios estatales, ayudaron a liberalizar los constreñidos mercados nacionales.[111]

Sin embargo, bajo la égida de Boloña se firmaron veintinueve decretos secretos inconstitucionales para asignar fondos según objetivos políticos del presidente. Gracias a estos «decretos secretos» que evadían requisitos legales y la supervisión parlamentaria, unas cuantas compañías privadas, compañías extranjeras y grupos militares se beneficiaron con una parte importante de los fondos y gastos públicos. Durante su segunda época como ministro, en septiembre de 2000, Boloña firmó por órdenes de Fujimori el último decreto secreto que le pagaba una compensación de 15 millones de dólares por servicios a Vladimiro Montesinos, caído ya en desgracia.[112]

Estos decretos secretos se usaron frecuentemente como favores especiales y recompensas políticamente motivadas. El autogolpe de 1992, que tuvo lugar durante la primera época de Boloña como ministro de Economía, se dio en parte para facilitar medidas económicas aún más autoritarias. Al permanecer como ministro de Economía, Boloña le otorgó al régimen inconstitucional el apoyo y la justificación económica profesional requerida en el ámbito internacional. Más adelante, en el año 2000, Montesinos planeó otro golpe para colocar a Boloña como el nuevo rostro civil del régimen autoritario en decadencia.

Los malos manejos financieros y económicos habían incrementado considerablemente los costos de transacción, a la par que la economía entraba en crisis y recesión en los últimos tres años de la década (1997-1999). Sin los esperados resultados económicos, el gobierno dependió fundamentalmente de la decreciente inversión extranjera, los fondos de la privatización y las exportaciones primarias. Estas políticas diseñadas e implementadas por Boloña contaron con un amplio respaldo del sector privado local y de los curtidos inversionistas extranjeros.

El ingeniero Jorge Camet también tenía sólidos antecedentes empresariales antes de convertirse en ministro de Economía en enero de 1993, al finalizar la primera gestión de Boloña. Camet continuó la administración financiera del desvirtuado modelo «neoliberal», iniciado por Hurtado Miller y Boloña. Sin embargo, Camet se mantuvo como ministro de Economía hasta junio de 1998, una de las gestiones más prolongadas de un ministro en el siglo XX peruano. Durante su gestión, el conflicto de intereses fue frecuente si se considera la forma en que J. J. Camet Contratistas Generales (JJC), la empresa de familiares del ministro, creció durante su gestión. De ser una compañía constructora de mediano tamaño, JJC pasó a ser uno de los cuatro más grandes contratistas del Perú, gracias a la recepción de importantes proyectos del sector público.[113] Sin embargo, en parte las cuestiones que le provocaron a Camet serios problemas tras la caída de Fujimori estuvieron ligadas a la recompra «silenciosa» de bonos de la deuda externa peruana, como parte de la reinserción financiera del país con organismos y bancos internacionales, y la irregular asignación de los fondos de privatización luego de que Camet firmara trece «decretos secretos».

La transacción sigilosa de recompra de bonos de la deuda, tal como fuera originalmente concebida por Boloña en 1992, debió tomar solo seis meses, y el gobierno peruano habría pagado supuestamente entre el 10 y el 15 por ciento del valor nominal de los bonos a través del bróker J. P. Morgan. La transacción se vio empero demorada y fue implementada recién a partir de 1993 por el ministro de Economía Camet. Contando ahora con el respaldo de los crecientes fondos procedentes de la privatización y con una relación regularizada con el FMI, se contrató la intermediación de la Swiss Bank Corporation (SBC) para la compra en el mercado secundario de bonos de la deuda externa a precios de mercado devaluados. Así, la operación de recompra de la deuda se extendió por alrededor de tres años e incluyó una deuda antigua y singular con Rusia, originalmente atada a la adquisición de material bélico ruso, por intermedio nuevamente de la SBC. Mientras tanto continuaban las negociaciones del Plan Brady, concretado recién en 1997 con un canje de bonos con un descuento equivalente al 45 por ciento del valor nominal del principal e intereses de la deuda antigua con la banca internacional.[114]

Coincidentemente, se constituyó un fondo *offshore* privado en Gran Caimán en 1994, el Peruvian Privatization and Development Fund, con la participación mayoritaria del HSBC y del BCP, para comprar papeles de deuda destinados a gananciosas transacciones de privatización. Por otro lado, especuladores financieros (Elliott Associates y otros) aprovecharon para adquirir parte de la deuda devaluada hacia 1996. Caído el régimen de Fujimori se dieron serias alegaciones en el seno del Congreso sobre que, en estas transacciones de deuda, hubo indicios de conflicto de intereses e información privilegiada, abusos por lo general consentidos o despenalizados durante el régimen de Fujimori. El Estado peruano había invertido 1000 millones de dólares para recomprar los mencionados bonos por entre el 35 y el 52 por ciento de su valor nominal.[115]

Más allá de que las estrategias de privatización hayan sido limpias o no,[116] lo cierto es que el régimen de Fujimori-Montesinos fue responsable del desvío de los fondos de la privatización fuera de las áreas que promovían el crecimiento. Dichos fondos se usaron notoriamente para gastos militares autorizados por Camet. En la década de 1990, 992 millones dólares de fondos de este tipo dieron cuenta de más de la mitad del presupuesto total de las adquisiciones de defensa, que sumaron un total 1885 millones dólares. En definitiva, aproximadamente el 78 por ciento de los 4359 millones de dólares de ingresos totales provenientes de la privatización recibidos por el gobierno entre los años 1992 y 2000 se desviaron para financiar acuerdos de la deuda externa, compras de armas y gastos políticamente afines.[117]

El aspecto más escabroso de este mal uso de los fondos de la privatización fue la compra de aviones usados y otros materiales militares depreciados de gobiernos extranjeros mediante comisiones ilegales y en medio de las disputas limítrofes con el Ecuador en el periodo 1995-1998. Camet, Fujimori, Montesinos, diecisiete otros exministros (entre ellos Alberto Pandolfi y Jorge Baca Campodónico) y altos oficiales militares asociados fueron implicados en esta trama. Estos negociados formaron parte importante de la maquinaria de corrupción militar que estuvo en el centro de la corrupción pública y privada del decenio de 1990.[118]

Corruptelas militares

Montesinos diseñó y adaptó un mecanismo complejo, informal y encubierto de ingresos y gastos ilegales para sustentar los principales puntales del régimen transgresor de Fujimori. Los detalles del funcionamiento de esta maquinaria explican las fuentes diversas de fondos para sobornos. Bajo las circunstancias de instituciones debilitadas por el golpe de 1992 y la reorganización del comando militar, Montesinos montó una maquinaria corrupta que tenía su centro en el SIN y se extendía a varias otras ramas, en particular a las instituciones militares y policiales y a sus respectivos altos mandos.

El uso y el abuso de la información de inteligencia generó poder y dinero para Montesinos y sus aliados. Ampliar el alcance y el presupuesto del sistema centralizado de inteligencia bajo su mando era el medio para conservar y multiplicar las bases de apoyo de Fujimori. El coronel del ejército Roberto Huamán, el principal operador técnico del SIN, estaba a cargo de grabar reuniones secretas y conversaciones telefónicas con amigos y enemigos políticos. Huamán le fue leal a Montesinos hasta el final.[119] La fuerza de seguridad personal del asesor estaba a cargo del coronel de la policía Manuel Ayvar Marca y de una serie de otros oficiales, algunos de ellos ligados al paramilitar Grupo Colina y a la falsificación a gran escala de firmas en el proceso electoral. El equipo de asesores legales de Montesinos lo encabezaba Javier Corrochano e incluía a Pedro Huertas y a Grace Riggs, entre otros.[120] La gestión administrativa de la compleja red de Montesinos fue manejada en parte por dos mujeres: Matilde Pinchi Pinchi, su asistente en operaciones de lavado de dinero y diversos operativos ilegales, y María Arce Guerrero, una secretaria que entregaba el dinero de los sobornos a sus receptores.[121] José Villalobos, el cajero del SIN, administraba los fondos ilegales de las así llamadas «acciones reservadas». El general del ejército Julio Salazar Monroe (1991-1998) y el contralmirante Humberto Rozas (1998-2000), dos jefes formales del SIN, eran simples figurones que seguían órdenes de Montesinos. Sin embargo, los asociados más cercanos del asesor presidencial constituían el lado vulnerable de su organización, debido a la información sensible que manejaban y guardaban. La mayor parte de las evidencias condenatorias presentadas posteriormente ante los tribunales en contra de Montesinos tuvo su origen en aquel núcleo central, en especial los colaboradores eficaces Pinchi Pinchi, Corrochano, Salazar, Rozas y Villalobos.[122]

La familia Montesinos —sus hermanas, cuñados, sobrinos, esposa e hija—, cuyos nombres en cuentas, bonos y otros bienes por el estilo sirvieron para esconder la fortuna personal del asesor presidencial, solamente prestó una asistencia pasiva y tuvo poco que ver con el manejo directo de la maquinaria.[123] De igual modo, la amante de Montesinos, Jacqueline Beltrán, recibió costosos regalos y favores, pero tuvo poco o ningún papel operativo que desempeñar.

Los ingresos generados por las vastas y variadas fuentes aprovechadas por la red de Montesinos requerían un sofisticado manejo y lavado financiero. Varios asesores financieros ofrecieron sus servicios para estas operaciones ilegales. Los más importantes agentes financieros o testaferros eran también socios en las compras a gran escala de armas y materiales con las cuales Montesinos, Fujimori y los más altos jefes militares y policiales obtuvieron jugosas comisiones.

Hubo tres grupos o compañías principales que negociaron la compra de armas y equipos: W21 Intertechnique, dirigida por Alberto Venero y Luis Duthurburu, participó en acuerdos de compras de armas por un valor de 473 millones de dólares; el grupo de Zvi Judit, James Stone y socios (Sutex/SEP International), lo hizo por uno de 248 millones de dólares; y los intereses representados por Joy Way, se involucraron en compras por 120 millones.[124] Las irregularidades en la contratación de estas grandes adquisiciones implicaron equipos de baja calidad, que pusieron en peligro la vida y misiones del personal militar. El caso más escandaloso fue la compra de aviones de combate usados Mig-29 y Sukhoi-25 a Bielorrusia (negociada por W21 Intertechnique), algunos de los cuales se precipitaron a tierra durante vuelos de entrenamiento.

El descubrimiento de cuentas bancarias secretas en Suiza y otros lugares por parte de autoridades nacionales e internacionales y las confesiones de los colaboradores eficaces ayudaron a sacar a la luz el funcionamiento de una red financiera internacional de lavado de dinero, estrechamente vinculada con comisiones ilegales en la adquisición de equipos militares. Los grupos principales de negociadores y agentes de armas cobraban 15 por ciento para cubrir sus propias comisiones y costos en cada acuerdo; además, «pagaban» una tradicional «comisión» adicional de 15 por ciento por cada trato directamente a Montesinos, quien la compartía con sus principales socios militares y políticos.[125] De este modo, dichas compras irregulares de equipos militares produjeron una pérdida de más de 30 por ciento al Estado peruano. Los fondos apropiados ilegalmente por Montesinos y sus socios se transfirieron a cuentas bancarias en Estados Unidos, Luxemburgo, Rusia, Israel, Suiza y el Caribe, con la ayuda de los mismos traficantes de armas convertidos en agentes financieros.

Las transferencias constantes entre cuentas internacionales se usaron como un medio de lavado de dinero. Montesinos eventualmente colocó una gran parte de estos fondos ilegales en cuentas bancarias de Suiza, mediante los costosos servicios de traficantes de armas y agentes financieros. Estos servicios financieros incluían, asimismo, la apertura de cuentas y la transferencia de fondos a varios otros socios militares en los negocios de armas, entre los cuales se encontraba el jefe del Estado Mayor del Ejército Nicolás Hermoza.[126] Las cuentas del banco suizo vinculadas con Montesinos, sus agentes y socios, que sumaban 114 millones de dólares, fueron confiscadas por las autoridades suizas en el periodo 2000-2001. Todas estas cuentas bancarias en el extranjero vinculadas con Montesinos superaban los 246 millones dólares.[127]

Venero y Duthurburu, los agentes financieros en la compra de armas, también tomaron parte en el desfalco del fondo de pensiones militar policial, que arrojó un saldo de 500 millones de dólares en pérdidas entre 1992 y 1999. La Caja de Pensiones Militar Policial (CPMP) centralizaba los fondos de pensiones de aproximadamente 100.000 miembros del personal militar, en actividad y en retiro. Esta operación fue una fuente importante de fondos para la red de corrupción de Montesinos. La maniobra consistía fundamentalmente en apropiarse de estas reservas mediante la venta ficticia de bienes raíces a la Caja.

En 1992, la CPMP fue reorganizada para que satisficiera las necesidades de dinero de Montesinos y sus agentes. El asesor presidencial, en colusión con altos mandos militares a cargo de la Caja, cambió la conservadora estrategia financiera del fondo de pensiones. La CPMP se vio así expuesta a riesgosas operaciones crediticias y de bienes raíces diseñadas y ejecutadas por Venero, Duthurburu, Juan Valencia Rosas y sus asociados. Estos agentes y socios crearon doce empresas en el Perú y diez en Panamá para que manejaran y lavaran las utilidades ilegales, además de ayudar a Montesinos a transferir fondos dentro y fuera del país.[128]

La CPMP compró edificios, hoteles, terrenos y otras propiedades sobrevaluadas a propietarios del sector privado, que pagaban «comisiones» del 10 por ciento del valor de la transacción en efectivo. La mitad de este soborno era entregada directamente a Montesinos por Venero, y el resto era dividido entre los socios de este último y otras autoridades. Otra fuente de un periodo anterior (1992) indicó que la distribución de la corrupción en la CPMP en 1992 era como sigue: 25 por ciento para Montesinos, 25 por ciento para el ministro de Defensa (el general Víctor Malca), 25 por ciento era repartido entre los generales y almirantes de la junta de directores de la CPMP, y 25 por ciento para Venero y sus socios. Con esta operación, Montesinos obtenía más de 20 millones de dólares. En consecuencia, la liquidez de la CPMP cayó de 124 millones de dólares en 1991 a apenas 5 millones en 1999. Además, los activos riesgosos en bienes raíces subieron de 32 millones a 217 millones, la deuda de los clientes se incrementó de 67 millones a 479 millones, y las obligaciones de la institución subieron de 282 millones a 670 millones.[129]

Los patrones de corrupción militar preexistentes fueron modificados substancialmente durante la década de 1990.[130] Montesinos centralizó eficazmente no solo la red de inteligencia nacional, antes segmentada en las diversas fuerzas militares y policiales, sino también los ingresos provenientes de la corrupción en las Fuerzas Armadas. Montesinos se posicionó así como un rentista que se beneficiaba de los ingresos militares, compartidos en formas y porcentajes acordados con el alto mando militar, los ministros de Defensa y el mismo Fujimori. Cada nombramiento importante en las Fuerzas Armadas y los ministerios de Defensa e Interior era detenidamente supervisado y aprobado por Montesinos. Esta influencia se vio facilitada por los contactos de amigos y familia que había cultivado entre los integrantes de su promoción de oficiales de infantería.[131] Montesinos se aseguró de que las personas nombradas participarían en su juego y seguirían las reglas informales que él había establecido en la extracción y el reparto del botín. Sin embargo, ya desde abril de 1993, diplomáticos estadounidenses detectaron un creciente descontento entre los oficiales injustamente desplazados. A unos cuantos opositores militares tenaces se les ajustó cuentas rápida y contundentemente. La humillante derrota en la guerra fronteriza con el Ecuador, en enero-febrero de 1995, se sumó a la creciente pérdida de prestigio interno de los militares.[132]

Según los colaboradores eficaces, Montesinos exigió a los distintos comandos militares y policiales el 25 por ciento de la comisión total por las coimas (tradicionalmente, la comisión total representaba a su vez el 15 por ciento del valor total de la transacción) en la compra de materiales y equipos, con el argumento de que el SIN tenía costos operativos excepcionalmente urgentes que debían ser cubiertos confidencialmente. En el caso de las fuerzas policiales, abastecidas por SEP International, el 75 por ciento restante de la comisión total por coima, después de deducirle el 25 por ciento de Montesinos, era repartida con igual justificación como sigue: 25 por ciento para el ministro del Interior, 17 por ciento para el director de la Oficina General de Administración (OGA) del Ministerio del Interior, 17 por ciento para el director de la Policía Nacional del Perú (PNP), y 16 por ciento para el director de logística de la PNP.[133]

De este modo, se estableció una estrecha sociedad en la corrupción y una alianza política entre Montesinos y los sucesivos generales a cargo de las instituciones y ministerios militares y policiales. La lista de socios comprendía a más de treinta generales del ejército, la fuerza aérea y la policía, así como a almirantes de la marina. Varios de los generales implicados incrementaron su fortuna al ser nombrados ministros de Defensa o del Interior, y sucesiva o simultáneamente, comandantes de una de las principales armas.

Un episodio relatado por Jorge Camet, el asediado exministro de Economía, en el transcurso de sus declaraciones ante el procurador especial José Ugaz en el año 2001, ayudó a desembrollar las conexiones existentes entre el comando militar, los ministros de Defensa y del Interior, Montesinos y Fujimori. El 12 de junio de 1997, Camet fue llamado por el general del ejército César Saucedo Sánchez, ministro de Defensa, para una reunión urgente en el cuartel general del ejército, también conocido como el «Pentagonito», junto con los jefes de las tres Fuerzas Armadas: el general Nicolás Hermoza (Ejército), el almirante Antonio Ibárcena Amico (Marina) y el general Elesván Bello Vásquez (Fuerza Aérea).

En la reunión con Camet, los jefes militares exigieron más compras de armas, a pesar de la reciente alza en gastos de armamento financiados mediante decretos secretos. Argumentando que la renovada escalada en el armamento militar ecuatoriano exigía un mayor gasto, le pidieron al entonces ministro de Economía que cumpliera sus demandas por un total de 425 millones de dólares. Camet objetó particularmente la compra de seis aviones de combate rusos exigidos por el comandante de la fuerza aérea, puesto que apenas un año antes había sido financiada la compra de treinta y seis Mig-29 y SU-25 bielorrusos con escandalosos resultados. Para sorpresa de Camet, Fujimori eventualmente aprobó la compra sobrevaluada de tres Mig-29 rusos a través de Sutex/SEP International. El gobierno pagó 42 millones dólares en lugar del precio estándar de 30 millones por cada avión. El 4 de julio de 1998, una de las cámaras secretas de Montesinos lo filmó, junto con los comandantes militares y otros oficiales, brindando con copas de vino por la firma del contrato de compra de las aeronaves.[134]

Montesinos y los comandantes del ejército acababan de cerrar otra transacción de su trama, vigente desde al menos 1992, cuando el jefe de espías impuso varios acuerdos complementarios entre los militares y Fujimori. La corrupción de alto vuelo tenía sus metas y lógica más allá de los dispersos beneficios individuales. En la década de 1990, la causa fundamental y el objetivo de la corrupción eran predominantemente políticos. Fujimori y Montesinos acordaron en el cuartel del SIN, en mayo de 1992, formar un «fondo de contingencia» destinado a financiar las campañas reeleccionistas que preservarían el régimen transgresor. El fondo para los sobornos sería conformado con la cuarta parte de todas las comisiones ilícitas cobradas por las autoridades militares y policiales en la compra de armas y materiales, así como con las comisiones de las transacciones de la CPMP y una parte no determinada de los fondos de la privatización. Montesinos implementó la propuesta reuniendo al ministro de Defensa, el general Víctor Malca, y a los comandantes de las Fuerzas Armadas de ese entonces. Montesinos y Malca inicialmente se hicieron cargo del manejo de este fondo de contingencia, que acumuló más de 200 millones de dólares en cuentas en el extranjero, manejadas por Montesinos y sus agentes a finales de la década de 1990. Además de su propia parte, al general Malca y a los sucesivos ministros de Defensa, todos ellos generales del ejército, se les prometió una larga estadía en sus cargos.[135] Obviamente, cuanto más grande fuera el gasto militar, tanto más jugoso sería el ingreso proveniente de las coimas.[136] Malca, nombrado embajador en México en el periodo 1996-1997, acumuló una fortuna personal de aproximadamente 14 millones de dólares en diversas cuentas bancarias en el Perú, Nueva York y Gran Caimán.[137]

Como parte del acuerdo de 1992, los militares y las fuerzas policiales entregaron fondos ilegales al SIN que sumaron entre 63 y 74 millones de dólares en el periodo 1992-2000. Esta transferencia aumentó el presupuesto oficial del SIN aproximadamente entre 260 y 300 por ciento. Sin embargo, las instituciones militares y policiales fueron compensadas por estos fondos rendidos al SIN. Montesinos diseñó un mecanismo mediante el cual las instituciones armadas y policiales, juntamente con el SIN, le entregaban pedidos de incrementos presupuestarios especiales al ministro de Economía (Boloña, primero, y Camet y otros, posteriormente) para un «régimen de ejecución especial» o «componente de zona de emergencia». Estos pedidos de fondos irregulares, aprobados mediante decretos especiales, se justificaron afirmando que eran para reforzar el sistema de inteligencia nacional, ante una situación de emergencia creada por el terrorismo y el narcotráfico. Una vez otorgados, las instituciones militares y policiales también transferían una parte de estos fondos especiales al SIN.[138]

Todos los comandantes militares, ministros de Defensa e Interior subsiguientes, se involucraron en diversas transacciones que tuvieron como resultado su evidente enriquecimiento. Un ejemplo importante es el de los funcionarios del Ministerio del Interior. Entre 1997 y 2000, este ministerio aceptó 32 contratos secretos con los tratantes Sudit y Lerner para el suministro de uniformes, vehículos y otros equipos. Dichos contratos estipulaban las comisiones indebidas: 16 por ciento de todo el valor de la compra iba a Montesinos y 4 por ciento, a las autoridades del ministerio.[139]

Con los fondos así recibidos, el general Saucedo, ministro del Interior y exministro de Defensa, abrió una cuenta con la compañía de fachada Sanford Overseas Corporation en un banco *offshore* en las Antillas Holandesas.[140] Además, el general Óscar Villanueva Vidal, exjefe de la oficina de economía del ejército (OEE) y la oficina general de administración del Ministerio del Interior (OGA), quien ganaba apenas 5700 soles (1600 dólares) al mes, logró manejar cinco compañías de fachada con socios tales como Venero y Kruger, vinculados con la administración financiera de Montesinos. Villanueva Vidal era un colaborador estrecho de los ministros Hermoza, Saucedo y José Villanueva Ruesta, y poseía tres casas con un valor total de 750.000 dólares. Antes de suicidarse en septiembre de 2002, Villanueva Vidal hizo informativas confesiones al juez.[141]

Una de las últimas compras militares del régimen de Fujimori comprendió la adquisición de cien caballos pura sangre, viejos y sobrevaluados, en enero de 2000, una operación cuya documentación reporta un proceso de licitación abierta que jamás tuvo lugar. Tanto el ministro de Defensa de ese entonces, el general Carlos Bergamino, como el general Villanueva Ruesta, comandante en jefe del ejército, la aprobaron. Asimismo, Villanueva Ruesta, exministro de Defensa y del Interior (1997-1999), poseía activos adquiridos por valor de más de un millón de dólares. Uno de los últimos actos de Bergamino fue facilitar, en colaboración con el ministro Boloña, los quince millones de compensación a Montesinos tras su caída.[142] Sin embargo, la malversación de fondos públicos no fue la única fuente de ingresos ilegales de Montesinos y sus socios militares. Otros medios con que recabar fondos ilegales para lucro personal, poder y metas políticas involucraban el creciente azote del narcotráfico.

Colusión con el narcotráfico

Montesinos y militares de alto rango también negociaron con narcotraficantes. Estas osadas actividades finalmente resultaron ser sumamente dañinas para el prestigio internacional y local de las instituciones militares y de inteligencia. En última instancia, contribuyeron a la caída del régimen.

Dado el impacto económico y sociopolítico que el tráfico de drogas tuvo desde la década de 1980, Montesinos y los militares buscaron dominar la política antidroga y su ejecución. La meta implicaba desplazar y transformar a las agencias policiales tradicionalmente a cargo de la represión del narcotráfico en el Perú, así como penetrar la policía nacional con agentes vinculados directamente a Montesinos.[143] La estrategia surgió a partir de la experiencia de los militares al enfrentar el problema dual del narcotráfico y el terrorismo al finalizar la década de 1980.[144] Con la asesoría de Montesinos y dos ministros militares, Fujimori reorganizó en 1990 el Ministerio del Interior, donde se sospechaba existían vínculos con narcotraficantes; ello sería el primer paso hacia el control militar de los operativos tanto de antinarcóticos como antiterroristas.[145] Esta medida fue complementada minando los tribunales especiales que procesaban los delitos relacionados con drogas y reemplazándolos con tribunales normales presididos por jueces y fiscales que trabajaban estrechamente con Montesinos en el sistema judicial.[146]

Un mejor control del manejo de los esfuerzos de interdicción de las drogas por parte de las agencias militares y de inteligencia estaba justificado para prevenir la alianza de los narcotraficantes con los terroristas. Por tanto, un paso hacia la resolución del problema de las drogas en las aisladas regiones selváticas, donde los rebeldes de Sendero Luminoso y el MRTA estaban activos, fue destruir la amenaza terrorista.[147] Sin embargo, la militarización de los esfuerzos antidrogas llevó a «recompensas» informales que los comandantes militares obtenían de cuotas impuestas a los narcotraficantes.[148]

Además de la tensión creada entre los aliados militares de Montesinos y las agencias policiales especializadas, otras importantes tensiones surgieron de las estrategias opuestas de dos agencias de Estados Unidos que actuaban en el Perú: la Central Intelligence Agency (CIA) y la Drug Enforcement Administration (DEA).[149] Esta tensión precedió las fricciones entre Montesinos y Barry McCaffrey, el zar estadounidense antidrogas, durante sus visitas al Perú en 1996 y 1998. El primero se presentaba sin anunciarse a las reuniones del segundo y otros funcionarios peruanos. Luego de estas reuniones, se filtraron a la prensa videos editados que mostraban el aparente respaldo de McCaffrey a Montesinos. Debido a este audaz juego, Montesinos era visto cada vez más como un pasivo potencialmente peligroso a ojos de algunos funcionarios norteamericanos. Un serio cargo contra Montesinos y sus socios militares era que usaban los fondos antidrogas de Estados Unidos para perpetrar, más bien, violaciones de los derechos humanos.[150]

La participación pasada de Montesinos en la defensa legal de narcotraficantes y en el suministro de información de inteligencia a la CIA tuvo un papel crucial en establecer las bases de un perverso sistema antidrogas que quedó firmemente asentado después del golpe de 1992. Los decretos ejecutivos le dieron al ejército el mando exclusivo de las operaciones antidrogas en regiones claves, además del control en los aeropuertos a la fuerza aérea y en los puertos a la marina. El sistema tenía metas contradictorias. Por un lado, Montesinos contaba con el necesario respaldo local e internacional para asumir el control de las operaciones de interdicción de las drogas, que bajo su mando fueron consideradas «efectivas» por los especialistas. Por otro lado, el aparato militar-SIN permitía las actividades de narcotraficantes pero, al mismo tiempo, ordeñando para beneficio propio los ingresos derivados de estas.[151]

La creciente exposición pública de los escándalos relacionados con las drogas, juntamente con las flagrantes violaciones de derechos humanos, deterioraron el espacio público disponible para que Montesinos y los militares jugaran con el respaldo nacional e internacional. Un grupo de trabajo parlamentario obtuvo confesiones y declaraciones de soldados testigos que denunciaron los tratos entre las autoridades militares y los narcotraficantes. En condiciones adversas, los parlamentarios del grupo de trabajo descubrieron el pago de cuotas a los militares por permitir el transporte de drogas, además de la asistencia que los oficiales prestaban a los narcotraficantes apresados. La prensa reportó detenidamente estos casos de corrupción en las fuerzas militares y policiales. Este patrón apareció claramente en el escándalo desatado por las declaraciones dadas por narcotraficantes en audiencia públicas.[152]

A comienzos de la década de 1990, Demetrio Chávez Peñaherrera, alias «Vaticano», operaba desde una pista de aterrizaje en Campanilla, región del alto Huallaga, como proveedor de pasta básica de cocaína a los carteles colombianos. Sus operaciones comprendieron 280 vuelos de aviones ligeros entre Perú y Colombia en el periodo 1991-1993. Vaticano declaró en su juicio haberle entregado 50.000 dólares mensuales a Montesinos y a los comandantes de la zona militar para que ignoraran los vuelos. Se negó a pagar cuando la cuota fue elevada a 100.000 y entonces huyó a Colombia. En enero de 1994, Vaticano fue arrestado en Bogotá y extraditado al Perú, donde se le acusó de colaborar con los terroristas y se le tuvo aislado y sometido a torturas en una prisión militar. El caso fue transferido a un tribunal civil debido a la falta de evidencias que mostraran conexiones con los terroristas. En estas audiencias públicas, Vaticano declaró haber sobornado a Montesinos y a las autoridades militares, y que ocasionalmente recibía mensajes radiales advirtiéndole de las inminentes incursiones antidrogas.[153]

En enero de 1995, un cargamento de 3342 kilos de cocaína pura fue confiscado en la ciudad norteña de Piura, antes de que fuera embarcado a bordo de una nave que se dirigía a México. Este era uno de las más grandes decomisos de droga realizadas hasta la fecha en el Perú. La droga había llegado a Piura en una caravana de camiones que no se revisó a lo largo de todo el camino, procedente de una hacienda, cerca del pueblo selvático de Juanjuí y de las bases militares de Bellavista, en el valle del alto Huallaga. Este operativo antidroga y las grandes incautaciones subsiguientes fueron realizados por agentes policiales alertados por la DEA. Los hermanos López Paredes lideraban al cártel «Los Norteños» y tenían contactos entre funcionarios de alto rango del Ministerio del Interior y el mando militar. Los miembros de este cártel, apresados en Perú y México, denunciaron el pedido de sobornos hecho por Javier Corrochano, un cercano asociado de Montesinos.[154]

Corrochano y otras personas del entorno del asesor también tenían contactos con «Los Camellos», un grupo productor de cocaína ligado al cártel de

Tijuana. Para 1999, este grupo había integrado la producción y la comercialización de la droga: materias primas en la selva de Ayacucho, procesamiento de cocaína en Chincha y envío de la droga junto con textiles y productos biológicos desde el puerto del Callao. Otro grupo de la región de Oxapampa, en el Perú central, produjo pasta básica de cocaína y pagó a las autoridades militares de la región 15.000 dólares por vuelo cargado con la droga. Estas operaciones promediaban, al menos, los diez vuelos al mes.[155]

Uno de los incidentes más embarazosos para las autoridades militares y de inteligencia fue el descubrimiento, en mayo de 1996, de un cargamento de 174 kilos de cocaína a bordo de un avión DC-8 de la Fuerza Aérea peruana, destinado para uso del presidente, que estaba a punto de volar de Lima a Europa. También se encontraron drogas en dos naves de la marina peruana: 162 kilos de cocaína en el BAP *Matarani* y 62 en el BAP *Ilo*. Las investigaciones judiciales y las declaraciones hechas por colaboradores eficaces permiten colegir que estos operativos fueron dirigidos por el mismo Montesinos. El asesor presidencial habría ordenado el uso de naves, aviones y helicópteros militares en estrecha coordinación con Los Camellos y otros traficantes locales, ligados a los carteles de Tijuana y Medellín, para la exportación de drogas a México, España, Portugal, Italia, Bulgaria y Rusia.[156]

Estos fueron los casos más importantes entre los muchos arreglos efectuados entre los narcotraficantes y el aparato «antidrogas» de militares, policías y Montesinos. Los escándalos relacionados con las drogas y reportados por la prensa fueron negados enfáticamente por los funcionarios peruanos, que cerraron filas en defensa de Montesinos. Estos escándalos se sumaron a las crecientes sospechas despertadas por la camarilla militar y de inteligencia. En 1998, el aparato encubierto de Montesinos compró al Ejército jordano 10.000 fusiles automáticos AK-47 Kalashnikov usados. La operación se hizo a través del traficante de armas Sarkis Soghanalian y con fondos ilegales, hecho que indicaría su relación con el negocio de las drogas.[157] Aunque se sostuvo que las armas eran para el ejército peruano, el aparato de Montesinos quería venderlas a la guerrilla colombiana de las FARC con una gran utilidad. Los objetivos políticos de esta operación no se llegaron a aclarar cuando el escándalo de las armas de las FARC estalló en agosto del año 2000.[158] Este fue el inicio de la fase final del régimen bicéfalo de Montesinos y Fujimori.

Una caída cinematográfica

El derrumbe de la camarilla Fujimori-Montesinos-militares, que capturó las principales instituciones del Estado peruano durante la «década infame» de los años noventa del siglo XX, llegó a su fin debido a las sucesivas crisis y escándalos que se desataron en áreas claves diversas.[159] La exposición de los escándalos de corrupción tuvo un papel central en la caída del régimen. La corrupción parece ser tolerada solamente hasta cierta medida, incluso en los países con instituciones débiles. La ira desatada entre el público traicionado y antes manipulado resulta impredecible. El clásico caso latinoamericano de este tipo es el de Porfirio Díaz y la Revolución mexicana en 1910.

La asediada oposición política a Fujimori creció en la medida en que los escándalos de corrupción y las violaciones de los derechos humanos iban intensificándose. Dichos escándalos, que giraban en torno a la inconstitucional tercera elección del presidente, abrieron la herida que puso fin al régimen. Los intereses que respaldan a los regímenes corruptos que actúan en entornos autoritarios buscan la reelección en un vano intento de proteger y extender los favores y ganancias ilícitos. Desde 1996, Fujimori y Montesinos se esforzaron por imponer, mediante todos los medios posibles, una dispensa legal para su tercera candidatura presidencial. La resistencia contra esta estratagema en el Congreso y en el Tribunal Constitucional fue aplastada en 1997. Se compraron jueces y parlamentarios, y los dueños de los medios de comunicación fueron sobornados o castigados para así alcanzar la meta de la reelección.

En 1998, el Poder Judicial y el Legislativo, controlados por el régimen, rechazaron el intento efectuado por grupos democráticos y manifestaciones estudiantiles de realizar un referéndum nacional en torno a la legalidad de la reelección de Fujimori. La información sobre las considerables cuentas que Montesinos tenía en un banco local fue objeto de un reportaje por un periodista de televisión en 1999. Frente a este escándalo, el fiscal general Miguel Aljovín citó razones legales para no investigar las cuentas del asesor.

En febrero de 2000 se descubrió un inmenso fraude que implicó a altos funcionarios electorales en la falsificación de un millón de firmas para la inscripción del partido de Fujimori, hecho que fue plenamente informado por un diario importante. Este gran escándalo generó violentas protestas cuando la primera ronda electoral tuvo lugar en abril de 2000. Predeciblemente, Fujimori venció, pero sus partidarios no alcanzaron la mayoría en el Congreso. Los observadores internacionales certificaron más de cien incidentes de fraude electoral.

Alejandro Toledo, el candidato de oposición que más votos recibió, no aceptó los resultados electorales y convocó a la resistencia mediante la movilización cívica. Toledo decidió no participar en la segunda vuelta electoral celebrada en mayo de 2000, en medio de protestas y represión. Un grupo de opositores que habían sido elegidos parlamentarios cambiaron de bando y le dieron al partido de Fujimori una mínima mayoría en el Congreso. El 28 de julio, una multitud furiosa perturbó la ceremonia de la juramentación de Fujimori como presidente.[160]

Después de esta tormenta electoral, el régimen parecía haber sacado ventaja momentáneamente. Sin embargo, una serie de golpes devastadores rápidamente le pusieron fin. En agosto de 2000, Montesinos cometió un gravísimo error en la forma en que reaccionó frente a las fuentes colombianas y peruanas que reportaban envíos de contrabando de armas de Jordania, facilitados por las Fuerzas Armadas peruanas, para la guerrilla colombiana de las FARC. Fujimori y Montesinos se presentaron juntos en televisión en un intento por mejorar su magullada imagen y reportaron el exitoso desmantelamiento de una red criminal que contrabandeaba fusiles de Jordania a Colombia. La treta resultó contraproducente, porque las autoridades jordanas, colombianas y estadounidenses refutaron la versión de Montesinos: en 1998, Jordania hizo lo que parecía ser una venta legal de armas a las autoridades peruanas.[161]

Entonces, el 14 de septiembre de 2000, estalló otra bomba mediática. Una estación de televisión de cable local difundió un video grabado secretamente por el propio asesor; en él Alberto Kouri, un parlamentario elegido por la oposición, aparecía recibiendo 15.000 dólares en efectivo de Montesinos, a cambio de que cambiara de bando en el Congreso.[162] El 16 de septiembre, Fujimori anunció que habrían nuevas elecciones y que las funciones del SIN habían quedado suspendidas. Montesinos partió poco después a Panamá, en un *jet* privado, luego de haber recibido el ya mencionado presente de despedida de 15 millones de dólares autorizado por Fujimori, el general Bergamino y el ministro Boloña.[163]

Singulares evidencias incriminadoras, grabadas en videos capturados en uno de los departamentos de Montesinos, fueron entregadas a las autoridades judiciales y del Congreso. El mismo Fujimori nombró a José Ugaz como procurador *ad hoc* para investigar el caso. Ugaz denunció las cuentas bancarias secretas pertenecientes a Montesinos y sus socios en varios países extranjeros. Luego, Fujimori intentó despedir a Ugaz pero no pudo hacerlo. Era demasiado tarde para que Fujimori lograra amainar la reacción y el clamor popular que exigían investigación y castigo.

El drama, sin embargo, no había llegado a su fin. A solo un mes de su partida, Montesinos volvió al Perú en octubre. Fujimori fingió realizar una gran búsqueda para capturar a su exasesor antes inseparable. Montesinos volvió a escapar, esta vez en un yate también privado a las islas Galápagos, luego a Costa Rica y, eventualmente, a Venezuela. Acto seguido se impusieron grandes cambios entre los militares y la policía. Fujimori se llevó consigo evidencias incriminadoras en video cuando abordó un avión a Brunei y Japón, supuestamente para participar en una reunión internacional. El 20 de noviembre de 2000, desde Tokio, Fujimori transmitió un fax al Congreso peruano en el que renunciaba a la presidencia.

Culminación de un ciclo

Se formó, entonces, un gobierno de transición encabezado por el líder de la oposición Valentín Paniagua, elegido por el Congreso para que actuara como presidente interino. Montesinos fue arrestado en junio de 2001, luego de un tira y afloja diplomático y político con el presidente venezolano Hugo Chávez. De inmediato, Montesinos fue extraditado al Perú para que enfrente numerosos cargos y penas de prisión. Después de muchas conmociones y traumas, el país se vio frente a la tarea de evaluar los costos de la corrupción sufrida durante la «década infame», la reconstrucción de las instituciones dañadas, el establecimiento de tribunales especiales para procesar las corruptelas y la introducción de mecanismos institucionales para controlar la corrupción sistemática. Aún más importante, las campañas y las denuncias contra la corrupción recibieron un estímulo sin precedentes. Los medios despertaron, la sociedad civil se vio informada y se le escuchó, y surgió una nueva generación de líderes, periodistas y jueces anticorrupción con diversos antecedentes políticos. Los parlamentarios que reclamaron el derecho de supervisión y los jueces especiales que reafirmaron la autonomía del Poder Judicial contribuyeron a la renovación institucional. Lourdes Flores, Fernando Olivera, Anel Townsend, Ernesto Herrera, Fernando Rospigliosi, Gustavo Gorriti, José Ugaz y Nelly Calderón reforzaron y complementaron las revelaciones anticorrupción hechas por Mario Vargas Llosa y otros, en la que tal vez fue una ruptura cualitativa con el pasado que aún espera una consolidación definitiva.

En conclusión, los gobiernos de Fujimori-Montesinos alcanzaron nuevos grados de corruptela incontrolada, la más reciente en una larga historia de corrupción estructural y sistémica. Aunque parecido al gobierno de Leguía, este régimen autoritario tuvo, además del sólido sustento militar que recuerda a otras dictaduras, que conservar una fachada de democracia para legitimarse a sí mismo en el nuevo contexto internacional de la década de 1990. Con la excusa ideológica de promover la lucha contra los insurgentes terroristas y el narcotráfico, se formó un aparato secreto policial y militar para capturar y manipular el Estado, así como perpetrar abusos de los derechos humanos. En el centro de los mecanismos encubiertos de control político, represión, manipulación y corrupción se encontraba el Servicio de Inteligencia Nacional, encabezado por el jefe de espías Montesinos, el notorio «asesor» presidencial. El acaparamiento de fondos secretos para coimas en el SIN, procedentes de los sobornos en las adquisiciones militares; la malversación de los fondos

Fig. 24. Conferencia de prensa del 21 de agosto de 2000. Con la fiel colaboración y apoyo del presidente y ministros militares, Montesinos intenta confundir a la opinión pública. La compra oficial de miles de rifles Kalashnikov en Jordania para las FARC de Colombia se realizó a través de una trama montada y ejecutada por el mismo Montesinos. Foto de Oscar Medrano. Archivo Revista *Caretas*.

Fig. 25. Montesinos, el exgeneral Nicolás Hermoza y el exministro Víctor Joy Way detrás de barras carcelarias, convictos judicialmente por varios crímenes de corrupción. Durante el gobierno de transición del presidente Valentín Paniagua (2000-2001; fallecido el 16 de octubre de 2006), cientos de exfuncionarios del anterior régimen de Fujimori fueron arrestados y enjuiciados. «Carlincaturas: Francamente yo no sé qué le ven de bueno a ese Paniagua». Por Carlos Tovar, «Carlín». *La República*, n.° 9057, 18 de octubre de 2006, p. 10.

de pensiones militares; los cupos al tráfico de drogas; y la ayuda prestada a grupos privados de presión extranjeros y locales, entre otros muchos mecanismos de corrupción, fueron útiles para financiar el tráfico de influencias y el soborno en prácticamente todos los ámbitos del Estado.

Comenzando con la presidencia, las campañas políticas y electorales, así como los programas sociales y de infraestructura que legitimaron y mantuvieron a Fujimori en el poder, se financiaron, en parte, con los fondos secretos dirigidos por Montesinos. Fujimori, asimismo, dependió de su propia red de parientes y socios para desviar fondos procedentes de la asistencia extranjera, empresarios y asociados políticos. En la historia del Perú ha habido varios ejemplos clásicos de entendimiento dual en la cúpula de gobiernos signados por el abuso del poder: el virrey Amat-asesor Salas, Gamarra-Gutiérrez de La Fuente, Echenique-Torrico, Balta-Piérola, Piérola-Dreyfus, Leguía-Ego-Aguirre, Odría-Noriega, Velasco-Tantaleán y García-Mantilla, entre otros. Sin embargo, el dúo Fujimori-Montesinos probablemente superó a todos ellos en términos del alcance y profundidad de la corrupción.

Los tentáculos del aparato de Fujimori-Montesinos se propagaron para captar influencias y controlar el Congreso, pagando salarios ilegales y sobornando a muchos parlamentarios tanto del oficialismo como de la oposición. El Poder Judicial también cayó bajo el conjuro de la corrupción mediante pagos y coimas a los jueces, al igual que el sistema electoral, los gobiernos municipales y las fuerzas policiales y armadas. La administración económica y financiera ortodoxa, supuestamente uno de los logros del régimen, estuvo plagada de opacidad y de decretos «secretos» que permitieron los malos manejos, el favoritismo, el conflicto de intereses y el abuso en las privatizaciones, operaciones de deuda externa y de rescate de bancos locales. Así, una importante oportunidad histórica para una reestructuración auténtica y más equitativa fue mayormente desperdiciada. Significativamente, los magnates de los medios de comunicación también recibieron pagos ilegales para influir en la opinión pública, orquestar campañas ideológicas y apoyar las políticas de Fujimori.

Se ha estimado que el costo medio anual de la corrupción durante el régimen de Fujimori fue de entre 14.000 y 20.000 millones de dólares (véanse los cuadros A.1 y A.5). La inversión extranjera perdida dio cuenta de una gran parte de los costos indirectos de la corrupción, puesto que el Perú claramente se convirtió en un destino demasiado riesgoso y oneroso para las inversiones, debido a los altos precios de transacción de la corrupción. Además, los niveles comparativos estimados de la corrupción alcanzaron los índices combinados más altos del siglo XX: 50 por ciento del gasto gubernamental (superado únicamente por el régimen de Leguía, con 72 por ciento) y 4,5 por ciento del PBI (ligeramente inferior que el 4,9 por ciento registrado por el régimen militar de la década de 1970). Quizá haya algo de cierto en la afirmación de que el régimen de Fujimori-Montesinos fuese el más corrupto en la historia peruana (al menos en el siglo XX). Sin embargo, la corrupción de la década de 1990 solamente formaba parte de una larga historia estructural de corrupción incontenida, que permitió que fueran posibles las exageraciones de las décadas de 1920, 1970 y 1980.

La tolerancia del público a la corrupción política y administrativa tuvo, sin embargo, ciertos límites, incluso bajo regímenes autoritarios con un control encubierto de los medios. Al igual que en el caso de Leguía, el venidero fin de la presidencia de Fujimori se vio acelerado por la ambición de ser relegido por tercera vez. Los torcidos esfuerzos para asegurar su relección y una mayoría en el nuevo Congreso limitaron las posibilidades de Fujimori para mantenerse en el poder. Gracias a evidencias sin precedentes, hechas posibles por nuevas tecnologías de vigilancia usadas y abusadas por Montesinos, los pocos medios de comunicación independientes simplemente tuvieron que mostrar embarazosos e incriminadores videos para desatar la avalancha de revelaciones que siguió. Una opinión pública abrumadoramente negativa y las investigaciones de los medios hicieron que Montesinos y Fujimori cayeran en desgracia. Comenzó, así, una nueva era, en la cual la creciente toma de conciencia de cuán necesario es contener y procesar eficientemente a la corrupción tal vez sirva finalmente como inspiración histórica para complementar pronto las necesarias y esquivas reformas institucionales que conduzcan a un genuino desarrollo económico y social.

Incertidumbres de la anticorrupción

E l nuevo milenio comenzó en el Perú con la reforma anticorrupción más amplia e intensa de su historia moderna. Rara vez antes las instituciones públicas se habían visto sujetas al escrutinio interno y externo, dirigido a limitar y castigar la corrupción burocrática. La cobertura mediática de las investigaciones sobre la corrupción y sus nocivos efectos tuvo un impacto significativo en la conciencia pública. Estos avances contra la corrupción, rampante apenas unos meses antes, fueron estimulantes y brindaron esperanzas. No obstante, a juzgar por las campañas anticorrupción del pasado, la lucha hacia adelante era compleja y enorme. La sostenibilidad de este combate se enfrentaba a desafíos e incertidumbres aparentemente infranqueables.

La espectacular caída del régimen de Fujimori-Montesinos —desencadenada por las extraordinarias evidencias grabadas en video que desvelaron planes ilícitos y corruptos para conservar el poder en medio de la creciente oposición cívico-democrática— contribuyó a que se generaran alteraciones en la habitual tolerancia de la corrupción sistemática. Con todos sus obvios defectos y contradicciones, las nuevas autoridades establecidas durante el régimen interino de Valentín Paniagua (noviembre de 2000-julio de 2001) y el gobierno elegido de Alejandro Toledo (2001-2006) lograron implementar frágiles avances en la lucha contra las tradicionales impunidad y corrupción endémicas.

Los nuevos funcionarios anticorrupción recibieron un amplio respaldo local y extranjero a sus esfuerzos reformistas. Dicho apoyo comenzó a desvanecerse con el descubrimiento de nuevos escándalos que eran, sin embargo, menos graves que las tramas de corrupción irrestrictas de la década de 1990. A pesar de las reformas en marcha, la desconfianza que el público tenía de las autoridades e instituciones persistió, así como las encuestas que indicaban un alto nivel en los índices de percepción de la corrupción. Solo una administración eficiente y honrada, especialmente en el suministro de los servicios comunes del sector público a lo largo de un prolongado periodo, podría paliar en la memoria colectiva el legado de muchas décadas de corruptelas. Las reformas institucionales debían, pues, aplicarse consistente y sistemáticamente.

A diferencia del marco inconstitucional del Tribunal de Sanción Nacional, establecido en 1930 para castigar la corrupción de Leguía, las medidas legales adoptadas a inicios del nuevo milenio para procesar los delitos relacionados con la corrupción estuvieron firmemente basadas en las estrictas bases constitucionales de la separación de poderes. Recientes modelos internacionales de procedimientos innovadores y eficaces de investigación y procesamiento —como la campaña de *mani puliti* (manos limpias) de los jueces italianos contra la corrupción y el crimen organizado— inspiraron a las autoridades legales peruanas a implementar un nuevo sistema anticorrupción.[1]

Ya en noviembre de 2000, José Ugaz, el procurador público anticorrupción especialmente nombrado, había propuesto dos proyectos de ley que buscaban resolver las serias disfunciones existentes en las relaciones entre el fiscal general del Ministerio Público y el Poder Judicial del país. Sobre la base del modelo italiano, e indirectamente del sistema de justicia estadounidense, Ugaz pugnó a favor de una ley que facilitara la recolección de información incriminadora «eficaz», ofreciendo a los testigos una pena reducida y protección (similar a los programas de *plea bargain* y protección de testigos). También favoreció un sistema de pocos —eventualmente solo cuatro— procuradores especiales anticorrupción.[2] Estas iniciativas legales pronto fueron aprobadas por el Congreso como parte de un paquete anticorrupción acordado por Ugaz y el entonces ministro de Justicia Diego García Sayán.[3]

El Congreso llevó a cabo de manera independiente sus propias investigaciones a través de varias comisiones especiales, encabezadas entre otros por los parlamentarios David Waisman y Anel Townsend. Sobre la base de estas investigaciones, las comisiones parlamentarias presentaron cargos. Como resultado de ello, los casos con evidencias se derivaron a los fiscales y jueces anticorrupción. El Poder Judicial les siguió en julio de 2001 con el nombramiento de seis jueces especiales anticorrupción, quienes llevaron a cabo sus propias investigaciones e iniciaron la tarea compleja y abrumadora de juzgar y sentenciar a la gran cantidad de personas acusadas de corrupción.[4] En respuesta a los alegatos, sosteniendo que las nuevas medidas legales anticorrupción eran inconstitucionales, el Tribunal Constitucional emitió una sentencia en la que señalaba que estas sí cumplían con los requisitos debidos.[5]

A partir de la inmensa cantidad de evidencias contenidas en aproximadamente 2300 videos, analizados y transcritos por las comisiones parlamentarias, más 700 videos adicionales bajo escrutinio judicial y otra documentación doméstica y financiera, así como información de colaboradores eficaces, para julio de 2003 aproximadamente 1250 personas habían sido procesadas y más de 225 millones de dólares en cuentas bancarias secretas habían sido confiscados, en tanto que alrededor de 1000 millones más estaban en trámites de ser recuperados.[6] La información de los colaboradores eficaces Matilde Pinchi y Alberto Venero, entre otros, reforzó la acusación de los procuradores contra Montesinos y sus asociados militares y civiles.[7] En septiembre de 2002 Montesinos fue llevado a juicio por más de cincuenta acusaciones (la legislación peruana impide acumular múltiples cargos en un solo juicio). Hasta el momento se le ha encontrado culpable de más de treinta cargos, entre los cuales se hallaba el de los Kalashnikov/FARC, que concluyó en septiembre de 2006. Hacia octubre de 2010, Montesinos había recibido penas de cárcel por hasta veinticinco años.[8] Entretanto, el proceso contra Fujimori por los cargos de violaciones de los derechos humanos, corrupción y conspiración criminal comenzó en diciembre de 2007, luego de una prolongada pero finalmente exitosa lucha legal para extraditarlo de Japón y Chile, donde se había refugiado para escapar de la justicia peruana. Luego de construir con detallada evidencia varios informes alrededor de innovadoras doctrinas jurídicas sobre *responsabilidad superior* y *empresa criminal conjunta*, presentados ante la justicia chilena con fallo favorable, el sistema judicial peruano fue capaz de condenar a Fujimori en una serie de juicios que para abril de 2009 le habían impuesto penas de prisión por hasta veinticinco años.[9] Se trata del único expresidente en la historia peruana que ha sido condenado con todos los requisitos de la ley.

El complicado proceso de juzgar y sentenciar a exfuncionarios no ha estado libre de problemas. Los procuradores y jueces anticorrupción trabajaron con recursos extremadamente limitados[10] y fueron objeto de calumnias y presiones políticas.[11] En 2003, una comisión de fiscalización parlamentaria amenazó con procesar a Ugaz y descarrilar el sistema anticorrupción.[12] Muchos acusados —aproximadamente 125 en 2003 y 99 en 2012— huyeron del país burlando al sistema anticorrupción, los procedimientos de extradición de unos cuantos prosiguen, mientras otros continúan fugitivos. Muchos sentenciados ya han salido de prisión gracias a las sentencias reducidas aprobadas por jueces indulgentes. Según Hugo Sivina, juez de la Corte Suprema, una serie de jueces corrompidos continuaban formando parte de la judicatura.[13] Sin embargo, bien miradas las cosas, el sistema judicial peruano ha demostrado independencia y eficiencia, no obstante sus limitados recursos y las enormes presiones políticas y administrativas.

La reforma parcial de la judicatura debe intensificarse desde el interior, para así prevenir la interferencia del Poder Ejecutivo. La debilidad endémica del Poder Judicial fue exacerbada durante los gobiernos militares de la década de 1970 y alcanzó niveles críticos con la corrupción sistémica de las siguientes dos décadas. Este problema histórico exige ser enfrentado a través de una reforma judicial global. Para fortalecer el sistema anticorrupción deben tomarse además medidas complementarias. Mecanismos de supervisión recién reformados dentro del sistema judicial, como la Oficina de Control de la Magistratura, resultaron útiles para retirar jueces incompetentes. Estos esfuerzos deben proseguir e institucionalizarse sólidamente. Las lealtades políticas de los jueces de la corte suprema, la continua falta de fondos, la cantidad abrumadora de causas pendientes y los recientes intentos de «reformar» el sistema con fines políticos aún continúan amenazando su efectiva reforma.

Las sanciones contra las personas culpables de corrupción en el pasado no bastaron para contener la corrupción sistémica. La reconstrucción de las instituciones, realizada durante la transición desde el año 2000, implicó también la reforma de estructuras formales e informales de incentivos y cortapisas a una arraigada corrupción. Este es un gran desafío. Los resultados hasta ahora son alentadores aunque limitados. La Contraloría General, una institución de auditoría y supervisión, tradicional aunque débil (y a la que, en el caso chileno, le cupo un papel fundamental en ponerle coto a la corrupción administrativa desde mediados de la década de 1920), se reafirmó a sí misma en los años 2006 y 2007, no obstante contando con una unidad de inteligencia anticorrupción recién creada, y con logros limitados hasta el año 2003.[14]

La oficina del zar anticorrupción, entre otros nuevos mecanismos, ha sido de poca utilidad, en tanto que la recién creada policía anticorrupción ha tenido mejores resultados. La transparencia en las transacciones presupuestarias y en las contrataciones en las instituciones del sector público mejoraron marcadamente gracias a leyes específicas (Leyes n.° 2780 y 27482) que fomentaron el establecimiento de páginas web oficiales para difundir información y publicar las declaraciones juradas de ingresos de los empleados públicos. Sin embargo, según las encuestas de opinión, la transparencia global del Estado continúa considerándose baja o mejorada débilmente, debido a la desconfianza general hacia los funcionarios y los problemas de una limitada transparencia efectiva.

Los medios de comunicación o el «cuarto poder» hicieron una gran contribución al destape de la corrupción y su información pública. Su papel es esencial para mantener la vigilancia sobre el tráfico de influencias y la corrupción. Sin embargo, en el Perú intereses políticos y empresariales continúan amenazando la independencia de las principales cadenas televisivas y periodísticas. El arreglo legal de las cuestiones pendientes con respecto a la propiedad y el control de las grandes redes se vio complicado por el procesamiento de los magnates de los medios acusados de corrupción. La temporal asignación que el gobierno hiciera de Panamericana Televisión a Genaro Delgado Parker, una persona con muchas conexiones políticas, fue cuestionada legalmente por los abogados de Ernesto Schütz. Este caso dio lugar a un escándalo, que involucró sentencias contradictorias de parte de jueces parciales.[15]

Se ha efectuado un avance considerable en la sentencia de generales, almirantes y otros altos mandos militares y policiales, así como en la reorganización subsiguiente de las Fuerzas Armadas y de la Policía desde comienzos del siglo XIX. Los caudillos militares conformaron un sistema de patronazgo, en el que los oficiales eran recompensados por sus prácticas corruptas, justificadas y protegidas en nombre del patriotismo. Asimismo, llevaron a cabo numerosas intervenciones políticas dañinas para el orden constitucional. La profesionalización militar a comienzos del siglo XX parecería haber reducido las expectativas que los oficiales tenían de enriquecerse mediante el abuso de su posición. Sin embargo, la corrupción militar volvió a crecer con el régimen dictatorial de Leguía en la década de 1920, a medida que, a cambio de respaldo político, los oficiales eran recompensados informalmente con ascensos inmerecidos o coimas derivadas del gasto militar. Las acciones dictatoriales de Sánchez Cerro y Benavides en la década de 1930, los ocho años de la dictadura de Odría, a comienzos de la década de 1950, y el docenio militar «revolucionario» de la década de 1970 remozaron las incontroladas expectativas militaristas sobre los fondos públicos. Las corruptelas militares de Fujimori-Montesinos fueron las más recientes en una larga línea de regímenes autoritarios que generaron una corrupción sistemática en el centro de las Fuerzas Armadas.

Gracias al pase a retiro y al procesamiento de los oficiales que colaboraron con Fujimori y Montesinos, y a la restructuración de la jerarquía militar, surgió una nueva generación de oficiales militares y policiales bajo una mejorada supervisión pública del gasto y de los contratos de compra militares. Las bases legales del respeto a la autonomía militar en materias profesionales y judiciales fueron restructuradas a mediados de 2001, gracias a la iniciativa del ministro de Defensa Walter Ledesma, un general del ejército retirado.[16] Los cortes de personal y la reclasificación tuvieron como resultado la caída de un 40 por ciento en el número del personal en servicio activo (de 245.294 a 147.228). Para finales de 2001, un total de 485 altos oficiales (entre ellos 23 generales del ejército, 2 almirantes y 23 generales de la fuerza aérea) habían sido separados del servicio o pasados a retiro por una comisión especial, conformada por generales y almirantes retirados, así como los ministros de Guerra y del Interior.[17] La Policía, en particular, se reformó, prestándose particular énfasis a la desmilitarización y al control de la corrupción. Fernando Rospigliosi, un ministro del Interior civil, cesó o pasó a retiro a un total de 618 oficiales de la policía, entre los que se contaban 21 generales y 244 coroneles.[18] Sin embargo, la inmensa presión ejercida por los intereses ligados al narcotráfico continúa amenazando la integridad militar y policial.

Por razones históricas, resulta difícil encontrar en el Perú empleados públicos profesionales, eficientes y honrados. Desde la época colonial, los funcionarios no remunerados o mal pagados se beneficiaban con la corrupción para complementar así sus ingresos, a menudo con la complicidad implícita o explícita de la más alta dirigencia política. Según las reglas de oferta y demanda, es racional pagar más a empleados públicos capacitados, evitando así en parte los costos impredecibles y mucho más dañinos de la corrupción sistémica. Con el presidente Toledo, algunos directores de empresas e instituciones estatales y congresistas ganaban más que durante la época de Fujimori, pero con una mejor fiscalización, transparencia institucional y recaudación de rentas. Sin embargo, otros empleados públicos, como los jueces y los maestros, permanecieron groseramente mal pagados. Estas iniquidades, junto con la percepción popular de que en un país pobre se les debe pagar poco a los trabajadores públicos, sirvieron como argumento para una oposición y crítica implacables.[19]

La mira recayó luego en los miembros del Congreso peruano, la mayoría de los cuales no se encontraba cabalmente preparada para sus complicadas responsabilidades. El prestigio del cuerpo legislativo quedó seriamente minado por casos de corrupción menor y de riñas políticas, que afectaron fundamentalmente a los representantes de la débil coalición política que apoyaba a Toledo, y era conformada por pequeñas agrupaciones.[20] Paradójicamente, a pesar del resultado positivo de las investigaciones anticorrupción en su seno, el Congreso fue criticado por no haber legislado eficientemente sobre otros problemas reales y apremiantes. Los medios estuvieron saturados con una cobertura aparentemente interminable de comisiones y subcomisiones investigadoras de la corrupción, pasada y presente.

El destape incesante de supuestas transgresiones de pequeña escala, nepotismo y escándalos personales que involucraban a la familia y círculo íntimo del presidente Toledo alcanzó su clímax en enero de 2004 y causó un serio daño a su gobierno. Los medios explotaron de manera sensacionalista una grabación de audio (que databa de finales de 2001) de César Almeyda, un asesor íntimo del presidente y exjefe del Servicio de Inteligencia (rebautizado

Consejo Nacional de Inteligencia [CNI]), en la cual Almeyda parecía negociar con uno de los agentes de Montesinos asuntos de lenidad legal. Almeyda fue acusado de extorsión y fue procesado, aun cuando los cargos fueron posteriormente desestimados debido a la existencia de dudas referidas a la manipulación de las evidencias del audio.[21] El prestigio de Fernando Olivera, aliado cercano de Toledo y su ministro de Justicia, fue otra víctima del escándalo debido a las insinuaciones no demostradas en los medios. Al mismo tiempo, el vicepresidente Raúl Diez Canseco renunció al reconocer tráfico de influencias en su gestión. La aprobación pública de Toledo cayó hasta un 7 por ciento. Las bases para el retorno de la corrupción descontrolada parecían dadas.[22]

El gobierno de Toledo llegó a su fin en medio del descrédito, no obstante el éxito relativo de su manejo de la política económica. Todos los candidatos importantes que tomaron parte en las elecciones presidenciales y parlamentarias de abril-mayo de 2006 declararon su compromiso con la lucha contra la corrupción. El expresidente Alan García fue elegido luego de una campaña en la cual cortejó a los votantes desilusionados y alarmados que enfrentaban una alternativa radical liderada por Ollanta Humala, especialmente en las provincias del interior.[23]

Entre los expresidentes que regresaron del exilio en el pasado y ocuparon puestos de poder renovados tenemos a Echenique, Piérola, Leguía y Prado. García había sido acusado legalmente, pero quedó absuelto debido a tecnicismos legales y a las aberraciones procesales de un sistema judicial plagado por la corrupción de la década de 1990. Apenas unos meses después de su segunda asunción del mando en el año 2006, el partido del presidente García y sus aliados fujimoristas comenzaron a desmontar algunos de los importantes avances realizados por la anticorrupción. Los salarios de los empleados públicos fueron recortados, argumentándose su falta de proporción con la extendida pobreza de la población peruana, y muchos temían que las «reformas» judicial y policial del nuevo gobierno fueran inspiradas por motivaciones políticas. Sin embargo, el escrutinio público continuó siendo elevado a lo largo de 2007 e impuso serios obstáculos a imprudentes malos manejos, así como a políticas y expolios partidarios aplicados en el primer gobierno de García.

El propio partido de García se encontraba desesperadamente necesitado de una reforma y limpieza estructural, así como de una organización política confiable dentro de un sistema partidario restaurado. (Los partidos de oposición de centro-derecha también necesitaban crear una alianza funcional que se resistiese a corruptores intereses privados.) En octubre de 2008 se destapó el escándalo más significativo dentro del gobierno y partido apristas, a raíz de reveladores grabaciones denominadas «petroaudios» correspondientes a las negociaciones impropias y al tráfico de influencias de altos funcionarios de Perú-Petro en materia de contratación petrolera con firmas extranjeras, una forma históricamente típica de abuso en las licitaciones públicas. Además, hacia el final del gobierno de García, la Contraloría había detectado más de 10.000 casos de funcionarios implicados en presuntas irregularidades administrativas, entre enero de 2009 y julio de 2011, aunque su procesamiento se ha visto limitado por escasos recursos a disposición de la Fiscalía de la Nación. En general, la lucha contra la corrupción sufrió un serio traspié durante el segundo gobierno de García. Esta circunstancia estuvo a punto de ser capitalizada en las elecciones de 2011 por recalcitrantes huestes fujimoristas, listas a demoler completamente las frágiles protecciones contra la corrupción.[24]

El Perú actualmente se encuentra en una encrucijada en la cual los avances anticorrupción pueden pasar a ser permanentes o ser, más bien, arrasados una vez más por subsistentes y poderosos intereses creados. El frágil marco institucional y el débil sistema de partidos peruanos siguen permitiendo prerrogativas al Ejecutivo e impropias leyes *ad hoc* que debilitan el debate y la supervisión democráticos, aun cuando con Toledo tales medios se vieron limitados. El Congreso peruano continúa funcionando como una legislatura unicameral con la actual y seriamente defectuosa Constitución de 1993. Los intereses corruptos siguen cabildeando en pos de la impunidad y reformas cosméticas que puedan ocultar las ganancias ilegales de unos cuantos escogidos.

Una genuina reforma institucional implicaría modernizar simultáneamente las normas constitucionales del Legislativo, el Poder Judicial, el Ejecutivo y los sistemas privados. Las tibias iniciativas de reforma constitucional presentadas en el Congreso fueron en su mayor parte ignoradas. Se requiere de una reforma constitucional exhaustiva para así garantizar una independencia efectiva de los tres poderes del Estado, la existencia de pesos y contrapesos, la descentralización y la erradicación de las fuerzas informales opuestas a las instituciones formales que regulan las interacciones sociales modernas. Debido al impacto histórico de la corrupción en el Perú, toda reforma constitucional debiera estar guiada hacia mecanismos con los cuales ponerle freno a esta antigua y dañina práctica.

Dichas reformas debieran incluir una ley que establezca los principios reguladores generales del financiamiento político, las donaciones en las campañas y los marcos formales de las organizaciones partidarias (en el Perú, los partidos políticos no están obligados a cumplir estrictamente con informes detallados sobre sus finanzas y donaciones, necesarios para su escrutinio público). Una reforma judicial exhaustiva debiera buscar modernizar, simplificar y reducir los costos de los juicios, y contemplar cierto grado de supervisión ciudadana hacia los jueces. Otra cuestión persistente que requiere de acción urgente es la reestructuración exhaustiva del sistema de educación pública, acosado por el bajo salario de los maestros y las huelgas políticamente motivadas. Solo una ciudadanía realmente informada y educada podrá vencer la recalcitrante «cultura» de la corrupción. Los jóvenes peruanos tienen el derecho a que se les enseñe el valor de las instituciones y los daños que la corrupción causa.

Como hemos visto en el presente estudio, gran parte de lo que sabemos acerca del funcionamiento de la corrupción en el pasado se deriva de las luchas llevadas a cabo por los reformadores anticorrupción. Estos reformistas se han hecho más numerosos recientemente y podrían pronto alcanzar una masa crítica. A partir de estas y de otras fuentes judiciales, parlamentarias, fiscales, periodísticas y diplomáticas, podemos afirmar que los esfuerzos de anticorrupción del pasado fracasaron, en gran medida debido a la reacción de intereses creados contra las reformas. Extensos proyectos de reforma contradijeron las condiciones institucionales que permitían que hubiese corruptelas sistemáticas. Al aprovechar las frágiles instituciones y su debilitamiento aún mayor mediante redes informales, la corrupción «chorrea» hacia abajo desde los funcionarios de más alto rango hasta los mandos medios e inferiores de la burocracia estatal.

La fragilidad institucional genera, pues, corrupción. En el caso peruano, esta última ha sido un fenómeno sistémico, no un acontecimiento anecdótico o periódico. Si unimos la bonanza exportadora a un gobierno autoritario irrestricto veremos que los incentivos para la corrupción se incrementan. Los privilegios y la protección que las compañías peruanas y extranjeras generalmente buscan del Estado generan abusos. La corrupción ha asumido múltiples formas, y otras nuevas son inventadas y reinventadas constantemente. Puede decirse así que ella es una de las causas principales del subdesarrollo peruano.

De este modo, la historia del Perú ha sido en parte la historia de sucesivos ciclos de corrupción, seguidos por periodos sumamente breves de reforma anticorrupción, interrumpidos por intereses creados contrarios a la reforma. Según los cálculos estimados mostrados en el apéndice del presente estudio, en el largo plazo (1820 a 2000), estas sucesivas olas de corrupción podrían haber implicado la pérdida directa e indirecta, el desvío o la mala asignación de fondos equivalente a un promedio de entre 30 y 40 por ciento de los gastos gubernamentales, y de entre 3 y 4 por ciento del producto bruto interno. Estas inmensas pérdidas debidas a la corrupción representarían entre el 40 y 50 por ciento de las posibilidades de desarrollo del país en el largo plazo (considerando que para que este tenga lugar, debe alcanzarse un crecimiento sostenido de entre 5 y 8 por ciento del PBI). Los costos institucionales no cuantificables de la corrupción también fueron enormes. No ha habido ningún periodo o ciclo histórico de poca o baja corrupción: todos los ciclos examinados estuvieron caracterizados por indicadores de corrupción moderadamente altos y hasta muy altos.

Los periodos en los cuales la corrupción alcanzó niveles altos o sumamente altos coincidieron con los regímenes más autoritarios: el virreinato tardío (1800-1820), los primeros caudillos (1822-1839), la década de la consolidación de la deuda (el decenio de 1850), la tardía era del guano (1869-1872), el militarismo de la posguerra (1885-1895), el Oncenio de Leguía (la década de 1920), el Docenio militar (1968-1980) y el fujimorato (la década de 1990).

Estos grandes ciclos representaron tanto la continuidad de la corrupción sistemática, con estructuras patrimoniales lideradas por el Ejecutivo, como cambios en las formas de corrupción en diversos contextos económicos y tecnológicos. Otros cambios ocasionales, a menudo de corta duración, se derivaron de la cambiante actitud del público para con el peso insoportable que la corrupción tenía sobre la vida de las personas.

Las variaciones en la intensidad de la corrupción dependieron, por ende, de dos factores principales: por un lado, las adaptaciones oportunistas de intereses corruptos y sus redes a las transformaciones económicas, tecnológicas e institucionales; y, por el otro, la distinta fortaleza de los esfuerzos por imponerle barreras institucionales a la corrupción desenfrenada. En última instancia, la corrupción persistirá a menos que se la contenga sistemáticamente a lo largo del tiempo. En el largo plazo, lo que marca una gran diferencia para lograr el cambio que genera desarrollo es la comprensión colectiva de cómo y por qué es que la corrupción importa, y por qué es necesario no cesar en el afán de ponerle límites.

La persistencia histórica de la corrupción sistémica ha estado íntimamente ligada a una tradición institucional y política, centrada en un Poder Ejecutivo patrimonial, que minaba los pesos y contrapesos necesarios. Desde el patronazgo de virreyes y caudillos a las dictaduras autoritarias militares y cívico-militares, el presidencialismo sin controles mediante el gobierno por decreto, la democracia dirigida y los pactos electorales oportunistas, el Perú ha vivido un continuo de incentivos institucionales e informales a las ganancias corruptas. Consistentemente las reformas necesarias fueron víctimas de la acostumbrada política «pragmática» y de la impunidad de la «tabula rasa».

La corrupción desenfrenada tuvo un impacto significativo, y en ocasiones decisivo, sobre la historia y el desarrollo peruanos. El estudio de su papel histórico forma parte de la reevaluación y exposición de fuerzas subterráneas que dieron forma a su evolución social. La corrupción fue una pieza sistémica integral desde la formación más temprana de un Estado moderno en el Perú, pasando por las redes extraoficiales de patronazgo virreinal opuestas a la reforma y las camarillas de caudillos militares que minaban tanto el crédito local y externo, como las políticas económicas. La corrupción avanzó con el uso derrochador de la renta del guano en obras públicas colosales; la modernización con amigotes, que impuso gravámenes corruptos a los esfuerzos de desarrollo; las organizaciones populistas y militares radicales decididas a alcanzar y conservar el poder a cualquier costo; y, finalmente, la manipulación corrupta y encubierta de las instituciones nacionales y las aspiraciones democráticas. Para alcanzar un desarrollo global, el Perú y otras sociedades en vías de desarrollo deben contener y minimizar radicalmente las cargas económicas e institucionales causadas por la corrupción sistémica, a través de medios colectivos de origen local. Los efectos dañinos de una corrupción descontrolada jamás deben ser subestimados.

Cálculos estimados del costo histórico
de la corrupción en el Perú

E ste es un intento de calcular de manera aproximada los costos de la corrupción a lo largo de la historia moderna del Perú. Muchas de las cuestiones metodológicas aquí implicadas continúan siendo debatidas entre los especialistas. Por lo tanto, el presente es un cálculo provisional sujeto a revisiones. Podemos conceptualizar los costos de la corrupción de dos formas: (1) como el valor monetario de los fondos que no llegaron a su objetivo público o de desarrollo, puesto que fueron desviados por intereses corruptos (costo desviado, directo e indirecto); y (2) como el daño causado a instituciones claves que facilitan la estabilidad y la inversión (costo institucional). El primer cálculo es cuantitativo, en tanto que el segundo es principalmente cualitativo. Al asumirse que la corrupción es un costo de la Administración Pública, este análisis no incluye el cálculo de beneficios. La mayoría de los fondos desviados o redirigidos por las prácticas corruptas tienden a salir del país, para así protegerlos o lavarlos. Algunos fondos ilegales permanecen en la economía local, pero son mal asignados o se les utiliza en el consumo de artículos o servicios de lujo, con lo que contribuyen a distorsiones económicas y al subdesarrollo.

Primero se consideran diversas opciones metodológicas para el estimado de los costos desviados e institucionales asociados con la corrupción política y administrativa. A este examen le sigue un modelo adaptado específicamente a la información disponible para medir los costos de corrupción en relación con los fondos públicos y el ingreso nacional, esto es, como porcentaje del gasto gubernamental total y el producto bruto interno (PBI), respectivamente. El siguiente paso es aplicar dicho modelo a la cuantificación de la corrupción detectada durante el régimen de Fujimori-Montesinos (1990-2000). A continuación, el modelo es aplicado a la cuantificación de la corrupción durante el decenio de 1850, que comprende los escándalos financieros públicos de la consolidación, la conversión de la deuda interna y la manumisión de esclavos. Tras estos dos cálculos iniciales se incluyen los estimados de los costos directos e indirectos de la corrupción por década y según el tipo de modalidad a lo largo de los siglos XIX y XX, midiéndolos en relación con el gasto gubernamental y el PBI.

Para este ejercicio se utilizan datos de estimados contemporáneos en obras publicadas, contabilidad presupuestal, evidencias judiciales contra empleados públicos, investigaciones parlamentarias, correspondencia diplomática y otras fuentes históricas. Finalmente, se generan niveles comparativos de los costos de corrupción estimados en diversos gobiernos.

Debate metodológico

Hasta hace poco, la mayoría de los científicos sociales ignoraba y subestimaba la corrupción en los países menos desarrollados y burocratizados, o bien se asumía que esta tenía dimensiones positivas. A veces se consideraba que la corrupción era algo inherente al subdesarrollo o a ciertos rasgos culturales particulares. La falta de bases de datos confiables con que cuantificar la corrupción obstaculizaba el análisis, que a menudo tenía como base teorías contradictorias. Hasta la publicación de nuevos estudios económicos a mediados de la década de 1990, no hubo ningún marco metodológico y teórico adecuado con el cual estudiar sistemáticamente la corrupción.[1] Desde entonces ha surgido un creciente consenso acerca del impacto intrínsecamente negativo que ella tiene sobre la inversión y, en consecuencia, sobre el crecimiento económico. Dicho de modo sucinto, unos niveles más altos de corrupción corresponden a menor inversión y crecimiento. Sin embargo, la corrupción también tiene efecto sobre diversos otros aspectos, entre los cuales se puede mencionar, por ejemplo, la estabilidad institucional y la asignación de recursos públicos para la educación.[2] En lugar de «aceitar» la burocracia, la corrupción actúa, en realidad, como «grava» en la maquinaria de las instituciones del sector público.

Los recientes intentos de medir esta amplia gama de costos de la corrupción giraron en torno a la elaboración de un índice de percepción de la corrupción (IPC), que tiene como base encuestas especializadas llevadas a cabo en el ámbito mundial por organizaciones no gubernamentales como Transparencia Internacional. Cada año, los países son clasificados según la percepción entre alta y baja que el público tiene de la corrupción. Sobre la base de estos índices, se pueden correlacionar diversas variables socioeconómicas para indicar vínculos dependientes e independientes asociados con la corrupción.[3] Sin embargo, el creciente uso de dichas mediciones generó una polémica debido a su grado de subjetividad. Las percepciones de la corrupción cambian dramáticamente debido a factores externos tales como la cobertura de los medios, los escándalos y la política. Además, dichos índices impiden efectuar comparaciones históricas, pues la utilidad del IPC se aplica al presente o pasado muy reciente.

Por otro lado, algunos historiadores económicos han cuantificado la incidencia de palabras claves tales como «corrupción» y «fraude» sobre la base de los textos digitalizados de periódicos importantes a lo largo de un lapso de 160 años, para así preparar índices históricos de la corrupción usando la cobertura periodística.[4] Además de las obvias variaciones en las modas lingüísticas y conceptuales en el tiempo, este tipo de índice no es aplicable en periodos históricos en los cuales la prensa estuvo controlada o fue censurada.

Un nuevo grupo de estudios generó datos más confiables y concretos, al concentrarse en los fondos desviados de sus metas deseadas o planeadas en las instituciones o burocracias del sector público (p. ej., hospitales).[5] Sin embargo, no existe una fuente estadística única o unificada con la cual cuantificar estos costos reales de la corrupción, puesto que tales transacciones son típicamente encubiertas y se ejecutan precisamente para evitar dejar huellas en la documentación oficial. Sin embargo, si se tiene el debido cuidado en el uso de las fuentes históricas, resulta posible adaptar los datos cuantitativos a la evaluación, la estimación y el cálculo de la corrupción en términos de costos desviados del gasto del presupuesto nacional. A estos desvíos presupuestarios se les puede añadir los costos de oportunidad (o costos indirectos) de la corrupción, en términos de inversiones nacionales y extranjeras, así como otros tipos de renta e ingresos desminuidos o perdidos, debido al impacto de la corrupción.

A partir de este breve debate metodológico se puede concluir que hay una diferencia entre los ciclos de la corrupción evaluados sobre la base de la percepción pública y las coberturas mediáticas, con los ciclos estimados a partir de valores reales desviados de los fondos públicos. Aunque estos dos tipos de ciclos se encuentran interconectados y se influyen entre sí, el primero es más volátil y visible, en tanto que el segundo es de base más estructural y se halla íntimamente vinculado con las oscilaciones y variaciones económicas e institucionales. Aunque en la narrativa de ciertos capítulos del presente trabajo ocasionalmente empleamos las percepciones del ciudadano promedio y los medios de difusión, el diseño y aplicación del siguiente modelo utiliza, más bien, el enfoque de datos cuantitativos, no obstante sus actuales limitaciones. Las conclusiones por capítulo a lo largo del libro reflejan, asimismo, las conclusiones cuantitativas del presente cálculo y sus resultados.

El modelo

Para el caso peruano existen estadísticas históricas básicas que miden y estiman el PBI, y el gasto gubernamental en el periodo 1820-2000 mediante proyecciones y extrapolaciones.[6] Asimismo, se puede calcular a grandes rasgos los fondos desviados debido a la corrupción correspondiente a las décadas y gobiernos de los siglos XIX y XX. De este modo, resulta teóricamente posible expresar estos costos variables de la corrupción como porcentajes del gasto gubernamental y del PBI. Podemos, así, clasificar décadas y gobiernos como periodos de corrupción alta, media o baja. El desarrollo de series estadísticas y cálculos estimados de los costos de corrupción más precisos podría eventualmente mejorar el rigor de este modelo.

En cuanto a los costos institucionales, se asume que el daño infligido a las instituciones varía según el modo de corrupción y el periodo histórico. La información cualitativa, sumada a los estimados cuantitativos, permite identificar costos institucionales claves que dejaron legados significativos. En tal sentido, resultan útiles las evaluaciones contemporáneas de las consecuencias institucionales de la corrupción y las oportunidades de desarrollo perdidas. Seguidamente aplicamos estos procedimientos de medición de los fondos desviados y los costos institucionales de la corrupción al caso específico de la «década infame» de Fujimori-Montesinos.

La década infame (1990-2000)

¿Fue el gobierno del presidente Alberto Fujimori el más corrupto en la historia del Perú? A primera vista podría parecer que sí, considerando la difundida cobertura de una corrupción generalizada y sistemática que involucró una amplia gama de instituciones y personajes tanto públicos como privados. Las riendas del meollo de la Administración Pública nacional evidentemente fueron capturadas por grupos militares y civiles asociados en la corrupción.

Según algunos historiadores, el nivel de corrupción de la década de 1990 definitivamente superó al de todos los demás gobiernos de la historia moderna[7] y sería comparable tal vez únicamente con el periodo colonial, cuando los mecanismos corruptos eran algo inherente al sistema del poder y generación de riqueza. La corrupción se generaliza y queda ampliamente aceptada como algo intrínseco al sistema institucional cuando se ve asistida por normas informales, un gobierno autoritario, la impunidad judicial y la falta de transparencia.

El cuadro A.1 intenta cuantificar los casos más notables de los fondos desviados a través de medios corruptos, sobre la base de las investigaciones parlamentarias, judiciales y fiscales efectuadas desde el final del régimen de Fujimori (hasta julio de 2007). (Para un examen más detallado de las tramas de corrupción específicas a este periodo, véase el capítulo 7.) Al preparar este cuadro se tuvo cuidado de evitar la doble contabilidad.

Cuadro A.1
PRINCIPALES COSTOS DIRECTOS E INDIRECTOS DE LA CORRUPCIÓN, PERÚ, 1990-1999
(MILLONES DE DÓLARES)

Institución/Persona	Monto	Concepto/Origen	Fuente
Costos directos			
1. Presidencia: Fujimori	404	Apenkai/Aken: 90 Fondo de contingencia: 122 Ministro Joy Way: 80 Transferencias del SIN: 62 Desfalco Popular y Porvenir: 50	a, b, c
2. Servicio secreto: Montesinos	450	Desvíos del SIN: 150 Tráfico de drogas: 200 Otros: 100	c, d, e
3. Ministerios del Interior y Defensa	146	Transferencias al SIN: 146	
4. Fondo Militar de Pensiones	200	Transferencias al SIN: 100 Testaferros: 100	d
5. Fuerzas Armadas	216	Comisiones ilegales	c
6. Ministro Joy Way	80	Compras irregulares de China: 80	a, b, c, d
7. Miyagusuku y socios:	50	Estafa de Popular y Porvenir: 50	a
8. Deuda externa	500	Operaciones irregulares	a, c, d
9. Privatizaciones	1400	Malversaciones, sobornos, favores (*decretos secretos*)	a, c, d, f
10. Rescates bancarios	1145	Wiese: 250 Latino: 490 NBK: 198 Nuevo Mundo, otros: 207	a, b, f
Subtotal: costos directos	*4091*		
Costos indirectos			
11. Inversión extranjera perdida	10.000 / Costo de oportunidad (1.000 al año)		c, g

Costos totales (1990-1999)	**14.091**
Costo promedio anual	**1409**

Fuentes: (a) Perú, Congreso, Comisión Investigadora, *Informe final* (2003); (b) Manuel Dammert (2001); (c) *La República* (2001-2003); (d) *El Comercio* (2001-2003); (e) *Correo* (2003); (f) *La Gaceta* (2003); y (g) basado en una revisión de los estimados de Transparencia Internacional.*

---

* Varias ediciones de los diarios *El Comercio* (2001-2003), *Correo* (2003) y *La Gaceta* (2003), que incluyen informes de Transparencia Internacional sobre la inversión extranjera estimada perdida debido a la corrupción, esp. «Transparencia Internacional analiza sobornos a políticos y funcionarios». En *La República*, 28 de junio de 2001, y «Perú pierde US$ 2,333 millones de inversión extranjera al año por casos de corrupción», 18 de junio de 2001, en «Círculo internacional: Libertad & Paz», disponible en: <http://sapiens.ya.com/alecia/circulointernacional.htm>.

Además de los escándalos de corrupción más notorios asociados con Fujimori, Montesinos y las Fuerzas Armadas, hubo grandes costos indirectos debido al costo de oportunidad de las inversiones extranjeras que no llegaron al país a causa de la corrupción. De este modo, se impidió que hubiese niveles más altos de inversión local y extranjera, hecho que ocasionó disminuciones en la producción local, el empleo y la educación. En general, puede decirse que la década de 1990 fue una época de oportunidades perdidas para reformar eficientemente el sistema de intervencionismo estatal anterior, sin sacrificar una distribución del ingreso más equitativa y tergiversar políticas económicas ortodoxas. Otros costos institucionales incluyeron los serios daños infligidos a las instituciones militares, policiales y de inteligencia; a los Poderes Legislativo y Judicial; a la educación y, sobre todo, al marco constitucional y el imperio de la ley.

Según los estimados del cuadro A.1, y sin añadir otras formas de corrupción, su costo medio en la década de 1990 alcanzó un monto de alrededor de 1409 millones de dólares al año, un monto equivalente al 34 por ciento del gasto gubernamental anual y al 3,1 por ciento del PBI medio anual. Otros cálculos han subestimado el costo total de la corrupción al no tomar en cuenta los costos indirectos de inversión.[8]

Otra década perdida (1850-1860)

Podemos efectuar un cálculo similar al que se hiciera para la década de 1990 gracias a la amplia información fiscal, judicial y periodística generada por los escándalos de las finanzas públicas en torno a la consolidación y conversión de la deuda interna (1850-1854) y a la manumisión de los esclavos (1855-1857). El cuadro A.2 muestra diversos montos desviados y los porcentajes respectivos de las operaciones totales de consolidación, conversión y manumisión, así como el costo indirecto estimado de la inversión perdida debido a la corrupción.

Si asumimos que el gasto total del gobierno en la década de 1850 sumó aproximadamente ocho millones de dólares anuales,[9] entonces, según el cuadro A.2, el costo anual de la corrupción en las operaciones de crédito público y administración, sin considerar otros tipos de corruptela, alcanzó aproximadamente el 48 por ciento de los gastos gubernamentales anuales, una proporción ligeramente más alta que la del decenio de 1990. Estimando ahora el valor productivo anual sobre la base del valor de exportación por año de 11,6 millones de dólares, el PBI anual a precios corrientes sumó 116 millones de dólares (asumiendo que las exportaciones representaron el 10 por ciento del PBI).[10] En consecuencia, los costos anuales estimados directos e indirectos

Cuadro A.2

COSTOS DIRECTOS DE LA CORRUPCIÓN EN OPERACIONES DE DEUDA PÚBLICA Y COSTOS INDIRECTOS DE
INVERSIÓN, PERÚ, 1850-1859
(millones de pesos = millones de dólares)

Concepto	Monto	Porcentaje de operación total	Fuentes
1. Consolidación (vales impugnados)	12,0	50	a, b, c
2. Conversión (comisiones, favores)	3,0	30	c, d
3. Manumisión (sobrevaluación de esclavos)	4,0	50	e
4. Costos de inversión indirectos (costos de oportunidad)	20,0		f
Costos totales (1850-1859)	39,0		
Costo anual medio	3,9		

Fuentes: (a) Junta de Examen Fiscal, *Informes* (1857); (b) Comisión Especial de Crédito Público, *Informe* (1856); (c) *El Peruano*, 31 de marzo, 31 de octubre y 4 de noviembre de 1857; (d) Alfredo Leubel, *El Perú en 1860 o sea anuario nacional*; (e) José Arnaldo Márquez, *La orjía financiera del Perú...*; (f) basado en cifras de la decrecientes inversiones en minería y de cartera en Shane J. Hunt, «Growth and Guano...», pp. 46-48.

de la corrupción en las operaciones de crédito público, así como la inversión perdida en esta década, equivalieron al 4 por ciento del PBI, un monto también ligeramente más alto de lo que fuera calculado para la década de 1990.

Comparaciones históricas

Los estimados agregados del costo total de la corrupción en sus formas más importantes deben, sin embargo, elaborarse sobre la base de categorías uniformes aplicables a todos los periodos considerados. Para aproximarnos a esta cuantificación general, debemos depender de estimados discretos para periodos específicos, empleando información contemporánea, incompleta o esporádica, al igual que cálculos aproximados. El siguiente paso es completar los cálculos estimados para todos los periodos (mediante la extrapolación, cuando los datos resultan insuficientes); luego, relacionar estas cifras estimadas con series estadísticas de los presupuestos nacionales y la producción, para así establecer ratios y comparaciones relevantes en el tiempo. En los cuadros 1.1 y 1.2 ya se efectuó un ejercicio similar para el periodo colonial.

El cuadro A.3 muestra los estimados de los costos de la corrupción —los costos directos e indirectos de sus distintas formas— en las décadas del siglo XIX, en cinco categorías generales relevantes para las características institucionales existentes y las fuentes disponibles: (1) irregularidades y malos manejos de la deuda pública externa y local, y su servicio; (2) corrupción de caudillos y militares, asociada con la malversación y las comisiones ilegales en la adquisición de armamento y equipos; (3) sobornos en los contratos del Estado con fines comerciales y de obras públicas u otras adquisiciones generales; (4) pérdida indirecta de rentas debido al contrabando; y (5) pérdida indirecta de inversión extranjera y nacional debido al clima general de soborno y corrupción.

La primera forma general de la corrupción comprende las irregularidades en el manejo de la deuda pública. Ello tuvo como resultado una erosión crítica del crédito internacional del país y su desarrollo financiero. Hemos examinado las pérdidas sufridas debido al mal manejo de los préstamos extranjeros y la deuda local desde el nacimiento de la incipiente república en la década de 1820. Los estimados en esta categoría se inician con una pérdida aproximada del 40 por ciento de los primeros préstamos extranjeros y la depreciación interesada de las deudas internas para salarios impagos (véase el capítulo 2). Se usaron criterios similares a los del cuadro A.2 para estimar los costos directos del mal manejo corrupto del crédito público a lo largo de las décadas del siglo XIX. Esta forma de corrupción apareció como una «innovación» con la independencia y, desde entonces, tuvo una larga historia. Fue un medio preferido con que esconder, reciclar o lavar ganancias corruptas a costa de la ciudadanía en general y se encuentra vinculada a los ciclos de endeudamiento externo.

La segunda categoría o forma de corrupción prominente a lo largo del siglo XIX —el corrupto patronazgo de tipo caudillista y la malversación con fines personales y políticos, así como la «corruptela» entre los oficiales militares (vinculada a menudo con la compra de armas y equipos, y los contratos de aprovisionamiento)— tenía profundas raíces en el periodo colonial, pero desarrolló nuevas ramificaciones a medida que la esfera política, la tecnología militar y la guerra moderna evolucionaban y se daban guerras nacionales e internacionales. Los cálculos por década de este tipo de costo de la corrupción tienen como base las flagrantes expropiaciones y el saqueo interesado realizados por las redes caudillistas, así como las irregularidades documentadas —tales como sobornos, «comisiones» y «adelantos»— en los contratos de compras de naves de guerra, rifles y otros pertrechos.

La tercera forma de corrupción —el soborno en los contratos oficiales de comercialización del guano en el extranjero, de obras públicas (especialmente en la construcción de ferrocarriles y muelles) y otras transacciones de aprovisionamiento del Estado— pasó a ser un rasgo prominente y el símbolo de la corrupción a lo largo del siglo XIX. Los derechos monopólicos del

Estado fueron inicialmente explotados por funcionarios del Poder Ejecutivo para lucrar de modo corrupto. Posteriormente, los funcionarios parlamentarios y judiciales también tuvieron un papel importante debido a cuestiones constitucionales y litigios, cuya solución dependía del soborno (cohecho, concusión, prevaricato) de congresistas y jueces. Todas estas negociaciones ilegales incrementaron los costos de transacción considerablemente. Para estimar los montos involucrados en los sobornos a cambio de la aprobación o la prórroga de los contratos públicos, se calcularon los costos como un porcentaje del costo total oficial del proyecto contratado. En el caso de Meiggs, por ejemplo, los sobornos pagados sumaban aproximadamente el 10 por ciento del costo total de construcción de ferrocarriles. El costo de los sobornos era un componente importante del costo total oficial, puesto que los contratistas sumaban el monto pagado por ellos al costo final de la operación, con lo que desplazaban su costo real al público. Otros casos importantes de soborno en la adquisición pública incluyeron los contratos de consignación inicial del guano, así como los contratos Dreyfus y Grace.

Los costos indirectos constituyen el cuarto y quinto tipo de costos de corrupción estimados en el cuadro A.3. Desde la época colonial, el contrabando contribuyó a la pérdida de la renta tributaria debida por el comercio y la plata, a una tasa de 20 por ciento de los montos implicados en esta actividad ilegal. La corrupción y el soborno de las autoridades locales permitieron que se perdieran dichas rentas aduaneras. En el temprano periodo republicano, tales tasas perduraron a medida que el contrabando crecía con la exportación clandestina de plata y por las importaciones de bienes extranjeros no gravados. Las cifras de metal en barras no registradas, transportadas en las naves británicas en las décadas de 1820 y 1830, brindan la base para el cálculo de las rentas perdidas debido al contrabando. Estas rentas tendieron a caer con leyes comerciales más liberales, vigentes a partir de mediados de siglo, pero no desaparecieron, en tanto que otros tipos de costos de la corrupción fueron creciendo.

La inversión extranjera y nacional perdida, la quinta categoría de costos, es contada como la contracción en la disposición a invertir en un país de altos, engorrosos y caprichosos costos de transacción e inestabilidad estructural, alimentados por los sobornos y la corrupción. Tales condiciones benefician fundamentalmente a los inversionistas dispuestos a pagar sobornos, con la expectativa de tener ganancias monopólicas o privilegiadas. Esta inversión a la que se renuncia no es sino una parte de la inversión total perdida debido a otras condiciones adversas, tanto políticas como institucionales. La inversión perdida debido a la corrupción solamente puede calcularse en términos generales y aproximados, como un porcentaje de la reducción en el monto de la inversión directa y de cartera por periodo.

Cuadro A.3

ESTIMADOS DE LOS COSTOS DIRECTOS E INDIRECTOS DE LA CORRUPCIÓN POR DÉCADA, PERÚ, 1820-1899

(millones de pesos y soles)

Década	I Manejo deuda interna y externa	II Corrupción: caudillos y militares	III Sobornos: contratos públicos	IV Indirecta pérdida de rentas por contrabando	V Indirecta pérdida de inversión	Total	Promedio anual
1820-1829	4	3	2	8	10	27	2,7
1830-1839	2	2	1	5	12	22	2,2
1840-1849	3	2	3	4	13	25	2,5
1850-1859	19	4	3	4	20	50	5,0
1860-1869*	20	10	19	4	30	83	8,3
1870-1879	25	20	25	3	35	108	10,8
1880-1889	3	8	6	2	10	29	2,9
1890-1899	3	12	15	2	15	47	4,7

* 1 peso = 8 reales = 1 dólar americano. En 1863, Perú adoptó el sol de 10 reales; 1 sol = 0,925 de dólar americano.

Fuentes: las mismas que en el cuadro A.2; capítulos 2-4; Basadre 1968, vol. 1: 220-23, vol. 8: 252-253 y vol. 9: 155-164; Flores-Galindo 1984: 222-224; Quiroz 1987a: 30-36; Palacios 1983: 15; Mathew 1970: 83 y 96-98, 1972: 604-607, 1981: 102-108 y 230–31; Marichal 1989: 21; Gamarra 1952: 165 y 172; Despatches 1826-1906, rolls. 5 y 11, USNA; 5-17/1846, 1849, 1851, y 5-14A/1858, AMRE; Palacios 1989: 14-18; Bonilla 1974: 95-98; Dreyfus Frères, 1869a: 16-17; U.S. Congress 1869: 3, apéndice B; Colección Pardo, D2–52/3398, AGN; Stewart 1946: 51-52; Márquez 1888: 66-67; Witt 1987, vol. 7: 8-9, 122, 149, 244, 263 y 343; Rougemont 1883: 49; box 58, n.° 155: 292, box 59, n.° 159: 146-48, box 71, n.° 10: 425, WRGP; y Billinghurst a Piérola, 1 y 17 de abril de 1889, Archivo Piérola, vol. 3, BNP.

El cuadro A.4 integra ahora los estimados de los costos de corrupción agregados en una perspectiva comparativa, utilizando ratios de los costos anuales medios de la corrupción sobre las cifras de los gastos gubernamentales y del PBI por década. Dichos estimados resultan bastante reveladores.

Aunque los costos estimados reales más altos de la corrupción correspondieron a las décadas de 1860 y 1870, el mayor gasto gubernamental y la producción en estas décadas contribuyeron a que se dieran unos niveles relativamente más bajos de corrupción. Los índices más altos se alcanzaron en las décadas de 1820, 1830 y 1880, debido a las penurias fiscales y a la caída de la producción causadas por la guerra y los expolios de los caudillos, en tanto que los decenios de 1850 y 1890 tuvieron niveles muy elevados como porcentaje del gasto, mas no tanto del PBI. Sin embargo, a lo largo de estos ochenta años, una media anual de casi el 57 por ciento de los gastos y de 4,3 por ciento del

Cuadro A.4

COMPARATIVO DE COSTOS ESTIMADOS Y NIVELES DE CORRUPCIÓN, PERÚ, 1820-1899
(promedios anuales por década en millones de pesos/soles corrientes)

Década	I Exportación (a)	II PBI (b, d)	III Gasto de Gobierno (b, c)	IV Costo de corrupción (e)	V Nivel sobre gasto IV/III %	VI Nivel sobre PBI IV/II %
1820-1829	4,4	44	2,0	2,7	135	6,1
1830-1839	5,1	51	2,8	2,2	79	4,3
1840-1849	6,0	60	6,0	2,5	42	4,2
1850-1859	11,6	116	8,0	5,0	63	4,3
1860-1869	24,0	240	26,0	8,3	32	3,5
1870-1879	22,0	236	53,0	10,8	20	4,6
1880-1889	5,8	58	7,1	2,9	41	5,0
1890-1899	20,2	210	10,1	4,7	47	2,2

Notas: se asume que el PBI es igual a aproximadamente diez veces las exportaciones (sobre la base del estimado de Hunt para 1876-1877 y Seminario y Beltrán para 1896-1899). La moneda antes de 1863 es el peso y después el sol (véase, también, cuadro A.3).
Fuentes: (a) B. R. Mitchell 1998: 442, 444 y 447; (b) Shane Hunt 1973b: 73-74 y 95; (c) Ernesto Yepes 1972: 42-44 y 131; (d) Seminario y Beltrán 1998: 174; y (e) las del cuadro A.3.

PBI son indicadores generales sumamente altos que minaron seriamente el desarrollo económico en el largo plazo. Estos niveles no eran muy distintos de los del tardío periodo colonial, aunque el costo de oportunidad de la inversión extranjera, históricamente relevante únicamente para el siglo XIX, puede sesgar la comparación entre los niveles de la corrupción colonial y la republicana.

En los cuadros A.5 y A.6 se aplicaron a las décadas del siglo XX, métodos similares a los que se usaron en los cuadros A.3 y A.4. Las diferencias en las formas de los costos de corrupción estimados conciernen a la vieja malversación de los caudillos militares, subsumida en la corrupción militar sistemática. La corrupción presidencial, claramente presente en los decenios de 1920 y 1990, reemplaza la categoría anterior de los caudillos. El mal manejo corrupto de la deuda continuó causando daño en las décadas de 1920, 1970, 1980 y 1990. Aunque la deuda externa peruana estuvo en moratoria en las décadas de 1930 y 1940, la dependencia de los préstamos locales (hasta 66 millones de dólares en los años treinta) y el saqueo de las reservas brindaron oportunidades para la corrupción y los malos manejos. Con una burocracia creciente y mal pagada, los sobornos, las ineficiencias e irregularidades en la administración general y los contratos de compras públicas tendieron a crecer. El

Cuadro A.5
ESTIMADOS DE LOS COSTOS DE LA CORRUPCIÓN POR DÉCADA, PERÚ, 1900-1999
(promedio anual por década en millones de dólares corrientes)

Década	I Manejo irregular de la deuda pública	II Corrupción presidencial y militar	III Sobornos en las adquisiciones y los servicios públicos	IV Pérdidas indirectas al contrabando y al narcotráfico	V Inversión indirecta perdida	VI Promedio anual total
1900-1909	0,1	0,5	0,5	0,7	0,4	2,2
1910-1919	0,3	1,0	1,0	1,0	1,7	5,0
1920-1929	2,1	5,0	9,0	7,0	8,0	31,1
1930-1939	1,0	3,0	5,5	3,0	4,0	16,5
1940-1949	2,0	4,0	10,0	8,0	5,0	29,0
1950-1959	2,9	18,0	25,0	12,0	10,0	67,9
1960-1969	8,6	15,0	20,0	105,0	30,0	178,6
1970-1979	98,0	30,0	60,0	190,0	240,0	618,0
1980-1989	150,0	60,0	100,0	400,0	300,0	1010,0
1990-1999	165,0	120,0	153,0	600,0	1000,0	2038,0

Fuentes: cuadro A.1; capítulos 2-4; Oxford Latin American Economic History Database (la deuda externa y la inversión extranjera directa sirvieron como base para los cálculos); Thorp y Bertram 1978: 339, cuadro A.2.2; Carlos Marichal 1989: 213 y 255; U. S. Congress 1932, 3.ª parte: 1276-1281, 1934, 1.ª parte: 85-86, 100, 116-117 y 135-136; Hervey a Chamberlain, Lima, 19 de julio de 1928, n.° 63, FO 371/12788, ff. 282-284, NAUK; William Cumberland, «Reminiscences», pp. 135 y 138-139; Dearing a S. S., 14 de abril de 1932, 823.002/189, pp. 3-4, box 5706; Steinhardt a S. S., 4 de marzo de 1939, 823.157/6, box 4353, y 15 de marzo de 1939, box 5711; Hoover a Berel, 5 de octubre de 1943, 823.114/314, box 4351; Pringle a Dorr, 17 de junio de 1952, 723.521/6-1752, box 3303; Sayre a D. S., 7 de marzo de 1958, 723.00/3-758, box 3011, RG 59, USNA; Basadre 1981: 711-712; Masterson 1991:131 y 265-270; Perú, Senado, 26.ª sesión, 20 de septiembre de 1956, vol. 2: 243-244; Perú, Diputados, 5.ª sesión, 20 de agosto de 1956, vol. 1: 293-294; *El Comercio*, 16 de noviembre de 1958, pp. 4-9, y 27 de enero de 1959; Goodsell 1974: 99; Vargas Haya 1976: 159-162, 1980: 92-94, 179 y 337, 1984: 191-205, 2005: 311-316; Philip 1978: 140; James Rudolph 1992: 81-83; y Cateriano 1994: 235-240.

viejo problema de las rentas perdidas en el contrabando se disparó con el advenimiento de regímenes proteccionistas e intervencionistas entre las décadas de 1940 y 1980, en tanto que los costos de la corrupción relacionados con el narcotráfico —la versión moderna del viejo contrabando— crecieron exponencialmente desde el decenio de 1970 al de 1990. Con la expansión de la oferta internacional de fondos de inversión desde la década de 1950, los costos de oportunidad de la inversión extranjera crecieron debido a la corrupción, a medida que la corrupción sistemática, ligada estructuralmente a los regímenes intervencionistas y a distorsionadas políticas económicas

Cuadro A.6

COMPARACIÓN DE COSTOS Y NIVELES DE CORRUPCIÓN, PERÚ, 1900-1999
(promedios anuales por década en millones de dólares corrientes)

Década	I PBI (a, b)	II Gasto guberna- mental (a, b)	III Costo de la corrupción (c)	IV Nivel del gasto III/II %	V Nivel del PBI III/I %
1900-1909	230	8,9	2,2	25	1,0
1910-1919	445	17,8	5,0	28	1,1
1920-1929	809	43,2	31,1	72	3,8
1930-1939	539	36,4	16,5	31	3,1
1940-1949	866	69,2	29,0	42	3,3
1950-1959	1883	149,0	67,9	46	3,6
1960-1969	4863	571,0	178,6	31	3,7
1970-1979	12.540	1464,0	618,0	42	4,9
1980-1989	25.303	2889,0	1010,0	35	3,9
1990-1999	45.624	4090,0	2038,0	50	4,5

Fuentes: (a) Oxford Latin American Economic History Database, comparada y corregida para tener en cuenta la inflación, usando (b) Seminario y Beltrán 1998, cuadros V.1 y X.2, pp. 174-177 y 259-262; (c) las del cuadro A.1.

ortodoxas, contribuían a la presencia de costos de transacción más altos, relacionados con los sobornos (una suerte de impuesto ilegal a la inversión).

Luego de calcular los costos de la corrupción en las décadas de los siglos XIX y XX se pueden efectuar comparaciones de dichos costos por periodo gubernamental, tal como observamos en el cuadro A.7.

Tendencias y ciclos generales

A partir de la información en el cuadro A.7 podemos observar las siguientes tendencias generales: (1) se pueden clasificar como periodos de muy alta corrupción aquellos en los cuales los niveles de los costos desviados e indirectos de la corrupción fueron equivalentes a más del 30 por ciento del presupuesto anual y a entre 4 y 6 por ciento del PBI; (2) los periodos en los cuales los niveles de corrupción fueron equivalentes a entre 20 y 29 por ciento del presupuesto y a 2,1 y 3,9 por ciento del PBI pueden ser considerados de alta corrupción; y (3) los periodos en los cuales la corrupción equivalió a menos

Cuadro A.7
COSTO DE LA CORRUPCIÓN COMO PORCENTAJE DEL GASTO PÚBLICO Y EL PBI,
Y COSTOS INSTITUCIONALES RELACIONADOS, POR PERIODO DE GOBIERNO, PERÚ, 1810-2000

Gobierno (años)	Gasto público (%)	PBI (%)	Costos y condiciones institucionales
1. Colonia tardía (1810-1820)	41	4,0	Fracaso de las reformas, decadencia del sistema de intendencias, los virreyes recuperan su poder patrimonial, auge de los militares, contrabando.
2. Independencia temprana (1821-1829)	139	6,1	Derechos de propiedad debilitados, colapso del crédito público, expolios de caudillos e imperio de la fuerza.
3. Gamarra/La Fuente (1829-1833, 1839-1841)	80	4,7	Políticas comerciales adversas al crecimiento, finanzas de emergencia (1829-1833, 1839-1841), patronazgo de caudillos, inestabilidad.
4. Castilla 1.º (1845-1851)	41	4,1	Contratos exclusivos del guano, centralismo y maduración de las redes de caudillos.
5. Echenique (1851-1855)	65	5,0	Crédito y bases financieras dañadas, dependencia de los adelantos del guano, guerra civil.
6. Castilla 2.º, Pezet, M. I. Prado 1.º (1855-1868)	33	3,5	Derrota de medidas anticorrupción, interferencia extranjera, Poderes Legislativo y Judicial crecientemente venales.
7. Diez Canseco, Balta/Piérola (1868-1872)	24	5,0	Déficit, endeudamiento crónico, obras públicas onerosas, política disfuncional de transporte y desarrollo (Meiggs, Muelle y Dársena, Contrato Dreyfus).
8. Manuel Pardo, M. I. Prado 2.º (1872-1879)	18	3,5	Manejo en última instancia fallido de la crisis heredada, sistema de defensa debilitado, intervención estatal.
9. Piérola 1.º, Iglesias (1879-1881, 1882-1885)	70	5,5	Inobservancia de la ley, expolios en tiempo de guerra, incapacidad defensiva, ocupación extranjera.
10. Cáceres, Morales Bermúdez, Borgoño (1886-1895)	47	4,0	Control militarista politizado, se favorece la especulación extranjera (Contrato Grace).
11. Piérola 2.º (1895-1899)	40	2,2	Alianza venal con camarillas financieras, leyes electorales defectuosas.
12. Civilistas (1899-1908)	25	1,0	Distribución del ingreso sesgada, control de cuerpos electorales, respaldo militar comprado.
13. Leguía 1.º (1909-1912)	30	2,0	Ruptura del consenso político, escalada militar y patronazgo, mayor deuda, vigilancia secreta, interferencia electoral.
14. Billinghurst, Benavides 1.º, José Pardo 2.º (1913-1919)	25	1,0	Retorno de la inestabilidad política, crisis, intervención de militares «profesionales».

15. Oncenio de Leguía (1919-1930)	72	3,8	Endeudamiento, dictadura, ruptura de los pesos y contrapesos y del sistema político, oposición debilitada, espionaje, censura de los medios, propaganda, uso político de los militares.
16. Sánchez Cerro (1931-1933)	34	3,5	Inestabilidad, represión sistemática, nepotismo, postura belicista xenófoba, favoritismo militar, moneda devaluada.
17. Benavides 2.º (1933-1939)	30	2,6	Dictatorial, camarilla económica nepotista, sucesor elegido a dedo, manipulación electoral.
18. Manuel Prado 1º (1939-1945)	43	3,4	Democracia guiada, políticas distorsionadas, déficit, inflación, abuso de los préstamos internos, recompensas militares, primeras bandas ilegales de narcotraficantes.
19. J. L. Bustamante (1945-1948)	41	3,2	Intervencionismo populista, obstrucción e infiltración política, burocracia hinchada, controles de precios, inflación, dependencia de los militares, inestabilidad.
20. Ochenio de Odría (1948-1956)	47	3,7	Dictadura, mayor gasto público, presupuesto militar y deuda externa, elecciones arregladas, abusos y represión, violaciones e infracciones constitucionales.
21. Manuel Prado 2.º (1956-1962)	45	3,5	Descuido y atasco de reformas urgentes, pactos políticos inescrupulosos, déficit, creciente influencia izquierdista, manipulación electoral.
22. Belaunde 1.º (1963-1968)	30	3,4	Favores debidos a militares, conflicto legislativo con oposición recalcitrante, reformas atascadas, contrabando, déficit, inflación, conflictos con capital y asistencia extranjeros.
23. «Revolución» militar (1968-1980)	43	5,0	Dictadura, erosión del Poder Judicial, decretos, finanzas deficitarias, endeudamiento, favoritismo, políticas económica y financieras heterodoxas, empresas estatales ineficientes, contrabando, control de los medios, penetración izquierdista, narcotráfico.
24. Belaunde 2.º (1980-1985)	33	3,8	Negligencia, estructura del Estado no reformada, insurgencia terrorista, dependencia de la deuda externa, autonomía militar, derechos limitados, déficit fiscal, inflación, rescate de bancos favorecidos.
25. Alan García 1.º (1985-1990)	37	4,0	Políticas heterodoxas, inestabilidad, hiperinflación, crisis político-económica, creciente narcoterrorismo, mercados negros, acumulación de casos pendientes en débil Poder Judicial.
26. Fujimori/Montesinos (1990-2000)	50	4,5	Captura depredadora de las instituciones del Estado; presidencialismo; abusos encubiertos; reformas económicas distorsionadas; daños a Fuerzas Armadas, Legislativo, Poder Judicial y electoral, medios y estado de derecho.

Fuentes: las mismas de los cuadros 1.2 y A.1 a A.6; capítulos 1-7.

del 20 por ciento del presupuesto y a 1 o 2 por ciento del PBI pueden considerarse de corrupción moderada. En este examen histórico e intento de cálculo no se detectaron evidencias de periodos de corrupción baja o muy baja. Partiendo del periodo colonial tardío, en el que se asume que los niveles de corrupción eran muy altos, los ciclos subsiguientes de corrupción en la historia republicana posterior a la independencia se pueden describir del siguiente modo: niveles muy altos en las décadas de 1820 y 1830; el retorno a estos mismos niveles en el decenio de 1850 y comienzos de los de 1870 y 1880; niveles moderados desde finales de la década de 1890 y la de 1910; un fuerte incremento hasta alcanzar niveles sumamente elevados en el decenio de 1920; niveles nuevamente de moderados a altos en las décadas de 1930 y 1940; y un incremento constante hasta niveles más elevados en las décadas de 1950, 1960 y 1970, alcanzando rangos altos a finales de 1980 y durante la década de 1990.

Conclusión

A un nivel promedio anual estimado de alrededor de entre 30 y 40 por ciento de los gastos del presupuesto, y de entre 3 y 4 por ciento del PBI en el largo plazo (años de 1820 a 2000), el costo de la corrupción para el desarrollo económico y social peruano en su historia republicana ha sido estructural y consistentemente alto o muy alto, pese a las variaciones cíclicas. Considerando que para alcanzar un crecimiento autosostenido se requiere de una tasa de crecimiento media anual del PBI de entre 5 y 8 por ciento en el largo plazo, debido a la corrupción sistemática y descontrolada, el Perú perdió o distribuyó mal el equivalente de aproximadamente el 40 a 50 por ciento de sus posibilidades de desarrollo.

Alfonso con su hermano y su padre, Miraflores, 1966

Medalla de oro. Campeonato nacional de natación en Piura, 1966

Visita a un poblado amazónico en Iquitos con su padre. 1966

Club Regatas, Lima 1965-1966

Aeropuerto Jorge Chávez.
Rumbo al 2.° Campeonato
Sudamericano de Natación Infantil
Juvenil, Cali, Colombia. 1968

Campeonato de Natación Interclubes. Lima, piscina Campo de Marte. 1969

Visita a la abuela Blanca, Lima, 1976

1977: Gina Beretta, Margarita Suárez y Marco Olivera.
De pie, Alfonso Quiroz, Carlos Contreras, Farid Matuk y Heraclio Bonilla

Despedida de Alfonso en 1980, antes de partir al doctorado.
A la izquierda, Marcos Cueto, (posiblemente Juan José Beteta), después sigue Alvaro Puga, Ada
Arrieta, Danilo Tamayo, Carlos Contreras, José Luis Rénique y Farid Matuk. Al frente, Margarita
Suárez, un colaborador de Cuatro Tablas, María Emma Mannarelli, Gina Beretta, Alfonso
Quiroz, una amiga de ellos, Augusto Arzubiaga, Layla Pine, Eduardo Univazo

Lima, 1980

Con Marcos Cueto, Lima, 1981

Alemania, década de 1990

España, década de 1990

Con su madre y su hija en España en 1993

Con los pintores Armando Williams y Ramiro Llona en el taller de este último.
Lower East Side, Nueva York, 1993

Con su hija Daniela en España en 1995

Con su madre, Edith Norris, en España en 1995

Foto que cuelga aún en una de las paredes de la Biblioteca Pública de Nueva York y lista a Alfonso Quiroz entre los investigadores notables. Tomada en 1998 cuando fue curador de la exposición por el aniversario de la Guerra Hispanoamericana para esa institución

Con su madre Edith en Lima, 2001

El padre Jeffrey Klaiber, Alfonso Quiroz, Felipe Portocarrero y Andrea Portugal.
Presentación de libro, ICPNA, Lima, 2004

París, 2007

Carné de competidor
en el Perú máster, 2008

Adelante: Carol Caillaux
y Daniel Sandoval.
Atrás: Caty Tudela, Ricardo
Caillaux, Gunther Buschbeck,
Alfonso Tudela, Felipe Bayly,
Konrad Meir, Erika Klinge.

Posta ganadora:
Alfonso Quiroz, Aida Valdez,
Bianca Orlandini, Ricardo Caillaux

En su escritorio, con su perro Loki, Nueva York, 2008

Con su esposa Mónica Ricketts, París, enero, 2008

Archivos Nacionales del Reino Unido (Kew Gardens), Londres, 2010

Oxford, Inglaterra, 2010

Con Teresa Tuñón y una amiga en su casa La Cerezal, Valle de Quirós, Asturias, 2010

Leyendo a John H. Elliott con su hijo Alfonso.
Nueva York, 2011

En Hudson, Nueva York, con su hijo Alfonso, 2011

Con sus hijos Daniela y Alfonso en Nueva York, 2011

COLOFÓN

Alfonso Quiroz Norris (1956-2013), el historiador incansable

MARCOS CUETO

Q uerido por sus muchos amigos, respetado por sus colegas, apreciado por sus alumnos y seguido por sus lectores, Alfonso W. Quiroz Norris fue un destacado historiador peruano, pionero en el estudio del pasado de las finanzas peruanas. Aplicó en sus investigaciones y publicaciones la disciplina y el esfuerzo que aprendió cuando fue un exitoso competidor de natación, representando al Perú en las categorías infantil y juvenil. Estudió en el colegio Markham de Lima, de donde le quedarían para el resto de la vida amigos entrañables y un admirable dominio del idioma inglés. Tanto en su vida profesional como en su vida personal encarnó como nadie un adjetivo: inagotable. Un calificativo que reflejó no solo su tenaz labor profesional y su escrupuloso examen de fuentes documentales, sino la vitalidad y creatividad con la que atravesó por los vertiginosos cambios producidos hacia el final del siglo XX, como las reformas del gobierno militar de Juan Velasco Alvarado, el fin de la Guerra Fría, el comienzo de la era de la globalización donde se reformulaba el rol del Estado y la debacle del fujimorismo. Aunque fue mi amigo desde poco antes que cumpliéramos 16 años —y podría mencionar muchas anécdotas así como tomarme la libertad de agradecer en su nombre a sus otros amigos—, en esta reseña solo voy a dedicarme a sus valiosos aportes a la historiografía peruana y latinoamericana que no son del todo conocidos.

Ingresó a Estudios Generales Letras en la Pontificia Universidad Católica del Perú en 1974 en uno de los primeros lugares del exigente examen de admisión. Antes había estudiado en la academia preuniversitaria Trener donde los profesores eran destacados estudiantes de los últimos años de la Católica. En los primeros ciclos de estudio en la Universidad le atrajeron el curso de Lengua dictado por el brillante profesor Luis Jaime Cisneros, al igual que las diversas disciplinas de ciencias sociales o de historia social que se dictaban bajo títulos sofisticados como Realidad Social Peruana. En los estudios de historia lo influenciaron profesores del Departamento de Humanidades como Franklin Pease, Javier Tord y Jeffrey Klaiber junto con otros historiadores que estaban afiliados a la Facultad de Ciencias Sociales, como Alberto Flores-Galindo y Heraclio Bonilla. Pease era entonces un carismático profesor que dictaba cursos brillantes como Etnohistoria Andina, donde casi con seguridad Alfonso leyó por primera vez al historiador francés Fernand Braudel, aprendió a apreciar la persistencia de las estructuras económicas y conoció a profesionales que analizaban el pasado desde más de una disciplina, como el norteamericano John Murra (formado en antropología pero considerado el padre de la etnohistoria).

Muchos estudiantes universitarios y peruanos sentíamos que vivíamos una época decisiva porque según el discurso del régimen militar en su primera fase, o las populares proclamas de la izquierda que apoyaban o criticaban al gobierno, el país estaba iniciando un nuevo derrotero, dando fin al pasado oligárquico y entreguista al imperialismo extranjero para asumir una identidad más indígena, nacionalista y en favor de los pobres. En parte por estas proclamas y discursos, el estudio de la historia o el conocer realmente los elementos de cambio y continuidad en la historia del Perú parecía una dimensión decisiva para comprender no solo el pasado sino iluminar el presente. Era una época propicia para pensar en estos elementos porque ya habían pasado algunos años del gobierno militar iniciado en 1968, el cual hubo autoproclamado el haber realizado cambios estructurales en la sociedad peruana como la reforma agraria y la nacionalización de empresas extranjeras. No debo dejar de destacar que Alfonso Quiroz nunca apoyó al gobierno militar; por el contrario, militó por algún tiempo en un pequeño partido trotskista de izquierda que criticaba duramente al régimen castrense.

Gracias a Bonilla, quien había editado una obra histórica clásica (*La Independencia en el Perú: las palabras y los hechos*, 1971) que cuestionaba las trompetas triunfalistas de celebración de la independencia hecha por los militares y lideraba un equipo de investigación de historia económica donde participaban otros de sus compañeros de estudio y futuros colegas, como Carlos Contreras y José Deustua, llegó a ser por un breve periodo (1979) investigador del Instituto de Estudios Peruanos (IEP). También con Bonilla muchos estudiantes de historia económica y social participamos en una revista académica de corta duración, donde Alfonso colaboró y publicó uno de sus primeros artículos.[1] No perdió su vínculo con el Instituto a pesar de no ser un investigador de planta. En 1986 presentó un texto en una significativa reunión internacional que el IEP organizó, con un número de asistentes que excedía la capacidad del auditorio: el VII Simposio de Historia Económica del Consejo Latinoamericano de Ciencias Sociales (CLACSO). Fue una reunión sobresaliente por la cantidad y calidad de los debates y de los participantes; la mayoría estrellas nacionales e internacionales de la historia económica latinoamericana de la época y casi 'leyendas' para los estudiantes de historia, como el italiano-francés Ruggiero Romano, el francés François Chevalier, el argentino Enrique Tandeter y el norteamericano Herbert S. Klein, entre otros.[2]

Fuera de la universidad dejó una huella en sus intereses académicos el estudioso de la historia, y dueño de una magnífica biblioteca en Lima, Félix Denegri Luna quien le sugirió ver el siglo XIX con más cuidado con al que hasta entonces se había hecho. Fue ganado para la nueva historia económica, como la mayoría de sus compañeros de estudios de entonces, donde pasó a cumplir un rol de liderazgo y en parte por ello elaboró una brillante tesis de bachiller (cuando estas debían ser tan extensas como un libro) con la que se graduó en 1980 titulada «La consolidación de la deuda interna peruana, 1850-1858». Algunos años después, en 1987, la publicó como *La deuda defrauda: consolidación de 1850 y dominio económico en el Perú*, con el sello del aún entonces dinámico Instituto Nacional de Cultura (y que se presentó el año siguiente en el Instituto Raúl Porras Barrenechea, en un foro que contó con el apoyo del Archivo General de la Nación). Esta fue considerada entonces una contribución notable y original a la historiografía peruana, pues analizaba con detalle la «consolidación» o pago por parte del Estado en 1850 de la deuda interna que se arrastraba desde el periodo colonial con el supuesto de que serviría para formar una clase empresarial que invertiría sus capitales en el país. Su interés era ver cómo se formaban e invertían los capitales para confirmar si era verdad que toda la riqueza adquirida de la exportación del guano de las islas, utilizado como fertilizante en las granjas y plantaciones de la Europa industrial, había sido derrochada en artículos de lujo por parte de las élites, como la historiografía de entonces aseguraba. Sin embargo, encontró que se había exagerado el valor de la deuda con el fin de enriquecerse a costa del Estado y que el principal obstáculo para la formación de un mercado de capitales se encontraba además dentro del propio Estado, donde existieron funcionarios cómplices de malos manejos de la deuda.

Alfonso fue uno de los primeros peruanos en abrir una senda de estudios doctorales en historia en Estados Unidos, un país que a comienzos de los años ochenta vivía cierta crisis económica pero albergaba una dinámica comunidad de historiadores latinoamericanos. Partió para ese país cuando aún buena parte de los intelectuales e historiadores peruanos consideraban a París la meca de los estudios de doctorado. Sin mayores contactos previos, postuló al respetado Departamento de Historia de la Universidad de Columbia, uno de los centros de estudios más completos y famosos del mundo. Allí captó la atención del experimentado profesor Herbert S. Klein, quien le ofreció una beca para proseguir estudios de maestría y doctorado. Posteriormente, Alfonso y el profesor Klein serían claves en la formación de varios historiadores peruanos en esa Universidad, la mayoría de los cuales trabajan ahora en el Perú. En Columbia, Alfonso prestó especial atención a los cursos de historia latinoamericana, económica y al novísimo curso de historia cuantitativa que enseñaba a cómo pensar históricamente utilizando operaciones estadísticas complejas como las regresiones múltiples y sacarle todas las ventajas a los entonces novedosos recursos de la computación. Asimismo, aprendió más sobre algo del quehacer histórico que ya le habían enseñado en Lima: que un buen historiador estudia problemas nuevos, rebusca en archivos de la manera más minuciosa posible y propone una nueva interpretación de los hechos estudiados. En Columbia, Alfonso fue puliendo un estilo de investigar historia con pruebas fehacientes, buscadas en todos los repositorios posibles. Algo más sobre su estilo de investigar y escribir. Al leerlo pareciera que estuviera convencido de que la historia es una ciencia exacta, sin embargo su narración —pulida y cultivada con un esmero inagotable— no sacrificó el elegante estilo a la veracidad de su objeto. Para Alfonso, el historiador no repite lo que dicen los discursos ni hace una revisión superficial en los archivos, sino que sustenta solidamente sus interpretaciones en hechos irrefutables.

Un profesor de historia colonial latinoamericana que también dejaría una huella en su carrera fue el renombrado historiador inglés Kenneth Maxwell, que entonces enseñaba en Columbia, de quien aprendió la obligación de todo buen historiador de combinar la profundidad con la claridad en la mejor narrativa posible. Asimismo, gracias a Maxwell conoció en detalle las ambiciones y limitaciones de las reformas del Estado realizadas en las postrimerías de los imperios español y portugués en las Américas (denominadas borbónicas y pombalinas, respectivamente). En Columbia llevó varios cursos en el Departamento de Economía para entender mejor las ideas, la historia y el vocabulario de la disciplina que le interesaba. Más aún, estuvo muy cerca de obtener una maestría en Economía; un indicador del dominio que tenía sobre el tema. Su tesis de maestría, presentada en 1982, trató sobre las actividades comerciales y financieras de la casa Grace durante la Guerra del Pacífico y los años posteriores a ella; es decir: 1879-1890. Utilizando un acervo documental novedoso que se encontraba en el archivo de la Universidad de Columbia, Alfonso estudió el caso único de un inmigrante irlandés, W. R. Grace, que vino al Perú de mediados del siglo XIX y se hizo rico con el guano; luego Grace regresó con cierta fortuna a Estados Unidos y Europa para formar una corporación con oficinas en Inglaterra y Estados Unidos. Esta compañía jugó un papel clave en la recuperación y vida económica del país pocos años después de acabada la guerra. Posteriormente este estudio fue publicado en *Histórica*, la mejor revista peruana en la especialidad que había sido inaugurada pocos años antes.[3]

Gracias a una beca del Instituto de Estudios Latinoamericanos de Columbia pasó el verano (del hemisferio norte) de 1981 investigando en el Archivo de Sevilla (la meca de historiadores coloniales) sobre las actividades de comerciantes y financistas limeños de fines del periodo colonial. En aquella y posteriores visitas que realizara a los archivos españoles, y peruanos, pudo elaborar varios trabajos como: «The New Christians and the Spanish American Inquisition», una presentación en el Congreso Internacional de Americanistas realizado en Manchester en 1982 que apareció pocos años después en una distinguida revista alemana.[4] Más adelante escribió un artículo para la mejor revista de historia latinoamericana de los Estados Unidos, *Hispanic American Historical Review*, titulado «Reassessing the role of credit in late colonial Peru: censos, escrituras, and imposiciones» (74:2 [1994]: 194-230).[5] Todos estos textos encontraron una mucho mejor expresión en un libro lúcido y fundamental de la historia económica durante un periodo de transición: *Deudas olvidadas: instrumentos de crédito en la economía colonial peruana 1750-1820* (Lima: Pontificia Universidad Católica del Perú, 1993) donde ilumina con éxito el enrevesado asunto del crédito colonial. Otra novedad del libro fue que demostró que era posible —muchas veces necesario— transitar de la historia colonial a la republicana. Esta era una decisión profesional heterodoxa si se toma en cuenta que los profesores de historia tanto del Perú como de Estados Unidos recomendaban que un especialista concentre su carrera en una u otra etapa de la historia.

Su sólida tesis de doctorado *Financial institutions in Peruvian export economy and society, 1884-1930,* defendida en Columbia en 1986, fue un estudio de más de 440 páginas elaborado gracias a la competitiva beca *Doctoral Research Fellowship* otorgada por la prestigiosa Fundación *Social Science Research Council.* (Un año después la misma Fundación lo apoyó para extender la investigación haciéndolo merecedor de la *Advanced Grant for Research.*) Este apoyo, y su tesonero trabajo, fueron la base para varios libros que publicaría años después, como el que hizo en la Universidad del Pacífico: *Banqueros en conflicto: estructura financiera y economía peruana, 1884-1930* (que tuvo dos ediciones en español 1989 y 1990) y la versión ampliada en inglés que apareció en 1993 (en Londres con la editorial McMillan y al mismo tiempo con la editorial de la Universidad de Pittsburg) titulada *Domestic and foreign finance in modern Peru, 1850-1950: financing visions of development.* Este libro era el resultado de diez años de investigaciones y lo ubicó como la máxima autoridad en la historia financiera peruana y uno de los principales historiadores económicos de América Latina. Como parte de este grupo de estudios, que le hacían aparecer bajo una nueva y más positiva luz a los grupos empresariales de comienzos del siglo XX, había publicado antes: «Grupos económicos y decisiones financieras en el Perú, 1884-1930», en el número de 1986 de la revista de ciencias sociales *Apuntes,* editada por la Universidad del Pacífico.[6]

A poco de haberse graduado compitió y ganó un concurso para ser profesor asistente de historia de América Latina y el Caribe en Baruch College, una universidad ubicada en el centro de la ciudad de Nueva York creada en 1847 y muy apreciada que se distinguía por ser multicultural, es decir, por tener estudiantes, profesores y cursos que cubrían diferentes asuntos y partes del mundo, así como por su énfasis en la formación en administración, negocios y economía. Fue promovido por sus propios méritos, algo que no es fácil ni automático en universidades de Estados Unidos, hasta ser profesor principal en 1994. Desde entonces no solo fue considerado en esta casa de estudios un historiador latinoamericano sino un especialista en historia mundial. Al mismo tiempo era profesor tanto en el Baruch College como de una institución mayor a la que la anterior estaba vinculada: el Graduate Center del City University of New York (CUNY; una importante universidad pública de la costa este de Estados Unidos) donde siguió una productiva carrera como docente e investigador formando a cientos de estudiantes. En ambas instituciones de educación superior cumplió diligentemente con las tareas que se esperaban de todo buen profesor universitario norteamericano —como participar en comités de admisión, de premios y con orientaciones de alumnos y consejos profesionales a profesores y autoridades. Tanto Baruch como CUNY le brindaron generosamente en varias ocasiones becas y bolsas de viajes para realizar sus investigaciones en el exterior y participar en foros académicos. Aunque nunca perdió el contacto con el Perú, cuyas universidades y archivos visitaba regularmente, las principales contribuciones las realizó desde su universidad en Nueva York y desde los archivos de Madrid que conocía como pocos historiadores.[7]

Las tres grandes contribuciones historiográficas de Alfonso Quiroz fueron la historia financiera peruana, la historia de la corrupción estatal en el Perú y la historia social y económica de Cuba antes de la revolución de 1959. En su libro de 1993 cuestionaba las interpretaciones comunes derivadas de la Teoría de la Dependencia y del libro de Geoffrey Bertram y Rosemary Thorp de 1978 titulado *Peru 1890-1977: Growth and Policy in an Open Economy* que argumentaba que la característica peruana en la región era precisamente la dependencia. Alfonso, en cambio, sustentaba con valor y decisión que había existido cierto grado de autonomía de los actores financieros locales y que estos habían tenido un rol positivo en el crecimiento del país. Asimismo, argumentaba, en contra de lo que pensaban muchos historiadores acerca de que el periodo de crecimiento de las exportaciones de materias primas

(1884-1930) había sido dinámico para la recuperación del país después del desastre de la Guerra con Chile. Asimismo, que las élites comerciales, financieras, de seguros e industriales habían actuado racional e imaginativamente aprovechando al máximo las posibilidades y limitaciones de políticas estatales liberales incoherentemente aplicadas al igual que de la presencia del capital y las inversiones extrajeras logrando modernizar al país. Según Alfonso, fue el intervencionismo del Estado en última instancia, y en especial la coyuntura de la Depresión de 1929, el que no permitió que estas iniciativas se profundicen, persistan y creen oportunidades igualitarias para todas las regiones. Una institución clave que examinó fue el Banco de Perú y Londres, una institución creada a fines del siglo XIX que llegó a tener gran poder pero colapsó estrepitosamente poco después de la caída del dictador civil Augusto B. Leguía. Fue también autor de varios artículos y capítulos de libros sobre el Perú colonial y moderno, así como acerca de la historia del crédito en el país.

Vale la pena mencionar que los estudios de Alfonso Quiroz sobre las insuficiencias del Estado se produjeron cuando a escala mundial existía una crítica al modelo tradicional del Estado de Bienestar y una reexaminación del supuesto que este era un buen gerente de grandes empresas de servicios públicos esenciales o debía ser el principal o único proveedor de los mismos. Este ideal de Estado había surgido después de la Segunda Guerra Mundial y parecía desplomarse con el fin de la Guerra Fría (simbolizada por la caída del Muro de Berlín en 1989 y la disolución de la Unión Soviética en 1991). Aunque esta crítica a las funciones tradicionales que mal cumplía el Estado fue realizada principalmente desde un punto de vista neoliberal y conservador y para los países industrializados (encarnados en los gobiernos de Margaret Thatcher, en Inglaterra, y Ronald Reagan en los Estados Unidos, que muchas veces buscaron privilegiar a los grupos empresariales más poderosos), también existieron posturas auténticamente liberales, de las que participaba Alfonso, que consideraban imprescindible dar mayor autonomía al mercado, asegurar una igualdad de oportunidades a todos los actores económicos, así como reformular el papel del Estado en los países en desarrollo como el Perú.

Su último y exitoso libro *Corrupt Circles: A History of Unbound Graft in Peru* (Washington, D. C. y Baltimore: Woodrow Wilson Center Press y Johns Hopkins University Press, 2008) se basó en innovadores trabajos anteriores iniciados por lo menos desde el año 2000 en el que en el título de un capítulo de un libro de homenaje a Felix Denegri se hacía la pregunta: «Historia de la corrupción en el Perú: ¿es factible su estudio?» [En *Felix Denegri Luna. Homenaje*, editado por Guillermo Lohmann, et ál. (Lima: Pontificia Universidad Católica del Perú, 2000), pp. 684-690]. También despuntó en esta línea de estudios su capítulo en el libro «Basadre y su análisis de la corrupción en el

Perú» que apareciera en un libro de homenaje al insigne historiador peruano y fuese coeditado en 2005 por destacadas historiadoras.[8] Con estos estudios profundizó su estilo de investigar utilizando una diversidad de fuentes, bibliotecas y archivos y contrastando la información obtenida entre ellas. Algunas de las novedades metodológicas que trajeron estos estudios fueron la habilidosa reexaminación de la correspondencia de funcionarios diplomáticos en archivos de todo el mundo como los de los ministerios de relaciones exteriores de París, de Madrid y de Key (para Inglaterra), así como documentos que no se habían consultado antes del National Security Archive y el National Archives; ambos en los Estados Unidos, entre otros. En este sentido, Alfonso Quiroz fue también un pionero.

Su principal argumento era que el manejo corrupto de las finanzas y la economía peruanas había dejado una profunda huella que afectaba a sectores estratégicos y retrasaba el desarrollo. Realizó una puntillosa revisión que se iniciaba en las postrimerías del virreinato, pasando por el contrabando y la corrupción que magnificaron los problemas de la minería colonial y dejaron una difícil herencia a la joven república. En el periodo del guano, denominado por Basadre como «la prosperidad falaz», funcionarios agobiados por deudas del Estado y ambiciosos de hacer una fortuna personal rápida crearon un sistema de sobornos a los contratistas extranjeros y empresarios que en gran parte explica la pérdida de una oportunidad histórica del país para desarrollarse. Durante el siglo XX, la corrupción estuvo asociada a los regímenes autoritarios y militares (cuando había menos oportunidades de denunciarla), enfatizando las prebendas en las compras de armamentos. Uno de los pasajes más fascinantes —y tristes— para un lector peruano es cómo la corrupción infiltró al Estado durante los años de la democracia en crisis de los años ochenta, cuando sufríamos del doble látigo de la hiperinflación y del conflicto armado interno. Su descripción de la coexistencia contradictoria de un sobreproteccionismo inútil, la imposición de tasas y de impuestos impagables y complicados, unido ello a los cambiantes permisos para invertir, sugieren que existe un patrón perverso en el desarrollo estatal y una o más burocracias en competencia buscando su supervivencia en el corto plazo, sobre todas las cosas.

El libro de Alfonso sugiere un patrón de corrupción que llegó a un cenit con los abusos del poder y la violación de los derechos humanos durante el régimen de Fujimori y Montesinos. Uno de los argumentos más fuertes de este libro es que podría explicarse alrededor de la mitad de la falta de crecimiento del Perú debido a la corrupción. Para demostrarlo, Alfonso elaboró complejas estadísticas y comparó los índices económicos del Perú con los de otros países en desarrollo. Su objetivo no solo era explicar cómo funcionaban los mecanismos de la corrupción, sino medir cuánto daño le había hecho esta al Perú. Quería reinterpretar la historia del Perú partiendo de uno de sus principales problemas, demostrar no solo cómo se habían desperdiciado fondos públicos y privados, ahuyentado a las inversiones y demorado el desarrollo. Quería además hacerlo dándole gran importancia a la juiciosa exégesis, a la narrativa y fluidez del texto. De esta manera contribuía a la historia económica institucional correlacionando los ingredientes cuantitativos y cualitativos; presentaba, así, una metodología y conclusiones que inspiran a estudiosos de otros países sobre un tema vital para el desarrollo. Desde un punto de vista histórico mostraba a los historiadores cómo podía estudiarse algo complicado y narrarlo de una manera entretenida y simple. Igualmente, contribuía a mostrar el error de la actitud displicente y de resignación de muchos académicos que consideran que la corrupción de las autoridades es un hecho inevitable del crecimiento y de la vida cotidiana de los países pobres, así como a cuestionar la equívoca percepción popular que si acaso un político «hace obras» sus robos estarían perdonados. Esta publicación fue reseñada y celebrada en varias revistas especializadas y periódicos de circulación nacional y mereció el *Abraham J. Briloff Prize in Ethics* y el *President's Excellence Award for Scholarship* del Baruch College en 2009. Hasta hace poco estuvo revisando con minuciosidad las pruebas de la versión en español de este estudio que ahora publica el IEP y el IDL.

Alfonso Quiroz trabajó en el tema de la corrupción cuando se estaba convirtiendo en una preocupación internacional. Por ejemplo, el Banco Mundial (BM) y otras agencias bilaterales y multilaterales de cooperación técnica y financiera advirtieron —desde mediados de la década del noventa del siglo pasado— que sus programas antipobreza y a favor del desarrollo económico habían sido muchas veces inútiles porque fueron malgastados por administraciones ineficaces e ineficientes en la gestión y porque buena parte de los recursos se evaporaban en un ambiente estatal poco transparente, como el que existía en muchos países en desarrollo donde proliferaba la corrupción. En 1997, el Banco Mundial —cuyo presidente el año anterior había calificado a la corrupción como un cáncer— inauguró una estrategia anticorrupción y de ética en sus programas de préstamos para prevenir el fraude y ayudar a combatir la corrupción. El año 2000, la Asamblea General de las Naciones Unidas (ONU) aprobó una drástica resolución para crear un instrumento legal efectivo contra la corrupción, considerándola un crimen transnacional. La ONU y el BM apoyaron los esfuerzos locales decididos por la prevención, la creación de oficinas anticorrupción nacionales y diseñaron las condiciones para acabar con cuentas bancarias secretas escondidas, o en 'paraísos fiscales' de funcionarios corruptos. Sin embargo, el fenómeno de la corrupción no era lo

suficientemente conocido y libros como el de Alfonso fueron una contribución sustancial para una creciente literatura sobre el tema que tenía claras
implicaciones políticas. Su libro fue muy usado por científicos políticos y periodistas progresistas en diferentes partes del mundo que querían mostrar que la
corrupción implica una insidiosa persistencia de minar la democracia y crear
redes de clientelaje que acrecientan la arbitrariedad y las injusticia sociales.

Menos conocida en el Perú son sus varias investigaciones y publicaciones sobre Cuba. Su trabajo en parte devino de su labor como curador de
la muestras sobre la guerra hispanoamericana de 1898. Esta enfrentó a los
cubanos patriotas y Estados Unidos, por un lado, contra España que quería
aferrarse a una de sus últimas colonias en el continente (la otra fue Puerto
Rico). La primera de estas muestras fue realizada en el *New York Public Library*
con el nombre de *A War in Perspective, 1898-1998: Public Appeals, Spanish-
American Conflict*; la segunda se organizó en el *New York Historical Society* y
fue denominada *Militant Metropolis: New York City and the Spanish-American
War, 1898*. Fue también autor de estudios pioneros sobre la historia de la
educación, la corrupción y las finanzas en Cuba.[9] Asimismo, coautor y coe-
ditor del libro *Cuban Counterpoints: The Legacy of Fernando Ortiz* (Lanham,
MD: Lexington Books, 2005) y *The Cuban Republic and José Martí: Reception
and Uses of a National Symbol* (Lanham, MD: Lexington Books, 2006).[10] Ortiz
fue un ensayista y político al que se le atribuye haber diseñado el concepto de
'transculturación', considerado como una característica inherente y permanente de la multirracial cultura cubana de antes de la revolución de 1959 y de
la que se inspirarían ensayistas latinoamericanos posteriores para acuñar términos igualmente sofisticados como el de 'culturas híbridas'. De igual manera,
fue autor de estudios económicos sobre los costos para el imperio español de
mantener la colonia cubana así como del desarrollo educativo y de una sociedad civil antes de 1959, que sugerían un proceso de cambios que antecedieron
a la revolución. Estos fueron resultado de años de investigación en archivos
de La Habana y de provincias cubanas, además de pesquisas en repositorios
españoles. Alfonso dejó pendiente una obra sobre la historia de la sociedad
civil y el reformismo en Cuba. Sin embargo su interés sobre la corrupción
no dejó de llevarlo al caso cubano, lo cual se observa en el artículo «Implicit
Costs of Empire: Bureaucratic Corruption in Nineteenth-Century, Cuba» que
apareció en 2003 en la prestigiosa revista inglesa *Journal of Latin American
Studies* y el capítulo del libro «Corrupción y hacienda colonial en Cuba,
1800-1868» que formó parte del libro editado por Inés Roldán de Montaud
titulado *Las haciendas públicas en el Caribe hispano durante el siglo XIX* y publicado en Madrid el año 2007 por el Consejo Superior de Investigaciones
Científicas.[11]

Alfonso Quiroz fue conferencista en las mejores universidades del mundo. Una de sus últimas presentaciones públicas fue sobre el tráfico comercial trasatlántico en Cuba durante las primeras décadas del siglo XVIII, realizada en abril de 2010 en el Centro de Estudios Latinoamericanos de la Universidad de Cambridge. Por varios años publicó reseñas, capítulos de libros y artículos notables en las mejores editoriales académicas y revistas de historia peruanas y del mundo, tanto en inglés como en español (por ejemplo: *Apuntes, Ibero-Amerikanisches Archive, Histórica, Journal of Latin American Studies, The Americas, Revista de Indias, American Historical Review, The Americas, The Historian, Bulletin of Hispanic Studies, Historia Mexicana, Latin America Research Review, Revista Andina* e *Hispanic American Historical Review*, entre otras). Fue además miembro del consejo editorial y editor de varias publicaciones, algunas de ellas le encargaron organizar números especiales de revistas académicas como el *Colonial Latin American Review* (estuvo en el grupo fundador de esta publicación). Gracias a su labor editorial esta revista organizó números en temas que conocía bien, como el número titulado «Transatlantic Exchanges: Trade, War, and Contraband in the Ibero-Atlantic World» que apareció el año 2011. Asimismo, fue editor para esta revista de otros temas que parecerían lejanos a su interés en el pasado económico pero que demuestran su amplitud de criterio sobre los estudios históricos: «Religious Life in New Spain: Novel Approaches» (vol. 18) y «The Power of Images: Visual Representations in New Spain and Peru» (vol. 19), *Special Issue of Colonial Latin American Review*, en los años 2009 y 2010, respectivamente. Es decir, dichos trabajos sugieren que sí tomaba en cuenta estudios históricos serios sobre los discursos y las representaciones, algo que inicialmente él como muchos historiadores económicos habían considerado que no tenían la profundidad o el trabajo previo en archivo que los sustentasen.

Fue investigador o profesor visitante del St. Antony's College, de la Universidad de Oxford, Inglaterra; Bowdoin College en Maine, de la Universidad Libre de Berlín en donde estuvo gracias a una beca Humboldt; de la Universidad de Alcalá en España; e investigador del Woodrow Wilson International Center for Scholars. Entre las instituciones que apoyaron sus investigaciones estuvieron el *Rockefeller Archive Center*, la Beca Conmemorativa del V Centenario del Descubrimiento de América del Banco de España, becas de los ministerios de cultura y de educación y ciencia de España, la fundación Fullbright, la *American Philosophical Society* y la beca Robert S. McNamara del Banco Mundial. Entre las distinciones y becas que recibió se encuentra la *Lydia Cabrera Award* que fue otorgada en 1995 por la Conferencia de Historiadores Latinoamericanos de Estados Unidos (*Conference on Latin American Studies*) para realizar investigaciones en Cuba. Poco tiempo antes, entre 1991 y 1992, fue *Chair* del comité de estudios andinos de esta asociación que se reúne anualmente junto a la principal asociación profesional de historiadores de los Estados Unidos. Dejó pendiente un proyecto fascinante sobre los debates constitucionales en el mundo hispano que estaba desarrollando gracias a una beca de la *John Simon Guggenheim Memorial Foundation*, una beca que han recibido pocos académicos. Dejó también en prensa varios trabajos que irán apareciendo próximamente, algunos de los cuales ofrecen una excelente visión panorámica de la historia económica peruana. Entre ellos se encuentra el capítulo de un libro que escribió para el periodo 1930-1960 donde demuestra que la recuperación peruana de la depresión de 1929 se debió al crecimiento diversificado de materias primas dirigidas para la exportación, al contrario de lo que ocurrió con otros países latinoamericanos donde se intentó un proteccionismo y una industrialización por substitución de importaciones.[12]

Las valiosas contribuciones de Alfonso Quiroz fueron enormes no solo por presentar documentos, temas e interpretaciones nuevas sino que además permiten comprender mejor al Perú contemporáneo y los problemas internos que enfrentan los países en desarrollo. Ello constituyó un reflejo de su habilidad para imprimir una perspectiva histórica en los asuntos esenciales de la historia que le tocó vivir, para volver a darle importancia al liberalismo al final de la Guerra Fría, el valor de la igualdad de oportunidades para los actores sociales, para los empresarios y para el funcionamiento continuo de los mecanismos financieros. Sus estudios fueron además una reflexión académica sobre las trampas de la corrupción en la era globalizada de comienzos del siglo XXI. Para los historiadores deja el legado de una habilidad especial de combinar ideas nuevas con un incansable esfuerzo por revisar fuentes distintas; recopilando, contrastando y cruzando información de origen cuantitativo y cualitativo; y al mismo tiempo perfeccionar su estilo de escritura. Gracias a sus estudios podemos pensar por qué los peruanos tendemos a responsabilizar a otros de nuestro destino, por qué toleramos la cultura de intimidación que crea la corrupción, por qué existe un patrón a mirar el corto plazo y embriagarnos por algunos de los escándalos que compiten por nuestra atención en lugar de mirar al desarrollo en el largo plazo, y sobre la importancia de comprendernos reflejados en otras sociedades, aparentemente distintas como la cubana.

Por último, su vida profesional y personal fue una imperiosa lección de vitalidad, de disfrutar de lo que hacemos. De pensar que el día tiene menos horas de las que podemos disfrutar. Sus amigos, sus colegas, sus estudiantes vamos a extrañarlo, con seguridad. Únicamente nos queda leer y estudiar sus publicaciones, indispensables —y disculpen que rompa la promesa inicial de este texto de no hacer ningún comentario personal—; pero creo que solo nos queda tratar de parecernos a él. Hace poco, cuando enfrentaba con valor el mal que lo aquejaba, tuve el privilegio de confesarle que siempre había querido ser como él y de decirle que lo quería.

Río de Janeiro, febrero de 2013

Fuentes impresas

FRANÇOIS CHEVALIER

1952   *La formation des grands domaines au Mexique; terre et société aux XVIe-XVIIe siècles.* París: Institut d'ethnologie

QUIROZ, ALFONSO W.

1983   «Las actividades comerciales y financieras de la casa Grace y la Guerra del Pacífico, 1879-1890». En *Histórica* 7: 2, pp. 214-54.

1985   «The Expropriation of Portuguese New Christians in Spanish America, 1635 1649». En *Ibero-Amerikanisches Archiv* 11, pp. 407-465.

1986   «La expropiación inquisitorial de cristianos nuevos portugueses en Los Reyes, Cartagena y México, 1635-1649». En *Histórica* 10: 2, pp. 237-303.

1987a   «Ciclos bancarios en la economía peruana: 1884 1931». En *HISLA* 8, pp. 75-98.

1987b   «Estructura económica y desarrollos regionales de la clase dominante, 1821 1850». En Alberto Flores-Galindo (ed.). *Independencia y revolución 1780-1840.* Lima: Instituto Nacional de Cultura.

1988   «Financial Leadership and the Formation of Peruvian Elite Groups, 1884 1930». En *Journal of Latin American Studies* 20, pp. 49-81.

1991   «Financial Development in Peru Under Agrarian Export Influence, 1884-1950». En *The Americas* 47, pp. 447-476.

1992   «Desarrollo financiero y economía agraria de exportación en el Perú, 1884-1950». En *Revista de Historia Económica* 10, pp. 263-294.

1995   «Fuentes, temas y revisiones en la historia financiera peruana». En *América Latina en la Historia Económica* 3, pp. 7-13.

1998   «The Loyalist Overkill: Socio-Economic Costs of 'Repressing' the Separatist Insurrection in Cuba, 1868-1878». En *Hispanic American Historical Review* 78: 2, pp. 261-305.

2001   «La reforma educacional en Cuba, 1898-1909: cambio y continuidad». En John Coatsworth et ál. (eds.). *La cultura en la historia de las relaciones entre Cuba y los Estados Unidos.* La Habana: David Rockefeller Center for Latin American Studies, Harvard University y Centro Juan Marinello, pp. 113-125.

2004   «Educación y sociedad civil en Cuba: reflexiones en torno a un siglo de evolución». En Mariano Esteban et ál. (ed.). *Jirones de Hispanidad: España, Cuba, Puerto Rico y Filipinas en la perspectiva de dos cambios de siglo.* Salamanca: Ediciones de la Universidad de Salamanca, pp. 291-301.

2005   «Costos históricos de la corrupción en el Perú republicano» En Felipe Portocarrero (ed.). *El pacto infame: estudios sobre la corrupción en el Perú.* Lima: Universidad del Pacífico, pp. 75-95.

2006a   «Redes de alta corrupción en el Perú: poder y venalidad desde el virrey Amat a Montesinos». En *Revista de Indias* 66, pp. 218-237.

2006b   «Martí in Cuban Schools». En Alfonso W. Quiroz y Mauricio Font (eds.). *The Cuban Republic and José Martí: Reception and Use of a National Symbol.* Lanham, Md.: Lexington Books.

2006c   «Eliseo Giberga y la política económica del autonomismo en Cuba». En Eliseo Giberga (ed.). *Apuntes sobre la cuestión de Cuba por un autonomista.* Miami: Editorial Cubana.

2007   «Orígenes de la sociedad civil en Cuba: La Habana y Puerto Príncipe (Camagüey) en el siglo XIX». *En Ibero-Americana Pragensia* 18, pp. 89-112.

2011   «Free Association and Civil Society in Cuba, 1787-1895». En *Journal of Latin American Studies* 43, pp. 33-64.

2013   En Marcos Cueto (ed.). *América Latina en la Historia Contemporánea: Mirando hacia adentro, 1930-1960.* Madrid: Mapfre.

ROMANO, RUGGIERO
1972   *Les mécanismes de la conquête coloniale: les conquistadores.* París: Flammarion.

TANDETER, ENRIQUE
1980   *Trabajo forzado y trabajo libre en el Potosí colonial tardío.* Buenos Aires: Centro de Estudios de Estado y Sociedad.

TEPASKE, JOHN J. Y KLEIN HERBERT
1982   *The royal treasuries of the Spanish Empire in America.* Durham: Duke University Press.

NOTAS GENERALES

Introducción de Miguel Ángel Centeno

1. La información de Transparencia Internacional y del Barómetro Latinoamericano indican que en muchos países menos de la mitad de la población confía en los empleados del Estado, incluyendo policías, jueces y oficiales tributarios. En algunos países latinoamericanos, la desconfianza es comparable a la generada por instituciones en Estados «fallidos» como Somalia y Moldavia.

2. Cuando comenté su libro en 2009 formulé la pregunta, quizá retórica, de si el Estado inca había tenido problemas similares o si este cuadro de fracaso institucional había sido más bien un «regalo» de la Conquista.

3. Es interesante que la primera vez que escuché el concepto de «des-institucionalización» fue en referencia al Perú de la década de 1990.

4. Alfonso escribió varios libros y artículos en referencia a este tema.

5. En este tema, Fujimori actuó de manera muy similar a otros «reformadores» como Carlos Menem y Carlos Salinas de Gortari.

6. Como es sabido, Hegel llamó a Napoleón el «espíritu de la historia sobre un caballo».

7. Sobre este tema, consultar los tres volúmenes, *State and Nation Making in Latin America and Spain*, editados por Miguel A. Centeno y Agustín E. Ferraro para Cambridge University Press.

8. Traducción a cargo de Mónica Ricketts.

Corrupción, historia y desarrollo, una introducción

1. Se continúa librando un vibrante debate en torno a la definición del término «corrupción». Las definiciones pioneras y ya tal vez anticuadas —expresadas en Heidenheimer 1970 y en Heidenheimer, y Johnston 2002, sobre todo las aportadas por Jacob van Klaveren, Leff, David Bayley, Samuel Huntington y J. S. Nye— van quedando ya superadas. Para un examen teórico y conceptual de la corrupción más al día, consúltese Rose-Ackerman 1999 y Porta y Vannucci 1999. Con respecto a las conexiones claves entre corrupción y desarrollo véase Johnston 2004: 138-164, especialmente 139; y, respecto de la evolución y distinción conceptual entre la corrupción «venal» y la «sistemática», con énfasis en los efectos contrarios al crecimiento económico, véase Wallis 2006: 23-62.

2. Noonan 1984: xx, 9-13; Payne 1975; Loth 1938; Alatas 1990.

3. Eigen 2004, Moody-Stuart 1997.

4. Para tempranos llamados a integrar la corrupción como un factor en el análisis científico-social, véase Scott 1972: 3 y 10; Jacoby 1977.

5. Mauro 1995: 681-712, 1997: 83-107; Klitgaard 1999. Para una perspectiva más ambivalente, véase Shleifer y Vishny 1998: 91-108.

6. Leff 1970: 510-520, Bayley 1970: 521-533, Nye 1970: 564-578. Véase, además, Waquet 1991: 20 y 62.
7. Waquet 1996: 21-40, esp. 21-22; Scott 1972: ix.
8. Sobre la base de la experiencia de investigación, los informantes diplomáticos malos o mediocres son generalmente demasiado flojos como para escribir informes, y, cuando lo hacen, su falta de preparación y sus superficiales análisis resultan evidentes. En cambio, los observadores extranjeros competentes y educados redactan comunicaciones extensas, bien informadas e investigadas.
9. Para unas cuidadosas reflexiones metodológicas sobre las evidencias históricas disponibles acerca de los cambiantes sistemas administrativos estatales y sus funcionarios, en vías de evaluar si un periodo histórico particular es más corrupto que otro, véase Hurstfield 1973, cap. 5. Un enfoque indirecto que analiza la percepción pública y el discurso «oficial» de la corrupción puede encontrarse en Levy Peck 1990: 5-11.
10. Glaeser y Goldin 2006: 3-22, esp. 12-18.
11. Sampford et ál. 2006, Tella y Savedoff 2001: 9-12.
12. Noonan 1984: 117, 149 y 175; Waquet 1996: 27-31; Herzog 2004: 10-21 y 160.
13. Real Academia Española 1729: 623 y 401, 1737: 373.
14. Nieto 1997: 85, Urquiza 2005: 9-15, Ginzburg 1993: 23-24.
15. Roniger y Güneş-Ayata 1994, cap. 1; Vargas Llosa 2005: 194. Para el examen detallado de las conexiones estructurales entre clientelismo y corrupción, véase Kawata 2006, cap. 1 y 8.
16. Waquet 1991: 191, Andrien 1985: 128, Burkholder y Johnson 2004: 92.
17. Lipset y Salman Lenz 2000: 112-124, Vargas Llosa 2005: 193-196.
18. Para un análisis de cómo la *realpolitik* de la Guerra Fría condonaba la corrupción de los dictadores aliados, así como una crítica a la idea de que la corrupción «suaviza las rigideces», consúltese Whitehead 1983: 146-162, esp. 159. Respecto de las imágenes cambiantes acerca de los supuestos beneficios que la corrupción tiene en la distribución del ingreso, véase Ward 1989, introducción y pp. 1–12.
19. Malpica 1973: 15-16 y 277-278, 1985: 13-23; Schulte-Bockholt 2006: 21, 25-26, 30 y 35.
20. Para un análisis reciente de la corrupción en la Cuba socialista, véase Díaz-Briquets y Pérez-López 2006.
21. North 1990, 1981, 2005: 68; Zegarra 2000: 9-14; Wallis 2006: 24-25; Lambsdorff 2002: 97-125.
22. Putnam, Leonardi y Nanetti 1993: 131-135.
23. Porta y Vannucci 2006: 23-44; Moreno Ocampo 2002: 26-29; Quiroz 2006: 237-248; Richardson 1993: 3; Wilson 1990: 2-3.
24. Hurstfield 1973: 141-142; Doyle 2004: 83-95, especialmente pp. 84-85; Waquet 1991: 19.
25. Pearson 2005: 13, Doyle 1996: 76-77 y 250-251.
26. Doyle 2004: 85-87, citando *De l'ésprit des lois*, lib. 5, cap. 9.
27. Blanc 1992: 11-13; McLynn 2002: 96 y 146-148.
28. Bailyn 1992 [1967]: 130-135; Pocock 1975: ix, 462, 468-469 y 507-508; Wallis 2006: 23-25; Ertman 1997: 156-158 y 187.
29. Savage 1994: 174-186, Alt y Dreyer Lassen 2005.
30. Ertman 1997: 187 y 218-223; Brewer 1989, cap. 3 y 4; Doyle 2004: 87.
31. Dirks 2006, cap. 2.
32. Harling 1995: 127-158, 1996: 6-7; Rubinstein 1983: 5-86.
33. Harling 1995: 145, Ferguson 2003: 307-308.
34. O'Leary 1962: 2-4.
35. Agradezco a Rory Miller esta observación. Véase Doig 1996: 173-192.
36. Ertman 1997: 90-91 y 111, Robles Egea 1996: 7, Arrillaga Aldama 1994, González Jiménez 1998: 9-30.

37. Quiroz 2003: 473-511.
38. Haber 2002: XV-XVIII.
39. Sánchez Soler 1990, 2003: 14; Jiménez Sánchez 1995; Díaz Herrera y Durán 1994; Asociación Venezolana de Derecho Tributario 1985: 39-40; Niblo 1999: 253-255; Soler Serrano 1983: 95-98; Whitehead 1983: 151-153.
40. Morris 1991: 24-25, 41 y 66.
41. Nieto 1997: 17-38; Díaz Herrera y Tijeras 1991: 37-39; Díaz Herrera y Durán 1996: 61-65 y 72; Torres 1993: 10; Martín de Pozuelo, Bordas y Tarín 1994: 42-48; Oppenheimer 2001; Rosenn 1999; Pérez Briceño 2004; Rohter 2006.
42. Whitehead 2000: 107-129, Seligson 2002: 408-433, Weyland 1998: 108-121.
43. Quiroz 2000: 684-690, 2004: 145-186.

Capítulo 1

1. Ulloa, «Relación de Gobierno del Capitán de Navío de la Real Armada dn. Antonio de Ulloa; en la Villa de Huancavelica; su Real Mina, Gremio de Mineros; Cajas Reales de Guancavelica, y demás del reino donde se hace expendio de azogues; Gobierno Civil y Político de la villa, y de la Provincia de Angaraes, desde el día 4 de noviembre de 1758 que tomó el mando, hasta 10 de febrero de 1763», firmada por Antonio de Ulloa en Huancavelica (última entrada: 15 de mayo de 1763), 206 ff., ms. II/2453, Biblioteca del Palacio Real, Madrid (en adelante, BPR), ff. 3v, 88, 91 y 101v. Este es un duplicado de la «Relación de Gobierno» (exactamente el mismo título, sin foliación) firmada por Ulloa en Huancavelica y enviada al Rey y al Consejo de Indias con carta a Ulloa a S. M. el Rey, Huancavelica, 20 de junio de 1763, documento en el que el remitente reiteraba sus pedidos previos de que se le relevara y se le permitiera retornar a España. Ambos documentos se encuentran en «Correspondencia y nombramientos de gobernadores de Huancavelica 1763-1795», Gobierno, Lima, leg. 777, Archivo General de Indias, Sevilla (en adelante, AGI). Una tercera copia, sin firma de Ulloa, lleva el título «Relación circunstanciada del Gobierno y Superintendencia de la Real Mina de Asogues de la villa de Huancavelica desde el 4 de noviembre de 1758 hasta 11 de mayo de 1763». En Mapas y Planos: Libros Manuscritos, leg. 67 (microfilm n.° 42/ C-11162), AGI. Detalles sobre su nombramiento original y arreglos de viaje en «Licencia a Dn. Antonio de Ulloa para jurar en la Real Audiencia de la Contratación de Cádiz el empleo de Gobernador de Huancavelica», Buen Retiro, 6 de septiembre de 1757, Contratación, leg. 5500, n.° 3, r. 26, AGI.
2. «Discurso y reflexiones políticas sobre el estado presente de la Marina de los reynos del Perú, su gobierno, arsenales, maestranzas, viajes, armamentos, plana mayor de sus oficiales, sus sueldos, de los navíos, marchantes, gobierno, reximen particular de aquellos avitadores, y abusos que se han introducido en un y otro. Dase individual noticia de las causales de su origen, y se proponen algunos medios para evitarlas. Escritas de orden del Rey, Nro. Sor. por Don Jorge Juan, Comendador de Águila en el Orden de San Juan, y Don Antonio de Ulloa, miembros de la Real Sociedad de Londres, socios correspondientes de la Academia Real de las Ciencias de París, y Capitanes de Navío de la Real Armada. Año de 1749. Del uso del Sr. Dr. D. José Antonio de Areche de la distinguida Rl. Orn. Española de Carlos III del Consejo de S.M. en el Supremo de Indias y Visitador General de los reinos del Perú», Manuscrito II/1468, BPR. Hay al menos cinco otras versiones manuscritas de este documento; la aquí citada perteneció a Areche, consejero real y visitador del Perú. Véase Whitaker 1935: 155-194, esp. 158-159, 166 y 174.
3. Juan y Ulloa 1826, 2 vols. El gobierno español se preocupó de las repercusiones inmediatas de la publicación de *Noticias secretas*: en abril de 1827, el primer secretario del Rey (de Estado y del Despacho) envió cartas a los ministros españoles en Londres y París, en las que les

solicitaba que informaran a Madrid acerca de sus averiguaciones concernientes a «los efectos que dicha obra produzca en la opinión pública», y les manifestaba que «existen sospechas de que el original se extrajo de los archivos del Soberano el año de 1823», en «Papeles de los comisionados de Costa Firme José Sartorio y Juan Barry», Indiferente General, leg. 1571, AGI. David Barry había viajado al Perú en 1821, donde recogió extractos detallados de documentación estadística y otros documentos curiosos. En 1824, Barry se encontró en Madrid con Joaquín de la Pezuela, el exvirrey del Perú, y obtuvo de él información y documentos claves (es posible que Pezuela haya tenido acceso al «Discurso y reflexiones»), según consta en las propias notas de Barry en «Colección de notas, extractos, itinerarios, derroteros y papeles varios, para formar idea del Perú: sacados, la mayor parte, de la Guía política, eclesiástica y militar del virreynato del Perú por don Joseph Hipólito Unanue en Lima por el año 1796 y 7: colectados por David Barry» (la última entrada está fechada en Cádiz, 1832), ff. 37, 53, 54v, 111 y 113, Rare Books and Special Collections, Library of Congress (en adelante, LOC).

4. La primera edición abreviada en inglés identifica erradamente a los autores (George y Anthony Ulloa), error reiterado en una edición posterior: Secret Expedition to Peru, or, the Practical Influence of the Spanish Colonial System upon the Character and Habits of the Colonists, Exhibited in a Private Report Read to the Secretaries of His Majesty, Ferdinand VI, King of Spain, by George J. and Anthony Ulloa. Boston: Crocker and Brewster (1851) y Popery Judged by Its Fruits: As Brought to View in the Diary of Two Distinguished Scholars and Philanthropists, John and Anthony Ulloa, during a Sojourn of Several Years in the States of Colombia and Peru. Tr. from the Spanish by a Member of the Principia Club (1878).

5. Entre los primeros en dudar de la autenticidad de las Noticias secretas y en ser críticos con respecto a la exactitud de sus autores, podríamos citar a varios historiadores españoles como Rafael Altamira y Antonio Ballesteros, así como Lesley Byrd Simpson (1933: 363-364). Véase Merino 1956: 196-199 y 210-211; Phelan 1967: 157; Ramos Gómez 1990: 14; Solano Pérez-Lila 1999: 74 y 125-127 y Andrien 1998: 175-192. Para una perspectiva contraria véase Hanke 1936: 479-514, esp. 485; así como las obras de Arthur Whitaker, John TePaske y Scarlett O'Phelan citadas en notas subsiguientes.

6. Esta medición tenía como objeto zanjar la discusión sobre si, de acuerdo con los cálculos de Isaac Newton, el globo terráqueo se achataba alrededor del ecuador debido a la gravedad. Para una detallada perspectiva crítica de la misión científica de Ulloa y Juan, y su ideología ilustrada supuestamente contraria a criollos e indios, según alegaciones del jesuita peruano Juan Pablo Viscardo y Guzmán, véase Brading 1991: 423-428 y 536. Sobre las licencias oficiales para la expedición y comisión de Juan y Ulloa, véase la carta de José Patiño a Francisco de Varas y Valdés (secretario del Consejo de Indias), El Pardo, 4 de enero de 1735, en «Perú: Registro de Partes», Gobierno, Lima, leg. 590(1), AGI.

7. Se ha cuestionado la doble naturaleza de la real comisión dada a Ulloa y Juan en 1735, y reseñada en el prólogo original del «Discurso», argumentando que los autores tuvieron motivos insinceros e interesados para redactarlo, véase Juan y Ulloa 1990: 85, 89 y 120. Sin embargo, no se ha presentado evidencia convincente para dudar de la interpretación que Ulloa hiciera de las órdenes originales y de las instrucciones separadas. Por el contrario, la confirmación oficial de la comisión por decreto real firmado por el Rey y Patiño en El Pardo, 4 de enero de 1735, establece claramente: «He resuelto nombrar a los tenientes de navío de mi Real Armada dn. Jorge Juan y dn. Antonio de Ulloa para que pasen con los referidos astronómicos asistir con ellos a todas las observaciones y mapas que hicieren para perfeccionar la navegación a Indias y que apunten separadamente todas las que se fueren ejecutando según la instrucción que se les dará para su gobierno», en «Registro de partes: América Meridional», Lima, leg. 590(1), AGI. Según las instrucciones separadas que constaban de diez puntos (redactadas por Varas y firmadas por Patiño en Aranjuez, el 22 de abril de 1735), Ulloa y Juan debían —independientemente de su trabajo con los científicos franceses— levantar «planos

de las ciudades y puertos [...] y se informaran del término de su provincia y gobernación de los pueblos o lugares que contiene y lo fértil o estéril de sus campos, como también de la inclinación, industria y habilidad de sus naturales». Debían también enviar esta información separada directamente al Rey a través de las autoridades locales: véase «Instrucción que han de observar los tenientes de navío de la Real Armada dn. Jorge Juan y dn. Antonio de Ulloa», también en «Registro de partes: América Meridional», Lima, leg. 590(1), AGI. Ulloa posteriormente declaró que sus instrucciones incluían el «adquirir con exactitud, y la más posible prolixidad, y atención todo lo que pareciese digno de ella acerca del Govierno, Administración de Justicia, costumbres, y estados de aquellos Reynos, con todo lo tocante a su civil economía militar y política». En Whitaker 1938: 507-513, esp. 512.

8.   Whitaker 1935: 161-164, sobre la base de documentos judiciales que revelan los cuestionables tratos de Araujo, en Gobierno, Quito, legs. 104, 105 y 133, AGI. Para una versión distinta del incidente, basada en fuentes secundarias, véase Solano Pérez-Lila 1999: 75-76. Merino (1956: 139-140), cita las transgresiones judiciales de Araujo; sus sospechosas medidas confiscadoras figuran en Ramos Gómez 2003: 649-674, esp. 651 y 669.

9.   John TePaske no duda de la intención de los autores del manuscrito y de sus observaciones de primera mano, confiables y sinceras, véase Juan y Ulloa 1978: 24-25.

10. Whitaker 1935: 165-166; Enciclopedia Universal Ilustrada 1929, t. 65: 920-922. El sistema británico de perfeccionada eficiencia militar y administrativa, tal como lo viera en Boston y Londres, dejó una impresión duradera en Ulloa, al igual que las hazañas navales del almirante George Anson en la década de 1740, y la gran reforma de la Marina británica en la década de 1750. Al respecto, véase Brading 1991: 426.

11. Juan y Ulloa 1978: 38-39.

12. Ibíd., sesiones 1-2, 1990: 135-138.

13. Ibíd., sesión 3, pp. 45-68; 1826: 201-229.

14. Ibíd., sesiones 4-8.

15. Juan y Ulloa 1978: 69, 1990: 231. Sobre la base del análisis del contenido textual, un grupo de historiadores alega que Juan y Ulloa se «apropiaron» de los «discursos» reformistas andinos y metropolitanos previos para elaborar un proyecto políticamente sesgado con información de primera mano sospechosa. Al respecto véase Andrien 1998: 177 y 185-187. Contradice esta postura la información corroborada y obtenida directamente en este informe confidencial y en otros documentos producidos por Ulloa, especialmente su «Relación de Gobierno».

16. Juan y Ulloa 1978, sesión 4, ff. 434-498; O'Phelan 2005: 13-33, esp. 14-17; Moreno Cebrián 2000: 166-170.

17. Cook 2003: 413-39, esp. 428, 431-432 y 435-436.

18. Juan y Ulloa 1978: 71-73 y 86-87; 1990: 233-236 y 250.

19. Estas mismas conclusiones son aplicables a otros casos hispanoamericanos, véase Albornoz de López 1987: 53 y Caro Costas 1978: 18 y 188-191.

20. Quiroz 1993: 58-67; 1994: 193-230, esp. 206-209; basado en Audiencia de Lima, Caja de Censos, leg. 39, Archivo General de la Nación, Lima (en adelante, AGN) y Gobierno, Lima, legs. 817, 833, AGI.

21. Juan y Ulloa 1978: 149, 1990.

22. Juan y Ulloa 1978: 94-101, 1990: 257-264.

23. Andrien 1981: 1-19, 1982: 49-71, 1985: 74-75 y 128-129. Para una evaluación del abrumador costo financiero e institucional de la venta de oficios, véase Parry 1953: 73.

24. Moreno Cebrián 1977: 737-741.

25. El comerciante Francisco de Villavicencio, conde de Cañete, compró el cargo de virrey del Perú en 250.000 pesos, pero falleció antes de llegar a Lima. Véase Domínguez Ortiz 1965: 43-51, citado en Burkholder y Chandler 1972: 187-206, esp. 188.

26. Burkholder 1972: 191-192.

27. Juan y Ulloa 1978: 94-95, 1990: 258.

28. «[S]ólo consiguen ser provistos en los corregimientos vacantes los que tienen el auxilio de la introducción adquiridos con regalos de valor y de ninguna manera a aquellos en quienes puramente hay mérito por el servicio [...]. Así quedan los que sirven al rey defraudados de los premios que el mismo monarca les destina [...]» (Juan y Ulloa 1978, f. 834).

29. Pedro Ureta (secretario del virrey) a Oficiales de las Cajas Reales, Lima, 12 de mayo de 1777, caja 15, n.° 157, Andean Collection, Yale University.

30. Juan y Ulloa 1978, f. 830.

31. Este acomodamiento de los virreyes y otras autoridades coloniales con grupos de élite es similar al que surgiera después de la independencia entre los caudillos militares, que intentaban consolidar su poder bajo condiciones institucionales sumamente inestables, y los grupos de interés locales y extranjeros, que hacían préstamos efectuando adelantos contra los impuestos a las importaciones y exportaciones. Véase el cap. 2.

32. «Virreyes ha conocido el Perú tan poco cautos en este particular que hacían fuese público el cohecho, otros que lo han admitido con tono, o disfraz de regalo, y otros más cautos aún que lo han permitido a su propio beneficio, ha sido con tal industria que han dejado dudar del hecho, para que unos lo atribuyan a intereses de sus criados y confidentes, y otros a utilidad de los mismos virreyes partiéndolo con los que intervienen en la negociación. Pero también ha habido otros tan apartados de intereses y tan arreglados a justicia que ni han querido admitir nada por estas mercedes, ni han consentido que lo hiciesen sus familiares» (Juan y Ulloa 1978, ff. 834-835, véase, además, ff. 837-839; Fisher 1970: 9).

33. Para un examen de la obra e influencia de los proyectistas hacia mediados del siglo XVIII, en Hispanoamérica y el Perú, véase Muñoz Pérez 1955: 169-195 y Quiroz 1993a: 82-90. Los proyectistas no se limitaban simplemente a hacer un modelo «teórico», tal como se ha sostenido para explicar su supuesta ideología imperial. Los más importantes tuvieron un impacto real sobre la economía y la comprensión de las realidades locales, especialmente en el pensamiento económico, financiero y administrativo de la época. La crítica posmoderna les considera seguidores de un «discurso» de escaso impacto —o uno distorsionado— sobre la realidad. Sin embargo, estos críticos no consideran detenidamente la incorporación de la experiencia en la elaboración de tales proyectos y su impacto práctico. Véase Andrien 1998: 177 y Solano Pérez-Lila 1999: 125-126.

34. [Mariano Machado de Chaves], «Estado político del Reino del Perú: gobierno sin leyes, ministros relajados, tesoros con pobreza, fertilidad sin cultivo, sabiduría desestimada, milicia sin honor, ciudades sin amor patricio; la justicia sin templo, hurtos por comercios, integridad tenida por locura; Rey, el mayor de ricos dominios, pobre de tesoros. Estos atributos constituyen en grave detrimento de este Reyno; y para su remedio se proponen dos arbitrios a S. M. por un leal vasallo que solo los escribe inflamado del verdadero amor a su Príncipe y señor natural, y por el mayor bien del Reyno del Perú y de su Patria Lima. Al Exmo. Señor Dn Jossef de Carvajal y Lancaster, Ministro de Estado y decano de este Consejo, gobernador del Supremo de Indias, presidente de la Junta de Comercio, y moneda, y superintendente general de las postas y estafetas de dentro y fuera de España», Madrid, 30 de abril de 1747, en Real Academia de la Historia (en adelante, RAH), Colección Benito Mata Linares, vol. 67 (9-9-3/1722). Una copia de este manuscrito anónimo fue publicada en *Revista Peruana* 4, 1880, pp. 147-190, 351-369 y 497-504, con varios errores evidentes, entre ellos su supuesta fecha más temprana (1742). Los historiadores Rubén Vargas Ugarte y Philip Means atribuyeron su autoría, vacilante pero erradamente, a Victorino Montero. Hay una copia del mismo manuscrito (igual título, fecha, texto y dedicatoria a Carvajal y Lancaster) en el Rare Book/ Special Collections Reading Room, LOC, catalogado (con ciertas dudas, según la nota de un bibliotecario) como obra de Montero (nombre originalmente atribuido por el librero francés

Leclerc en su catálogo de 1878; la LOC compró el manuscrito de la Librairie Ch. Chadenat de París). Existen otras dos copias atribuidas también a Montero, una de ellas, anotada, en la Latin American-Peru Manuscript Collection, Lilly Library, Indiana University.

35. En 1763, Ulloa aludió a este manuscrito de 1747 como «cierto proyecto que años hace tuve noticia haberse presentado a Su Majestad por un sujeto de Lima y ciertamente si su autor hubiese estado instruido de los términos a que esto ha llegado en los tiempos presentes pudiera haberlo amplificado con algunos fundamentos más convincentes de los que entonces había» (Ulloa, Antonio de. «Relación de Gobierno», parte 5, n.° 23, Lima, leg. 777, AGI). Véase, también, Whitaker 1941: 139-140, con nota sobre este manuscrito de 1747 considerado «anónimo», pero atribuido por otros autores a Montero.

36. Machado de Chaves «Estado político y de justicia de el Reino del Perú con demostraciones de las causas de su ruina, medios para su reforma y arbitrios para su mayor aumento por Dn. Mariano Machado de Chaves quien los dirige y ofrece como su más fiel y celoso vasallo a su Majestad Católica. Al Rey nuestro señor Carlos Tercero de España y de las Indias», Madrid, 8 de diciembre de 1759, ms. II/930, BPR. Sabemos poco de Machado de Chaves, excepto que era natural de Lima, que había vivido en Santiago de Chile, que residió permanentemente en Madrid en las décadas de 1740 y 1750, que tuvo varias casas en Sevilla (secuestradas, por cierto, debido a una considerable deuda privada impaga, transferida a una dependencia oficial, a pesar de los alegatos de Machado de Chaves y una suspensión del embargo firmada por el mismo Carvajal y Lancaster), y que presentó una probanza de sus logros y servicios en noviembre de 1760. Véase Medina 1901, t. 5: 550. Ninguna relación tal fue hallada en el AGI, aunque sí hay información relevante en el juicio de 1749-1751, «Mariano Machado de Chaves con el Fiscal de la Superintendencia de Azogues [de Sevilla] sobre paga de [42,138 reales de vellón]», en «Pleitos del ramo de azogue», Escribanía, leg. 1005B, ff. 3-4 y 31-32, AGI. El historiador Guillermo Lohmann Villena, sin evidencias directas, considera el documento de 1759 un plagio de la obra de 1747 atribuida erróneamente a Montero (1974: 751-807).

37. Machado de Chaves 1880 (1747), f. 2.

38. Machado de Chaves 1880 (1759), ff. 3v-4v.

39. Machado de Chaves 1880 (1747), f. 21. El autor hace uso literal de la palabra *corruptela*, definida como sigue por la edición del *Diccionario de la lengua castellana* [de autoridades] de 1729: «Por alusión vale mala costumbre, o abuso, introducido contra la ley que no debe alterarse. Lat. *Abusus, Corruptela*. RECOP. Lib.7 tit.10|11. Como dicen que se acostumbra en algunos de los lugares: pues es injusta esta extorsión y *corruptela*. SOLORZ. Polit. lib. 5. cap. 2. Pero no por ello puedo aprobar la costumbre, o mejor decir, *corruptela* de algunos Corregidores [...]».

40. Machado de Chaves 1880 (1759), f. 22v.

41. Andrien (1998: 180-182), cita al cacique y procurador Vicente Morachimo (1732) y a fray Calixto Túpac Inca (1750).

42. Adorno 2000: xxvii y xlii. Véanse las imágenes, y sus textos correspondientes, que representan a la Real Audiencia, corregidores y encomenderos, sacerdotes, españoles, criollos, mestizos y negros, en Guamán Poma de Ayala 1980 [1615], vol. 1: 359-361, 364, 370, 373, 387, 391, 396-397, 401, 411 y 427; vol. 2: 10-11, 16-17, 38-39, 78-79, 80-81 y 118-121, reproducidas a partir de la primera edición facsimilar de París, 1936. Otra reproducción de la obra es *El primer nueva corónica y buen gobierno* (1980, 3 vols), que posteriormente tendría una reedición: *Nueva crónica y buen gobierno* (1987). Para una imagen más realista del manuscrito original, véase la edición electrónica de «El primer nueva corónica y buen gobierno», 1615, ms. GkS 2232 4°, en la Biblioteca Real, Copenhague, Dinamarca, disponible en: <http://www.kb.dk/permalink/2006/poma/1/en/text/>.

43. Aponte 1867, t. 51: 521-562.

44. «No son señor buenos deseos solos, sino también obras que en su Real Servicio he tenido, habiéndolo servido diez años últimamente en aquella mar del sur de oficial de Guerra en la Real Capitana Jesús María, donde me retiré sin ningún premio, viendo la poca remuneración de que gozan los que sirven a V. C. M., que en aquel Reyno premianse mal buenos servicios, porque todo corre fundado en interés, y los que tienen pueden y los pobres mueren» (Aponte 1867, ff. 181v-182. Cf. f. 145).

45. «[E]l interés de lo que [los virreyes] llevan a España no les da lugar a ninguna reformación porque resultará de ella muy poco aprovechamiento para sí, y de esta manera atienden al bien propio [antes] que al servicio de Dios N. S. y al de V[uestra] R[eal] M[ajestad] y ansí no se reforma nada y todo corre de una manera y forma digna de muy gran remedio» (Aponte 1867, f. 146).

46. Aponte 1867, ff. 150v-151.

47. Ibíd., ff. 152-153v.

48. «Copia del asiento que el marqués de Mancera [Pedro Álvarez de Toledo y Leiva, primer marqués de Mancera] mi Sor. Virrey del Perú celebró con los mineros de la mina de azogue de la villa de Huancavelica», Huancavelica, 6 de septiembre de 1645, en «Visitas de las minas de Huancavelica, 1572-1686», Gobierno, Lima, leg. 271, AGI.

49. Ibíd., ff. 6-11v, e informe de Luis de Sotomayor Pimentel enumerando las «inconveniencias» del informe de Vasconcelos, Huancavelica, 23 de mayo de 1645, y respuesta detallada de Vasconcelos, Huancavelica, 4 de julio de 1645, en «1649: Autos y diligencias fechas por los señores doctores Juan González de Peñafiel y don Melchor de Omonte caballero de la orden de Calatrava, oidor y alcalde del crimen de la Real Audiencia de Los Reyes sobre la visita y vista de la mina del cerro de Huancavelica», ff. 12-36, Gobierno, Lima, leg. 279, AGI.

50. Acuerdo, virrey García Sarmiento, conde de Salvatierra, Lima, 22 de enero de 1649, en «1649: Autos y diligencias», ff. 1-3, Gobierno, Lima, leg. 279, AGI.

51. Juan del Solar al virrey conde de Lemos, Madrid, 16 de enero de 1669; Reina Gobernadora a conde de Lemos, Madrid, 15 de junio de 1668; «Año 1661: Relación de la causa de visita que de orden de Su Mgd. a sustanciado Alvaro de Ibarra presidente de la RI. Audiencia de Quito contra el Dor. Don Tomás Verzón de Caviedes oidor de la de Lima y demás culpados en la distribución de 232 mil pesos que por fines del año 1661 mandó remitir a Huancavelica siendo virrey del Perú el conde de Santisteban para en parte de pago de azogues que entraron en los Rls. Almacenes dicho año de 1661 los mineros y buscones de dicho asiento», en Gobierno, Lima, leg. 271, AGI.

52. Jorge Juan también espió para la Corona española en Inglaterra, donde observó las técnicas de construcción de naves, y como embajador en Marruecos (TePaske 1978: 6 y 9).

53. Cole 1984: 37-56, Brown 1988: 349-381, Moreno Cebrián 1977: 621-626.

54. Whitaker 1935: 178 y 183, citando cartas de Ulloa a Julián Arriaga, Cádiz, 27 de julio de 1757, en Gobierno, Lima, leg. 775 y Huancavelica, 20 de agosto de 1763, en Gobierno, Lima, leg. 777, AGI. Véase, también, Ulloa a S. M. el Rey, Huancavelica, 20 de junio de 1763, quejándose de «la horrible tempestad de persecuciones» que había sufrido durante casi cinco años en su cargo, Gobierno, Lima, leg. 777, AGI.

55. «[L]o que puedo asegurar a V. E. es que habiendo conocido estos parajes desde el año de [17]36 hasta el de [17]44, los he hallado tan distintos de lo que eran que enteramente está todo trastornado» (Ulloa a Arriaga, Huancavelica, 20 de junio de 1763, Gobierno, Lima 777, AGI).

56. La rara vez citada y analizada «Relación de gobierno» consta de cinco partes o puntos, cada uno de los cuales está firmado por Ulloa y completado metódicamente en sucesivas fechas en Huancavelica: parte 1, real mina de mercurio, contiene 133 subtítulos, fechada el 10 de febrero de 1763; parte 2, gremio de mineros, 30 subtítulos, 28 de febrero de 1763; parte 3, caja real y distribución del azogue, 26 subtítulos, 7 de marzo de 1763; parte 4, gobierno civil y político, 55 subtítulos, 15 de abril de 1763; parte 5, provincia de Angaraes, 34 subtítulos, 15

de mayo de 1763. Las citas de esta fuente, proporcionadas más abajo, tienen como base el original en Gobierno, Lima, leg. 777, AGI, y la copia duplicada, firmada también por Ulloa, BPR.

57. «Informes de D. Antonio de Ulloa dirigidos a Carlos III [...] sobre las inteligencias que se hacen con el azogue en perjuicio de las labores de las minas de plata del Perú [...]», firmado por Ulloa, Real Isla de León (Cádiz), 14 de septiembre de 1771, 36 ff., ms. 19568, Manuscritos, Biblioteca Nacional de Madrid (en adelante, BNM). Tanto los informes como la «Relación de Gobierno» confirman el meollo del «Discurso y reflexiones políticas», y refutan los argumentos de los críticos modernos de Ulloa sobre su supuesta falta de observación directa, su extrema rigidez como gobernador y su noción de mando, incapaz de convencer a los que se oponían a sus reformas. Véase Solano Pérez-Lila 1999: 183, entre otros.

58. Pearce 1999: 669-702.

59. Ulloa, «Relación de gobierno», parte 1, introducción, ff. 3-4v, BPR.

60. Ulloa, «Relación de gobierno», parte 1, n.° 1-10, 27, 35, 44-46 y 51. Otros agentes destructivos fueron el poderoso comerciante Francisco Ocharán (compra ilícita de mercurio y abusivo reparto de mercancías entre los indios), Miguel Guisaburuaga (desfalco), el teniente de veedor asistente José Gordillo y Joachim Ramery, un criado de Vega. Sobre los derrumbes de la mina, «1760: carta de Ulloa acusando recibo de un informe acerca del estado de una mina», Huancavelica, 18 de mayo de 1760, Colección Santa María, doc. 110, AGN.

61. Ulloa, «Relación de gobierno», parte 5, n.° 12-17.

62. Ulloa, «Relación de gobierno», parte 1, n.° 22 y 43; parte 2, introducción, n.° 1, 7, 13-15 y 29; parte 4, n.° 4. Véase, también, Ulloa a Arriaga, Huancavelica, 20 de agosto de 1763, Gobierno, Lima, leg. 777, AGI.

63. Ulloa, «Informes a Carlos III», ff. 6-8v, BNM.

64. Ulloa, «Relación de gobierno», parte 1, n.° 92, ff. 43-43v, BPR (también copia del AGI). Véase además, Molina Martínez 1995: 69.

65. Ulloa, «Relación de gobierno», parte 4, n.° 40-47.

66. Ulloa, «Relación de gobierno», parte 1, n.° 92; parte 4, n.° 44. Véase, además, «Expediente del juicio de Ignacio de Elizalde, minero de Huancavelica...[contra las] maliciosas imputaciones del cura Aguirre», Huancavelica, 10 y 15 de octubre de 1761, firmado por Ulloa y Juan de Alasta como testigos.

67. Rodríguez Casado 1947: XCVII, citando Gobierno, Lima, leg. 846B, AGI. El sacerdote Aguirre eventualmente huyó de Huancavelica para organizar la poderosa oposición a Ulloa en Lima, encabezada por José Perfecto Salas (1714-1778). Nacido en Corrientes y con grado de leyes de la Universidad de San Marcos (1737), Salas «estuvo en Lima entre 1761 y 1775 como asesor legal del virrey Manuel Amat, y se ganó el odio por sus actos arbitrarios y corrupción. Es posible que haya escrito la *Memoria* de Amat [...] fue una figura política dominante, un terrateniente ilegal y un contrabandista, un opositor de la reforma y uno de los principales beneficiarios de la corrupción en el gobierno. Cuando dejó Lima y partió a Chile, sus contrincantes creían que se llevaba entre 2 y 3 millones de pesos» (Burkholder y Chandler 1982: 307-308, sobre la base de fuentes del Archivo General de Simancas y AGI).

68. Whitaker (1935: 181) cita varias cartas de Ulloa fechadas durante el periodo 1761-1765 en Gobierno, Lima, legs. 842-843, AGI.

69. Ulloa, «Relación de gobierno», parte 5, n.° 22-30.

70. Gaspar de Mendiolaza, el acaudalado arriero y exasentista del trajín de azogues, acusó al fiscal Holgado en su juicio de residencia, de haber favorecido al postor Bernabé de Olano. Mendiolaza reclamaba haber perdido una inversión de 50.000 pesos, afirmando que Olano no contaba con suficientes mulas, aperos, equipos y fondos para el negocio del transporte de mercurio, que implicaba la entrega de un total de cuatro o cinco mil quintales de azogue en muchos lugares lejanos, y el uso de hasta cuatro mil mulas. Este favoritismo ponía en peligro el bien común: «[S]e expone enteramente la Real Hacienda y el público a una

ruina irreparable», en «Autos de querella y demanda de Dn. Gaspar Alexo de Mendiolaza al Sor. Dn. Diego de Holgado ante el Sr. Juez de su residencia, año 1769, quaderno primero», Consejos, leg. 20331, exp. 1, doc. 1, f. 2v, AHN.

71. Molina Martínez 1995: 75-78. Este autor desarrolla la hipótesis de que Ulloa fracasó en su misión reformadora en Huancavelica porque no era un gobernador práctico, en un medio en el cual la práctica de la justicia y la honestidad no bastaban para tener éxito. Al no captar a las partes corruptas o negociar con ellas, Ulloa supuestamente desencadenó una desestabilizadora oposición local (Molina Martínez 1995: 186). Un argumento similar se encuentra en McFarlane 1996: 41-63, esp. 57-60. Para estos estudiosos de la administración colonial, la corrupción fue un factor necesario, y hasta positivo, para el buen funcionamiento de las colonias españolas y sus interesadas élites criollas contrarias a las reformas.

72. Whitaker 1941: 81-84. Véase, también, Fisher 1975: 25-43; 1977: 77, 109 y 120-122 (que encuentra un incremento temporal en la producción de plata en 1776-1800, debido al suministro de mercurio de España y de Idria, no obstante la decadencia irreversible de Huancavelica y el fracaso técnico minero global).

73. Ulloa no fue bien recibido en la excolonia francesa de Luisiana y enfrentó las pérdidas causadas por un huracán y un levantamiento local. Posteriormente se dirigió a Cádiz y retomó su carrera naval.

74. Copia de Ulloa a Amat, Panamá, 5 de diciembre de 1764, incluido en Amat a Consejo, Lima, 3 de marzo de 1765, subrayando «la mala conducta de Ulloa y la necesidad que hay de que un hecho igual no quede sin castigo», en Gobierno, Lima, leg. 775, AGI.

75. Brown 2004: 199-211, esp. 204, y su «Antonio de Ulloa's Troubled Governorship of Huancavelica», de próxima aparición. En ambas obras, el autor interpreta desfavorablemente las medidas legales y políticas tomadas por Ulloa como gobernador de Huancavelica, aduciendo su «celo reformista, rígida moral e inexperiencia política», sobre la base de detalles y acusaciones encontradas en el proceso judicial seguido en su contra. Agradezco al profesor Brown haber compartido generosamente estas opiniones que ayudan a situar la postura anticorrupción de Ulloa en un detallado contexto documental. Véase, también, Ulloa a Arriaga 1765, copia de Joseph de Jussieu a Ulloa, Lima, 22 de mayo de 1765, y el sacerdote del Callao Francisco Javier Villata y Núñez a Ulloa, Lima, 12 de junio de 1765, Gobierno, Lima 775, AGI.

76. «Es principio asentado, que el objeto más importante de las Indias, está cifrado en las minas de plata y oro, por ser tesoro más seguro de la monarquía de V. Mgd. [...] Y así siendo el nervio y espíritu más activo de la monarquía es el objeto contra [el] que tiran cuantos pueden introducir sus facultades en él para reducirlo en provecho propio» (Ulloa, «Informes a Carlos III», ff. 4-5).

77. Ulloa, «Informes a Carlos III», ff. 6-11; Rodríguez Ovalle, «Estado general de la Real Hacienda en el reino del Perú», Lima, 20 de junio de 1776, ff. 122-169v, ms. II/2855, BPR.

78. González de Salcedo 1729 [1654]: 18-20.

79. «Reales órdenes de Su Majestad para impedir el trato ilícito con extranjeros en las Indias Occidentales», 1749-1761, ms. II/61, BPR; «Expediente para evitar el comercio ilícito en el distrito de aquella Audiencia [de Lima]: años 1705 a 1715», Gobierno, Lima, leg. 480, AGI; «El Consulado de Lima dando cuenta de las grandes introducciones de ropas que franceses hacen en todos aquellos puertos», Lima, 31 de julio de 1702, en Estado, leg. 74, n.º 70/1, AGI; «Acuerdo que celebró el comercio de Sevilla en 8 de junio de 1707 [...] sobre comercios ilícitos en el Perú, Tierra Firme y Buenos Aires», Colección Mata Linares, vol. 67, parte 2, RAH.

80. Sala i Vila 2004: 31-68, esp. 34-39; Moreno Cebrián y Sala i Vila 2004: 23-26.

81. Representaciones de Marcos y Pedro Ulaortua et ál., s. f., y 2 de enero de 1708; respuestas del fiscal del Real Consejo de Indias Agustín Joseph de los Ríos, Madrid, 12 de marzo de 1710; petición de 26 comerciantes, Lima, 10 de marzo de 1708; Castelldosrius a S. M. y Consejo, Lima, 31 de julio de 1708; certificación del fiscal Bautista de Orueta, Lima, 13 de

noviembre de 1717; memoriales impresos por Catalina y Antonio Samanat, 1709-1710, en «Expediente sobre quejas contra el virrey marqués de Castelldosrius años de 1709 y 1710», Gobierno, Lima, leg. 482, AGI. Véase, también, Sáenz-Rico 1978: 119-135; Walker 1979 y Malamud 1986. Para la identificación de los comerciantes peninsulares que dominaban el liderazgo del Consulado véase Turiso 2002: 86-88, 96-100, 289-335 y Rizo-Patrón 2000, pássim.

82. Consulta, Consejo de Indias a S. M., Madrid, 6 de febrero de 1712, Gobierno, Lima, leg. 480, AGI; Turiso 2002: 114-115, donde se cita un revelador informe de Bartolomé de la Torre, oficial del Consulado de Lima, 10 de mayo de 1711, en Gobierno, Lima, leg. 427, AGI, y averiguación en la residencia de Ladrón de Guevara en Consejos, leg. 21.308, AHN.

83. Moreno Cebrián 2000: 208-227; Moreno Cebrián; Sala i Vila 2004: 23, 155-156, 201-202, 235-246 y 274-275 (basado en ingresos y gastos, remesas «lavadas», juicios, testamentos y la poco clara fortuna personal de Castelfuerte, todo ello laboriosamente rastreado); Rizo-Patrón 2000: 53.

84. Turiso 2002: 102-104 y 107; Quiroz 1993a 72 y 95; Ramos Gómez 2003: 650-651; Grahn 1990: 123-146.

85. Turiso 2002: 102, 116, 239-240 y 256-257, sobre la base de documentación notarial y judicial del AGN y la AHN; Quiroz 1993a: 124 y 141-143.

86. Alsedo y Herrera [1726]): 2-3, 4 y 11-12; Peralta Ruiz 2003: 319-355, esp. 342-343.

87. Machado de Chaves, «Memorial arbitrativo, político, legal, sobre el estado decadente de los reinos del Perú, Tierra Firme, Chile, y provincias del Río de la Plata en la América, sus causas y remedios y como el más importante se propone la inversión de la actual carrera de Galeones, entre otros medios y arbitrios de la mayor importancia para el aumento de la Real Hacienda y comercios hizo Mariano Machado de Chaves y Osorio quien lo ofrece a la Católica Majestad del Rey Nro. Sor. El Señor Dn. Carlos 3.° de Borbón y Farnesio», Madrid, 1 de octubre de 1759, ms. II/2817, BPR. Véase Machado de Chaves 1880 (1747, 1759).

88. Parrón Salas 1995: 488-489, Mazzeo 1994: 166-167, Fisher 1997.

89. Para casos de corrupción más tempranos vinculados al contrabando, consúltese Suárez 2001: 64-66 y 303-305.

90. Moutoukias 1988: 771-801; Saguier 1989: 261-303; Socolow 1987, cap. 8.

91. Para una nueva interpretación del fallido gobierno de Colón en Santo Domingo, resultado de unos inmanejables conflictos internos según una devastadora pesquisa judicial por Francisco de Bobadilla, véase Varela 2006: 23-24, 27, 71-73 y 86-87; Cortes 2001 y Varón 1996: 176-177 y 364-365. Para relaciones corruptas, entre conquistadores y gobernadores en América con ministros del Consejo de Indias, descubiertas en una visita ordenada por Carlos V a comienzos del decenio de 1540, consúltese Acosta 2006: 57-86, esp. 82-83.

92. Lorandi 2002: 86, 106 y 124, donde se cita a Lohmann Villena (1977) y a Puente (1992: 20-30).

93. Para una interpretación distinta y relativista del significado de las leyes coloniales, del «bien común» y de la «corrupción», véase Herzog 2004: 159-160 y Pietschmann 1998:. 33-52, esp. 45-46, en debate con la postura opuesta de Saguier (1989), respaldada por Patch (1994: 77-107).

94. Costa 2005, cap. 5: 323-326. Véase también, Holguín Callo 2002: 120-125.

95. «Memorial del maestre de campo Lázaro Julca Guamán», Los Reyes, 20 de noviembre de 1649; Memorial del párroco licenciado Alonso de Quesada Salazar, Lima, 8 de abril de 1650; «Relación que hace a S. M. y su Real Consejo de Indias el Dr. don Pedro Vázquez de Velasco fiscal de la R. Audiencia de Lima y Juez de Residencia del marqués de Mancera...», Lima, 15 de marzo de 1650, en «Expedientes respectivos a la residencia tomada al marqués de Mancera que sirvió en el virreinato del Perú: año de 1641 a 1653», Gobierno, Lima, leg. 278, AGI. Con respecto al patronazgo y corrupción de los virreyes príncipe de Esquilache (1615-1621) y conde de Chinchón, véase Torres Arancivia 2006, cap. 3.

96. Real decreto, 4 de febrero de 1662, citado en Gobernador del Consejo de Indias, Antonio Monsalve, y Gil de Castejón a Su Majestad, Madrid, 26 de julio de 1662, en «Visita de la Audiencia y demás tribunales de Lima, 1654-1672», Gobierno, Lima, leg. 280, AGI.

97. Anónimo. «Avisos tocantes a los grandes fraudes que hay en el Reyno del Perú contra la Real Hacienda de Su Magd. y otras cosas que se deben remediar», Lima, 12 de noviembre de 1660, punto 1 de 28, f. 1 de 18, en «Visita de la Audiencia», Gobierno, Lima, leg. 280, AGI.

98. Ibíd., puntos 3 y 4, ff. 2v-4v.

99. Ibíd., puntos 10, 12 y 13, ff. 8-8v y 10v-12.

100. Ibíd., punto 2, ff. 2-2v.

101. Gobernador, Monsalve y Castejón a Su Majestad, Madrid, 26 de julio de 1622, en «Visita de la Audiencia», Gobierno, Lima, leg. 280, AGI.

102. Juan Cornejo, Visitador General de Lima, a S. M., Lima, 29 de noviembre de 1664, y Reina Gobernadora a Francisco Antonio Mansolo, Contaduría Mayor de Cuentas de los Reyes, Madrid, 23 de marzo de 1668, en «Visita de la Audiencia», Gobierno, Lima, leg. 280, AGI.

103. Cornejo a S. M., Panamá, 20 de abril de 1667, incluyendo el «Informe que hace a Su Magd. el doctor Juan Cornejo visitador de la Real Audiencia de Lima sobre lo sucedido en el asiento de minas de la Ycacota», fechado en Lima, 31 de mayo de 1666, en «Visita de la Audiencia», Gobierno, Lima, leg. 280, AGI.

104. Quiroz Chueca 1999: 37-50, esp. 43-45.

105. Latasa 2003: 463-492, esp. 472-475.

106. Moreno Cebrián 1983: 23-26.

107. Fisher 1970: 11. Véase, además, la biografía de Alfredo Sáenz-Rico, Alfredo (1967, vol. 1, cap. 2).

108. Residencia a Manuel Amat y Junyent por Melchor Jacot Ortiz Rojano regente de la Audiencia de Lima, año 1777, 121 piezas, Consejos, legs. 20332-20343 y 20348-20349, AHN.

109. Aragón 2004: 353-404, esp. 368 y 381.

110. «Estos [oficiales reales de hacienda] han aspirado y aspiran a enriquezer con semejantes empleos» (Amat y Junyent 1947: 351; «considerando que siendo los corregidores las manos y conductos para la administración y buen gobierno del reino [...] con el desconsuelo de saber que todas las líneas que tiran únicamente se dirigen al punto céntrico del interés y propia utilidad» (1947: 191). Véase también, «El virrey del Perú, Manuel de Amat, informa al Rey del estado de las audiencias del virreinato y en especial de la de Lima, compuestas por magistrados ignorantes y venales; propone algunas medidas para atenuar esos males», Lima, 13 de enero de 1762, ms. 1995, sección Manuscritos, Biblioteca Nacional, Buenos Aires, publicado en Revista de la Biblioteca Nacional 24, 1942: 345-350.

111. Campbell 1972: 1-25, esp. 6-7; Quiroz Chueca 1999: 41-42, donde se cita la pesquisa de 1764 contra Oselle en Consejos, leg. 20328, exp. 1, pieza 9, AHN; Moreno Cebrián 1983: 26. Con respecto a la enemistad entre Amat y el grupo de Bravo del Rivero, que incluía al académico y satírico Francisco Ruiz Cano, marqués de Soto Florido, véase Lohmann Villena 1976: 36.

112. «Demandas particulares: Colegiales del Real Colegio de San Felipe y San Marcos sobre paga de pesos» y «José Muñoz Bernardo de Quirós marqués de Bellavista con Manuel de Amat, sobre paga de pesos procedentes del remate de unas haciendas», Consejos, legs. 20342-20343, exp. 1, caja 1, piezas 145, 152, 154–155 y 157 (años 1778-1803), AHN; «Herederos del oidor Pedro Bravo del Rivero contra los del virrey Amat y los de José Perfecto Salas, asesor que fue del anterior, sobre pago de daños y perjuicios», Consejos, leg. 21269, AHN, así como, también, Consejos, leg. 20297, exp. 4, y leg. 20298, exp. 1, AHN. Con respecto a los «escandalosos sobornos» recibidos por Salas, véase Donoso 1963, vol. 1: 12 y 215.

113. Véase Ricketts 2007, cap. 3, donde cita correspondencia entre Areche y Guirior, quienes se quejan del número y costo inexplicado de las tropas, inmediatamente después del gobierno de Amat, Secretaría de Guerra, leg. 7128, exps. 11, 18, 20 y 22, Archivo General de Simancas.

114. Amat y Junyent 1947, cap. 25; Aljovín 1990: 183-233.

115. Residencia a Manuel Amat, Consejos, leg. 20341, exp. 1, docs. 1 y 7; leg. 20338, exp. 1, doc. 19; leg. 20342, exp. 1, doc. 10, AHN.

116. Campbell 1972: 8, nota 30; Burkholder 1972: 395-415, esp. 403-404; Lohmann Villena 1974: XLVIII, 1976: 37-39.

117. Burkholder 1990: 41-42, 52 y 115-116.

118. «Expediente de Olavide y Casa Calderón sobre falsedad de escritura», 1761, «Operaciones y procedimientos de Dn. Pablo Olavide y Jáuregui, oidor de la Real Audiencia de Lima, a raíz de la causa que sigue el marqués de Negreiros, apoderado de Dn. Domingo de Jáuregui, presidente actual de la Real Audiencia de Charcas, sobre intereses», Gobierno, Lima, leg. 813, AGI; «Cádiz, año 1755: autos hechos en virtud de Real Orden de S. M. sobre embargar los caudales pertenecientes a Dn. Pablo Olavide», Consejos, leg. 20212, AHN. Olavide alteró ilegalmente un instrumento de préstamo en el que originalmente aparecía como deudor del marqués de Casa Calderón por 42.651 pesos, para figurar más bien como acreedor por igual monto y así proceder a prestar fraudulentamente dicha suma a una tercera persona a una tasa del 5 por ciento de interés. Véase, también, Quiroz 1993a: 108-109. En España se unió al grupo ilustrado y fue nombrado intendente de Andalucía, donde se esforzó por colonizar la Sierra Morena. Este hecho y otros ambiciosos esfuerzos reformistas le trajeron problemas con la Inquisición, según su propia confesión: «embebido en estas vehemencias hablé sin reflexión, con temeridad, con imprudencia [...] y de todo quanto a su parecer podía impedir o dejar de fomentar estos proyectos». Fue sentenciado por la Inquisición como hereje formal en 1778: «Sentencia de don Pablo de Olavide» y «Relación del auto de fe de don Pablo de Olavide, 24 de noviembre de 1778», en Barry, David. «Colección de notas...», ff. 258-260, 283-289.

119. «Representación que el Excmo. Sr. D. Manuel Guirior, virrey del Perú, hizo al Ministerio de las Indias en 5 de noviembre de 1778 sobre el estado actual de aquel reino [...]», ff. 300-308v, ms. II/2853, BPR.

120. Joiner Gates 1928: 14-42, esp. 23-26; Fisher 1970: 19.

121. Campbell 1978: 7-9, Burkholder 1972: 401-403, Palacio Atard 1946.

122. «Índice de los expedientes que se hallan en esta vía reservada de quejas dadas contra el virrey Manuel Guirior por varios particulares», en «Expedientes sobre competencias entre el visitador del Perú, José Antonio de Areche y el virrey Manuel de Guirior en el desempeño de la visita de aquel, y sobre la residencia de dicho virrey que le toma Fernando Marquez de la Plata, alcalde del crimen de la Audiencia de Lima», Gobierno, Lima, leg. 780, AGI.

123. Carta reservada n.° 145, Areche a Gálvez, Lima, 29 de octubre de 1779, en «Expedientes sobre competencias», Gobierno, Lima, leg. 780, AGI.

124. Guirior al Rey [y a Gálvez], Lima, 24 de agosto de 1780, en «Expedientes sobre competencias», Gobierno, Lima, leg. 780, AGI.

125. Areche a Gálvez, reservado n.º 3, Lima, 31 de octubre de 1783, Madrid, 17 de marzo de 1787, en «Expedientes sobre competencias», Gobierno, Lima, leg. 780, AGI.

126. Garcilaso de la Vega 1985. Véase, también, la edición y selección de esta obra por Mercedes Serna (2000).

127. Guamán Poma, al igual que Condorcanqui 175 años más tarde, propuso abolir el cargo de corregidor: «[E]s muy justo y conveniente que los dichos corregidores de los indios se quite, y el salario que se aplique a la defensa de la corona real» (Guamán Poma de Ayala 1980 [1615], vol. 2: 345). Del mismo modo, propuso otras reformas a favor de los indios, su trabajo en las minas y su recuperación demográfica.

128. Fisher 1970: 22, Garrett 2005: 197-210.

129. Garret 2005: 202-204.

130. O'Phelan Godoy 1988, cap. 5; 1995, cap. 6.

131. Fisher 1970: 55-61, 2003: 34 y 39-40.

132. En el periodo 1777-1780, Areche no logró reformar Huancavelica, ni librarse de corruptos intereses locales, al nombrar al contratista minero Nicolás González Saravia y Mollinedo para que cumpliera con ciertos niveles productivos a bajo costo. Este hecho condujo a la indignada queja de José Fernández de Palazuelos, el desplazado gobernador acusado de prácticas ilegales. Este culpó a «Galvez, Areche, Guirior y compañía» por el desastroso daño público que consideraba habían provocado en el Perú, en «Peru, 1782 y 1784: informes dados por D. José Fernández de Palazuelos sobre el gobierno y estado de dicho virreinato», Ministerio de Guerra, caja n.° 5590, subcarpeta 5-B-9, Servicio Histórico Militar, Madrid (SHM). Véase también Fisher 1977: 20-21.

133. «Informe sobre el mal estado de policía, costumbres y administración de la ciudad de Lima y conveniencia de establecer en ella el Tribunal de la Acordada, a semejanza del de México», Escobedo a Croix, ca. 1786, Manuscritos de América, ms. 19262, BNM.

134. Carrió de la Vandera 1985 [1776] [según recientes estudios bibliográficos el pie de imprenta original (Gijón, 1773) es apócrifo y la primera edición de 1776 se realizó en Lima]. Traducido como *El Lazarillo: A Guide for Inexperienced Travelers between Buenos Aires and Lima* (1965).

135. Carrió de la Vandera 1966: 67 y 100.

136. Quiroz 1993a: 142-149.

137. Fisher 2006: 149-164, esp. 156.

138. Arellano Hoffmann 1996: 29-57, sobre la base del juicio de residencia del intendente Gálvez, Consejos, leg. 20347, AHN; Antonio de Villa Urrutia al Intendente Tomás Samper, 24 de septiembre de 1798, concerniente al «ingente descubierto que resultó contra el subdelegado don Carlos Rogers y ministros de RI. Hacienda de la caja foránea que residía en el partido de Carabaya», Colección R. P. Julián Heras, n.° 19, Archivo Histórico Militar del Perú.

139. Lagos, «Proyecto económico a favor de los Indios y habitantes del Reyno del Peru...», Cádiz, 13 de octubre de 1786, «Reflexiones a favor de los Reynos del Perú», Madrid, 10 de julio de 1787, en Gobierno, Lima, leg. 1029, AGI.

140. Sala i Vila 1996: 56-60.

141. Fisher 1968: XX y XIV; «Relación de gobierno que forma Bartolomé María de Salamanca», Arequipa, 31 de enero de 1812, *Boletín de la Sociedad Geográfica de Lima* 10, 1900: 207-236 y 312-337, esp. 210, 236 y 312-313. Véase Brown 1986: 92.

142. El intendente Marquez de la Plata descubrió «el fraude y mala versación en las substracciones en que incurrió el director de labores dn. Francisco Marroquín, dn. Francisco Sánchez Tagel como sobre estante de la RI. Quilca, y dn. Antonio García sobre estante de la mina, inmediatamente los puso presos, les confiscó sus bienes [...] formándoles la correspondiente causa criminal», en «Demanda seguida por dn. Gregorio Delgado en la residencia del Señor dn. Fernando Marquez de la Plata en Huancavelica a 9 de marzo de 1791», Consejos, leg. 20347, exp. 1, doc. 1, f. 80v, AHN. Con respecto al colapso de la mina de Santa Bárbara en 1786 y la responsabilidad que le tocaba a Marquez en el asunto, un viejo minero aseveró que «desde la entrega [de la mina] del señor [Antonio de] Ulloa, aseguraban todos debía caerse o sentarse aquella parte de la mina [...] lo que también se afirma con lo que públicamente dijo el señor visitador Areche las tres veces que reconoció con prácticos el citado paraje antes de la ruina [de 1786]», en «Demanda», ff. 126v-27. Véase Fisher 1977: 75 y 78.

143. Avilés fue acusado por los mineros de plata de haber prohibido «la venta de azogues al fiado con el plazo que estaba en costumbre [...] en todo lo cual han recibido los mineros conocido perjuicio y agravio y también la causa pública [...] la prohibición de azogues al fiado imposibilita a la mayor parte de los mineros que carecen de fondos para comprarlos inmediatamente y los obligó a haberlos de segundas manos y a mayor precio del establecido por punto general y aun a recurrir a esos cohechos o gratificaciones [imputadas al comisionado de las ventas de azogue Felipe del Risco]», en «Cuaderno 1.º del Juicio Secreto de la Residencia

del Exmo. Sor. marqués de Avilés del tiempo que fue virrey governador y capitán general de estos reinos del Perú. Año de 1807», Consejos, leg. 20350, exp. 1, doc. 1, 224v-225, AHN. Además, «[M]uchos mineros [...] han hecho banca rota de las habilitaciones recibidas tanto que fue preciso mandarlas suspender por decreto de quinze de abril de [1795...] que los mineros deben imputar a su mala correspondencia y desperdicios su poca prosperidad y no a las providencias del gobierno [...]», en «Cuaderno», f. 244. En 1806, la deuda total pendiente del mercurio entregado a crédito a los mineros era de 550.000 pesos (Fisher 1977: 82).

144. «[U]na relación de providencias públicas, que por su general ramificación abrazan los sólidos fundamentos de una universal reforma. Expuesta ésta a las decepciones del celo y al orgullo de los sistemas, suele producir multiplicados males de difícil remedio y peligrosa curación: aún en la práctica de las mejoras no se encuentran las más veces las ventajas proclamadas por la teoría; y el pueblo amante de la novedad pero esclavo de la costumbre, no examinando con reposo lo que se aparta de sus envejecidos abusos, presenta con irreflexión a las innovaciones más útiles el temible obstáculo del disgusto y la censura. Por operaciones tranquilas y lentas ha de restablecerse la decadencia del Perú, pues en los cuerpos políticos como en los físicos, los suaves paliativos son, en ocasiones, más a propósito que las grandes medicinas» (*Memoria del virrey del Perú marqués de Avilés*, 1901: 4).

145. Klein 1998: 53.

146. Quiroz 1993a: 134-136 y 145-146; Peralta 2002, cap. 3, 2006: 165-194.

147. Andrés Vega Salazar a M. P. S., Lima, 10 de enero de 1809, Junta Central Gubernativa del Reino y del Consejo de Regencia, Estado, leg. 54, n.° 45, ff. 1v-2, AHN. Esta crítica de los corruptos funcionarios criollos y peninsulares que se encontraban profundamente inmersos en conflictos de interés (puesto que contra lo que las normas estipulaban, ellos tenían propiedades en la zona y vínculos familiares con la élite local) nombraba a las siguientes personas: Manuel García [de la Plata], Domingo Arnaiz, José Pareja, Manuel María del Valle, Juan del Pino Manrique y Tadeo Bravo. Este último, residente en España, fue acusado de haber sobornado al primer ministro Manuel Godoy, para así obtener cargos para los miembros del cabildo de Lima.

148. Campbell 1976: 31-57, 1978; Marchena Fernández 1990: 54-95.

149. Pezuela a Secretario de Estado (Hacienda), Lima, 30 de noviembre de 1818, n.° 333, urgiendo que se concediera a «los militares algunas recompensas en la carrera de Hacienda», Gobierno, Lima, leg. 761, AGI; Pezuela a Juan de la Madrid Dávila (Secretario del Supremo Consejo de Estado), Lima, 2 de noviembre de 1820, Gobierno, Lima, leg. 762, AGI.

150. Manuel González (casado con la condesa de Villar de Fuentes) al exvirrey Abascal, Lima, 12 de diciembre de 1818, Archivo Abascal, Diversos, leg. 5, ramo 1, doc. 46, AGI: «Hay cosas que no se dicen, como se siente, así no puedo explicar a V. E. el anhelo de este déspota [Pezuela] en proporcionar a Osorio cuanto ha pedido para el logro de su empresa. Las contribuciones casi forzadas, los desaires a los hombres de bien, los recursos para sacar plata y la mala política con que se maneja son otros tantos absurdos que vienen asombrando todo el reino. Por que le diesen 300 mil pesos unos comerciantes emigrados de Chile, unidos con varios de este comercio le ha concedido el permiso de poder llevar en los buques de la expedición 50 mil arrobas de azúcar y 500 mil mazos de tabaco saña libres de todo derecho, y puestos de cuenta de la RL. Hacienda en el Reino de Chile; donde no podrá el rey ni particular alguno introducir estos artículos hasta después de un año de pacificado el reino». Véase, también, González a Abascal, Lima, 10 de diciembre de 1817 y 10 de abril de 1818, también en Archivo Abascal, Diversos, leg. 5, ramo 1, doc. 46, AGI.

151. La Serna a Secretario de Estado (Hacienda), Cuzco, 16 de septiembre de 1822, 20 de septiembre de 1822 y 1 de noviembre de 1822, Gobierno, Lima, leg. 762, docs. 12, 15 y 18, AGI. Para las rivalidades mercantiles y los problemas políticos de este complejo periodo final del

control hispano en el Perú, véase Marks 2003, 2 vols.; Parrón Salas 1995: 130-137 y Ricketts 2007, cap. 6.

152. Además de las obras clásicas de Juan y Ulloa, Machado de Chaves y Aponte, citadas previamente, las recientes y detalladas investigaciones sobre el ingreso, las remesas y la correspondencia privada de los virreyes, basadas en la obra de Moreno Cebrián y Sala i Vila (2004), vienen transformando las nociones y la cuantificación de la corrupción colonial. Véase, también, Costa 2005; Holguín Callo 2002; Torres Arancivia 2006; Crahan 1971: 389-412; Latasa 2003; Sáenz-Rico 1967; y otros estudios detallados sobre gobiernos virreinales específicos.

153. TePaske et ál. 2005, Garner 1988: 898-935.

154. Klein 1998, cuadros 3.9 y 4.7, complementados con cifras para el periodo 1810-1819, provenientes de TePaske et ál. 1982.

155. Las evaluaciones comparativas del éxito de las reformas borbónicas varían, de los resultados más positivos alcanzados en Cuba y México, a resultados mixtos en Perú y su fracaso en gran parte en Nueva Granada. Véase Stein 1981: 2-28; Kuethe y Douglas Inglis 1985: 118-143; Brown 1986: 214-215; Quiroz 2003 y Fisher, Kuethe y McFarlane 1990.

Capítulo 2

1. Tristán 2003: 11.

2. Serna, «En el expediente para esterminar el ilícito comercio y venta de plata piña y barra a los extranjeros en los puertos intermedios, he dictado la providencia asesorada siguiente», edicto impreso en Cuzco, 9 de marzo de 1824: «[C]on la mira de precaver fraudulentas extracciones de las platas en pasta que los mineros necesitados venden a los mercaderes y rescatadores de este metal en manifiesta contravención de las leyes que prohiben el comercio de ellos antes de estar quintados».

3. Engelsen 1977: 424-425, citado por Orrego 1990: 317-349.

4. Monteagudo 1823 (Quito: Imprenta de Quito): 3-4 y 5-6, 1824 (Guatemala: Beteta): 5 y 7-9. Al respecto, véase Anna 1974: 657-681, 1975: 221-248. Monteagudo, que favorecía una estructura monárquica para el Perú independiente, fue expulsado de Lima en 1822. Durante su exilio en Guayaquil, se reunió con Simón Bolívar, quien lo reclutó como partidario político de sus designios en el Perú. Monteagudo fue asesinado en Lima en 1825, probablemente por órdenes de sus enemigos políticos, entre quienes se encontraban José Faustino Sánchez Carrión (Basadre 1968, vol. 1: 101-105).

5. Municipalidad de Lima 1822: 7-8; Sauvignan, «Rapport sur la situation de la République du Pérou et de son Gouvernement au mois de décembre 1823», Lima, diciembre de 1823, Correspondance Politique (en adelante, C. P.), Pérou, vol. 2, ff. 27 y 34, Archives du Ministère des Affaires Étrangères, París (en adelante, AMAE). Véase O'Phelan 2001: 379-406, 407-428, esp. 381-388 y 412-419.

6. Un caso típico es el de Miguel Otero en 1838. Se trataba del minero más rico en Cerro de Pasco y se le expropió hasta por dos millones de pesos por órdenes del caudillo Gamarra como parte de su venganza contra los partidarios de Santa Cruz y la Confederación Perú-Boliviana. Véase Basadre 1968, vol. 2, p. 197, donde se cita al general Francisco Vidal («Memoria escrita en 1855, después de la Batalla de La Palma» 1949: 595-640, esp. 628).

7. Flores-Galindo 1984: 222-224 y 256-257: apéndices 8-9, basado en documentación del Juzgado de Secuestros, AGN; Quiroz 1987a: 30-36, 1987b, vol. 2: 201-267, esp. 222-224.

8. «Expediente sumario promovido por don Jerónimo Pareja [... contra] don Juan Delgado [...] sobre injurias y atropellos», Lima, 1821-1822, f. 2, Juicios de Pesquisa, Corte Superior de Justicia de Lima (en adelante, CSJL), leg. 431, AGN. Francisco Zárate de Huacho, el funcionario a cargo de la investigación, concluyó que los testigos, en este caso, «presentan el cuadro

más criminal del abuso que se ha hecho del empleo, por la opresión, violencias, gravámenes, multas, exacciones, y bárbaro despotismo».

9. Flores-Galindo 1984: 211 y 228, Klarén 2000: 131-132.

10. Boislecomte, «Notice historique sur la révolution du Pérou», agregado a la nota n.° 83, Aranjuez, 10 de mayo de 1825, C. P., Pérou, vol. 1, ff. 41-41v, AMAE; Sauvignan, «Rapport sur la situation de la République du Pérou et de son Gouvernement au mois de décembre 1823», Lima, diciembre de 1823, C. P., Pérou, vol. 2, f. 34, AMAE.

11. Basadre 1968, vol. 1: 101, 136, 221 y 228-229. Información sobre las costosas festividades celebradas en honor de Bolívar, pagadas por magnates locales, y «facturas canceladas por algunas de las principales personas en el poder [...] lo suficiente como para que se temiera que el Congreso hiciera alguna investigación», en William Tudor (Cónsul de EE. UU. en Lima) a Henry Clay (Secretario de Estado de EE. UU.), confidencial, Lima, 17 de mayo de 1826, en Manning 1925, vol. 3: 1794-1795. De otros cercanos colaboradores de Bolívar también se sospechaba que se habían enriquecido en medio de la penuria pública o debido a viejas conexiones venales (Tudor a Clay, confidencial, Lima, 9 de abril de 1826, y 17 de mayo de 1826, en Manning 1925, vol. 3: 1787 y 1795).

12. «Causa de residencia promovida por los vecinos de Chincha Baja contra el ex gobernador don Juan Pablo Santa Cruz a quien acusaban de insultos y atropellamientos, año 1825», Juicios de Residencia, CSJL, leg. 430, AGN. Un caso similar de corrupción y abuso comprobados involucró a un protegido del general Andrés de Santa Cruz, «Expediente sobre juicio de residencia seguida al señor coronel don Carlos Zabalburu, exintendente y comandante general de la provincia de Chachapoyas, años 1824-1825», Juicios de Residencia, CSJL, leg. 430, AGN.

13. Marichal 1989: 30-31, donde se cita la correspondencia de Bolívar.

14. Gamarra a Bolívar, Cuzco, 12 de septiembre de 1825, en Gamarra 1952: 29-30.

15. Nota marginal en Gamarra a ministro de Hacienda, Cuzco, 23 de enero de 1825, y Cuzco, 27 de junio de 1825, en Gamarra 1952: 17 y 27 y Larrea y Loredo 1827: 3.

16. Bolívar desplazó, encarceló o exilió a «varias personas de finos talentos y carácter puro, y populares en el país, que habrían sido idóneos para su administración. El mariscal La Mar, el canónigo Luna Pizarro, el conde de Vista Florida, los generales Necochea, Alvarado y otros más eran de esta clase. Estas personas son todas de personalidad irreprochable, y su probidad queda probada con su pobreza; es en verdad una reflexión placentera que los hombres más puros y más ilustrados del Perú sean todos republicanos» (Tudor a Clay, Lima, 24 de agosto de 1826, en Manning 1925, vol. 3: 1808).

17. Véase la correspondencia diplomática de Tudor, repleta de detalles confidenciales y respaldada con conversaciones personales con los principales actores del momento, entre ellos Bolívar, La Mar, Santa Cruz y otros, especialmente Tudor a Clay, Lima, 17 de mayo de 1826, en Manning 1925, vol. 3: 1792-1795.

18. William Tudor a John Quincy Adams, Callao, 3 de mayo de 1824, en Manning 1925, vol. 3: 1751.

19. Véase, por ejemplo, «Razón rectificada de las personas acotadas en el empréstito de los 100,000 pesos», Lima, 23 de noviembre de 1837, Manuscritos, 1837-D10367, Biblioteca Nacional del Perú, Lima (en adelante, BNP).

20. Estevan Llosa, diputado por Moquegua, en sesión del Congreso peruano del 4 de agosto de 1827, en *Mercurio Peruano*, 8 de agosto de 1827, n.° 8, p. 2.

21. Basadre 1968, vol. 1: 222-223. Véanse, también, los múltiples reclamos efectuados por particulares contra el Estado, dirigidos al Congreso peruano, «Índice General del Archivo de la H. Cámara de Diputados, 1827 a 1885», en Archivo General del Congreso de la República del Perú, Lima (en adelante, AGCP).

22. Mathew 1970: 81-98, Márquez 1888: 2. Para la atmósfera especulativa en Londres véase Dawson 1990: 23-26 y 70-71.

23. «La exceziva [sic] abundancia de fondos que hay en este país fuera de circulación, ha inducido ya a varios especuladores a solicitarnos para facilitar la realización de un empréstito» (García del Río y Paroissien a Ministro de Relaciones Exteriores [en adelante M. R. E.], Londres, 7 de septiembre de 1822, n.° 26, 5-17/1822, expediente 1). Véase García del Río y Paroissien a M. R. E., Londres, 6 de noviembre de 1822, n.° 59, 5-17/1822, carpeta 3, Archivo General y Documentación, Ministerio de Relaciones Exteriores del Perú, Lima (en adelante, AMRE).

24. Palacios Moreyra 1983: 13 y 32-33, donde se cita a Humphreys 1952. Según Márquez (1888: 2): «Ha sido opinión mui válida en el Perú que el comisionado para celebrar en Londres el primer empréstito peruano, derivó de esta operación una riqueza mui superior a la moderada holgura de su posición anterior. Quedó poseyendo 100,000 pesos i llegó a ser uno de los principales capitalistas de su tiempo. Esa fortuna se aumentó más tarde (de 1853 a 1854); de modo que a su muerte legó a su hijo una herencia como de un millón de pesos». Según documentación oficial, San Martín y su ministro de relaciones exteriores le dieron, a García del Río y Paroissien, 40.000 pesos a través de un acuerdo financiero con John Begg & Co. y su corresponsal en Liverpool, James Brotherston, para pagar el ingreso anual de ambos comisionados y los gastos de instalación de la primera legación peruana en Londres (García del Río y Paroissien a M. R. E., Londres, 6 de octubre de 1822, n.° 32, 5-17/1822, carpeta 2, AMRE).

25. «Peruvian Loan: Copy of Mr. Solicitor General's opinion», en *Lincoln's Sun*, 20 de febrero de 1823, en 5-17/1823, AMRE, sobre la base de que se trataba de un préstamo pagadero en treinta años, a 6 por ciento de interés anual y que solamente adelantaba 75 de 100 libras contratadas. El contrato del préstamo en sí, así como el firmado entre Kinder y los suscriptores o compradores de los bonos emitidos, eran, por tanto, legalmente nulos y potencialmente no ejecutables por las partes.

26. Riva-Agüero a Canning, Lima, 1 de junio de 1823, FO 61/1, ff. 95-96, National Archives of the United Kingdom, Kew (que incorporó el antiguo Public Record Office), en adelante, NAUK.

27. Márquez 1888: 2, Gutiérrez de La Fuente 1829: 24-25: el general La Fuente denunció «la increíble y espantosa dilapidación de los caudales públicos, inmensas sumas desaparecieron en el corto periodo de la administración de Riva-Agüero, sin que jamás se hayan sabido los objetos de su inversión; pues ni el ejército ni los empleados fueron pagados de sus sueldos. La nación quedó enormemente gravada por el resultado de contratas absurdas y ruinosas, y con la responsabilidad de las exacciones escandalosas permitidas para dividir con los suyos la subsistencia del Estado». Riva-Agüero (1824: 11, 52 y 58-60) justificó sus actos citando la falta de fondos y la interesada oposición de las facciones parlamentaria, bolivariana y extranjera.

28. Palacios Moreyra 1983: 15, donde se cita correspondencia oficial; Proctor 1824. Véase, además, Marichal 1989: 19, donde se cita a Robertson y Robertson 1843.

29. Mathew 1970: 83, donde se cita a Haigh 1831: 369.

30. «Continúa el estado calamitoso de esta plaza, la misma desconfianza y la paralización de los negocios [...]. Por lo tanto no nos es dado mover nada en materia del nuevo empréstito: y nuestra atención está en la actualidad repartida entre el examen de cuentas, procurar que el contratista D. Tomás Kinder realice la suma necesaria para el pago de dividendos que se cumple en el próximo abril, cuya falta acabaría por postrar el abatido crédito que se hallan los fondos del Perú que algún día han descendido a 30, y tratar por último con el mismo de que proporcione los medios de nuestra subsistencia y de los ocho jóvenes que nos están encomendados», Olmedo y Paredes a M. R. E., Londres, 2 de marzo de 1826, n.° 19, 5-17/1826, AMRE. Los costos incluían el mantenimiento de ocho (posteriormente quince) jóvenes peruanos (entre ellos Juan Gutiérrez de la Fuente y Francisco Rivero) enviados por el Estado a estudiar en Londres y París. Urgido a que devolviera la parte no vendida de los bonos emitidos, Kinder se rehusó «por haber dispuesto [de ellos] indebidamente. El único remedio

de este mal es entrar en un litis que debe reputarse como un mal mayor siendo como son sumamente dilatorios y extremadamente costosos los pleitos en este país, en donde poca o ninguna protección deben esperar los extranjeros especialmente los que no pertenecen a estados reconocidos», Olmedo y Paredes a M. R. E., Londres, 15 de mayo de 1826, n.° 31, 5-17/1826, AMRE. Con respecto a su precaria situación financiera personal, véase también Olmedo y Paredes a M. R. E., Londres, 12 de abril de 1826, n.° 24, 5 de septiembre de 1826, n.° 49 y 20 de noviembre de 1826, n.° 60, 5-17/1826, AMRE.

31.   El coronel y posteriormente general Juan Manuel Iturregui (1795-1871), un patriota vinculado al suministro de armas para el ejército separatista, vivía en Liverpool, donde se ocupaba de sus asuntos mercantiles privados, cuando aceptó, en 1827, la difícil misión diplomática de encabezar la legación peruana en Londres: «Imposible vivir en Londres en el grado más inferior a la publicidad, sin un gasto de dos mil libras cuando menos; y la asignación que se me hace es de ochocientos» (Iturregui a conde de Vista Florida, Londres, 12 de octubre de 1827, 5-17/1827, AMRE). Véase, también, Iturregui a M. R. E., Londres, 20 de diciembre de 1827, n.° 1, AMRE.

32.   «Sería de la mayor importancia descargarnos de nuestra presente deuda y exorbitantes intereses. El mejor expediente para esto sería pagar con nuevos *bonds* los intereses vencidos; comprar enseguida nuestra deuda privadamente hasta la cantidad que pudiéramos; y finalmente hacerlo en público [...]. Con lo que debemos de intereses podríamos comprar hoy casi toda nuestra deuda» (Iturregui a Vista Florida, Londres, 12 de octubre de 1827, 5-17/1827, AMRE). «[E]l Perú en lugar de remitir dinero para pagar los intereses que adeuda, lo haga, consultando el mayor secreto, para comprar sus propias obligaciones» (Iturregui a M. R. E., Londres, 20 de diciembre de 1827, n.° 2, 5-17/1827, AMRE).

33.   Witt 1992, vol. 1: 82-83 (esta publicación solamente incluye los periodos 1824-1842 [vol. 1] y 1843-1847 [vol. 2] del diario de Witt, un manuscrito en varios volúmenes que llega a su fin en 1890. Esta es una fuente singularmente importante, obra de un comerciante alemán residente en el Perú, originalmente escrita en su mayor parte en inglés y recientemente transcrita a formato mecanografiado por sus dueños. Para información sobre épocas posteriores, el presente estudio utiliza una compilación impresa previa [1987] de extractos del diario, así como partes de la versión mecanografiada del texto original en inglés, citada en notas subsiguientes). En la entrada del diario correspondiente al 4 de julio de 1825, Witt escribió: «supervisé el despacho de $60,000 [para Antony Gibbs & Sons] en el "Mersey". También conversé un poco con el arriero que había transportado la plata piña desde Arequipa y con Turner, el piloto que se había comprometido a contrabandearla a bordo del buque de guerra, y estuvimos de acuerdo en que ello debía de hacerse esa noche, lo que se llevó a cabo sin contratiempos». Además, Charles Ricketts, el cónsul británico en Lima, reportó que, entre 1819 y 1825, las naves de guerra británicas habían sacado 27 millones de dólares en plata y oro del Perú (Humphreys 1940: 195, citado en Marichal 1989: 21). En 1836, el ministro peruano de Relaciones Exteriores se quejó de la costumbre que las naves de guerra extranjeras tenían de recibir «barras de plata y oro» sin pagar los derechos oficiales (Mariano de Sierra a Samuel Larned, Lima, 11 de junio de 1836, Despatches from United States Ministers to Peru, 1826-1906, microcopy T-52 [en adelante, Despatches 1826-1906)], roll 4, U. S. National Archives and Records Administration [en adelante, USNA]).

34.   Gough 1983: 419-433; Mayo: 1987: 389-411, citado en Miller 1996: 65-95, esp. 68-69 y 89.

35.   Congreso peruano, sesión del 30 de julio de 1827, en *Mercurio Peruano*, 7 de agosto de 1827, n.° 6, pp. 2-3.

36.   Barrère al Ministre des Affaires Étrangères (en adelante, M. A. E.), Lima, 4 de abril de 1831, C. P., Pérou, vol. 4, f. 167v, AMAE.

37.   S. T. *Informe* [*sobre el contrabando*]. Lima: Imprenta de José M. Masías, 1832: «[E]l contrabando fomentado y sostenido [por la corrupción y venalidad de los empleados...] se

propaga su contajio [sic] de los empleados del fisco y de los comerciantes a todas las clases de la sociedad [...] nace necesariamente de los estancos, de las leyes prohibitivas, de los impuestos excesivos. No hay contra él otro preservativo que la libertad y moderación de los impuestos», pp. 1-2; «cuya fatal consecuencia se estiende [sic] y contamina a los magistrados y a toda la sociedad», p. 6; y «Acabada [la administración colonial], cuando el tiempo había arraigado profundamente estas costumbres, nada fue más impolítico que conservar el aliciente del crimen, manteniendo prohibiciones parciales, imponiendo derechos excesivos sobre artículos de primera necesidad. La prosperidad de la nación demandaba suspenderlos y moderarlos para destruir ese jermen [sic] de corrupción», p. 8.

38. Krüggeler 1988: 13-65, citado en Miller 1996: 71 y 90.

39. Basadre 1968, vol. 1: 18, 20 y 196; vol. 3: 66 y 69, donde se cita el mensaje de Menéndez al Congreso en 1845, que considera una fugaz pero «admirable» denuncia del espionaje, los gastos secretos, el favoritismo en el empleo público y el fraude en las pensiones. En lo que toca a la condición moral del país, Luna Pizarro afirmó que «adolecemos de estas faltas [...] nuestras malas habitudes que con el ser nos transmitieron nuestros padres [...] el defecto de espíritu público» (*Mercurio Peruano*, 7 de agosto de 1827, n.° 6, p. 1).

40. Véase, por ejemplo, «Expediente sobre el juicio de residencia seguida contra el señor coronel don Manuel Francisco Osores, ex subprefecto de Chota, años 1835-1836», esp. las preguntas 6 y 8 a los testigos en el cuestionario de la pesquisa secreta, Juicios de Residencia, CSJL, leg. 430, f. 2v, AGN: «[D]igan así mismo si [el residenciado...] admitió cohecho o soborno a alguno y se dejó seducir de empeños o miras particulares [...] si ha impuesto multas en su beneficio».

41. Véanse Juicios de Residencia y Juicios de Pesquisa, CSJL, legs. 430-432, AGN.

42. Thomas Willimott a Earl of Dudley, Lima, 20 de marzo de 1828, n.° 1, FO 61/14, f. 61v, NAUK.

43. Wu 1991: 11-18.

44. Gamarra a La Fuente, Cuzco, 21 de febrero, 25 de marzo y 25 de abril de 1827, en Gamarra 1952: 64-67.

45. Basadre 1968, vol. 1: 23, 25 y 190.

46. James Cooley a Secretario de Estado de EE. UU. Henry Clay, Lima, 22 de mayo de 1827, Despatches 1826-1906, roll 1, USNA.

47. Chaumette des Fossés a Baron de Damas, Lima, 2 de enero de 1828, C.P., Pérou, vol. 3, f. 344, AMAE.

48. Por sus servicios militares prestados, La Mar fue recompensado con Ocucaje, una valiosa hacienda en la costa. Sin embargo, pronto la devolvió a su legítimo propietario, una acción correcta ignorada por otros líderes republicanos (Basadre 1968, vol. 1: 232, 278 y 281). Observadores extranjeros reconocieron su alta integridad moral, pero añadían que semejante actitud moral contaba con poco respaldo en la opinión pública y se traducía, más bien, en debilidad política, en carta firmada por W. Tudor, 12 de mayo de 1830, Epistolario, Archivo Paz Soldán (en adelante, Epistolario APS), vol. 7, BNP. Según Cooley, Luna Pizarro, aunque «sacerdote, [...] es liberal, inteligente» y su partido tenía una «muy favorable disposición hacia Estados Unidos», Cooley a Clay, Lima, 14 de junio de 1827, Despatches 1826-1906, roll 1, USNA.

49. Wu 1991: 60; Basadre 1968, vol. 2: 46; Walker 1999, cap. 5: 136-137.

50. Samuel Larned al Secretario de Estado Martin van Buren, Lima, 19 de diciembre de 1829, Despatches 1826-1906, roll 1, USNA.

51. La Fuente infructuosamente intentó obtener un millón de pesos del Congreso de Lima para las campañas militares de Gamarra (La Fuente a Gamarra, 8 de octubre de 1829, Epistolario APS, vol. 6, BNP). La Fuente le informó a Gamarra de un envío de 60.000 pesos de Puno (49.000 pesos) y Arequipa (11.000 pesos) (La Fuente a Gamarra, Arequipa, 12 de enero de 1830, Epistolario APS, vol. 7, BNP). Varias otras cartas mencionan tratos con los prefectos Juan Pardo de Zela (Arequipa), Juan Ángel Bujanda (Cuzco) y Juan Francisco Reyes (Puno),

así como el envío a Gamarra de un total de aproximadamente 300.000 pesos de las provincias del sur, entre ellas Moquegua, Arica y Tarapacá. Gamarra no dejó de pedirle fondos a La Fuente: «Mándeme U. plata porque aquí estamos arañando la cubierta» (Gamarra a La Fuente, Piura, 17 de junio de 1829; véase, también, Piura, 3 de julio de 1829, y Lima, 5 de abril de 1830, en Gamarra 1952: 165 y 172).

52. Cartas de La Fuente a Gamarra: Arequipa, 19 de febrero de 1830: «No es menos el interés que tomo en la resolución sobre Vincocaya, que U. conoce lo interesante de esta empresa. Ella es de U. tanto como mía, pues de mis dos acciones, una es de U. desde el año pasado, quiera o no quiera», 4 de febrero de 1830, y 19 de marzo de 1830, Epistolario APS, vol. 7, BNP. Véase *El Republicano*, 8 de abril de 1826, n.° 20, en *El Republicano (Arequipa): noviembre 1825-febrero 1827*. Edición facsimilar. Caracas: Gobierno de Venezuela, 1975, pp. 90-91. En 1871, el Estado peruano cedió veintidós acciones sin valor alguno a un consorcio privado, puesto que las obras de riego habían estado abandonadas por treinta años (García Calderón 1879, vol. 2: 1836).

53. La Fuente a Gamarra, 5 de marzo de 1830: «[Q]ue he sido muy honrado y que no tengo con qué vivir si me falta mi triste sueldo», Epistolario APS, vol. 7, BNP.

54. Tristán 2003: 239-257.

55. Véanse, por ejemplo, los reclamos procesados por sucesivos diplomáticos de EE. UU. en Lima, que sumaban más de 750.000 dólares (o 1,2 millones de dólares si se toman en cuenta los intereses) e incluía un embargo de naves y cargamentos (1829). Asimismo, las demandas hechas por los comerciantes Henry Tracy (1827), Samuel Tracy (quien reclamaba unos 104.559 dólares adicionales por expropiación y encarcelamiento arbitrarias por razones políticas, a manos de Gamarra en el periodo 1839-1840), y Alsop & Co. (1835), todas ellas impagas hasta 1842: «Memoranda» firmado por Samuel Larned, Lima, 24 de diciembre de 1836; J. B. Thorton a M. R. E., Lima, 23 de abril de 1837; y J. C. Pickett a Forsyth, Lima, 21 de noviembre de 1839 y 25 de mayo de 1840, Despatches 1826-1906, roll 5, USNA.

56. «La razón de todas estas vejaciones e inamistosa persecución [de los extranjeros], según le fuera dada por el mismo presidente Gamarra a uno de nuestros compatriotas [...] es la "obligación de promover la prosperidad de los comerciantes nativos"; "la necesidad de crear capitalistas entre ellos, para así facilitar las operaciones del gobierno; y aliviar las necesidades naturales". "Pues", dijo Su Excelencia, "cuando hayamos criado un grupo de capitalistas nativos, podremos decirles: 'el gobierno les necesita; ustedes deben contribuir el monto especificado para su alivio, o en caso de negativa se tomarán medidas para obligarles', ¡pero a los capitalistas extranjeros no podemos decirles eso!"» (Larned a Van Buren, Lima, 8 y 31 de marzo de 1830, Despatches 1826-1906, roll 1, USNA).

57. Larned a Van Buren, Lima, 5 de marzo de 1830, Despatches 1826–1906, roll 1, USNA. Santa Cruz impuso aranceles altos en 1826 y comienzos de 1827. Véase, además, Gootenberg 1989, cap. 3; 1991: 1-36.

58. Según Gamarra, tras la muerte de Bolívar, el Perú se proyectaba como «un "coloso" entre los demás estados americanos. Si marchamos con juicio y unión haremos del Perú la Francia Americana» (Gamarra a La Fuente, Cuzco, 12 de marzo de 1832, en Gamarra 1952: 222).

59. Wilson a Palmerston, Lima, 12 de junio de 1834, FO 61/27, ff. 149-157v, NAUK.

60. «Mr. Belford Wilson's Report upon the Peruvian trade 1837», FO 61/53, ff. 161–212, esp. 184v-185, NAUK. Véase Gootenberg 1996: 134-165, esp. 143-144, en las que la corrupción y el patronazgo son consideradas tangenciales al examen de los negociados del guano.

61. Wilson a Palmerston, Lima, 4 de noviembre de 1834, FO 61/28, ff. 302-303, NAUK, citado también en Wu 1991: 61. Unos cuantos años antes, el Foreign Office había desaprobado un gasto de 260 dólares, pagados a los aduaneros por el cónsul británico en Arequipa a cambio de información sobre el comercio de exportación e importación en Quilca e Islay. Este hecho se debió a que las instrucciones consulares no autorizaban «ningún gasto de parte

del público para conseguir tal información» (Bidwell a Passmore, Londres, 18 de febrero de 1829, FO 61/16, ff. 11-11v, NAUK).

62. Wilson a Palmerston, Lima, 5 de diciembre de 1834, FO 61/28, f. 362v, NAUK.

63. Bernard Barrère a M. A. E, Lima, 4 de abril de 1831, CP, Pérou, vol. 4, f. 167v, AMAE: «les dilapidations, la corruption et les vols sont trois grandes plans du corps politique péruvien».

64. Witt 1987: 253. Esta versión impresa del diario de Witt solamente contiene extractos escogidos.

65. Basadre 1968, vol. 2: 27-32; Montes de Oca 1832: 4 y 13, en la que se acusa al general Eléspuru de apropiación y enriquecimiento ilegales. Eléspuru fue sometido a un juicio de residencia que no llegó a su fin, en el cual su abogado argumentó que la naturaleza secreta de semejante juicio era una antigualla colonial, incompatible con las Constituciones republicanas: «Expediente sobre el juicio de residencia abierta al señor general Juan Bautista Eléspuru, ex prefecto del departamento de Lima, años 1833-1834», Juicios de Residencia, CSJL, leg. 430, AGN. Véase Larned a Van Buren, Lima, 18 de abril y 17 de mayo de 1831, Despatches 1826-1906, roll 1, USNA.

66. Willimott a Earl of Aberdeen, Lima, 8 de diciembre de 1829, FO 61/16, f. 195v, NAUK.

67. La esposa de Gamarra murió exiliada en Chile en 1835. Seriamente enferma, doña Pancha hizo llamar a La Fuente, quien en ese entonces también se hallaba en Chile. Este «inmediatamente la atendió, y continuó haciéndolo, con gran diligencia y bondad, hasta sus últimos momentos, cuando en presencia de varios testigos ella confesó haber sido la única causa de la revolución [de 1831 contra La Fuente, con órdenes de fusilarle] y de la ruina de su fortuna, y rogó su perdón, el cual siendo inmediatamente otorgado, ella expiró en sus brazos. Los costos de su última enfermedad, y su funeral, fueron cubiertos por el general La Fuente [...]. Estos hechos indudablemente unirán a éstos que alguna vez fueron los árbitros de los destinos del Perú, Gamarra y La Fuente» (Larned a Forsyth, Lima, 26 de junio de 1835, Despatches 1826-1906, roll 3, USNA).

68. Larned a Forsyth, 17 de marzo de 1835, n.° 128, 7 de abril de 1835, n.° 131, Despatches 1826-1906, roll 3, USNA. Véanse, también, los decretos confiscatorios de Salaverry publicados en la *Gaceta del Gobierno*, n.° 2 (extraordinaria), 2 de marzo de 1835, y n.° 10, 28 de marzo de 1835. En su manifiesto «El Jefe Supremo de la República a sus conciudadanos», 25 de febrero de 1825, Salaverry justificó su golpe como una reacción a «mi patria destrozada por un club de hombres sin moral [...]. He visto enriquecerse a una facción en medio de la indijencia general».

69. En Londres, en el periodo 1822-1825, Quirós se asoció con los notorios inversionistas Thomas Kinder, John Parish Robertson y otros y fue uno de los directores de la Pasco Peruana Co., y posteriormente de la Empresa Anglo-Peruana de Minas, juntamente con William Cockran, Joseph Fletcher y T. Holland. Véase Quirós Salinas 2000, vol. 1: 127, donde se cita a Dancuart 1902.

70. Quirós Salinas 2000, vol. 1: 158, donde se cita BNL y documentación familiar privada. Francisco Quirós también fue nombrado a importantes cargos por los presidentes Orbegoso, Salaverry y Castilla.

71. Con respecto a las actividades políticas del coronel Echenique en 1834, un crítico escribió: «Cuando los encargados del interés público traicionan la virtud y provida [sic] de su carácter; entonces la máquina social carece de ornato, están dislocadas sus bases y pronta a sucumbir en la nulidad. El bien común, los dulces vínculos de la sangre y la más hacendada [sic] reputación se prostituyen, se hollan y se sacrifican al bien estar individual» (García 1834: 1).

72. En junio de 1847, Elías y otros dos hacendados compraron 87 esclavos de Nueva Granada y 116 manumisos o libertos, entregados en Pisco por 39.500 pesos, según Kitchens 1979: 205-214, esp. 210; o 54.888 pesos según Blanchard 1996: 157-176, esp. 165-167 y 171.

73. Witt 1987: 245.

74. Engelsen 1997: 433-440, citado por Balmori 1984: 213-214.
75. Orrego 1990: 320, donde se cita a Echenique 1952, vol. 1: 104.
76. Witt 1992, vol. 1: 329-330. Witt también comparó la personalidad moral de varios presiden-tes militares: «Santa Cruz [...] era sin duda un hombre de gran capacidad; en su ámbito coti-diano era un buen esposo y un buen padre, no era un libertino como Echenique, ni borrachín como Orbegoso, ni jugador como Castilla» (p. 328).
77. Wu 1991: 27 y 75.
78. Basadre 1968, vol. 2: 135-136 y 170.
79. Luego de que Gamarra deportara a Torrico por el papel que le cupo en una fallida rebelión en diciembre de 1840, un observador anotó lo siguiente acerca de Torrico: «ha mostrado no ser el hombre ya sea para llevar a cabo una revolución o para darle dirección [...E]s de-ficiente tanto en coraje como en discreción. La predisposición traicionera de este oficial es un ejemplo de las vilezas a las que son capaces los militares del Perú. Él le debe casi todo al Gen. Gamarra: rango, distinción y fortuna, esta última adquirida saqueando y oprimiendo al pueblo, y le paga con la ingratitud más vil. Es [...] el rufián más grande del Perú, donde éstos de ningún modo escasean; y la impunidad que le fuera extendida a su carrera de violencia y daño no es de los errores, o mas bien delincuencias, más pequeños del Gen. Gamarra [...]. En el ejército peruano hay muchos que no son mejores que [Torrico]. Y en el Perú la opinión pública (si algo semejante existe aquí) impone muy pocas restricciones» (Pickett a Forsyth, Lima, 8 de enero de 1841, n.° 31, Despatches 1826-1906, USNA). Unos devastadores he-chos adicionales concernientes a la corrupción de Torrico son documentados en Mendiburu 1963, pp. 388-436, esp. 399, 420-421 y 428.
80. «Mr. Belford Wilson's report upon the Peruvian trade in 1837», FO 61/53, ff. 191-192, NAUK.
81. Vicecónsul Crompton a Wilson, Islay, 20 de abril de 1839, FO 61/62, ff. 99-100 y Wilson a Palmerston, Lima, 29 de julio de 1839, FO 61/62, ff. 111-112v, NAUK.
82. Wilson a Palmerston, Callao, 17 de noviembre de 1841, FO 61/80, ff. 211-215, NAUK y anexos sobre procedimientos legales, ff. 234-327v. Temiendo por su vida, Wilson se refugió en una nave francesa. El ministro de Relaciones Exteriores Agustín Guillermo Charún protestó por la falta de confianza de Wilson en las autoridades policiales y judiciales peruanas, en una publicación que contiene correspondencia y documentos relevantes: *Protesta que hace el gobierno del Perú contra la conducta del Encargado de Negocios de Su Majestad Británica D. Belford Hinton Wilson y su inmotivada separación del territorio peruano, acompañada de los documentos principales sobre los motivos de queja alegados por ese funcionario*, 1842.
83. Los bloqueos y embargos por fuerzas de caudillos en pugna desde 1842 habían perturbado el comercio neutral y, según un diplomático, «[ha] caído tan bajo el carácter militar aquí que los comandantes de las naves de guerra bloqueadoras [...] se han dedicado al contrabando, usando sus naves para recibir mercaderías contrabandeadas, y participando, sin duda, en las ganancias» (Pickett al Secretario de Estado [en adelante, S. S.], Lima, 3 de julio de 1844, n.° 96, Despatches 1826-1906, roll 6, USNA). En 1843, Manuel Suárez, el intendente de poli-cía, fue acusado públicamente de cometer abusos administrativos, entre ellos la imposición de multas, que no remitía al tesoro público, y de fraude en obras públicas: «Manuel Suárez [...] contra Antonio Baeza», Abuso de Libertad de Imprenta, CSJL, leg. 714, AGN.
84. Witt 1992, vol. 2: 66-67.
85. «Resulta algo difícil entender la defección de Elías [...]. Él es acaudalado, respetable e influ-yente [...] pero luego de respaldar a Vivanco contra viento y marea, con dinero y servicios, durante quince meses, convirtiéndose en el instrumento para poner en efecto sus duras, ile-gales y arbitrarias medidas [...] ciertamente deja cierto lugar para dudar de [Elías] su falta de interés [... Sin embargo,] quienes le conocen bien dicen que es honesto en las cuestiones de dinero, y que no saquearía ni desfalcaría del modo que aquí lo hacen casi todos los que pue-den» (Pickett al S. S., Lima, 3 de julio de 1844, n.° 96, Despatches 1826-1906, roll 6, USNA). Sin

embargo, Elías fue acusado posteriormente de «haber malversado enormemente», puesto que «mientras estaba en el poder canceló» todas sus deudas anteriores. «De ser esto cierto habría jugado sus cartas hábilmente, y su oportuna deserción de Vivanco no solamente fue algo políticamente hábil, sino además rentable. Sin embargo, en la época en que se unió al Director se le consideraba rico pero muy endeudado» (Pickett a John C. Calhoun, Lima, 31 de octubre de 1844, n.° 103, Despatches 1826-1906, roll 6, USNA).

86. En 1844, el presidente civil interino, Meléndez, reveló la existencia de varias corruptelas en el otorgamiento de cargos y pensiones oficiales, así como la incapacidad de procesar a los funcionarios corruptos debido al mal funcionamiento y los retrasos intencionales en el sistema judicial, hecho que conducía a la impunidad (Basadre 1968, vol. 3: 69).

87. Basadre 1968, vol. 3: 77-78. Véase, también, la correspondencia de Castilla con Antonio Gutiérrez de la Fuente (1823-1840) en el epistolario en *Archivo Castilla* 3. Lima: Instituto «Libertador Ramón Castilla», 1961.

88. Jewett a Buchanan, Lima, 27 de noviembre de 1845, Despatches 1826-1906, roll 7, USNA. Jewett añadió que Manuel del Río, el impopular ministro de Hacienda (que había ocupado el cargo en varias ocasiones desde 1832 y fuera luego públicamente cuestionado por el Congreso), le solicitó al enviado ecuatoriano un soborno de 30.000 dólares para resolver las demandas ecuatorianas de restitución: «[L]os hombres que conforman esta administración [...] son poco más que una Junta de ladrones de tierras que llega al poder mediante el derramamiento de sangre, el saqueo, el fraude, la traición y el soborno de oficiales secundarios».

89. Castilla al general Pedro Cisneros, 11 de noviembre de 1848, citado en Basadre 1968, vol. 3: 107. Sin embargo, Jewett reportó en 1846 que el ingreso del guano fue mal utilizado: «Los actuales saqueadores públicos no están satisfechos con usar todo el dinero público y dejar muchas de las deudas actuales, soldados, etc., sin pagar; consiguen un adelanto para repartirlo antes de dejar el poder, o como fondo para el juego, un negocio en el cual estoy informado que el Presidente ocupa la mayor parte del tiempo cuando no está dedicándose a un vicio aún más de moda» (Jewett a Buchanan, Lima, 28 de febrero de 1846, n.° 7, Despatches 1826-1906, roll 7, USNA).

90. Castilla buscó limitar los abusos y pretensión de favores por parte de José Gregorio Paz Soldán, ministro de Relaciones Exteriores hasta 1847, así como los de su hermano Mateo. Con cálculo político, Castilla buscó recuperar los 20.000 pesos que los Paz Soldán le debían al tesoro. Castilla posteriormente le recordó al exministro que haberle colocado como director del tesoro, por solicitud del mismo Paz Soldán, no era otra cosa que una «comisión» que le había sido otorgada (Castilla a Pedro Cisneros, Lima, 13-14 de noviembre de 1847, en *Archivo Castilla* 8, 1974, pp. 22-23 y Castilla a Dr. José G. Paz Soldán, Lima, 18 de agosto de 1850, en *Archivo Castilla* 3, 1961, pp. 229-231). Véase Basadre 1968, vol. 3: 107-108.

91. William Pitt Adams a Palmerston, Lima, 12 de marzo, 13 de abril y 13 de noviembre, 1848, FO 61/118, ff. 128-130, 153-154v y 270-272, NAUK. Del Río, finalmente, fue forzado a renunciar en julio de 1849 por presión parlamentaria (Basadre 1968, vol. 3: 96-97).

92. Witt 1987: 250-251.

93. Mathew 1977: 35-57, esp. 35-37; Orrego 1990: 322-324; Stewart 1951: 12-13.

94. Seguidores armados de Vivanco y los *mazorqueros* de Echenique se dedicaron a los «disturbios y [a] derramar sangre» en las elecciones parroquiales preliminares del 17 de febrero de 1850. Los echeniquistas «se apoderaron de las ánforas [...] como los amigos de Vivanco sabían que su posesión en una elección peruana equivalía a la victoria, atacaron las urnas en la iglesia de la Merced, en el centro de Lima, y fueron vencidos luego de una dura lucha» (J. R. Clay a John Clayton, Lima, 12 de marzo de 1850, Despatches 1826-1906, roll 8, USNA). Véase Márquez 1888: 18 y Basadre 1968, vol. 3: 289-291.

95. Palacios McBride 1989: 7-12, sobre la base del manuscrito inédito de las «Memorias» de Manuel Argumaniz Muñoz (1876), una fuente única que comprende seis volúmenes en la

colección privada de Eduardo D'Argent (Lima), de la cual hay una copia mecanografiada con notas de Carlos Moreyra Palacios.

96. Palacios McBride 1989: 14-18; Witt 1992, vol. 2: 140.

97. Elías 1849.

98. Otros importantes líderes civiles liberales del Club Progresista eran Quirós, su presidente en 1851, Pedro Gálvez y José Sevilla. Quirós fue detenido y exiliado por Echenique en 1854. En su *Manifiesto* de 1851, Quirós sostuvo lo siguiente, refiriéndose al poder militar: «Rodeado de la gloria inmarcesible que en Junín y Ayacucho conquistara, no ha limitado su prestigio a mantener ilesas y en vigor esas instituciones que brotaron a la sombra de sus frescos laureles, sino que reservó para sí sólo todas las posiciones importantes; colocó a los individuos de su seno en cuantas esferas reconoce la jerarquía administrativa; y desconociendo que el Gobierno, para llenar su fin, debe ser esencialmente civil, como lo es la sociedad que representa; falseó desde su nacimiento la verdadera democracia y tendió a la oligarquía centralizando la autoridad en unos pocos», citado en Quirós Salinas 2000, vol. 1, p. 235.

99. Pickett a Webster, Lima, 27 de noviembre de 1841, Despatches 1826-1906, roll 6, USNA.

100. Cónsul Stanhope Prevost al ministro Albert G. Jewett, Lima, 25 de octubre de 1845 y Jewett al capitán N. M. Howison, Lima, 23 de octubre de 1845, Despatches 1826-1906, roll 7, USNA.

101. Mathew 1972: 598-620, donde se cita correspondencia de Antony Gibbs & Sons (Guildhall Library, Londres) y cartas de Belford Hinton Wilson.

102. Vidal 1949: 629.

103. Comentarios de J. C. Pickett sobre el discurso de Gamarra al Congreso (Pickett a Forsyth, Lima, 15 de Julio de 1840, n.° 16, Despatches 1826-1906, roll 5, USNA.).

104. En 1830, una pesquisa efectuada contra Pascual Francisco Suero, juez de primera instancia de Lima, encontró evidencias de cohecho para favorecer al comerciante de harina Frederick Pfeiffer, Juicios de Pesquisa, leg. 432, AGN. Otros casos de jueces acusados de cohecho y prevaricato son los de Mariano Santos de Quiroz (vocal de la Corte Superior de Lima), 1830; José Lisa (Ica), 1834-1835 y Juan Manuel Campoblanco (Jauja), 1836. Véase, también, López Aldana, Santiago Estenós, Figuerola y Soria 1831: 39-40: «Ser incorruptible y parecerlo [...] es administrar justicia imparcial y desinteresadamente [...] que no le ocurra a nadie la tentación de irlo a provocar con dádivas [...]. Pero si en vez de esto se juega, se dan banquetes, no se paga la casa en que se vive, y se anda a la caza de los litigantes y se pignoran hasta las alhajas de la mujer ¿qué juicio se formará del magistrado?».

105. Mathew 1972: 598, 604-607 y 619-620; Basadre 1968, vol. 3, pp. 151-165; Compañía Quirós y Allier 1849. Con respecto a un préstamo de 850.000 dólares bajo «condiciones onerosas», negociado con Gibbs y Montané a cambio del derecho exclusivo a exportar el guano, bajo la necesidad apremiante de pagar seis meses de salarios impagos a funcionarios del gobierno: «Las condiciones de este contrato son tan extraordinarias que uno puede sorprenderse igualmente de que alguna persona pudiera hacer tales propuestas [...]. Lo más notable es que el gobierno peruano aceptó sus depreciados papeles, que ahora tienen un descuento de alrededor de 80 por ciento del valor nominal, como pago de una cuarta parte de la suma producida por la venta del guano» (John Randolph Clay a Buchanan, Lima, 11 de enero de 1848, Despatches 1826-1906, roll 8, USNA).

106. Belford Wilson a Stanley, 9 de junio de 1852, FO 61/137, citado por Mathew, W. M. Ob. cit., p. 614.

107. José Gregorio Paz Soldán (M. R. E.) a Juan Manuel Iturregui (representante peruano en Londres), Lima, 14 de septiembre de 1846, 5-17/1846, AMRE.

108. J. R. Clay a Daniel Webster, Lima, 8 de febrero de 1851, Despatches 1826-1906, roll 8, USNA. Clay también se quejó del mal manejo de la consignación del guano que se dirigía a EE. UU., en manos de Barreda y Hno. Clay se esforzó por convencer a los sucesivos ministros de Hacienda peruanos de la conveniencia de abandonar el sistema corruptor de las

consignaciones en favor de un sistema de venta directa en las islas guaneras. Sin embargo, el ingreso guanero ya estaba hipotecado a los acreedores extranjeros, especialmente a Gibbs & Co., y a los tenedores de bonos británicos (Clay a William Marcy, Lima, 20 de abril de 1855, Despatches 1826-1906, roll. 11, USNA).

109. Mathew 1981: 106-108 y 230-231.

110. «Como para el manejo y adelantamiento de un gran caudal es necesario talento e instrucción, y como para no abusar del poder que presta, es necesario probidad, nada más precario y peligroso que la riqueza repentina» (Távara 1856: 5).

111. Ley de la consolidación, *El Peruano*, 23, n.° 23, 16 de marzo de 1850; Barriga Álvarez 1855: 22; Anónimo 1856: 9, 20 y 70-71; Amunátegui 1862: 4, 10 y 20.

112. Segunda carta de Elías a Echenique, Lima, 16 de agosto de 1853, en *El Comercio*, reimpresa en *El señor don Domingo Elías a la faz de sus compatriotas* 1853: 31-33 y 76.

113. Quiroz 1987: 170-172.

114. Primera carta de Elías a Echenique, Lima, 12 de agosto de 1853, en *El Comercio*, reimpresa en *El señor don Domingo Elías a la faz de sus compatriotas* 1853: 9-10.

115. *El señor don Domingo Elías a la faz de sus compatriotas* 1853: 22, 30, 32 y 37. Varios de estos casos se analizaron detenidamente en Quiroz 1987a, cap. 6. Witt incluyó dentro del parasitario círculo íntimo de Echenique a su hermano Nicasio, su hermana Benita y a Cotes (Witt 1987: 238).

116. Véase Quiroz 1987a, cap. 4.

117. Echenique 1855: 101. Se repitió este argumento en sus *Memorias para la historia del Perú* 1952, vol. 2, pp. 200-201. Véase el mismo argumento repetido también en Basadre 1968, vol. 4, pp. 15, 25-30 y 70-71. Para un análisis de lo que Basadre pensaba sobre la corrupción, véase Quiroz 2004: 145-170.

118. La palabra *mazorquero* se deriva de «la Mazorca», la policía secreta durante la dictadura del argentino Juan Manuel de Rosas.

119. Paz Soldán y Unánue 1974, vol. 1, pp. 140-143.

120. Torrico recibió oficialmente 23.100 pesos en vales de la consolidación, pero tuvo una participación mucho mayor en el reconocimiento de los expedientes más importantes (Quiroz 1987a: 84 y 97, Mendiburu 1960-1961: 160).

121. A La Fuente se le otorgó la considerable suma de 82.500 pesos en vales, pero también tomó parte en el reconocimiento favorecido de expedientes que él auspició. La Fuente le escribió a Manuel de Mendiburu, el entonces ministro de Hacienda: «Tiene U. a la firma unos vales de consolidación valor de 98,000 pesos que pertenecen a Don Juan de Dios Carrión y d. Maximiliano Albertini. Me haría U. un distinguido servicio si U. me los firmara de preferencia [... El coronel] Rivas está encargado de recoger o sacar cien de mi parte» (La Fuente a Mendiburu, Lima, 7 de enero de 1852). «Completó U. la obra haciendo que se me reconozca los 40 mil y pico resto de este espediente [sic] y que giró bajó la firma de D. Juan de Dios Carrión [...] Estos 40 mil y pico de pesos me pertenecen a mí exclusivamente como se lo haré ver a U. luego que lo vea»: La Fuente a Mendiburu, Lima, 3 de junio 1852, Colección Mendiburu: Epistolario, MEN 54, n.° 27 y 28, Archivo Histórico Riva-Agüero (en adelante, AHRA).

122. Según la documentación de la consolidación, el coronel Coz recibió vales de la consolidación por valor de 731.200 pesos; el sargento mayor Domingo Solar, 250.000; el coronel Pérez Vargas, 198.700; el sargento mayor Viviano Gómez Silva, 146.100; el coronel Saco, 78.800; y el coronel Rivas, 77.500. Figuran listados respectivamente como los números 5, 13, 15, 27, 50 y 53 de entre quienes recibieron las más grandes sumas de la consolidación. Véase Quiroz,1987a, cuadro 4; Casós 1854 y Elías 1855: 14-15. Witt identificó a Felipe Rivas y a Juan José Concha como los principales agentes de Torrico. Rivas había sido sometido a juicio de residencia por su papel como subprefecto y gobernador del puerto del Callao y por haber influido indebidamente allí en las elecciones de 1847 (Juicios de Residencia, CSJL, leg. 430, AGN).

123. Quiroz 1987a: pp. 46-47, 84 y 169-170.
124. Correspondencia entre Pío Tristán y Pascual Saco; inventario de propiedades de Saco de 1868, Colección Plácido Jiménez, n.° 123 y 147, AHRA.
125. «Testamento de la Sra. Da. Teresa Villena de Piérola», Lima, 14 de mayo de 1857, en «Papeles de la familia Piérola», Archivo Piérola (en adelante, AP), vol. 1, Manuscritos, BNP. Su hijo Nicolás de Piérola y Villena era uno de los tres albaceas del testamento.
126. Aunque Echenique juró en sus escritos no haberse beneficiado personalmente con la consolidación, sí se le concedieron oficialmente 13.800 pesos en vales (Quiroz 1987a: 84). También se sospechaba de que Echenique había recibido indirectamente hasta dos millones de pesos. Al respecto, véase Casós 1854 y Elías 1855: 14.
127. Véase Junta de Examen Fiscal 1857, expedientes n.° 5666, 5742, 5771, 5848, 5958 y 6013; y Quiroz 1987a: 98-103. Las alegaciones contrarias a la integridad administrativa de Casós aparecen en «Fernando Casós contra Manuel Jesús Vivanco, año 1851», Abuso de la Libertad de Imprenta, CSJL, leg. 716, AGN.
128. Como agente del gobierno venezolano, Cotes recibió, en 1853, cuatro libranzas de Gibbs & Co., en Londres, por un total de 555.000 pesos, según se desprende de una pesquisa efectuada a raíz del sobrepago de 150.000 pesos hecho a Lucio Pulido, otro agente venezolano, por Barreda y Hno. de Baltimore, y Murrieta de Londres (Francisco de Rivero a M. R. E., Londres, 13 de diciembre de 1856, n.° 347, 5-14/1856, Gran Bretaña y Francia, AMRE). Sobre los negocios de consolidación y consignación guanero de Cotes, consúltese Quiroz 1987a: 104, nota 22.
129. Witt 1992: 238 y 248.
130. «Relación de las armas, municiones y demás artículos de artillería que deben encargarse a Inglaterra», M. R. E. José G. Paz Soldán a Iturregui, Lima, 10 de septiembre de 1845; 14 de octubre de 1845, 5-17/1845; y Francisco de Rivero a M. R. E., Londres, 15 de enero de 1851, n.° 57, 5-17/1851, AMRE.
131. Joaquín José de Osma y Ramírez de Arellano había representado al Perú en Madrid en 1843 y en Washington en el periodo 1846-1848, 5-13/1843 (Legación del Perú en España) y 5-3/1846 (Legación del Perú en EE. UU.), AMRE. Con respecto a los acuerdos de construcción de naves: Osma a M. R. E., Washington, 12 de febrero de 1847, n.° 150 y José Rufino Echenique (ministro de Guerra y Marina) a M. R. E., Lima, 10 de junio de 1847. En relación con el envío de 600 carabinas de EE. UU. por parte del comerciante Samuel Tracy, por órdenes de Osma: Osma a M. R. E., Nueva York, 6 de enero de 1848, n.° 98, 5-3/1847-1848, AMRE.
132. Casa de Supremo Gobierno a M. R. E., Lima, 11 de diciembre de 1846, 5-17/1846, AMRE.
133. Iturregui 1847.
134. «Con los tres mil pesos que tengo de sueldo, no me es posible atender los gastos de mi persona de una manera decorosa al Gobierno que represento y cubrir los de correo y secretaría de la legación. Los asuntos que me obligan a permanecer en esta, ocasionándome gastos superiores a mis recursos, y no me dejan por consiguiente la libertad que tendría en otro caso, de presentar mi renuncia por la insuficiencia del sueldo que se me da» (J. I. de Osma a M. R. E., Washington, D. C., 10 de diciembre de 1850, n.° 67, 5-3/1850, AMRE).
135. Carpetas 1 y 2, 5-17/1849, AMRE.
136. Mathew 1981: 102-103. Con respecto a otros tipos de corrupción de la época véase, también, Mathew 1970: 96-98.
137. M. R. E. Felipe Pardo a Osma, Lima, 13 de julio de 1849, n.° 50, 5-17/1849, AMRE.
138. Márquez 1888: 13-16. En 1871, Manuel de Mendiburu escribió el borrador de una carta dirigida a Echenique, en la cual afirmaba que, en 1849, Osma y Rivero recibieron una comisión «en bonos por que éstos la tomaron posesionándoselos a 33 y los vendieron a 108 con más por vía de apéndice 45 cupones gratis de diferidos en cada bono» (Colección Mendiburu, Epistolario, MEN 441, n.° 10, AHRA).

139. Echenique a Sres. Murrieta, Lima, 10 de septiembre de 1852, en Colección Mendiburu, Epistolario, MEN 441, n.° 2, AHRA. Una nota manuscrita al margen de esta carta de recomendación dice: «Echenique me recomienda a los Murrieta—no resa [sic] esto en las memorias».

140. Mendiburu 1853: 2-3.

141. En su correspondencia oficial, Osma rechazó la afirmación hecha por Mendiburu, según la cual «la obscuridad u omisiones que a su entender había en el convenio para el arreglo de nuestra deuda [en 1849...] pretendiendo hacer creer que por ese convenio tenían derecho los acreedores a que se amortizasen sus Bonos a cualquier precio sobre la par, y que por consiguiente sus operaciones salvaron al Estado de un grave quebranto». Osma exigía la publicación de todos los documentos pertinentes, aprobados por Castilla, que elevaron el crédito peruano en el exterior, «a un grado que yo desearía que conservase en la actualidad» (Osma a M. R. E. Paz Soldán, Madrid, 25 de febrero de 1854, 5-13/1854, AMRE). A poco de la destitución de Echenique, Osma escribió que el expresidente y Mendiburu habían intentado engañar al público «por motivos que yo no debo calificar ahora» (Osma a M. R. E., Madrid, 26 de mayo de 1855, 5-13/1855, AMRE).

142. En un borrador de carta a Echenique de 1871, Mendiburu protestaba ser «un hombre honrado que no supo nunca lucrar y que en las ventajosas operaciones de Londres [de 1853] sólo tuvo una comisión legal, diré inferior a la dada antes a Osma y Rivero [... O]jalá todas las operaciones posteriores se hubiesen parecido en algo a las mías, que otra fuera la suerte de la hacienda» (Colección Mendiburu, Epistolario, MEN 441, n.° 10, AHRA).

143. El gobierno peruano le adelantó a Hegan dos millones de pesos en bonos de la deuda externa con un interés de 4,5 por ciento, en Londres, en tanto que Hegan inicialmente depositaría en Lima solamente 500.000 en vales y el resto a lo largo de dos años. A pesar de la reducción del interés de 6 a 4,5 por ciento, los nuevos bonos pronto adquirieron un valor de mercado casi a la par, en tanto que los desacreditados vales solamente alcanzaban alrededor del 40 por ciento de su valor nominal (Quiroz 1987a: 59 y 181; Mendiburu, «Memorias», versión mecanografiada inédita en la biblioteca privada de Félix Denegri Luna, pp. 589-591). Aun así, José Hegan & Co. contempló la posibilidad de vender sus derechos de construcción antes incluso de iniciar las obras del ferrocarril; tal intención y conducta, «al gobierno le ha sido muy desagradable» (Piérola a Mendiburu, Lima, 12 de junio de 1853, n.° 64, 5-17/1853, AMRE).

144. Elías 1855: 3-5.

145. Quiroz 1987a: 159-165, sobre la base de El Peruano, 11 de octubre de 1856 y 31 de mayo de 1857 y documentación de cuentas de la manumisión, H-4 2032, 2029, 2055, 2030, Libros Manuscritos Republicanos, AGN.

146. Márquez 1888: 39-40.

147. La Junta de Examen estaba a cargo de «revisar los expedientes sobre [los] que han recaído los decretos para emisión de vales de la deuda interna, y examinar las disposiciones fiscales de la última administración, en que puedan haberse defraudado los intereses del Estado» (El Peruano, 7 de febrero de 1855). Véase también la compilación oficial de informes, Junta de Examen Fiscal 1857. La Junta detectó 12,2 millones de pesos (más de la mitad de toda la deuda interna consolidada) en 141 expedientes irregulares o ilegales y cuatro robados.

148. Manuel Toribio Ureta a Rivero, Lima, 25 de agosto de 1855, n.° 53 reservada, concerniente a la restricción de la deuda convertida, o su reducción a la mitad de su valor según los lineamientos de la Convención Nacional, dada «la naturaleza de la deuda trasladada [...] de anatema público y estado de nuestra Hacienda», 5-17/1855, AMRE y El Peruano, 18 de junio y 5 de agosto de 1856.

149. Comisión Especial del Crédito Público 1856: 6.

150. Representación hecha al gobierno por la comisión de «tenedores de bonos de la deuda trasladada» encabezados por José Hegan, Angel Richon y José Vicente Oyague, 29 de enero de 1857, publicada en El Peruano, 19 de febrero de 1857 (J. Randolph Clay a William Marcy,

Lima, 25 de septiembre de 1855, Despatches 1926-1906, roll 12, USNA). Véase, también, López Aliaga 1863. En 1859, el ubicuo abogado Paz Soldán, exministro de Echenique, sostenía poseer cuatro vales de la consolidación por un valor total de 90.000 pesos, emitidos durante el gobierno de Echenique. Paz Soldán los había usado como garantía para la obtención de un préstamo de 35.000 pesos de Juan Antonio Menéndez en 1857. Este último procedió a usar dichos vales como garantía para un préstamo de 45.000 pesos en efectivo de la casa comercial Lachambre. Siguió entonces un largo juicio en el cual Paz Soldán sostuvo que, al ser «prendas», dichos vales no podían ser transferidos. Los abogados de Lachambre sostenían que los vales tenían la ampliamente usada condición de valores de mercado con «endoso en blanco».

151. «Juicio seguido contra el ciudadano de Estados Unidos Luis [Lewis] Lomer, quien por contrato con D. José Rufino Echenique y aprobado por Manuel Vivanco se disponía a invadir el país y levantar a los pueblos en perjuicio del General Ramón Castilla. Año 1857» (Invasión, CSJL, leg. 719, AGN). Véase, también, J. R. Clay a Lewis Cass, Lima, 27 de diciembre de 1857, Despatches 1826-1906, roll 13 y Lima, 11 de enero de 1858, y anexos, roll 14, USNA. Echenique habría realizado un contrato con Lomer por 200.000 dólares para reclutar quinientos hombres en EE. UU. y comprar un vapor para una expedición que le repusiera en la presidencia.

152. Véase Quiroz 1987a: 63-64, basado en Basadre 1971, vol. 1, pp. 307-308; Anónimo 1856: 15; *El Peruano*, 19 de febrero de 1857, p. 173; Sulivan a Clarendon, Lima, 26 de enero de 1857, confidencial, sobre las conversaciones entre los gobiernos de Gran Bretaña y Francia, en torno a medidas con que obligar al general Castilla a pagar las demandas francesas y presionar la cuestión de la conversión de la deuda, FO 61/172, ff. 171-176; y Sulivan a Clarendon, Lima, 12 de junio de 1857, informando el acuerdo firmado el 21 de mayo de 1857 por Manuel Ortiz de Cevallos, ministro de Relaciones Exteriores, y los encargados de negocios Stephen Sulivan y Albert Huet por el «íntegro de los depósitos peruanos de huano», FO 61/174, ff. 1-4, NAUK. Véase, también, J. R. Clay a William Marcy, Lima, 11 de diciembre de 1856, Despatches 1826-1906, roll 12 y Lima, 11 de marzo de 1857, roll 13, USNA.

153. Valdivia 1874: 335-336.

154. J. R. Clay a Lewis Cass, Lima, 24 de agosto de 1857, Despatches 1826-1906, roll 13, USNA. Sulivan, sobrino de Lord Palmerston, había sido reprehendido por su superior el conde Clarendon, por «tomar partido en la política peruana» (Sulivan a Clarendon, Lima, 25 de junio de 1855, FO 61/154, f. 282, NAUK). Véase, también, John Barton a Clarendon, Lima, 12 de agosto de 1857, FO 61/174, NAUK; y Clay a Cass, Lima, 12 de agosto de 1857, Despatches 1826-1906, roll 13, USNA.

155. «Expediente sobre el caso de J. B. Colombier», 5-14A/1858, AMRE.

156. Clay a Cass, Lima, 27 de septiembre de 1858, Despatches 1826-1906, roll 15, USNA.

157. Ministro de Hacienda Domingo Elías a Rivero, Lima, 11 de julio de 1855, reservada, en la que ordenaba la investigación de los serios problemas en el manejo que Murrieta hiciera de la consignación del guano a España, y el retiro de todos los fondos depositados en dicha casa, 5-17/1855, AMRE. Elías dejó su cargo en París por enfermedad en marzo de 1857, poco después de haber presentado sus credenciales al emperador Luis Napoleón, y antes de que la noticia de la restitución de los cuestionados vales y su conversión llegara a París, Elías a M. R. E., París, 11 de marzo de 1857 y Lima, 10 de septiembre de 1857, 5-14/1857, AMRE.

Capítulo 3

1. Witt 1987, vol. 7: 292-293.

2. Maso 1861: 11-13: «¿no bailan, no cantan, no comen, no beben, no se refocilan, no se ríen, no se pavonean satisfechos y orgullosos vuestros despiadados, ignorantes e insolentes

mandones? [...] ¿no juegan los ladrones vuestro oro a manos llenas? ¿No ostentan, inocentes, sus mujeres y sus hijas en su vanidosa y erguida frente, en este nuevo festín de Baltazar, las perlas, los diamantes y las joyas compradas con el oro robado al tesoro nacional en la infame y funesta feria de la Consolidación? Siempre la mano mugrienta, fatídica de la Consolidación metida en todo! Oh, vergüenza!!!».

3.	Bustamante y Rivero 1946: 12-13; Basadre 1968, vol. 5: 37-41; Ramos Núñez 2002, vol. 3: 205-207, 229 y 239-240.

4.	Bustamante y Rivero 1946: 14-17; Trazegnies 1992: 110-115; Ramos Núñez 2002, vol. 3: 323.

5.	García Calderón 1879, vol. 1: 626, 420 y 511-512, vol. 2: 1585 y 1727. Véase, también, la primera edición de esta obra (García Calderón 1860-1862) y sus índices reproducidos en Ramos Núñez 2002, apéndice 2, vol. 3: 415-555.

6.	Trazegnies 1992: 151-152, 185 y 201; Ramos Núñez 2001, vol. 2: 273-280; Gutiérrez Paredes 1889: 4-5 y 7-8 (artículos reimpresos y publicados originalmente en la Gaceta Judicial en 1861).

7.	Basadre 1968, vol. 5: 126-127.

8.	Ley del 27 de agosto de 1860, artículo 2, publicada en El Peruano, 5 de septiembre 1860.

9.	Barroilhet 1860: 9-11, 1861: 5; Rivero 1861: 16-25.

10.	Bogardus 1866: 6 y 20.

11.	Basadre 1968, vol. 7: 38-42 y 284-288; Torrico 1877.

12.	Márquez 1888: 46-47; Salvador Tavira a Secretario de Estado (S. E.), Lima, 11 de octubre de 1859, n.º 10, Correspondencia, H-1676, Archivo General del Ministerio de Asuntos Exteriores, Madrid (en adelante, AGMAE): «[L]as rentas públicas están agotadas con los inmensos gastos que exige un ejército numeroso (doce mil hombres) y una escuadra considerable».

13.	Tavira a S. E., Lima, 27 de octubre de 1859 y Ramón Merino Ballesteros a S. E., París, 5 de enero de 1861, H-1676, AGMAE y «Apresamiento de la barca española "María y Julia" por un crucero peruano en la isla de Puná» y «Reclamación del súbdito español Cayetano Garvizo», Lima, 14 de octubre de 1861, Política-Perú, H-2578, AGMAE.

14.	Márquez 1888: 50-55; Luis Mesones a M. R. E., París, 31 de diciembre de 1858, n.º 127, 5-14/1858, AMRE, reportando que, en los diarios franceses, especialmente en L'Univers (10 de noviembre de 1858), «se hicieron graves e inmerecidas ofensas a Su Ex. el Libertador presidente constitucional de la República y a la misma nación peruana con los innobles epítetos de cobardía, venalidad, corrupción, etca [sic]».

15.	José Barrenechea a M. R. E., París, 29 de octubre de 1859, n.º 25, 5-14/1859, AMRE, sobre la contratación del escritor José María Torres Caicedo para que escribiera favorablemente sobre el Perú en el Correo de Ultramar; y José Gálvez a M. R. E., París, 15 de noviembre de 1860, n.º 6, 7 y 8; 30 de noviembre de 1860, n.º 15 y 15 de diciembre de 1860, n.º 21, 5-14/1860, AMRE.

16.	Comisión Fiscal (Sevilla y Pardo) a ministro de Hacienda, Londres, 17 y 29 de agosto de 1864 y Pardo a ministro de Hacienda, Londres, 30 de septiembre de 1864, Colección Manuel Pardo (en adelante, Colección Pardo), D2-51/3352, AGN.

17.	También se consideró liquidar la vieja deuda colonial, tal como lo demuestra la correspondencia M. R. E. Juan Antonio Ribeyro a ministro de Hacienda, Lima, 19 de mayo de 1864: «No creo necesario detenerme en manifestar a U. S. que es de mayor importancia conocer el monto de los bienes secuestrados a los que emigraron al ejército español en la época de la guerra de la independencia [... y contribución impuesta por españoles de] auxilio patriótico», y solicitar la formación de una comisión fiscal para que revisaran estas cuentas, en «Expediente relativo al acopio y organización de la deuda española antigua y secuestros», 1865-D2811, Manuscritos, BNL.

18.	Pezet 1867: 117-131. Véanse, además, las duras acusaciones oficiales formuladas contra Pezet por Torrico 1867: 17, 37 y 43.

19. Witt 1987, 4 de febrero de 1872, vol. 7: 312. El elegante «rancho» de Pezet estaba valorizado en 160.000 pesos (Márquez 1888: 56).

20. Mendiburu 1963: 424 y 436; Tauro del Pino 1987, vol. 6: 2100-2101.

21. Manuel Figuerola a Pardo, Reservada, Iquique, 30 de junio de 1866, Colección Pardo, D2-51/3363. Véanse, también, D2-51/3367 y 3368, AGN.

22. Gil Antonio Toledo (Dirección de Contabilidad Nacional) a Pardo, Lima, 3 de abril de 1866, Colección Pardo, D2-52/3398, AGN: «Un crimen de tamaña magnitud merece ser perseguido y castigado con la mayor actividad y energía, y al ponerlo en conocimiento de V. S. me es honroso contribuir a uno de los tantos fines que invocaron los pueblos al iniciar la gloriosa revolución que terminó el 6 de noviembre». Pardo denunció a las partes culpables (García Urrutia, el administrador del tesoro José Félix García y el cajero José Manuel García y García) a las autoridades apropiadas de los Poderes Ejecutivo y Judicial.

23. Mc Evoy 1994: 222-223, donde se cita un documento del Tribunal Mayor de Cuentas O. L. 478-230, Hacienda, AGN.

24. La temprana carrera de negocios de Pardo incluyó el comercio al por mayor, el aprovisionamiento de suministros militares (1853), la administración de la hacienda azucarera Villa (1854-1856) y sus actividades como comerciante y consignatario de guano (Cía. Canevaro, Pardo y Barrón desde 1861, contrato para Holanda), socio del contrato guanero de la Compañía Nacional con su suegro Felipe Barreda y otros comerciantes (1862), financista y banquero (Banco del Perú, 1863), y accionista (31.078 pesos) de una empresa formada por José F. Canevaro, José Sevilla (64.864 pesos) y Carlos Delgado (43.245 pesos), para importar artículos y culís chinos (1863-1864): «Liquidación de la testamentería de nuestro finado padre D. Felipe Pardo y Aliaga», Lima, 14 de enero de 1869, Colección Pardo, D2-52/3399, AGN; documentos de la sociedad, firmados por Canevaro y Pardo «para negociaciones sobre China de colonos o mercaderías», Lima, 2 de mayo de 1863 y 6 de julio de 1864, que tienen anexados los contratos originales de los culíes; y «Contrata de emigración china para el Perú» (Macao, 26 de mayo de 1868 y 21 de mayo de 1872), Colección Pardo, D2-52/3347, AGN. Véanse, también, D2-52/3390 y 3391 y Mc Evoy 1994: 38 y 46-48.

25. U. S. Congress 1869: 3 y apéndice B. En octubre de 1867, Mariano Pío Cornejo, ministro de Guerra y Marina, firmó dos contratos con el naviero de Cincinnati Alexander Swift & Co., para comprar y equipar las dos naves de guerra por más del doble de su valor original. Esta venta fue considerada «fraudulenta» en las investigaciones del Congreso (Representantes, 40.° Congreso, 2.ª sesión, 19 de junio de 1868), puesto que las naves eran propiedad del gobierno de EE. UU. por contrato previo con Swift.

26. Pardo 1922, Anónimo 1867: 22: «Diariamente luchamos por demostrar al mundo que no estamos tan atrasados ni somos tan corrompidos como nos suponen, y en medio de esa lucha salta de un lodazal un Bogardus a dar razón y material a nuestros difamadores». Véase, también, la defensa del consignatario y acreedor guanero Witt & Schutte contra la «vulgaridad» de los cargos formulados contra su compañía en el panfleto Consignatarios del guano (1867: 4-5).

27. Basadre 1968, vol. 6: 56-59.

28. Ibíd., pp. 80-83.

29. Alvin P. Hovey a Hamilton Fish, 22 de agosto de 1870, «Resume of his proceedings as Envoy Extraordinary and Minister Plenipotentiary of the U. S. to Peru from November 1865: Observations on the Past, Present, and Future of Peru», en Despatches 1826-1906, roll 24, USNA.

30. Anteriores contratos ferroviarios de menor escala habían derivado de conexiones personales (Gonzales Candamo y Castilla) y especulación financiera (Joseph Hegan, ferrocarril Tacna-Arica). Las rentables líneas Lima-Callao y Lima-Chorrillos, propiedad de Pedro Gonzales

Candamo y su socio José Vicente Oyague, se vendieron con ganancia a mediados de la década de 1860 por 600.000 libras a Antony Gibbs & Sons, que a su vez las vendió al gobierno peruano por 800.000 libras en 1871 (Witt 1987, 15 de enero de 1871, vol. 7: 223-224; Basadre 1968, vol. 5: 129).

31. Stewart 1946: 47 y 51-52, donde se citan documentos publicados por Jesús Antonio Diez Canseco, hijo del expresidente, en el panfleto *Para la historia de la patria: el ferrocarril de Arequipa y el Gral. Don Pedro Diez Canseco* (1921: 13). La cifra se da en pesos, pero la unidad de moneda nacional cambió a soles en el periodo 1863-1864. En abril de 1868, Witt escribió en su «Diary» lo siguiente con respecto al gobierno de Diez Canseco: «Había mucha insatisfacción con el presente gobierno cuyos miembros es bien sabido sólo cuidan de sus propios bolsillos. Domingo Gamio y Diego Masías, las manos derecha e izquierda del Presidente, fueron nombrados respectivamente administrador de la Aduana del Callao y Director de la Moneda de Lima, dos de los cargos más lucrativos de la República a disposición del Ejecutivo». El 18 de mayo de 1868 Witt añadió: «Corrió el rumor, probablemente no sin fundamento, de que Meiggs había gastado casi un millón de soles en sobornos para obtener este contrato [...] probablemente pagó S/.100,000 a cada uno de los cinco ministros, y Diego Masías no escondía que a cambio de sus servicios había sido remunerado con $100,000 dólares [por su influencia sobre Diez Canseco]» (Witt 1987, vol. 7: 6, 8-9 y 122).

32. Basadre 1968, vol. 6: 116-117.

33. Ramos Núñez 2002, vol. 3: 240-243, donde se cita a Bustamante y Rivero (1946: 25) y a Delgado (1934: 51-81). Consúltese, además, Basadre 1968, vol. 6: 224-226.

34. Sobre las intrigas parlamentarias que presionaron al ministro García Calderón para que renunciara, véase Basadre 1968, vol. 6: 121-125.

35. Witt 1987, 24 de diciembre de 1868, vol. 7: 51-52; Basadre 1968, vol. 6: 120-125.

36. Echenique a Mendiburu, Caracato (Chile), 26 de agosto de 1860, MEN 441, n.° 5, Colección Mendiburu, AHRA. Entre sus amigos en el Congreso, Echenique contaba con Mendiburu, Bartolomé Herrera y Juan Miguel del Carpio.

37. Echenique 1952, vol. 2: 294-295; Rougemont 1883: 11; Basadre 1968, vol. 6: 129-130, 1971, vol. 2: 539, entrada n.° 7037.

38. Fernando Palacios a José María González, Lima, 16 de junio de 1870, en *Carta dirigida por el Sr. D. José María González diputado a Congreso al Sr. D. Fernando Palacios y su respuesta, en la que se revelan hechos de gran importancia en el negociado Dreyfus* (1870: 4-5). Las cuatro propuestas eran las siguientes: (1) Fernando Casós (Lima, 20 de julio de 1869) propuso transferir 7,2 millones de libras de la deuda interna como garantía para un préstamo en Londres; (2) la Compañía de Guano de Gran Bretaña (José Canevaro, Schutte y Cía., Thomas Lachambre, Valdeavellano y Cía., Lima, 10 de agosto de 1869) ofrecía un préstamo de 20 millones de pesos a 95 por ciento del valor nominal y 5 por ciento de interés; (3) Carlos G. de Candamo y Manuel G. Chávez, en representación de la Cía. General Sud Americana de Londres (Lima, 17 de agosto de 1869), ofrecían un préstamo de 100 millones de francos a 95 por ciento del valor nominal, con una comisión de 2,5 por ciento; y (4) Guillermo Scheel, administrador de Dreyfus Hermanos de Lima, en representación de Dreyfus Fréres de París (probablemente en coordinación con Luis Benjamín Cisneros, cónsul peruano en Havre), propuso la compra de 2 millones de toneladas de guano a un precio de 36,5 soles la tonelada (Lima, 26 de mayo de 1869): Scheel a Piérola, Lima, 5 de mayo de 1869 y Cisneros a Piérola, París, 7 de mayo de 1869, en Archivo Piérola, vol. 3, Manuscritos, BNP. Véase, también, Cisneros a Piérola, París, 7 de marzo de 1869, en que informa sobre el proyecto de Cisneros para la venta de guano por tres años, que había presentado exitosamente a una «casa de banco» parisina, en Cisneros 1939, vol. 3: 106-107. Rougemont afirma que, ya en diciembre de 1868, Cisneros venía actuando como enlace entre el plan original de Dreyfus y un círculo interesado dentro del gobierno de Balta y el

Congreso (Manuel Ortiz de Zevallos, Juan Martín Echenique y Dionisio Derteano, entre otros) (Rougemont 1883: 12-13).

39. «Contrato secreto ajustado entre los comisionados fiscales Toribio Sanz y D. Juan Martín Echenique relativo al contrato principal sobre venta de guano con anticipación de fondos», París, 5 de julio de 1869, en Archivo Piérola, vol. 3, Manuscritos, BNP. Piérola había aceptado préstamos mensuales de Dreyfus en soles en mayo de 1869. Véase nota de Piérola adjunta a la carta de Scheel a Piérola, Lima 26 de mayo de 1869, con la propuesta original de Dreyfus Hermanos, en Archivo Piérola, vol. 3, Manuscritos, BNP, así como, también, Palacios a González, 16 de junio de 1870, en *Carta dirigida por el Sr José María González...* (p. 17).

40. Bonilla 1974: 95-98, donde se citan documentos de los Fonds Dreyfus, Fréres, et Cie., 28AQ 7, Archives Nationales de la France (antes en París, actualmente en Roubaix). Véase, además, Gille 1957, vol. 1: 84-85. Con respecto a la participación de Echenique, consúltese Basadre 1968, vol. 7: 30, donde se cita un estudio de Pablo Macera basado en los papeles de Dreyfus.

41. Dreyfus Frères & Cie 1869: 5, 12 y 16-17.

42. El Nacional 1869: x, 24-26; Ruzo 1870: 36-38; Cisneros 1939, vol. 3: 187-357, esp. 192-193.

43. Sanz 1868: 9 y 30.

44. Luciano B. Cisneros, ministro de Justicia de Balta, era considerado «un hombre inteligente, pero cuyo carácter moral no luce muy alto en la estima general» (Witt 1987, 4 de agosto de 1868, vol. 7: 25). Véase, también, Ramos Núñez 1993: 40.

45. Gaceldrée Boilleau a Ministre des Affaires Étrangères (M. A. E.), Lima, 20 de agosto de 1869, C. P., Pérou, Supplément vol. 2 (1869-1880: Guanos), ff. 9-14, AMAE.

46. Dreyfus Frères et Cie. 1869.

47. Boilleau a M. A. E., Lima, 21 de octubre de 1869, y 19 de febrero de 1870, C. P., Pérou, Suplément vol. 2, ff. 45-48, esp. 46-46v, y 113-16v, esp. 116v, AMAE; Witt 1987, 4 de octubre de 1869, 19 de octubre de 1869, y 27 de diciembre de 1869, vol. 7: 115, 117 y 132 y Basadre 1968, vol. 6, pp. 133-144.

48. Perú, Cámara de diputados 1870: 3 y 24. Este informe fue firmado entre otros por Luciano B. Cisneros y Modesto Basadre. Recomendaba la aprobación del Contrato Dreyfus en el Congreso. En una conversación privada, Rafael Velarde, el ministro de Gobierno de Balta, coincidió con Witt en que los consignatarios nacionales habían perdido ante Dreyfus «fundamentalmente porque ellos no habían presentado sobornos lo suficientemente grandes» (Witt 1987, 19 de agosto de 1869, vol. 7: 100). El encargado de negocios francés apuntaba a que los jueces de la Corte Suprema sucumbieron a los sobornos de Dreyfus o los de sus contrincantes (Boilleau a M. A. E., Lima, 21 de septiembre de 1869, C. P., Pérou, Suplément vol. 2, ff. 29-34, esp. 30v, AMAE). Un volante titulado «Partija del negociado con Dreyfus y Ca.», que circuló en ese entonces, enumeraba a doce personas supuestamente culpables de haber recibido acciones por hasta 1,6 millones de soles, entre ellos el presidente Balta (500.000 soles), su esposa doña Melchora (200.000), Nicolás de Piérola (200.000), Juan F. Balta (150.000), Juan Martín Echenique (100.000), Rafael Velarde (100.000), José Rufino Echenique (40.000) y Pedro Balta (40.000), además de otros funcionarios de alto rango (anexo al informe de Boilleau a M. A. E., Lima, 27 de agosto de 1869, C. P., Pérou, Suplément vol. 2, ff. 17-21). Véase Basadre 1968, vol. 6: 143-144.

49. Compárese Witt 1987, 8 de diciembre de 1869 y 26 de febrero de 1870, vol. 7: 128 y 147, con Basadre 1968, vol. 6: 176-178, 189, 195-203, esp. 200-201. Basadre argumentaba que el Contrato Dreyfus fue un logro de Piérola que consiguió liberar las finanzas nacionales de las garras de la oligarquía financiera local. Sin embargo, hacia el final de su gestión como ministro se creía que, mientras estuvo en el cargo, «sus operaciones financieras tenían invariablemente dos objetivos, en primer lugar su propia ventaja privada, y en segundo lugar los intereses del Estado» (Witt 1987, 21 de julio de 1871, vol. 7: 269). El historiador Paul Gootenberg minimiza el papel de la corrupción en el desarrollo de los problemas

financieros de la época, véase su libro *Imagining Development: Economic Ideas in Peru's* «*Fictitious Prosperity*» *of Guano, 1840-1880* (1993: 109).

50. «En el Perú, a pesar del aparente progreso material de la República, en mi opinión el presente gobierno viene llevando aceleradamente al país a un abuso del más aterrador embarazo financiero del cual solamente se salvará con una bancarrota y el repudio de todas sus deudas. Se conseguirán préstamos hasta que ningún capitalista europeo esté dispuesto a invertir sus fondos en bonos peruanos, ¿y entonces qué se habrá de hacer? No pagarle a nadie» (Witt 1987, 1 de enero de 1871, vol. 7: 218-219).

51. Witt 1987, 11 de diciembre de 1869 (Frederic Ford, gerente del Bank of London & Mexico en Lima, asiste las actuales necesidades de la cuenta corriente de Dreyfus); 19 de febrero de 1870 (el Banco de Lima, presidido por Manuel Argumaniz, otorga un préstamo de corto plazo a Meiggs); 28 de marzo de 1870 (Witt y su hijo Juan compran acciones del contrato guanero de Dreyfus); 17 de septiembre de 1870 (Cía. Ferrocarril del Mineral de Cerro de Pasco al borde de la insolvencia); 1 de octubre de 1870 (el pago de la deuda gubernamental al Banco de Lima por 130.000 dólares está largamente vencido); 2 de mayo de 1871 (Dreyfus traslada su cuenta corriente al Banco del Perú y tiene acciones en el Banco de Lima); 8 y 15 de febrero y 28 de abril de 1871 (Juan Martín Echenique y Emilio Piérola, accionistas y directores de La Constructora: la camarilla de Echenique controlaba la compañía); 12 de junio de 1871 (J. M. Echenique toma el control de la Cía. Ferrocarril del Mineral de Cerro de Pasco usando bonos de la deuda interna, aprobados y firmados por Nicolás de Piérola); y 23 de diciembre de 1871 (Emilio de Piérola, director de la Cía. del Ferrocarril Lima-Huacho), vol. 7: 129, 146, 153, 192, 196, 250, 251, 236-237, 259 y 302.

52. Witt 1987, 28 de abril de 1871, 8 de junio de 1872, vol. 7: 250 y 340; Jerningham a Granville, Lima, 13 de junio de 1872, FO 61/ 272, ff. 117-118v, esp. 117, NAUK.

53. Para la temprana historia política y organizativa del Partido Civil, véase Mc Evoy 1994a, cap. 4,1994b: 95-134; Mücke 2001: 311-346, 2004.

54. Hovey a Fish, «Resume of his proceedings...», Lima, 22 de agosto de 1870, Despatches 1826-1906, roll 24, USNA.

55. Hovey a Fish, «Resume of his proceedings...», Lima, 22 de agosto de 1870; H. M. Brent a Fish, Lima, 27 de septiembre de 1870, y nota adjunta a John P. Polk, Washington, D. C., noviembre de 1870, en la que se cita correspondencia diplomática anterior sobre honorarios «exorbitantes» de García Calderón por 33.188 soles, originalmente un porcentaje del total exigido desde 1863, contra la tarifa plana de 10.000 soles supuestamente acordada con los diplomáticos de EE. UU. en Lima. Según Polk, García Calderón había sugerido «que mediante su cercanía con los comisionados peruanos [para arreglar las demandas]», le «aseguraría a cada demandante una compensación que en ningún caso sería menor de los seis octavos del monto exigido». Posteriormente quedó en claro que no poseía las influencias con que pretendía contar (Despatches 1826-1906, roll 24, USNA). No obstante estos desacuerdos, García Calderón continuó trabajando con clientes de EE. UU. en décadas subsiguientes. Véase *F. García Calderón y la casa de Schutte y Compañía: contestación al Sr. D. Gerardo Garland* 1875: 5 y Witt 1987, 29 de marzo de 1872, vol. 7: 323.

56. Pardo 1862.

57. Argumaniz 1876, vol. 5, ff. 40-41v, citado en Palacios McBride 1989: 83.

58. Clarke 1877: 118-119, citado en Stewart 1946: 47-48; Duffield 1877: 16; Casós 1874.

59. Sobre la existencia de un cuaderno rojo o verde con los montos de sobornos y pagos secretos hechos por Meiggs a autoridades peruanas, véase Middendorf 1973, vol. 2: 152 y 159-160, citado por Palacios McBride 1989: 78-80; Márquez 1888: 66–67, citado por Stewart 1946: 45, nota 7 y Basadre 1968, vol. 6: 181-182.

60. Según Witt (inicialmente interesado en este trato ferroviario especulativo en el que finalmente decidió no participar al sospechar de falta de rectitud en el asunto), Gerardo Garland,

uno de los socios originales, recibió 600.000 pesos, y doña Melchora de Balta, 700.000 soles (Witt 1987, 20 de noviembre de 1871, vol. 7: 293-294).

61. Stewart 1946: 65-66.
62. Witt 1987, 19-31 de diciembre de 1870 y 10 de enero de 1871, vol. 7: 216 y 222.
63. Alvin Hovey a Fish, Lima, 22 de agosto de 1870, Despatches 1826-1906, roll 24, USNA; Stewart 1946: 85-86.
64. Stewart 1946: 236 y 238-240; Ramos Núñez 2002, vol. 3: 273-274.
65. Informando sobre una visita de cortesía hecha por Rafael Velarde a Frederick Bergman, Witt señaló que «a fin de asegurar la buena voluntad [de Velarde] en la cuestión del Muelle Dársena [cuando Velarde era aún ministro de Gobierno], [Bergman] giró un pagaré a su favor por un monto bastante grande» (Witt 1987, 9 de marzo de 1870, vol. 7: 149. Véase, también, 20 de julio de 1869, 6 de enero y 6 de noviembre de 1871, vol. 7: 93-94, 220 y 291). Dreyfus estaba casado con Sofía Bergman, quien falleció en Lima en 1871. Véase Basadre 1968, vol. 6: 230; Márquez 1888: 80-81; Casanave 1886: 9-10 y 75 y «Note sur l'affaire du Muelle Darsena», en el expediente «Travaux publis. Môle Darsena 1881-1890», Affaires Diverses Politiques (A. D. P.), Pérou, vol. 2, AMAE.
66. Witt 1987, 24 de marzo de 1871, 27 de junio de 1871 y 1 de julio de 1872, vol. 7: 244, 263 y 343. Las acusaciones públicas de deshonestidad contra Fuentes (alias El Murciélago, su publicación satírica), fueron refutadas en un juicio por calumnia («Manuel Atanasio Fuentes contra José Toribio Polo por el artículo "Murciegalografía"», 1863, Abuso de Libertad de Imprenta, Corte Superior de Justicia, leg. 716, AGN). Véase, también, Basadre 1968, vol. 6: 231-234; Ramos Núñez 2002, vol. 3: 83; Márquez 1888: 56.
67. Quimper 1881, citado por Alberto Tauro del Pino en su introducción a Quimper 1948: 11.
68. «President Pardo and the Nation, Financial Conditions of Peru: Inaugural Message Delivered to Congress». En South Pacific Times, 28 de septiembre de 1872, en Despatches 1826-1906, roll 25, USNA. Thomas Francis a Fish, Lima, 21 de octubre de 1872, en U. S. Department of State. Papers Relating to the Foreign Relations of the United States 1873, vol. 2: 745-746. Véase, también, Basadre 1968, vol. 7: 7-13 y Mc Evoy 1994a, cap. 3.
69. Witt 1992, vol. 2: 140, comentario escrito en 1871 e insertado en una entrada anterior del diario.
70. Jerningham a Granville, Lima, 24 de septiembre de 1872, FO 61/272, ff. 187-89v, esp. 187, NAUK.
71. Henry Bellemois a M. A. E. Duc de Broglie, Lima, 15 de septiembre de 1873, C. P., Pérou, Suplément vol. 2, ff. 122-127, esp. 125v, AMAE.
72. Aramburú Sarrio 1874: 5-8 y 10.
73. Jerningham a Granville, Lima, 11 de diciembre de 1872, FO 61/272, ff. 226-227; Lima, 10 de mayo de 1873, FO 61/277, ff. 120-122v, NAUK.
74. Basadre 1968, vol. 6: 381-382, vol. 7: 81, 99 y 112; Márquez 1888: 82-84.
75. Thomas a Fish, Lima, 27 de agosto de 1874, en U. S. Department of State, Papers Relating to Foreign Relations of the United States 1875, vol. 2: 991-993.
76. Thomas a Fish, Lima, 27 de octubre y 13 de noviembre de 1874, U. S. Department of State, Papers Relating to Foreign Relations of the United States 1875, vol. 2: 993-994; Basadre 1968, vol. 6: 401-407.
77. Las evidencias de la campaña de relaciones públicas emprendida por Dreyfus contra el gobierno de Pardo figuran en Exposición que la Casa Dreyfus Hermanos y Compañía hace ante la sana opinión pública del Perú sobre su manejo de los negocios fiscales del Perú 1873. Véase, también, Basadre 1968, vol. 7: 13 y 23.
78. Bellemois a M. A. E. Duc de Broglie, Lima, 20 de septiembre de 1873, C. P., Pérou, Suplément vol. 2, ff. 168-73v, esp. 168v, AMAE: «je rappellerai en passant que M. Dreyfus a été spécialement recommandé aux bons offices de la légation de France sur la demande de M. Grévy alors Président de l'Assemblée Nationale (D. Com. N.° 9.118bre 1872)». Con respecto a la

influencia indebida que Grévy tenía como abogado de Dreyfus en los juicios entre el gobierno peruano y Dreyfus Fréres et Cie. en París. Véase, además, Márquez 1888: 95.

79. Basadre 1968, vol. 7: 23 y 28-29; Márquez 1888: 86-87.

80. Basadre 1968, vol. 7: 290; Márquez 1888: 103-120.

81. García Calderón, citado en Basadre 1971, vol. 1: 450. Véase, también, García Calderón 1868; Camprubí 1959: 177 y Márquez 1888: 59.

82. Camprubí 1959: 300-301 y 393-394; Banco de la Providencia 1868: 2-6; Márquez 1888: 90; Quiroz 1993: 28-30.

83. Bonilla 1980, cap. 4 y 5; Quiroz 1983: 214-254 (basado en «Trade and Financial Aspects of the War of the Pacific, 1879-1890». Tesis de M. A. Nueva York: Universidad de Columbia, 1981).

84. «Incoming letters and documents to W. R. Grace, New York», box 9, letter binder n.° 51, y box 10, n.° 52, W. R. Grace & Co. Papers, Rare Books and Manuscript Library, Columbia University (en adelante, WRGP). Una detallada evolución institucional aparece en Clayton (1985, esp. cap. 3-4) y James (1993).

85. Seis cartas de Prado a W. R. Grace, 19 de mayo a 22 de diciembre de 1876, «Catalogued correspondence», WRGP. Véase Quiroz 1983: 232-233 y Secada 1985: 597-621.

86. Para unos cuantos de los muchos ejemplos del cabildeo o *lobby* de la compañía Grace, véase M. P. Grace a Grace Bros. & Co. (Lima), Nueva York, 1 de diciembre de 1881, en la que se narran conversaciones sobre los expuestos derechos de salitre de Grace con el Subsecretario de Estado y el presidente Chester Arthur en Washington, box 57, n.° 152, ff. 175-177, WRGP.

87. Spenser St. John a Salisbury, Lima, 22 de diciembre de 1879, n.° 175, FO 61/319, ff. 315-316v, NAUK: «Siempre he tenido al general Prado como totalmente indigno de su posición: en toda gran ocasión ha mostrado una lamentable falta de valor personal... Su] reputación financiera [...] está a la par con la de su coraje: está acusado por todos los partidos del peor sistema de expolio».

88. W. R. Grace al ministro de Guerra de Piérola, 29 de abril de 1880, box 56, n.° 148, f. 400, WRGP.

89. Quiroz 1983: 234, basado en M. P. Grace, correspondencia privada, boxes 57-59, WRGP.

90. Miró Quesada, J. A. «Exposición [...] sobre los antecedentes de las reclamaciones de la casa de Dreyfus Hermano & Cía.», Lima, 22 de septiembre de 1890, vol. 3, Archivo Piérola, BNP.

91. Al expropiar a Rosas y Goyeneche, una «mesure violente et arbitraire cause ici une grande excitation et il est à craindre qu'elle n'achève de ruiner le crédit du Pérou en Europe. Mais Mr. Pierola qui a, dit-on, des intérêts personnels dans la maison Dreyfus, ne veut entendre parler d'aucun arrangement que ne soit avec cette maison» (Des Vorges a M. A. E. Freycinet, Lima, 25 de febrero de 1880, n.° 6, C. P., Pérou, Supplément vol. 2 (1869-1880: Guanos), ff. 327-328, AMAE).

92. Goyeneche y Gamio 1880: 8, Rosas 1881, Rougemont 1883: 28-29.

93. Spenser St. John al Marquis of Salisbury, Lima, 21 de enero de 1880 y 25 de febrero de 1880, FO 61/235, ff. 37-40 y ff. 65-68v, NAUK.

94. Vallés a Ministro de Estado (M. E.), Lima, 12 de febrero de 1881, n.° 30, H-1676, AGMAE.

95. La condena más gráfica a Piérola durante su dictadura se despliega en Rougemont (1883), fuente que Basadre (1971, vol. 2: 539) descarta rotundamente por calumniosa, no obstante la información única que el autor francés tenía como exintegrante del círculo más íntimo de Piérola. Rougemont señala la contradicción entre la autoproclamación de Piérola como el protector de la religión, la moral y la familia, y su corrupción administrativa y moral, que incluyó la relación con su amante Madame Garreaud, de soltera LeBlanc: «Nunca, en ninguna época después de la independencia han imperado en más vasta escala el prevaricato y el cohecho. Hasta la querida misma instaló una oficina en la calle del Tigre en que puso a remate los favores de S. E.» (Rougemont 1883: 49).

96. Informe de fecha 30 de junio de 1884, de la «comisión investigadora y calificadora» dirigida por Joaquín Torrico, citado en Basadre 1968, vol. 9: 36. Torrico intentó desviar la culpa hacia Quimper y Prado. Véase, también, Quimper 1880 y Basadre 1968, vol. 8: 252-253.

97. Vallés a M. E., Lima, 4 de octubre de 1881, n.° 150, H-1676, AGMAE; J. P. Christiancy a W. M. Evarts, Lima, 22 de enero de 1881, n.° 230, Despatches 1826-1906, roll 35, USNA: «Estoy convencido que los chilenos hubieran tratado generosamente [a Piérola] y le habrían reconocido como el único gobierno con el cual podrían tratar la paz». Véase Christiancy a Evarts, Lima, 2 de febrero de 1881, n.° 237 y 16 de marzo de 1881, n.° 256, Despatches 1826-1906, roll 35, USNA.

98. Rougemont 1883: 22 y 26; Vallés a M. E., Lima, 22 de noviembre de 1881, n.° 175, H-1676, AGMAE: «Llegada de Piérola al Departamento de Lima [...] tiene entendimientos con autoridades chilenas de carácter privado y confidencial»; y A. de Pont a M. A. E, Lima, 5 de abril de 1882, n.° 16, C. P., Pérou, vol. 54, ff. 92-92v, AMAE: «En abandonnant Lima dans un moment aussi critique [...] n'a-t-il pas préféré venir en Europe, intéresser peut-être à son propre sort, et attendre que les événements se dénouement?».

99. M. P. Grace a Edward Eyre, 10 de noviembre de 1882, box 58, n.° 153, f. 176, WRGP.

100. M. P. Grace a E. Eyre, Nueva York, 27 de agosto de 1884, box 58, n.° 155, f. 292, WRGP.

101. Stephen A. Hurlbut a S. S. James Blaine, Nueva York, 30 de junio de 1881, no oficial, Despatches 1826-1906, roll 36, USNA, en la que reporta una reunión con Michael P. Grace justo antes del viaje de Hurlbut al Perú.

102. Tallenay a M. A. E., Lima, 19 de septiembre de 1882, n.° 24, C. P. Pérou, vol. 54, f. 272, AMAE; Vallés a M. E., Lima, 30 de enero de 1881, n.° 19 y 14 de junio de 1881, n.° 94, H-1676, AGMAE.

103. *Mensaje de S. E. el Presidente Provisorio de la República Dr. D. Francisco García Calderón al Congreso Extraordinario de 1881* 1881: 5-6.

104. Hurlbut a Blaine, Lima, 10 de agosto de 1881, n.° 2, Despatches 1826-1906, roll 36, USNA: «No debiera permitirse la anexión de territorio por la fuerza. Con esta acción de parte de nuestro gobierno ganaríamos la más alta influencia en América del Sur, serviríamos el propósito de una auténtica civilización, e inauguraríamos un estilo más alto de derecho nacional e internacional en este continente». Véase, también, Hurlbut a Blaine, Lima, 24 de agosto de 1881, n.° 6 y 26 de octubre de 1881, n.° 23, Despatches 1826-1906, rolls 36 y 37, USNA. Hurlbut también consultó y obtuvo importante información de José María Químper, «uno de los intelectos más vigorosos» del Perú y partidario del gobierno de García Calderón (Hurlbut a Blaine, Lima, 14 de septiembre de 1881, adjuntando carta de Químper a Blaine, Lima, 14 de septiembre de 1881, Despatches 1826-1906, roll 36, USNA). La estrategia estadounidense también fue contemplada por el predecesor de Hurlbut, quien pensaba que un acuerdo de paz «solamente podría conseguirse mediante alguna forma de intervención activa contra la voluntad del gobierno chileno» (Christiancy a Blaine, Lima, 21 de marzo de 1881, n.° 262, confidencial y 4 de mayo de 1881, personal y confidencial, Despatches 1826-1906, rolls 35 y 36, USNA).

105. Hurlbut a Aurelio García y García (el jefe de gabinete de Piérola), Lima, 12 de septiembre de 1881, adjunto al despacho de Vallés a M. E., Lima, 19 de septiembre de 1881, n.° 141 y Lima, 22 de noviembre de 1881, n.° 176, H-1676, AGMAE. Véase, además, Hurlbut a Blaine, Lima, 13 de septiembre de 1881, n.° 11, adjuntando carta original a García y García (anexo n.° 2), Despatches 1826-1906, roll 36, USNA.

106. Despacho de Hurlbut publicado en Washington y traducido al español, en Vallés a M. E., Lima, 2 de marzo de 1882, n.° 48, H-1677, AGMAE. El «Protocol for cession of naval station and coaling station at Chimbote [Protocolo para la cesión de una estación naval y una estación carbonera]» original se adjuntó al despacho manuscrito de Hurlbut a Blaine, Lima, 5 de octubre de 1881, n.° 19, Despatches 1826-1906, roll 37, USNA.

107. Vallés a M. E., Lima, 13 de diciembre de 1881, n.° 191 y 30 de noviembre de 1881, n.° 179, H-1676, AGMAE. Con respecto al «singular e indecoroso» comportamiento inaceptable del ministro británico Spenser St. John, véase Hurlbut a Blaine, Lima, 7 de diciembre de 1881, n.° 32 y 11 de diciembre de 1881, n.° 33, Despatches 1826-1906, roll 37, USNA.

108. Vallés a M. E., Lima, 6 de diciembre de 1881, n.° 185 y Lima, 29 de diciembre de 1881, n.° 206, H-1676, AGMAE; «Affaire Landreau (Jean Théophile)», ADP, Pérou 1836-1895, vol. 2, AMAE; Rivadeneyra 1882. Blaine fue acusado de tener intereses personales en una sindicato negociado en París a través de Levi P. Morton, su enviado, quien tendría intereses de negocios directos en el acuerdo que estaba siendo negociado con el Crédit Industriel. Estos cargos no fueron probados.

109. «Exterior: Dreyfus i el Crédito Industrial», El Comercio (Santiago de Chile), artículo traducido de The Sun (Nueva York), 20 de marzo de 1882, adjunto a un despacho de A. de Pont a M. A. E., Lima, 14 de mayo de 1882, n.° 26, C. P., Pérou, vol. 54, ff. 133-134, AMAE: «fait intervenir la haute personnalité de Mr. Grévy»; Vallés a M. E., 18 de marzo de 1882, n.° 61, AGMAE: aceptando como cierta la intervención del presidente Grévy y criticando la «política mercenaria e interesada de Mr. Blaine queriendo quitarle a Chile sus derechos de conquista, no en beneficio del Perú sino para apropiárselos, una política invasora [...] de dominación en el Pacífico».

110. Hurlbut a Blaine, Lima, 2 de noviembre de 1881, n.° 25 y 28 de diciembre de 1881, n.° 39, Despatches 1826-1906, roll 37, USNA, en el que se adjuntan copiosas y reveladoras cartas obra de Shipherd, autor de «infinitos problemas» y de cargos de conspiración contra diplomáticos de Estados Unidos.

111. «La influencia de su cargo no debe usarse en auxilio del Credit Industriel o cualquier otra asociación, financiera o especuladora», citado en Hurlbut a Blaine, Lima, 2 de noviembre de 1881, n.° 25, roll 37, USNA.

112. W. K. Schofield y L. B. Baldwin (cirujano, Marina de EE. UU.) a contralmirante U. S. N. George Balch, Lima, 28 de marzo de 1882, Despatches 1826-1906, roll 37, reportando los resultados de la autopsia.

113. M. P. Grace a E. Eyre, 31 de enero de 1882, box 57, n.° 152, ff. 282-283, WRGP.

114. Emilio de Ojeda a M. E., Lima, 29 de mayo de 1886, n.° 52, H-1677, AGMAE.

115. «Estados Unidos será plenamente detestado en la Costa Oeste, y será insultado y motivo de burla de parte de las legaciones extranjeras» (M. P. Grace a E. Eyre, 31 de enero de 1882, box 57, n.° 152, ff. 282-283, WRGP).

116. García Calderón 1884, 1949. Véase Quiroz 1983: 234, sobre la base de base de WRGP, y Basadre 1968, vol. 8: 342-346.

Capítulo 4

1. González Prada 1985, vol. 1, 1.ª parte: 37-44. Con respecto a los acontecimientos que siguieron a la derrota militar de Lima, véase J. P. Christiancy a S. S. W. M. Evarts, Lima, 2 de febrero de 1881, n.° 237, Despatches 1826-1906, roll 35, USNA.

2. González Prada 1985, vol. 1, 2.ª parte: 169-171. Con respecto al linaje familiar que emparentaba a Josefa Álvarez de Ulloa y Rodríguez (1820-1887), la madre de González Prada, con el reformista colonial Antonio de Ulloa, véase Sánchez 1976: 12, nota 3.

3. González Prada 1976 [1894; 1908]: 107-108. Su resumen histórico es devastador: «En la orgía independiente, nuestros antepasados bebieron el vino y dejaron las heces [...] bochornoso epitafio de una generación que se va marcada con la guerra civil de medio siglo, con la quiebra fraudulenta y con la mutilación del territorio [...] prefirió atrofiar su cerebro en las cuadras de los cuarteles y apergaminar la piel en las oficinas del Estado [...] [B]uscaron el

manjar del festín de los gobiernos, ejercieron una insaciable succión en los jugos del erario nacional y sobrepusieron el caudillo que daba pan y los honores a la patria que exijía oro y sus sacrificios» (1976: 43-45). Véase, también, González Prada 1976: 202.

4. González Prada 1985, vol. 2, 4.ª parte: 171-173.

5. Sánchez 1976: 34, Chang-Rodríguez 1957: 124-125, Podestá 1978: 7-11.

6. Emilio de Ojeda a ministro de Estado (M. E.), Lima, 18 de noviembre de 1884, n.° 183, leg. H-1677, AGMAE: Chile «ha convertido al Gobierno de Iglesias en instrumento humilde de sus designios»; y Charles E. Mansfield a Marquis of Salisbury, Lima, 24 de octubre de 1887, n.° 65, Confidential, FO 61/369, ff. 270-275v, NAUK: «Iglesias había sido un títere del gobierno chileno».

7. Enrique Vallés a M. E., Lima, 20 de marzo de 1883, n.° 55, n.° 135, leg. H-1677, AGMAE: «Indicaciones hechas por los representantes de Francia, Italia e Inglaterra de acuerdo con los Estados Unidos para gestionar a favor de la paz entre las república beligerantes del Pacífico». Véase Vallés a M. E., Lima, 9 de febrero de 1884, n.° 135, leg. H-1677, AGMAE.

8. Quiroz 1983: 233, sobre la base de M. P. Grace a E. Eyre, julio de 1883, box 58, n.° 154, p. 88, WRGP: «Dudo mucho que el General [Iglesias] sea capaz de sostenerse a sí mismo; en consecuencia será sumamente indeseable hacer envíos de armas, salvo que el gobierno chileno los garantice». Véase, también, Miguel Pajares (Jefe del parque general del ejército) a oficial mayor del Ministerio de Guerra y Marina, Lima, 15 de abril de 1884 y Lima, 6 de noviembre de 1884, Correspondencia General, 0.1884.4 y 0.1884.5, Archivo Histórico Militar, Lima (en adelante, AHM), donde se mencionan algunos problemas con que Grace Brothers se topó al suministrar municiones y rifles al ejército de Iglesias.

9. Vallés a M. E., Lima, 30 de julio de 1883, n.° 150 y 2 de octubre de 1883, n.° 189, leg. H-1677, AGMAE: «Progresos del General Iglesias en la consolidación de su gobierno [...]. El partido pierolista que ahora se titula Nacional ha decidido adherirse a Iglesias y sostenerlo en su empresa para la paz», y «Progresos rápidos del General Iglesias. Apoyo y facilidades dadas por [el ministro de relaciones exteriores chileno] Aldunate». Con respecto a las «relaciones sumamente estrechas [de Piérola] con Iglesias» y el papel del diario pierolista *El Bien Público*, véase S. L. Phelps a F. T. Frelinghuysen, Lima, 11 de marzo de 1884, n.° 72, Despatches 1826-1906, roll. 39, USNA.

10. «El general Manuel G. de la Cotera a sus compatriotas», *El Comercio*, 16 de junio de 1884.

11. Phelps a Frelinghuysen, Lima, 30 de agosto de 1884, n.° 129; 2 de septiembre de 1884, n.° 132 y 4 de marzo de 1885, n.° 213, Despatches 1826-1906, rolls 40 y 41, USNA.

12. Vallés a M. E., Lima, 9 de febrero de 1884, n.° 135 y Ojeda a M. E., 13 de febrero de 1885, n.° 25, leg. H-1677, AGMAE.

13. González Prada 1976: 202.

14. «Hijos y vecinos de Trujillo» a Nicolás de Piérola, Trujillo, 27 de septiembre de 1897, en expediente «1895-1899. Correspondencia oficial y particular», Archivo Piérola, vol. 7, BNP. Entre los más de cuatrocientos firmantes estaban Agustín y Juan J. Ganoza, Ramón y Luis Barúa, Pedro Rivadeneyra y Pablo Uceda.

15. Ojeda a M. E., Lima, 18 de noviembre de 1884, n.° 183, leg. H-1677, AGMAE: «Da cuenta de la manifestación que ha tenido lugar con motivo del entierro del [jefe cacerista] Miró Quesada».

16. Ojeda a M. E., Lima, 6 de septiembre de 1885, n.° 136, «Muy Reservado», leg. H-1677, AGMAE y Charles E. Buck a S. S., Lima, 5 de septiembre de 1885, n.° 28 y 12 de septiembre de 1885, n.° 30, Despatches 1826-1906, roll 42, USNA.

17. A. M. Saunder (Pacific Steam Navigation Co.) a Marquis of Salisbury, Liverpool, 28 de julio de 1885, FO 61/305, ff. 1-2v, NAUK, donde se citan quejas de George Sharpe, el administrador de la compañía en el Callao.

18. S. L. Phelps a S. S. Frelinghuysen, Lima, 11 de febrero de 1884, n.° 58, Despatches 1826-1906, roll 39, USNA.

19. Phelps a Frelinghuysen, Lima, 13 de marzo de 1885, n.° 216, Despatches 1826-1906, roll 41, USNA.

20. M. P. Grace a E. Eyre, Nueva York, 27 de agosto de 1884, box 58, n.° 155, p. 292, WRGP. Véase, también, Ojeda a M. E., Lima, 28 de febrero de 1885, n.° 31: «Concesión a Grace Brothers», leg. H-1677, AGMAE; Clayton 1985: 143-144.

21. Grace a Eyre, Nueva York, 27 de agosto de 1884, box. 58, n.° 155: 292, WRGP. «Monocle» ('Monóculo') se refería en clave a Piérola, según sus propios códigos de cifrado en «Relación de claves en archivo: clave telegráfica enero 1883», Archivo Piérola, vol. 6, BNP.

22. Casanave 1886: 10 y 11-15; Basadre 1968, vol. 9: 53-54 y 162-163.

23. Carlos Gonzales Candamo a Manuel Candamo, París, 1 de junio de 1887: «En casa de [Grace] encontré al general Iglesias que no conocía y me sorprendió agradablemente pues yo creía encontrar en él un indio feroz en vez de un hombre de cara simpática y maneras afables» (Candamo 2008).

24. Cáceres 1986, vol. 2: 157.

25. Ojeda a M. E., Lima, 22 de enero de 1886, n.° 11 y 6 de abril de 1886, n.° 36, leg. H-1677, AGMAE, con respecto de las maniobras políticas y sediciosas de Piérola. Véase Basadre 1968, vol. 9: 89.

26. Charles Buck a T. F. Bayard, Lima, 27 de febrero de 1886, n.° 81, Despatches 1826-1906, roll 42, USNA.

27. Buck a Bayard, Lima, 27 de febrero de 1886, n.° 81 y 24 de abril de 1886, n.° 95, Despatches 1826-1906, rolls 42 y 43, USNA.

28. «Piérola y Cáceres nos legan a dos insaciables tiburones de la riqueza nacional, a Dreyfus y Grace» (González Prada 1985, vol. 2, 4.ª parte, p. 166). Véase, también, González Prada 1976: 204-205 y 1978: 84-85.

29. Octavus Stokes a Marquis of Salisbury, Lima, 28 de marzo de 1887, n.° 18, FO 61/369, ff. 162-164v, NAUK.

30. Charles Mansfield a Salisbury, Lima, 24 de octubre de 1887, n.° 65, Confidencial, FO 61/369, ff. 270-275v. La información en este despacho se obtuvo de «fuentes muy secretas y confiables», revelando la correspondencia secreta y confidencial entre dos diplomáticos españoles, Vallés (Santiago de Chile) y Ojeda (Lima). No se encontró ninguna copia de esta correspondencia en el AGMAE. Sin embargo, Mansfield ciertamente contaba con medios confiables con que espiar a Ojeda, como lo evidencian otros documentos corroborantes en archivos diplomáticos británicos y españoles. Siguiendo la política exterior oficial de España en ese entonces, tanto Vallés como Ojeda se oponían a la intervención de Estados Unidos en la región andina.

31. Cáceres 1986, vol. 2, figuras 74-76; Comisión Permanente de Historia del Ejército del Perú 1984: 135.

32. Ojeda a M. E., Lima, 23 de noviembre de 1886, n.° 127. Para observaciones políticas muy bien informadas, véase Ojeda a M. E., Lima, 7 de junio de 1886, n.° 58; 3 de septiembre de 1886, n.° 95; 26 de octubre de 1886, n.° 114, leg. H-1677, AGMAE. Véanse, también, observaciones similares en Buck a Bayard, Lima, 8 de octubre de 1886, n.° 163, Despatches 1826-1906, roll 43, USNA.

33. Comisión Permanente de Historia del Ejército del Perú 1984: 135 y 158-59: escalafón general (1886), modernización de la Guardia Nacional (1888) y ordenanzas del Ejército y reapertura de la escuela militar (1889).

34. Cáceres 1986, vol. 2: 175.

35. Comisión Permanente de Historia del Ejército del Perú 1984: 161; Cárdenas Sánchez 1979: 72; Basadre 1968, vol. 9: 187-188.

36. Mansfield a Salisbury, Lima, 16 de julio de 1889, n.° 47, FO 61/381, ff. 115-116, NAUK.

37. Ojeda a M. E., Lima, 21 de noviembre de 1887, n.° 116, leg. H-1678, AGMAE: «Da cuenta de la irritación producida [...] especialmente entre los militares por las declaraciones hechas a un redactor de *El Nacional* por [Aurelio Denegri]».

38. Citado de una circular interna, en Cárdenas Sánchez 1979: 74.

39. Ojeda a M. E., Lima, 11 de abril de 1887, n.° 24, leg. H-1678, AGMAE.

40. Buck a Bayard, Lima, 21 de marzo de 1887, n.° 217, Despatches 1826-1906, roll 44, USNA.

41. Ojeda a M. E., Lima, 10 de enero de 1891, n.° 1, leg. H-1678, AGMAE.

42. Mansfield a Earl of Rosebery, Lima, 14 de agosto de 1893, n.° 29, FO 61/398, ff. 130-133, esp. 132, NAUK.

43. Eognes a M. A. E. Delcasse, Lima, 10 de abril de 1903, n.° 8; Merlou a M. A. E. Pichon, Lima, 28 de abril de 1908, n.° 51 (donde se cita la opinión del empresario M. Saint-Seine), Correspondance Politique et Commerciale, Nouvelle Série (en adelante, CPC-NS), Pérou, vol. 1, ff. 45-46v y 70, respectivamente, AMAE.

44. Acevedo y Criado 1959: 95-182, esp. 96-97; Basadre 1968, vol. 9: 170.

45. Buck a Bayard, Lima, 28 de octubre de 1886, n.° 171, Despatches 1826-1906, roll 43, USNA.

46. El nuevo contrato fue firmado por el ministro de Hacienda Manuel Irigoyen por el Estado peruano y por F. Berthold en representación de la Société Générale. Posteriormente fue aprobado por el Congreso (Basadre 1968, vol. 9: 162-163). Véase, también, Ojeda a M. E., Lima, 11 de mayo de 1887, n.° 35, leg. H-1678, AGMAE; Buck a Bayard, Lima, 12 de mayo de 1887, n.° 238, Despatches 1826-1906, roll 44, USNA.

47. En julio de 1872, Michael Grace y su esposa celebraron un baile en su residencia de Lima para cien invitados, Meiggs entre ellos, en el cual «pasaron un buen rato pero es demasiado trabajo y demasiado costoso como para repetirlo diariamente» (Clayton 1985: 67, donde se cita la correspondencia de Grace, WRGP).

48. Edward Eyre a Lima House, 27 de febrero de 1899, box 72, n.° 13, pp. 391-392, WRGP.

49. M. P. Grace a Sir Henry Tyler (parlamentario y presidente del Comité de Tenedores de Bonos Peruanos), Nueva York, 18 de mayo de 1885, box 58, n.° 156, pp. 57-62, WRGP.

50. M. P. Grace a E. Eyre, Nueva York, 19 de julio de 1883, box 58, n.° 154, p. 87; Grace a A. Leslie, 17 de abril de 1884, box 58, n.° 156, WRGP: «la condición del Perú es tal que no ofrece suficiente incentivo para las empresas de minerales o, de hecho para cualquier otra empresa en la cual haya que invertir capital».

51. Grace a Eyre, febrero de 1883, box 58, n.° 153, p. 274, WRGP: «No me halago de que alguna vez intentaré reunir los fondos necesarios para terminar el camino a Oroya, proseguirlo hasta Cerro de Pasco, y cortar el túnel necesario bajo las minas de Cerro de Pasco».

52. E. Eyre a M. P. Grace, Lima, 12 de junio de 1886, box 59, n.° 159, pp. 114-117, WRGP.

53. Box 59, n.° 159, pp. 146-148, WRGP.

54. Ojeda a M. E., Lima, 20 de octubre de 1887, n.° 99. Véase, también, 2 de mayo de 1888, n.° 46, Reservado (informando sobre una conversación confidencial entre Ojeda y Manuel Candamo, acerca de serias fricciones con el representante de Estados Unidos, Charles Buck, en torno a la decisión del gobierno peruano de despojar propiedades ferroviarias concedidas a ciudadanos estadounidenses), leg. H-1678, AGMAE. Este informe fue interceptado secretamente por Charles E. Mansfield, el encargado de negocios británico en Lima, y una copia de su traducción (fechada erradamente el 1 de mayo, con el mismo n.° 46) fue pasada al diplomático norteamericano Charles Buck. Véase Mansfield a Marquis of Salisbury, Lima, 16 de julio de 1888, n.° 63, FO 61/375, ff. 289-290v, NAUK; Buck a Bayard, Lima, 31 de julio de 1888, n.° 407 y 1 de agosto de 1888, n.° 408, Despatches 1826-1906, roll 47, USNA.

55. Perú, Cámara de Senadores 1889: 237-238.

56. Quimper 1886: 4-5, 11 y 50-52; Velarde 1886: 3 y 5: «el señor Grace se valió de un amigo mío, para que le permitiera seguir discutiendo con la creencia de que llegaría a convencerme de las ventajas que para mi patria tenía su proyecto».

57. Buck a Bayard, Lima, 22 de mayo de 1888, n.° 375; 20 de febrero de 1888, n.° 349; y telegra-
    ma, Buck a Bayard, Lima, 24 de abril de 1888, Despatches 1826-1906, roll 46, USNA.
58. «El Sr. W. R. Grace conversó sobre toda esta situación con el presidente Cleveland, el secre-
    tario Bayard y otros miembros del gabinete, y estamos convencidos de que el gobierno no
    permitirá que los intereses de sus ciudadanos sean convertidos en un juguete» (W. R. Grace
    & Co. a E. Eyre, Nueva York, 20 de febrero de 1888, box. 59, n.° 160, p. 24, WRGP).
59. Buck a Bayard, Lima, 27 de febrero de 1889, n.° 473, Despatches 1826-1906, roll 48, USNA.
60. Para un ejemplo de una pluma alquilada véase Anónimo 1887.
61. Basadre 1968, vol. 9: 112-116.
62. G. A. Ollard a W. R. Grace, Londres, 19 de febrero de 1889, box 60, n.° 161, WRGP.
63. Box 59, n.° 159, pp. 117 y 146-148, WRGP.
64. E. Eyre a M. P. Grace, Lima, 10 de junio de 1890, box 81, «E. E. 1890», p. 25, WRGP: «RELOJES
    DE ORO. He ordenado un lote de relojes de N. Y. para entregárselos a los siguientes amigos
    que prestaron su asistencia a nuestra causa: A. Arigoni, Narciso Alayza, Santiago Pacheco,
    Antenor Rizo Patrón, tres hermanos Estremadoyro, José A. Medina, David Torres Aguirre [no
    obstante sus "elevadas pretensiones"], Rafael Galván, Brando Zúñiga, E. J. Casanave, Salomón
    Rodríguez, Pascual del Castillo, M. Álvarez Mercado, Martín Álvarez, Wenceslao Venegas, se-
    ñores Venegas, Simón Yrigoyen». Con respecto a los múltiples informes de directores y jefes
    de sección de los ministerios de Hacienda, Gobierno, Justicia y Fomento, presentados a los
    fiscales José Araníbar y M. A. Fuentes en 1887, véase Basadre 1968, vol. 9: 115-116.
65. Basadre 1968, vol. 9: 123.
66. John Hicks a Walter D. Gresham, Lima, 17 de abril de 1893, Despatches 1826-1906, roll 52,
    USNA: «Los negocios están deprimidos. El erario está vacío. El dinero escasea y todos los
    peruanos miran hacia el futuro con sentimientos de seria preocupación [...]. La concepción
    sudamericana del autogobierno no es un gobierno del pueblo sino de los más fuertes».
67. Miller 1976: 73-100, esp. 90 y 99-100.
68. Hicks a Gresham, Lima, 17 de abril de 1893, n.° 488, Despatches 1826-1906, roll 52, USNA.
69. Ojeda a M. E., Lima, 15 de junio de 1891, n.° 39, leg. H-1678, AGMAE.
70. Ojeda a M. E., Lima, 25 de septiembre de 1891, n.° 66; 2 de marzo de 1893, n.° 17 y 16 de
    julio de 1893, n.° 42, leg. H-1678, AGMAE.
71. James H. McKenzie a S. S., Lima, 3 de abril de 1894, n.° 110, Despatches 1826-1906, roll 54,
    USNA.
72. Basadre 1968, vol. 10: 100-101.
73. W. R. Grace & Co. a M. P. Grace, Nueva York, 28 de julio de 1894, box 71, n.° 10, p. 425, WRGP;
    Alfred St. John a Earl of Kimberley, Lima, 17 de septiembre de 1894, F. O. 61/ 408, NAUK;
    Basadre 1968, vol. 10: 106.
74. Telegrama, M. P. Grace a W. R. Grace Co., 4 de diciembre de 1894, box 72, n.° 11, pp. 197-198,
    WRGP.
75. Basadre 1968, vol. 10: 128-143.
76. Thorp y Bertram 1978, cap. 3: 26-29.
77. Dudley a William R. Day, Lima, 22 de agosto de 1898, n.° 166, Despatches 1826-1906, roll 59,
    USNA.
78. González Prada 1985, vol. 2, 4.ª parte: 384.
79. Ulloa Sotomayor 1981: 360-361 y 389, Sánchez 1976: 20-22.
80. González Prada 1985, vol. 1, 2.ª parte: 338, 341-342, 346, 362-363 y 373.
81. Ibíd., vol. 2, 4.ª parte: 115-116 y 121-124.
82. Ibíd., pp. 106-107 y 167.
83. Matto de Turner 1902: 11-64.
84. «Día llegará en que el país sepa si esos laudos [de 1880], que son hoy una amenaza formi-
    dable suspendida sobre el porvenir financiero del Perú, fueron redactados por Ud. o por el

abogado de Mr. Ford [el administrador de Dreyfus en Lima]» (Guillermo Billinghurst a Nicolás de Piérola, Tacna, 17 de abril de 1899, Archivo Piérola, vol. 3, BNP).

85. Garrigues 2004: 17-25.

86. Piérola a Olaechea, Milagro, 28 de noviembre de 1887, en «Expediente [...] sobre denuncia de un libelo en el periódico "El Nacional"», Archivo Piérola, vol. 3, BNP. El 10 de diciembre de 1887 comenzó, en Lima, el juicio contra el editor Pedro Lira, supuestamente responsable por el contenido de la columna «Crónica Exterior, Francia, Correspondencia para El Nacional», firmada por «Grotius», El Nacional, vol. 22, n.° 6017, 25 de noviembre de 1887. Otro juicio por difamación fue entablado por los hijos de Piérola, Isaías y Amadeo, contra del editor de La Funda en diciembre de 1897, que resultó en el encarcelamiento de un periodista.

87. Auguste Dreyfus a Nicolás de Piérola, París, 27 de diciembre de 1895, Archivo Piérola, vol. 3, BNP. Los reclamos de Dreyfus fueron reconocidos por sesenta millones de soles según fallo judicial de 1901 en Berna a favor de los herederos y socios de Dreyfus.

88. Dreyfus a Piérola, París, 3 de mayo de 1895; L[uisa González Orbegoso] de Dreyfus a Piérola, Pontchartrain, Seine & Oise, 18 de julio de 1895, Archivo Piérola, vol. 3, BNP.

89. Barrenechea a Piérola, Lima, 3 de junio de 1897, Archivo Piérola, vol. 3, BNP.

90. «Reconocimiento de deuda», Lima, 3 de noviembre de 1903, Archivo Piérola, vol. 1, BNP.

91. R[afael] Canevaro a Piérola, Lima, 3 de agosto de 1901: «créditos» personales que totalizaban 2.300 libras proporcionados a Piérola. Los hermanos Canevaro también reclamaban al gobierno el saldo impago de 43.140 libras por armas vendidas en 1880, una deuda que fue liquidada solamente en 1912. Al respecto véase Basadre 1968, vol. 12: 152-153; «Declaración de Nicolás de Piérola», Lima, 21 de octubre de 1902, sobre deuda original de 2.500 soles debidos a Malatesta, que data de 1887, Archivo Piérola, vol. 5, BNP.

92. González Prada 1985, vol. 1, 2.ª parte: 355, vol. 2, 2.ª parte: 108.

93. Billinghurst a Piérola, Tacna, 1 de abril de 1899, Archivo Piérola, vol. 3, BNP.

94. Piérola a Billinghurst, borrador, Lima, 7 de abril de 1899, Archivo Piérola, vol. 3, BNP.

95. Billinghurst a Piérola, Tacna, 17 de abril de 1899, pp. 12-14 y 8, Archivo Piérola, vol. 3, BNP: «En el fondo [...] hay algo más que una farsa; y el tiempo se encargará de descubrirlo. No soy yo el llamado a arrojar lodo sobre su rostro».

96. González Prada 1985, vol. 2, 4.ª parte: 167.

97. Irving B. Dudley a John Sherman, Lima, 2 de mayo de 1898, n.° 119, Despatches 1826-1906, roll 58, USNA.

98. Billinghurst a Piérola, Tacna, 17 de abril de 1899, p. 7, Archivo Piérola, vol. 3, BNP, refiriéndose al descaminado contrato con Joseph-Herz, dañino para la posición crediticia del país. Véase, también, González Prada 1985, vol. 1, 2.ª parte: 364.

99. Dudley a Sherman, Lima, 4 de mayo de 1898, n.° 126, Despatches 1826-1906, roll 58, USNA.

100. Billinghurst a Piérola, Tacna, 17 de abril de 1899, p. 4, Archivo Piérola, vol. 3, BNP.

101. Ibíd., p. 7, Archivo Piérola, vol. 3, BNP.

102. Dudley a John Hay, Lima, marzo de 1899, n.° 223, Despatches 1826-1906, roll 59, USNA.

103. Dudley a Hay, Lima, 16 de septiembre de 1902, n.° 656 y 26 de septiembre de 1902, n.° 660, Despatches 1826-1906, roll 62, USNA.

104. «Documentos referentes a "La Colmena" Sociedad Anónima de Construcciones y Ahorros», Archivo Piérola, vol. 8, BNP.

105. González Prada 1985, vol. 2, 2.ª parte: 375-378.

106. Telegrama de Merlou, Lima, 28 de abril de 1908: «M. Piérola a demandé a M. St. Seine 5,000 livres sterling pour faire révolution. J'ai énergiquement conseillé refus» y Merlou a M. A. E., Lima, 28 de abril de 1908, n.° 51, CPC-NS, Pérou, vol. 1, ff. 67-73, AMAE.

107. Merlou a M. A. E., 28 de abril de 1908, n.° 51 y Merlou a M. A. E. Pichon, Lima, 1 de febrero de 1908, n.° 10, CPC-NS, Pérou, vol. 1, ff. 72 y 61, AMAE.

108. Merlou a M. A. E., Lima, 28 de abril de 1908, n.° 51, CPC-NS, Pérou, vol. 1, f. 72v, AMAE.

109. Ibíd., f. 73.
110. Basadre 1968, vol. 11: 166-168.
111. M. P. Grace a L. H. Sherman, 9 de noviembre de 1898, box 69, n.° 31, p. 477, WRGP: «Puede que yo no haya escrito una sola carta al presidente Piérola que no haya sido rechazada por [el Dr. Emilio del] Solar [el asesor legal de los Grace en Lima] y Eyre [...]. Creo que podríamos habernos aproximado a Piérola hace años y habernos hecho sus amigos pero el Sr. John Eyre y el Dr. Solar siempre se opusieron a ello, y como estaban en el sitio, dejamos la decisión final en sus manos». Véase, también, el borrador de carta, M. P. Grace a Piérola, 1 de noviembre de 1898, box 69, n.° 31, pp. 478-483, en el cual Grace se queja de los incumplidos compromisos del gobierno con la Peruvian Corporation.
112. Esta evaluación coincide con la de Ulloa Sotomayor (1981: 421): «error notorio de concepto sobre la situación del país».
113. Torres Paz 1877, vol. 3: 20. Coincidiendo con las posiciones de informantes e ideólogos leguiistas, algunos diplomáticos estadounidenses se referían al Partido Civil como la «oligarquía» o el «partido aristocrático» desde al menos 1910 (William Penn Cresson a S. S., Lima, 12 de marzo de 1910, n.° 333, 823.00/74). En la década de 1920, un embajador de Estados Unidos aludió a los civilistas como la «facción reaccionaria, ultraconservadora del Perú que corresponde al grupo de los grandes hacendados [...] Son antiextranjeros, antiindustriales y quieren que el Perú sea un país exclusivamente agrícola, sin desarrollo fuera de sus propias haciendas, con el país administrado íntegramente para su propio beneficio» (Miles Poindexter a S. S., Lima, 2 de abril de 1925, n.° 360, 823.00/49. U. S. Despatches 1910-1930, rolls 2 y 5, respectivamente, USNA).
114. Basadre 1968, vol. 9: 193. González Prada definió a los civilistas como simples hombres de negocios disfrazados de políticos en «Los partidos y la Unión Nacional» (1976: 202).
115. Dudley a Hay, Lima, marzo de 1899, n.° 223, Despatches 1826-1906, roll 59, USNA.
116. Basadre 1968, vol. 11: 30-37. Véase, también, Ramiro Gil de Uribarri a M. E., Lima, 5 de octubre de 1900, n.° 85, leg. H-1678, AGMAE; El Comercio, 1 de octubre de 1900, n.° 24201: 1 y Beauclerk a Lansdowne, Lima, 5 de julio de 1902, n.° 9, confidencial, FO 61/434, ff. 61-63v, esp. 61v-62, NAUK: «indudablemente que bastante del dinero fue malversado por el Señor Belaúnde, exministro de hacienda que por dicha ofensa ha estado en prisión los últimos dos años».
117. Beauclerk a Lansdowne, 5 de julio de 1902, n.° 9, FO 61/134, ff. 61-61v, NAUK.
118. Eognes a M. A. E. Delcasse, Lima, 10 de abril de 1903, n.° 8, CPC-NS, Pérou, vol. 1, ff. 45-46v, AMAE.
119. Eognes a M. A. E. Delcasse, Lima, 23 de junio de 1903, n.° 10, CPC-NS, Pérou, vol. 1, ff. 47-47v, AMAE. Para un estudio comparativo, véase Posada-Carbó 2000: 611-644.
120. Basadre 1968, vol. 11: 118.
121. Beauclerk a Lansdowne, Lima, 14 de septiembre de 1905, n.° 43, FO 61/443, s. p., NAUK.
122. Gil de Uribarri a M.E., Lima, 8 de agosto de 1901, n.° 75, leg. H-1679, AGMAE: «abusos de la Junta Electoral presidida por Carlos Piérola».
123. Basadre 1968, vol. 11: 66-67; Dudley a Hay, Lima, 16 de septiembre de 1902, n.° 656, Despatches 1826-1906, roll 62, USNA.
124. Sobre el duelo entre Enrique Pardo y Gonzalo Ortiz de Zevallos, y el matrimonio de Juan Durand (hermano de Augusto Durand) con una hija del doctor Flores, médico de familias civilistas que se rehusaron a asistir a la boda, consúltese respectivamente a Fréderic Clément-Simon a M. A. E. Pichon, Lima, 4 de febrero de 1909, n.° 12 y 10 de marzo de 1909, n.° 18, CPC-NS, Pérou, vol. 2, ff. 11-13v y 22-23v, AMAE.
125. A comienzos de 1907, los cargos de apropiación de fondos públicos y tierras, formulados contra el prefecto de Puno, hicieron que la Cámara de Diputados pidiera explicaciones al ministro de Gobierno Agustín Tovar, quien se vio obligado a renunciar poco después (Basadre 1968, vol. 11: 161).

126. Dudley a Elihu Root, Lima, 24 de marzo de 1906, n.° 1257 y 3 de agosto de 1906, n.° 1275, Despatches 1826-1906, roll 66, USNA.

127. Sobre la opinión de que Leguía, nacido en una provincia norteña, fue humillado por la élite de Lima como un «mayordomo capaz», véase Basadre 1968, vol. 12: 138.

128. Leguía a Jacinto S. García, Lima, 29 de octubre de 1909, libro copiador n.° 3, p. 335, Archivo Leguía, BNP.

129. Cartas de Leguía (concernientes a la educación de su hijos, Augusto en París y Suiza, y José en Estados Unidos) a Ernesto Ayulo, Lima, 2 de noviembre de 1908; a Teresa O. de Prevost, Lima, 29 de enero de 1909; y a Eduardo Higginson, cónsul general del Perú en Nueva York, Lima, 31 de julio de 1909, libros copiadores n.° 1, p. 165; n.° 2, p. 51 y n.° 3, pp. 56-57, respectivamente, Archivo Leguía, BNP.

130. Después del 29 de mayo de 1909, Leguía decidió oponerse a los «quebrantos que viene sufriendo el Perú con los reiterados movimientos subversivos [de] unos cuantos logreros afanados en adueñarse del poder» (Leguía a Ernesto F. Ayulo, Lima, 31 de julio de 1909); «viendo que de un acto de mi voluntad dependía la suerte del país, redoblé mis energías y resolvíme a la vía crucis [sic] que me esperaba dando por hecho el sacrificio de mi persona» (Leguía a Eduardo S. Leguía, Lima, 26 de agosto de 1909); «[M]i espíritu decidido, hoy, más que nunca, a sostener el orden cueste lo que costare» (Leguía a Tte. Cor. Pedro T. Salmón, prefecto del Cuzco, 2 de septiembre de 1909), libro copiador n.° 3, pp. 71-72, 143-144 y 168-169, Archivo Leguía, BNP.

131. Cresson a S. S., Lima, 12 de marzo de 1910, n.° 333, 823.00/74, f. 5 y Leslie Combs a S. S., Lima, 1 de agosto de 1910, n.° 382, 823.00/81, pp. 1-2, Despatches 1910-1930, roll 2, USNA.

132. Jean Guillemin a M. A. E. Pichon, Lima, 29 de diciembre de 1910, n.° 114, CPC-NS, Pérou, n.° 2, ff. 143-146; Baron de Vaux a M. A. E. Poincaré, Lima, 27 de junio de 1912, n.° 57, CPC-NS, Pérou, vol. 3, ff. 29-30v, AMAE.

133. Lucien Jerome a E. Grey, Lima, 9 de abril de 1911, n.° 48, FO 371/1206, f. 82, NAUK.

134. Martínez Riaza 1999: 393-462; Basadre 1968, vol. 12: 182-188. Conversación entre Sir E. Grey y el encargado de negocios peruano, reportada al Sr. Des Graz, Foreign Office, Londres, 23 de julio de 1912, FO 371/1452, s. p., NAUK: «Deseaba decirme muy confidencialmente que entre los miembros de la Comisión ahora nombrados por el gobierno peruano, había un hombre que había sido ministro de Fomento, y que era abogado y asesor de los Arana. Fue él quien, como miembro del gobierno, indujo al Presidente a enviar de buena fe instrucciones para negar los artículos originales en *Truth*. El nombre de este hombre es Julio Ego Aguirre [... su influencia] no podía ser buena».

135. Leguía a Abel Alarco, Lima, 23 de noviembre de 1909, libro copiador n.° 3, pp. 427-428, Archivo Leguía, BNP: «Yo tenía noticia del grave rumor que sobre supuestos crímenes cometidos por esa Casa [de Julio Arana], en la región del Putumayo circuló en Londres y me complace saber, ahora, por su información que sólo se trataba de un "chantage" que espero quede bien acreditado».

136. Antonio Plá a M. E., Lima, 10 de septiembre de 1912, n.° 63, leg. H-1679, AGMAE.

137. Cartas escritas por Leguía entre 1908 y 1909, en libros copiadores n.° 1-4, Archivo Leguía, BNP.

138. Leguía a Cáceres, Lima, 8 de enero de 1909 y 2 de diciembre de 1908, libro copiador n.° 1: 497 y 311, Archivo Leguía, BNP.

139. Combs a S. S., Lima, 22 de diciembre de 1910, n.° 452, 823.00/91, Despatches 1910-1930, roll 2, USNA, luego de una conversación confidencial entre el presidente Leguía y Combs realizada el 17 de diciembre, en la cual Leguía manifestó su confianza en el continuo respaldo y lealtad militar.

140. Merlou a M. A. E. Pichon, Lima, 1 de junio de 1908, n.° 69, CPC-NS, Pérou, vol. 2, f. 92, AMAE.

141. *El Comercio*, 5 de octubre de 1912, n.° 33492: 1-2, 12 de octubre de 1912, n.° 33501: 1; *La Prensa*, 4 de octubre de 1912, n.° 4828: 1, 15 de octubre de 1912, n.° 4847: 1; *Perú*,

Congreso 1912: 85-98, 8.ª sesión; Basadre 1968, vol. 12: 86-87, 90 y 147-148; C. K. Chester (Electric Boat Co.) a H. Clay Howard (ministro de Estados Unidos en Lima), Lima, 4 de febrero de 1913, Despatches 1910-1930, roll 11, USNA; United States, Congress, Senate, Special Committee to Investigate the Munitions Industry 1934: 86 y 116-117.

142. Leguía a Guillermo Holder Freire, Lima, 20 de enero de 1912, increpándole haberse apropiado fondos de multas policiales y donaciones para la marina; José F. Crousillat, 13 de marzo de 1912, sospechoso de dar refugio a bandidos; M. García Bedoya, 14 de noviembre de 1908, concerniente a las «corruptelas que ha hallado U. en la institución de la policía» de Chiclayo; coronel José Manuel Vivanco, 12 de diciembre de 1908, en referencia a las «venalidades de las autoridades» de Huancané y Lino Velarde, 16 de diciembre de 1908, a cargo de la vigilancia secreta en Arequipa, libros copiadores n.° 4: 83 y 179 y n.° 1: 253, 369 y 379, respectivamente, Archivo Leguía, BNP.

143. Julián María Arroyo a M. E., Lima, 30 de abril de 1911, n.° 48, leg. H-1679, AGMAE: «el descontento contra el Presidente es general pues toda persona de orden y respeto se ve perseguida si no hace lo que el Presidente quiere»; Combs a S. S., Lima, 2 de noviembre de 1910, n.° 425, 823.00/84, Despatches 1910-1930, roll 2, USNA: «La impopularidad de la administración del Sr. Leguía se incrementa».

144. Jerome a Grey, Lima, 9 de abril de 1911, n.° 48, FO 371/1206, ff. 89-89v, NAUK.

145. Jerome a Grey, Lima, 1 de julio de 1911, n.° 93, FO 371/1206, f. 116, NAUK. El gobierno descubrió un contrabando de armas que implicaba a los hijos del ministro belga en Lima (Julián María Arroyo a M. E., Lima, 3 de junio de 1911, n.° 58, leg. H-1679, AGMAE).

146. Jerome a Grey, Lima, 22 de mayo de 1911, n.° 73, FO 371/1206, ff. 102-112, NAUK; Henry Clay Howard a S. S., Lima, 22 de mayo de 1911, n.° 6, 823.00/97 y 17 de julio de 1911, n.° 27, 823.00/99, Despatches 1910-1930, roll 2, USNA; Basadre 1968, vol. 12: 113-117.

147. Cresson a S. S., Lima, 8 de abril de 1911, n.° 492, 823.00/94, Despatches 1910-1930, roll 2, USNA.

148. El Comercio, 3 de octubre de 1912, n.° 33488: 1.

149. Albert W. Bryan (División de Asuntos Latinoamericanos) a Mr. Bingham, Washington, D. C., 5 de febrero de 1914, pp. 3-4, Bryan a Mr. Long, 12 de febrero de 1914, 823.00/123, p. 1 y Bryan a Bingham, 14 de febrero de 1914, 823.00/127, pp. 6-9, Despatches 1910-1930, roll 2, USNA.

150. Henry Clay Howard a S. S., Lima, 3 de agosto de 1913, n.° 228 y anexos del Comité de Salud Pública, 823.00/111; Bryan a Bingham, 5 de febrero de 1914, 3, Despatches 1910-1930, roll 2, USNA; Basadre 1968, vol. 12: 230 y 258-261.

151. Benton McMillin a S. S., Lima, 1 de abril de 1914, n.° 42, 823.00/154: 5-8, 14-15, Despatches 1910-1930, roll 2, USNA; U. S. Department of State 1922: 1061-1067.

152. Basadre 1968, vol. 12: 289-290.

153. Augusto Durand, diputado por Huánuco y una persona sumamente acaudalada, que «prácticamente controla el suministro de la coca en el Perú», estaba profundamente interesado en el ferrocarril de Ucayali, que se proyectaba pasaría por sus tierras en la provincia de Huánuco (Bryan a Bingham, 5 de febrero de 1914, p. 1 y Bryan a Mr. Long, 12 de febrero de 1914, p. 1, Despatches 1910-1930, roll 2, USNA).

154. Ya para 1909, «la politique qui n'avait perdu pied dans l'armée, y a ressui plus d'importance et tels petits lieutenants ignorants et mal notés annoncent [...] a nos instructeurs que le Président de la République leur a positivement promis des postes de capitaine dans le régiments que les intéressés ont désignés eux mêmes» (Frédéric Clément-Simon a M. A. E. Pichon, Lima, 10 de marzo de 1909, n.° 18, CPC-NS, Pérou, vol. 2, ff. 23v-24, AMAE).

155. González Prada 1978: 51-52 y 65-66; 1985, vol. 2, 4.ª parte: 401-402.

156. Andrés López a M. E., Lima, 15 de junio de 1915, n.° 32, leg. H-1680, AGMAE. Sobre un creciente militarismo y la vuelta temporal de Cáceres de Alemania, véase López a M. E., Lima, 15 de marzo de 1915, n.° 15, leg. H-1680, AGMAE.

157. López a M. E., Lima, 30 de julio de 1915, n.° 42, leg. H-1680, AGMAE.

158. López a M. E., Lima, 14 de febrero de 1916, n.° 10, leg. H-1680, AGMAE. La misión diplomática estadounidense en Lima también llevó a cabo una investigación para esclarecer un «rumor» acerca de la venta de 15.000 rifles para enviarlos a Cuba, McMillin a S. S., Lima, 4 de abril de 1916, 823.24/3, Despatches 1910-1930, roll 11, USNA.

159. «Brief biography of the provisional president of Peru», William Handley, Callao, 12 de junio de 1914, 823.00/191, p. 2, Despatches 1910-1930, roll 2, USNA.

160. Clément-Simon a M. A. E. Pichon, Lima, 5 de junio de 1909, CPC-NS, Pérou, vol. 2, ff. 55-60, esp. 58, AMAE. Véase, también, Portocarrero 1995: 54-69.

161. López a M. E., Lima, 30 de agosto de 1915, n.° 45, leg. H-1680, AGMAE.

162. Informes sobre la «Impending revolution in Peru» de la Metropolitan Police, Criminal Investigation Department, New Scotland Yard (T. McNamara, inspector), 17 de junio y 6 y 20 de julio de 1917, FO 371/2991, ff. 146-149, NAUK, que incluían detalles sobre las actividades comerciales de Leguía, sobre diversos contratos con el gobierno británico para el suministro de azúcar, sobre la compra de caballos de carrera en Newmarket y sobre el abogado Julio Ego-Aguirre, «el secretario político del ex-presidente y [quien] fuera un ministro .[... A]hora se encuentra en este país como un exiliado».

163. Sobre las posibilidades de insurrección de parte de los seguidores de Leguía y Javier Prado: negativos fotográficos de cartas de Leguía a Víctor Larco Herrera y al coronel César Gonzales; carta a Leguía del oficial Pedro A. Ríos; informes policiales sobre los movimientos de Leguía en Londres, FO 371/2991, ff. 1-53 y 147-150 y E. Rennie a A. J. Balfour, Lima, 18 de junio de 1917, n.° 42, FO 371/2990, ff. 367-372, NAUK.

164. Traducción de una carta sin firma a Leguía, Lima, 28 de enero de 1917, FO 371/2991, f. 49, NAUK.

165. Traducción de N. Jauly a Leguía, Callao, 14 de junio de 1917, FO 371/2991, ff. 153-154, NAUK.

166. Traducción de César Gonzales a Leguía, Lima, 2 de mayo de 1917, FO 371/2991, f. 27, NAUK.

167. Traducción de Francisco La Rosa a Leguía, Lima, 7 de abril de 1917; Anselmo Huapaya a Leguía, Lima, 24 de septiembre de 1917, en la que informa que sus recursos se habían agotado tras perder la elección senatorial de Puno y, en consecuencia, haberle otorgado el hijo de Leguía una pensión; Alejandro Llontoj Pincett a Leguía, Chiclayo, 24 de octubre de 1917, FO 371/2991, ff. 75-75v, 235-236 y 274, NAUK.

168. H. J. (Division of Latin American Affairs) a Mr. Stabler, Washington, D. C., 16 de marzo de 1918, 823.00/233, Despatches 1910-1930, roll 2, USNA. Aparentemente, la correspondencia interceptada a Leguía mientras vivía en Londres también había sido leída en Washington.

169. Leguía a Melitón Porras, Londres, 11 de septiembre de 1917, FO 371/2991, ff. 220-222, NAUK: Leguía explicaba que, de permitirse a su nuevo partido crecer en el Perú, «exigiríamos, no una elección presidencial, sino la organización de un gobierno provisional y la convocatoria de una Convención Nacional. Pero si como es casi seguro, el gobierno fuese hostil [,...]quedará justificado el empleo de cualquier medio conducente al cumplimiento de la voluntad nacional [, esto es, ...] deponer la fuerza por la fuerza».

170. Conde de Galarza a M. E., Lima, 8 de septiembre de 1918, n.° 75, leg. H-1680, AGMAE; Basadre 1968, vol. 12: 402.

171. U. S. Department of State 1934, vol. 2: 720-726, esp. telegrama 823.00/295, McMillin a Acting S. S., Lima, 10 de julio de 1919, 726; Handley a S. S., Lima, 8 de julio de 1919, n.° 749, 823.00/280 y McMillin a S. S., Lima, 30 de julio de 1919, n.° 371, 823.00/296, Despatches 1910-1930, roll 2, USNA.

172. Jaime de Ojeda a M. E., Lima, 5 de abril, 20 de noviembre de 1920 y 18 de marzo de 1921, n.° 36, 116 y 25, leg. H-1680, AGMAE: «Poco prestigio moral de Mariano H. Cornejo», quien fue recompensado con un puesto diplomático en Francia. Véase, también, Basadre 1968, vol. 13: 29 y 38.

173. Conde de Galarza a M. E., Lima, 6 de agosto de 1919, n.° 37, leg. H-1680, AGMAE: Galarza criticó los esfuerzos por «desarticular y desconectar las normas que la rutina, la tradición y la poca cultura política han aceptado como cosas deficientes, malas añejas y hasta retrógradas,

pero en las cuales, padres e hijos, buenos y malos políticos, instruidos e ignorantes, demócratas y aristócratas, han vivido soportándolas durante 60 años».

174. Telegrama, Lima, 11 de septiembre de 1919, 823.00/302; William W. Smith a S. S., Lima, 16 de septiembre de 1919, n.° 383, 823.00/323, Despatches 1910-1930, roll 3, USNA.

175. Tan solo en el mes de septiembre de 1924, el gasto en la policía secreta sumó 16.809 libras peruanas («General conditions prevailing in Peru», pp. 16-17, en Miles Poindexter a S. S., Lima, 18 de octubre de 1924, n.° 294, Despatches 1910-1930, roll 4, USNA); «Don Armando Vargas Machuca denuncia a Fernández Oliva, Rufino Martínez de haberlo torturado», *El Comercio*, 4 de septiembre de 1930, n.° 45186: 4-5 y «Una visita al antiguo local de la comisaría de Ate», *El Comercio*, 15 de septiembre de 1930, n.° 45208: 5. Véanse, también, los cargos hechos por Víctor M. Avendaño contra el prefecto Lino La Barrera Higueras y José Rada y Gamio, en *El Comercio*, 20 de septiembre de 1930, n.° 45204: 3.

176. Jaime de Ojeda a M. E., Lima, 27 de diciembre de 1919, n.° 84 y 3 de enero de 1919, n.° 3, leg. H-1680, AGMAE; U. S. Department of State 1936, vol. 3: 360-367; William E. Gonzales a S. S., Lima, 6 de abril de 1921, n.° 610, 823.00/386, Despatches 1910-1930, roll 3, USNA.

177. Ojeda a M. E., Lima, 15 de diciembre de 1921, n.° 82, leg. H-1680, AGMAE.

178. Ojeda a M. E., Lima, 30 de noviembre de 1922, n.° 87, leg. H-1680, AGMAE: «[E]l gobierno derrocha en perpetuas fiestas; descubre monumentos y lápidas a personajes de cuyos méritos no tenemos nociones muy precisas; regala a España una casa que cuesta 45,000 libras...»; U.S. Department of State 1936, vol. 3: 367-369.

179. F. A. Sterling a S. S, Lima, 19 de septiembre de 1922, n.° 878, «General conditions prevailing in Peru», 823.00/425, pp. 16-17, Despatches 1910-1930, roll 4, USNA; y Ojeda a M. E., Lima, 1 de febrero de 1923, n.° 17, leg. H-1680, AGMAE.

180. Casanave no tenía una «bonne réputation», puesto que se enriqueció mientras tuvo el cargo y luego transfirió fondos a Argentina tras su renuncia. Bâtie a M. A. E., Lima, 29 de septiembre de 1923, n.° 41, CPC-NS, Pérou, vol. 6, ff. 167v-168, AMAE.

181. Jaime de Ojeda a M. E., Lima, 15 de diciembre de 1919, n.° 82, leg. H-1680, AGMAE: Ojeda señala el «desorden y la inmoralidad reinantes en la pseudo administración de Justicia y, al parecer, en todos los organismos de la república».

182. Salomón presentó cuentas infladas de las obras de remodelación de la sede de la cancillería en el palacio de Torre Tagle (Bâtie a M. A. E., Lima, 29 de septiembre de 1923, n.° 41, CPC-NS, Pérou, vol. 6, ff. 168-170, AMAE).

183. Rada y Gamio estuvo implicado en el desfalco de fondos privados y públicos: Manuel Acal y Marín a M. E., Barranco-Lima, 31 de marzo de 1930, n.° 33, leg. H-2603 bis, AGMAE.

184. Sterling a S. S., Lima, 8 de marzo de 1923, n.° 951, 823.00/432, Despatches 1910-1930, roll 4, USNA.

185. «Yearly report on general conditions in Peru for 1926», pp. 75 y 81, en Pierre de L. Boal a S. S., Lima, 16 de noviembre de 1927, n.° 855 y Miles Poindexter a S. S., Lima, 22 de diciembre de 1926, n.° 636-G, 823.00/527 y 823.002/105, Despatches 1910-1930, rolls 7 y 8, respectivamente, USNA.

186. U. S. Department of State 1936, vol. 2: 656-662.

187. F. A. Sterling a S. S., Lima, 7 de noviembre de 1922, n.° 904, 823.00/427, «General Conditions», pp. 5-6, Despatches 1910-1930, roll 4, USNA.

188. «The Reminiscences of William Wilson Cumberland», entrevistas por Wendell H. Link, abril-mayo de 1951, texto mecanografiado, p. 125, Oral History Research Project, Universidad de Columbia, Nueva York.

189. Ibíd., pp. 127, 129 y 132.

190. Ibíd., p. 135.

191. Declaración de diecisiete oficiales del ejército en 1921, citada en Loveman y Davies 1989: 4, sobre la base de Villanueva, 1973: 177.

192. William Gonzales a S. S., Lima, 24 de febrero de 1921, n.° 588, 823.20/1; telegrama a la Embajada de Estados Unidos en Lima, Washington, D. C., 26 de abril de 1923, 823.20/2a; Miles Poindexter a S. S., Lima, 15 de octubre de 1924, n.° 291, 823.20/12, Despatches, 1910-1930, roll 11, USNA.

193. «General conditions prevailing in Peru», p. 8, en Mathew Hanna a S. S., Lima, 2 de abril de 1928, n.° 917-G, U. S. Despatches, roll 7, USNA.

194. Lord H. Hervey a Austen Chamberlain, Lima, 19 de julio de 1928, n.° 63, FO 371/12788, ff. 282-284, NAUK.

195. «The Reminiscences of William Wilson Cumberland», pp. 138-139 y 147-148.

196. F. A. Sterling a S. S., Lima, 29 de noviembre de 1921, n.° 745, 823.00/411, Despatches 1910-1930, roll 4, USNA.

197. Discursos del embajador Miles Poindexter en el «National Club», Washington: «En torno a las declaraciones del Embajador norteamericano Mr. Miles Poindexter», *La Prensa*, 11 de septiembre de 1927, anexo n.° 1 a Embassy's Despatch n.° 815-G, Lima, 17 de septiembre de 1927, Despatches 1910-1930, roll 6, USNA; y alocución del embajador Alexander Moore en un banquete en Lima el 17 de junio de 1929, citada en Basadre 1968, vol. 13: 369-370.

198. Chávez Cabello, «Refutación al señor Manuel de Freyre Santander, ministro y defensor de la dictadura leguiista», Buenos Aires, diciembre de 1924, anexada a Williamson (Division of Latin American Affairs) a White, Washington, D. C., 5 de febrero de 1925, Despatches 1910-1930, roll 5, USNA.

199. Miles Poindexter a S. S., Lima, 18 de junio de 1924, n.° 210, 823.00/457; 18 de octubre de 1924, n.° 294; «Conditions prevailing in Peru», pp. 6-7, 3 de mayo de 1926, n.° 527-G, Despatches 1910-1930, rolls 4 y 5, USNA.

200. «Una política para contener la corrupción y el abuso de la posición política, en tal medida como para mantener a sus partidarios satisfechos. No hay duda de que el Presidente se siente obligado a cerrar los ojos frente a muchas cosas para así alcanzar los importantes fines por los cuales viene trabajando» («Yearly report on general conditions in Peru for 1926», p. 56, en Pierre de L. Boal a S. S., Lima, 16 de noviembre 1927, n.° 855, Despatches 1910-1930, roll 7, USNA).

201. Leguía y Martínez, «Manifiesto programa», anexo al despacho n.° 63, Lima, 27 de agosto de 1923, Despatches 1910-1930, roll 4, USNA.

202. Ojeda a M. E., Lima, 20 de agosto de 1923, n.° 88, leg. H-1680, AGMAE.

203. Villarán, «La reelección», 1 de agosto de 1924, anexo n.° 1 de Miles Pointdexter a S. S., Lima, 11 de agosto de 1924, n.° 429, 823.00/467, Despatches 1910-1930, roll 4, USNA.

204. Captain H. B. Grow (Inspección General de Aeronáutica, Ministerio de Marina y Aviación) a George Akerson (Assistant to the President, White House), Lima, 24 de diciembre de 1929, Despatches 1910-1930, roll 11, USNA.

205. «El manifiesto que dio en Arequipa el Comandante Sánchez Cerro», *El Comercio*, 28 de agosto de 1930, n.° 45174: 4: «Vamos a moralizar primero y a normalizar después la vida institucional y económica del Estado [...]. Acabaremos para siempre con los peculados, las concesiones exclusivistas, las malversaciones y las rapiñas encubiertas, porque la principal causa de nuestra actual crisis económica reside en la falta de pureza en la Administración y de honradez en el manejo de los fondos fiscales».

206. «Se crea un Tribunal de Sanción Nacional. Todos podrán hacer denuncias previamente comprobadas», *El Comercio*, 1 de septiembre de 1930 (edición de la tarde), n.° 45181: 1.

207. Portocarrero Suárez y Camacho 2005: 35-73.

208. Sánchez 1993: 137; Basadre 1968: vol. 13: 392-394.

209. Dennis 1930, n.° 45211: 14.

210. Leguía 1936.

211. «El Director de Gobierno amplía su denuncia contra los señores Leguía, Huamán de los Heros, Salazar y Rubio», *El Comercio*, 1 de noviembre de 1930, n.° 45296: 15.
212. Dennis 1930
213. Portocarrero Suárez y Camacho 2005: 45-46; Basadre 1968, vol. 13: 391-392.
214. «Vecinos de Caraz acusan a Carlos Leguía, sobrino carnal de A. B. Leguía por abuso de autoridad y apropiación de tierras», Caraz, 5 de septiembre de 1930, Tribunal de Sanción Nacional, leg. 10, exp. 232, AGN; discurso del alcalde de Lima, Luis Antonio Eguiguren, *El Comercio*, 1 de septiembre de 1930, n.° 45180: 1; «El presidente de la Asociación Nacional de Normalistas denuncia [...] las irregularidades habidas en el ramo de la enseñanza», *El Comercio*, 21 de septiembre de 1930, n.° 45220: 1.
215. «Denuncia al Tribunal Nacional: Fernando Bontá Chávez», *El Comercio*, 24 de septiembre de 1930, n.° 45225: 2. Bontá fue cuestionado como testigo confiable por Luis Guevara, uno de los acusados, puesto que Bontá había sido denunciado por haber recibido pagos ilícitos por su bien conocida colaboración con el gobierno de Leguía (*El Comercio*, 25 de septiembre de 1930, n.° 45226: 13). Bontá argumentaba que había sido despedido, perseguido y obligado a exiliarse en 1926, debido a sus intentos anteriores de combatir los abusos que venía denunciando. El testimonio de Bontá se asemeja pues al de un «colaborador eficaz» o testigo especial que, en tiempos recientes, colabora con autoridades judiciales a cambio de una sentencia menor o perdón.
216. «Denuncia hecha por Fernando Bontá Chávez, ciudadano, contra D. Augusto B. Leguía, Benjamín Huamán y otros por defraudación al Estado en la Bolsa de Valores a través de corredores ingleses», Lima, 23 de septiembre de 1930, Tribunal de Sanción Nacional, leg. 10, exp. 225, f. 183, AGN. Para un cargo similar aceptado por el Tribunal contra Leguía, Huamán y otros, véase «Denuncia hecha por Ramón Venegas, Auditor General de Tráfico y Rodaje contra Augusto B. Leguía, Benjamín Huamán de los Heros, César Ugarte, y otros por delitos de malversación y defraudación de fondos de rodaje», Lima, 11 de octubre de 1930, Tribunal de Sanción Nacional, leg. 10, exp. 228, f. 19, AGN.
217. «Claim [por £469,741] of Messrs. Kearsley and Cunningham [Liverpool] against Mr. A. B. Leguía», 8 de agosto de 1928, FO 371/ 13508, NAUK; Quiroz 1993: 103.
218. U. S. Senate, Committee on Finance 1932: 1276-1281; «La investigación de los empréstitos peruanos», *El Comercio*, 20 de febrero de 1932, n.° 46172: 1.
219. U. S. Senate, Commitee on Finance 1932: 1283-1286, 1296, 1298 y 1309; «Noticias cablegráficas: nuevas sensacionales declaraciones [...] Lawrence Dennis, ex-diplomático y financiero y Oliver C. Townsend [...]]. La actuación de Mr. [S. A.] Maginnis», *El Comercio*, 12 de enero de 1932, n.° 46101: 11-12.
220. U. S. Senate, Special Committee 1934, 1.ª parte: 85, 92-94, 100, 116-117, 119, 126 y 135-136; Basadre, 1968, vol. 13: 284.
221. *El Comercio*, 9 de enero de 1932, pp. 12, 13, 18, 21 y 23.

Capítulo 5

1. «La extravagancia de Leguía y sus prácticas corruptas habían alcanzado [...] un punto que ningún país, y el Perú menos que todos, podía soportar en vista de la depresión dominante» (Apfel, Herbert [representante en Sudamérica del Hanover Bank, Nueva York], «The situation in Peru» [memorando confidencial], anexo al despacho de W. S. Culbertson a S. S., Santiago de Chile, 23 de diciembre de 1930, n.° 716, 823.00/618, box 5693, Record Group [en adelante, RG] 59, USNA).
2. Jorge Basadre (Universidad de San Marcos, Lima) a Council on Foreign Relations, «Letter from Peru: The Recent Election in Retrospect», s. f., recibida por U. S. Department of State, Historical Adviser, 10 de marzo de 1932, 823.00/852, box 5696, RG 59, USNA.

3. Comunicación verbal de Gurney reportada por Fred Morris Dearing a S. S., Lima, 10 de enero de 1931, n.° 397, 823.00/625, pp. 2-3, box 5693, RG59, USNA. Sobre la cruzada de Sánchez Cerro contra la «política corrupta e ineficiente», véase Stein 1980: 87-89.

4. Drake 1989, cap. 3 y 6; Quiroz 1993b: 178-179.

5. Fred Morris Dearing a S. S., Lima, 31 de marzo de 1932, 823.00/867, pp. 3-5, box 5696, RG 59, USNA.

6. Dearing a S. S., Lima, 10 de enero de 1931, 823.00/625, p. 3, box 5693, RG 59, USNA.

7. Basadre 1968, vol 14: 56-67; Stein 1980: 96-98 y 119-121.

8. «La extravagancia de Leguía y sus prácticas corruptas habían alcanzado [...] un punto que ningún país, y el Perú menos que todos, podía soportar en vista de la depresión dominante» (Apfel, Herbert [representante en Sudamérica del Hanover Bank, Nueva York, p. 2].

9. Dearing a S. S., Lima, 10 de enero de 1931, 823.00/625, p. 3, box 5693, RG 59, USNA.

10. Dearing a S. S., Lima, 3 de mayo de 1933, «Public sale of opium in Peru», n.° 2799, 823.114/ Narcotics/62, box 5709, RG 59, USNA.

11. Dearing a S. S., Lima, 23 de mayo de 1931, n.° 737, 823.00/695, p. 2, box 5694, RG 59, USNA.

12. Dearing a S. S., Lima, 20 de mayo de 1931, n.° 725, 823.00/693, p. 2, box 5694, RG 59, USNA.

13. Villanueva 1975, 1977: 57-76; Klarén 1973: 146-149.

14. Kantor 1966 [1953]): 61, Klarén 2000: 273.

15. Basadre 1968, vol. 14: 155; Stein 1980: 113; Villanueva 1962.

16. Dearing a S. S., Lima, 16 de octubre de 1931, n.° 1132, 823.00/767, box 695, RG 59, USNA.

17. Basadre, «Letter from Peru: Recent Election in Retrospect», p. 4; Dearing a S. S., Lima, 18 de diciembre de 1931, 823.00/811, p. 1, box 5696, RG 59, USNA. Véase, además, Basadre 1968, vol. 14: 166-170.

18. Dearing a S. S., dispatches n.° 1200, 1303-1304 y 1322, Lima, 5, 6 y 11 de diciembre de 1932, 823.00/800, 801 y 805, box 5696, RG 59, USNA.

19. Dearing a S. S., Lima, 18 de diciembre de 1921, 823.00/811, p. 4, box 5696, RG 59, USNA.

20. Memorando de Burdett, 4 de mayo de 1933, anexo 1 en Dearing a S. S., Lima, 4 de mayo de 1933, n.° 2803, 823.00/976, box 5697, RG 59, USNA; Basadre 1968, vol. 14: 8-9.

21. William C. Burdett a S. S., Lima, 18 de mayo de 1933, n.° 2830, 823.00/986, box 5697, RG 59, USNA; Acal y Marin a M. E., Lima, 14 de julio y 1 de agosto de 1932, n.° 129 y 147, leg. R-338, exp. 4, AGMAE; Masterson 1991: 48-51; Klarén 1973: 137-141. El APRA persistió en su, así llamada, lucha armada declarada contra el régimen de Sánchez Cerro. Con la promesa aprista de respaldo, el teniente coronel Jiménez lideró un levantamiento desde Cajamarca en marzo de 1933, con el objetivo de tomar Trujillo y ver a toda la región norte levantarse en rebeldía; su campaña fracasó y Jiménez se suicidó antes que ser tomado prisionero (Basadre 1968, vol. 14: 246-251; Antonio Jaén a M. E., Lima, 7 de abril de 1933, n.° 35, leg. R-338, exp. 4, AGMAE).

22. Dearing a S. S., Lima, 11 de abril de 1932, n.° 1688, confidencial, 823.002/185, pp. 1-2, box 5706, RG 59, USNA: «Lanatta ha resultado ser tan venal y es tal una piedra en el zapato de la administración pública, que el presidente se ha visto forzado a cortarlo».

23. Basadre 1968, vol. 14: 202 y 210-211; «Venality of Dr. F. R. Lanatta», Dearing a S. S., Lima, 14 de abril de 1932, n.° 1706, 823.002/189, pp. 2-3, box 5706, RG 59, USNA.

24. Burdett a S. S., Lima, 5 de agosto de 1932, n.° 1981, 823.002/199, pp. 2-3; Dearing a S. S., Lima, 14 de abril de 1932, n.° 1706, 823.002/189, box 5706, RG 59, USNA.

25. Dearing a S. S., Lima, 11 de abril de 1932, n.° 1692, 823.002/186, box 5706, RG 59, USNA.

26. Garret Ackerson a S. S., Lima, 18 de abril de 1932, n.° 1713, 823.1561/42, box 5711, RG 59, USNA.

27. Despacho de Julian D. Smith (Assistant Commercial Attaché), Lima, 8 de abril de 1932, n.° 41: 2-3, anexo en 823.002/186, box 5706; Dearing a S. S., Lima, 6 de abril de 1932, n.° 1671,

823.002/184, box 5706, RG 59, USNA, concerniente al memorando de la entrevista de Lanatta con Eduardo Pombo, gerente general de la International Petroleum Company.

28. Dearing a S. S., Lima, 14 de abril de 1932, n.° 1706, 823.002/189, pp. 3-4 y anexo 1 (Julian D. Smith, Lima, 15 de abril de 1932, n.° 48: 1), box 5706, RG 59, USNA.

29. Departamento de Estado de Estados Unidos, Washington, D. C., 4 de marzo de 1937, 823.114/Narcotics/127, box 5709, RG 59, USNA.

30. Dearing a S. S., Lima, 12 de febrero de 1932, n.° 1534, 823.00/843, pp. 2-4, box 5696, RG 59, USNA. Para opiniones similares sobre el «carácter impulsivo», «violento y nada respetuoso» de Sánchez Cerro, que afectaba su capacidad para tratar con diversas personas y grupos, véase Acal y Marin a M. E., Lima, 25 de noviembre y 25 de diciembre de 1932, n.° 217 y 235, leg. R-338, exp. 4, AGMAE.

31. Joaquín Carrillo de Albornoz a M. A. E., Lima, 1 de febrero de 1932, n.° 29, leg. R-338, exp. 4, AGMAE.

32. Benavides a Sánchez Cerro, Niza, 9 de octubre de 1930, en Ugarteche 1969, vol. 1: 232-236.

33. Dearing a S. S., Lima, 4 de septiembre de 1933, n.° 3006, 823.00/1027, p. 2, box 5697, RG 59, USNA.

34. Burdett a S. S., Lima, 18 de mayo de 1933, n.° 2830, 823.00/986, pp. 2-3, box 5697, RG 59, USNA.

35. Burdett a S. S., Lima, 1 de junio de 1932, n.° 1835, 823.00/894, p. 2, box 5696, RG 59, USNA.

36. Dearing a S. S., Lima, 27 de diciembre de 1932, n.° 2465, 823.00/946, box 5697, RG 59, USNA.

37. Dearing a S. S., Lima, 8 de octubre de 1932, n.° 2206, 823.00/930, p. 3, box 5696, RG 59, USNA.

38. Dearing a S. S., Lima, 7 de abril de 1933, n.° 2748, 823.00/960, p. 4, box 5697, RG 59, USNA.

39. Antonio Jaén a M. E., Lima, 20 de abril de 1933, n.° 43, leg. R-338, exp. 4, AGMAE. Con el nombramiento a la jefatura del Consejo de Defensa Nacional, Benavides fue ascendido al rango de general de división (Masterson 1991: 51-52).

40. Jeffrey Caffery a S. S., «Leticia incident: reported exchange of rifles and guano between Japan and Peru», Bogotá, 17 de noviembre de 1932, n.° 898, 823.0141/20; Dearing a S. S., «[6000 toneladas de] guano exports to Japan [en el *Hakutaku Maru*, desde las islas Ballestas]», Lima, 9 de diciembre de 1932, n.° 2425, 823.0141/19; Dearing a S. S., «Guano contract with Okura Trading Co.», Lima, 6 de diciembre de 1933, n.° 3175, 823.0141/21; Dearing a S. S., «Japan, lease of the island of "Asia"», Lima, 18 de enero de 1934, n.° 3221, 823.0141/22; Louis G. Dreyfus a S. S., Lima, 28 de septiembre de 1934, n.° 3611, 823.0141/31: «Ignacio Brandariz in a letter to *El Comercio* gives history of guano contract with Japanese firm Okura Co.», box 5707, RG 59, USNA; Dreyfus a S. S., Lima, 1 de febrero de 1934, n.° 3253, 823.00/1071, p. 4, box 5697, RG 59, USNA: «*La Tribuna* reports a sale of guano by the Sánchez Cerro go-vernment to the firm Okura and Company at no more than one third of its true value, with resulting loss of 690.000 soles to Peru».

41. Jaén a M. E., Lima, 27 de mayo de 1933, n.° 53, leg. R-338, exp. 4, AGMAE.

42. Dearing a S. S., Lima, 1 de mayo de 1933, n.° 2797, 823.00/975, p. 3, box 5697, RG 59, USNA.

43. Dearing a S. S., Lima, 4 de mayo de 1933, n.° 2803, 823.00/976, p. 4, box 5697, RG 59, USNA.

44. Jaén a M. E., Lima, 6 de julio de 1933, n.° 64, leg. R-338, exp. 4, AGMAE.

45. Burdett a S. S., Lima, 23 de junio de 1933, n.° 2884, 823.00/999, box 5697, RG 59, USNA.

46. Acal y Marin a M. E., Lima, 13 de noviembre de 1933, n.° 128, leg. R-338, exp. 4, AGMAE.

47. Burdett a S. S., Lima, 26 de junio de 1933, n.° 2887, 823.00/1000, box 5697, RG 59, USNA.

48. Burdett a S. S., Lima, 18 de mayo de 1933, n.° 2830, 823.00/986, p. 1, box 5697, RG 59, USNA.

49. «500.000 soles anuales reciben del fisco los Miró Quesada: herencias de la pasada tiranía», *La Sanción*, 18 de octubre de 1933, anexo n.° 1, Dearing a S. S., Lima, 21 de octubre de 1933, n.° 3095, 823.00/1040, RG 59, USNA.

50. Burdett a S. S., Lima, 8 de junio de 1933, n.° 2863, 823.00/993, box 5697, RG 59, USNA.
51. Villanueva 1989: 126-135, esp. 130.
52. Burdett a S. S., Lima, 17 de julio de 1933, n.° 2921, 823.00/1008, box 5697, RG 59, USNA.
53. Jaén a M. E., Lima, 17 de agosto de 1933, n.° 84; Acal y Marin a M. E., Lima, 13 de noviembre de 1933, leg. R-338, exp. 4, AGMAE.
54. Progresos del Perú 1945: 9-10; «Peru in 1938: another year of peace and plenty», *West Coast Leader*, 10 de enero de 1939, n. ° 27: 5; Ciccarelli 1990: 405-432, esp. 411-412; Quiroz 1993b: 83-85.
55. Acal y Marin a M. E., Lima, 27 de noviembre de 1933, n.° 135, leg. R-338, exp. 4, AGMAE.
56. «Política interior del Perú», s. f. (ca. noviembre de 1934), leg. R-347, exp. 12, AGMAE.
57. Davies y Villanueva 1982: 14.
58. Dreyfus a S. S., Lima, 8 de septiembre de 1938, n.° 639, 823.00/1315, box 5699, USNA.
59. Luis Avilés y Tíscar a M. E., Lima, 17 de mayo de 1935, n.° 82; Luis Guillén Gil, Lima, 7 de noviembre de 1935, n.° 166, leg. R-847, exp. 12; Dreyfus a S. S., Lima, 17 de mayo de 1935, n.° 3966, 823.00/1155, box 5698, RG 59, USNA.
60. Davies y Villanueva 1978: 11-14 y 16-19 y doc. 28-37 (de los archivos del dirigente aprista coronel César E. Prado); Masterson 1991: 55-56; «Los famosos bonos del empréstito aprista», *La Prensa*, anexo al despacho de Luis Avilés a M. E., Lima, 5 de abril de 1936, n.° 39, leg. R-847, exp. 11, AGMAE.
61. Portocarrero Maisch 1982: 61-73.
62. Klarén 2000: 281-282; Masterson 1991: 56.
63. Portocarrero Maisch 1982: 61-73.
64. Ciccarelli 1990: 419-421 y 429.
65. Ibíd., pp. 416-417 y 421.
66. Memorando confidencial del vicecónsul de Estados Unidos Arthur B. Jukes, Callao, 27 de septiembre de 1934, «Annual balance statement of the Compañía Administradora del Guano», 823.0141/32, box 5707, RG 59, USNA.
67. Hoover a S. S., Washington, D. C., 11 de marzo de 1938, 823.00/1300, box 5699, RG 59, USNA. El exdiplomático peruano fue identificado como Héctor Paulet Wilquet, quien asimismo informó que el cónsul peruano en Hong Kong se dedicaba a la venta ilegal de pasaportes peruanos, al precio de 1500 dólares cada uno, a personas de nacionalidad china.
68. Dreyfus a S. S., Lima, 7 de junio de 1939, n.° 1051, 823.00/1365, box 5699, RG 59, USNA.
69. *La Sanción* 20, 27 de septiembre de 1933, n.° 945: 2.
70. Dearing a S. S., Lima, 17 de diciembre de 1934, n.° 3743, 823.002/270, box 5706; Dearing a S. S., Lima, 20 de diciembre de 1934, n.° 3748, 823.00/1131, box 5698, RG 59, USNA.
71. Dreyfus a S. S., Lima, 2 de marzo de 1937, n.° 4999, 823.00/1266, box 5698, RG 59, USNA; «Sobre una reciente actuación del fiscal doctor Villegas», *El Comercio*, 2 de marzo de 1937.
72. Dreyfus a S. S., Lima, 18 de agosto de 1937, n.° 5294, 823.00/1282, box 5698, RG 59, USNA.
73. «Castigando el delito contra los deberes de funciones» «Los empleados públicos no podrán contraer contratos con el Estado o corporaciones oficiales», *El Comercio*, 12 de agosto de 1937.
74. Laurence A. Steinhardt a S. S., Lima, 4 de marzo de 1939, n.° 902, 823.157/6, box 4353; Robert E. Greenwood (presidente, Contract Sales Inc.) a Sumner Welles, Nueva York, 10 de marzo de 1939, 823.157/7, box 5711, RG 59, USNA.
75. Steinhardt a S. S., Lima, 15 de marzo de 1939, n.° 196, 823.157/8, box 5711, RG 59, USNA.
76. Davies y Villanueva 1978: 8, 1982: 11; Masterson 1991: 58-59.
77. Dreyfus a S. S., Lima, 16 de junio de 1939, n.° 1068, 823.00/1372, box 5699, RG 59, USNA.
78. Dreyfus a S. S., Lima, 16 de junio de 1939, n.° 1068, 823.00/1372, box 5699, RG 59, USNA, p. 14; Klarén 2000: 281.

79. Steinhardt a S. S., Lima, 12 de enero y 2 de febrero de 1939, n. ° 827 y 862, 823.00/1329 y 1335, box 5699, RG 59, USNA.

80. R. Henry Norweb a S. S., Lima, 3 de enero de 1942, n.° 2512, 823.00/1500; George H. Butler a S. S., Lima, 9 de enero de 1942, n.° 2559, 823.00/1501; Norweb a S. S., Lima, 10 de marzo de 1942, n.° 3057, 823.00/1515, box 4346, RG 59, USNA; Masterson 1991: 68-69.

81. Julio Marcial Rossi, un exsecretario aprista de propaganda y tránsfuga que se unió al bando de Prado, fue asesinado con su hijo, según la información policial, por apristas: George Butler a S. S., Lima, 6 de abril de 1942, n.° 3290, 823.00/1520, box 4346 y Hoover a Adolf Berle (Assistant Secretary of State), Washington, D. C., 31 de agosto de 1943, 823.00/1567, box 4347, RG 59, USNA.

82. Hoover a Berle, Washington, D. C., 29 de octubre de 1941, 823.00/1479, box 4346, 19 de enero de 1942, 823.114/244, box 4351, RG 59, USNA. Algunos autores son escépticos en lo que toca a la calidad de la recolección de inteligencia por parte de agencias estadounidenses (Oficina de Inteligencia Naval, FBI, Oficina de Servicios Estratégicos) en el Perú durante la guerra, específicamente en lo que se refiere a las actividades económicas japonesas allí. Véase Masterson y Funada-Classen 2004: 117 y 154. La información de inteligencia citada en el presente estudio ha sido corroborada o contrastada en la medida de lo posible con otras fuentes.

83. J. F. McGurk a S. S., Lima, 25 de abril de 1941, n.° 1063, 823.114/220 y 223–25, 248, box 4351, RG 59, USNA.

84. Jefferson Patterson a S. S., Lima, 16 de septiembre de 1942, n.° 4905, 823.114/283; Legación de Estados Unidos a S. S., Berna, 28 de abril de 1942, n.° 2402, 823.114/275, box 4351, RG 59, USNA.

85. El caso de Carlos Mindreau: Julian Greenup a S. S., Lima, 1 y 7 de octubre de 1943, n.° 7994 y 8044, 823.114/312 y 313, box 4351, RG 59, USNA.

86. Hoover a Berle, Washington, D. C., 5 de octubre de 1943, 823.114/314, box 4351, RG 59, USNA. Según la fuente «confidencial y confiable», la investigación fue llevada a cabo por el intendente de policía Rouillon, y solo Ricardo La Fuente, el ministro de Gobierno, fue informado de la profunda corrupción de su personal.

87. Hoover a Berle, Washington, D. C., 5 de septiembre de 1942, 823.00/1581 y Memorando de J. F. Melby a Keith, Bonsal y Duggan, Division of American Republics, Department of State, Washington, D. C., 26 de octubre de 1942, 823.00/1603, box 4347, RG 59, USNA.

88. Hoover a Berle, Washington, D. C., 1 de agosto de 1942, 823.00/334, box 4350 y Patterson a S. S., Lima, 3 de julio de 1942, n.° 4199, 823.00/1350, box 4347, RG 59, USNA.

89. Las publicaciones clandestinas del APRA acusaban consistentemente al régimen de actividades corruptas, como su complicidad en el contrabando de seda japonesa (La Tribuna, 10 de enero de 1941, anexo en Hoover a Berle, Washington, D. C., 10 de febrero de 1941, 823.00/1445), y el enriquecimiento de los Prado mediante «peculados con las subsistencias que ampara el mercado negro». Véase Partido Aprista Peruano 1944, citado en Portocarrero Suárez 1995: 119. La motivación partidaria del APRA reduce la certidumbre sobre la mayoría de estas acusaciones.

90. Melby a Keith, Bonsal y Duggan, Washington, D. C., 26 de octubre de 1942, 823.00/1603, box 4347, RG 59, USNA.

91. Memorando, Melby a Woodward y Bonsal, Washington, D. C., 31 de marzo de 1942, anexo a 823.00/1519, box 4346. Compárese con la evaluación antipradista y pro aprista de Toop a Melby, 13 de enero de 1942, 823.00/1512, box 4346, RG 59, USNA.

92. Norweb a S. S., Lima, 14 de marzo de 1942, n.° 3103, 823.00/1519, box 4346, RG 59, USNA; Masterson 1991: 70 y 73.

93. Patterson a S. S., Lima, 3 de julio de 1942, n.° 4199, 823.00/1350, box 4347, RG 59, USNA.

94. Patterson a S. S., Lima, 14 de mayo de 1942, n.° 3695, 823.00/1535, box 4346, RG 59, USNA.

95. Villanueva y Thorndike 2004: 178.
96. Masterson y Funada-Classen 2004: 162-165, Emmerson 1978: 126-129, Gardiner 1981: 104-105.
97. Hoover a Berle, Washington, D. C., 25 de junio de 1943, 823.00/1650, box 4347, RG 59; ONI, Lima, 2 de octubre y 11 de diciembre de 1942, intelligence cards n.° 27608C-0.15 y 27605-0.15, box 353, RG 226, USNA; Klarén 2000: 283.
98. Carta interceptada (copia fotostática), Fernando de Cossío (Banco Popular) a Javier de Cossío, Lima, 16 de mayo de 1943, 823.012/42, box 4350, RG 59, USNA. Entre los agentes diplomáticos involucrados en este caso se encontraba un tal doctor Balarezo, director de Extranjería y asesor principal del primer ministro.
99. Patterson a S. S., Lima, 22 de enero de 1944, n.° 8858, 823.00/1753, box 4347; Edward G. Trueblood a S. S., Lima, 11 de enero de 1945, n.° 2353, 823.00/1-1145, box 5292, RG 59, USNA, en la que analiza la posición política de *La Tribuna*.
100. Sobre el insurgente Comité Revolucionario de Oficiales del Ejército (CROE), véase Hoover a Frederick B. Lyon (Division of Foreign Activity Correlation, U. S. Department of State), Washington, D. C., 22 de mayo de 1945, 823.00/5-2245, box 5293, RG 59, USNA; Masterson 1991: 76-78.
101. Trueblood a S. S., Lima, 9 de enero de 1945, n.° 2353, 823.00/1-945, 21 de junio de 1945, n.° 3510, 823.00/6-2148, box 5292, RG 59, USNA; Marqués de Aycinea a M. E., Lima, 10 de febrero de 1945, n.° 30, leg. R-1656, exp. 3, AGMAE.
102. Vicecónsul Jack Dwyre a embajador John White, Arequipa, 28 de febrero de 1945, anexo a Trueblood a Milton Wells, Lima, 27 de febrero de 1945, 823.00/2-2745, box 5292, RG 59, USNA.
103. J. C. White a S. S., Lima, 2 de junio de 1945, n.° 3398, 823.00/6-245 y anexo 1, «secret memorandum» de Trueblood, box 5292, RG 59, USNA.
104. Despacho secreto, Lima, 6 de julio de 1945, n.° 3573, 823.00/7-645, box 5292, RG 59, USNA.
105. William D. Pawley a S. S., Lima, 7 de agosto de 1945, n.° 83, 823.00/8-745, box 5292, RG 59, USNA, citando periódicos locales.
106. Basadre 1981: 697, nota 15.
107. Pawley a S. S., Lima, 7 de agosto de 1945, n.° 83, 823.00/8-745, box 5292, RG 59, USNA. La investigación concluyó que el fuego se debió fundamentalmente a la negligencia y el abandono administrativo.
108. Para el caso de la «carpeta apócrifa», consúltese Basadre 1981: 711-712; Basadre y Macera 1974: 114 y Quiroz 2004: 163-165.
109. Trueblood a S. S., Lima, 11 de enero de 1945, n.° 2380, 823.00/1-1145, box 5292, RG 59, USNA.
110. Bustamante y Rivero 1949: 28-29; despacho confidencial, Lima, 17 de agosto de 1945, n.° 124, 823.00/8-1745, box 5293, RG 59, USNA.
111. Bustamante y Rivero 1949: 32-33, 42 y 44-45.
112. Prieto Celi 1979: 119.
113. Portocarrero Maisch 1983: 104-106, donde se cita a Pawley a S. S., Lima, 18 de octubre de 1945, en U. S. Department of State 1969, vol. 9: 1355-1359. Los controles de cambio y de importación fueron iniciados por el gobierno de Prado en enero de 1945 y continuados por el gobierno de Bustamante, bajo influencia tanto pradista como aprista.
114. Pawley a S. S., Lima, 19 de febrero de 1946, n.° 1026, 823.51/2-1946, en U. S. Department of State 1969, vol. 11: 1251-1255; Prentice Cooper a S. S., Lima, 12 de diciembre de 1946, telegrama, 823.51/12-1246, en U. S. Department of State 1969, vol. 11: 1258-1259. Haya le dijo al embajador estadounidense que la falta de préstamos al gobierno de Bustamante contribuiría a lograr un arreglo satisfactorio sobre el impago de la deuda externa peruana (Cooper a S. S., Lima, 11 de noviembre de 1946, telegrama 1165-A, 823.51/11-1146, box 5321, RG 59, USNA).

Véase, también, Manuel Acal a M. A. E., Lima, 11 de febrero de 1946, n.° 25 y Pedro García Conde a M. A. E., Lima, 9 de mayo de 1947, n.° 65, leg. R-1754, exp. 4 y 5, AGMAE.

115. Mayor Jay Reist a Trueblood, Lima, 6 de septiembre de 1946, anexo a Pawley a S. S., Lima, 10 de septiembre de 1945, n.° 241, 823.00/9-1045, box 5292, RG 59, USNA; Bustamante y Rivero 1949: 108.

116. Bustamante y Rivero 1949: 44-45 y 338; Pedro García Conde a M. A. E., Lima, 12 de marzo de 1948, n.° 38, leg. R-2315, exp. 1, AGMAE.

117. «Haya de la Torre and the Apra Party», memorando del agregado militar de Estados Unidos, Lima, 24 de octubre de 1946, anexo a Cooper a S. S., Lima, 6 de noviembre de 1946, n.° 660, 823.00/11-646, box 5292, RG 59, USNA; Dearborn a Wells y Trueblood, office memorandum, Washington, D. C., 11 de diciembre de 1946, box 5292, RG 59, USNA. El portador de estos fondos ilegales fue identificado como Antenor Fernando Soler; el Sindicato Peruano Americano, S. A., el contratista de túneles e irrigación, era administrado por Carrillo Roca.

118. Hoover a Lyon, Washington D. C., 18 de junio de 1946, 823.00/1846, box 5292. En una conversación con un diplomático estadounidense, Haya mencionó la «inversión de capital extranjero en el Perú protegida por el gobierno», en una referencia oblicua al contrato de Sechura. Embajada de Estados Unidos a S. S., Lima, 31 de enero de 1947, n.° 1103, 823.00/1-3147, box 4352. En otra entrevista con el diplomático estadounidense Maurice Broderick, Haya denunció la oposición al contrato de Sechura como una deliberada táctica antiestadounidense y comunista, además de que le hubiera gustado restablecer contacto con los «FBI boys» que habían dejado el Perú. En Cooper a S. S., Lima, 3 de noviembre de 1947, n.° 2124, 823.00/11-347. El personal de asuntos latinoamericanos del Departamento de Estado de Estados Unidos concluyó: «Puesto que el APRA está ahora firmemente a favor de la colaboración con EE. UU., los parlamentarios apristas han promovido el fomento del capital estadounidense, las concesiones petroleras a las compañías estadounidenses (el contrato de Sechura con la International Petroleum), y un sincero esfuerzo por arreglar la deuda externa peruana» (Owen [NWC], a Daniels [ARA], Washington, D. C., 12 de julio de 1948, 823.00/7-1248, box 5293, RG 59, USNA). Véase, también, Bustamante y Rivero 1949: 102-103.

119. Cooper a S. S., Lima, 9 de enero de 1947, n.° 962, 823.00/1-947, 31 de marzo de 1947, n.° 1389, 823.00/3-3147, box 4352 y 16 de junio de 1947, n.° 1701, 823.00/6-1647, box 4352; S. S. a Embajada de Estados Unidos, Washington, D. C., 18 de septiembre de 1947, 823.00/7-2347 (adjuntando declaraciones de un ciudadano japonés hechas en Japón, reconociendo haber dejado un arma máuser al cuidado de López Obeso cuando dejó el Perú en 1942), box 5293, RG 59, USNA; Bustamante y Rivero 1949: 108-112. Los apristas Tello y Héctor Pretell fueron condenados por el crimen y estuvieron presos durante años. Muchas preguntas en torno a este asesinato político clave han quedado sin resolverse por varias décadas (*Caretas*, 9 de enero de 1997, n.° 1447: 42-43 y 89; Prieto Celi 1979: 148-150).

120. Haya transmitió a los diplomáticos de Estados Unidos que el asesinato de Graña era el resultado de tratos ilegales en narcóticos o que fue planeado por Eudocio Ravines. Otros apristas le echaron la culpa a Moisés Mier y Terán, o defendían los crímenes políticos como algo elogiable bajo ciertas condiciones (v. g., artículo de Víctor Graciano Mayta, senador por Junín, en *La Tribuna*, 10 de mayo de 1948). Donnelly a S. S., Lima, 3 de febrero de 1947, n.° 1108, 823.00/2-347, box 4352; Cooper a S. S., Lima, 3 de noviembre de 1947, n.° 2124, 823.00/11-347, box 5293; Lambert a S. S., Lima, 21 de mayo de 1948, n.° 395, 823.00/5-2148, box 5293, RG 59, USNA.

121. Sobre las actividades clandestinas de la CROE, lideradas por el pro aprista mayor Villanueva, y la logia Mariscal La Mar encabezada por el simpatizante de la UR teniente coronel Alfonso Llosa (quien llevara a cabo un fallido levantamiento de la guarnición en Juliaca, Puno, en julio de 1948), véase Hoover a Lyon, Washington, D. C., 1 de noviembre de 1945, 823.00/11-145 y

28 de noviembre de 1945, 823.00/11-2845, box 5293; memorando de Owen (NWCA) a Mills, Woodward y Daniels, Washington, D. C., 11 de agosto de 1948, 823.03/8-1048, box 5321, 28 de octubre de 1948, 823.00/10-248, box 5293, RG 59, USNA. Véase, también, Masterson 1991: 93-94 y 105-106.

122. Pierrot a S. S., Lima, 14 de agosto de 1948, n.º 444, 823.00/8-1448, box 5293, RG 59, USNA.

123. Fernando Castiella a M. A. E., Lima, 19 de octubre de 1948, n.º 158, leg. R-2315, exp. 1, AGMAE.

124. «Weekly political report», Lima, 29 de abril de 1948, n.º 319, 823.00/4-2948, box 5293, RG 59, USNA. Los oficiales apristas eran el comandante Alberto del Castillo y el capitán Alejandro Bastante.

125. Harold Tittman a Departamento de Estado, Lima, 7 de febrero de 1950, n.º 184, 723.00/2-750, 10 de febrero de 1950, 723.00/2-1050, box 3297, RG 59, USNA; *Última Hora*, 3 de febrero de 1950, n.º 19; *El Comercio*, 9 de febrero de 1950, n.º 58221: 5 y 9; *New York Times*, 20 de agosto de 1949, pp. 1 y 26; Bustamante y Rivero 1949: 182. El historiador Paul Gootenberg descarta un supuesto vínculo entre Balarezo y Haya como «fabricaciones» citando la detallada interpretación de Glenn Dorn, así como la intervención pragmática de los más altos funcionarios del Departamento de Estado de Estados Unidos, en defensa de Haya. Véase Gootenberg 2004: 9, 2003: 137-150, esp. 140-141 y Dorn 2003: 1083-1101.

126. Bustamante y Rivero 1949: 178-185; Embajada de Estados Unidos, Lima, 4 de octubre de 1948, n.º 801, 823.00/10-448, box 5293, RG 59, USNA; Castiella a M. A. E., Lima, 19 de octubre de 1948, n.º 158, leg. R-2315, exp. 1; Villanueva 1973; Klarén, 2000: 296-298; Masterson 1991: 111-112 y 117-119.

127. Ralph Ackerman a S. S., Lima, 19 de mayo de 1947, n.º 1595, 823.00/5-1947, box 5293, RG 59, USNA.

128. Tittman a S. S., Lima, 4 de noviembre de 1948, n°. 919, 823.00/11-448; Memorando, Owen a Mills, Washington, D. C., 28 de octubre de 1948, 823.00/10-2848, box 5293, RG 59, USNA; Castiella a M. A. E., Lima, 30 de octubre de 1948, n.º 172, leg. R-2315, exp. 1, AGMAE.

129. Belaunde 1948: 57, anexo al memorando de Pawley a Armour, Washington, D. C., 19 de enero de 1948, 823.00/1-1948, box 5293, RG 59, USNA.

130. Según los informes de prensa, entre quienes le dieron la bienvenida a Odría a su arribo a Lima a poco del golpe en Arequipa figuraban los prominentes apellidos de Beltrán, Gildemeister, Aspíllaga, Pardo, Prado, Miró Quesada, Aramburú, Chopitea y Ochoa (Harold Tittman a S. S., Lima, 17 de noviembre de 1948, n.º 970, 823.00/11-1748 y Tittman a Paul Daniels [ARA], Lima, 31 de marzo de 1949, 823.00/3-3149, box 5294, RG 59, USNA).

131. Memorando de conversación sobre préstamo de estabilización para el Perú, entre Beltrán y los funcionarios del Departamento de Estado de Estados Unidos, Washington, D. C., 11 de julio de 1953, 823.5151/7-1149, box 5321, RG 59, USNA.

132. Collier 1976: 57, Thorp y Bertram 1978: 255-256, Portocarrero Maisch 1983: 188-191.

133. Beltrán, junto con su asociado Eudocio Ravines, hicieron campaña en *La Prensa* y *Última Hora* contra el sistema excluyente del estatuto electoral y a favor de las condiciones democráticas constitucionales para las elecciones de 1950. Véase Castiella a M. A. E., Lima, 21 de abril de 1950, n.º 150, leg. R-2441, exp. 18, AGMAE; Tittman a Departamento de Estado (en adelante, DS), Lima, 16 de enero de 1950, box 3297, RG 59, USNA.

134. El fraude electoral de julio de 1950 fue descrito como «un catálogo de picaresca electoral, por lo demás bastante burdo como para no engañar más que a los previamente dispuestos a aceptar el engaño» (Fernando Castiella a M. A. E., Lima, 14 de julio de 1950, n.º 345 y Ángel Sanz Briz a M. A. E., Lima, 25 de agosto de 1950, n.º 423, leg. R-2441, exp. 18, AGMAE). Entre los parlamentarios que apoyaron a Odría estuvieron Héctor Boza, Claudio Fernández Concha, Antonio Graña Garland, Enrique Miró Quesada y Julio de la Piedra.

135. Castiella a M. A. E., Lima, 12 de mayo de 1950, n.º 176, leg. R-2441, exp. 18, AGMAE.

136. Tittman a S. S., Lima, 11 de noviembre de 1948, n.° 952, 823.00/11-1148, box 5293, RG 59, USNA.

137. Klarén 2000: 300, Masterson 1991: 131.

138. Castiella a M. A. E., Lima, 12 de mayo de 1950, n.° 176 y Ángel Sanz a M. A. E., Lima, 21 de septiembre de 1950, n.° 460, leg. R-2441, exp. 18, AGMAE; A. Ogden Pierrot a Tittman, Lima, 29 de marzo de 1950, 723.00/3950, box 3297, RG 59, USNA.

139. *El Comercio*, 17 de marzo de 1951, recorte en Castiella a M. A. E., Lima, 30 de marzo de 1951, n.° 194, leg. R-2826, exp. 26, AGMAE. Los costos estimados fueron de 1200 millones de soles para la construcción de carreteras y 2000 millones de soles para irrigación. El interés por llevar a cabo estos costosos proyectos data de finales de 1949, cuando ya habían sido considerados «grandiosos» por el asesor financiero Julius Klein. Véase Robert Phillips a DS, Lima, 22 de diciembre de 1949, 823.154/12-2249, box 5301, RG 59, USNA.

140. Quiroz 1993b: 185.

141. Carl Breuer a DS, Lima, 9 de mayo de 1955, n.° 548, 723.00/5-955, box 3010, RG 59, USNA.

142. Robert Phillips a DS, Lima, 22 de diciembre de 1949, n.° 1176, 823.154/12-2249, box 5301; Tittman a Edward Miller, Lima, 1 de mayo de 1950, 723.00/5-150, box 3297, RG 59, USNA.

143. Elliott (Munitions Division) a Barber (Inter-American Affairs, en adelante IAA), Washington, D. C., 16 de noviembre de 1949, 823.248/10-2349, en U. S. Department of State 1975, vol. 2; Olmsted (Departament of Defense) a Martin (Mutual Security Affairs), Washington, D. C., 11 de agosto de 1952, 723.5 MSP/9-1152; memorando de conversación, Roque Saldías (contra-almirante peruano), Berckemeyer, Cabot y McGinnis, Washington, 2 de noviembre de 1953, 823.00/11-253, en U. S. Department of State 1983, vol. 4: 1502-1503. Véase, también, U. S. Department of State 1987, vol. 7: 1029-1055.

144. Mann (IAA) a Krieg (North and West Coast Affairs, NWCA), Washington, D. C., 24 de noviembre de 1950, 723.00/11-2450, en U. S. Department of State 1976, vol. 2: 994-996 (original en box 3297, RG 59, USNA).

145. Memorando de Edgar McGinnis (NWCA), Washington, D. C., 23 de febrero de 1949, 623.3531/2-2849, en U. S. Department of State 1975, vol. 2: 764-766.

146. Memorando de Mills a Miller, Washington, D. C., 20 de diciembre de 1949, 823.00/12-2049, en U. S. Department of State 1975, vol. 2: 773-775.

147. Memorando de conversación entre Fernando Berckemeyer (embajador peruano), Harry J. Anslinger (Commissioner of Narcotics), Carlos Gibson y George Morlock, Washington, D. C., 2 de mayo de 1949, 823.114/5-249, box 5321, RG 59, USNA.

148. Tittman a DS, Lima, 7 de febrero de 1950, n.° 184, 723.00/2-750, 10 de febrero de 1950, n.° 208, 723.00/2-1050. Memorando de conversación entre Berckemeyer y Lobenstein (NWCA), Washington, D. C., 7 de abril de 1950, 723.00/4-750, box 3297, RG 59; «U.S. refutes story in narcotic case», *New York Times*, 25 de agosto de 1949, p. 19.

149. Memorando de Lobenstine a Krieg, Barber y Jamison, Washington, D. C., 13 de abril de 1950, 723.00/4-1350, Lobenstine a Embajada de Estados Unidos en Lima, Washington, D. C., 19 de abril de 1950, 723.00/4-1950, box 3297, RG 59, USNA; *El Comercio*, 9 de febrero de 1950, n.° 58221: 3-4; 23 de agosto de 1949, n.° 57889: 3 y 7; 25 de agosto de 1949, n.° 57893: 3; 25 de diciembre de 1949, n.° 58131: 5.

150. Atwood (South American Affairs) a Holland (IAA), Washington, D. C., 13 de mayo de 1954, 723.00/5-1354, en U. S. Department of State 1983, vol. 4: 1514-1516.

151. Breuer a DS, Lima, 9 de mayo de 1955, n.° 548, 723.00/5-955, box 3010, RG 59, USNA.

152. Sandy Pringle a Robert Dorr, Lima, 17 de junio de 1952, 723.521/6-1752; Dorr a Bennet, Washington, D. C., 11 de julio de 1952, 723.521/7-1152, box 3303, RG 59, USNA. El FBI también había transmitido al Departamento de Estado otra queja de una mujer que acusaba a Ipinza de perseguir a su hija de 15 años de edad. No obstante estas transgresiones legales, a Ipinza se le otorgó otra visa oficial en diciembre de 1952.

153. Robert Sayre a DS, Lima, 7 de marzo de 1958, n.° 662, 723.00/3-758, box 3011, RG 59, USNA. Los que complotaban con Ipinza incluían al senador Wilson Sologuren y sus hermanos Wilfredo y Alberto Sologuren, un excapitán de la Fuerza Aérea del Perú y el gerente de la fábrica de armas Los Andes, respectivamente. Dos contratos oficiales en el periodo 1951-1955 se tradujeron en el pago del gobierno a la fábrica por 5,4 millones de soles o 350.000 dólares por la fabricación de metralletas, que fueron rechazadas por defectos técnicos. Otros conspiradores eran el exdiputado Clemente Revilla, el teniente coronel Alejandro Izaguirre, el comandante de la Fuerza Aérea peruana Julio César Cornejo y el capitán Atilio Copelo Fernández.

154. Resumen mensual, 25 de enero de 1954, 723.00/1-2554, box 3299, RG 59, USNA.

155. Tittman a W. Tapley Bennet (OSA), Lima, 13 de agosto de 1954, 723.00/8-1354, box 3299, RG 59, USNA. Sobre el golpe de Noriega, véase Masterson 1991: 144-145.

156. Agregado de Estados Unidos (Department of the Air Force) a DS (Peruvian desk officer), Lima, 16 de diciembre de 1954, 723.00 (W)/12-1654, box 3300, RG 59, USNA.

157. Breuer a DS, Lima, 15 de julio de 1955, n.° 30, 723.00/7-1555, box 3010, RG 59, USNA.

158. Antonio Grullón a M. A. E., Lima, 26 de diciembre de 1955, n.° 1681, leg. R-3814, exp. 11, AGMAE.

159. Bustamante y Rivero 1955: 3, en leg. R-3814, exp. 11, AGMAE.

160. Bustamante y Rivero 1955: 3-8.

161. Memorando, Sircusa a Holland, Washington, D. C., 15 de junio de 1956, 723.00/6-1556, RG 59, USNA; Miró Quesada 1959: 203-205; Klarén 2000: 307.

162. Timberlake a S. S., Lima, 10 de junio de 1956, telegrama n.° 737, 723.00/6-956, RG 59, USNA.

163. Moción presentada por los senadores Raúl Porras Barrenechea, Alejandro Barco López y Miguel Monteza, 14 de agosto de 1956, en Perú, Senado 1956, vol. 2: 189.

164. Perú, Cámara de Diputados 1956, 5.ª sesión, 20 de agosto de 1956, vol. 1: 293-294; *El Comercio*, 21 de agosto de 1956, n.° 62: 2, 4 y 6; *La Prensa*, 21 de agosto de 1956; Antonio Gullón a M. A. E., Lima, 21 de agosto de 1956, n.° 1100, leg. R-4454, exp. 8, AGMAE; e informe confidencial del agregado de la Fuerza Aérea de los Estados Unidos, Lima, septiembre de 1956, informe semanal n.° 36, 723.00 (W)/9-756, box 3012, RG 59, USNA.

165. Perú, Senado 1956, sesión del 11 de septiembre de 1956, vol. 2: 189-191 y 199-209; *El Comercio*, 12 de septiembre de 1956, n.° 62.918: 4.

166. Perú, Senado 1956, sesión del 11 de septiembre de 1956, vol. 2: 191-199.

167. Intervención del senador Barco López en Perú, Senado 1956, 26.ª sesión, 20 de septiembre de 1956, vol. 2: 243-244. Información detallada proporcionada por el diputado Héctor Cornejo Chávez sobre los depósitos de Odría en bancos extranjeros, en Perú, Cámara de Diputados 1956, 22.ª sesión, 13 de septiembre de 1956, vol. 1: 520.

168. Perú, Senado 1956, sesión del 11 de septiembre de 1956, vol. 2: 210-221 y 224-235.

169. *El Comercio*, 21 de septiembre de 1956, n.° 62934: 4 y 9.

170. Agregado de la Fuerza Aérea de los Estados Unidos, Lima, septiembre de 1956, informe semanal n.° 37, 723.00 (W)/9-1456, box 3012, RG 59, USNA.

171. Perú, Cámara de Diputados 1956, 5.ª sesión, 20 de agosto de 1956, vol. 1: 293-294.

172. A continuación sigue una muestra de las empresas y actividades involucradas en las acusaciones de corrupción y los pedidos de investigación de las irregularidades administrativas cometidas durante el régimen de Odría en el Congreso de 1956: distribución de tierras en el proyecto de irrigación del río Quiroz; corporaciones del Santa, Vapores y Vivienda; irrigación La Esperanza; Empresa Petrolera Fiscal; préstamos extranjeros; contratos del Ministerio de Guerra y represa de la laguna de Choclococha (Montgomery Co.) (*El Comercio*, 18 de agosto de 1956, n.° 62867: 4; 1 de septiembre de 1956, n.° 62894: 4; 13 de septiembre de 1956, n.° 62918: 15; 12 de octubre de 1956, n.° 62975: 4; 1 de noviembre de 1956, n.° 63015: 20; 20 de noviembre de 1956, n.° 63058: 4).

173. Perú, Cámara de Diputados 1956, 22.ª sesión, 13 de septiembre de 1956, vol. 1: 516-523.

174. Perú, Cámara de Diputados 1956, 3.ª sesión de la 2.ª legislatura extraordinaria, 27 de diciembre de 1956, vol. 1: 89; «Debate sobre nombramiento de una comisión», *El Comercio*, 28 de diciembre de 1956, n.° 63131: 4 y 9.

175. «Nuevo y acre debate sobre las casas de Odría», *La Prensa*, 15 de septiembre de 1956; Gullón a M. A. E., Lima, 15 de septiembre de 1956, n.° 1240, leg. R-4454, exp. 8, AGMAE. Del mismo modo, el agregado de la Fuerza Aérea de los Estados Unidos opinó que «la mitad del periodo legislativo ha transcurrido y se ha gastado tanto tiempo en discutir qué se debe hacer con respecto al gobierno anterior, que el avance [de las tareas legislativas] ha quedado seriamente estorbado» (Lima, septiembre de 1956, informe semanal n.° 39, 723.00(W)/9-2856, box 3012, RG 59, USNA).

176. «Cartas del diputado doctor Héctor Cornejo Chávez», *El Comercio*, 12 de enero de 1957, n.° 63161: 5 y 6.

177. Agregado de la Fuerza Aérea de los Estados Unidos, Lima, septiembre de 1956, informe semanal n.° 38, 723.00(W)/9-2056, box 3012, RG 59, USNA.

178. Perú, Cámara de Diputados 1956, 8.ª sesión de la 1.ª legislatura extraordinaria, 11 de diciembre de 1956, vol. 1: 390-391.

179. *El Comercio*, 28 de diciembre de 1956, n.° 63131: 4 y 9.

180. El diputado aprista Carlos Malpica criticó la posición de los miembros de su propio partido y se puso de lado del pedido de Cornejo Chávez para investigar los «peculados» del régimen anterior. Este fue el inicio de su larga carrera como político de izquierda dedicado a causas de anticorrupción (Perú, Cámara de Diputados 1956, 3.ª sesión de la 2.ª legislatura extraordinaria, 27 de diciembre de 1956, vol. 1: 130).

181. *El Comercio*, 8 de enero de 1957, n.° 63152: 4 y 9.

182. «Denúnciase malos manejos en licitaciones del ramo de guerra entre 1950 y 1955», *El Comercio*, 16 de noviembre de 1958, pp. 4 y 9.

183. Basadre 1960, 1971, vol. 1: 29, nota 2; Basadre y Macera 1974: 114 y 124; Quiroz 2004: 165.

184. «Movieron influencias en el caso RIMSA», *La Prensa*, 22 de enero de 1959; Gullón a M. A. E., Lima, 22 de enero de 1959, n.° 43, leg. R-5530, exp. 29, AGMAE.

185. Robert Sayre a DS, Lima, 22 de enero de 1959, n.° 698, 723.00/1-2259, box 3011, RG 59, USNA.

186. Sayre a DS, Lima, 20 de junio de 1958, n.° 960, 723.00(w)/6-1058, box 3013, RG 59, USNA. Véase, también, el memorando de Basadre en *Presente: Revista Semanal Peruana*, 21 de junio de 1958, n.°: 7-9.

187. Embajador Theodore Achilles a DS, Lima, 21 de mayo de 1958, n.° 889, 723.00/5-2158; 23 de mayo de 1958, n.° 883, 723.00/5-2358; telegrama a S. S., Lima, 27 de mayo de 1958, n.° 1067, 723.00/5-2758, box 3011, RG 59, USNA.

188. Sayre a DS, Lima, 7 de marzo de 1958, n.° 662, 723.00/3-758, box 3011 y 11 de marzo de 1958, n.° 675, 723.00 (W)/3-1158, box 3012, RG 59, USNA.

189. Ramírez Gastón 1969: 114-115.

190. Sayre a DS, Lima, 10 de junio de 1958, n.° 960, 723.00 (W)/6-1058, box 3013, RG 59, USNA.

191. *El Comercio*, 5 de septiembre de 1958, n.° 64.263: 4 y 12, 6 de septiembre de 1958, n.° 64.265: 2; Sayre a DS, Lima, 3 de septiembre de 1958, n.° 206, 723.00/9-358, box 3011, RG 59, USNA.

192. Sayre a DS, Lima, 22 de enero de 1959, n.° 698, 723.00/1-2259, box 3011, RG 59, USNA; Gullón a M. A. E., Lima, 22 de enero de 1959, n.° 43, leg. R-5530, exp. 20, AGMAE; *La Prensa*, 22 de enero de 1959; *El Comercio*, 27 de enero de 1959, n.° 64525: 3 y 10; 28 de enero de 1959, n.° 64527: 3 y 5, 4 de febrero de 1959, n.° 64540: 4 y 12. Véase, también, los recuerdos del propietario del diario *El Pueblo* (Callao), en León Velarde 2000: 83.

193. Sayre a DS, Lima, 22 de enero de 1959, n.° 6958, 723.00/1-2259, p. 2, box 3011, RG 59, USNA.

194. Achilles a DS, Lima, 5 de junio de 1958, n.° 950, 273.00/6-558, box 3011, USNA.

195. Los inexpertos duelistas solamente recibieron heridas superficiales. El embajador español consideraba que el duelo era algo anticuado y ajeno a las cuestiones importantes, en tanto que el agregado de Estados Unidos encontraba que era algo contradictorio con los principios democráticos y tal vez un pasivo para la carrera política de Belaunde (Gullón a M. A. E., Lima, 16 de enero de 1957, n.° 76; 18 de enero de 1957, leg. R-4353, exp. 19, AGMAE; agregado de la Fuerza Aérea de los Estados Unidos, Lima, enero de 1957, informes semanales n.° 3 y 4, 723.00(W)/1-1757 y /1-2457, box 3012, RG 59, USNA).

196. Achilles a S. S., Lima, 27 de mayo de 1958, telegrama n.° 1067; despacho n.° 910, 723.00/5-2758, box 3011, RG 59, USNA.

197. La Prensa: 7 Días del Perú y el Mundo, 5 de octubre de 1958, vol. 1: 3-4, 10; Gullón a M. A. E., Lima, 6 de octubre de 1958, n.° 868, R-5030, exp. 25, AGMAE.

198. Henry Dearborn a DS, Lima, 7 de agosto de 1957, n.° 120, 723.00/8-757, box 3011, RG 59, USNA.

199. «Texto de la exposición del premier: tierra para los que la trabajan y techo para los que lo necesitan», Revista: La Prensa, 26 de abril de 1961.

200. Alfonso Marqués de Merry del Val a M. A. E., Lima, 27 de abril de 1961, n.° 204, leg. R-6518, exp. 14.

201. El Comercio, 2 de junio de 1957, n.° 63429: 3; 3 de junio de 1957, n.° 63430: 3; 7 de junio de 1957, n.° 63438-9: 5 y 1; 13 de junio de 1957, n.° 63449: 5.

202. El Comercio, 16 de mayo de 1961, n.° 66053: 4 y 18; 20 de septiembre de 1961, n.° 66285: 4; 22 de septiembre de 1961, n.° 66289: 2; 14 de enero de 1962, n.° 66494: 2. Serie de artículos bajo el título «Cuentas y cuentos de la convivencia».

203. El Comercio, 23 de mayo de 1961, n.° 65956: 1; 24 de mayo de 1961, n.° 65958: 1.

204. El Comercio, 8 de noviembre de 1960, n.° 65706: 1 y 6; 12 de noviembre de 1960, n.° 65714: 1.

205. El Comercio, 31 de mayo de 1962.

206. Pinelo 1973: 83-84; Perú, Cámara de Senadores 1965, vol. 1: 157-220, 1.ª legislatura extraordinaria de 1960, 6.ª sesión extraordinaria, 4 de enero de 1961; Román Oyarzun a M. A. E., La Habana, 25 de febrero de 1969, leg. R-10,671, exp. 12, AGMAE. Para un desmentido de los cargos formales contra los políticos y simpatizantes de izquierda que supuestamente recibieron pagos «revolucionarios» a cambio de ejercer influencia política sobre instituciones peruanas —una larga lista de políticos y agentes izquierdistas, cotejada con las tres fuentes antedichas, que incluía a Alberto Ruiz Eldredge, Benito Montesinos, Héctor Béjar; los periodistas Francisco Igartua, Ismael Frías, Francisco Moncloa y los diputados Alfonso Benavides Correa, Carlos Malpica, Efraín Ruiz Caro y Germán Tito Gutiérrez, entre muchos otros más—, véase Fernández Salvatecci 1994: 105.

207. Embajada de Estados Unidos a S. S., Lima, 8 de mayo de 1962, telegrama n.° 858, 723.00/5-862, box 1554, RG 59, USNA.

208. C. E. Bartch a DS, Lima, 18 de julio de 1960, n.° 24, 723.00/7-1860, box 1553, RG 59, USNA; Marqués de Merry a M. A. E., Lima, 1 de agosto de 1962, leg. R-6750, exp. 14, AGMAE.

209. Bartch a DS, Lima, 7 de junio de 1962, n.° 721, 723.00/6-762, box 1554, RG 59, USNA.

210. Payne 1968: 41-45; Marqués de Merry a M. A. E, Lima, 6 de junio de 1962; 9 de julio de 1962, n.° 418, leg. R-6750, exp. 14, AGMAE; García Belaunde 1963: 13-15; Obelson 1962: 10 y 24-25; Martín 1963.

211. Biens et ressortissants péruviens en France, 9 de noviembre de 1962, n.° 26, Série B «Amérique», 1952-1963, Pérou, AMAE.

Capítulo 6

1. «Héctor Vargas Haya, ex parlamentario», entrevistado por José Gabriel Chueca, Perú 21, 19 de enero de 2006, n.° 1248: 16-17: la cita encabeza el artículo pero, en el texto mismo,

Vargas Haya enuncia lo siguiente: «El hombre honrado, en el Perú, es un leproso». Véase, también, Vargas Haya, 2001: 17-21.

2. Pinelo 1973: 74-77 y 95; Masterson 1991: 189 y 192; Bartch a D. S., Lima, 25 de julio de 1963, n.° A-464, box 4012, RG 59, USNA.

3. Jones a D. S., Lima, 22 de junio de 1963, n.° A-954, box 4014, RG 59, USNA.

4. Bartch a D. S., Lima, 3 de julio de 1963, n.° A-6, box 4013, RG 59, USNA.

5. Entrevista de John Hightower (Associated Press) en Cutter a D. S., Lima, 18 de noviembre de 1963, n.° A-392, box 4014, RG 59, USNA.

6. James Haahr a D. S., Lima, 16 de noviembre de 1963, n.° A-384, box 4012, RG 59, USNA.

7. Siracusa a D. S., Lima, 9 de noviembre de 1963, n.° A-367, box 4012, RG 59, USNA. Véase, también, Masterson 1991: 196-198 y 206.

8. Klarén 2000: 327; Masterson 1991: 207-209; Marqués de Merry a M. A. E., Lima, 10 y 20 de agosto, 7 y 21 de octubre de 1963, n.° 516, 533, 618 y 674, leg. R-7254, exp. 2, AGMAE.

9. Cutter a D. S., Lima, 29 de septiembre de 1963, n.° A-258, box 4013, RG 59, USNA; Ángel Sanz Briz a M. A. E., Lima, 8 de mayo de 1965, n.° 716, leg. R-7834, exp. 4, AGMAE.

10. Sanz a M. A. E., Lima, 6 de octubre de 1964, n.° 819, leg. R-7509, exp. 12, AGMAE; Masterson 1991: 205, 215 y 221; memorando de conversación en la Casa Blanca, 8 de noviembre de 1967, presidente Lyndon Johnson, secretario asistente Covey Oliver, William Bowdler y embajador J. Wesley Jones, n.° 19701, box 2423, RG 59, USNA. Véase, también, Le Roy 2002: 269-300.

11. T. G. Belcher a Embajada de Lima, Washington, D. C., 18 de noviembre de 1963, telegrama n.° 391, box 4014; Jones a D. S., Lima, 1 de febrero de 1967, n.° A-431, box 2419, RG 59, USNA.

12. E. V. Siracusa a D. S., Lima, 28 de mayo de 1967, n.° 686, box 2420, RG 59, USNA.

13. Hopkins 1967: 1-2, 107 y 116-119.

14. Jones a S. S., Lima, 13 de marzo de 1968, n.° A-514, box 2421, RG 59, USNA; Goodsell 1974: 99.

15. Comunicación personal de Vargas Haya, San Miguel, Lima, 7 de mayo de 2003.

16. Jones a S. S., Lima, 13 de marzo de 1968, n.° A-514, box 2421, RG 59, USNA.

17. Kuczynski 1977, Thorp y Bertram 1988: 289-290, Klarén 2000: 332-333.

18. Jones a D. S., Lima, 28 de febrero de 1968, n.° A-471, box 2423, RG 59, USNA.

19. Las quejas contra el contrabando y las investigaciones privadas de este asunto por parte de industriales textiles —encabezados por Manuel Cillóniz, presidente del comité textil de la Sociedad Nacional de Industrias (SNI), y Gonzalo Raffo, presidente de la SNI— figuran en Vargas Haya 1976: 165 y Siracusa a S. S., Lima, 15 de mayo de 1968, n.° 638, box 2420, RG 59, USNA.

20. La comisión se formó a comienzos de marzo de 1968 y estaba conformada por su presidente Vargas Haya y por Rafael Cubas Vinatea (PDC), Ramón Ponce de León (APRA), Jaime Serruto Flores (AP), Oscar Guzmán Marquina (UNO), Hugo Carrillo (UNO) y Mario Villarán (izquierda independiente). Una lista de las acusaciones y quejas en «Denuncias», expediente 4, exp. GR-08, Cámara de Diputados: Comisión Investigadora del Contrabando de 1968 (en adelante, CIC), Fondo Histórico del Archivo General del Congreso del Perú (en adelante, AGCP).

21. «Intervenciones Dr. Cornejo Chávez», sesión del Senado, 8 de marzo de 1968, Oficio n.° 020-967, expediente n.° 39, exp. PD-8, CIC, AGCP.

22. Vargas Haya 1976: 211-230; Jones a S. S., Lima, 11 y 13 de marzo de 1968, n.° 3932 y A-514, box 2421, RG 59, USNA; «80 bultos Guardia Republicana» y «Bazar de la Guardia Republicana», expedientes n.° 2 y 2-A, exp. GR-9, CIC, AGCP; García Rada 1978: 272-273.

23. Jones a S. S., Lima, 5 de mayo de 1968, n.° 4922, box 2421. Véase, también, Jones a S. S., Lima, 11 de marzo de 1968, n.° 3932 y 3991, box 2421, RG 59, USNA.

24. García Rada 1978: 271-272.

25. Jones a S. S., Lima, 16 de marzo de 1968, n.° 4039, box 2421, RG 59, USNA.

26. «Preguntas efectuadas al Dr. Hernán Zapata», Lima, 22 de marzo de 1968, expediente n.° 33, exp. PD-8, CIC, AGCP.

27. «Manifestación del Sr. Víctor Guillén Acosta», Lima, 7 de abril de 1968, expediente no numerado, exp. GR-08, CIC, AGCP.

28. Jones a S. S., Lima, 20 de marzo de 1968, n.° 4091, box 2421, RG 59, USNA.

29. «Atestado policial n.° 12 DIE: por delitos de defraudación de rentas de aduana, corrupción de funcionarios y contra la fe pública cometidos por los empleados [...] y los comerciantes», Lima, 31 de marzo de 1968, expediente n.° 14 (Documentos sobre Aduana Postal), ff. 313-317, leg. PD-04, CIC, AGCP.

30. «Resolución suprema n.° 75-HC/DA» firmada por Belaunde y Morales Bermúdez, Lima, 26 de abril de 1968, Oficio n.° 974-P, expediente «leyes», exp. PD-04, CIC, AGCP.

31. Jones a S. S., Lima, 18 de marzo de 1968, n.° 4072, box 2421, RG 59, USNA; Vargas Haya 1976: 140.

32. Jones a S. S., Lima, 25 de marzo de 1968, n.° 4163, box 2421, RG 59, USNA; Vargas Haya 1976: 137-143.

33. Vargas Haya 1976: 67-70.

34. Una selección de estas cartas fue publicada en Vargas Haya 1976: 76-100. Véase, también, Baella Tuesta 1977: 57-58.

35. Vargas Haya 1976: 71-72.

36. General Alejandro Sánchez Salazar, inspector general del ejército, al general Juan Velasco Alvarado, comandante general del ejército, Lima, 11 de abril de 1968, informe n.° 003-KI, en expediente 37 («Informe de los ministerios [en] relación Trajtman»), exp. PD-08, CIC, AGCP.

37. «Relación y estado de los procesos penales por delitos de contrabando, defraudación de rentas de aduana y peculado» firmado por Ricardo Tirado, Procurador General de la República de Asuntos Especiales y Penales, Lima, 11 de julio de 1968, expediente n.° 30, exp. PD-8, CIC, AGCP. Véanse, también, las cartas en Vargas Haya 1976: 77-78, 81-84, 90 y 98-99.

38. Siracusa a D. S., Lima, 15 de mayo de 1968, n.° A-638, box 2420, RG 59, USNA.

39. Vargas Haya 1976: 159-162.

40. Jones a S. S., Lima, 1 de abril de 1968, n.° 4296, box 2421, RG 59, USNA.

41. Sobre la base de las cuentas nacionales elaboradas por el Banco Central de Reserva, y cuadros 12, 14 y 18, en Kuczynski 1980: 102, 112 y 232-234, nota 25. Este autor enfatiza el daño político causado por el escándalo de contrabando, pero desestima su supuesta magnitud e impacto económico. Se cita, más bien, un cálculo estimado que sugiere que el costo del contrabando entre los años 1963 y 1967 fue insignificante.

42. Jones a S. S., Lima, 10 de abril de 1968, n.° 4356, box 2421, RG 59, USNA.

43. Jones a S. S., Lima, 17 y 18 de abril de 1968, n.° 4562 y 4579, box 2421, RG 59, USNA.

44. Jones a S. S., Lima, 23 de abril de 1968, n.° 4674, box 2422, RG 59, USNA; Vargas Haya 1976: 145-149.

45. Jones a S. S., Lima, 29 de abril de 1968, n.° 4773, box 2421, RG 59, USNA; Tuesta, Baella 1977: 58.

46. Siracusa a S. S., Lima, 17 de mayo de 1968, n.° 5108, box 2421, RG 59, USNA.

47. Siracusa a S. S., Lima, 22 y 23 de mayo de 1968, n.° 5200 y 5201, box 2421, RG 59, USNA.

48. Kuczynski 1980: 293, Masterson 1991: 223.

49. «Asunto golpe de Estado en el Perú», nota informativa a M. A. E., 3 de octubre de 1968, n.° 54, leg. R-10,671, exp. 11, AGMAE: «El escándalo ocasionado hace algunos meses por el descubrimiento de una amplísima defraudación al Fisco por contrabando dejó a la vista la corrupción imperante en altas esferas gubernamentales y militares. El gobierno, en definitiva, echó tierra al asunto, sin que nadie se considere satisfecho por la detención de algunas altas personalidades, incluso algunas de la intimidad del Presidente, cuyo prestigio sufrió, aunque su integridad personal quedara a salvo».

50. Pinelo 1973: 139-144, Kuczynski 1980: 286-293, García Rada 1978: 309-310.

51. Manuel Alabart a M. A. E., Lima, 8 de octubre de 1968, n.° 1044, leg. R-10,671, exp. 11, AGMAE: «La devaluación del sol primero, el escándalo del contrabando luego, las dificultades

económicas, finalmente las irregularidades y ligerezas cometidas con ocasión del contrato del petróleo con la I.P.C., habían acorralado prácticamente al Presidente».

52. Gall 1971: 281-220, esp. 309; Baella Tuesta 1977: 57.

53. Vargas Haya 1976: 25-34, 1980: 71-80, 2005: 300-308; Baella Tuesta 1977: 55-61.

54. Discurso de Velasco en la academia de la Fuerza Aérea del Perú, impreso en *El Peruano*, 29 de noviembre de 1968, mencionado en Jones a S. S., Lima, 29 de noviembre de 1968, n.° 8666, box 2418, RG 59, USNA. En una conversación entre un funcionario de la embajada de Estados Unidos y Enrique León Velarde, cercano asesor y amigo del general Velasco, Velarde citó las siguientes como las razones principales del golpe: el mal manejo económico y financiero; la decadencia moral; el arreglo insatisfactorio y escandaloso con la IPC; la desintegración de los partidos, que abrió el camino para la victoria del APRA; el temor a una eventual toma del poder por parte del comunismo y reformas estructurales que podría tomar diez años implementar (Jones a S. S., Lima, 9 de octubre de 1968, n.° 7811, box 2423, RG 59, USNA). Véase, también, el informe sobre la reunión de Velasco con el embajador estadounidense: Jones a S. S., Lima, 6 de noviembre de 1968, n.° 8336, box 2421, RG 59, USNA.

55. Pásara 1980, vol. 12: 325-433; Pease 1977; Kruijt 1994.

56. Vargas Haya 1976: 153-157, 1980: 57-58.

57. Véase Vargas Haya 1980: 26, 2005: 289; así como Philip 1978: 88-91.

58. Discurso de Velasco, *El Peruano*, 29 de noviembre de 1968.

59. Los exministros arrestados y procesados por el escándalo de la IPC incluyeron a Carriquiry, Hercelles, Ulloa, Arias Stella, Calmell y Hoyos Osores (Jones a S. S., Lima, 8 de octubre de 1968, n.° 7765, box 2421; y 21 de octubre de 1968, n.° 8040, box 2422, RG 59, USNA). Otros exministros y funcionarios que enfrentaban otros cargos fueron Carlos Velarde, Sandro Mariátegui, Fernando Schwalb, Enrique Tola, Octavio Mongrut, José Navarro Grau, Luis Vier, Augusto Semsch Terry, Pedro Pablo Kuczynski y Carlos Rodríguez Pastor.

60. Reunión de Velasco y el embajador español Manuel Alabart, Alabart a M. A. E., Lima, 22 de octubre de 1968, n.° 1085, leg. R-10,671, exp. 11, AGMAE.

61. Jones a S. S., Lima, 21 de octubre de 1968, n.° 8048, box 2421 y 24 de octubre de 1968, n.° 8108, box 2422, RG 59, USNA.

62. Jones a S. S., Lima, 20 de marzo de 1969, n.° 1988, 10 de abril de 1969, n.° 2550 y 1 de mayo de 1969, n.° 3127, box 2422, RG 59, USNA.

63. Philip 1978: 84-85 y 91-92; Gall 1971: 309; Vargas Haya 1980: 107-108; Jones a S. S., Lima, 4 noviembre de 1968, n.° 8259, box 2421.

64. Jones a S. S., Lima, 21 de octubre de 1968, n.° 8048, box 2421; 3 de marzo de 1969, n.° 1356, 1357, 1358, 1359, 1360 y 1362, box 2419, RG 59, USNA; Pinelo 1973: 95; Vargas Haya 1980: 120-121.

65. Ramón Oyarzun (encargado de negocios, Embajada de España en La Habana) a M. A. E., La Habana, 25 de febrero de 1969, leg. R-10,671, exp. 12, AGMAE: «[A]djunto remito a V. E. una relación de ciudadanos peruanos a quienes el gobierno de Cuba pudiera haber subvencionado en años pasados [desde 1961], para llevar a cabo en su país campañas políticas y actividades subversivas». Véase, también, Pinelo 1973: 83-84 y 94, donde se cita correspondencia del embajador cubano Luis Ricardo Alonso Fernández, asaltada por cubanos anticastristas en Lima, y entregada a las autoridades peruanas; y Perú, Cámara de Senadores, *Diario de los Debates*, sesión del 4 de enero de 1961.

66. Andrew y Mitrokhin 2005: 62-63, donde se citan los documentos K-22, 42, 21, 188 y 233 del Archivo Mitrokhin. Aunque el nombre del asesor principal reclutado aparece en las notas de Mitrokhin (documentos clasificados en manos del Servicio de Inteligencia Secreto o MI6), ningún nombre específico es referido en esta publicación reveladora debido a las limitaciones impuestas por la clasificación secreta, negociadas por un «grupo de trabajo interdepartamental» de Whitehall (las oficinas del gobierno del Reino Unido).

67. Jones a S. S., Lima, 3 de marzo de 1969, n.° 1362, box 2419; Belcher a D. S., Lima, 7 de noviembre de 1969, n.° A-405, box 2421, RG 59, USNA; Vargas Haya 1980: 335-336; Baella Tuesta 1977: 257-259 y 261-263.

68. Dean a S. S., Lima, 7 de abril de 1977, n.° 2813, copia desclasificada del Departamento de Estado de Estados Unidos (USDS) en Peru Documentation Project (PDP), box 1, expediente viaje de Montesinos a D. C., National Security Archive, Gellman Library, George Washington University (en adelante, NSA); Fernández Salvatecci 1978: 193-196; Bowen y Holligan 2003: 56-58.

69. Philip 1978: 86-87, Vargas Haya 1980: 49-50.

70. Nombre dado a las celebridades del entorno de Velasco, que tomaban parte en reuniones que a menudo se extendían más allá del almuerzo hasta altas horas de la noche, derivado de «almuerzo, te y comida» (al-te-co). Con respecto al lazo que unía a los participantes en este festivo hábito, un diplomático estadounidense escribió: «Como el presidente Velasco goza de fiestas suntuosas y relajarse hasta temprano en la madrugada con joviales compañeros de bebida, la relación social entre Velasco y [Miguel Ángel] Testino es estrecha» (Jones a S. S., Lima, 3 de marzo de 1969, n.° 1364, box 2419, RG 59, USNA).

71. E. W. Clark a D. S., Lima, 17 de diciembre de 1969, n.° A-466, box 2423, RG 59, USNA.

72. León Velarde 2000: 68, 182, 193, 200-202 y 211. En Jones a S. S., Lima, 9 de octubre de 1968, n.° 7811, box 2423, y 3 de marzo de 1969, n.° 1363, box 2419, RG 59, USNA, se describe a León Velarde de 38 años de edad, director del Jockey Club y alcalde del distrito popular de San Martín de Porras, como un «libertino, ágil e interesante», que mostraba una franqueza inusual, y como un «despiadado y ambicioso oportunista político [...] crudamente atractivo en lo personal y, no obstante su amoralidad, cuenta con muchos amigos. Su interés por los pobres parecería estar basado fundamentalmente en su deseo de contar con una base de poder político».

73. Philip 1978: 152; Vargas Haya 1980: 358, 2005: 295.

74. Con respecto a la cuestión de la insuficiente participación política en el seno de la dictadura militar radical, el faccionalismo entre sus partidarios (quienes al ocupar cargos optaban, en condiciones de incertidumbre, por el enriquecimiento personal) y la apatía y el oportunismo empresariales en el proceso, véase Philip 1978: 167; Gall 1971: 311-312; Cleaves y Scurrah 1980: 44 y 49; Sorj 1983: 72-93, esp. 87-89 y Ferner 1983: 40-71, esp. 66.

75. Vargas Haya 1980: 260-262 y 267-271.

76. Jones a S. S., Lima, 3 de abril de 1969, n.° 2377, box 2421; Hughes (Director de Inteligencia) a S. S., Washington, D. C., 11 de agosto de 1969, RAR-3, box 2421, RG 59, USNA; Preeg 1981: 9.

77. Jones a S. S., Lima, 6 de mayo de 1969, n.° 3231, box 2418, RG 59, USNA.

78. Belcher a S. S., Lima, 24 de diciembre de 1969, n.° 8073, box 2422; F. V. Ortiz a D. S., Lima, 31 de diciembre de 1969, n.° A-481, box 2421, RG 59, USNA; García Rada 1978: 250, 259-262 y 323-340; Pásara 1982: 27; y prólogo de Alfonso Baella Tuesta a Gonzalo Ortiz de Zevallos, en Ortiz de Zevallos 1978: XXIX.

79. Malpica 1976: 7 y 34-36; Vargas Haya 1980: 274-78; Jones a D. S., Lima, 17 de enero de 1969, n.° A-24, box 2419, RG 59, USNA; Sorj 1983: 87.

80. Vargas Haya 1980: 178-189; Philip 1978: 132-133; Rénique 2004: 171; Havens, Lastarria-Cornhiel y Otero 1983: 14-39, esp. 34; Burenius 2001.

81. Schydlowsky y Wicht 1979: 8 y 51; Salazar Larraín 1977: 21 y 174; Ferrand Inurritegui y Salazar Larraín 1980: 39; Saulniers 1988: 169 y 196-197.

82. Ortiz de Zevallos 1978: 53 y 79.

83. El caso de Enrique Zileri y Caretas: Jones a S. S., 26 de mayo y 19 de junio de 1969, n.° 3842 y 4541, box 2423, RG 59, USNA.

84. Masterson 1991: 265-266. Véase, también, Philip 1978: 152.

85. Philip 1978: 266, Vargas Haya 1980: 259-261, Velarde y Rodríguez 1989: 165-167.

86. Vargas Haya 1980: 92-94; Belcher a D. S., Lima, 14 de agosto de 1972, n.° A-295, box 2542, RG 59, USNA.

87. Philip 1978: 140, donde se cita artículos de *Oiga* y *Nueva Crónica*; Vargas Haya 1980: 179 y 337; Cleaves y Scurrah 1980: 191 y 210-216, donde se cita *Nueva Crónica* (17 de octubre de 1974), *El Comercio* (19 de octubre de 1974) y *El Peruano* (14-15 de noviembre de 1971).

88. Philip 1978: 152-153; Baella Tuesta 1978: 25-29.

89. Vargas Haya 1980: 336-337; León Velarde 2000: 213, 221 y 237.

90. Preeg 1981: 2, 20-21 y 26; Schydlowsky 1986: 217-242, esp. 226, 228-229.

91. Rudolph 1992: 78-79, Vargas Haya 2001: 117-120, Preeg 1981: 28.

92. Gorriti 1999: 40 y 265, nota 4. Véase, también, su reciente crónica de investigación perio-dística sobre el caso Langberg (2006: 131-148) y Jordan a S. S., Lima, 8 de junio de 1984, n.° 6674, documento USDS desclasificado, en Drug Policy Collection (en adelante DPC), box 6, NSA.

93. Woy-Hazelton y Hazelton 1987: 105-135, esp. 106-110 y «Latin American Review», 3 de julio de 1981, copia desclasificada de la CIA, en DPC, box 7, NSA.

94. Masterson 1991: 269-270, Preeg 1981: 29.

95. Rudolph 1992: 83, Masterson 1991: 270.

96. El proyecto de irrigación Majes por ejemplo, iniciado por el régimen militar anterior, final-mente costó más que sus proyectados retornos (Rudolph 1992: 81-83). Véase Durand 2003: 204-205, 209 y Wise 2003: 169-170.

97. Schydlowsky 1986: 217-218 y 232-236, McClintock 1986: 360-366, Rudolph 1992: 83-84.

98. Vargas Haya 1984: 38 y 164, Wise 2003: 175 y 198.

99. Ortiz a S. S., Lima, 12 de julio de 1983, n.° 7909, documento no clasificado del USDS; y «Peru: President Belaúnde's prospects», Directorate of Intelligence, copia desclasificada de la CIA, en DPC, box 7, NSA.

100. Gorriti 1999: 40 y 114. Confirmando esta sólida evaluación periodística, un funcionario de Estados Unidos, a cargo de presentar el presupuesto bianual para el control y la reducción de coca en el Alto Huallaga (CORAH), escribió: «Aunque la PIP [Policía de Investigaciones del Perú] continúa desempeñando un papel importante, su efectividad como fuerza antinarcó-ticos ha quedado minada por la creciente corrupción» (Jordan a S. S., Lima, 23 de abril de 1984, n.° 4664, copia desclasificada del USDS, en DPC, box 7, NSA).

101. Mauceri 1997: 13-36, esp. 33-34; Rudolph 1992: 91; Jordan a S. S., Lima, 29 de noviembre de 1984, n.° 13882 y 1 de febrero de 1985, n.° 1265, copias desclasificadas del USDS, en DPC, box 7 y box 31, NSA; Degregori y Rivera Paz 1994: 9-11.

102. Cameron y Mauceri 1997: 3-5.

103. Durand 1994: 117.

104. Pomar Cárdenas 1986: 11-12.

105. Pomar Cárdenas 1986: 46 y 76-108 y Jordan a S. S., Lima, 8 de junio de 1984, n.° 6674, do-cumento desclasificado del USDS, en DPC, box 6, NSA.

106. Elías Laroza 1985: 8, 434-38; Miguel González del Río v. Peru, documento de la ONU, Comité de Derechos Humanos, 46.ª sesión, Communication n.° 263/1987, documento de la ONU CCPR/C/46/D263/1987 (1992), University of Minnesota, Human Rights Library, disponible en: <http://www1.umn.edu/humanrts/undocs/html/dec263.htm>; Vargas Haya 2005: 312-313.

107. Vargas Haya 1984: 16 y 167, Malpica 1985: 22-23, Durand 1994: 209, Woy-Hazelton y Hazelton 1987:115.

108. Perú, Cámara de Diputados, Comisión Especial Dictaminadora sobre la Acusación Constitucional en el Caso Bancoper, Registro n.° 1653-Dic/87, «Dictamen de la Comisión Especial sobre acusación constitucional a [...] Manuel Ulloa, Carlos Rodríguez Pastor y [...] Juan Klingerberger», copia mecanografiada (véase Vargas Haya 2005: 315-316 y Durand 2003: 219).

109. Vargas Haya 2005: 311.

110. Vargas Haya 1984: 191-196, 201 y 205, 2005: 313-315; Durand 2003: 208-209; «Meeting with Arq. Fernando Belaunde Terry», Buenos Aires, 10 de diciembre de 1983, copia desclasificada del USDS, en DPC, box 7, NSA.

111. Mauceri 1997: 30, McClintock y Lowenthal en Cameron y Mauceri 1997: XII.

112. Vargas Haya 1994: 24.

113. Graham 1992: 102.

114. Okura en Vásquez Bazán 1987: XV y XVII, Vargas Haya 1994: 79-89.

115. Vargas Haya 1994: 10, 28 y 130-137.

116. Graham 1992: 110.

117. Schydlowsky 1986 237, Durand 2003: 119 y 136-141, Vargas Haya 1994: 68-71.

118. Watson a S. S., Lima, 29 de abril de 1987, n.° 4919, copia desclasificada del USDS, en DPC, box 7, NSA; Rudolph 1992: 122.

119. Directorate of Intelligence, «Insurgency Review», junio de 1987, copia desclasificada de la CIA, en DPC, box 7, NSA; Degregori y Rivera Paz 1994: 11-12.

120. Cateriano 1994: 75-76, Malpica 1993: x.

121. Cateriano 1994: 9.

122. Durand 2005: 287-330, esp. 301 y 304; Vargas Haya 1994: 46; Graham 1992: 124; Malpica 1993: VIII.

123. Rudolph 1992: 121-122.

124. M. Jacobsen, «Overview of Peruvian Justices System and Summary of AID Justice Sector Reform», 1 de julio de 1991, copia desclasificada del USDS, en DPC, box 6, NSA.

125. Ames et ál. 1988.

126. Jordan a S. S., Lima, 20 y 28 de junio de 1986, n.° 7217 y 7533; Whitehead a embajadas, Washington, D. C., 28 de junio de 1986, n.° 205132, copias desclasificadas del USDS, en Bigwood Collection (BC), box 2, NSA; Cateriano 1994: 68-69.

127. «Dionisio Romero: "Sí financiamos campaña de Alan"», La República, 14 de agosto de 1987, pp. 15-19 y 12 de agosto de 1987, p. 5.

128. Cateriano 1994: 153-154.

129. Graham 1992: 110, Vargas Haya 2005: 328-329.

130. Rudolph 1992: 123-125; Embajada de Estados Unidos a S. S., Lima, 6 de noviembre de 1986, n.° 13,248; Watson a S. S., Lima, 30 de abril de 1987, n.° 5016, copias desclasificadas del USDS, en DPC, boxes 7 y 36, NSA.

131. Joint Staff a varios, Washington, D. C., 27 de septiembre de 1989, copias desclasificadas del Departamento de Defensa de Estados Unidos (USDD), en DPC, box 7. Véase, también, Quainton a S. S., Lima, 22 de enero de 1990, n.° 1008, copias desclasificadas del USDS, en DPC, box 7, NSA.

132. Vargas Haya 1994: 22.

133. Véase Crabtree 1992: 212 y 214-215, 2005: 328-329; así como Reyna 2000.

134. Cateriano 1994: 76-78 y 205-209, Malpica 1993: 11-12.

135. Cateriano 1994: 98-99.

136. Perú, Congreso de la República, Cámara de Diputados, «Informe final de la comisión investigadora sobre las operaciones y adquisiciones de inmuebles en el Perú y el extranjero, vinculadas con el patrimonio personal del Sr. Alan García Pérez, durante el ejercicio de su actividad como funcionario público», marzo-mayo de 1991, esp. ff. 251075-77; «Acusación constitucional: dictamen de la comisión especial encargada de la denuncia contra el doctor Alan García Pérez», 23 de septiembre de 1991, en AGCR; Cateriano 1994: 168-169.

137. Perú, Corte Suprema de Justicia, Sala Penal Especial, Expediente Asuntos Varios (A.V.) 21-92, acusado: Alan Gabriel García Pérez, agraviado: el Estado, delito: enriquecimiento ilícito, cuadernos A-Z23, Archivo de la Corte Suprema de Justicia (en adelante, ACSJ).

138. Perú, Corte Suprema de Justicia, Sala Penal Especial, Exp. A.V. 01-95, 10 anexos, acusado: Alan Gabriel García Pérez, agraviado: el Estado, delito: colusión ilegal, negociación incompatible, cohecho pasivo y enriquecimiento ilícito, ACSJ. Véase, también, Perú, Congreso Constituyente Democrático (CCD), «Informe: Comisión Investigadora de los contratos del Tren Eléctrico de Lima (CITEL)», noviembre de 1994, AGCR.

139. «Reunión de Agustín Mantilla con Vladimiro Montesinos», 13 de marzo de 2000, transcripción parlamentaria oficial de los videos n.° 1830 y 1831, en Perú, Congreso 2004, vol. 4: 2203-2211.

140. Perú, Congreso de la República, Comisión Investigadora de los casos de corrupción de la década de 1990 (Comisión Herrera), «Informe: cuentas bancarias de Agustín Mantilla en el Union [Bank of Switzerland (USB)]» e «Informe: Agustín Mantilla y su vínculo con el autodenominado Comando Democrático Rodrigo Franco», julio de 2003, AGCR; así como recortes de prensa de La República, El Comercio y Correo, 2001 a 2006.

141. «Agustín Mantilla reaparece», emitido por el programa de televisión «La ventana indiscreta», 4 de septiembre de 2006, disponible en: <http://www.youtube.com>, sobre la base de un video casero grabado en Lima, 29 de julio de 2006 y transmitido por el programa de televisión Cuarto Poder, 3 de septiembre de 2006 y La República, 4 de septiembre de 2006.

142. García 1994.

143. García 1991, Carranza Valdivieso 2000: 17 y 289-290.

144. Little y Herrera 1996: 267-285.

Capítulo 7

1. Vargas Llosa 1963, 1966, 1969.

2. Vargas Llosa fue un seguidor periférico del Partido Comunista Peruano cuando estudiaba en la Universidad de San Marcos, durante la dictadura militar del general Manuel Odría. Vargas Llosa defendió la Revolución cubana e, inicialmente, apoyó la revolución militar peruana. Su ruptura con la izquierda política fue gradual, luego de la invasión soviética de Checoslovaquia en 1968 y, sobre todo, a raíz del caso Padilla que produjo la forzada retractación pública del poeta cubano Heberto Padilla en 1971 (Vargas Llosa 1983: 30-35, 75-76, 138-139, 160-173 y 225-230. Con respecto a la temprana afiliación izquierdista de Vargas Llosa y su solidaridad con la Revolución cubana, véase Embajada de Estados Unidos al D. S., Lima, 12 de marzo de 1966, n.° A-80, box 2573, RG 59, USNA.

3. Según la Constitución de 1979, diseñada fundamentalmente por parlamentarios del APRA y el PPC, un candidato presidencial debía obtener más del 50 por ciento de los votos válidos para evitar una segunda vuelta.

4. Vargas Llosa 1991: 15-75,1993.

5. Vargas Llosa 1993: 534, Vargas Llosa (Álvaro)1993: 24-25, Conaghan 2005: 16-17.

6. Daeschner 1993: 193-196 y 268, que se basa en entrevistas con Hugo Otero, asesor político de García que colaboró con la campaña de Fujimori, y en información proveniente de Caretas (1990-1991). Véase, también, Vargas Llosa (Álvaro) 1993: 25 y Loayza Galván 2001: 11.

7. Planes dictatoriales militares revelados por fuentes internas (el grupo León Dormido) a la revista Oiga en 1993. El plan fue inicialmente obra del general José Valdivia, según Gustavo Gorriti (La República, 22 de septiembre de 2001, n.° 7205: 7). Asimismo, véase Vargas Llosa (Álvaro) 1993: 24; «Plan verde» analizado en Wiener Fresco 2001: 31-35; Cameron 2006: 268-293, esp. 274. Véase, también, Chehade 2008: 131.

8. Sobre detalles reveladores de la asistencia estratégica y judicial de Montesinos a Fujimori (a través de sus conexiones como asesor del entonces fiscal supremo en lo penal y del fiscal de la Nación), así como información diversa sobre la lúgubre carrera de Montesinos, obtenida

del cruce de fuentes confidenciales que incluían al sociólogo Francisco Loayza y a diplomáticos norteamericanos, véase Embajada de Estados Unidos (Mack) al S. S., Lima, 14 de octubre de 1994, n.° 9601, copia desclasificada del USDS, en PDP, box 1, file SIN unit bio n.° 20, NSA.

9. En mayo de 1990, Montesinos fue implicado en un atentado con explosivos cerca de la casa de Fernando Olivera, parlamentario opositor de las filas del FIM, quien, durante la campaña presidencial de 1990, acusó a Fujimori de haber evadido impuestos. La fuente confidencial le contó a un funcionario político de la embajada norteamericana «acerca de una conversación "inculpatoria" entre tres personas que el informante tuvo con el entonces candidato presidencial Fujimori (después de la primera vuelta de las elecciones) y Vladimiro Montesinos [...] a finales de mayo o comienzos de junio de 1990 [...]. Montesinos le dijo a un asombrado Fujimori que "no se preocupase", que ya se había hecho cargo de Olivera. "Le hemos metido una bombita"». En Alvin Adams al S. S., Lima, 22 de agosto de 1994, n.° 7691: 1 y 3-4, copia desclasificada del USDS, en PDP, box 1, file SIN unit bio n.° 18 (duplicado en DPC, box 36), NSA. Véase, también, Tamariz Lúcar 2001: 30-31 y Jochamowitz 2002, vol. 1: 55-58.

10. Escobar Gaviria 2000: 8-11 y 135-146. Véase, también, Loayza Galván 2001: 197; *Revista Cambio* (Bogotá), 12-20 de noviembre de 2000 y *El País Internacional*, 12 de noviembre de 2000, n.° 1654.

11. Vargas Llosa ingresó a la escuela militar Leoncio Prado de Lima en 1950, a los catorce años de edad (véase Vargas Llosa 1963, 1993. Montesinos estudió primero en el internado militar de Arequipa y, posteriormente, fue aceptado en 1961, a los dieciséis años, en la Escuela Militar de Chorrillos de Lima, en la cual se graduó como oficial de infantería en 1966 (Jochamowitz 2002, vol. 1: 73-78).

12. Jochamowitz 2002, vol. 1: 129; Bowen y Holligan 2003: 29-30.

13. Robert Dean a S. S., 4 de abril de 1977, n.° 2686, copia desclasificada del USDS, en PDP, box 1, file Montesinos trip to DC, NSA. Véase, también, información biográfica y confidencial sobre las imputaciones de corrupción y narcóticos contra Montesinos, en Anthony Quainton a S. S., Lima, 7 de enero de 1992, n.° 228, copia desclasificada del USDS, PDP, box 1, file SIN unit bio n.° 8, NSA.

14. El embajador Dean reportó que Montesinos era «un valioso contacto de la Embajada, una relación que era bastante abierta y conocida por sus superiores. (En efecto, le mencioné esta relación a Fernández Maldonado) [...] [Montesinos tenía una] reconocida competencia y utilidad para sus superiores [...]» (Dean a S. S., Lima, 4 de abril de 1977, n.° 2686, 1, copia desclasificada en USDS, en PDP, box 1, file Montesinos trip to DC, NSA).

15. La beca del gobierno de Estados Unidos le permitió a Montesinos concertar reuniones oficiales y académicas en ese país entre el 5 y el 21 de septiembre de 1976. Entre los académicos y funcionarios que quiso conocer estaban Alfred Stepan (Yale), Albert Fishlow (UC Berkeley), Luigi Eunadi (Departamento de Estado) y Abraham Lowenthal (Council on Foreign Relations). Dean creía que «el permiso formal no fue sino un pretexto para separar del servicio a Montesinos, quien en realidad fue purgado por razones políticas/personales y Arbulú estuvo por lo menos de acuerdo con esto» (Dean a S. S., Lima, 4 de abril de 1977, n.° 2686: 2-3 y 7 de abril de 1977, n.° 2813, copia desclasificada del USDS, en PDP, box 1, file Montesinos trip to DC, NSA).

16. «Pieza clave de una investigación militar: el ex capitán Vladimiro Montesinos», *Caretas*, 12 de septiembre de 1983, n.° 765: 10-17 y 72.

17. Jochamowitz 2002, vol. 1: 193-203 y 139-142; Fernández Salvatecci 1978: 193-196.

18. «El Padrino cambió la coca por los pasaportes», *Perú21*, 26 de abril de 2003, n.° 249: 3. El general PIP José Jorge Zárate fue expulsado de la policía y encarcelado.

19. Gorriti 1994: 4-12, 54.59, esp. 10.

20. Gorriti 1994: 10-11; «Las ejecuciones extrajudiciales y encubrimiento en Cayara (1988)», en Comisión de la Verdad y Reconciliación 2003, tomo VII, cap. 2.27: 279-295, disponible en: <www.cverdad.org.pe>.

21. U. S. Embassy (Dion) a S. S., Lima, 19 de junio de 1990, n.° 9127, copia desclasificada del USDS, en DPC, box 36, file SIN unit bio; Quainton a S. S., Lima, 28 de julio de 1990, n.° 11147 y 9 de agosto de 1990, n.° 11756, copias desclasificadas del USDS, PDP, box 2, file SIN unit bio, NSA.

22. Declaraciones confidenciales de los generales retirados Edgardo Mercado Jarrín, Luis Cisneros Vizquerra y Sinesio Jarama Dávila, en U. S. Army Intelligence Threat Analysis Center (USAITAC), «Counterintelligence Periodic Summary», Pentágono, Washington, D. C., 23 de octubre de 1990, n.° 395616, copia desclasificada del U.S. Army Intelligence and Security Command (USAISC), en BC, box 1, file Montesinos, NSA.

23. Rospigliosi 2000a: 26-30, Paredes Oporto 2003: 10-20, Wiener Fresco 2001: 41-43.

24. Rospigliosi, «Controversias: la grave situación de las FF. AA.» y «Controversias: politización total», Caretas, 3 de agosto de 1995, n.° 1374: 17 y 28 de enero de 1999, n.° 1552: 23.

25. Gorriti 1994: 8; juicio por difamación contra Enrique Zileri, director del semanario Caretas, en junio-agosto de 1991, por informar sobre el creciente poder informal de Montesinos (Tamariz Lúcar 2001: 28-29); «Evaluation of the Peruvian Judicial System», coordinado por Lorenzo Zolezzi, copia de la USAID en DPC, box 6, file Peru evaluation of Peruvian judicial system AID/AOJ project, NSA.

26. Gorriti 1994: 54-55.

27. El 3 de noviembre de 1991, comandos militares del Grupo Colina, ligados a Montesinos y el SIN, asaltaron una pollada en un sector popular de Lima (Barrios Altos) y ejecutaron a quince inocentes confundidos con senderistas. Véase Quinteros 2008, disponible en: <http://ide-hpucp.pucp.edu.pe/boletin_derechos_humanos/articulo.php?IdArticulo=0258>. Entre los líderes de la oposición sujetos a la interceptación telefónica ilegal figuraron Mario Vargas Llosa, Fernando Belaunde, Javier Diez Canseco y Agustín Mantilla (Tamariz Lúcar 2001: 24-25 y 44-46).

28. Quainton a S. S., Lima, 27 de abril de 1991, n.° 5610 y 31 de julio de 1991, n.° 10219, copias desclasificadas del USDS, en DPC, box 7, file Peru Santa Lucía Base, NSA.

29. Congresistas al presidente Bush, Washington, D. C., 23 de julio de 1991, copia desclasificada del USDS, en DPC, box 6, file Peru certification, NSA.

30. Entrevista con el exdiputado por el Cuzco Julio Castro Gómez, Lima, 7 de abril de 2003.

31. Basado en la evaluación de McClintock y Vallas 2003, cap. 5; Smith 2000; Conaghan 2005, cap. 1.

32. Conaghan 2006: 102-125, esp. 103.

33. Carrión 2006: 126-149.

34. «Ex edecanes revelan que retiraban dinero del SIN para el dictador» (testimonio de los co-roneles retirados del ejército Enrique Burga y Guillermo Ponce de León, ante la Comisión Townsend, 29 de septiembre de 2001), La República, 12 de septiembre de 2003.

35. Embajada de Estados Unidos (Charles Brayshaw) a S. S., Lima, 23 de noviembre de 1991, n.° 16510, copia desclasificada del USDS, en DPC, box 7, file Peru Santa Lucía Base, NSA; USAITAC, «Counterintelligence Periodic Summary», Pentágono, Washington, D. C., 17 de ene-ro de 1992, n.° 3482, copia desclasificada del USAISC, en PDP, box 2, file SIN, NSA; Wiener Fresco 2001: 79-83.

36. USAITAC, «Counterintelligence Periodic Summary», 17 de enero de 1992, n.° 3482; Wiener Fresco 2001: 84-92.

37. Quainton a S. S., Lima, 23 de abril de 1992, n.° 6024, copia desclasificada del USDS, en BC, box 1, file 1992 coup, NSA; Conaghan 2005: 32.

38. Vargas Llosa (Álvaro) 1993: 14-17, Gorriti 1994: 57, Wiener Fresco 2001: 92-93.

39. Quainton a S. S., Lima, 9 de abril de 1992, n.° 5223, confidencial, copia desclasificada del USDS, en BC, box 1, file 1992 coup; e informe secreto de la CIA, 13 de abril de 1992, copia desclasificada de la CIA, en BC, box 2, file 1992 attempted coup, NSA.

40. Quainton a S. S., Lima, 27 de abril de 1992, n.° 6224, copia desclasificada del USDS, en BC, box 1, file miscellaneous; Embajada de Estados Unidos (Quainton, redactado por el oficial de inteligencia Gebigler), Lima, 12 de mayo de 1992, n.° 6955, copia desclasificada del USDS, en BC, box 2, file different people's reaction on Fujimori's coup, NSA.

41. Conaghan 2005: 40-41, 2006: 109. Véase, también, U. S. Congress, House of Representatives, Committee on Foreign Affairs 1993: 2-5, 12-13 y 16.

42. El Grupo Especial de Inteligencia (GEIN), una división de élite de la Dirección Nacional Contra el Terrorismo (DINCOTE) de la Policía del Perú, se infiltró en las filas de Sendero Luminoso, reclutó informantes y se concentró casi exclusivamente en la captura de los líderes rebeldes. El GEIN no compartió su información con otras agencias de inteligencia. Luego de varios avances, los esfuerzos del GEIN rindieron fruto y resultaron ser más eficientes que los del SIN y otras estrategias militares, que se caracterizaban por cometer abusos contra los derechos humanos (Rospigliosi 2000a: 138-142).

43. Quainton a S. S., Lima, 26 de agosto de 1992, n.° 11368, copia desclasificada del USDS, en BC, box 2, file 1992 attempted coup, NSA.

44. Quainton a S. S., Lima, 10 de julio de 1992, n.° 9596, copia desclasificada del USDS, en BC, box 2, file Fujimori before the coup, NSA.

45. El abortado golpe de noviembre de 1992 reflejó la «inquietud existente entre los oficiales del ejército, en lo que se refiere a lo que consideraban era una interferencia presidencial en asuntos militares [... y] el papel que venía siendo desempeñado [...] por el excapitán del ejército Montesinos», de acuerdo con el general del ejército en retiro Luis Cisneros Vizquerra, en un artículo escrito en *Expreso* el 29-30 de noviembre de 1992, según fuera reportado en Embajada de Estados Unidos (Palmer) a S. S., Lima, 7 de diciembre de 1992, n.° 15647, copia desclasificada del USDS, en BC, box 1, file Montesinos, NSA. Véase Salinas, Embajada de Estados Unidos (Skol) a S. S., Caracas, 20 de noviembre de 1992, copia desclasificada del USDS, en BC, box 1, file miscellaneous, NSA y Salinas Sedó, 1997, citado por Conaghan 2005: 55. Con respecto a Arciniega Huby, consúltese Embajada de Estados Unidos a S. S., Lima, 5 de enero de 1993, n.° 88, copia desclasificada del USDS, en PDP, box 1, file Montesinos, NSA. Para informaciones internas sobre las luchas en el seno de los militares a comienzos de la década de 1990, véase Embajada de Estados Unidos (Brayshaw) a S. S., Lima, 17 de mayo de 1993, n.° 5589, copia desclasificada del USDS, en PDP, box 2, file SIN unit bio, NSA.

46. Conaghan 2005: 49, 53 y 59-63.

47. Según la comisión del año 2001 encabezada por el ministro de Justicia García Sayán, que investigó las leyes irregulares dadas bajo Fujimori, «Dieron leyes para convertir al Estado en un botín de Fujimori y Montesinos» (*La República*, 12 de julio de 2001, n.° 7133: 8). Hasta cuatro exministros de Economía, cuatro de Defensa y dos de Interior fueron imputados por el Congreso por colaborar con esta legislación (véase *La República*, 13 de marzo de 2003, n.° 7742: 9).

48. Embajada de Estados Unidos (Hamilton) a U. S. Information Agency, Lima, 17 de noviembre de 1992, copia desclasificada del USDS, en PDP, box 2, file SIN unit bio (y duplicado en BC, box 1, file Montesinos), NSA.

49. Embajada de Estados Unidos (Adams) a S. S., Lima, 15 de junio de 1995, n.° 5676, copia desclasificada del USDS, en PDP, box 2, file SIN, NSA. Véase, también, Adams a S. S., Lima, 30 de junio de 1995, n.° 6089 y 7 de noviembre de 1995, n.° 10405, copia desclasificada del USDS, en BC, box 1, file Montesinos, NSA.

50. Rospigliosi, «Controversias: los intereses políticos y el conflicto» y «Controversias: el costo de la farsa», *Caretas*, 9 de febrero de 1995, n.° 1349: 15 y 23 de febrero de 1995, n.° 1351: 31.

51. Rojas, «Blanca Nélida Colán: una fiscal y varios delitos» y Panduro, «El mal ejemplo del gobierno peruano», *La República*, 8 de septiembre de 1997.

52. «Un cumpleaños a lo grande», *El Comercio*, 8 de agosto de 2001, n.° 83932: a8, disponible en: <http://www.agenciaperu.com/investigacion/2001/AGO/VLADICUMPLE.HTM>. Véase

«Montesinos y Fujimori celebraron cuando crisis arreciaba en el Perú» y *vladifotos* de la fiesta exclusiva, celebrada el 23 de julio de 2000, por el sexagésimo segundo aniversario de la Fuerza Aérea del Perú (FAP), que reunió a generales, parlamentarios y empresarios, *El Comercio*, 13 de agosto de 2001, n.° 8393: a6, disponible en: <http://www.agenciaperu. com/investigacion/2001/*AGO*/VLADIFAP.HTM>.

53.	«Un millón de dólares envió Fujimori a su cuñado Víctor Aritomi en Japón», *La República*, 6 de julio de 2001, n.° 7127: 2 y «Las cuentas de Fujimori», *La República*, 7 de julio de 2001, n.° 7128: 18. Según la acusación preparada por el fiscal José Luis Lecaros, Aritomi facilitó, asimismo, la fuga de Fujimori al Japón, juntamente con gran cantidad de evidencias incriminadoras en noviembre de 2000 («Enjuician a Fujimori por extraer "vladivideos" comprometedores», *La República*, 7 de mayo de 2003, n.° 7797: 9).

54.	La cuenta en el Bank of Tokyo estaba a nombre de la fundación Peru No Kodomo No Kikin, pero sus movimientos eran ordenados por el mismo Fujimori («Fiscalía halla en Japón cuenta que dirigía Fujimori», *El Comercio*, 8 de julio de 2001, n.° 83901: a4).

55.	*La República*, 2 de septiembre de 2003, donde se comentan dos videos mostrados en el programa televiso «Cuarto Poder», América Televisión, en los cuales se ve a Fujimori entregándole un sobre repleto de dinero en efectivo a Vidal Bautista Carrasco, director del Programa Nacional de Asistencia Alimentaria (PRONAA), y a un ejecutivo de APENKAI.

56.	Investigaciones de la Primera Fiscalía Anticorrupción y de la Fiscal de la Nación, Nelly Calderón, «Implican a hermanos de Fujimori en red familiar para sacar dinero del Estado», *La República*, 3 de mayo de 2003, n.° 7793: 10 y «Fujimori usaba ONG Apenkai para desviar donaciones japonesas», *La República*, 27 de julio de 2001, n.° 7148: 15. Véase, además, «Apenkai tenía sus almacenes en el depósito de Aduanas», *El Comercio*, 25 de septiembre de 2001, n.° 83980: a7 y «Apenkai enriqueció a Fujimori», *La República*, 13 de abril de 2003, n.° 7723: 18.

57.	Según fuentes del Ministerio Público citadas en «Sólo repartían 10% de donaciones», *El Comercio*, 19 de julio de 2001, n.° 83912: a8.

58.	«Triangularon dinero del SIN para Keiko, Hiro y Sachie», *La República*, 5 de mayo de 2003, n.° 7795: 8 y «La dama del contenedor», *La Revista de la República*, 11 de mayo de 2003, n.° 7810: 7-10.

59.	«Así blanquearon su botín Alberto Fujimori y familia», *La República*, 9 de abril de 2003, n.° 7769: 8-9.

60.	«Recurría a desvío de fondos y donaciones», *La República*, 16 de marzo de 2003, n.° 7745: 9. Al igual que en el caso de Aritomi, estos son hallazgos de investigaciones financieras locales e internacionales que la comisión investigadora del Congreso, encabezada por Mauricio Mulder, consideró como bases para acusar a Fujimori por «enriquecimiento ilícito y peculado».

61.	Congreso del Perú, Comisión Investigadora de Delitos Económicos y Financieros 1990-2001 2003a: 23-27; «Denuncian penalmente a Miyagusuku y 21 ex directivos de Popular y Porvenir», *La República*, 21 de diciembre de 2001, n.° 7295: 13, disponible en: <http://www. congreso.gob.pe/comisiones/2002/CIDEF/resumenes/privatiza/pyp.pdf>.

62.	En 1986, Joy Way participó en una sonada especulación con bonos de la deuda peruana. A finales de la década de 1980 actuaba como representante de ventas en el Perú de diversos productos chinos. En 1988, estuvo involucrado en otro escándalo por la venta irregular de medicinas chinas al Instituto Peruano de Seguridad Social (IPSS) (véase «Víctor Joy Way: antecedentes de una fortuna en Suiza», disponible en: <http://www.agenciaperu.com/actualidad/2001/ABR/JOYWAY.HTM>).

63.	«Se invirtieron.más de 28 millones de dólares en medicinas chinas», *El Comercio*, 2 de agosto de 2001, n.° 83926: a2, cuya base está en documentación del Ministerio Público. Véase, también, «Fiscal Calderón acusa a Fujimori por irregular compra de medicinas chinas», *La*

República, 15 de abril de 2003, n.° 7775: 10 y «Abren nuevo proceso a Fujimori y Joy Way», *La República*, 10 de mayo de 2003, n.° 7800: 28.

64. «Acusan a Fujimori por compras irregulares de US$ 300 millones», en enlace de *El Comercio* de 20 de marzo de 2003 y «Ordenan captura de tres ex ministros de Salud por millonaria compra fraudulenta de medicinas chinas en mal estado», *La República*, 19 de septiembre de 2002, disponible en: <http://www.larepublica.pe/19-09-2002/por-millonaria-compra-fraudulenta-de-medicinas-chinas-en-mal-estado-ordenan-captura>. Además, Joy Way estuvo involucrado en la venta de certificados de ciudadanía peruana a ciudadanos chinos. En el año 2000, Joy Way fue principal intermediario en el soborno de varios miembros del Congreso y de los medios de comunicación. En el año 2001, una resolución del Congreso lo acusó de «patrocinio ilegal, enriquecimiento ilícito, omisión de declaraciones y defraudación tributaria» (véase «Congreso aprobó acusar a Víctor Joy Way por cuatro delitos graves», *El Comercio*, 23 de agosto de 2001, n.° 83947: a3).

65. Investigación financiera de la Superintendencia Nacional de Banca y Seguros, fiscal general Nelly Calderón y juez José Luis Lecaros. Véase «Desbalance patrimonial de Fujimori alcanza los US$ 371 millones», *La República*, 16 de marzo de 2003, n.° 7745: 8 y *La República*, n.° 7780: 14 y n.° 7792: 10. Véase, además, «Denuncian a Fujimori por desbalance patrimonial de US$ 372 mlls.», *Cadena Peruana de Noticias*, 31 de octubre de 2001.

66. Evidencias surgidas en innumerables procesos judiciales y parlamentarios, declaraciones de testigos y análisis financieros. Véase, por ejemplo, «Fujimori pedía plata a Montesinos para su campaña reeleccionista» (Comisión Townsend), *La República*, 14 de septiembre de 2001, n.° 7197: 4; «Dieron leyes para convertir al Estado en un botín de Fujimori» (comisión judicial encabezada por Diego García Sayán), *La República*, 12 de julio de 2001, n.° 7133: 8 y «Ex ministro Jorge Camet implica a Fujimori en compra de armamento» (testimonio ante procurador José Ugaz), *La República*, 18 de junio de 2001, n.° 7109: 2-3.

67. «Actividad del SIN fue asegurar la reelección de Fujimori», *El Comercio*, 17 de agosto de 2001, n.° 83941: a6, basado en testimonios judiciales de Montesinos, y «El SIN gastó millonaria suma del tesoro público para sobornos», *El Comercio*, 5 de septiembre de 2001, n.° 83960: a1, que se basa en proceso del juzgado anticorrupción.

68. «No temo dar la cara», *La República*, 6 de julio de 2001, n.° 7127: 16; «El partido más difícil del gran capitán Héctor Chumpitaz», *El Comercio*, 18 de octubre de 2001, n.° 84003: a11; «Chumpitaz: faltan piezas», *Caretas*, 24 de abril de 2003, n.° 1769: 42-43. La jueza anticorrupción Magalli Báscones dictaminó arresto domiciliario para Chumpitaz, pena que cumplió por más de un año antes de ser sentenciado en 2004 a una condena suspendida de cuatro años.

69. «Montesinos le pagó la campaña electoral a Hurtado Miller» y «Montesinos y Borobio asesoraron la campaña de Vamos Vecino» (incluyen fotogramas y extractos del texto de grabaciones incriminadoras en video y sonido efectuadas en el SIN), *La República*, 5 de julio de 2001, n.° 7126: 10-11). Para las transcripciones completas véanse las cintas de audio tituladas «Entrega de fondos a Hurtado Miller», 2 y 11 de agosto de 1988, cintas n.° 1183-1184 y 1188-1189, Perú, Congreso 2004, vol. 3: 1483-1686, esp. 1646-1647.

70. «Luis Bedoya de Vivanco también será juzgado por asociación ilícita», *La República*, 20 de marzo de 2003, n.° 7749: 15 y «Campaña de Bedoya se planificó en el SIN», *La República*, 21 de marzo de 2003, n.° 7750: 16. Véanse las transcripciones de los videos de Montesinos («vladivideos») efectuadas por el Departamento de Transcripciones, Congreso de la República, videos 1568 y 1569 (12 de junio de 1999) y 1577 y 1578 (17 de junio de 1999), disponibles en: <http://www.agenciaperu.com/archivo/vladivideos/vladivideos.htm>; así como «Reunión Doctor, Bedoya, Reátegui», 12 de junio y 5 de julio de 1999, video n.° 1568-1569 y 1601-1602. En Perú, Congreso 2004, vol. 3: 1965-2048, esp. 2019.

71. Según los testimonios rendidos ante el juez Saúl Peña el 27 de junio de 2001, hasta cuatro ministros recibieron pagos de entre 3000 y 30.000 dólares mensuales de Montesinos

(«Montesinos declara que pagó a cuatro ministros de Estado», *El Comercio*, 22 de julio de 2001, n.° 83915: a2). En septiembre de 2001, una comisión parlamentaria también acusó a dieciocho exministros de haber violado la Constitución y de otros delitos.

72. «El brazo del "Doc" era Rodríguez Medrano», *Peru.21*, 23 de enero de 2003, n.° 15: 7.

73. Ante una comisión del Congreso Luis Serpa, expresidente de la Corte Suprema, admitió la grosera interferencia de Montesinos en la administración de justicia («Ex vocales supremos admiten interferencia de Montesinos», *El Comercio*, 26 de septiembre de 2001, n.° 83981: a6). Véase, también, el soborno y la parcialidad de un juez de la Sala Superior de Delitos Tributarios de la Corte Suprema en «Cayó Orestes Castellares, otro ex vocal supremo montesinista», *La República*, 24 de marzo de 2003, n.° 7753 y 2 de marzo de 2003, n.° 7754: 10.

74. «Fueron suspendidos 42 magistrados en 60 días», *El Comercio*, 1 de agosto de 2001, n.° 83925: a2; «Denuncian penalmente a 12 ex magistrados», *La República*, 18 de diciembre de 2001, n.° 7292: 7.

75. En enero de 2003, Colán fue sentenciada a diez años de prisión («Encarcelan a Colán Maguiña por sus vínculos con el Doc», *El Comercio*, 26 de julio de 2001, n.° 83919: a2). Miguel Aljovín fue otro fiscal de la Nación envuelto en la trama para desestimar cargos contra Montesinos (*El Comercio*, 17 de julio de 2001, n.° 83910: a2).

76. «La danza del millón de firmas: ordenan la captura de 37 personas», *El Comercio*, 26 de julio de 2001, n.° 83919: a2; «La falsificación de firmas se hizo con actas digitalizadas», *El Comercio*, 22 de agosto de 2001, n.° 83946: a2; «Portillo y Cavassa montaron gigantesco equipo de "chuponeo"», *La República*, 15 de diciembre de 2001, n.° 7289: 2-3; «Vi a Portillo en la época en que se preparaba segunda vuelta electoral», *El Comercio*, 17 de julio de 2001, n.° 83910: a2.

77. «Asesor y fujimoristas sometieron el Congreso», *El Comercio*, 22 de julio de 2001, n.° 83915: a4, sobre la base de testimonios rendidos ante el juez Saúl Peña el 13 de julio de 2001. Véase, también, la transcripción del video, «Parlamentarios Cambio 90», reunión con Montesinos en el SIN en abril de 1998.

78. González Arica 2001.

79. «Formalizan acusación por "reclutar" tránsfugas», *El Comercio*, 31 de julio de 2001, n.° 83924: a7.

80. «Alberto Kouri es culpable del delito de cohecho propio», *El Comercio*, 18 de septiembre de 2001, n.° 83973: a8; «Piden otros cinco años de cárcel para Alberto Kouri», *La República*, 20 de mayo de 2003, n.° 7810: 10. Kouri fue sentenciado a seis años de cárcel. Además de Kouri, la larga lista de tránsfugas de la legislatura de 2000 incluía a varios otros excongresistas, algunos condenados o absueltos solo en 2008 y 2009 («Fujimori me exigía seguir con el reclutamiento de congresistas», *El Comercio*, 21 de julio de 2001, n.° 83914: a10 y «Huamán Lu recibió US$ 30 mil», *La República*, 15 de abril de 2003, n.° 7775: 11).

81. A diferencia de Kouri, quien fuera filmado en un célebre video, Polack fue acusado por la colaboradora eficaz Matilde Pinchi ante el juez José Lecaros de haber recibido 490.000 dólares en el SIN («Polack recibió $490 mil», *Peru.21*, 30 de abril de 2003, n.° 253: 7; «Pinchi Pinchi: "Polack compró equipos de chuponeo para el SIN"», *La República*, 30 de abril de 2003, n.° 7790: 11; «Sintonía tránsfuga», *Caretas*, 8 de mayo de 2003, n.° 1771: 17-19; «Oscar López Meneses revela sus conexiones con Montesinos», *La República*, 18 de marzo de 2003, n.° 7747: 18-19 y «En 1999 exculparon a López de tenencia ilegal de armas», *El Comercio*, 12 de agosto de 2001, n.° 83936: a10).

82. McMillan y Zoido 2004, disponible en: <http://papers.ssrn.com/sol3/papers.cfm?abstract_id=520902>. Asimismo, este ensayo está publicado en el *Journal of Economic Perspectives* (2004, vol. 18, n. ° 4: 69-92).

83. En la legislación peruana, los cargos por estos delitos incluyen la «asociación ilícita (para delinquir), tráfico de influencias y peculado en agravio del Estado». Véase, también, Rospigliosi,

«Controversias: libertad de empresa, no de información» y «Controversias: un gobierno impresentable», *Caretas*, 6 de mayo de 1999, n.° 1566: 16 y 16 de marzo de 2000, n.° 1610: 16; así como Toledo Brückmann 2001, cap. 2.

84. Extractos de la transcripción del vladivideo n.° 1607, 19 de julio de 1999, en «"El canal [4] se ha jugado por el Gobierno, el presidente y la reelección", dice ex asesor: fue en el SIN en una reunión con Crousillat y Eugenio Bertini», *El Comercio*, 19 de julio de 2001, n.° 83903: a3; «Los hechos y delitos por los que son procesados», *El Comercio*, 6 de diciembre de 2001, n.° 84052: a3. Transcripción completa, «Reunión Dr., Crousillat, Sr. Wo, Sr. Bresani», 19 de julio de 1999, video n.° 1607, Perú, Congreso 2004, vol. 1: 223-251, esp. 237-238. El Estado peruano tuvo problemas para confiscar las propiedades y cuentas de los Crousillat mientras estuvieron prófugos; ellos fueron apresados y extraditados de Argentina para ser enjuiciados en junio y septiembre de 2006, y fueron condenados y sentenciados a ocho años en prisión. «Los prófugos Crousillat gastaron US$ 5 millones en propiedades», *La República*, 12 de mayo de 2003, n.° 7802: 8, sobre la base de información suministrada por un colaborador eficaz anónimo, «colaborador 018». Véase, también, Rospigliosi 2000b: 103-104, 109-114 y 124-125.

85. «Los Winter hunden más a Laura y a los Crousillat», *Peru21*, 19 de mayo de 2003, n.° 272: 3.

86. «Schütz: "Tengo necesidad de 12 millones de dólares". Empresario solicita dinero al ex asesor en cuotas de 1,7 millones de dólares porque "Panamericana es un canalazo"», *El Comercio*, 4 de octubre de 2001, n.° 83989: a4 y a2; «Detectan millonaria transferencia de Schütz Landázuri a cuenta en EE. UU.», *La República*, 11 de mayo de 2003, n.° 7801: 16-17.

87. Wiener Fresco 2001: 383-388, Rospigliosi 2000b 89-91.

88. Véanse las transcripciones oficiales de los vladivideos n.° 1459-1460 y 1487-1488, reunión de Genaro Delgado Parker con Montesinos y Joy Way, 7 y 21 de abril de 1999. Véase, también, «Reunión Joy-Way, Genaro Delgado Parker», 4 de abril de 1999, videos n.° 1364-1365, Perú, Congreso. 2004, vol. 1: 377-403 y 405-469 y Rospigliosi 2000b: 85-88 y 120-121.

89. Transcripción oficial de los vladivideos n.° 1778-1779 y audio 1780, reunión de «Montesinos, Calmell, Vicente, Gral. Delgado», 6 de noviembre de 1999, Perú, Congreso 2004, vol. 1: 581-631; «Montesinos pagó 2 millones de dólares en efectivo por Canal 10: utilizó a Vicente Silva Checa para que "compre" acciones a Manuel Ulloa y Calmell del Solar sirvió de testigo», *La República*, 8 de julio de 2001, n.° 7129: 20-27; «Calmell del Solar admitió que se había producido el pago», *El Comercio*, 8 de julio de 2001, n.° 83901: 10; «Calmell: Ulloa van Peborgh recibió US$ 350,000 por apoyo a Fujimori», *Correo*, 29 de abril de 2003, n.° 8306: 9 y «Pagando Pato», *Caretas*, 15 de mayo de 2003, n.° 1772: 24.

90. «Firma Lucchetti pagaba prensa chicha de Bresani», *Perú21*, 26 de mayo de 2003, n.° 279: 3; «Gremco y Alicorp dieron también plata a Bresani», *Perú21*, 27 de mayo de 2003, n.° 280: 5; «Empresa Daewoo daba también plata a Bresani», *Perú21*, 29 de mayo de 2003, n.° 282: 6. Estas empresas privadas pagaban supuestamente por «asesoramiento periodístico» según exp. n.° 036, 1er. Juzgado Especial Anticorrupción («Bresani presentó 200 facturas de empresas», *Perú21*, 28 de mayo de 2001, n.° 281: 7).

91. Embajador Dennis Jett a S. S., Lima, 30 de abril de 1998, n.° 2803, copia desclasificada del USDS, en BC, box 2, NSA.

92. La falta de un control financiero eficaz permitió, por ejemplo, que se llevara a cabo una pirámide financiera informal, el Centro Latinoamericano de Asesoría Empresarial (CLAE), que atrajo a miles de depositantes ofreciendo rendimientos anormalmente altos de los ahorros. Las agencias gubernamentales cerraron CLAE en abril de 1993 (véase Alvin Adams a S. S., 20 de septiembre de 1994, n.° 8695, copia desclasificada del USDS, en BC, box 1, file Montesinos, NSA; y Tamariz Lúcar 2001: 47).

93. Vásquez 2000, cap. 4.

94. «Reunión del señor Vladimiro Montesinos Torres con Dionisio Romero Seminario, el General EP César Saucedo Sánchez, General PNP Fernando Dianderas Ottone, Almirante Antonio

Ibárcena Amico, General EP José Villanueva Ruesta y General EP Elesván Bello Vásquez», 14 de junio de 1999 (emitido el 16 de febrero de 2001), transcripción parlamentaria de los videos n.° 1574-1575, Perú, Congreso 2004, vol. 1: 143-183.

95. «Reunión Dr. [Montesinos], Dionisio Romero», 22 de junio de 1999, video n.° 1583, Perú, Congreso 2004, vol. 1: 185-222; «Inician proceso penal contra Dionisio Romero», *Correo*, 28 de enero de 2003, n.° 8214: 8. Véase, además, Dammert 2001: 107.

96. «Reunión Dr. [Montesinos]-Bertini», video n.° 1788, 11 de noviembre de 1999, «Reunión Dr. [Montesinos] Crousillat. Sr. Wo. Sr. Bertini», video n.° 1607, 19 de julio de 1999, Perú, Congreso, transcripción oficial (2000); «Encuentran responsable a Bertini», *Perú21*, 21 de mayo de 2003, vol. 1, n.° 274: 7; «El ex banquero bloqueó US$ 32 mllns. de la mafia», *Perú21*, 25 de abril de 2003, n.° 248: 8; «Absuelven a ex gerente general del Wiese», *La República*, 19 de enero de 2005, n.° 8420: 7.

97. Perú, Congreso 2003a: 59-60; Dammert 2001: 186.

98. Perú, Congreso 2003a: 67-68; Dammert 2001: 187. Véase, también, Chehade 2008: 43-50.

99. Perú, Congreso 2003a: 61-66; «Baca Campodónico malversó fondos públicos», *La República*, 5 de junio de 2003, n.° 7826: 27; «Otro ex ministro al banquillo. Baca Campodónico inhabilitado por 7 años», *La Gaceta. Semanario del Congreso de la Repúblic*, 25 de mayo de 2003, n.° 290: 4-5.

100. Oppenheimer 2001; Jacoby, Nehemkis y Eells 1977.

101. «Lucchetti también pagó a Montesinos», *La República*, 27 de julio de 2001, n.° 7148: 30, sobre la base de declaraciones dadas por testigos ante el juez anticorrupción Jorge Barreto; «Funcionarios de firma Lucchetti sí delinquieron», *Perú21*, 11 de junio de 2003, n.° 295: 7, según el informe del fiscal anticorrupción; «Diálogo con chileno [Gonzalo Menéndez, presidente de Lucchetti Peru] [en] oficina», 8 de enero de 1998, video n.° 864 y «Diálogo Dr. [Montesinos]-Lucchetti», 10 de febrero de 1998, audio n.° 858-861, transcripciones en Perú, Congreso 2004, vol. 1: 5-86. Véase, también, Vargas Llosa, *Caretas*, 9 de agosto de 2001, n.° 1682: 40-41, 16 de agosto de 2001,n.° 1683: 82.85 y 23 de enero de, 2003, n.° 1756: 32-34. Luksic se reunió con Montesinos el 6 de marzo de 1998 y en el año 2000, videos n.° 856-857 (Perú, Congreso 2004, vol. 1: 87-141 y «Wagner: cierre de Lucchetti afectó relaciones Perú-Chile», *Correo*, 17 de febrero de 2003, n.° 8234: 6.

102. «Yanacocha: un cerro de oro y un juicio de órdago», *Caretas*, 8 de febrero de 1996, n.° 1400: 18-19 y 65.

103. «Peter Romero hizo *lobby* con Montesinos a favor de minera», *La República*, 23 de mayo de 2003, n.° 7813: 8.

104. Véase la transcripción judicial oficial del vladivideo n.° 892, «Reunión Dr. Montesinos-Sr. [juez Jaime] Beltrán», 19 de mayo de 1998, Perú, Congreso 2004, vol. 2: 1093-1123; disponible en: <http://www.agenciaperu.com/actualidad/2001/ENE/FRANCIA.HTM>

105. Ibíd.

106. Véase, también, Montaldo 1998; Gawsewitch 2003 y «Peru: The Curse of Peruvian Gold», PBS Frontline/World, octubre de 2005, disponible en: <http://www.pbs.org/frontlineworld/stories/peru404/thestory.html>.

107. «Minera Barrick intentó eludir pago de US$ 141 millones en impuestos», *La República*, 17 de mayo de 2003, vol. 22, n.° 7807: 16-17, sobre la base de información de la SUNAT, la agencia recaudadora de impuestos; Quimper Herrera, «El caso minera Barrick», *La República*, 5 de junio de 2003, n.° 7826: 21.

108. «Denuncian a Boloña y asesores por fraude de [...] 244 millones», *La República*, 18 de mayo de 2003, n.° 7808: 34. Véase, también, Perú, Congreso 2003a: 30-39.

109. Estimado de 2363 millones de dólares anuales anunciado por Luis Moreno Ocampo, entonces representante de Transparencia Internacional («Transparencia Internacional analiza sobornos a políticos», *La República*, 28 de junio de 2001; Wei 1999: 51-67). Véase, también, Cuadro A.1 en el apéndice del presente estudio.

110. Un perfil biográfico confidencial retrataba a Boloña como sigue: «El ministro de Economía y Finanzas de alto perfil, que viene implementando el que probablemente es el programa de reformas económicas y estructurales más exhaustivo de la historia latinoamericana, es un profesional excepcionalmente capaz, titulado en la Universidad de Iowa y la Universidad de Oxford. Activista y cordial, está involucrado en toda una serie de cuestiones de importancia para el USG [gobierno de Estados Unidos]: restructuración económica, control de narcóticos y derechos humanos. Es accesible a los funcionarios de la embajada y franco al discutir su complicada relación con el presidente Fujimori» (Embajada de Estados Unidos [Quainton] a S. S., 10 de julio de 1991, n.° 9181: 3357, copia desclasificada del USDS, en BC, box 1, file Montesinos, NSA).

111. Gonzales de Olarte 1998: 121-122, Boloña 1996: 183-264, Graham 1994: 1-21, Kisic 2000: 75-113.

112. «Boloña admite que firmó diez decretos secretos para dar bonificaciones a FF. AA. [entre febrero de 1991 y enero de 1993]», El Comercio, 7 de junio de 2001, n.° 83870: a5. En el año 2001, una comisión del Ministerio de Justicia, encabezada por el ministro Diego García Sayán y otros juristas expertos, informó que 250 decretos y leyes inconstitucionales fueron implementados durante el gobierno de Fujimori («Comisión detecta hasta 250 normas inconstitucionales», El Comercio, 12 de julio de 2001, n.° 83905: a4 y «Jalilie admite haber recibido llamadas de Montesinos para acelerar los desembolsos», Liberación, 27 de junio de 2001, n.° 589: 18).

113. Perú, Congreso 2003a: 88-90.

114. «Camet admite "compra silenciosa" de papeles de la deuda externa», La República, 28 de marzo de 2003, n.° 7757: 8. Véase, también, Dammert 2001: 165-183 y Perú, Congreso 2003b, disponible en: <http://www.congreso.gob.pe/historico/ciccor/infofinal/deudaexterna.pdf>.

115. Monteagudo 2010: 201–14; Moura et ál. 2005: 23-26; Perú, Congreso 2003b: 2-9.

116. Economistas de izquierdista y heterodoxos, descontentos con el modelo económico liberal, efectuaron serios cuestionamientos a los acuerdos de privatización más importantes de la década de 1990. Las supuestas irregularidades comprendieron la privatización de Petroperú (parcial), Aeroperú, Siderperú, Electro Lima, Sol Gas, Hierroperú, Pescaperú y la Corporación Peruana de Vapores, entre otras. Véase Perú, Congreso 2003a, cap. 1; Dammert 2001, 2.ª parte, caps. 3-5 y Wiener Fresco 1996: 30-35.

117. Campodónico, «Cómo se robaron la plata de la privatización», La República, 14 de marzo de 2003, n.° 7743: 12, sobre la base de las estadísticas de la COPRI; «Investigarán mal uso de US$ 2 mil millones de la privatización», La República, 8 de abril de 2003, n.° 7768: 10; ,«Se esfumaron fondos de la privatización», La Gaceta, 23 de diciembre de 2001, n.° 216: 2.

118. «Por traición a la patria acusan a Fujimori, Pandolfi y Camet: mediante decretos de urgencia se gastaron US$ 1885 millones en "compras de material bélico"», La República, 20 de mayo de 2003, n.° 7810: 7; «Fiscal denuncia a Fujimori, Caso Lay, Camet y Baca», Correo, 4 de junio de 2003, n.° 8342: 10. En su defensa, Camet indicó que Fujimori tuvo la principal responsabilidad por las compras ilegales de armas («Ex ministro Jorge Camet implica a Fujimori en compra de armamento» [testimonio ante el procurador especial José Ugaz], La República, 18 de junio de 2001, n.° 7109: 2). Solo en 2011 se llega a sentenciar a penas de prisión suspendida y cincuenta millones de soles de reparación civil a algunos de los acusados («Sentencian a ex ministros fujimoristas», La República, 24 de septiembre de 2011, n.° 10859: 8).

119. «La enorme y ponzoñosa telaraña de la corrupción», «Alias el Doc», sección especial de El Comercio, 25 de junio de 2001, n.° 83888: a6-a7; «Abogados de mafia montesinista coaccionan a testigos claves para ocultar la verdad en casos de espionaje telefónico con fines políticos», La República, 27 de diciembre de 2001, n.° 3701: 8.

120. «748 implicados y 67 prófugos por el caso Fujimori-Montesinos» (informe especial), La República, 10 de agosto de 2001, n.° 7162: 16; «Detienen y encarcelan a ex conviviente de Montesinos», El Comercio, 10 de agosto de 2001, n.° 83934: a10.

121. «Pinchi Pinchi: la prima donna», *Caretas*, 24 de enero de 2002, n.° 1705: 45-47.
122. «Sólo 16 integrantes de la mafia lograron acogerse a colaboración eficaz», *La República*, 20 de abril de 2003, n.° 7780: 16; «Beltrán y Pinchi Pinchi pico a pico», *El Comercio*, 5 de marzo de 2001, n.° 84506: a1 y a3; «Ex jefes del SIN afirman que Fujimori les ordenó entregar dinero a Montesinos» (en referencia de declaraciones en el proceso judicial del caso Bedoya-Montesinos), *Correo*, 7 de marzo de 2003, n.° 8252: 10.
123. «Detienen a hermana mayor y cuñado de Montesinos y a ocho de sus socios», *La República*, 8 de agosto de 2001, n.° 7160: 2.
124. Perú, Congreso 2003a: 86; Dammert 2001: 205-207.
125. «Don dinero: Zvi Sudit, el judío que hizo rico a Montesinos», *Domingo: La Revista de La República*, 18 de mayo de 2003, n.° 259: 12-15; «Traición en la familia», *Domingo: La Revista de La República*, 8 de junio de 2003, n.° 262: 16-19; «"Grupo judío" mintió a jueces anticorrupción», *La República*, 10 de junio de 2003, n.° 7831: 16-17.
126. «Uruguayo Isaac Veroslavsky manejaba las cuentas de Fujimori y Montesinos», *La República*, 19 de mayo de 2003, n.° 7809: 9; «Triangularon dinero del SIN para Keiko, Hiro y Sachie», *La República*,, 5 de mayo de 2003, n.° 7795: 8.
127. «Un 40% de los fondos en Suiza está a nombre de Montesinos. Fiscal [Cornelia] Cova sigue congelando más cuentas del ex asesor», *El Comercio*, 27 de junio de 2001, n.° 83890: a4; «Montesinos cobró un millón de dólares de comisión por compra de armas a Israel», *Liberación*, 27 de junio de 2001, n.° 589: 10; «Conclusiones de la Comisión Waisman. Fueron detectados más de $246 millones de Montesinos. Se ha logrado bloquear $166 millones [de cuentas bancarias en Gran Caimán, Suiza y Estados Unidos]», *El Comercio*, 16 de junio de 2001, n.° 83879: a6. Los agentes de Montesinos abrieron cuentas con depósitos de 40 millones de dólares, usando compañías de fachada (Delmar Service, Cross International y Ranger Limited), en las Bahamas. Las cuentas en Estados Unidos (Swiss Bank Corporation, Bank of New York) sumaban 50 millones de dólares; en Gran Cayman, 33 millones; en Panamá, 13 millones; en México, 2,3 millones; y en Bolivia, 210.000. Las diez cuentas en Suiza, a las cuales se hicieron transferencias desde otros lugares, estaban en los siguientes bancos: UBS AG Lugano, Bank Leu Zurich, Canadian Imperial Bank, Fibi Bank y Bank Leumi (*Liberación*, 25 de junio de 2001, n.° 587: 11).
128. «Condenan a 5 años de prisión a testaferro de Montesinos. Luis Duthurburu se había acogido a beneficios de colaboración eficaz», *La República*, 15 de mayo de 2003, n.° 7805: 24; «Cobraba coima de 50% a empresarios. Montesinos montó red para dilapidar fondos de la Caja Militar, según testaferro Juan Valencia», *La República*, 27 de julio de 2001, n.° 7148: 18-19.
129. «Malca manejó fondo de contingencia» (según informes del juez anticorrupción José Luis Lecaros y la fiscal general Nelly Calderón), *La República*, 1 de junio de 2003, n.° 7822: 41; «Mafia pretende retomar control de hoteles de la Caja Militar», *La República*, 12 de julio de 2001, n.° 7133: 4; «Por corrupción Caja Militar perdió más de US$500 millones», 25 de octubre de 2001, disponible en: <http://www.agenciaperu.com>.
130. La embajada de Estados Unidos en Lima contaba con información confidencial acerca de la corrupción militar, en la forma de compras de armas desviadas ilegalmente a otros países. «Las coimas por las compras de armas extranjeras y un patrón de participación en transferencias ilegales a regímenes parias en otros países, ha alimentado una crónica corrupción militar». Según una extensa entrevista con funcionarios de la embajada de Estados Unidos, un informante entendido (cuyo nombre fue excluido por la desclasificación de seguridad) «negó estar al tanto de una corrupción a gran escala, relacionada con los narcóticos, en la Marina [peruana]. El incidente del BAP *Éten* era una excepción». Pero dijo que el desvío de armas de alta tecnología era una gran fuente de utilidades» (Cable de la Embajada de Estados Unidos [Quainton] a S. S., Lima, 19 de diciembre de 1990,

n.° 19117, pp. 2 y 6, originalmente «secreto», copia desclasificada del USDS, en DPC, box 36, SIN unit bio, NSA).

131. Torres y Rospigliosi, «El '97 viene la promoción de Vladimiro», *Caretas*, 5 de septiembre de 1996, n.° 1430: 10-13 y 92.

132. «EE. UU. supo en 1993 de malestar en FF. AA.» (informe de la prensa al revelarse el documento de la embajada de Estados Unidos «Peru: Army Attitudes [002-01]», 20 de abril de 1993, NSA), *El Comercio*, 10 de julio de 2001, n.° 83903: a5. En mayo de 1993, Rodolfo Robles, el tercer general de más alto rango, acusó al comandante general Nicolás Hermoza y a Montesinos de ser responsables por las operaciones del Grupo Colina. Para evitar amenazas y represalias, Robles tuvo que buscar asilo en la embajada de Estados Unidos. En 1996 fue secuestrado por agentes de inteligencia (Rospigliosi 2000a: 218, 256-257 y 160-163).

133. «Todos recibían una "comisión"» (sobre la base de las confesiones del general Óscar Villanueva), *La República*, 15 de junio de 2003, n.° 7836: 16.

134. «Ex ministro Jorge Camet implica a Fujimori en compra de armamento», *La República*, 18 de junio de 2001, n.° 7109: 2-3; «Se tiraron 42 [sic: 36] millones de dólares con tres MIG-29. Ex ministro de Economía Jorge Camet señala a Elesván Bello como responsable de operación», *El Comercio*, 22 de noviembre de 2001, n.° 84038: a6.

135. Esta importante tesis fue sustentada tanto por el juez José Luis Lecaros como por la fiscal general Nelly Calderón, en el caso en que el Estado acusó a Fujimori y sus ministros de asociación ilícita («Malca manejó fondo de contingencia», *La República*, 1 de junio de 2003, n.° 7822: 41). La jueza anticorrupción Cecilia Polack acusó a varios exjefes militares de asociación ilícita y de malversación de fondos. La lista mencionaba a Rozas, Bello, Ibárcena y otros diez generales, entre otros oficiales de alto rango («Grupo de militares se benefició con dinero del Estado», *El Comercio*, 27 de mayo de 2003, n.° 84589: a8).

136. Dos grandes crisis internas del régimen cívico-militar casi hicieron naufragar la alianza tripartita en corrupción y política del presidente, el jefe de espías y el comandante militar. El general Hermoza, comandante en jefe del ejército entre diciembre de 1991 y agosto de 1998, ordenó que los tanques salieran a las calles de Lima en abril de 1993, en protesta contra el avance de la investigación parlamentaria del caso La Cantuta. Fujimori aceptó la presión e influencia militar en su régimen. Varios años más tarde, en diciembre de 1997, en el primer aniversario del asalto a la residencia del embajador japonés y la toma de rehenes por parte del MRTA, Hermoza intentó reparar su imagen deteriorada (desde la debacle de Tiwinza en las selvas del Cenepa durante el conflicto con el Ecuador en 1995) y, para ello, reclamó un papel estelar en la operación de rescate de los rehenes. Fujimori, que se dirigía a una campaña de reelección, reclamó para sí el papel principal en el operativo, juntamente con Montesinos. El tira y afloja subsiguiente entre Fujimori y Hermoza inicialmente humilló a Fujimori, pero la agresiva oposición de Hermoza a los acuerdos de paz con el Ecuador, en agosto de 1998, llevaron a su reemplazo por el general Saucedo como comandante del ejército (Rospigliosi 2000a, cap. 6; Wiener Fresco 2001: 430-438).

137. «El Arca de Malca», *Caretas*, 28 de diciembre de 2000, n.° 1651: 22-24.

138. «Fuerzas Armadas dieron al SIN $63 millones sin sustento legal. Juzgado anticorrupción dice que dinero se utilizó para los sobornos entre otras cosas» (según pesquisa del juez anticorrupción Saúl Peña Farfán), *El Comercio*, 5 de septiembre de 2001, n.° 83960: a3; «Villalobos Candela: VMT recibió [...] 257,900 millones de FFAA», y «Ex jefes del SIN afirman que Fujimori les ordenó entregar dinero a Montesinos», *Correo*, 7 de marzo de 2003, n.° 8252: 10.

139. «Denuncian mafia en el Ministerio del Interior», *Peru21*, 20 de mayo de 2003, n.° 273: 6, sobre el cargo hecho por el fiscal Jorge Luis Cortés, basado en la entrega hecha por un colaborador eficaz de 32 contratos secretos a la sexta Sala Especial, encabezada por el juez Saúl Peña.

140. «Colaborador eficaz revela cuenta millonaria de general Saucedo», *La República*, 26 de mayo de 2003, n.° 7816: 25. A pedido de los jueces peruanos, las autoridades holandesas revelaron información acerca de la cuenta en el Banco EBNA. Esta cuenta se abrió a través del Banco Interamericano de Finanzas del Perú.

141. «Las empresas fantasma del tesorero del ejército», *Correo*, 12 de octubre de 2001, n.° 7742: 6-7; «Montesinos manejaba a su antojo licitaciones en sector de Interior», *La República*, 15 de junio de 2003, n.° 7836: 16.

142. «100 caballos pura sangre viejos compró mafia del ejército», *La República*, 24 de marzo de 2003, n.° 7753: 10; «Comienza proceso a Villanueva Ruesta», *La República*, 25 de marzo de 2003, n.° 7754: 10; «[Ex viceministro de economía Alfredo] Jaililie admite haber recibido llamadas de Montesinos para acelerar desembolsos», *Liberación*, 27 de junio de 2001, n.° 589: 18.

143. En 1992, Fujimori puso a las Fuerzas Armadas a cargo de los operativos antidrogas en varias regiones claves. Los esfuerzos antinarcóticos de la policía fueron divididos. La OFECOD (Oficina Ejecutiva de Control de Drogas) estaba a cargo de las propiedades confiscadas a los traficantes. En 1993, Montesinos creó una división antidrogas especial en el SIN, paralela a la DINANDRO (Dirección Nacional Antidrogas) de la policía, que compartía, a su vez, responsabilidades con una nueva división antidrogas para ofensas a pequeña escala, la DIVANDRO (División Antidrogas) (Dammert 2001: 300-301). Para el contexto general véase Cotler 1999.

144. Un informe biográfico sobre el general del ejército Alberto Arciniega, preparado por el embajador de Estados Unidos Quainton, señalaba lo siguiente: «El ex comandante de la octava zona de emergencia militar/política, que comprende todo el valle del Alto Huallaga (VAH) y los departamentos de San Martín y Huánuco (abril-diciembre de 1989) [...]. Alcanzó la prominencia en el Perú y la notoriedad en los círculos del narcotráfico en Estados Unidos, con su política de tolerar el tráfico de drogas mientras combatía a Sendero Luminoso y el MRTA en el VAH» (Cable Embajada de Estados Unidos [Quainton] a S. S., Lima, 10 de julio de 1991, n.° 9181, p. 3356, copia desclasificada del USDS, en BC, box 1, file Montesinos, NSA).

145. «Los oficiales de policía salientes nos dicen que los militares quieren todas las coimas en lugar de parte de ellas [...]. Es inevitable que nuestro programa antinarcóticos se retrase temporalmente, a medida que se forjan nuevas relaciones» (informe de Quainton, «Fujimori reorganizes the police», Embajada de Estados Unidos a S. S., Lima, 9 de agosto de 1990, n.° 11756, pp. 6 y 7, copia desclasificada del USDS, en DPC, box 36 (duplicado en box 2), file SIN unit bio, NSA). La corrupción policial en la base de Santa Lucía, que Estados Unidos apoyaba, quedó confirmada por funcionarios norteamericanos que reportaron testigos entre el personal policial, «hartos de la corrupción y de la imagen manchada que todos en la BSL sufren en consecuencia» (informe de Quainton, «Police corruption at the Santa Lucía Base: some bad news and some good news», Embajada de Estados Unidos a S. S., Lima, 30 de mayo de 1991, n.° 7133: 1-2, copia desclasificada del USDS, en DPC, box 31, file Peru Santa Lucía Base; e informe de Quainton, «Peru's Huallaga Valley: Where Coca is King (Part I)», Embajada de Estados Unidos a S. S., Lima, 27 de abril de 1991, n.° 5610, copia desclasificada del USDS, en DPC, box 7, file Peru Santa Lucía Base, NSA).

146. La corte antidrogas respaldada por los Estados Unidos y que presidiera la jueza Inés Villa fue reemplazada por una cámara presidida por Alejandro Rodríguez Medrano, apoyado por la fiscal general Blanca Nélida Colán y los fiscales antidrogas Flor María Mayta y Julia Eguía («Superfiscal del SIN tras las rejas», *La República*, 18 de junio de 2003, n.° 7836: 13; Rospigliosi 2000a: 203).

147. Menzel 1996: 212.

148. «Otro factor más que operó para minar la política antidrogas en el Perú, fue el elemento de corrupción que aprovechaba la pobreza global endémica del pueblo peruano, y los bajos salarios de los funcionarios y fuerzas de seguridad del gobierno. Esto pasó a ser un serio problema

a medida que entraban en contacto con narcotraficantes [... que] siempre podían darse el lujo de invertir [...] millones de dólares como parte del costo de hacer negocios, para sobornar o de algún otro modo comprar suficientes funcionarios, policías y personal militar del gobierno, que de otro modo podrían inhibir las operaciones del tráfico» (Menzel 1996: 204).

149. La DEA fundamentalmente siguió en Perú la política de Washington de una estrategia contra la oferta internacional de drogas. Menzel critica este enfoque rígido como contraproducente a largo plazo (Menzel 1996: IX y 215-216). La CIA tenía un enfoque fundamentalmente antiterrorista: en resumen, que era mejor tolerar a Montesinos que ver triunfar a Sendero. Véase, también, U. S. Congress, House of Representatives 1992.

150. Rospigliosi, *Caretas*, 24 de octubre de 1996, n.° 1437: 27; «Montesinos: Crimen y Fastidio», *Caretas*, 21 de mayo de 1993, n.° 1517: 12-14; Allen, «CIA and Drugs, Our Man in Peru», *CovertAction Quarterly*, diciembre de 1996, n.° 59, en Robert Carlson (USDS) a Henry Bisharat (Lima), Washington, D. C., 17 de diciembre de 1996, en BC, box 1, file U.S. Peru counternarcotics programs, NSA. La difícil posición y el dilema de McCaffrey de no poder evitar a Montesinos, no obstante la turbia reputación de este último y sus trucos durante las dos visitas de McCaffrey en 1996 y 1998, así como la planeada para 1999, quedan retratados en tres cables del USDS: «[Retired Peruvian] General [Rodolfo] Robles visits Department of State», S. S. a Embajada de Estados Unidos-Lima, Washington, D. C., 12 de marzo de 1997, n.° 45270: 3; «ONDCP Director speaks and Montesinos reacts», Embajada de Estados Unidos (Dennis Jett) a S. S., Lima, 15 de mayo de 1998, n.° 3152: 1-6; «D/ONDCP visit—The Montesinos factor», Embajada de Estados Unidos (Hodges) a S. S., Lima, 22 de julio de 1999, n.° 4555: 1-4, copias desclasificadas del USDS, en DPC, box 36, NSA y «Ayuda antidrogas sirvió para violar DD. HH. en el Perú», *El Comercio*, 13 de julio de 2001, n.° 83906: a2.

151. En 1996, un oficial de Estados Unidos pensaba que el «papel [de Montesinos] en la legislación contra los narcóticos resultó crucial para romper grandes pandillas de traficantes. Asimismo se reconoce por lo general que desde que él asumiera su cargo como gurú de la inteligencia nacional, Montesinos ha mejorado la efectividad del SIN y del aparato de inteligencia nacional peruano» (Embajada de Estados Unidos [Mack] a S. S., Lima, 6 de septiembre de 1996, n.° 7710: 6, copia desclasificada del USDS, en DPC, box 36, NSA).

152. Entrevista al excongresista Julio Castro Gómez (parlamentario en los años 1985-1995), Lima, 7 de abril de 2003 y Congreso Constituyente Democrático, Comisión de Fiscalización, GTEIN. «Informe final del Grupo de Trabajo de Estudio de Investigación del Narcotráfico [GTEIN]». Coordinado por Julio Castro Gómez (mecanografiado, 1995), en Papeles de Comisiones Especiales, AGCP. Este grupo parlamentario inició sus trabajos en febrero de 1993; una subcomisión previa, creada en 1990 para investigar las actividades del narcotráfico se clausuró, junto con todo el Congreso, luego del golpe de abril de 1992, y su documentación desapareció. Los testigos confidenciales incluyeron al subteniente EP Guillermo Guerra, suboficial EP Francisco Palomino y el capitán EP Gilmar Valdiviezo, quien acusó a los oficiales más altos de colusión con los narcotraficantes. Los oficiales en jefe supuestamente involucrados incluyeron a dos generales y dos coroneles, entre muchos otros. Varios oficiales militares fueron juzgados por los tribunales militares como chivos expiatorios y fueron pronto liberados o recibieron sentencias leves (GTEIN 1995: 72-78 y apéndices). El GTEIN también encontró irregularidades en la protección, la liberación o la fuga de los narcotraficantes «Mosquito», «Ministro» y «Vaticano» (GETEIN 1995: 84-102). Véase, también, Castillo Aste 2001: 28-33.

153. «Acusación: la denuncia de Vaticano, el silencio de Vladimiro», *Caretas*, 22 de agosto de 1996, n.° 1428: 14-20 y 88-89. La información sobre los vínculos de Montesinos con los narcotraficantes era conocida por los diplomáticos de Estados Unidos en Lima ya a finales de 1990 (Embajada de Estados Unidos [Quainton] a S. S., Lima, 19 de diciembre de 1990, n.° 19117: 1-8, copia desclasificada del USDS, en DPC, box 36, file SIN unit bio, NSA). Sin embargo, otro informe secreto sobre el tema «Intelligence Chief Montesinos accused of protecting drug

traffickers» del diplomático de Estados Unidos James Mack en Lima, refutaba «con la información con que contamos» los cargos hechos por el encarcelado traficante Vaticano. Según pasajes del informe, originalmente suprimidos y posteriormente reinsertados por un panel de revisión del Departamento de Estado, «Los esfuerzos por arrestar a "Vaticano" y desmantelar sus operaciones dependieron de una extensa cooperación entre las agencias policiales y de inteligencia de EE. UU., la policía antidrogas y el servicio de inteligencia peruanos, y elementos policiales de Colombia. La investigación, asimismo, reveló la corrupción de tres oficiales peruanos [...]. Montesinos ha sido un estrecho colaborador de EE. UU. en los asuntos de antinarcóticos». Mack concluyó que Montesinos no tenía ningún acuerdo de protección con Vaticano y restó importancia a los informes sensacionalistas de la prensa peruana, así como a los «peruanos de mentalidad conspirativa» (Embajada de Estados Unidos [Mack] a S. S., Lima, 6 de septiembre de 1996, n.° 7710: 1, 3, 4 y 6, copia desclasificada del USDS, en DPC, box 36, NSA). Un informe de seguimiento de Mack, «Drug trafficker "Vaticano" and retired army general convicted on drug trafficking», informaba de la condena en el tribunal civil de Jaime Ríos, comandante del frente del Alto Huallaga en 1991, junto con otros dos oficiales del ejército, por «haber permitido operar a "Vaticano" [...] a cambio de pagos a oficiales del ejército en la zona» (Embajada de Estados Unidos [Mack] a S. S., Lima, 18 de octubre de 1996, n.° 9024: 417-418, en BC, box 1, file Montesinos, NSA). Véase, también, «Hermoza y Montesinos desprestigiaron a las FF. AA.», *Correo*, 9 de junio de 2003, n.° 8347: 10.

154. Dammert 2001: 307-317; «Dos testaferros de Montesinos negociaron con cártel mexicano», *El Comercio*, 9 de julio de 2001, n.° 83902: a1 y a8.

155. «Montesinos habría exportado droga a Europa en productos hidrobiológicos y textiles», *Correo*, 31 de mayo de 2003, n.° 8338: 10; Dammert 2001: 309-310.

156. Documentos y declaraciones aceptadas como prueba por la jueza especial Magalli Báscones para abrir juicio por tráfico de drogas a Montesinos y cómplices en mayo de 2003; «Procesan por drogas a Montesinos», *La República*, 27 de mayo de 2003, n.° 7817: 27; «Montesinos representaba en el Perú al cartel de Tijuana de México», *La República*, 28 de mayo de 2003, n.° 7818: 25; «Montesinos habría sido dueño de droga incautada en narcoavión y en narcobuques», *Correo*, 28 de mayo de 2003, n.° 8336: 9.

157. «Montesinos negoció mil misiles antiaéreos SAM-7 para la FARC», *La República*, 23 de enero de 2004, n.° 8058: 3. El traficante libanés Soghanalian se reunió con Montesinos en Lima en dos ocasiones: para negociar una compra de 78 millones de dólares por 50.000 rifles AK-47 a 70 dólares cada uno y 1000 misiles SAM-7 a 300 dólares cada uno. Al final, la transacción se limitó a 70.000 por 10.000 rifles kalashnikov, según una transcripción oficial de 2001 de las declaraciones hechas por Saghalian en Estados Unidos ante el procurador José Ugaz, validadas por el fiscal general John Ashcroft («Montesinos se burla de la justicia», *La República*, 21 de enero de 2004, n.° 8056: 5 y *El Comercio*, 21 de enero de 2004, n.° 84828: a1). Por estos delitos Montesinos fue condenado a veinte años de prisión en 2006 junto a sus cómplices que recibieron penas menores.

158. Un posible vínculo entre los fondos del narcotráfico y la compra en secreto de los rifles AK-47 de Jordania quedó revelado en una declaración hecha por Carmen Delgado, una informante y agente antinarcóticos que trabajaba en Perú para la inteligencia británica. Delgado siguió, desde 1991, un caso de narcóticos y contrabando de armas que implicó a Montesinos y al general Hermoza. Delgado afirmó haber descubierto en 1998 vínculos entre Montesinos, Hermoza, los agentes y hermanos José Luis y Luis Frank Aybar Cancho, y el traficante Soghanalian. Dicha operación fue nombrada Mochila y posteriormente Plan Siberia. Esta información de inteligencia fue compartida con los funcionarios de la embajada de Estados Unidos en Lima («Declaración testimonial de Carmen Guadalupe Delgado Méndez» ante el fiscal provincial de Lima, Antenor Córdova Díaz, la jueza Celinda Segura Salas y los abogados de la defensa, Lima, 28 de noviembre de 2000, copia desclasificada del USDS, en DPC, NSA). Véase, también,

«Prueban que Montesinos compró fusiles a Jordania para las FARC», *La República*, 20 de mayo de 2003, n.° 7810: 16-17, sobre la base de la decisión judicial n.° 10-2003 del juez Jorge Chávez Cortina, Fiscalía de la Nación; «Luis Frank Aybar confirma vínculo de su hermano con traficante de armas», *La República*, 14 de abril de 2003, n.° 7774: 10 y «Freddy Castillo, el operador secreto de Montesinos», *La República*, 5 de junio de 2003, n.° 7826.

159. Robles Ascurra 2000: 23-27; Toledo Brückmann 2001, caps. 1 y 4.

160. «Cronología de la crisis política», citado en Wiener Fresco 2001: 511-530; Neira 2001: 22-25.

161. Jochamowitz 2002, vol. 1: 22-23; Neira 2001: 27-30; Vargas Llosa, «Piedra de toque: la herencia maldita», *Caretas*, 5 de octubre de 2000, n.° 1639: 31-32 y 76.

162. Años más tarde se confirmó que fue Matilde Pinchi, la asistente de confianza de Montesinos en el SIN, quien recurrió a intermediarios sencillos (su chofer Moisés Reyes y su amigo Germán Barrera, alias «Patriota») para sacar varias copias de videos comprometedores del SIN y ofrecerlos en venta a diversos políticos de la oposición. Barrera, finalmente, vendió el video en 100.000 dólares a los miembros del FIM, encabezados por Fernando Olivera y Luis Iberico, y financiados por el capitalista Francisco Palacios. Pinchi se convirtió en una importante colaboradora eficaz en la condena de Montesinos por múltiples crímenes («Historia secreta del video que cambió al país», *La República*, 16 de enero de 2005, n.° 8417: 2-7.

163. Oficio secreto 11296 MD-H/3, por el que se solicita 69,6 millones de soles para un «Plan de operaciones [...] a fin de neutralizar cualquier acción que parta de elementos de la FARC», ministro de Defensa general Carlos Bergamino a ministro de Economía Carlos Boloña, San Borja, Lima, 25 de agosto de 2000, disponible en: <http://www.agenciaperu.com>.

Epílogo

1. Para una síntesis de los procedimientos legales estadounidenses y europeos en la prevención y el procesamiento de la corrupción, que vienen usándose como ejemplos en distintas partes del mundo, inclusive en el Perú, véase Contreras Alfaro 2005, 1.a parte.

2. «Misión imposible», *Caretas*, 9 de noviembre de 2000, n.° 1644: 14-16; «La lucha contra la corrupción», *Caretas*, 16 de noviembre de 2000, n.° 1645: 22-24 y 83. Bajo presión extrema, Fujimori nombró al procurador independiente Ugaz y a la fiscal general Nelly Calderón apenas unos cuantos días antes de huir y de presentar su renuncia vía fax. Los primeros procuradores anticorrupción en ser nombrados fueron José Ugaz, César Azabache, Luis Vargas y Ronald Gamarra.

3. «Nueva ley anticorrupción», *Caretas*, 21 de diciembre de 2000, n.° 1650: 14-15.

4. *El Comercio*, 3 de julio de 2001, n.° 83897: a6; «Los vladijueces», *Caretas*, 12 de julio de 2001, n.° 1678: 10-14. Los primeros jueces anticorrupción en ser nombrados fueron Magalli Báscones, Jimena Cayo, Jorge Barreto, David Loli, Victoria Sánchez y Saúl Peña Farfán. Otros vocales fueron José Luis Lecaros, Inés Villa Bonilla, Roberto Barandiarán, Inés Tello y Marco Lizárraga.

5. *El Comercio*, 4 de julio de 2003, n.° 89627: a3; *La República*, 30 de enero de 2004, n.° 8065, vol. 23: 5.

6. *Peru21*, 23 de enero de 2003, n.° 156: 9.

7. En febrero de 2002, Pinchi fue perdonada de once cargos de conspiración criminal y recibió una sentencia suspendida de cuatro años de prisión (*La República*, 2 de mayo de 2003, n.° 7792: 3). Venero declaró contra más de doscientos integrantes de las redes corruptas de Montesinos (*Correo*, 2 de junio de 2003, n.° 8340: 9).

8. *Caretas*, 30 de diciembre de 2005, n.° 1855: 44-45; Youngers, Rosin y Chauvin 2004: 1-18, esp. 2.

9. Con respecto a cargos específicos de corrupción, véase Corte Suprema de Justicia de la República, Sala Penal Especial, exp. AV-33-2003, Lima, 30 de septiembre de 2009, Sentencia

contra Alberto Fujimori Fujimori por delitos: a) contra la Administración Pública – peculado [casos Medios de Comunicación e Intercepción Telefónica] y cohecho activo [caso Congresistas Tránsfugas], ambos en agravio del Estado; y b) contra la Libertad – Violación del Secreto de las Comunicaciones –Intervención Telefónica. Los jueces supremos que dictaron estas sentencias cumplieron cabalmente con su responsabilidad. Entre ellos se encontraba el vocal supremo César San Martín. Véase, también, Chehade 2008: 73-80 y 99.

10. *Correo*, 29 de septiembre de 2001, n.° 7729: 6. Los cuatro procuradores solo contaban con 35 asistentes y su presupuesto inicial únicamente sumaba 120.000 dólares que le tomó meses aprobar al Congreso.

11. *La República*, 29 de mayo de 2003, n.° 7819: 16-17; *Peru21*, 5 de mayo de 2003, n.° 258; *Caretas*, 25 de abril de 2002, n.° 1718 y n.° 1718: 22-23.

12. *La República*, 2 de abril de 2003, n.° 7762: 5; *Peru21*, 28 de abril de 2003, n.° 251: 8-9.

13. «Sivina: sigue red de corrupción en PJ», *La República*, 28 de junio de 2003, n.° 7849: 7. Véase, también, *El Comercio*, 4 de julio de 2003, n.° 84627: a3.

14. Morón 2005: 147-176; *El Comercio*, 3 de julio de 2003, n.° 84626: a4.

15. *El Comercio*, 12 de julio de 2003, n.° 84635: a4 y a19, 16 de julio de 2003, n.° 84639: a3; así como *Correo*, 13 de julio de 2003, n.° 8381: 3-4.

16. «Las FF. AA. están haciendo su rediseño», *El Comercio*, 6 de julio de 2001, p. a5.

17. *La República*, 27 de julio de 2001, n.° 7301: 1-3, 28 de julio de 2001, n.° 7302: 3.

18. *La República*, 16 de diciembre de 2001; n.° 7290: 7292, 23 de diciembre de 2001, n.° 7297: 12; Acha y Diez Canseco 2004: 154-169; Basombrío y Rospigliosi 2006, cap. 1.

19. «Burocracia dorada también vive el privilegio de los altos sueldos», *La República*, 4 de marzo de 2004, n.° 8309: 3.

20. «Expulsan [de pp.] a [Víctor] Valdez y amonestan a Anel [Townsend], [Jorge] Mufarech y Jaimes», *Peru21*, 5 de mayo de 2003, n.° 258: 4.

21. *El Comercio*, 12 de julio de 2003, n.° 84635: a7; *El Comercio*, 31 de enero de 2004, n.° 84838: a1; *La República*, 3 de marzo de 2004, n.° 8098.

22. Gorriti, «El cartero va a Palacio: carta sin sobre a Toledo», *Peru21*, 22 de junio de 2003, p. 6; *El Comercio*, 12 de julio de 2003, n.° 84635: a6; *Domingo: Revista de la República*, 13 de julio de 2003, n.° 267: 14-15.

23. McClintock 2006: 95-109.

24. «Fiscalía está preparada para investigar corrupción en anterior gobierno», *El Comercio*, 5 septiembre de 2011; «Avelino Guillén: hubo un gran retroceso en la anticorrupción», *La República*, 16 de junio de 2011.

Apéndice

1. Mauro 1995: 681-712, Ades y Tella 2000: 15-52.

2. Mauro 1997: 83-108, 1998: 263-279.

3. Para cálculos y debates actualizados en torno a los índices de percepción de la corrupción véase Sampford, Shacklock y Connors 2006, esp. caps. 5 y 7.

4. Glaeser y Goldin 2006: 3-22, esp. 15; Gentzkow, Glaeser y Goldin 2006: 187-230.

5. Tella y Savedoff 2001.

6. Seminario y Beltrán 1998; Portocarrero S., Beltrán y Zimmerman 1998; Mitchell 1998; Oxford Latin American Economic History Data Base (Latin American Centre, Oxford University), disponible en: <http://oxlad.qeh.ox.ac.uk>; Hunt 1973a, 1973b; Yepes del Castillo 1972.

7. Véase, entre otros, la opinión de Manrique, «¿Es usted honesto?», *Caretas*, 14 de diciembre de 2000, n.° 1649: 40-42.

8. Iniciativa Nacional Anticorrupción 2001: 3-4; Ortiz de Zevallos y Pollarolo 2002: 20-26.

Además, partiendo de cálculos basados en la contabilidad del proceso de privatización de la década de 1990, el procurador especial Pedro Gamarra ha señalado un monto aproximado de 6000 millones de dólares «desaparecidos» del erario, al constatar que del total de 7000 millones producidos por las privatizaciones, solo se realizaron obras públicas por 1000 millones. Este balance también incluye 428 procesos penales y 145 investigaciones preliminares relacionados («Fujimorismo robó US$ 6 mil millones», *La República*, 9 de abril de 2010).

9. Hunt 1973, cuadro 9, pp. 73-74.

10. Sobre la base del estimado para 1876-1877 de Hunt 1973, cuadro 14, p. 95.

Colofón, de Marcos Cueto

1. Quiroz 1987a: 75-98. La revista fue parte de un efímero Centro Latinoamericano de Historia Económica y Social.

2. Romano 1972, Chevalier 1952, Tandeter 1980, Tepaske y Klein 1982.

3. El título del artículo es: «Las actividades comerciales y financieras de la casa Grace y la Guerra del Pacífico, 1879-1890» (Quiroz 1983: 214-54).

4. Su título fue «The Expropriation of Portuguese New Christians in Spanish America, 1635 1649» (Quiroz 1985: 407-465).

5. Además publicó: «La expropiación inquisitorial de cristianos nuevos portugueses en Los Reyes, Cartagena y México, 1635-1649» (Quiroz 1986: 237-303) y el capítulo «Estructura económica y desarrollos regionales de la clase dominante, 1821 1850» (Quiroz 1987b).

6. Una version posterior fue «Financial Leadership and the Formation of Peruvian Elite Groups, 1884 1930» (Quiroz 1988: 49-81). Otros trabajos en esta línea de estudios fueron «Desarrollo financiero y economía agraria de exportación en el Perú, 1884-1950» (Quiroz 1992: 263-294) y «Financial Development in Peru Under Agrarian Export Influence, 1884-1950» (Quiroz 1991: 447-476).

7. Parte de su conocimiento de las fuentes y repositorios de materiales peruanos aparecen descritos en Quiroz 1995: 7-13.

8. Consúltese, además, Quiroz 2005: 75-95, 2006a.

9. Quiroz 2001: 113-125, 2004: 291-301, 2007: 89-112, 2011: 33-64.

10. Fue autor además de los capítulos: «Martí in Cuban Schools» (Quiroz 2006b) y «Eliseo Giberga y la política económica del autonomismo en Cuba» (Quiroz 2006c).

11. Quiroz 1998: 261-305.

12. Quiroz 2013.

BIBLIOGRAFÍA

Archivos y colecciones manuscritas

Archives du Ministère des Affaires Étrangères, París (AMAE): Affaires Diverses Politiques; Correspondance Politique, Pérou, Pérou Supplément; Correspondance Politique et Commerciale, Nouvelle Série, Pérou; Série B Amérique, Pérou.

Archivo de la Corte Suprema de Justicia, Sala Penal Especial (ACSJ): Expedientes Asuntos Varios 21-92 y 01-95.

Archivo General del Congreso de la República del Perú, Lima (AGCP): Cámara de Diputados; Papeles de Comisiones Especiales; Senado.

Archivo General de Indias, Sevilla (AGI): Diversos, Archivo Abascal; Escribanía; Gobierno, Audiencia de Lima; Indiferente General.

Archivo General de la Nación, Lima (AGN): Causas Civiles y Criminales; Colección Manuel Pardo; Colección Santa María; Corte Superior de Justicia de Lima; Libros Manuscritos Republicanos; Tribunal de Sanción Nacional.

Archivo General del Ministerio de Asuntos Exteriores, Madrid (AGMAE): Correspondencia, Embajadas y Legaciones, Perú; Política, Política Exterior e Interior, Perú.

Archivo General y Documentación, Ministerio de Relaciones Exteriores del Perú, Lima (AMRE): Embajada del Perú en Francia; Embajada del Perú en Gran Bretaña.

Archivo Histórico Militar, Lima (AHM): Colección Julián Heras; Correspondencia General.

Archivo Histórico Nacional, Madrid (AHN): Consejos Suprimidos, Consejo de Indias; Estado.

Archivo Histórico Riva-Agüero, Lima (AHRA): Colección Mendiburu; Colección Plácido Jiménez.

Biblioteca Nacional de Madrid (BNM): Manuscritos.

Biblioteca Nacional del Perú, Lima (BNP), Manuscritos: Archivo Leguía; Archivo Paz Soldán; Archivo Piérola.

Biblioteca del Palacio Real, Madrid (BPR): Manuscritos.

Columbia University, Butler Library, Nueva York: Rare Books and Manuscripts, W. R. Grace and Company Papers (WRGP); Oral History Research Project (OHRP).

Library of Congress, Washington, D. C. (LOC): Rare Books and Special Collections.

National Archives of the United Kingdom, Kew (NAUK): Foreign Office (F. O. 61, F. O. 371).

National Security Archive, Gellman Library, George Washington University, Washington, D. C. (NSA): Bigwood Collection (BC), Drug Policy Collection (DPC), Peru Documentation Project (PDP).

Real Academia de la Historia, Madrid (RAH): Colección Mata Linares.

Servicio Histórico Militar, Madrid (SHM).

U. S. National Archives and Records Administration, Washington, D. C. (USNA): Despatches from United States Ministers to Peru, 1826-1906, microcopia T52; General Records of the Department of State, Record Group 59, Diplomatic Correspondence; Records of the Department of State Relating to Internal Affairs of Peru, microcopia M746; Records of the Office of Strategic Services, Record Group 226.

Fuentes impresas

ABASCAL, José Fernando de
    1944   *Memoria de gobierno*. Vicente Rodríguez Casado y J. A. Calderón Quijano (eds.). 2 vols. Sevilla: Escuela de Estudios Hispano-Americanos.

ACEVEDO Y CRIADO, Ismael
    1959   «La institución del Registro de la Propiedad Inmueble en el Perú, sus antecedentes legales y formas más urgentes». En *Revista de la Facultad de Derecho y Ciencias Políticas*, pp. 95-182.

ACHA, Elisabeth y Javier DIEZ CANSECO (eds.)
    2004   *Patios interiores de la vida policial: ética, cultura civil y reorganización de la Policía Nacional*. Lima: Fondo Editorial del Congreso del Perú.

ACOSTA, Antonio
    2006   «Estado, clases y Real Hacienda en los inicios de la conquista del Perú». En *Revista de Indias* 66: 236, pp. 57-86.

ADES, Alberto y Rafael DI TELLA
    2000   «The New Economics of Corruption: A Survey and Some New Results». En Joseph Tulchin y Ralph Espach (eds.). *Combating Corruption in Latin America*. Washington, D. C.: Woodrow Wilson Center Press, pp. 15-52.

ADORNO, Rolena
    2000   *Guamán Poma: Writing and Resistance in Colonial Peru*. 2.ª ed. Austin: University of Texas Press.

ALATAS, Syed Hussein
    1990   *Corruption: Its Nature, Causes, and Functions*. Aldershot, Hampshire: Avebury.

ALBORNOZ DE LÓPEZ, Teresa
    1987   *La visita de Joaquín Mosquera y Figueroa a la Real Audiencia de Caracas (1804-1809): conflictos internos y corrupción en la administración de justicia*. Caracas: Academia Nacional de Historia.

ALSEDO Y HERRERA, Dionisio de
    1726   *Memorial informativo, que pusieron en las reales manos del rey nuestro señor (que Dios guarde) el Tribunal de Consulado de la ciudad de los Reyes, y la Junta General del comercio de las provincias del Perú sobre diferentes puntos tocantes al estado de la Real hazienda, y del Comercio, justificando las causas de su descaecimiento, y*

> *pidiendo todas las providencias que conviene para restablecer en su mayor aumen-*
> *to el Real Patrimonio, y en su antigua comunicación, y prosperidad los comercios*
> *de España y de las Indias.* Madrid: s. p. i.

ALT, James y David DREYER LASSEN

2005 «Political and Judicial Checks on Corruption: Evidence from American State Government». *Copenhagen: Economic Policy Research Unit Working Paper Series*, University of Copenhagen.

AMAT Y JUNYENT, Manuel de

1947 *Memoria de gobierno.* Editada por Vicente Rodríguez Casado y Florentino Pérez Embid. Sevilla: Escuela de Estudios Hispano-Americanos.

AMES, Rolando, et ál.

1988 *Informe al Congreso sobre los sucesos de los penales.* Lima: Talleres Gráficos Ocisa.

AMUNÁTEGUI, Manuel, et ál.

1862 *Señor, los abajo firmados propietarios y comerciantes de esta ciudad y tenedores de vales de consolidación.* Lima: s. p. i.

ANDREW, Christopher y Vasili MITROKHIN

2005 *The World Was Going Our Way: The KGB and the Battle for the Third World.* Nueva York: Basic Books.

ANDRIEN, Kenneth J.

1981 «The Sale of Juros and the Politics of Reform in the Viceroyalty of Peru, 1608-1695». En *Journal of Latin American Studies* 13, pp. 1-19.

1982 «The Sale of Fiscal Offices and the Decline of Royal Authority in the Viceroyalty of Peru, 1633-1700». En *Hispanic American Historical Review* 62, pp. 49-71.

1985 *Crisis and Decline: The Viceroyalty of Peru in the Seventeenth Century.* Albuquerque: University of New Mexico Press. [Ed. en español: Lima, Instituto de Estudios Peruanos-Banco Central de Reserva del Perú, 2011]

1998 «The *Noticias Secretas de América* and the Construction of a Governing Ideology for the Spanish American Empire». En *Colonial Latin American Review* 7: 2, pp. 175-192.

ANNA, Timothy

1974 «Economic Causes of San Martín's Failure in Lima». En *Hispanic American Historical Review* 54, pp. 657-681.

1975 «Peruvian Declaration of Independence: Freedom by Coercion». En *Journal of Latin American Studies* 7, pp. 221-248.

ANÓNIMO

1856a *Al gobierno, a la Convención Nacional y a la opinión pública.* Lima: Imprenta Libre.

1856b *El tratado de 21 de mayo, o el protectorado anglo-francés.* Lima: J. Sánchez Silva.

1867 *La acusación de D. G. Bogardus contra D. Manuel Pardo ministro de Hacienda y D. Federico Barreda ex-ministro plenipotenciario del Perú en Francia.* París: Imprenta Parisiense Guyot y Scribe.

1887 *El señor J. M. Q. y el contrato Grace.* Lima: Imprenta Bacigalupi.

APONTE, Juan de
    1867   «Memorial que trata de la reformación del reino del Pirú». En *Colección de documentos inéditos para la historia de España*. Madrid: Real Academia de la Historia, vol. 51, pp. 561-562.

ARAGÓN, Ilana Lucía
    2004   «El teatro, los negocios y los amores: Micaela Villegas, "La Perricholi"». En Carlos Pardo-Figueroa y Joseph Dager (eds.). *El virrey Amat y su tiempo*. Lima: Instituto Riva-Agüero, Pontificia Universidad Católica del Perú, pp. 353-404.

ARAMBURÚ SARRIO, Andrés Avelino
    1874   *Lo que se ve y lo que no se ve: ojeada sobre los principales actos del gobierno civil (editoriales de «La Opinión Nacional»)*. Lima: Imprenta La Opinión Nacional.

ARELLANO HOFFMANN, Carmen
    1996   «El intendente de Tarma Juan Ma. de Gálvez y su juicio de residencia (1791): aspectos de la corrupción en una administración serrana del Perú». En *Histórica* 20: 1, pp. 29-57.

ARRILLAGA ALDAMA, Luis
    1994   *Clientelismo, caciquismo, corporativismo: ensayo sobre algunas formas de particularismo social*. Pamplona: Zubillaga.

ASOCIACIÓN VENEZOLANA DE DERECHO TRIBUTARIO
    1985   *La corrupción en Venezuela*. Valencia, Venezuela: Vadell Hermanos.

AVILÉS, Marqués de
    1901   *Memoria del virrey del Perú marqués de Avilés*. Editado por Carlos Alberto Romero. Lima: Imprenta del Estado.

BAELLA TUESTA, Alfonso
    1977   *El poder invisible*. Lima: Editorial Andina.

    1978   *El miserable*. Lima: Editorial Andina.

BAILYN, Bernard
    1992   *The Ideological Origins of the American Revolution*. Cambridge, Mass.: Harvard University Press.

BALMORI, Diana; Stuart VOSS y Miles WORTMAN
    1984   *Notable Family Networks in Latin America*. Chicago: University of Chicago Press.

BANCO DE LA PROVIDENCIA
    1868   *Exposición que hacen al público, a los tribunales, al supremo gobierno, el directorio y accionistas*. Lima: Imprenta de El Comercio.

BARRIGA ÁLVAREZ, Felipe (Timoleón)
    1855   *El Perú y los gobiernos del general Echenique y de la revolución*. Lima: s. p. i.

BARROILHET, Carlos
    1860   *Examen crítico de un opúsculo sobre el huano*. París: Imprenta Tipográfica de G. Kugelmann.

    1861   *Examen crítico de dos publicaciones del señor don Francisco Rivero*. París: Imprenta Tipográfica de G. Kugelmann.

BASADRE, Jorge
1960   *Materiales para otra morada: ensayos sobre temas de educación y cultura*. Lima: Universidad.

1968   *Historia de la República del Perú*. 6.ª ed. Lima: Editorial Universitaria, 16 vols.

1971   *Introducción a las bases documentales para la historia de la República del Perú*. Lima: P. L. Villanueva, 2 vols.

1979   *Sultanismo, corrupción y dependencia en el Perú republicano*. Lima: Editorial Milla Batres.

1981   *La vida y la historia*. Lima: Industrial Gráfica.

BASADRE, Jorge y Pablo MACERA
1974   *Conversaciones*. Lima: Mosca Azul.

BASOMBRÍO, Carlos y Fernando ROSPIGLIOSI
2006   *La seguridad y sus instituciones en el Perú a inicios del siglo XXI: reformas democráticas o neomilitarismo*. Lima: Instituto de Estudios Peruanos.

BAYLEY, David
1970   «The Effects of Corruption in a Developing Nation». En Arnold Heidenheimer (ed.). *Political Corruption: Readings in Comparative Analysis*. Nueva York: Holt, Rinehart & Winston, pp. 521-533.

BLANC, Olivier
1992   *La corruption sous la Terreur (1792-1794)*. París: Éditions Robert Laffont.

BLANCHARD, Peter
1996   «The 'Transitional Man' in Nineteenth-Century Latin America: The Case of Domingo Elías of Peru». En *Bulletin of Latin American Research* 15, pp. 157-176.

BOGARDUS, Guillermo
1866   *La Compañía Nacional y Thomson Bonar y Ca., consignatarios del guano en Inglaterra y agentes financieros del Perú en Londres: dedicado al público y muy especialmente a los diputados del Congreso de la Restauración*. Lima: Imprenta Liberal.

BOLOÑA, Carlos
1996   «The Viability of Alberto Fujimori's Economic Strategy». En Efraín Gonzales de Olarte (ed.). *The Peruvian Economy and Structural Adjustment: Past, Present, Future*. Miami: University of Miami North-South Center Press, pp. 183-264.

BONILLA, Heraclio
1974   *Guano y burguesía en el Perú*. Lima: Instituto de Estudios Peruanos.

1980   *Un siglo a la deriva: ensayos sobre el Perú, Bolivia y la guerra*. Lima: Instituto de Estudios Peruanos.

BOWEN, Sally y Jane HOLLIGAN
2003   *El espía imperfecto: la telaraña siniestra de Vladimiro Montesinos*. Lima: Peisa.

BRADING, David A.
1991   *The First America: The Spanish Monarchy, Creole Patriots, and the Liberal State, 1492-1867*. Cambridge: Cambridge University Press.

BREWER, John
    1989   *The Sinews of Power: War, Money, and the English State, 1688-1783*. Londres: Un-
            win & Hyman.

BROWN, Kendall
    1986   *Bourbons and Brandy: Imperial Reform in Eighteenth-Century Arequipa*. Albuquer-
            que: University of New Mexico Press [edición en español: Lima, IInstituto de Estu-
            dios Peruanos-Banco Central de Reserva del Perú, 2008].

    1988   «La crisis financiera peruana al comienzo del siglo XVIII, la minería de plata y la mina
            de azogues de Huancavelica». En *Revista de Indias* 48, pp. 349-381.

    2004   «The Curious Insanity of Juan de Alasta and Antonio de Ulloa's Governorship of
            Huancavelica». En *Colonial Latin American Review* 13, pp. 199-211.

BULLICK, Lucie
    1999   *Pouvoir militaire et société au Pérou aux XIXe et XXe siècles*. París: Publications de
            la Sorbonne.

BURENIUS, Charlotte
    2001   *Testimonio de un fracaso: Huando, habla el sindicalista Zózimo Torres*. Lima: Insti-
            tuto de Estudios Peruanos.

BURKHOLDER, Mark A.
    1972   «From Creole to Peninsular: The Transformation of the Audiencia of Lima». En *His-
            panic American Historical Review* 52, pp. 395-415.

    1990   *Politics of a Colonial Career: José Baquíjano and the Audiencia of Lima*. 2.ª ed. Wil-
            mington, Del.: Scholarly Resources.

BURKHOLDER, Mark A. y D. S. CHANDLER
    1972   «Creole Appointments and the Sale of Audiencia Positions in the Spanish Empire
            under the Early Bourbons, 1701-1750». En *Journal of Latin American Studies* 4: 2,
            pp. 187-206.

    1977   *From Impotence to Authority: The Spanish Crown and the American Audiencias,
            1687-1808*. Columbia y Londres: University of Missouri Press.

    1982   *Biographical Dictionary of Audiencia Ministers in the Americas, 1687-1821*. West-
            port, Conn.: Greenwood Press.

BURKHOLDER, Mark A. y Lyman JOHNSON
    2004   *Colonial Latin America*. 5.ª ed. Nueva York: Oxford University Press.

BUSTAMANTE y Rivero, José Luis
    1946   *La ideología de don Francisco García Calderón*. París: Desclée de Brouwer.

    1949   *Tres años de la lucha por la democracia en el Perú*. Buenos Aires: Chiesino.

    1955   *Mensaje al Perú*. Lima: s. p. i.

CÁCERES, Andrés Avelino
    1986   *Memorias del Mariscal Andrés A. Cáceres*. Lima: Editorial Milla Batres, 2 vols.

CAMERON, Maxwell
    2006   «Endogenous Regime Breakdown: The Vladivideo and the Fall of Peru's Fujimori».
            En Julio Carrión (ed.). *The Fujimori Legacy: The Rise of Electoral Authoritarianism
            in Peru*. University Park: Pennsylvania State University Press, pp. 268-293.

CAMERON, Maxwell y Philip MAUCERI (eds.)
1997 *The Peruvian Labyrinth: Polity, Society, and Economy*. Prólogo de Cynthia McClintock y Abraham Lowenthal. University Park: Pennsylvania State University Press.

CAMPELL, Leon G.
1972 «A Colonial Establishment: Creole Domination of the Audiencia of Lima during the Late Eighteenth Century». En *Hispanic American Historical Review* 52, pp. 1-25.

1976 «The Army of Peru and the Tupac Amaru Revolt, 1780-1783». En *Hispanic American Historical Review* 56, pp. 31-57.

1978 *The Military and Society in Colonial Peru, 1750-1810*. Filadelfia: American Philosophical Society.

CAMPRUBÍ, Carlos
1959 *Historia de los bancos en el Perú (1860-1879)*. Lima: Editorial Lumen.

CANDAMO, Manuel
2008 *El Perú desde la intimidad: epistolario de Manuel Candamo*. Editado por José A. de la Puente Candamo y José de la Puente Brunke. Lima: Pontificia Universidad Católica del Perú.

CÁNDIDO
1855 *Adefesios*. Lima: L. Williez.

CÁRDENAS SÁNCHEZ, Inés
1979 *Andrés A. Cáceres: biografía y campañas*. Lima: Editora Lima.

CARO COSTAS, Aída R.
1978 *El juicio de residencia a los gobernadores de Puerto Rico en el siglo XVIII*. San Juan, Puerto Rico: Instituto de Cultura Puertorriqueña.

CARRANZA VALDIVIESO, Humberto
2000 *El asesinato jurídico de Alan García (5 de abril de 1992)*. Lima: Centro de Estudios Tierno Galván.

CARRIÓ DE LA VANDERA, Alonso (Concolorcorvo)
1965 *El Lazarillo: A Guide for Inexperienced Travelers between Buenos Aires and Lima*. Editado y traducido por Walter D. Kline. Bloomington: Indiana University Press.

1966 *Reforma del Perú*. Editado por Pablo Macera. Lima: Universidad de San Marcos.

1985 *El lazarillo de ciegos caminantes*. Editado por Antonio Lorente Medina. Caracas y Barcelona: Biblioteca Ayacucho.

CARRIÓN, Julio F.
2006 «Public Opinion, Market Refoms, and Democracy in Fujimori's Peru». En su edición *The Fujimori Legacy: The Rise of Electoral Authoritarianism in Peru*. University Park: Pennsylvania State University Press, pp. 126-149.

CASANAVE, Esteban J.
1886 *El contrato Galup-Dársena en sus relaciones con los intereses fiscales*. Lima: Tipografía Industrial.

CASÓS, Fernando
1854 *Para la historia del Perú: Revolución de 1854*. Cuzco: Imprenta Republicana.

1874   *Romances históricos: Los hombres de bien; Los amigos de Elena*. París: Renée Schmitz.

CASTILLO ASTE, Evaristo
2001   *La conjura de los corruptos: narcotráfico*. Lima: Editorial Brasa.

CATERIANO, Pedro
1994   *El caso García*. Lima: Ausonia.

CHANDUVÍ TORRES, Luis
1988   *El APRA por dentro: lo que hice, lo que ví, y lo que sé*. Lima: Copias e Impresiones.

CHANG-RODRÍGUEZ, Eugenio
1957   *La literatura política de González Prada, Mariátegui y Haya de la Torre*. México:
        Ediciones de Andrea.

CHEHADE, Omar
2008   *Atrapando al fugitivo: memorias de la histórica extradición de Alberto Fujimori*.
        Lima: Editorial Horizonte.

CICCARELLI, Orazio
1990   «Fascism and Politics in Peru during the Benavides Regime, 1933-39: The Italian
        Perspective». En *Hispanic American Historical Review* 70: 3, pp. 405-432.

CISNEROS, Luis B.
1939   *Obras completas de Luis Benjamín Cisneros: mandadas publicar por el gobierno del
        Perú*. 3 vols. Lima: Librería e Imprenta Gil.

CLARKE, William
1877   *Peru and Its Creditors*. Londres: Ranken & Co.

CLAYTON, Lawrence A.
1985   *Grace: W. R. Grace & Co.: The Formative Years, 1850-1930*. Ottawa, Illinois: Jame-
        son Books.

CLEAVES, Peter y Martin SCURRAH
1980   *Agriculture, Bureaucracy, and Military Government in Peru*. Ithaca, N. Y.: Cornell
        University Press.

COBB, Gwendolyn B.
1977   *Potosí y Huancavelica: bases económicas del Perú, 1545-1640*. La Paz: Academia
        Boliviana de la Historia.

COLE, Jeffrey
1984   «Viceregal Persistence versus Indian Mobility: The Impact of Duque de la Palata's
        Reform Program on Alto Peru, 1681-1692». En *Latin American Research Review* 19,
        pp. 37-56.

COLLIER, David
1976   *Squatters and Oligarchs: Authoritarian Rule and Policy Change in Peru*. Baltimore:
        Johns Hopkins University Press.

COMISIÓN DE LA VERDAD Y RECONCILIACIÓN
2003   *Informe final*. Lima: CVR, 9 tomos.

COMISIÓN ESPECIAL DEL CRÉDITO PÚBLICO
1856   *Informe de la Comisión Especial del Crédito Público sobre los vales consolidados y
        tachados*. Lima: Imprenta Félix Moreno.

COMISIÓN PERMANENTE DE HISTORIA DEL EJÉRCITO DEL PERÚ
1984   Cáceres: conductor nacional. Lima: Ministerio de Guerra.

CONAGHAN, Catherine M.
2005   Fujimori's Peru: Deception in the Public Sphere. Pittsburgh: University of Pittsburgh
         Press.

2006   «The Immoral Economy of Fujimorismo». En Julio Carrión (ed.). The Fujimori Le-
         gacy: The Rise of Electoral Authoritarianism in Peru. University Park: Pennsylvania
         State University Press, pp. 102-125.

CONTRERAS ALFARO, Luis H.
2005   Corrupción y principio de oportunidad: alternativas en materia de prevención y
         castigo a la respuesta penal tradicional. Salamanca: Ratio Legis.

COOK, Noble David
2003   «The Corregidores of the Colca Valley, Peru: Imperial Administration in an Andean
         Region». En Anuario de Estudios Hispanoamericanos 60: 2, pp. 413-439.

CORTÉS, Hernán
2001   Letters from Mexico. Editadas y traducidas por Anthony Pagden. New Haven, Conn.:
         Yale Nota Bene.

COSTA, Miguel
2005   «Patronage and Bribery in Sixteenth-Century Peru: The Government of Viceroy
         Conde del Villar and the Visita of Licentiate Alonso Fernández de Bonilla». Tesis
         doctoral. University Park: Florida International University.

COTLER, Julio
1999   Drogas y política en el Perú: la conexión norteamericana. Lima: Instituto de Estu-
         dios Peruanos.

CRABTREE, John
1992   Peru under García: An Opportunity Lost. Pittsburgh: University of Pittsburgh Press.

2005   Alan García en el poder: Perú, 1985-1990. Lima: Peisa.

CRAHAN, Margaret
1971   «The Administration of Don Melchor de Navarra y Rocafull, Duque de la Palata:
         Viceroy of Peru, 1681-1689». En The Americas 27: 4, pp. 389-412.

DAESCHNER, Jeff
1993   La guerra del fin de la democracia: Mario Vargas Llosa versus Alberto Fujimori.
         Lima: Perú Reporting.

DAMMERT, Manuel
2001   Fujimori-Montesinos: el Estado mafioso; el poder imagocrático en las sociedades
         globalizadas. Lima: Ediciones El Virrey.

DANCUART, Emilio
1903   Anales de la Hacienda Pública. Lima: Guillermo Stolte; Imprenta de La Revista, 6 vols.

DAVIES, Thomas y Víctor VILLANUEVA (eds.)
1978   300 documentos para la historia del APRA. Correspondencia aprista de 1935 a
         1939. Lima: Editorial Horizonte.

1982   *Secretos electorales del APRA: correspondencia y documentos de 1939*. Lima: Editorial Horizonte.

DAWSON, Frank Griffith
1990   *The First Latin American Debt Crisis: The City of London and the 1822-25 Loan Bubble*. New Haven, Conn.: Yale University Press.

DEGREGORI, Carlos Iván y Carlos RIVERA PAZ
1994   *Perú 1980-1993. Fuerzas Armadas, subversión y democracia: redefinición del papel militar en un contexto de violencia subversiva y colapso del régimen democrático*. Lima: Instituto de Estudios Peruanos.

DELGADO, Luis Humberto
1934   *La obra de Francisco García Calderón*. Lima: American Express.

DÍAZ-BRIQUETS, Sergio y Jorge PÉREZ-LÓPEZ
2006   *Corruption in Cuba: Castro and Beyond*. Austin: University of Texas Press.

DÍAZ HERRERA, José y Ramón TIJERAS
1991   *El dinero del poder: la trama económica en la España socialista*. Madrid: Cambio 16.

DÍAZ HERRERA, José e Isabel DURÁN
1994   *Los secretos del poder: del legado franquista al ocaso del felipismo, episodios inconfesables*. Madrid: Ediciones Temas de Hoy.

1996   *Pacto de silencio (el saqueo de España II: la herencia socialista que Aznar oculta)*. Madrid: Temas de Hoy.

DIEZ CANSECO, Jesús Antonio
1921   *Para la historia de la patria: el ferrocarril de Arequipa y el Gral. Don Pedro Diez Canseco*. Arequipa: s. p. i.

DIRKS, Nicholas
2006   *The Scandal of Empire: India and the Creation of Imperial Britain*. Cambridge, Mass.: Harvard University Press.

DOIG, Alan
1996   «Politics and Public Sector Ethics: The Impact of Change in the United Kingdom». En Walter Little y Eduardo Posada-Carbó (eds.) *Political Corruption in Europe and America*. Londres: Macmillan, pp. 173-192.

DOMÍNGUEZ ORTIZ, Antonio
1965   «Un virreinato en venta». En *Mercurio Peruano* 49: 453, pp. 43-51.

DONOSO, Ricardo
1963   *Un letrado del siglo XVIII, el doctor José Perfecto Salas*. Buenos Aires: Universidad de Buenos Aires, 2 vols.

DORN, Glenn J.
2003   «"The American Presumption of Fair Play": Víctor Raúl Haya de la Torre and the Federal Bureau of Narcotics». En *The Historian* 65: 5, pp. 1083-1101.

DOYLE, William
1996   *Venality: The Sale of Offices in Eighteenth-Century France*. Oxford: Clarendon Press.

2004 «Changing Notions of Public Corruption, c. 1700-c. 1850». En Emmanuel Krieke y William Chester Jordan (eds.) *Corrupt Histories*. Rochester, N. Y.: University of Rochester Press, pp. 83-95.

DRAKE, Paul W.
1989 *The Money Doctor in the Andes: The Kemmerer Missions, 1923-1933*. Durham, N. C.: Duke University Press.

DREYFUS FRÈRES & CIE.
1869a *Texto del contrato celebrado por el Supremo Gobierno del Perú con la casa Dreyfus Hermanos y Ca.: aclaraciones presentadas por los contratistas*. Lima: Tipografía Aurelio Alfaro.

1869b *Refutación de las acciones interpuestas judicialmente por «Los Nacionales» con motivo del contrato Dreyfus; precedido de algunas consideraciones económicas, fiscales y políticas sobre dicho contrato por un antiguo contradictor de las consignaciones y los consignatarios*. Lima: Tipografía Aurelio Alfaro.

1873 *Exposición que la Casa Dreyfus Hermanos y Compañía hace ante la sana opinión pública del Perú sobre su manejo de los negocios fiscales del Perú*. Lima: Imprenta La Patria.

DUFFIELD, Alexander James
1877 *Peru in the Guano Age: Being a Short Account of a Recent Visit to the Guano Deposits with Some Reflections on the Money They Have Produced and the Uses to Which It Has Been Applied*. Londres: Richard Bentely & Son.

DURAND, Francisco
1994 *Business and Politics in Peru: The State and the National Bourgeoisie*. Boulder, Col.: Westview Press.

2003 *Riqueza económica y pobreza política: reflexiones sobre las élites del poder en un país inestable*. Lima: Pontificia Universidad Católica del Perú.

2005 «Dinámica política de la corrupción y participación empresarial». En Felipe Portocarrero Suárez (ed.) *El pacto infame: estudios sobre la corrupción en el Perú*. Lima: Red de Ciencias Sociales, pp. 287-330.

ECHENIQUE, José Rufino
1855 *El general Echenique, presidente despojado del Perú, en su vindicación*. Nueva York: s. p. i.

1952 *Memorias para la historia del Perú*. Editadas por Jorge Basadre y Félix Denegri Luna. Lima: Editorial Huascarán.

EIGEN, Meter
2004 *Las redes de la corrupción: la sociedad civil contra los abusos del poder*. Barcelona: Editorial Planeta.

EL NACIONAL
1869 *La Excma. Corte Suprema en el juicio sobre el contrato celebrado por el supremo poder ejecutivo con la casa de Dreyfus HH. y Ca*. Lima: Imprenta de El Nacional.

EL REPUBLICANO
1975 *El Republicano (Arequipa): Noviembre 1825-Febrero 1827*. Edición facsimilar. Caracas: Gobierno de Venezuela.

ELÍAS, Domingo
    1853   *El señor don Domingo Elías a la faz de sus compatriotas*. Valparaíso: Imprenta del
            Mercurio.

    1855   *Manifiesto de D. Domingo Elías a la Nación*. Arequipa: Imprenta Libre de Mariano
            Madueño.

ELÍAS, Domingo (ed.)
    1849   *Documentos que prueban el hecho del asesinato contra la persona del Consejero
            de Estado Domingo Elías en la noche del 12 de abril del corriente año de 1849*.
            Lima: Imprenta del Correo.

ELÍAS LAROZA, Enrique
    1985   *La conspiración Guvarte: las pruebas de la inquisición*. Lima: s. p. i.

EMMERSON, John K.
    1978   *The Japanese Thread: A Life in U.S. Foreign Service*. Nueva York: Holt, Rinehart &
            Winston.

ENCICLOPEDIA UNIVERSAL ILUSTRADA
    1929   *Enciclopedia Universal Ilustrada*. Madrid: Espasa Calpe.

ENGELSEN, Juan Rolf
    1997   «Social Aspects of Agricultural Expansion in Coastal Peru, 1825-1878». Tesis docto-
            ral. Westwood: University of California-Los Angeles.

ERTMAN, Thomas
    1997   *The Birth of the Leviathan: Building States and Regimes in Medieval and Early Mo-
            dern Europe*. Cambridge: Cambridge University Press.

ESCOBAR GAVIRIA, Roberto
    2000   *Mi hermano Pablo*. Bogotá: Quintero Editores.

FERGUSON, Niall
    2003   *Empire: The Rise and Demise of British World Order and the Lessons for Global
            Power*. Nueva York: Basic Books.

FERNER, Anthony
    1983   «The Industrialists and the Peruvian Development Model». En David Booth y Ber-
            nardo Sorj (eds.). *Military Reformism and Social Classes: The Peruvian Experience,
            1968-80*. Nueva York: St. Martin's Press, pp. 40-71.

FERNÁNDEZ SALVATECCI, José A.
    1978   *La revolución peruana: yo acuso*. Lima: Editorial El Siglo.

    1994   *Los militares en el Perú: de libertadores a genocidas*. Lima: s. p. i.

FERRAND INURRITEGUI, Alfredo y Arturo SALAZAR LARRAÍN
    1980   *La década perdida*. Lima: Sociedad de Industrias.

FISHER, John R.
    1970   *Government and Society in Colonial Peru: The Intendant System, 1784-1814*. Lon-
            dres: Athlone Press.

    1975   «Silver Production in the Viceroyalty of Peru, 1776-1824». En *Hispanic American
            Historical Review* 55, pp. 25-43.

1977   *Silver Mines and Silver Miners in Colonial Peru, 1776-1824*. Liverpool: University of Liverpool.

1979   «Royalism, Regionalism, and Rebellion in Colonial Peru». En *Hispanic American Historical Review* 59, pp. 232-257.

1997   *The Economic Aspects of Spanish Imperialism in America, 1492-1810*. Liverpool: Liverpool University Press.

2003   *Bourbon Peru 1760-1824*. Liverpool: Liverpool University Press,

FISHER, John R. (ed.)
1968   *Arequipa, 1796-1811: la Relación de Gobierno del intendente Salamanca*. Lima: Seminario de Historia Rural Andina, Universidad Nacional Mayor de San Marcos.

FISHER, John R., Allan J. KUETHE y Anthony McFARLANE (eds.)
1990   *Reform and Insurrection in Bourbon New Granada and Peru*. Baton Rouge: Louisiana State University Press.

FLORES-GALINDO, Alberto
1984   *Aristocracia y plebe: Lima, 1760-1830*. Lima: Mosca Azul.

GALL, Norman
1971   «Peru: The Master is Dead». En *Dissent* 18, pp. 281-320.

GAMARRA, Agustín
1952   *Epistolario del Gran Mariscal Agustín Gamarra*. Editado por Alberto Tauro. Lima: Universidad Nacional Mayor de San Marcos / P. L. Villanueva.

GARCÍA, Simón
1834   *Pequeñas observaciones que Simón García hace a parte del manifiesto del Sr. Coronel D. Rufino Echenique publicado en el Cuzco en 23 de julio de 1834*. Arequipa: Imprenta de Francisco Valdés.

GARCÍA BELAUNDE, Francisco
1963   *Así se hizo el fraude*. Lima: Acción Popular.

GARCÍA CALDERÓN, Francisco
1860   *Diccionario de la legislación peruana*. Lima: Imprenta del Estado por Eusebio Aranda, 2 vols.

1868   *Estudios sobre el Banco de Crédito Hipotecario y las leyes de hipotecas*. Lima: Imprenta J. M. Noriega.

1879   *Diccionario de la legislación peruana: segunda edición corregida y aumentada con las leyes y decretos dictados hasta 1877*. 2.ª ed. París: Librería de Laroque, 2 vols.

1881   *Mensaje de S. E. el Presidente Provisorio de la República Dr. D. Francisco García Calderón al Congreso Extraordinario de 1881*. Lima: Edición Oficial.

1884   *Mediación de los Estados Unidos de Norte América en la Guerra del Pacífico. El Señor Cornelius A. Logan y el Dr. D. Francisco García Calderón*. Buenos Aires: Imprenta y Librería de Mayo.

1949   *Memorias del cautiverio*. Lima: Librería Internacional.

García Pérez, Alan
    1991   *La defensa de Alan García*. s. l.: s. p. i.

    1994   *El mundo de Maquiavelo*. Lima: Mosca Azul.

García Rada, Domingo
    1978   *Memorias de un juez*. Lima: Editorial Andina.

García Sayán, Diego (ed.)
    1989   *Coca, cocaína y narcotráfico: laberinto en los Andes*. Lima: Comisión Andina de
            Juristas.

Garcilaso de la Vega, Inca
    1985   *Comentarios reales*. Editados por César Pacheco Vélez, Alberto Tauro y Aurelio Miró
            Quesada. Lima: Banco de Crédito.

    2000   *Comentarios reales*. Editados por Mercedes Serna. Madrid: Editorial Castalia.

Gardiner, C. Harvey
    1981   *Pawns in a Triangle of Hate: The Peruvian Japanese and the United States*. Seattle:
            University of Washington Press.

Garland, Gerardo
    1875   *F. García Calderón y la casa de Schutte y Compañía: Contestación al Sr. D. Gerardo
            Garland*. Lima: Imprenta de El Nacional.

Garner, Richard
    1988   «Long-Term Silver Mining Trends in Spanish America». *American Historical Review* 93,
            pp. 898-935.

Garrett, David
    2005   *Shadows of Empire: The Indian Nobility of Cusco, 1750-1825*. Nueva York: Cambrid-
            ge University Press [edición en español: Lima, Instituto de Estudios Peruanos-Banco
            Central de Reserva dek Perú, 2009].

Garrigues, Jean
    2004   *Les scandales de la République de Panama à Elf*. París: Éditions Robert Laffont.

Gates, Eunice Joiner
    1928   «Don José Antonio de Areche: His Own Defense». En *Hispanic American Historical
            Review* 8, pp. 14-42.

Gawsewitch, Jean-Claude
    2003   *Yanacocha: comment déposséder l'Etat française d'un milliard de dollars sans que
            personne ne dise rien*. Neuilly-sur-Seine: Lafon.

Gille, Bertrand
    1957   *État sommaire des archives d'entreprises conserves aux Archives Nationales (série
            AQ)*. París: Imprimerie Nationale.

Ginzburg, Carlo
    1993   *El juez y el historiador: acotaciones al margen del caso Sofri*. Madrid: Anaya.

Glaeser, Edward y Claudia Goldin
    2006   «Corruption and Reform: Introduction». En Edward Glaeser y Claudia Goldin (eds.).
            Corruption and Reform: Lessons from America's Economic History. Chicago: Univer-
            sity of Chicago Press, pp. 3-22.

GONZALES DE OLARTE, Efraín
1998   *El neoliberalismo a la peruana: economía política del ajuste estructural, 1990-1997.* Lima: Instituto de Estudios Peruanos.

GONZALES DE OLARTE, Efraín (ed.)
1996   *The Peruvian Economy and Structural Adjustment: Past, Present, and Future.* Miami: University of Miami North-South Center Press.

GONZÁLEZ, José María
1870   *Carta dirigida por el Sr. D. José María González diputado a Congreso al Sr. D. Fernando Palacios y su respuesta, en la que se revelan hechos de gran importancia en el negociado Dreyfus.* Lima: Imprenta de La Libertad.

GONZÁLEZ ARICA, Guillermo (ed.)
2001   *Los escaños de Montesinos.* Lima: Fimart.

GONZÁLEZ DE SALCEDO, Pedro
1729   *Tratado jurídico político del contrabando compuesto por el licenciado Pedro González Salcedo, alcalde que fue de las guardas de Castilla y juez de contrabando de esta corte: en esta tercera y última impresión sale corregida de muchos yerros que en la segunda se había introducido, y se han añadido muchas reales cédulas que después han salido concernientes a la materia de contra-bando y también los sumarios a los capítulos de toda la obra. Con privilegio.* Madrid: Juan Muñoz.

GONZÁLEZ JIMÉNEZ, Manuel, et ál.
1998   *Instituciones y corrupción en la historia.* Valladolid: Universidad de Valladolid.

GONZÁLEZ PRADA, Manuel
1976   *Páginas libres; Horas de lucha.* Caracas: Biblioteca Ayacucho.

1978   *Sobre el militarismo (antología). Bajo el oprobio.* Editado por Bruno Podestá. Lima: Editorial Horizonte.

1985   *Obras.* Lima: Ediciones Copé, 3 vols., 7 partes.

GOODSELL, Richard
1974   *American Corporations and Peruvian Politics.* Cambridge, Mass.: Harvard University Press.

GOOTENBERG, Paul
1989   *Between Silver and Guano: Commercial Policy and the State in Postindependence Peru.* Princeton, N. J.: Princeton University Press.

1991   «North-South: Trade Policy, Regionalism, and Caudillismo in Post-Independence Peru». En *Journal of Latin American Studies* 23, pp. 1-36.

1993   *Imagining Development: Economic Ideas in Peru's «Fictitious Prosperity» of Guano, 1840-1880.* Berkeley: University of California Press.

1996   «Paying for Caudillos: The Politics of Emergency Finance in Peru, 1820-1845». En Vincent Peloso y Barbara Tenenbaum (eds.) *Liberals, Politics, and Power: State Formation in Nineteenth-Century Latin America.* Atenas: University of Georgia Press, pp. 134-165.

2003   «Between Coca and Cocaine: A Century or More of U.S.-Peruvian Drug Paradoxes 1860-1980». En *Hispanic American Historical Review* 83: 1, pp. 137-150 [edición en español: Instituto de Estudios Peruanos, 2003].

2004   «Birth of the Narcs: The First *Illicit* Cocaine Flows in the Americas». Disponible en: <http://catedras.ucol.mx/transformac/PDF/NARCSu.pdf>.

GORRITI, Gustavo
1994   «Fujimori's Svengali, Vladimiro Montesinos: The Betrayal of Peruvian Democracy». En *Covert Action* 49, pp. 4-12 y 54-59.

1999   *The Shining Path: A History of the Millenarian War in Peru*. Chapel Hill: University of North Carolina Press.

2006   *La calavera en negro: el traficante que quiso gobernar un país*. Lima: Editorial Planeta.

GOUGH, Barry M.
1983   «Specie Conveyance from the West Coast of Mexico in British Ships, c. 1820-1870: An Aspect of the Pax Britannica». En *Mariner's Mirror* 69, pp. 419-433.

GOYENECHE Y GAMIO, Juan M. de
1880   *Los arreglos del dictador y el contrato Rosas-de Goyeneche*. París: A. Chaix et Cie.

GRAHAM, Carol
1992   *Peru's APRA: Parties, Politics, and the Elusive Quest for Democracy*. Boulder, Col.: Lynne Rienner.

1994   «Introduction: Democracy in Crisis and the International Response». En Joseph Tulchin y Gary Bland (eds.). *Peru in Crisis: Dictatorship or Democracy?* Boulder, Col.: Lynne Rienner, pp. 1-21.

GRAHN, Lance
1990   «An Irresoluble Dilemma: Smuggling in New Granada, 1713-1763». En John Fisher, Allan Kuethe y Anthony McFarlane (eds.). *Reform and Insurrection in Bourbon New Granada and Peru*. Baton Rouge: Louisiana State University Press, pp. 123-146.

GUAMÁN POMA DE AYALA, Felipe
1980   *Nueva corónica y buen gobierno*. Editada por Franklin Pease. Caracas: Biblioteca Ayacucho, 2 vols.

1987   *Nueva crónica y buen gobierno*. Editada por John Murra, Rolena Adorno y Jorge Urioste. Ciudad de México: Siglo XXI, 3 vols.

GUTIÉRREZ DE LA FUENTE, Antonio
1829   *Manifiesto que di en Trujillo en 1824 sobre los motivos que me obligaron a deponer a D. José de la Riva-Agüero y conducta que observé en ese acontecimiento*. Lima: José M. Masías.

GUTIÉRREZ PAREDES, Ramón
1889   *Abusos y reformas del Poder Judicial en todos sus grados*. Lima: Imprenta del Universo.

HABER, Stephen (ed.)
2002   *Crony Capitalism and Economic Growth in Latin America: Theory and Evidence*. Stanford, Calif.: Hoover Institution Press.

HAIGH, Samuel
   1831   *Sketches of Buenos Ayres, Chile, and Peru*. Londres: Efingham Wilson.

HANKE, Lewis
   1936   «Dos palabras on Antonio de Ulloa and the *Noticias Secretas*». En *Hispanic American Historical Review* 16, pp. 479-514.

HARLING, Philip
   1995   «Rethinking "Old Corruption"». En *Past and Present* 147, pp. 127-158.

   1996   *The Waning of «Old Corruption»: The Politics of Economical Reform in Britain, 1779-1846*. Oxford: Clarendon Press.

HAVENS, A. Eugene, Susana LASTARRIA-CORNHIEL y Gerardo OTERO
   1983   «Class Struggle and the Agrarian Reform Process». En David Booth y Bernardo Sorj (eds.). *Military Reformism and Social Classes: The Peruvian Experience, 1968-80*. Nueva York: St. Martin's Press, pp. 14-39.

HEIDENHEIMER, Arnold (ed.)
   1970   *Political Corruption: Readings in Comparative Analysis*. Nueva York: Holt, Rinehart & Winston.

HEIDENHEIMER, Arnold y Michael JOHNSTON (eds.)
   2002   *Political Corruption: Concepts and Contexts*. 3.ª ed. New Brunswick, N. J.: Transaction Publishers.

HEIDENHEIMER, Arnold, Michael JOHNSON y Robert LEVINE (eds.)
   1989   *Political Corruption: A Handbook*. New Brunswick, N. J.: Transaction Books.

HERZOG, Tamar
   2004   *Upholding Justice: Society, State, and the Penal System in Quito (1650-1750)*. Ann Arbor: University of Michigan Press.

HOLGUÍN CALLO, Oswaldo
   2002   *Poder, corrupción y tortura en el Perú de Felipe II: el doctor Diego de Salinas (1558-1595)*. Lima: Fondo Editorial del Congreso.

HOPKINS, Jack
   1967   *The Government Executive of Modern Peru*. Gainsville: University of Florida Press.

HUMPHREYS, R. A.
   1952   *Liberation in South America 1806-1827: The Career of James Paroissien*. Londres: Athlone Press.

HUMPHREYS, R. A. (ed.)
   1940   *British Consular Reports on the Trade and Politics of Latin America, 1824-1826*. Londres: Royal Historical Society.

HUNT, Shane
   1973a   «Price and Quantum Estimates of Peruvian Exports, 1830-1962». *Discussion Paper* n.° 33. Princeton: Woodrow Wilson School, Princeton University.

   1973b   «Growth and Guano in Nineteenth-Century Peru». *Discussion Paper* n.° 34. Princeton: Woodrow Wilson School, Princeton University.

[2011] *La formación de la economía peruana. Distribución y crecimiento del Perú y América Latina*. Lima: Instituto de Estudios Peruanos-Banco Central de Reserva del Perú.

HURSTFIELD, Joel
1973 *Freedom, Corruption, and Government*. Londres: Jonathan Cape.

INICIATIVA NACIONAL ANTICORRUPCIÓN
2001 *Un Perú sin corrupción: condiciones, lineamientos y recomendaciones para la lucha contra la corrupción*. Lima: Iniciativa Nacional Anticorrupción / Ministerio de Justicia.

ITURREGUI, Juan Manuel
1847 *Reimpresión de los artículos con que se vindica Juan Manuel Iturregui en el empréstito que celebró por orden del Supremo Gobierno*. Trujillo: s. p. i.

JACOBY, Neil, Peter NEHEMKIS y Richard EELLS
1977 *Bribery and Extortion in World Business: A Study of Corporate Political Payments Abroad*. Nueva York: Macmillan.

JAMES, Marquis
1993 *Merchant Adventurer: The Story of W. R. Grace*. Wilmington, Del.: SR Books.

JIMÉNEZ SÁNCHEZ, Fernando
1995 *Detrás del escándalo político: opinión, dinero y poder en la España del siglo XX*. Barcelona: Tusquets Editores.

JOCHAMOWITZ, Luis
2002 *Vladimiro: vida y tiempo de un corruptor*. Lima: El Comercio.

JOHANSEN, Elaine
1990 *Political Corruption: Scope and Resources. An Annotated Bibliography*. Nueva York: Garland Publishing.

JOHNSTON, Michael
2004 «Corruption and Democratic Consolidation». En Emmanuel Krieke y William Chester Jordan (eds.) *Corrupt Histories*. Rochester, N. Y.: University of Rochester Press, pp. 138-164.

JUAN, Jorge y Antonio DE ULLOA
1826 *Noticias secretas de América sobre el estado naval, militar y político de los reinos del Perú y provincias de Quito, costas de Nueva Granada y Chile; gobierno y régimen particular de los pueblos de indios; cruel opresión y extorsiones de sus corregidores y curas; abusos escandalosos introducidos entre estos habitantes por los misioneros; causas de su origen y motivos de su continuación por el espacio de tres siglos. Escritas fielmente según las instrucciones del excelentísimo señor marqués de la Ensenada, primer secretario de Estado, y presentadas en informe secreto a S. M. C, el señor Fernando VI [...] sacadas a la luz para el verdadero conocimiento del gobierno de los españoles en la América meridional por David Barry*. Londres: R. Taylor, 2 vols.

1851 *Secret Expedition to Peru, or, the Practical Influence of the Spanish Colonial System Upon the Character and Habits of the Colonists. Exhibited in a Private Report Read to the Secretaries of His Majesty, Ferdinand VI, King of Spain, by George J. [sic] and Anthony Ulloa*. Boston: Crocker & Brewster.

1878 *Popery Judged by Its Fruits: As Brought to View in the Diary of Two Distinguished Scholars and Philanthropists, John and Anthony [sic] Ulloa, during a Sojourn of Se-*

veral Years in the States of Colombia and Peru. Translated from the Spanish by a Member of the Principia Club. Editado por I. W. Wheelwright. Boston: Albert J. Wright.

1978   Discourse and Political Reflections on the Kingdoms of Peru. Their Government, Special Regimen of Their Inhabitants, and Abuses Which Have Been Introduced into One and Another, with Special Information on Why They Grew Up and Some Means to Avoid Them. Editados por John TePaske y Besse Clement. Norman: University of Oklahoma Press.

1990   Noticias secretas de América. Editadas por Luis J. Ramos Gómez. Madrid: Historia 16.

JUNTA DE EXAMEN FISCAL
1857   Informes de la Junta de Examen Fiscal creada por resolución suprema de febrero de 1855 para revisar los expedientes relativos al reconocimiento de la deuda interna consolidada de 20 de abril de 1851, publicación oficial. Lima: Imprenta del Estado.

KANTOR, Harry
1966   The Ideology and Program of the Peruvian Aprista Movement. Nueva York: Octagon Books.

KAWATA, Junichi (ed.)
2006   Comparing Political Corruption and Clientelism. Aldershot, Hampshire: Ashgate.

KENNEY, Charles D.
2004   Fujimori's Coup and the Breakdown of Democracy in Latin America. Notre Dame, Ind.: University of Notre Dame Press.

KISIC, Drago
2000   «Privatizaciones, inversiones y sostenibilidad de la economía peruana». En John Crabtree y Jim Thomas (eds.). El Perú de Fujimori: 1990-1998. Lima: Centro de Investigación de la Universidad del Pacífico, Instituto de Estudios Peruanos, pp. 75-113.

KLARÉN, Peter F.
1973   Modernization, Dislocation, and Aprismo: Origins of the Peruvian Aprista Party, 1870-1932. Austin: University of Texas Press.

2000   Peru: Society and Nationhood in the Andes. Nueva York: Oxford University Press.

KLEIN, Herbert S.
1998   The American Finances of the Spanish Empire: Royal Income and Expenditures in Colonial Mexico, Peru, and Bolivia, 1680-1809. Albuquerque: University of New Mexico Press.

KLITGAARD, Robert
1988   Controlling Corruption. Berkeley: University of California Press.

KRÜGGELER, Thomas
1988   «El doble desafío: los artesanos del Cusco ante la crisis regional y la constitución del régimen republicano, 1824-1869». En Allpanchis 38, pp. 13-65.

KRUIJT, Dirk
1994   Revolution by decree: Peru, 1968-1975. Ámsterdam: Thela.

KUCZYNSKI, Pedro Pablo
  1977   *Peruvian Democracy under Economic Stress: An Account of the Belaunde Adminis-
          tration, 1963-1968.* Princeton, N. J.: Princeton University Press.

  1980   *Democracia bajo presión económica: el primer gobierno de Belaunde.* Lima: Mosca
          Azul.

KUETHE, Allan
  1986   «Guns, Subsidies, and Commercial Privilege: Some Historical Factors in the Emergen-
          ce of the Cuban National Character, 1763-1815». En *Cuban Studies* 16, pp. 123-139.

KUETHE, Allan y G. Douglas INGLIS
  1985   «Absolutism and Enlightened Reform: Charles III, the establishment of the Alcabala,
          and Commercial Reorganization in Cuba». En *Past and Present* 109, pp. 118-143.

LAMBSDORFF, Johann Graf
  2002   «Corruption and Rent-Seeking». En *Public Choice* 113, pp. 97-125.

LARREA Y LOREDO, José
  1827   *Principios que siguió el ciudadano José de Larrea y Loredo en el Ministerio de Ha-
          cienda y Sección de Negocios Eclesiásticos de que estuvo encargado.* Lima: Impren-
          ta J. M. Concha.

LATASA, Pilar
  2003   «Negociar en red: familia, amistad y paisanaje; el virrey Superunda y sus agentes en
          Lima y Cádiz (1745-1761)». En *Anuario de Estudios Americanos* 60: 2, pp. 463-492.

LE ROY, François
  2002   «Mirages over the Andes: Peru, France, the United States, and Military Jet Procure-
          ment in the 1960s». En *Pacific Historical Review* 71: 2, pp. 269-300.

LEFF, Nathaniel
  1970   «Economic Development through Bureaucratic Corruption». En Arnold Heidenhei-
          mer (ed.). *Political Corruption: Readings in Comparative Analysis.* Nueva York: Holt,
          Rinehart & Winston, pp. 510-520.

LEGUÍA, Augusto B.
  1936   *El Oncenio y la Lima actual: memorias completas del Presidente Leguía «Yo tirano,
          yo ladrón».* Lima: Imprenta J. C. L.

LEÓN VELARDE, Enrique
  2000   *¿El Chino y yo jodimos al Perú? Confesiones de Enrique León Velarde.* Lima: s. p. i.

LEUBEL, Alfredo
  1861   *El Perú en 1860 o sea anuario nacional.* Lima: Imprenta El Comercio.

LIPSET, Seymour Martin y Gabriel SALMAN LENZ
  2000   «Corruption, Culture, and Markets». En Lawrence Harrison y Samuel Huntington
          (eds.). *Culture Matters: How Values Shape Human Progress.* Nueva York: Basic
          Books, pp. 112-124.

LITTLE, Walter y Antonio HERRERA
  1996   «Political Corruption in Venezuela». En Walter Little y Eduardo Posada-Carbó (eds.).
          Political Corruption in Europe and Latin America. Londres: Macmillan, pp. 267-285.

LOAYZA GALVÁN, Francisco
2001   *Montesinos: el rostro oscuro del poder en el Perú.* Lima: s. p. i.

LOHMANN VILLENA, Guillermo
1974a   *Los ministros de la Audiencia de Lima en el reinado de los Borbones (1700-1821): esquema de un estudio sobre un núcleo dirigente.* Sevilla: Consejo Superior de Investigaciones Científicas, Escuela de Estudios Hispano-Americanos.

1974b   «Victorino Montero del Águila y su "Estado Político del Reyno del Perú" (1742)». En *Anuario de Estudios Americanos* 31, pp. 751-807.

1976   «Estudio preliminar». En Guillermo Lohmann Villena (ed.). *Un tríptico del Perú virreinal: el virrey Amat, el marqués de Soto Florido y la Perricholi: el drama de dos palanganas y su circunstancia.* Chapel Hill: University of North Carolina Department of Modern Languages.

1977   *Las ideas jurídico-políticas en la rebelión de Gonzalo Pizarro: la tramoya doctrinal del levantamiento contra las Leyes Nuevas en el Perú.* Valladolid: Universidad de Valladolid.

LÓPEZ ALDANA, Fernando, et ál.
1831   *Refutación documentada de las principales falsedades y errores de hecho y de derecho que contiene el manifiesto publicado por el S. D. D. Mariano Santos Quirós contra los magistrados de la Suprema Corte de Justicia que sentenciaron en primera instancia el juicio de su pesquisa.* Lima: Imprenta de José Masías.

LÓPEZ ALIAGA, Diego
1863   *Breve exposición que el apoderado de la casa Thomas Lachambre y Cia. presenta a la ilustrísima Corte Superior de Justicia sobre el pleito que su parte sigue con el Sr. Dr. D. José Gregorio Paz-Soldán.* Lima: Imprenta Calle de la Rifa.

LORANDI, Ana María
2002   *Ni ley, ni rey, ni hombre virtuoso: guerra y sociedad en el virreinato del Perú, siglos XVI y XVII.* Barcelona: Gedisa.

LOTH, David
1938   *Public Plunder: A History of Graft in America.* Nueva York: Carrick & Evans.

LOVEMAN, Brian y Thomas A. DAVIES (eds.)
1989   *The Politics of Antipolitics: The Military in Latin America.* Lincoln: University of Nebraska Press.

[MACHADO DE CHAVES, Mariano]
1880   «Estado político del reino del Perú». En *Revista Peruana* 4, pp. 147-190, 351-369 y 497-504.

MALAMUD, Carlos
1986   *Cádiz y Saint Malo en el comercio colonial peruano, 1698-1725.* Cádiz: Diputación Provincial de Cádiz.

MALPICA, Carlos
1973   *Los dueños del Perú.* 5.a ed. Lima: Peisa.

1976   *Anchovetas y tiburones.* Lima: Editora Runamarka.

1985   *Petróleo y corrupción: la ley Kuczynski.* Lima: Escena Contemporánea.

1993   *Pájaros de alto vuelo: Alan García, el BCCI y los Mirage.* Lima: Editorial Minerva.

MANNING, William (ed.)
1925   *Diplomatic Correspondence of the United States Concerning the Independence of the Latin American Nations.* Nueva York: Oxford University Press.

MARCHENA Fernández, Juan
1990   «The Social World of the Military in Peru and New Granada, 1784-1810». En John Fisher, Allan Kuethe y Anthony McFarlane (eds.). *Reform and Insurrection in Bourbon New Granada and Peru.* Baton Rouge: Louisiana State University Press, pp. 54-95.

MARICHAL, Carlos
1989   *A Century of Debt Crises in Latin America: From Independence to the Great Depression, 1820-1930.* Princeton, N. J.: Princeton University Press.

MÁRQUEZ, José Arnaldo
1888   *La orjía financiera del Perú: el guano i el salitre (artículos publicados en La Libertad Electoral).* Santiago: Imprenta de La Libertad Electoral.

MARTÍN, César
1963   *Dichos y hechos de la política peruana: una descripción auténtica, sobria y condensada de los dos procesos electorales y las dos juntas militares.* Lima: Tipografía Santa Rosa.

MARTÍN DE POZUELO, Eduardo, Jordi BORDAS y Santiago TARÍN
1994   *Guía de la corrupción.* Barcelona: Plaza & Janes.

MARTÍNEZ RIAZA, Ascensión
1999   «Política regional y gobierno de la Amazonía peruana». En *Histórica* 23, pp. 393-462.

2006   *«A pesar del gobierno»: españoles en el Perú, 1879-1939.* Madrid: Consejo Superior de Investigaciones Científicas.

MASO, Manuel María del (Ibrahim Clarete)
1861   *Aniversario.* Lima: A. Alfaro y Cia.

MASTERSON, Daniel
1991   *Militarism and Politics in Latin America: Peru from Sánchez Cerro to Sendero Luminoso.* Westport, Conn.: Greenwood Press.

MASTERSON, Daniel y Sayaka FUNADA-CLASSEN
2004   *The Japanese in Latin America.* Chicago: University of Illinois Press.

MATHEW, W. M.
1970   «The First Anglo-Peruvian Debt and Its Settlement, 1822-49». En *Journal of Latin American Studies* 2, pp. 81-98.

1972   «Foreign Contractors and the Peruvian Government at the Outset of the Guano Trade». En *Hispanic American Historical Review* 52, pp. 598-620.

1977   «A Primitive Export Sector: Guano Production in Mid-Nineteenth-Century Peru». En *Journal of Latin American Studies* 9, pp. 35-57.

1981   *The House of Gibbs and the Peruvian Guano Monopoly.* Londres: Royal Historical Society [edición en español: Lima, Instituto de Estudios Peruanos-Banco Central de Reserva del Perú, 2009].

MATTO DE TURNER, Clorinda
1902   «En el Perú: narraciones históricas». En Thomas Ward (ed.). *Boreales, miniaturas y porcelanas*. Buenos Aires: Imprenta de Juan A. Alsina, pp. 11-64. Disponible en: <http://www.evergreen.loyola.edu/~TWARD/MUJERES/MATTO/HISTORICAS/Peru1.html>.

MAUCERI, Philip
1997   «The Transition to "Democracy" and the Failures of Institution Building». En Maxwell Cameron y Philip Mauceri (eds.). *The Peruvian Labyrinth: Polity, Society, and Economy*. University Park: Pennsylvania State University Press, pp. 13-36.

MAURO, Paolo
1995   «Corruption and Growth». *Quarterly Journal of Economics* 110, n.° 3: 681-712.

1997   «The Effects of Corruption on Growth, Investment, and Government Expenditures: A Cross-Country Analysis». En Kimberly Ann Elliott (ed.). *Corruption and the Global Economy*. Washington, D. C.: Institute for International Economics, pp. 83-108.

1998   «Corruption and the Composition of Government Expenditure». En *Journal of Public Economics* 69, pp. 263-279.

MAZZEO, Cristina A.
1994   *El comercio libre en el Perú: las estrategias de un comerciante criollo, José de Lavalle y Cortés, conde de Premio Real, 1777-1815*. Lima: Pontificia Universidad Católica del Perú.

McCLINTOCK, Cynthia
1986   «Comment on Chapter 9 / Daniel Schydlowsky». En Jonathan Hartlyn y Samuel Morley (eds.). *Latin American Political Economy: Financial Crisis and Political Change*. Boulder, Col.: Westview Press, pp. 360-366.

2006a   «Electoral Authoritarian versus Partially Democratic Regimes: The Case of the Fujimori Government and the 2000 Elections». En Julio Carrión (ed.). *The Fujimori Legacy: The Rise of Electoral Authoritarianism in Peru*. University Park: Pennsylvania State University Press, pp. 242-267.

2006b   «An Unlikely Comeback in Peru». En *Journal of Democracy* 17: 4, pp. 95-109.

McCLINTOCK, Cynthia y Fabián VALLAS
2003   *The United States and Peru: Cooperation at a Cost*. Nueva York: Routledge.

MC EVOY, Carmen
1994a   *Un proyecto nacional en el siglo XIX: Manuel Pardo y su visión del Perú*. Lima: Pontificia Universidad Católica del Perú.

1994b   «Estampillas y votos: el rol del correo político en una campaña electoral decimonónica». En *Histórica* 18: 1, pp. 95-134.

McFARLANE, Anthony
1996   «Political Corruption and Reform in Bourbon Spanish America». En Walter Little y Eduardo Posada-Carbó (eds.). *Political Corruption in Europe and Latin America*. Londres: Macmillan, pp. 41-63.

McLYNN, Frank
2002   *Napoleon: A Biography*. Nueva York: Arcade Publishing.

McMILLAN, John y Pablo ZOIDO
    2004   «How to Subvert Democracy: Montesinos in Peru». En *Journal of Economic Perspectives* 18: 4, pp. 69-92.

MEDINA, José Toribio
    1901   *Biblioteca Hispano-Americana*. Santiago: Imprenta casa del autor.

MENDIBURU, Manuel de
    1853   *Consideraciones sobre el empréstito de 1853*. Londres: T. F. Newell.

    1960-1961   «Noticias biográficas de los generales que ha tenido la República desde 1821». En *Revista Histórica* 25, p. 160.

    1963   *Biografías de los generales republicanos*. Editadas por Félix Denegri Luna. Lima: Academia Nacional de la Historia.

MENZEL, Sewall H.
    1996   *Fire in the Andes: U. S. Foreign Policy and Cocaine Politics in Bolivia and Peru*. Lanham, Md.: University Press of America.

MERINO, Luis
    1956   *Estudio crítico sobre las «Noticias secretas de América» y el clero colonial*. Madrid: Consejo Superior de Investigaciones Científicas, Instituto Santo Toribio de Mogrovejo.

MILLER, Rory Miller
    1976   «The Making of the Grace Contract: British Bondholders and the Peruvian Government, 1885-1890». En *Journal of Latin American Studies* 8, pp. 73-100.

    1996   «Foreign Capital, the State, and Political Corruption in Latin America between Independence and the Depression». En Walter Little y Eduardo Posada-Carbó (eds.). *Political Corruption in Europe and Latin America*. Londres: Macmillan, pp. 65-96.

MIRÓ QUESADA, Carlos
    1959   *Radiografía de la política peruana*. Lima: Editorial Páginas Peruanas.

MITCHELL, B. R.
    1998   *Internacional Historical Statistics: The Americas 1750-1993*. 4.ª ed. Londres: Macmillan.

MOLINA MARTÍNEZ, Miguel
    1995   *Antonio de Ulloa en Huancavelica*. Granada: Universidad de Granada.

MONTALDO, Jean
    1998   *Main basse sur l'or de la France*. París: Albin Michel.

MONTEAGUDO, Bernardo
    1824   *Memoria sobre los principios políticos que seguí en la administración del Perú y acontecimientos posteriores a mi separación*. Quito: Imprenta de Quito, 1823; Guatemala: Beteta.

MONTEAGUDO, Manuel
    2010   «Peru's Experience in Sovereign Debt Management and Litigation: Some Lessons for the Legal Approach to Sovereign Indebtedness». En *Law and Contemporary Problems* 73, pp. 201-214.

MONTES DE OCA, Juan EVANGELISTA (Rafael Valdés)
    1832   *Carta de un particular al Jeneral El-es-burro Prefecto de Lima*. Guayaquil: J. Rodríguez.

MOODY-STUART, George
   1997   *Grand Corruption: How Business Bribes Damage Developing Countries*. Oxford: Worldview.

MORENO CEBRIÁN, Alfredo
   1977   *El corregidor de indios y la economía peruana en el siglo XVIII (los repartos forzosos de mercancías)*. Madrid: Consejo Superior de Investigaciones Científicas, Instituto Gonzalo Fernández de Oviedo.

   1983   *Relación y documentos de gobierno del virrey del Perú, José A. Manso de Velasco, conde de Superunda (1745-1761)*. Madrid: Consejo Superior de Investigaciones Científicas, Instituto Gonzalo Fernández de Oviedo.

   2000   *El virreinato del marqués de Castelfuerte 1724-1736: el primer intento borbónico por reformar el Perú*. Madrid: Editorial Catriel.

MORENO CEBRIÁN, Alfredo y Núria SALA I VILA
   2004   *El «premio» de ser virrey: los intereses públicos y privados en el Perú virreinal de Felipe V*. Madrid: Consejo Superior de Investigaciones Científicas.

MORENO OCAMPO, Luis
   2002   «Corruption and Democracy: The Peruvian Case of Montesinos». En *Revista: Harvard Review of Latin America* 2: 1, pp. 26-29.

MORÓN, Eduardo
   2005   «Transparencia presupuestal: haciendo visible la corrupción». En Felipe Portocarrero Suárez (ed.). *El pacto infame: estudios sobre la corrupción en el Perú*. Lima: Red de Ciencias Sociales, pp. 147-176.

MORRIS, Stephen
   1991   *Corruption and Politics in Contemporary Mexico*. Tuscaloosa: University of Alabama Press.

MOURA, Francisco Ercilio, et ál.
   2005   *Deudas corruptas: crímenes de cuello blanco*. Lima: Plataforma Interamericana de Derechos Humanos, Democracia y Desarrollo.

MOUTOUKIAS, Zacarías
   1988   «Power, Corruption, and Commerce: The Making of the Local Administrative Structure in Seventeenth-Century Buenos Aires». En *Hispanic American Historical Review* 68, pp. 771-801.

MÜCKE, Ulrich
   2001   «Elections and Political Participation in Nineteenth-Century Peru: The 1871-72 Presidential Campaign». En *Journal of Latin American Studies* 33, pp. 311-346.

   2004   *Political Culture in Nineteenth-Century Peru: The Rise of the Partido Civil*. Pittsburgh: University of Pittsburgh Press [edición en español: Lima, Instituto Francés de Estudios Andinos-Instituto de Estudios Peruanos, 2010].

MUNICIPALIDAD DE LIMA
   1822   *Lima justificada en el suceso del 25 de julio: impreso por orden de la ilustrísima Municipalidad*. Lima: Manuel del Río.

MUÑOZ PÉREZ, José
   1955   «Los proyectos sobre España y las Indias en el siglo xviii: el proyectismo como género». En *Revista de Estudios Políticos* 81, pp. 169-195.

NEIRA, Hugo
   2001   *El mal peruano 1990-2001*. Lima: Sidea.

NIBLO, Stephen
   1999   *Mexico in the 1940s: Modernity, Politics, and Corruption*. Wilmington, Del.: Scholarly Resources.

NIETO, Alejandro
   1997   *Corrupción en la España democrática*. Barcelona: Ariel.

NOONAN, John T.
   1984   *Bribes: The Intellectual History of a Moral Idea*. Berkeley: University of California Press.

NORTH, Douglass
   1981   *Structure and Change in Economic History*. Nueva York: Norton.

   1990   *Institutions, Institutional Change, and Economic Performance*. Cambridge: Cambridge University Press.

   2005   *Understanding the Process of Economic Change*. Princeton, N. J.: Princeton University Press.

NYE, J. S.
   1970   «Corruption and Political Development: A Cost Benefit Analysis». En Arnold Heidenheimer (ed.). *Political Corruption: Readings in Comparative Analysis*. Nueva York: Holt, Rinehart & Winston, pp. 564-578.

OBELSON, W.
   1962   *Funerales del APRA y el fraude electoral*. Lima: Librería Universo.

O'LEARY, Cornelius
   1962   *The Elimination of Corrupt Practices in British Elections, 1868-1911*. Oxford: Clarendon Press.

OLIVERA PRADO, Mario
   1999   *Relaciones peligrosas: legislación desinstitucionalizadora y corrupción en el Perú*. Lima: Instituto de Defensa Legal.

O'PHELAN GODOY, Scarlett
   1988   *Un siglo de rebeliones anticoloniales: Perú y Bolivia 1700-1783*. Cuzco: Centro Bartolomé de las Casas.

   1995   *La gran rebelión en los Andes: de Túpac Amaru a Túpac Catari*. Cuzco: Centro Bartolomé de las Casas, Petroperú.

   2001   «Sucre en el Perú: entre Riva-Agüero y Torre Tagle». En Scarlett O'Phelan (ed.). *La independencia en el Perú: de los Borbones a Bolívar*. Lima: Instituto Riva-Agüero, Pontificia Universidad Católica del Perú, pp. 379-405.

   2005   «Orden y control en el siglo XVIII: la política borbónica frente a la corrupción fiscal, comercial y administrativa». En Felipe Portocarrero Suárez (ed.). *El pacto infame: estudios sobre la corrupción en el Perú*. Lima: Red de Ciencias Sociales, pp. 13-33.

OPPENHEIMER, Andrés
2001   *Ojos vendados: Estados Unidos y el negocio de la corrupción en América Latina.*
        Buenos Aires: Editorial Sudamericana.

ORREGO, Juan Luis
1990   «Domingo Elías y el Club Progresista: los civiles y el poder hacia 1850». En *Histórica*
        14: 2, pp. 317-349.

ORTIZ DE ZEVALLOS, Gabriel y Pierina POLLAROLO (eds.)
2002   *Estrategias anticorrupción en el Perú.* Lima: Instituto Apoyo.

ORTIZ DE ZEVALLOS, Gonzalo
1978   *Entreguismo: los contratos petroleros de 1974.* Lima: Grafiser.

OXFORD LATIN AMERICAN
        Oxford Latin American Economic History Data Base. Latin American Centre: Oxford
        University. Disponible en: <http://oxlad.qeh.ox.ac.uk>.

PALACIO ATARD, Vicente
1946   *Areche y Guirior: observaciones sobre el fracaso de una visita al Perú.* Sevilla: Es-
        cuela de Estudios Hispano-Americanos.

PALACIOS MCBRIDE, María Luisa
1989   «Un empresario peruano del siglo xix: Manuel de Argumaniz». Tesis de Bachiller.
        Lima: Pontificia Universidad Católica del Perú.

PALACIOS MOREYRA, Carlos
1983   *La deuda anglo peruana 1822-1890.* Lima: Studium.

PARDO, Manuel
1922   *Los consignatarios del guano: contestación de Manuel Pardo a la denuncia de Gui-
        llermo Bogardus precedida de un estudio histórico por Evaristo San Cristóbal.* Lima:
        Imprenta Gloria.

PAREDES OPORTO, Martín
2003   «El lado verde de la corrupción». En *Quehacer* 144, pp. 10-20.

PARRÓN SALAS, Carmen
1995   *De las reformas borbónicas a la república: el Consulado y el comercio marítimo de
        Lima, 1778-1821.* San Javier, Murcia: Academia General del Aire.

PARRY, J. H.
1953   *The Sale of Public Office in the Spanish Indies under the Hapsburgs.* Berkeley: Uni-
        versity of California Press.

PÁSARA, Luis
1980   «La docena militar». En Juan Mejía Baca (ed.). *Historia del Perú.* Lima: Editorial Juan
        Mejía Baca, vol. 12, pp. 325-433.

1982   *Jueces, justicia y poder en el Perú.* Lima: Centro de Estudios de Derecho y Sociedad.

PATCH, Robert
1994   «Imperial Politics and Local Economy in Colonial Central America 1670-1770». En
        Past and Present 143, pp. 77-107.

PAYNE, Arnold
    1968   *The Peruvian Coup d'état of 1962: The Overthrow of Manuel Prado.* Washington,
            D. C.: Institute for the Comparative Study of Political Systems.

PAYNE, Robert
    1975   *The Corrupt Society: From Ancient Greece to Present-Day America.* Nueva York:
            Praeger.

PAZ SOLDÁN Y UNÁNUE, Pedro (Juan de ARONA)
    1974   *Diccionario de peruanismos.* Lima: Ediciones Peisa, 2 vols.

PEARCE, Adrian J.
    1999   «Huancavelica 1700-1759: Administrative Reform of the Mercury Industry in Early
            Bourbon Peru». En *Hispanic American Historical Review* 79, pp. 669-702.

PEASE, Henry
    1977   *El ocaso del poder oligárquico: lucha política en la escena oficial.* Lima: Desco.

PEARSON, Roger
    2005   *Voltaire Almighty: A Life in Pursuit of Freedom.* Nueva York: Bloomsbury.

PECK, Linda Levy
    1990   *Court Patronage and Corruption in Early Stuart England.* Boston: Unwin Hyman.

PERALTA RUIZ, Víctor
    2002   *En defensa de la autoridad: política y cultura bajo el gobierno del virrey Abascal,
            Perú, 1806-1816.* Madrid: Consejo Superior de Investigaciones Científicas.

    2003   «Un indiano en la corte de Madrid: Dionisio de Alsedo y Herrera y el *Memorial*
            informativo del Consulado de Lima (1725)». En *Histórica* 27: 2, pp. 319-355.

    2006   «El virrey Abascal y el espacio de poder en el Perú (1806-1816): un balance histo-
            riográfico». En *Revista de Indias* 66: 236, pp. 165-194.

PÉREZ BRICEÑO, Conrado
    2004   *La corrupción revolucionaria: informe sobre los principales casos de corrupción de
            la administración de Hugo Chávez.* Caracas: Editorial CEC.

PERÚ, CONGRESO DE LA REPÚBLICA DEL
    1870   *Informe de las Comisiones de Hacienda y Justicia de la H. Cámara de Diputados
            sobre el contrato celebrado por el Supremo Gobierno con la casa de Dreyfus Her-
            manos y Compañía de París, en 17 de agosto de 1869.* Lima: s. p. i.

    1872-1965   Cámara de Senadores. *Diario de los debates del Senado.* Lima: Imprenta de El Co-
            mercio y Talleres del Estado.

    1876-1965   Cámara de Diputados. *Diario de los debates de la Cámara de Diputados.* Lima: Im-
            prenta de El Nacional y P. L. Villanueva.

    1912   *Diario de debates de las sesiones del Congreso: legislatura ordinaria y extraordina-
            ria de 1912.* Lima.

    2003a   Comisión Investigadora de Delitos Económicos y Financieros 1990-2001. *Informe
            final.* Editado por Oscar Ugarteche Galarza. Lima: Impresora Peruana.

2003b   Comisión Investigadora encargada de cumplir las conclusiones y recomendaciones
         a las que arribaron cinco comisiones investigadoras del periodo legislativo 2001-
         2002: Área delitos económicos y financieros, deuda externa. (Comisión Herrera).
         Informe final. Lima. Disponible en: <http://www.congreso.gob.pe/historico/ciccor/
         infofinal/deudaexterna.pdf>.

2004   *En la sala de la corrupción: videos y audios de Vladimiro Montesinos (1998-2000).*
         Editado por Antonio Zapata. Lima: Fondo Editorial del Congreso del Perú. 6 vols.

PERÚ, GOBIERNO DEL
1842   *Protesta que hace el gobierno del Perú contra la conducta del Encargado de Nego-*
         cios de Su Majestad Británica D. Belford Hinton Wilson y su inmotivada separación
         del territorio peruano, acompañada de los documentos principales sobre los moti-
         vos de queja alegados por ese funcionario. Lima: Imprenta del Estado por Eusebio
         Aranda.

PEZET, Juan Antonio
1867   «Exposición del General don Juan Antonio Pezet ex-presidente del Perú». En *La*
         administración del General don Juan Antonio Pezet en la República del Perú. París:
         Imprenta Parisiense Guyot y Scribe.

PHELAN, John Leddy
1967   *The Kingdom of Quito in the Seventeenth Century: Bureaucratic Politics in the Spa-*
         nish Empire. Madison: University of Wisconsin Press.

PHILIP, George
1978   *The Rise and Fall of the Peruvian Military Radicals, 1968-1976.* Londres: Athlone
         Press.

PIETSCHMANN, Horst
1998   «Corrupción en las Indias españoles: revisión de un debate en la historiografía so-
         bre Hispanoamérica colonial». En Manuel González Jiménez, et ál. (eds.). *Institucio-*
         nes y corrupción en el historia. Valladolid: Universidad de Valladolid, pp. 33-52.

PINELO, Adalberto
1973   *The Multinational Corporation as a Force in Latin American Politics: A Case Study*
         of the International Petroleum Company in Peru. Nueva York: Praeger.

POCOCK, J.G.A
1975   *The Machiavellian Moment: Florentine Political Thought and the Atlantic Republi-*
         can Tradition. Princeton, N. J.: Princeton University Press.

POMAR, Manuel Ángel del
1986   *Autonomía e idoneidad en el Poder Judicial: fundamentos para una acusación*
         constitucional. Lima: Editorial Justicia y Derecho.

PORTA, Donatella della y Alberto VANNUCCI
1999   *Corrupt Exchanges: Actors, Resources, and Mechanisms of Political Corruption.*
         Hawthorne, N. Y.: Aldine de Gruyter.

2006   «A Typology of Corrupt Networks». En J. Kawata (ed.). *Comparing Political Corrup-*
         tion and Clientelism. Aldershot, Hampshire: Ashgate, pp. 23-44.

PORTOCARRERO MAISCH, Gonzalo
1982   «La oligarquía frente a la reivindicación democrática (las opciones de la derecha en las elecciones de 1936)». En *Apuntes* 12, pp. 61-73.

1983   *De Bustamante a Odría: el fracaso del Frente Democrático Nacional, 1945-1950.* Lima: Mosca Azul.

PORTOCARRERO SUÁREZ, Felipe
1995   *Imperio Prado, 1890-1970.* Lima: Centro de Investigación de la Universidad del Pacífico.

PORTOCARRERO SUÁREZ, Felipe, Arlette BELTRÁN y Alex ZIMMERMAN
1998   *Inversiones públicas en el Perú (1900-1968): una aproximación cuantitativa.* Lima: Centro de Investigación de la Universidad del Pacífico.

PORTOCARRERO SUÁREZ, Felipe y Luis CAMACHO
2005   «Impulsos moralizadores: el caso del Tribunal de Sanción Nacional 1930-1931». En Felipe Portocarrero Suárez (ed.). *El pacto infame: estudios sobre la corrupción en el Perú.* Lima: Red de Ciencias Sociales, pp. 35-73.

POSADA-CARBÓ, Eduardo
2000   «Electoral Juggling: A Comparative History of the Corruption of Suffrage in Latin America, 1830-1930». En *Journal of Latin American Studies* 32, pp. 611-644.

PREEG, Ernest H.
1981   *The Evolution of a Revolution: Peru and Its Relations with the United States, 1968-1980.* Washington, D. C.: NPA Committee on Changing International Realities.

PRIETO CELI, Federico
1979   *El deportado: biografía de Eudocio Ravines.* Lima: Editorial Andina.

PROCTOR, Robert
1824   *Narrative of a Journey Across the Cordillera of the Andes, and of Residence in Lima and Other Parts of Peru, in the Years 1823 and 1824.* Londres: Thomas Davison.

PROGRESOS DEL PERÚ
1945   *Progresos del Perú 1933-1939 durante el gobierno del Presidente de la República General Oscar R. Benavides.* Buenos Aires: Editorial Guillermo Kraft.

PUENTE, José de la
1992   *Encomienda y encomenderos en el Perú: estudio social y político de una institución colonial.* Sevilla: Diputación Provincial.

PUTNAM, Robert D. Robert LEONARDI y Raffaella Y. NANETTI
1993   *Making Democracy Work: Civic Traditions in Modern Italy.* Princeton, N. J.: Princeton University Press.

QUIMPER, José María
1880   *Exposición del Dr. D. José María Quimper: a los hombres de bien.* Lima: Imprenta de El Nacional.

1881   *Manifiesto del ex-Ministro de Hacienda y Comercio: J. M. Quimper, a la Nación.* Lima: Imprenta F. Masías e Hijo.

1886   *Las propuestas de los tenedores de bonos por J. M. Q.* Lima: Imprenta de La Época.

1948   *El principio de libertad.* Editado por Alberto Tauro del Pino. Lima: Ediciones Hora del Hombre.

QUINTEROS, Víctor Manuel
2008   «Todos los caminos conducen al SIN». En *Derechos Humanos en Línea 17*, junio.

QUIRÓS SALINAS, Rafael
2000   *Los Quirós: una familia criolla en la historia del Perú.* 2 vols. Lima: Propaceb.

QUIRÓS Y ALLIER, Compañía
1849   *Exposición que Quirós y Allier hacen a los señores diputados que componen la Comisión de Hacienda.* Lima: Imprenta de J. Masías.

QUIROZ, Alfonso W.
1983   «Las actividades comerciales y financieras de la casa Grace y la Guerra del Pacífico». En *Histórica 7*, pp. 214-254.

1987a   *La deuda defraudada: consolidación de 1850 y dominio económico en el Perú.* Lima: Instituto Nacional de Cultura.

1987b   «Estructura económica y desarrollos regionales de la clase dominante, 1821-1850». En Alberto Flores-Galindo (ed.). *Independencia y revolución (1780-1840).* Lima: Instituto Nacional de Cultura, vol. 2, pp. 201-267.

1993a   *Deudas olvidadas: instrumentos de crédito en la economía colonial peruana, 1750-1820.* Lima: Pontificia Universidad Católica del Perú.

1993b   *Domestic and Foreign Finance in Modern Peru, 1850-1950: Financing Visions of Development.* Londres y Pittsburgh: Macmillan y University of Pittsburgh Press.

1994   «Reassessing the Role of Credit in Late Colonial Peru: *Censos, Escrituras,* and *Imposiciones*». En *Hispanic American Historical Review* 74, pp. 193-230.

2000   «Historiadelacorrupciónenel Perú:¿esfactiblesuestudio?».EnGuillermoLohmann,et ál.(eds.). *HomenajeaFélixDenegriLuna.* Lima:PontificiaUniversidadCatólicadelPerú, pp. 685-690.

2003   «Implicit Costs of Empire: Bureaucratic Corruption in Nineteenth-Century Cuba». En *Journal of Latin American Studies* 35, pp. 473-511.

2004   «Basadre y su análisis de la corrupción en el Perú». En Scarlett O'Phelan y Mónica Ricketts (eds.). *Homenaje a Jorge Basadre: el hombre, su obra y su tiempo.* Lima: Instituto Riva-Agüero, Pontificia Universidad Católica del Perú, pp. 145-170.

2006   «Redes de alta corrupción en el Perú: poder y venalidad desde el virrey Amat a Montesinos». En *Revista de Indias* 66, pp. 237-248.

QUIROZ CHUECA, Francisco
1999   «Movimiento de tierra y de piso: el terremoto de 1746, la corrupción en el Callao y los cambios borbónicos». En *Investigaciones Sociales* 3: 4, pp. 37-50.

RAMÍREZ GASTÓN, J. M.
1969   *Política económica y financiera: Manuel Prado, sus gobiernos de 1939-45 y 1956-62. Apuntes para la historia económica.* Lima: Editorial Literaria La Confianza.

Ramos Gómez, Luis J.
2003   «Los intentos del virrey Eslava y del presidente Araujo en 1740 para obtener prés-
        tamos del comercio del Perú desplazado a Quito y la requisa de 100,000 pesos en
        1741». En *Revista de Indias* 63, pp. 649-674.

Ramos Núñez, Carlos
1993   *Toribio Pacheco: jurista peruano del siglo XIX.* Lima: Pontificia Universidad Católica
        del Perú.

2001   *Historia del Derecho Civil peruano, siglos XIX y XX: la codificación del siglo XIX, los
        códigos de la Confederación y el Código Civil de 1852,* vol. 2. Lima: Pontificia Uni-
        versidad Católica del Perú.

2002   *Historia del Derecho Civil peruano, siglos XIX y XX: los jurisconsultos El Murciélago y
        Francisco García Calderón,* vol. 3. Lima: Pontificia Universidad Católica del Perú.

Real Academia de la Historia
1867   *Colección de documentos inéditos para la historia de España.* Madrid: Real Acade-
        mia de la Historia.

Real Academia Española
1729-1737   *Diccionario de lengua castellana* [de Autoridades]. Madrid: Imprenta de Francisco
        del Hierro, y Madrid: Herederos de Francisco del Hierro.

Rénique, José Luis
2004   *La batalla por Puno: conflicto agrario y nación en los Andes peruanos.* Lima: Insti-
        tuto de Estudios Peruanos, Sur, Cepes.

Retamozo Linares, Alberto
2000   *Responsabilidad civil del Estado por corrupción de funcionarios públicos.* Lima:
        N & S Editores.

Reyna, Carlos
2000   *La anunciación de Fujimori: Alan García, 1985-1990.* Lima: Desco.

Richardson, Jeremy J. (ed.)
1993   *Pressure Groups.* Oxford: Oxford University Press.

Ricketts, Mónica
2007   «Pens, Politics, and Swords: The Struggle for Power during the Breakdown of the
        Spanish Empire in Peru and Spain, 1760-1830». Tesis doctoral. Cambridge, Mass.:
        Harvard University.

Riva-Agüero, José
1824   *Exposición de don José de la Riva-Agüero acerca de su conducta política en el tiem-
        po que ejerció la presidencia de la República del Perú.* Londres: C. Wood.

Rivadeneyra, José G.
1882   *Breves observaciones sobre los derechos de Cochet y Landreau a propósito de la
        gran compañía Americana destinada a explotar el Perú.* Valparaíso: s. p. i.

Rivero, Francisco
1861   *Reflexiones sobre una carta del doctor Luis Mesones publicada el 13 de diciembre
        de 1860 en el n.° 6693 del periódico Comercio de Lima.* París: Imprenta Tipográfica
        de G. Kugelmann.

RIZO-PATRÓN, Paul
2000   *Linaje, dote y poder: la nobleza de Lima de 1700 a 1850*. Lima: Pontificia Universidad Católica del Perú.

2001   «Las emigraciones de los súbditos realistas del Perú a España durante la crisis de la independencia». En Scarlett O'Phelan (ed.). *La independencia en el Perú: de los Borbones a Bolívar*. Lima: Instituto Riva-Agüero, Pontificia Universidad Católica del Perú, pp. 407-428.

ROBERTSON, John P. y William P. ROBERTSON
1843   *Letters on South America*. Londres: J. Murray.

ROBLES ASCURRA, César
2000   *El ocaso de la década infame: el comienzo del fin del fujimorismo*. Lima: s. p. i.

ROBLES EGEA, Antonio (ed.)
1996   *Política en penumbra: patronazgo y clientelismo políticos en la España contemporánea*. Madrid: Siglo Veintiuno.

RODRÍGUEZ, Eduardo («Heduardo»)
1990   *La historia según Heduardo*. Lima: Empresa Editora Caretas.

RONIGER, Luis y Ayşe GÜNEŞ-AYATA (eds.)
1994   *Democracy, Clientelism, and Civil Society*. Boulder, Col.: Lynne Rienner.

ROSAS, Francisco
1881   *La verdad sobre el contrato Rosas-Goyeneche y sobre los contratos Piérola-Dreyfus*. París: Imprenta Hispano-Americana.

ROSE-ACKERMAN, Susan
1999   *Corruption and Government: Causes, Consequences, and Reform*. Nueva York: Cambridge University Press.

ROSEN, Keith y Richard DOWNES
1999   *Corruption and Political Reform in Brazil: The Impact of Collor's Impeachment*. Coral Gables, Fla.: North-South Center Press, University of Miami.

ROSPIGLIOSI, Fernando
2000a   *Montesinos y las Fuerzas Armadas: cómo controló durante una década las instituciones militares*. Lima: Instituto de Estudios Peruanos.

2000b   *El arte del engaño: las relaciones entre los militares y la prensa*. Lima: Tarea.

ROUGEMONT, Philippe de
1883   *Una pájina de la dictadura de D. Nicolás de Piérola*. París: Imprenta Cosmopolita.

RUBINSTEIN, W. D.
1983   «The End of "Old Corruption" in Britain 1780-1860». En *Past and Present* 101, pp. 5-86.

RUDOLPH, James D.
1992   *Peru: The Evolution of a Crisis*. Westport, Conn.: Praeger.

RUZO, Daniel
1870   *Los consignatarios del huano y muy especialmente los titulados nacionales según su propia confesión en los contratos de préstamos y prórrogas: documentos oficia-*

les para la historia financiera del Perú recogidos y publicados por el Dr. D. Daniel Ruzo. Lima: Imprenta de la Sociedad.

SÁENZ-RICO, Alfredo
1967   *El virrey Amat: precisiones sobre la vida y la obra de don Manuel de Amat y de Junyent.* Barcelona: Museo de Historia de la Ciudad. 2 vols.

1978   «Las acusaciones contra el virrey del Perú, marqués de Castelldosrius, y sus "noticias reservadas" (febrero 1709)». En *Boletín Americanista* 28, pp. 119-135.

SAGUIER, Eduardo
1989   «La corrupción administrativa como mecanismo de acumulación y engendrador de una burguesía comercial local». En *Anuario de Estudios Americanos* 46, pp. 261-303.

SALA I VILA, Núria
1996   *Y se armó el tole tole: tributo indígena y movimientos sociales en el virreinato del Perú, 1784-1814.* Huamanga: Instituto de Estudios Rurales José María Arguedas.

2004   «La escenificación del poder: el marqués de Castelldosrius, primer virrey Borbón del Perú (1707-1710)». En *Anuario de Estudios Americanos* 61: 1, pp. 31-68.

SALAMANCA, Bartolomé
1900   «Relación de gobierno que forma Bartolomé María de Salamanca». En *Boletín de la Sociedad Geográfica de Lima* 10, pp. 207-236 y 312-337.

SALAZAR LARRAÍN, Arturo
1977   *La herencia de Velasco, 1968-1975: el pueblo quedó atrás.* Lima: Desa.

SALINAS SEDÓ, Jaime
1997   *Desde el Real Felipe: en defensa de la democracia.* Lima: Mosca Azul.

SAMPFORD, Charles, Arthur SHACKLOCK y Carmel CONNORS (eds.)
2006   *Measuring Corruption.* Aldershot, Hampshire: Ashgate.

SÁNCHEZ, Luis Alberto
1976   *Mito y realidad de González Prada.* Lima: P. L. Villanueva.

1993   *Leguía: el dictador.* Lima: Editorial Pachacútec.

SÁNCHEZ SOLER, Mariano
1990   *Villaverde: fortuna y caída de la Casa Franco.* Barcelona: Planeta.

2003   *Negocios privados con dinero público: el vademécum de la corrupción de los políticos españoles.* Madrid: Foca.

SANZ, Toribio
1868   *Guano: comunicaciones importantes del Señor Toribio Sanz, Inspector General de las consignaciones de guano con el despacho de Hacienda y Comercio, públicas por acuerdo de la H. Cámara de Diputados.* Lima: Imprenta de El Comercio.

SAULNIERS, Alfred H.
1988   *Public Enterprises in Peru: Public Sector Growth and Reform.* Boulder, Col.: Westview Press.

SAVAGE, James D.
1994   «Corruption and Virtue at the Constitutional Convention». En *Journal of Politics* 56, pp. 174-186.

SCHULTE-BOCKHOLT, Alfredo
2006   *The Politics of Organized Crime and the Organized Crime of Politics.* Lanham, Md.: Lexington Books.

SCHYDLOWSKY, Daniel
1986   «The Tragedy of Lost Opportunity in Peru». En Jonathan Hartlyn y Samuel Morley (eds.). *Latin American Political Economy: Financial Crisis and Political Change.* Boulder, Col.: Westview Press, pp. 217-242.

SCHYDLOWSKY, Daniel y Juan WICHT
1979   *Anatomía de un fracaso económico: Perú, 1968-1978.* Lima: Centro de Investigación de la Universidad del Pacífico.

SCOTT, James C.
1972   *Comparative Political Corruption.* Englewood Cliffs, N. J.: Prentice-Hall.

SECADA, C. Alexander G. de
1985   «Arms, Guano, and Shipping: The W. R. Grace Interests in Peru, 1865-1885». En *Business History Review* 59, pp. 597-621.

SELIGSON, Mitchell
2002   «The Impact of Corruption on Regime Legitimacy: A Comparative Study of Four Latin American Countries». En *Journal of Politics* 64: 2, pp. 408-433.

SEMINARIO, Bruno y Arlette BELTRÁN
1998   *Crecimiento económico en el Perú: 1896-1995.* Lima: Centro de Investigación de la Universidad del Pacífico.

SHLEIFER, Andrei y Robert VISHNY
1998   *The Grabbing Hand: Government Pathologies and Their Cures.* Cambridge: Cambridge University Press.

SIMPSON, Lesley Byrd
1933   «Review of *Indian Labor in the Spanish Colonies* by Ruth Kerns Barber». En *Hispanic American Historical Review* 13, pp. 363-364.

SMITH, Peter H.
2000   *Talons of Eagles: Dynamics of U. S.–Latin American Relations.* 2.ª ed. Nueva York: Oxford University Press.

SOCOLOW, Susan
1987   *The Bureaucrats of Buenos Aires, 1769-1810: Amor al Real Servicio.* Durham, N. C.: Duke University Press.

SOLANO PÉREZ-LILA, Francisco de
1999   *La pasión por reformar: Antonio de Ulloa, marino y científico 1716-1795.* Sevilla: Escuela de Estudios Hispano-Americanos, Universidad de Cádiz.

SOLER SERRANO, Joaquín
1983   *Pérez Jiménez se confiesa.* Barcelona: Ediciones Dronte.

SORJ, Bernardo
1983   «Public Enterprises and the Question of the State Bourgeoisie, 1969-1976». En Da-
        vid Booth y Bernardo Sorj (eds.). *Military Reformism and Social Classes: The Peru-
        vian Experience, 1968-80.* Nueva York: St. Martin's Press, pp. 72-93.

S. T.
1832   *Informe [sobre el contrabando].* Lima: Imprenta de José M. Masías.

STAPENHURST, Rick y Sahr KPUNDEH
1999   *Curbing Corruption: Toward a Model for Building National Integrity.* Washington,
        D. C.: Banco Mundial.

STEIN, Stanley
1981   «Bureaucracy and Business in Spanish America, 1759-1804: Failure of a Bourbon
        Reform in Mexico and Peru». En *Hispanic American Historical Review* 61, pp. 2-28.

STEIN, Steve
1980   *Populism in Peru: The Emergence of the Masses and Social Control.* Madison: Uni-
        versity of Wisconsin Press.

STEWART, Watt
1946   *Henry Meiggs: Yankee Pizarro.* Durham, N. C.: Duke University Press.

1951   *Chinese Bondage in Peru: A History of the Chinese Coolie in Peru, 1849-1874.* Wes-
        tport, Conn.: Greenwood Press.

SUÁREZ, Margarita
1995   *Comercio y fraude en el Perú colonial: las estrategias mercantiles de un banquero.*
        Lima: Instituto de Estudios Peruanos.

2001   *Desafíos transatlánticos: mercaderes, banqueros y Estado en el Perú virreinal,
        1600-1700.* Lima: Pontificia Universidad Católica del Perú.

TAMARIZ LÚCAR, Domingo (ed.)
2001   *Montesinos: toda la historia.* Lima: Caretas Dossier.

TAURO DEL PINO, Alberto
1987   *Enciclopedia ilustrada del Perú.* Lima: Peisa. 6 vols.

TÁVARA, Santiago
1856   *Administración del huano escrita con motivo de la moción del H. Diputado por
        Parinacochas.* Lima: Imprenta de El Comercio.

TELLA, Rafael di y William SAVEDOFF
2001   «Shining Light in Dark Corners». En Rafael di Tella y William Savedoff (eds.) *Diagno-
        sis Corruption: Fraud in Latin America's Public Hospitals.* Washington, D. C.: Banco
        Interamericano de Desarrollo, pp. 1-26.

TEPASKE, John J. y Herbert S. KLEIN con Kendall BROWN
1982   *The Royal Treasuries of the Spanish Empire in America,* vol. 1: *Peru.* Durham, N. C.:
        Duke University Press.

TEPASKE, John J. y Herbert S. KLEIN con Kendall BROWN y Richard GARNER
2005   «Annual Silver Data: Colonial Lower and Upper Peru, 1559-1821». Disponible en:
        <http://home.comcast.net/~richardgarner05/TPfiles/PeruS.xls>.

THORP, Rosemary y Geoffrey BERTRAM
1978   *Peru 1890-1977: growth and policy in an open economy*. London: MacMillan.

TOLEDO BRÜCKMANN, Ernesto
2001   *¿¡Hasta cuándo!?: la prensa peruana y el fin del fujimorato*. Lima: Editorial San Marcos.

TORRES, Andrés
1993   *La financiación irregular del PSOE; seguido de las armas del poder*. Barcelona: Ediciones de la Tempestad.

TORRES ARANCIVIA, Eduardo
2006   *Corte de virreyes: el entorno del poder en el Perú del siglo XVII*. Lima: Pontificia Universidad Católica del Perú.

TORRES PAZ, José Andrés
1877   *La oligarquía y la crisis: disertación leída en la Sociedad «Jurídica-Literaria» en sesión del 29 de agosto de 1877*. Lima: Imprenta del Teatro.

TORRICO, Joaquín
1867   *Informe del fiscal de la Corte Central Sr. Coronel Joaquín Torrico en la vista de la causa Tratado Vivanco-Pareja de 27 de enero de 1865*. Lima: Imprenta del Estado por J. E. del Campo.

1877   *Manifestación documentada que eleva al soberano Congreso de 1876 el Coronel Joaquín Torrico, en su carácter de la Comisión de Delegados Fiscales del Perú en Londres*. Lima: Imprenta de La Patria.

TRAZEGNIES, Fernando de
1992   *La idea del derecho en el Perú republicano del siglo XIX*. Lima: Pontificia Universidad Católica del Perú.

TRISTÁN, Flora
2003   *Peregrinaciones de una paria, 1833-1834*. Editado por Fernando Rosas. Arequipa: Ediciones El Lector.

TURISO, Jesús
2002   *Comerciantes españoles en la Lima borbónica: anatomía de una élite de poder (1701-1761)*. Valladolid: Universidad de Valladolid.

UGARTECHE, Pedro
1969   *Sánchez Cerro: papeles y recuerdos de un presidente del Perú*. Lima: Editorial Universitaria.

ULLOA SOTOMAYOR, Alberto
1981   *Don Nicolás de Piérola: una época en la historia del Perú*. Lima: Minerva.

URQUIZA, José Manuel
2005   *Corrupción municipal: por qué se produce y cómo evitarla*. Córdoba: Editorial Almuzara.

U. S. CONGRESS
1869   *Investigación acerca de la venta hecha por el gobierno de los Estados Unidos de los monitores Oneoto y Catawba hoy Manco-Cápac y Atahualpa*. Lima: Imprenta El Nacional.

1932   Senate. Committee on Finance. *Sale of Foreign Bonds or Securities in the United States. Hearings*, part 3, January 8-15, 1932. Washington, D. C.: Government Printing Office.

1934   Senate. Special Committee to Investigate the Munitions Industry. *Munitions Industry: Hearings [...] Seventy-Third Congress Pursuant to S. Res. 206, a Resolution to Make Certain Investigations Concerning the Manufacture and Sale of Arms and Other War Munitions*, part 1 (September 4, 5, and 6, 1934, Electric Boat Co.). Washington, D. C.: Government Printing Office.

1992   House of Representatives. *The Situation in Peru and the Future of the War on Drugs: Joint Hearing before the Subcommittee on Western Hemisphere Affairs and Task Force on International Narcotics Control, 102nd Congress, 7 May 1992*. Washington, D. C.: Government Printing Office.

1993   House of Representatives. Committee on Foreign Affairs. *Peru: U. S. Priorities and Policies: Hearing before the Subcommittee on Western Hemisphere Affairs of the Committee on Foreign Affairs, House of Representatives, 103rd Congress, 1st Session, March 10, 1993*. Washington, D. C.: Government Printing Office.

U. S. DEPARTMENT OF STATE
1873-1947   *Papers Relating to the Foreign Relations of the United States*. 1872-1931. Washington, D. C.: Government Printing Office.

1947-1969   *Foreign Relations of the United States: Diplomatic Papers*. 1932-1945. Washington, D. C.: Government Printing Office.

1969-2004   *Foreign Relations of the United States*. 1946-1968. Washington, D. C.: Government Printing Office.

VALDIVIA, Juan Gualberto
1874   *Memorias sobre las revoluciones de Arequipa desde 1834 hasta 1866*. Lima: Imprenta de La Opinión Nacional.

VARELA, Consuelo
2006   *La caída de Cristóbal Colón*. Editado y transcrito por Isabel Aguirre. Madrid: Marcial Pons.

VARGAS HAYA, Héctor
1976   *Contrabando*. Lima: Offset Peruana.

1980   *Defraudadores y contrabandistas*. Lima: Nueva Educación.

1984   *Democracia o farsa*. Lima: Atlántida.

1994   *Frustración democrática y corrupción en el Perú*. Lima: Editorial Milla Batres.

2001   *Hacia la reforma del Estado: camino a la segunda república*. Lima: Edigrama.

2005   *Perú: 184 años de corrupción e impunidad*. Lima: Editorial Rocío.

VARGAS LLOSA, Álvaro
1993   *La contenta barbarie: el fin de la democracia en el Perú y la futura revolución liberal como esperanza de la América Latina*. Barcelona: Editorial Planeta.

2005   *Liberty for Latin America: How to Undo Five Hundred Years of State Opression*. Nueva York: Farrar, Straus & Giroux.

VARGAS LLOSA, Mario
1963   *La ciudad y los perros*. Barcelona: Seix Barral.

1966   *La casa verde*. Barcelona: Seix Barral.

1969   *Conversación en La Catedral*. Barcelona: Seix Barral.

1983   *Contra viento y marea (1962-1982)*. Barcelona: Seix Barral.

1991   «A Fish Out of the Water». En *Granta* 36, pp. 15-75.

1993   *El pez en el agua: memorias*. Barcelona: Seix Barral.

VARÓN, Rafael
1996   *La ilusión del poder: apogeo y decadencia de los Pizarro en la conquista del Perú*.
        Lima: Instituto de Estudios Peruanos, Instituto Francés de Estudios Andinos.

VÁSQUEZ, Enrique
2000   *Estrategias del poder: grupos económicos en el Perú*. Lima: Centro de Investigación
        de la Universidad del Pacífico.

VÁSQUEZ BAZÁN, César
1987   *La propuesta olvidada*. Lima: Okura Editores.

VELARDE, Julio y Martha RODRÍGUEZ
1989   *Impacto macro económico de los gastos militares en el Perú, 1960-1987*. Lima:
        Centro de Investigación de la Universidad del Pacífico, Apep.

VELARDE, Manuel
1886   *El general Velarde ex-ministro de Gobierno y el contrato Grace*. Lima: Imprenta de
        La Época.

VIDAL, Francisco
1949   «Memoria escrita en 1855, después de la Batalla de La Palma». En *Fénix: Revista de
        la Biblioteca Nacional* 6, pp. 595-640.

VILLANUEVA, Armando y Guillermo THORNDIKE
2004   *La gran persecución (1932-1956)*. Lima: Correo-Epensa.

VILLANUEVA, Víctor
1962   *El militarismo en el Perú*. Lima: Imprenta Scheuch.

1973a   *El Ejército peruano: del caudillaje anárquico al militarismo reformista*. Lima: Edito-
        rial Juan Mejía Baca.

1973b   *La sublevación aprista del 48*. Lima: Milla Batres.

1975   *El APRA en busca del poder*. Lima: Editorial Horizonte.

1977   «The Petty-Bourgeois Ideology of the Peruvian Aprista Party». En *Latin American
        Perspectives* 4, pp. 57-76.

1989   «The Military in Peruvian Politics, 1919-1945». En Brian Loveman y Thomas Davies
        (eds.) *The Politics of Antipolitics: The Military in Latin America*. Lincoln: University
        of Nebraska, pp. 92-101.

VILLEGAS, Julio
1915   *La crisis moral*. Tésis doctoral, Facultad de Jurisprudencia, Universidad de la Liber-
        tad. Trujillo: Tipografía Olaya.

WALKER, Charles
   1999   *Smoldering Ashes: Cuzco and the Creation of Republican Peru, 1780-1840.* Dur-
           ham, N. C.: Duke University Press.

   2008   *Shaky Colonialism: The 1746 Earthquake in Lima, Peru, and Its Long Aftermath.*
           Durham, N. C.: Duke University Press.

WALKER, Geoffrey
   1979   *Spanish Politics and Imperial Trade, 1700-1789.* Bloomington: Indiana University
           Press.

WALLIS, JOHN JOSEPH
   2006   «The Concept of Systematic Corruption in American History». En Edward Glaeser
           y Claudia Goldin (eds.). *Corruption and Reform: Lessons from America's Economic
           History.* Chicago: University of Chicago Press, pp. 23-62.

WAQUET, Jean-Claude
   1991   *Corrruption: Ethics and Power in Florence, 1600-1700.* Cambridge, Mass.: Polity
           Press.

   1996   «Some Considerations on Corruption, Politics, and Society in Sixteenth and Seven-
           teenth Century Italy». En Walter Little y Eduardo Posada-Carbó (eds.). *Political Co-
           rruption in Europe and Latin America.* Londres: Macmillan, pp. 21-40.

WARD, Peter (ed.)
   1989   *Corruption, Development, and Inequality: Soft Touch or Hard Graft?* Londres:
           Routledge.

WEI, Shang-Jin
   1999   «Impact of Corruption on Levels of International Investment». En *El Estado y la
           sociedad civil en la lucha contra la corrupción.* Lima: Ministerio Público, pp. 51-67.

WEYLAND, Kurt
   1998   «The Politics of Corruption in Latin America». En *Journal of Democracy* 9,
           pp. 108-121.

WHITAKER, Arthur Preston
   1935   «Antonio de Ulloa». En *Hispanic American Historical Review* 15, pp. 155-194.

   1938   «Documents: Jorge Juan and Antonio de Ulloa's Prologue to Their Secret Report of
           1749 on Peru». En *Hispanic American Historical Review* 18, pp. 507-513.

   1941   *The Huancavelica Mercury Mine: A Contribution to the History of the Bourbon Re-
           naissance in the Spanish Empire.* Cambridge, Mass.: Harvard University Press.

WHITEHEAD, Laurence
   1983   «On Presidential Graft: The Latin American Evidence». En Michael Clarke (ed.).
           Corruption: Causes, Consequences, and Control. Nueva York: St. Martin's Press,
           pp. 142-162.

   2000   «High-Level Political Corruption in Latin America: A "Transitional" Phenomenon?».
           En Joseph Tulchin y Ralph Espach (eds.). *Combating Corruption in Latin America.*
           Washington, D. C.: Woodrow Wilson Center Press, Johns Hopkins University Press,
           pp. 107-129.

WIENER FRESCO, Raúl A.
1996   La venta sucia: la privatización de Petroperú como fraude a la nación. Lima: s. p. i.

2001   Bandido Fujimori: el reeleccionista. 2.ª ed. Lima: WWW Editores.

2011   Fe de ratas: historias de corrupción, veinticinco años de política peruana. Lima: Rotativa Service SAC.

WILLIAMS, Robert y Alan DOIG (eds.)
2000   Controlling Corruption. Cheltenham, R. U., y Northampton, Mass.: Eward Elgar.

WILSON, Graham K.
1990   Interest Groups. Oxford: Basil Blackwell.

WISE, Carol
2003   Reinventando el Estado: estrategia económica y cambio institucional en el Perú. Lima: Universidad del Pacífico.

WITT, Heinrich
1987   Diario y observaciones sobre el Perú (1824-1890). Traducción de Kika Garland de Montero y prólogo de Pablo Macera. Lima: Cofide.

1992   Diario 1824-1890: un testimonio personal sobre el Perú del siglo XIX. Traducción de Gladys Flores-Estrada Garland. Lima: Banco Mercantil. 2 vols.

WITT & SCHUTTE
1867   Consignatarios del guano. Lima: s. p. i.

WOY-HAZELTON, Sandra y William HAZELTON
1987   «Sustaining Democracy in Peru: Dealing with Parliamentary and Revolutionary Changes». En George Lopez y Michael Stohl (eds.). Liberalization and Redemocratization in Latin America. Westport, Conn.: Greenwood Press, pp. 105-135.

WU, Celia
1991   Generals and Diplomats: Great Britain and Peru, 1820-40. Cambridge: Centre of Latin American Studies, University of Cambridge.

YEPES DEL CASTILLO, Ernesto
1972   Perú 1820-1920: un siglo de desarrollo capitalista. Lima: Instituto de Estudios Peruanos.

YOUNGERS, Coletta, Eileen ROSIN y Lucien O. CHAUVIN
2004   «Drug Paradoxes: The U. S. Government and Peru's Vladimiro Montesinos». En Drug War Monitor 3, julio, pp. 1-18.

ZEGARRA, Luis Felipe
2000   Causas y consecuencias de la corrupción: un análisis teórico y empírico. Lima: Centro de Investigación de la Universidad del Pacífico.

Publicaciones periódicas

Caretas. Lima, 1950-2011.

Correo. Lima, 1986-2007.

El Cascabel. Lima, 1872-1873.

El Comercio. Lima, 1839-2011.

El Peruano. Lima, 1855-2011.

El Republicano. Arequipa, 1825-1827.

Fray K Bezón. Lima, 1907-1908.

Gaceta del Gobierno. Lima, 1835.

La Campana. Lima, 1867.

La Gaceta del Congreso. Lima, 2003-2007.

La República. Lima, 1982-2011.

La Sanción. Lima, 1933.

La Zamacueca Política. Lima, 1859.

Liberación. Lima, 2000-2005.

Mercurio Peruano. Lima, 1827-1840.

New York Times. Nueva York, 1851-2007.

Perú21. Lima, 2002-2007.

Rochabús. Lima, 1957-1958.

Suácate. Lima, 1945.

Variedades. Lima, 1908-1932.

Miguel Ángel Centeno, sociólogo, jefe del departamento de Sociología de la Universidad de Princeton y director de la cátedra Musgrave. Es autor de numerosos artículos, capítulos, libros y volúmenes. Reconocido por su libro *Blood and Debt: War and Statemaking in Latin America* (Penn State University Press, 2002), sus publicaciones más recientes son: *War and Society* (Polity, 2016); *Global Capitalism* (Polity, 2010); *States in the Developing World* (Cambridge University Press, 2017) y *State and Nation Making in the Iberian World* (Cambridge University Press, 2013, vol. I; 2018, vol. II). Es fundador de la Research Community on Global Systemic Risk, publicación financiada por PIIRS (disponible en: <http://risk.princeton.edu>). Actualmente está escribiendo un libro sobre la sociología de la disciplina.

Marcos Cueto, historiador, doctor en Historia por la Universidad de Columbia, Nueva York. Es autor de numerosos trabajos de historia de la Ciencia y de la Salud sobre América Latina y el Perú. Entre sus publicaciones destaca *El Regreso de las epidemias. Salud y sociedad en el Perú del siglo XX* (IEP, 1999), libro que obtuvo el Premio Iberoamericano del Latin American Studies Association; así como *Historia del Perú contemporáneo*, coescrito con Carlos Contreras y editado por el IEP, el cual actualmente va en su sexta edición. Recientemente publicó, con el historiador Steve Palmer, el libro *Medicine and Public Health in Latin America: A History* (Cambridge University Press, 2014) el cual obtuvo el George Rosen Award 2017 de la Sociedad Norteamericana de Historia de la Medicina. Actualmente se desempeña como profesor de Historia en la Fundação Oswaldo Cruz (Fiocruz), en Río de Janeiro, y como editor de la revista *História, Ciências, Saúde-Manguinhos* que se publica en esa ciudad.

Gustavo Gorriti, periodista. A lo largo de los años ha cubierto política, cultura y asuntos sociales de América Central, América del Sur y el Caribe. Ha sido codirector del diario *La República*, director adjunto de *La Prensa* de Panamá y presidente del Instituto de Prensa y Sociedad (IPYS). Asimismo, ha trabajado para la revista *Caretas* y ha sido un colaborador frecuente de publicaciones internacionales, incluyendo *The New York Times* y *Los Angeles Times*. Entre sus libros se cuentan: *Sendero: historia de la guerra milenaria en el Perú* (1990), *La calavera en negro. El traficante que quiso gobernar un país* (Planeta, 2006) y *La batalla* (Planeta, 2019). Ha obtenido distinciones internacionales, entre ellas el Premio Nuevo Periodismo CEMEX+FNPI en la modalidad Homenaje, el premio María Moors Cabot, el premio CPJ International Press Freedom y el Rey de España. Actualmente dirige IDL-Reporteros, una unidad de investigación periodística dentro del Instituto de Defensa Legal destacada por difundir audios y documentación relacionados con el caso Odebrecht.

Se terminó de imprimir en los talleres gráficos de
Tarea Asociación Gráfica Educativa
Pasaje María Auxiliadora 156 - Breña
Correo e.: tareagrafica@tareagrafica.com
Página web: www.tareagrafica.com
Teléf. 332-3229 / 424-8104 / 424-3411
Julio 2019 Lima - Perú

Day of the butterfly